Millennium

Millennium-serien består af

Mænd der hader kvinder, 2005
Pigen der legede med ilden, 2006
Luftkastellet der blev sprængt, 2007

STIEG LARSSON

Luftkastellet der blev sprængt

Oversat af Kamilla Jørgensen

FORLAGET MODTRYK

LUFTKASTELLET DER BLEV SPRÆNGT
Oversat fra svensk efter: LUFTSLOTTET SOM SPRÄNGDES
© Stieg Larsson 2007
Udgivet af Norstedts Förlag, Stockholm 2007
Published by agreement with Norstedts Agency
Omslag: Henrik Koitzsch
Tryk: ScandBook, Falun
4. oplag 2008

ISBN 978-87-7053-092-7

www.modtryk.dk

Del 1

INTERMEZZO
I EN KORRIDOR

8. april til 12. april

Omkring seks hundrede kvinder gjorde tjeneste i Den Amerikanske Borgerkrig. De havde ladet sig hverve forklædt som mænd. Her er Hollywood gået glip af et stykke kulturhistorie – eller er den historie måske for besværlig rent ideologisk? Historiebøgerne har altid haft svært ved at håndtere kvinder, der ikke respekterede kønsbarriererne, og ingen steder er den grænse så skarp som i spørgsmål om krig og våbenbrug.

Fra antikken og op til vor tid indeholder historien dog eksempler på et stort antal fortællinger om kvindelige krigere – amazoner. De bedst kendte eksempler får plads i historiebøgerne, fordi de optræder som "dronninger", det vil sige som repræsentanter for den herskende klasse. Den politiske tronfølge anbringer nemlig, hvor ubehageligt det end kan lyde, med jævne mellemrum en kvinde på tronen. Da krig ikke lader sig bevæge af køn, men også finder sted, når det tilfældigvis er en kvinde, der styrer landet, får det den konsekvens, at historiebøgerne er nødt til at opregne et antal krigsdronninger, der følgelig er nødt til at optræde som en Churchill, en Stalin eller en Roosevelt. Semiramis fra Ninive, der skabte Det Assyriske Rige, og Boadicea, der anførte et af de blodigste oprør mod Romerriget, er et par eksempler. Sidstnævnte står for resten som statue ved brohovedet ved Themsen, lige over for Big Ben. Tag og hils på hende, hvis du kommer forbi.

Derimod er historiebøgerne som regel meget tavse, når det gælder kvindelige krigere som almindelige soldater, der trænede i våbenbrug, indgik i regimenter og deltog i slag mod fjendtlige hære på samme vilkår som mændene. Alligevel har de altid eksisteret. Næsten ingen krige har udspillet sig uden kvindelig deltagelse.

KAPITEL 1

Fredag den 8. april

Dr. ANDERS JONASSON blev vækket af sygeplejerske Hanna Nicander. Klokken var lidt i to om natten.

"Hvad er der?" spurgte han forvirret.

"Helikopter på vej ind. To patienter. En ældre mand og en ung kvinde. Hun har skudsår."

"Okay," sagde Anders Jonasson træt.

Han følte sig helt fortumlet, selv om han kun havde blundet en halv times tid. Han havde nattevagten på akutmodtagelsen på Sahlgrenska Sygehus i Göteborg. Det havde været en frygtelig anstrengende aften. Siden vagten var begyndt klokken 18.00, havde hospitalet taget imod fire personer fra en frontalkollision lige uden for Lindome. Af disse var en hårdt kvæstet, og en blev erklæret død lige efter ankomsten. Han havde også behandlet en servitrice, der havde skoldet benene ved en køkkenulykke på en restaurant på Avenyn, samt reddet et liv – en fireårig dreng – der var ankommet til hospitalet med vejrtrækningsstop efter at have slugt et hjul til en legetøjsbil. Han havde desuden nået at lægge forbinding på en teenagepige, der var cyklet ned i et stort hul. Vejdirektoratet havde ganske belejligt valgt at placere hullet ved afkørslen fra en cykelsti, og nogen havde smidt vejbukkene ned i hullet. Hun var blevet syet med fjorten sting i ansigtet og skulle have to nye fortænder. Jonasson havde også syet et stykke tommelfinger fast, som en entusiastisk gør det selv-mand var kommet til at høvle af.

Ved ellevetiden var antallet af akutte patienter faldet. Han havde gået en runde og kontrolleret de indlagte patienters tilstand og derefter trukket sig tilbage til et hvilerum for at forsøge at slappe lidt af. Han havde vagten indtil klokken 06.00 og plejede sjældent at sove, selv om der ikke kom akutte patienter, men denne nat var han faldet i søvn næsten med det samme.

Hanna Nicander rakte ham et krus te. Hun havde ikke nået at få oplyst nogen detaljer om de indkommende patienter.

Anders Jonasson kastede et blik ud ad vinduet og så, at det lynede voldsomt ude over havet. Helikopteren var virkelig ude i sidste øjeblik. Det begyndte pludselig at regne kraftigt. Uvejret var nået ind over Göteborg.

Mens han stod ved vinduet, hørte han motorlyden og så helikopteren komme slingrende igennem storm og regn hen mod helikopterplatformen. Han holdt vejret, for piloten så ud til at have svært ved at bevare kontrollen. Så forsvandt den ud af hans synsfelt, og han hørte, hvordan motoren gik ned i lavere omdrejninger. Han tog en slurk te og stillede koppen fra sig.

ANDERS JONASSON MØDTE bårerne ved akutmodtagelsen. Hans kollega på vagten Katarina Holm tog sig af den første patient, der blev kørt ind – en ældre mand med et stort sår i ansigtet. Det faldt i dr. Jonassons lod at tage sig af den anden patient, kvinden der var blevet skudt. Han foretog en hurtig besigtigelse og konstaterede, at der tilsyneladende var tale om en teenagepige, meget beskidt og blodig og hårdt såret. Han løftede det tæppe, som Redningstjenesten havde svøbt om hendes krop, og noterede sig, at nogen havde tapet skudsårene i hoften og skulderen til med bred isoleringstape, hvilket han syntes var et usædvanlig kløgtigt initiativ. Tapen holdt bakterier ude og blodet inde. En kugle havde ramt ydersiden af hoften og var gået direkte igennem muskelvævet. Derefter løftede han på hendes skulder og lokaliserede indgangshullet i ryggen. Der var intet udgangshul, hvilket betød, at kuglen stadig sad et eller andet sted i skulderen. Han håbede ikke, at den havde penetreret lungen, men da han ikke kunne se blod i pigens mundhule, drog han den konklusion, at det formentlig ikke var tilfældet.

"Røntgen," sagde han til den assisterende sygeplejerske. Mere behøvede han ikke at sige.

Til sidst klippede han den forbinding op, som Redningstjenestens personel havde viklet omkring hendes hoved. Han blev iskold, da han med fingrene mærkede indgangshullet og indså, at pigen var blevet skudt i hovedet. Heller ikke der var der noget udgangshul.

Anders Jonasson stoppede op et øjeblik og betragtede pigen. Han var pludselig blevet mismodig. Han havde ofte beskrevet sit arbejde som en slags målvogters. Til hans arbejdsplads kom der dagligt mennesker i forskellige helbredstilstande med et eneste formål – at få hjælp. Der var 74-årige damer, som var faldet om i Nordstans Galleria med hjertestop, 14-årige drenge der havde fået venstre lunge penetreret af en skruetrækker, og 16-årige piger der havde gnasket ecstasypiller og danset i atten timer og derefter var faldet om helt blå i hovedet. Der var ofre for arbejdsulykker og vold. Der var småbørn, som var blevet angrebet af kamphunde på Vasaplatsen og handymænd, der bare skulle save nogle brædder til med en Black & Decker, og som var kommet til at skære ind til knoglen i håndleddet.

Anders Jonasson var den målvogter, der stod mellem patienten og bedemanden. Hans arbejde bestod i at være den person, der tog beslutning om, hvilke foranstaltninger der skulle træffes. Hvis han traf den forkerte beslutning, ville patienten dø eller måske vågne op til livsvarig invaliditet. Han traf oftest den rigtige beslutning, hvilket skyldtes, at det store flertal af tilskadekomne havde et åbenlyst og helt specifikt problem. Et knivstik i en lunge eller en kvæstelse efter en bilulykke var overskueligt og til at forstå. Patientens overlevelse afhang af skadens art og af, hvor dygtig han var.

Der var to slags læsioner, Anders Jonasson hadede. Den ene var alvorlige brandsår, der næsten uanset hvilken behandling han satte ind med, ville føre til livslang lidelse. Den anden var læsioner i hovedet.

Pigen foran ham kunne leve med en kugle i hoften og en kugle i skulderen. Men en kugle et eller andet sted inde i hjernen var et problem af en helt anden størrelsesorden. Han hørte pludselig Hanna sige noget.

"Undskyld?"

"Det er hende."

"Hvad mener du?"

"Lisbeth Salander. Den pige, de har jagtet i flere uger for det tredobbelte mord i Stockholm."

Anders Jonasson så på patientens ansigt. Hanna havde helt ret. Det var hendes pasfoto, som han og alle andre svenskere havde set på alle spisesedlerne uden for hver eneste kiosk siden påskeferien.

Og nu var morderen selv blevet skudt, hvilket vel udgjorde en eller anden form for poetisk retfærdighed.

Men det angik ikke ham. Hans arbejde var at redde sin patients liv, uanset om hun var tredobbelt morder eller nobelpristager. Eller ligefrem begge dele.

DEREFTER UDBRØD DET effektive kaos, der præger en akutmodtagelse. Personalet på Jonassons vagt gik rutineret til værks. Det resterende tøj på Lisbeth Salanders krop blev klippet op. En sygeplejerske målte blodtrykket – 100/70 – mens han selv satte stetoskopet mod patientens bryst og lyttede til hjerteslag, der lød forholdsvis regelmæssige, og et åndedræt, der ikke var helt så regelmæssigt.

Dr. Jonasson tøvede ikke med umiddelbart at klassificere Lisbeth Salanders tilstand som kritisk. Sårene i skulder og hofte kunne vente indtil videre med et par kompresser eller selv med de stykker tape, som en eller anden inspireret sjæl havde sat på. Det vigtigste var hovedet. Dr. Jonasson beordrede en computertomografi med den computertomograf, som hospitalet havde investeret skattekroner i.

Anders Jonasson var lyshåret, havde blå øjne og var oprindelig fra Umeå. Han havde arbejdet på Sahlgrenska og Östra Sygehus i tyve år som henholdsvis forsker, patolog og akutlæge. Der var noget særligt ved ham, der forbløffede kollegerne, og som gjorde personalet stolt af at arbejde sammen med ham; han havde den indstilling, at ingen patienter måtte dø på hans vagt, og på en eller anden mirakuløs vis var det faktisk lykkedes ham at holde det på nul. Nogle af hans patienter var ganske vist døde, men det var sket under efterbehandlingen eller af helt andre årsager, ikke på grund af hans indsats.

Jonasson havde også et til tider uortodokst syn på lægekunsten. Han mente, at læger nogle gange havde en tendens til at drage konklusioner, som de ikke havde dækning for, og dermed gav alt for hurtigt op, alternativt brugte for meget tid på at forsøge at finde ud af præcis, hvad der var galt med patienten, for at kunne sætte en korrekt behandling ind. Det var ganske vist også det, lærebogen anbefalede, problemet var bare, at patienten risikerede at dø, mens lægerne spekulerede. I værste fald ville lægen nå frem til den konklusion, at det var et håbløst tilfælde, og afbryde behandlingen.

Anders Jonasson havde dog aldrig tidligere fået en patient ind med en kugle i hovedet. Her var der formentlig brug for en neurokirurg. Han følte sig utilstrækkelig, men indså pludselig, at han muligvis var mere heldig, end han fortjente. Inden han vaskede sig og tog operationstøjet på, råbte han til Hanna Nicander:

"Der er en amerikansk professor ved navn Frank Ellis, som arbejder på Karolinska Sygehus i Stockholm, men som netop nu befinder sig i Göteborg. Han er en kendt hjerneforsker og desuden en god ven af mig. Han bor på Hotel Radisson på Avenyn. Kan du ikke finde telefonnummeret?"

Mens Anders Jonasson stadig ventede på røntgenbillederne, kom Hanna Nicander tilbage med telefonnummeret til Hotel Radisson. Anders Jonasson kastede et blik på uret – 01.42 – og tog røret. Natportieren på Radisson var yderst uvillig til at viderestille nogen som helst samtale på den tid af døgnet, og *dr.* Jonasson måtte forelægge nødsituationen i meget skarpe vendinger, inden samtalen blev viderestillet.

"Godmorgen, Frank," sagde Anders Jonasson, da telefonrøret endelig blev løftet. "Det er Anders. Jeg hørte, at du var i Göteborg. Har du lyst til at komme op på Sahlgrenska Sygehus og assistere mig ved en hjerneoperation?"

"*Are you bullshitting me?*" lød en tvivlende stemme i den anden ende af røret. Selv om Frank Ellis havde boet i Sverige i mange år og talte ubesværet svensk – om end med amerikansk accent – forblev hans grundsprog engelsk. Anders Jonasson talte svensk, og Ellis svarede på engelsk.

"Frank, jeg er ked af, at jeg gik glip af din forelæsning, men jeg tænkte, at du kunne give mig privattimer. Jeg har en ung kvinde, der er blevet skudt i hovedet. Indgangshul lige oven for venstre øre. Jeg ville ikke ringe, hvis jeg ikke havde brug for en second opinion. Og jeg har svært ved at tænke mig nogen bedre person at spørge."

"Er det dit alvor?" spurgte Frank Ellis.

"Det er en pige omkring de femogtyve."

"Og hun er blevet skudt i hovedet?"

"Indgangshul, intet udgangshul."

"Men hun lever?"

"Svag, men regelmæssig puls, mindre regelmæssig vejrtrækning, blodtrykket er 100/70. Hun har desuden en kugle i skulderen og et skudsår i hoften. Det er to problemer, jeg godt kan klare."

"Det lyder jo lovende," sagde professor Ellis.

"Lovende?"

"Hvis et menneske har et skudhul i hovedet og stadig lever, må situationen betragtes som lovende."

"Kan du assistere mig?"

"Jeg må erkende, at jeg tilbragte aftenen i gode venners selskab. Jeg kom i seng klokken et og har formentlig en imponerende promille i blodet ..."

"Jeg træffer beslutningerne og foretager indgrebet. Men jeg har brug for en, der assisterer mig og fortæller mig, om jeg gør noget dumt. Og ærlig talt, en døddrukken professor Ellis er formentlig mange gange bedre end mig, når det drejer sig om at tage stilling til hjerneskader."

"Okay. Jeg kommer. Men du skylder mig en tjeneste."

"Der venter en taxi uden for hotellet."

PROFESSOR FRANK ELLIS skød brillerne op i panden og kløede sig i nakken. Han rettede blikket mod computerskærmen, der viste hver en krinkelkrog af Lisbeth Salanders hjerne. Ellis var 53 år og havde kulsort hår med grå stænk, skægstubbe og lignede en, der havde en birolle i *Skadestuen*. Hans krop tydede på, at han tilbragte en del timer hver uge i et fitnesscenter.

Frank Ellis trivedes i Sverige. Han var kommet til landet som ung udvekslingsforsker i slutningen af 70'erne og var blevet i to år. Derefter var han vendt tilbage gentagne gange, indtil han havde fået tilbudt et professorat ved Karolinska Sygehus. På det tidspunkt var han et internationalt respekteret navn.

Anders Jonasson havde kendt Frank Ellis i fjorten år. De havde mødtes første gang ved et seminar i Stockholm og opdaget, at de begge var entusiastiske fluefiskere, og Anders havde inviteret ham med på en fisketur til Norge. De havde holdt kontakten ved lige gennem årene, og det var blevet til flere fisketure. De havde derimod aldrig arbejdet sammen.

"Hjerner er et mysterium," sagde professor Ellis. "Jeg har beskæftiget mig med hjerneforskning i tyve år. Faktisk endnu længere."

"Jeg ved det. Undskyld, at jeg jog dig ud af fjerene, men ..."

"Ahr." Frank Ellis viftede afværgende med hånden. "Det kommer til at koste dig en flaske Cragganmore næste gang, vi tager ud at fiske."

"Okay. Det var billigt."

"Jeg havde en patient for nogle år siden, da jeg arbejdede i Boston – jeg skrev om sagen i *New England Journal of Medicine*. Det var en pige på samme alder som din patient. Hun var på vej til universitetet, da nogen skød hende med en armbrøst. Pilen gik ind i yderkanten af øjenbrynet i venstre side, gik direkte igennem hovedet og kom ud omtrent midt i nakken."

"Og hun overlevede?" spurgte Jonasson forbløffet.

"Det så frygteligt ud, da hun kom til akutmodtagelsen. Vi klippede pilen af og lagde hendes hoved ind i en computertomograf. Pilen gik direkte igennem hjernen. Ifølge alle rimelige skøn burde hun have været død eller i hvert fald have fået så massivt et traume, at hun havde befundet sig i koma."

"Hvordan var hendes tilstand?"

"Hun var ved bevidsthed hele tiden. Ikke bare det; hun var naturligvis frygtelig bange, men hun var fuldstændig rationel. Hendes eneste problem var, at hun havde et pileskaft igennem kraniet."

"Hvad gjorde du?"

"Tja, jeg hentede en tang, trak pilen ud og satte plaster på såret. Sådan cirka."

"Klarede hun det?"

"Hendes tilstand var selvfølgelig kritisk i lang tid, inden vi udskrev hende, men ærlig talt – vi kunne have sendt hende hjem samme dag, som hun kom ind. Jeg har aldrig haft en raskere patient."

Anders Jonasson spekulerede på, om professor Ellis gjorde grin med ham.

"På den anden side," fortsatte Ellis, "så havde jeg en 42-årig mandlig patient i Stockholm for nogle år siden, der havde slået hovedet ganske let på en vindueskarm. Han fik et ildebefindende og blev hurtigt så syg, at han blev kørt i ambulance til akutmodtagelsen. Han var bevidstløs, da jeg fik ham ind. Han havde en lille bule og en lillebitte blødning. Men han vågnede aldrig og døde efter ni døgn på intensivafdelingen. Den dag i dag ved jeg ikke, hvorfor han døde. I obduktionsrapporten skrev vi hjerneblødning som følge af en ulykke, men ingen af os var tilfredse med den forklaring. Blødningen var så

13

ekstremt lille og sad på sådan en måde, at den ikke burde have påvirket noget overhovedet. Alligevel holdt lever, nyrer, hjerte og lunger efterhånden op med at fungere. Jo ældre jeg bliver, desto mere oplever jeg det som noget af en roulette. Personlig tror jeg ikke, at vi nogensinde vil finde ud af præcis, hvordan hjernen fungerer. Hvad har du tænkt dig at gøre?"

Han bankede på skærmbilledet med en kuglepen.

"Jeg havde håbet, at du kunne fortælle mig det."

"Lad mig høre din vurdering."

"Tja, for det første ser det ud til at være en kugle af en let kaliber. Den er gået ind ved tindingen og er stoppet omkring fire centimeter inde i hjernen. Den hviler mod den laterale ventrikel, og der er sket en blødning der."

"Indgreb?"

"For at benytte mig af din terminologi – hente en tang og trække kuglen ud den samme vej, som den gik ind."

"Et udmærket forslag. Men jeg ville nok bruge den tyndeste pincet, du har."

"Så enkelt?"

"I dette tilfælde, hvad kan vi ellers gøre? Vi kan efterlade kuglen der, hvor den er, og så lever hun måske, til hun bliver hundrede, men det er også en satsning. Hun kan udvikle epilepsi, migræne eller alt muligt andet lort. Og noget, man helst vil være fri for, er at bore i kraniet og operere hende om et år, hvor selve såret er lægt. Kuglen ligger ikke langt fra de store blodårer. I dette tilfælde ville jeg anbefale, at du tog den ud, men ..."

"Men hvad?"

"Kuglen bekymrer mig ikke så meget. Det er det fascinerende ved hjerneskader – hvis hun har overlevet at få en kugle i hovedet, er det tegn på, at hun også vil overleve at få den taget ud. Problemet er snarere det her." Han pegede på skærmen. "Omkring indgangshullet har du en masse knoglesplinter. Jeg kan se i hvert fald et dusin fragmenter, der er nogle millimeter lange. Nogle af dem er sunket ind i hjernevævet. Der har du det, der vil slå hende ihjel, hvis du ikke er forsigtig."

"Denne del af hjernen associeres med tal og numerisk begavelse."

Ellis trak på skuldrene.

"Mumbo jumbo. Jeg har ingen anelse om, hvad netop disse grå celler er til for. Du kan kun gøre dit bedste. Det er dig, der opererer. Jeg kigger dig over skulderen. Kan jeg låne noget tøj og komme til at vaske mig et sted?"

MIKAEL BLOMKVIST SKÆVEDE til uret og konstaterede, at den var lidt i tre om morgenen. Han var udstyret med håndjern. Han lukkede øjnene. Han var dødsenstræt, men kørte på adrenalinen. Han åbnede øjnene og betragtede vredt kriminalbetjent Thomas Paulsson, der så tilbage med chok i blikket. De sad ved et spisebord i et køkken på en hvid bondegård et sted i nærheden af Nossebro, der hed Gosseberga, og som Mikael havde hørt om for første gang i sit liv mindre end tolv timer tidligere.

Katastrofen var en realitet.

"Idiot," sagde Mikael.

"Hør nu her ..."

"Idiot," gentog Mikael. "Jeg sagde jo for fanden, at han var livsfarlig. Jeg sagde, at I skulle behandle ham som en afsikret håndgranat. Han har myrdet mindst tre personer, er bygget som en kampvogn og dræber med de bare næver. Og så sender du to bystrømere af sted for at sætte ham i spjældet, som om han var en lørdagsbrandert."

Mikael lukkede øjnene igen. Han spekulerede på, hvad der mere kunne gå galt den nat.

Han havde fundet Lisbeth Salander lige efter midnat, hårdt såret. Han havde alarmeret politiet og haft held til at overtale Redningstjenesten til at sende en helikopter for at evakuere Lisbeth til Sahlgrenska Sygehus. Han havde indgående beskrevet hendes læsioner og kuglehullet i hendes hoved og fået medhold fra en eller anden klog og forstandig person, der havde indset, at hun krævede umiddelbar behandling.

Det havde alligevel taget over en halv time, inden helikopteren ankom. Mikael var gået ud for at hente to biler i laden, der også fungerede som garage, og havde tændt forlygterne og markeret en landingsbane ved at belyse marken foran huset.

Helikopterpersonalet og de to medfølgende reddere havde handlet rutineret og professionelt. En af redderne gav Lisbeth Salander førstehjælp, mens den anden tog sig af Alexander Zalachenko, også kendt som Karl Axel Bodin. Zalachenko var Lisbeth Salanders far og hendes værste fjende. Han havde forsøgt at dræbe hende, men havde ikke haft held med det. Mikael havde fundet ham hårdt såret i brændeskuret på den ensomt beliggende bondegård med et uhyggeligt øksehug i ansigtet og et kvæstet ben.

Mens Mikael ventede på helikopteren, havde han gjort, hvad han kunne for Lisbeth. Han havde hentet et rent lagen fra et linnedskab, revet det i stykker og lagt forbinding. Han havde konstateret, at blodet havde koaguleret som en prop i indgangshullet i hovedet og ikke rigtig vidst, om han skulle lægge forbinding eller ej. Til sidst havde han bundet et stykke lagen løst omkring hendes hoved, mest for at såret ikke skulle være alt for eksponeret for bakterier og snavs. Derimod havde han stoppet blødningen fra kuglehullet i hoften og skulderen på den nemmest tænkeligste måde. Han havde fundet en rulle bred isoleringstape i et skab og simpelthen tapet sårene sammen. Han havde vasket hendes ansigt med et fugtigt håndklæde og forsøgt at tørre det værste snavs væk.

Han var ikke gået ud i brændeskuret for at yde Zalachenko nogen form for hjælp. I sit stille sind konstaterede han, at han ærlig talt var revnende ligeglad med Zalachenko.

Mens han ventede på Redningstjenesten, havde han også ringet til Erika Berger og forklaret hende situationen.

"Er du uskadt?" spurgte Erika.

"Jeg er okay," svarede Mikael. "Det er Lisbeth, der er såret."

"Stakkels pige," sagde Erika Berger. "Jeg læste Björcks Säporapport i aftes. Hvordan har du tænkt dig at håndtere det her?"

"Jeg orker ikke engang at tænke på det," sagde Mikael.

Mens han talte med Erika, sad han på gulvet ved siden af slagbænken og holdt et vågent øje med Lisbeth Salander. Han havde taget hendes sko og bukser af for at lægge forbinding på skudsåret på hoften, og tilfældigvis kom han til at lægge hånden på tøjbunken, som han havde smidt på gulvet ved siden af bænken. Han mærkede en genstand i en bukselomme og tog en Palm Tungsten T3 op.

Han rynkede øjenbrynene og betragtede håndcomputeren eftertænksomt. Da han hørte lyden af helikopteren, lagde han computeren i inderlommen i sin jakke. Derefter – mens han stadig var alene – bøjede han sig frem og gennemsøgte alle Lisbeth Salanders lommer. Han fandt yderligere et sæt nøgler til lejligheden ved Mosebacke og et pas udstedt til en Irene Nesser. Han lagde skyndsomt genstandene ned i en lomme på sin computertaske.

DEN FØRSTE POLITIBIL med Fredrik Torstensson og Gunnar Andersson fra politiet i Trollhättan ankom nogle minutter, efter at Redningstjenestens helikopter var landet. De blev efterfulgt af kriminalbetjent Thomas Paulsson, der straks havde taget kommandoen. Mikael var gået hen og begyndt at forklare, hvad der var sket. Han oplevede Paulsson som en opblæst og firkantet kriminalbetjent. Det var, da Paulsson ankom, at tingene begyndte at gå skævt.

Paulsson viste ingen tegn på forståelse for, hvad Mikael talte om. Han virkede mærkelig eksalteret, og det eneste faktum, han registrerede, var, at den maltrakterede pige på gulvet foran slagbænken var den eftersøgte tredobbelte morder Lisbeth Salander, hvilket var en temmelig god fangst. Paulsson havde tre gange spurgt den travlt optagede redder fra Redningstjenesten, om pigen kunne anholdes på stedet. Til sidst havde redderen rejst sig og skreget til Paulsson, at han skulle holde sig på en armslængdes afstand.

Derefter havde Paulsson fokuseret på den sårede Alexander Zalachenko i brændeskuret, og Mikael hørte Paulsson rapportere over radioen, at Salander åbenbart havde forsøgt at myrde endnu en person.

På det tidspunkt var Mikael så irriteret på Paulsson, der åbenbart ikke hørte et ord af, hvad han forsøgte at sige, at han hævede stemmen og formanede Paulsson til straks at ringe til kriminalkommissær Jan Bublanski i Stockholm. Han fandt sin mobiltelefon frem og tilbød at taste nummeret. Det var Paulsson slet ikke interesseret i.

Mikael havde derefter begået to fejltagelser.

Han havde beslutsomt forklaret, at den virkelige tredobbelte morder var en mand ved navn Ronald Niedermann, der var bygget som et panserbrydende missil, led af sygdommen congenital analgesia og for øjeblikket sad bundet i en grøft på vejen mod Nossebro. Mikael beskrev, hvor Niedermann befandt sig, og anbefalede, at politiet mobiliserede en deling infanterister bevæbnet med tunge våben til at hente ham. Paulsson havde spurgt, hvordan Niedermann var havnet i grøften, og Mikael erkendte åbenhjertigt, at det var ham, der under våbentrussel havde afstedkommet denne situation.

"Våbentrussel?" spurgte kriminalbetjent Paulsson.

På det tidspunkt burde Mikael have indset, at Paulsson var en idiot. Han burde selv have grebet mobilen og ringet til Jan Bublanski og bedt denne gribe ind for at sprede den tåge, som Paulsson syntes at være indhyllet i. I stedet havde Mikael begået fejltagelse nummer to ved at forsøge at overdrage det våben, han havde i inderlommen – den Colt 1911 Government, som han tidligere på dagen havde fundet i Lisbeth Salanders lejlighed i Stockholm, og ved hvis hjælp han havde overmandet Ronald Niedermann.

Dette havde foranlediget Paulsson til på stående fod at anholde Mikael Blomkvist for ulovlig våbenbesiddelse. Paulsson havde derefter beordret betjent Torstensson og Andersson til at tage hen til det sted på vejen, som Mikael havde oplyst, for at undersøge, om der var noget sandt i Mikaels historie om, at der sad et menneske bundet til et elgskilt i en grøft. Hvis det var tilfældet, skulle betjentene lægge den pågældende person i håndjern og føre ham tilbage til gården i Gosseberga.

Mikael havde straks protesteret og forklaret, at Ronald Niedermann ikke var en person, der uden videre kunne pågribes og lægges i håndjern – han var en livsfarlig morder. Da Paulsson valgte at ignorere Mikaels protester, havde trætheden taget over. Mikael havde kaldt Paulsson et inkompetent fjols og skreget, at Torstensson og Andersson skulle nægte at hente Ronald Niedermann uden at tilkalde forstærkning.

Resultatet af udbruddet havde været, at Mikael var blevet lagt i håndjern og sat ind på bagsædet af Paulssons civile politibil, hvorfra han bandende havde set Torstensson og Andersson forsvinde i deres politibil. Det eneste lyspunkt i mørket var, at Lisbeth Salander var blevet kørt ud til helikopteren og var forsvundet over trætoppene i retning af Sahlgrenska Sygehus. Mikael følte sig fuldstændig hjælpeløs og håbløst langt væk fra informationsstrømmen og kunne bare håbe, at Lisbeth ville komme under kompetent behandling.

DR. ANDERS JONASSON lagde to dybe snit helt ind til kraniet og bøjede huden til side omkring indgangshullet. Han brugte klemmer til at fiksere åbningen. En operationssygeplejerske førte forsigtigt et sug ind for at fjerne blodet. Derefter kom det ubehagelige, hvor Jonasson måtte bruge et bor til at udvide hullet i kraniet. Arbejdet gik frygtelig langsomt.

Til sidst havde han et hul, der var tilstrækkelig stort til, at det kunne lade sig gøre at komme ind til Lisbeth Salanders hjerne. Han førte forsigtigt en sonde ind i hjernen og udvidede sårkanalen nogle millimeter. Derefter førte han en tyndere sonde ind og lokaliserede kuglen. Fra kranierøntgenbilledet kunne han konstatere, at kuglen havde drejet sig og lå i en femogfyrre graders vinkel mod sårkanalen. Han brugte sonden til forsigtigt at berøre kuglen og kunne efter en række mislykkede forsøg løfte den en anelse, så han kunne dreje den den rigtige vej.

Endelig førte han en tynd pincet ned med en gribeklo. Han kneb hårdt sammen omkring kuglens base og fik fat. Han trak pincetten lige op. Kuglen fulgte med næsten helt uden modstand. Han holdt den op mod lyset et øjeblik og konstaterede, at den virkede intakt, og lod den derefter falde ned i en skål.

"Svaber," sagde han og fik straks opfyldt ordren.

Han kastede et blik på EKG'en, der viste, at hans patient stadig havde regelmæssig hjertevirksomhed.

"Pincet."

Han trak et kraftigt forstørrelsesglas ned fra et hængestativ og fokuserede på det blotlagte område.

"Forsigtig," sagde professor Frank Ellis.

I løbet af de kommende femogfyrre minutter fjernede Anders Jonasson ikke mindre end toogtredive små knoglesplinter fra indgangshullet. Den mindste af disse splinter kunne knap nok ses med det blotte øje.

MENS MIKAEL BLOMKVIST frustreret forsøgte at lirke sin mobiltelefon op af jakkens brystlomme – hvilket viste sig at være en umulig opgave med hænderne i håndjern – ankom flere biler med både politifolk og teknisk personel til Gosseberga. De blev af kriminalbetjent Paulsson beordret til at sikre de tekniske beviser i brændeskuret og foretage en grundig teknisk undersøgelse af beboelseshuset, hvor flere våben var blevet beslaglagt. Mikael betragtede resigneret deres gøremål fra sin udsigtsplads på bagsædet af Paulssons bil.

Det var først efter omkring en time, at Paulsson syntes at blive opmærksom på, at betjent Torstensson og Andersson endnu ikke var vendt tilbage fra deres opgave med at hente Ronald Niedermann. Han så pludselig bekymret ud og tog Mikael Blomkvist med ind i køkkenet, hvor han igen udbad sig en vejbeskrivelse.

Mikael lukkede øjnene.

Han sad stadig i køkkenet sammen med Paulsson, da den politibil, der blev sendt ud for at komme Torstensson og Andersson til undsætning, rapporterede tilbage. Betjent Gunnar Andersson var blevet fundet død med halsen brækket. Hans kollega Fredrik Torstensson levede stadig, men var hårdt såret. Begge blev fundet ved elgskiltet i grøften. Deres tjenestevåben og politibil manglede.

Fra at have været en nogenlunde overskuelig situation skulle kriminalbetjent Thomas Paulsson pludselig håndtere et politimord og en væbnet desperado på flugt.

"Idiot," gentog Mikael Blomkvist.

"Det hjælper ikke at forulempe politiet."

"På det punkt er vi enige. Men jeg har i den grad tænkt mig at hænge dig ud for pligtforsømmelse. Inden jeg er færdig med dig, vil du være stemplet som Sveriges dummeste betjent på hver eneste spiseseddel i landet."

Truslen om at blive hængt ud til offentlig spot og spe var åbenbart det eneste, der bed på Thomas Paulsson. Han så bekymret ud.

"Hvad foreslår du?"

"Jeg kræver, at du ringer til kriminalkommissær Jan Bublanski i Stockholm. Nu."

KRIMINALASSISTENT SONJA MODIG vågnede med et sæt, da hendes mobiltelefon, der var ved at lade op, begyndte at ringe i den anden ende af soveværelset. Hun så på uret på natbordet og konstaterede til sin fortvivlelse, at den var lidt over fire om morgenen. Hun så derefter på sin mand, der fredfuldt snorkede videre. Han ville kunne sove sig igennem et artilleriangreb uden at vågne. Hun vaklede ud af sengen og fandt svarknappen på telefonen.

Jan Bublanski, tænkte hun. *Hvem ellers.*

"Helvede er løs nede i Trollhättanområdet," sagde hendes chef uden anden formalia. "X2000 til Göteborg går ti over fem."

"Hvad er der sket?"

"Blomkvist har fundet Salander, Niedermann og Zalachenko. Blomkvist er vist anholdt for politichikane, modstand og ulovlig våbenbesiddelse. Salander er transporteret til Sahlgrenska Sygehus med en kugle i hovedet. Zalachenko ligger på Sahlgrenska Sygehus med en økse i kraniet. Niedermann er på fri fod. Han har myrdet en betjent i nat."

Sonja Modig åbnede og lukkede øjnene to gange og mærkede trætheden. Hun havde allermest lyst til at kravle i seng igen og tage en måneds ferie.

"X2000 ti over fem. Okay. Hvad skal jeg gøre?"

"Tag en taxi til hovedbanegården. Du får selskab af Jerker Holmberg. I skal kontakte en kriminalbetjent Thomas Paulsson fra politiet i Trollhättan, der åbenbart er ansvarlig for meget af nattens tumult, og som ifølge Blomkvist er en, citat: Idiot af de helt store, citat slut."

"Du har talt med Blomkvist?"

"Han er åbenbart blevet anholdt og lagt i håndjern. Det lykkedes mig at overtale Paulsson til at give ham telefonen et kort øjeblik. Jeg er på vej ind til Kungsholmen nu og vil forsøge at få klarhed over, hvad der er sket. Vi holder kontakt via mobilen."

Sonja Modig så igen på klokken. Derefter ringede hun efter en taxi og gik ud og stillede sig under bruseren et kort øjeblik. Hun børstede tænder, tog en kam gennem håret, trak i et par sorte bukser, en sort T-shirt og en grå jakke. Hun lagde tjenestevåbnet ned i skuldertasken og valgte en mørkerød skindjakke som overtøj. Derefter ruskede hun liv i sin mand og forklarede, hvor hun var på vej hen og sagde, at han måtte tage sig af ungerne. Hun gik ud gennem døren i samme øjeblik, som taxien standsede ude på gaden.

Hun behøvede ikke at lede efter sin kollega, kriminalassistent Jerker Holmberg. Hun gik ud fra, at han ville befinde sig i spisevognen, og det var også tilfældet. Han havde allerede købt et rundstykke og en kop kaffe til hende. De sad tavse i fem minutter og spiste morgenmad. Til sidst skød Holmberg kaffekoppen til side.

"Man burde nok lade sig omskole," sagde han.

KLOKKEN FIRE OM MORGENEN var kriminalkommissær Marcus Erlander fra kriminalpolitiet i Göteborg ankommet til Gosseberga og havde overtaget kommandoen over efterforskningen fra den hårdt prøvede Thomas Paulsson. Erlander var en lille, tyk mand i halvtredserne. Noget af det første, han havde gjort, var at befri Mikael Blomkvist fra håndjernene og servere morgenbrød og termokaffe. De satte sig i dagligstuen for at snakke sammen under fire øjne.

"Jeg har talt med Bublanski i Stockholm," sagde Erlander. "Vi kender hinanden fra gamle dage. Både han og jeg beklager Paulssons opførsel."

"Det lykkedes ham at få slået en betjent ihjel i nat," sagde Mikael.

Erland nikkede. "Jeg kendte betjent Gunnar Andersson personligt. Han gjorde tjeneste i Göteborg, inden han flyttede til Trollhättan. Han er far til en treårig pige."

"Jeg beklager. Jeg forsøgte at advare ..."

Erland nikkede.

"Jeg har forstået det. Du talte med store bogstaver, og det er derfor, du blev lagt i håndjern. Det var dig, der afslørede Wennerström. Bublanski siger, at du er en fræk journalist og en skide privatdetektiv, men at du muligvis ved, hvad du taler om. Kan du sætte mig ind i sagen på en begribelig måde?"

"Det her er opklaringen af mordet på mine venner Dag Svensson og Mia Bergman i Enskede, og mordet på en person, der ikke er min ven ... advokat Nils Bjurman, som var Lisbeth Salanders formynder."

Erlander nikkede.

"Som du ved, har politiet jaget Lisbeth Salander siden påske. Hun har været mistænkt for tredobbelt mord. Først og fremmest er du nødt til at forstå, at Lisbeth Salander er uskyldig i disse mord. Hun er om nogen et offer i denne sammenhæng."

"Jeg har ikke haft det fjerneste med Salandersagen at gøre, men efter alt, hvad der er blevet skrevet i pressen, virker det en anelse svært at sluge, at hun skulle være helt uskyldig."

"Ikke desto mindre er det sådan, det forholder sig. Hun er uskyldig. Punktum. Den virkelige morder er Ronald Niedermann, der myrdede din kollega Gunnar Andersson i nat. Han arbejder for Karl Axel Bodin."

"Altså den Bodin, der ligger på Sahlgrenska Sygehus med en økse i hovedet."

"Teknisk set sidder øksen ikke i hovedet længere. Jeg går ud fra, at det er Lisbeth, der har svunget den. Hans virkelige navn er Alexander Zalachenko. Han er Lisbeths far og forhenværende lejemorder i det russiske militærs efterretningstjeneste. Han hoppede af i 70'erne og arbejdede efterfølgende for Säpo. Derefter har han arbejdet freelance som forbryder."

Erlander granskede eftertænksomt personen på sofaen foran ham. Mikael Blomkvist glinsede af sved, men så ellers både forfrossen og dødtræt ud. Indtil da havde han argumenteret rationelt og sammenhængende, men kriminalbetjent Thomas Paulsson – hvis ord Erlander ikke havde nogen videre tiltro til – havde advaret om, at Blomkvist vrøvlede løs om russiske agenter og tyske lejemordere, hvilket næppe hørte til rutinesagerne inden for svensk strafferet. Blomkvist var åbenbart kommet til det punkt i historien, som Paulsson havde affærdiget. Men der lå en død og en hårdt såret betjent i grøften på vej til Nossebro, og Erlander var villig til at lytte. Han kunne imidlertid ikke forhindre, at en lille snert af mistro kunne spores i hans stemme.

"Okay. En russisk agent."

Blomkvist smilede blegt, åbenbart bevidst om, hvor absurd hans historie lød.

"En forhenværende russisk agent. Jeg kan dokumentere alle mine påstande."

"Fortsæt."

"Zalachenko var topspion i 70'erne. Han hoppede af og fik asyl af Säpo. Det er, så vidt jeg kan forstå, ikke en enestående situation i kølvandet på Sovjetunionens fald."

"Okay."

"Jeg ved som sagt ikke præcis, hvad der er sket her i nat, men Lisbeth har opsporet sin far, som hun ikke har set i femten år. Han mishandlede hendes mor så groft, at hun efterfølgende døde af det. Han forsøgte at myrde Lisbeth, og han stod via Ronald Niedermann bag mordene på Dag Svensson og Mia Bergman. Desuden var han ansvarlig for kidnapningen af Lisbeths veninde Miriam Wu – Paolo Robertos omtalte titelkamp i Nykvarn."

"Hvis Lisbeth Salander har hugget sin far i hovedet med en økse, så er hun ikke ligefrem uskyldig."

"Lisbeth Salander har selv tre skudhuller i kroppen. Jeg tror, at man vil kunne hævde et vist mål af selvforsvar. Jeg har tænkt på ..."

"Ja?"

"Lisbeth var så indsmurt i jord og mudder, at hendes hår var en stor, stivnet lortekage. Hun var fuld af sand under tøjet. Det ser ud, som om hun har været begravet. Og Niedermann har åbenbart en vane med at begrave folk. Politiet i Södertälje har fundet to grave ved det der lager, som Svavelsjö MC ejer uden for Nykvarn."

"Tre faktisk. De fandt endnu en grav sent i går aftes. Men hvis Lisbeth Salander er blevet skudt og begravet – hvad i alverden laver hun så oppe på landjorden med en økse i hånden?"

"Jeg ved altså ikke, hvad der er sket, men Lisbeth har bemærkelsesværdigt mange egenskaber. Jeg forsøgte at overtale Paulsson til at få en hundepatrulje herud ..."

"Den er på vej."

"Godt."

"Paulsson anholdt dig for chikane."

"Jeg må protestere. Jeg kaldte ham en idiot, en inkompetent idiot. Ingen af disse tilnavne er i sammenhængen ensbetydende med chikane."

"Hmm. Men du er også anholdt for ulovlig våbenbesiddelse."

"Jeg begik den fejltagelse at forsøge at overdrage ham et våben. I øvrigt vil jeg ikke udtale mig om den sag, før jeg har rådført mig med min advokat."

"Okay. Så lægger vi det til side lidt. Vi har mere alvorlige ting at tale om. Hvad ved du om ham der Niedermann?"

"Han er morder. Der er noget galt med ham; han er over to meter høj og bygget som et panserbrydende missil. Spørg Paolo Roberto, der har bokset med ham. Han lider af congenital analgesia. Det er en sygdom, der indebærer, at transmittersubstansen i nervebanerne ikke fungerer, og han kan derfor ikke føle smerte. Han er tysk, født i Hamborg og var skinhead i teenageårene. Han er livsfarlig og på fri fod."

"Har du nogen anelse om, hvor han kan tænkes at flygte hen?"

"Nej. Jeg ved bare, at jeg havde gjort ham klar til at blive samlet op, da idioten fra Trollhättan overtog kommandoen."

LIDT I FEM OM MORGENEN trak dr. Anders Jonasson sine beskidte latexhandsker af og smed dem i skraldespanden. En operationssygeplejerske lagde kompresser på skudsåret på hoften. Operationen havde stået på i tre timer. Han så på Lisbeth Salanders barberede og hårdt tilredte hoved, der allerede var pakket ind i en bandage.

Han følte en pludselig ømhed af den slags, han ofte følte over for patienter, han havde opereret. Ifølge aviserne var Lisbeth Salander en psykopatisk massemorder, men i hans øjne lignede hun mest af alt en skamskudt spurv. Han rystede på hovedet og så derefter på professor Frank Ellis, der betragtede ham med et muntert glimt i øjet.

"Du er en udmærket kirurg," sagde Ellis.

"Må jeg invitere på morgenmad?"

"Kan man få pandekager med syltetøj et sted i nærheden?"

"Vafler," sagde Anders Jonasson. "Hjemme hos mig. Lad mig lige ringe og advare min kone, så tager vi en taxi." Han stoppede op og så på uret. "Ved nærmere eftertanke tror jeg hellere, at vi må lade være med at ringe."

ADVOKAT ANNIKA GIANNINI vågnede med et sæt. Hun drejede hovedet til højre og konstaterede, at klokken var to minutter i seks. Hun havde det første møde med en klient allerede klokken otte. Hun drejede hovedet til venstre og så på sin mand Enrico Giannini, der sov fredfyldt, og som i bedste fald ville vågne ved ottetiden. Hun glippede nogle gange med øjnene, stod op og tændte kaffemaskinen, inden hun stillede sig ud under bruseren. Hun tog sig god tid i badeværelset og iførte sig et par sorte bukser, hvid polotrøje og en rød jakke. Hun ristede to skriver brød, lagde ost, appelsinmarmelade og en skive avocado på og tog morgenmaden med ind i stuen lige i rette tid til nyhedsudsendelsen halv syv i morgen-tv. Hun tog en slurk kaffe og havde netop åbnet munden for at tage en bid, da hun hørte den indledende annoncering.

En betjent var blevet dræbt og en hårdt såret. Dramatik i nat, da den eftersøgte tredobbelte morder Lisbeth Salander blev pågrebet.

Hun havde først svært ved at forstå sammenhængen, da hendes

25

første indtryk var, at det var Lisbeth Salander, der havde dræbt en betjent. Nyhedsrapporteringen var kortfattet, men efterhånden forstod hun, at det var en mand, der var eftersøgt for politimord. En endnu ikke navngiven 37-årig mand var efterlyst. Lisbeth Salander lå åbenbart hårdt såret på Sahlgrenska Sygehus i Göteborg.

Annika skiftede over til den anden kanal, men blev ikke klogere på, hvad der var sket. Hun hentede mobiltelefonen og tastede nummeret til sin bror Mikael Blomkvist. Hun blev mødt af en besked om, at abonnenten ikke kunne nås. En bølge af frygt skyllede ind over hende. Mikael havde ringet til hende aftenen inden på vej mod Göteborg. Han havde været på jagt efter Lisbeth Salander. Og en morder ved navn Ronald Niedermann.

DA DET LYSNEDE, fandt en observant betjent blodspor i terrænet bag brændeskuret. En politihund fulgte sporet hen til et hul i jorden i en lysning omkring fire hundrede meter nordøst for gården i Gosseberga.

Mikael slog følge med kriminalkommissær Erlander. De studerede stedet eftertænksomt. De havde ingen problemer med at få øje på en stor mængde blod i og omkring graven.

De fandt også et svært medtaget cigaretetui, der åbenbart var blevet brugt som skovl. Erlander lagde cigaretetuiet ned i en bevispose og mærkede fundet. Han samlede også prøver af blodfarvede jordklumper. En uniformeret betjent gjorde ham opmærksom på et cigaretskod uden filter af mærket Pall Mall nogle meter fra graven. Det blev også lagt i en bevispose og etiketteret. Mikael kom i tanke om, at han havde set en pakke Pall Mall på køkkenbordet i Zalachenkos hus.

Erlander skævede op mod himlen og fik øje på nogle tunge regnskyer. Det uvejr, der tidligere på natten havde hærget Göteborg, passerede åbenbart syd om Nossebroegnen, men det var kun et spørgsmål om tid, inden det ville begynde at regne. Han vendte sig om mod en betjent og bad ham om at fremskaffe en presenning til at dække graven til med.

"Jeg tror, at du har ret," sagde Erlander endelig til Mikael. "En analyse af blodet vil nok fastslå, at Lisbeth Salander har ligget her, og jeg gætter på, at vi vil finde hendes fingeraftryk på etuiet. Hun blev

26

skudt og begravet, men på en eller anden måde har hun overlevet og haft held til at grave sig ud og ..."

"... og er gået tilbage til gården og har hamret øksen i kraniet på Zalachenko," afsluttede Mikael. "Hun kan blive temmelig gnaven."

"Men hvordan fanden klarede hun Niedermann?"

Mikael trak på skuldrene. Hvad det angik, var han præcis lige så mystificeret som Erlander.

KAPITEL 2

Fredag den 8. april

SONJA MODIG OG Jerker Holmberg ankom til Göteborgs hovedbanegård lidt over otte om morgenen. Bublanski havde ringet og givet nye instrukser; de skulle lade være at tage til Gosseberga og i stedet tage en taxi til politigården på Ernst Fontells Plats ved Nya Ullevi, der var hovedsæde for kriminalpolitiet i Västra Götaland. De ventede i næsten en time, før kriminalkommissær Erlander ankom fra Gosseberga sammen med Mikael Blomkvist. Mikael hilste på Sonja Modig, som han havde mødt før, og gav hånd til Jerker Holmberg. Derefter sluttede en kollega til Erlander sig til dem for at opdatere dem med hensyn til eftersøgningen af Ronald Niedermann. Det var en kort rapport.

"Vi har sammensat en efterforskningsgruppe under ledelse af kriminalpolitiet. En efterlysning er sendt ud. Vi fandt politibilen i Alingsås klokken seks i morges. Der hører sporet for nærværende op. Vi har mistanke om, at han har skiftet køretøj, men der er ikke blevet anmeldt noget biltyveri."

"Pressen?" spurgte Modig og skævede undskyldende til Mikael Blomkvist.

"Det er et politimord og har højeste prioritet. Vi afholder pressekonference klokken 10."

"Har nogen fået besked om Lisbeth Salanders tilstand?" spurgte Mikael. Han følte sig besynderlig uinteresseret i alt, der havde med eftersøgningen af Niedermann at gøre.

"Hun er blevet opereret i nat. De har fjernet en kugle fra hendes hoved. Hun er ikke vågnet endnu."

"Er der en prognose?"

"Så vidt jeg forstår, ved vi ingenting, før hun er vågnet. Men den læge, der opererede, siger, at han har gode forhåbninger til, at hun overlever, hvis der ikke tilstøder komplikationer."

"Og Zalachenko?" spurgte Mikael.

"Hvem?" spurgte Erlanders kollega, der endnu ikke var sat ind i sagens komplicerede detaljer.

"Karl Axel Bodin."

"Nå ja, han er også blevet opereret i nat. Han har fået et grimt hug hen over ansigtet og et andet lige under knæskallen. Han er slemt tilredt, men det er ikke livstruende."

Mikael nikkede.

"Du ser træt ud," sagde Sonja Modig.

"Tja, jeg kører på tredje døgn næsten uden søvn."

"Han sov faktisk i bilen fra Nossebro," sagde Erlander.

"Orker du at tage hele historien fra begyndelsen?" spurgte Holmberg. "Det føles, som om det står 3-0 mellem privatdetektiverne og politiet."

Mikael smilede blegt.

"Det der er en replik, jeg godt gad høre Bublanski sige," sagde han.

De satte sig i politigårdens kantine for at spise morgenmad. Mikael brugte en halv time på trin for trin at forklare, hvordan han havde stykket brikkerne sammen til Zalachenkos historie. Da han var færdig, sad betjentene tavse og eftertænksomme.

"Der er nogle huller i din historie," sagde Jerker Holmberg endelig.

"Sikkert," sagde Mikael.

"Du forklarer ikke, hvordan du kom i besiddelse af den hemmeligstemplede rapport fra Säpo om Zalachenko."

Mikael nikkede.

"Jeg fandt den i går hjemme hos Lisbeth Salander, da jeg endelig havde fundet ud af, hvor hun gemte sig. Hun fandt den for sit vedkommende formentlig i advokat Nils Bjurmans sommerhus."

"Du har altså fundet Salanders gemmested," sagde Sonja Modig.

Mikael nikkede.

"Og?"

"Den adresse må I selv finde frem til. Lisbeth har brugt mange kræfter på at få sig en hemmelig adresse, og jeg vil ikke være den, der sladrer."

Modig og Holmberg blev lidt mørke i blikket.

"Mikael ... det er faktisk en mordefterforskning," sagde Sonja Modig.

"Og du har endnu ikke rigtig forstået, at Lisbeth Salander er uskyldig, og at politiet har krænket hendes integritet på en måde, der mangler sidestykke. Lesbisk satanistgruppe, hvor får I alt det fra? Hvis hun vil fortælle jer, hvor hun bor, er jeg overbevist om, at hun gør det."

"Men der er en anden ting, som jeg ikke rigtig forstår," sagde Holmberg. "Hvordan kommer Bjurman overhovedet ind i billedet? Du siger, at det var ham, der satte hele historien i gang ved at kontakte Zalachenko og bede ham dræbe Salander ... men hvorfor skulle han gøre det?"

Mikael tøvede i lang tid.

"Mit gæt er, at han kontaktede Zalachenko for at rydde Lisbeth Salander af vejen. Hensigten var, at hun skulle ende i det der lager i Nykvarn."

"Han var hendes formynder. Hvilket motiv skulle han have for at rydde hende af vejen?"

"Det er kompliceret."

"Forklar."

"Han havde et fandens godt motiv. Han havde gjort noget, som Lisbeth havde kendskab til. Hun var en trussel mod hele hans fremtidige lykke."

"Hvad havde han gjort?"

"Jeg tror, at det er bedst, at Lisbeth selv forklarer jer det."

Han mødte Holmbergs blik.

"Lad mig gætte," sagde Sonja Modig. "Bjurman havde gjort noget mod sin protegé."

Mikael nikkede.

"Må jeg gætte på, at han udsatte hende for en eller anden form for seksuelt overgreb?"

Mikael trak på skuldrene og afstod fra at kommentere.

"Du kender måske ikke til tatoveringen på Bjurmans mave?"

"Tatoveringen?"

"En amatøragtig tatovering med et budskab tværs over hele maven ... *Jeg er et sadistisk svin, en pervers stodder og en voldtægtsforbry-*

der. Vi har spekuleret på, hvad det drejede sig om."

Mikael slog pludselig en høj latter op.

"Hvad er der?"

"Jeg har spekuleret på, hvad Lisbeth gjorde for at tage hævn. Men hør ... det her vil jeg ikke diskutere med jer af samme grund som før. Det drejer sig om hendes integritet. Det er Lisbeth, der er blevet udsat for en forbrydelse. Det er hende, der er offeret. Det er hende, der skal afgøre, hvad hun vil fortælle jer. Sorry."

Han så næsten undskyldende ud.

"Voldtægter skal politianmeldes," sagde Sonja Modig.

"Det er jeg enig i. Men denne voldtægt fandt sted for to år siden, og Lisbeth har endnu ikke talt med politiet om den sag. Hvilket tyder på, at hun ikke har tænkt sig at gøre det. Jeg kan være nok så uenig med hende i den henseende, men det er hende, der bestemmer. Desuden ..."

"Ja?"

"Hun har ingen videre grund til at betro sig til politiet. Sidst hun forsøgte at forklare, hvilket svin Zalachenko var, blev hun spærret inde på et sindssygehospital."

CHEFEN FOR DEN indledende efterforskning Richard Ekström, havde sommerfugle i maven, da han lidt i ni fredag morgen bad kriminalkommissær Jan Bublanski om at slå sig ned på den anden side af skrivebordet. Ekström skubbede brillerne på plads og strøg sig over det velplejede hageskæg. Han oplevede situationen som kaotisk og truende. Den sidste måneds tid havde han været den chef, der jagtede Lisbeth Salander. Han havde vidt og bredt beskrevet hende som en sindssyg og farlig psykopat. Han havde lækket information, der ville gavne ham i en fremtidig retssag. Alt havde set godt ud.

Der havde ikke været tvivl i hans sind om, at Lisbeth Salander virkelig var skyldig i tredobbelt mord, og at retssagen ville blive en let sejr, en ren propagandaforestilling med ham selv i hovedrollen. Efterfølgende var alt gået galt, og lige pludselig sad han med en helt anden morder og et kaos, der ikke syntes at have nogen ende. *Den skide Salander.*

"Ja, det er jo en værre suppedas, vi er havnet i," sagde han. "Hvad har du fundet frem til her til morgen?"

"Ronald Niedermann er blevet efterlyst, men han er stadig på fri fod. Han er for øjeblikket eftersøgt for mordet på betjent Gunnar Andersson, men jeg går ud fra, at vi også bør efterlyse ham for de tre mord her i Stockholm. Du kunne måske stable en pressekonference på benene."

Bublanski foreslog pressekonferencen for at drille. Ekström hadede pressekonferencer.

"Jeg tror, at vi venter med pressekonferencen," sagde Ekström hurtigt.

Bublanski sørgede omhyggeligt for ikke at smile.

"Dette er jo først og fremmest en sag for politiet i Göteborg," sagde Ekström.

"Nå ja, vi har Sonja Modig og Jerker Holmberg på plads i Göteborg og har indledt et samarbejde ..."

"Vi venter med pressekonferencen, til vi ved noget mere," sagde Ekström skarpt. "Det, jeg gerne vil vide, er, hvor sikker du er på, at Niedermann virkelig er indblandet i mordene her i Stockholm."

"Som politimand er jeg helt overbevist. Derimod står det ikke så godt til med bevismaterialet. Vi har ingen vidner til mordene, og der findes intet ordentligt teknisk bevis. Magge Lundin og Sonny Nieminen fra Svavelsjö MC nægter at udtale sig og lader, som om de aldrig har hørt om Niedermann. Derimod ryger han ind for mordet på betjent Gunnar Andersson."

"Netop," sagde Ekström. "Det er politimordet, der for nærværende er interessant. Men sig mig ... er der noget, der tyder på, at Salander på en eller anden måde alligevel er indblandet i mordene? Kan man tænke sig, at hun og Niedermann har været sammen om at udføre dem?"

"Det tvivler jeg på. Og jeg ville nok ikke lufte den teori offentligt."

"Men hvordan er hun så indblandet?"

"Det er en ekstremt kompliceret historie. Præcis som Mikael Blomkvist påstod fra begyndelsen, drejer det sig om ham Zala ... Alexander Zalachenko."

Ved navnet Mikael Blomkvist gøs politiadvokat Ekström synligt.

"Zala er en afhoppet og åbenbart samvittighedsløs russisk lejemorder fra den kolde krig," fortsatte Bublanski. "Han kom hertil i 70'erne og er far til Lisbeth Salander. Han blev taget under vingerne af en fraktion inden for Säpo, der slettede sporene, når han begik kriminalitet. En politimand fra Säpo sørgede også for, at Lisbeth Salander blev spærret inde på en børnepsykiatrisk klinik, da hun var 13 år og truede med at lække hemmeligheden om Zalachenko."

"Du forstår vel, at det her er en anelse svært at sluge. Det er næppe en historie, vi kan offentliggøre. Hvis jeg forstår det ret, er alt det om Zalachenko stemplet som tophemmeligt."

"Ikke desto mindre er det sandt. Jeg kan dokumentere det."

"Må jeg få lov at se."

Bublanski skød mappen med politirapporten fra 1991 over til ham. Ekström betragtede eftertænksomt det stempel, der fortalte, at dokumentet var tophemmeligt, og journalnummeret, som han straks identificerede som tilhørende Säpo. Han bladrede hurtigt igennem den næsten hundrede sider tykke papirbunke og læste lidt hist og her. Til sidst lagde han rapporten til side.

"Vi må forsøge at nedtone dette en smule, så situationen ikke glider os af hænde. Lisbeth Salander blev altså spærret inde på en galeanstalt, fordi hun forsøgte at myrde sin far ... ham der Zalachenko. Og nu har hun knaldet en økse i hovedet på ham. Det må i hvert fald betegnes som et drabsforsøg. Og så skal hun arresteres for at have skudt Magge Lundin på Stallarholmen."

"Du kan arrestere, hvem du vil, men jeg ville gå forsigtigt til værks, hvis jeg var dig."

"Det bliver jo en skandale af enorme dimensioner, hvis hele den her historie om Säpo lækker."

Bublanski trak på skuldrene. Hans arbejdsbeskrivelse bestod i at opklare forbrydelser, ikke i at håndtere skandaler.

"Ham idioten fra Säpo, Gunnar Björck. Hvad ved vi om hans rolle?"

"Han er en af hovedaktørerne. Han er sygemeldt med diskusprolaps og bor for øjeblikket nede på Smådalarö."

"Okay ... vi holder kæft med Säpo indtil videre. Nu drejer det sig om et politimord og ikke noget andet. Vores opgave er ikke at skabe forvirring."

"Det bliver nok svært at dysse ned."

"Hvad mener du?"

33

"Jeg har sendt Curt Svensson af sted for at hente Björck ind til afhøring." Bublanski så på sit armbåndsur. "Det er formentlig i gang nu."

"Hvad?"

"Jeg havde egentlig planlagt selv at have fornøjelsen af at tage ned til Smådalarö, men det her politimord kom imellem."

"Jeg har ikke givet tilladelse til at anholde Björck."

"Det er rigtigt. Men det er ingen anholdelse. Jeg har hentet ham ind til afhøring."

"Jeg bryder mig ikke om det her."

Bublanski lænede sig frem og så næsten fortrolig ud.

"Richard ... det forholder sig således: Lisbeth Salander er blevet udsat for en række retsovergreb, der allerede begyndte, da hun var barn. Jeg har ikke tænkt mig at lade det fortsætte. Du kan vælge at sætte mig fra bestillingen som efterforskningsleder, men i så fald vil jeg være nødt til at skive et skarpt memo om sagen."

Richard Ekström så ud, som om han havde slugt noget bittert.

GUNNAR BJÖRCK, SYGEMELDT fra tjeneste som viceafdelingschef i Säpos udlændingeafdeling, åbnede døren til sommerhuset på Smådalarö og så en kraftig, lyshåret og kortklippet mand i sort skindjakke.

"Jeg søger Gunnar Björck."

"Det er mig."

"Curt Svensson, kriminalpolitiet."

Manden holdt sin legitimation frem.

"Ja?"

"Jeg må bede dig om at følge med ind til Kungsholmen for at bistå politiet i efterforskningen af Lisbeth Salander."

"Øh ... det må dreje sig om en misforståelse."

"Det er ingen misforståelse," sagde Curt Svensson.

"Du er vist ikke med. Jeg er også politimand. Jeg tror, at du bør tjekke denne sag med din chef."

"Det er min chef, der gerne vil tale med dig."

"Jeg er nødt til at ringe og ..."

"Du kan ringe fra Kungsholmen."

Gunnar Björck mærkede pludselig, hvordan han resignerede.

34

Det er sket. Jeg bliver indblandet. Den skide Blomkvist. Skide Salander.

"Er jeg anholdt?" spurgte han.

"Ikke endnu. Men det kan vi da godt ordne, hvis du vil."

"Nej ... nej, jeg følger selvfølgelig med. Selvfølgelig vil jeg bistå kollegerne fra den åbne del af firmaet."

"Godt," sagde Curt Svensson og fulgte med ind. Han holdt et vågent øje med Gunnar Björck, mens denne hentede overtøjet og slukkede for kaffemaskinen.

KLOKKEN 11 OM FORMIDDAGEN kunne Mikael Blomkvist konstatere, at hans lejede bil stadig stod parkeret bag en lade ved indfartsvejen til Gosseberga, men at han var så udmattet, at han ikke orkede at hente den og endnu mindre på en trafiksikker måde at køre den en længere strækning. Han bad kriminalkommissær Marcus Erlander om råd, og Erlander ordnede det generøst således, at en kriminaltekniker fra Göteborg tog bilen på hjemvejen.

"Se det som en kompensation for, hvordan du blev behandlet i nat."

Mikael nikkede og tog en taxi til City Hotel i Lorensbergsgatan tæt på Avenyn. Han lejede et enkeltværelse for en nat for 800 kroner og gik straks op på sit værelse og klædte sig af. Han satte sig nøgen på sengetæppet, fandt Lisbeth Salanders Palm Tungsten T3 frem fra inderlommen i jakken og vejede den i hånden. Han var stadig overrasket over, at håndcomputeren ikke var blevet beslaglagt, da kriminalbetjent Thomas Paulsson kropsvisiterede ham, men Paulsson var gået ud fra, at det var Mikaels computer, og han var aldrig blevet rigtig anholdt og frataget sine personlige ejendele. Han sad lidt og tænkte sig om og lagde den så i det rum i sin computertaske, hvor han opbevarede Lisbeths cd, der var mærket *Bjurman*, og som Paulsson heller ikke havde fundet. Han var godt klar over, at han rent lovteknisk tilbageholdt bevismateriale, men det var genstande, som Lisbeth med stor sandsynlighed ikke ville bryde sig om havnede i forkerte hænder.

Han tændte for sin mobiltelefon, konstaterede, at batteriet var fladt, og satte laderen i. Han ringede til sin søster advokat Annika Giannini.

"Hej, søster."

"Hvad har du med nattens politimord at gøre?" spurgte hun straks.

Han forklarede kortfattet, hvad der var sket.

"Okay. Salander ligger altså på intensivafdelingen."

"Det stemmer. Vi ved ikke, hvor alvorligt såret hun er, før hun vågner, men hun får brug for en advokat."

Annika Giannini tænkte sig lidt om.

"Tror du, at hun vil have mig?"

"Formentlig vil hun slet ikke have nogen advokat. Hun er ikke typen, der beder nogen om hjælp."

"Det lyder, som om hun får brug for en strafferetsadvokat. Lad mig se på de papirer, du har."

"Tal med Erika Berger og bed hende om en kopi."

Så snart Mikael havde afsluttet samtalen med Annika Giannini, ringede han til Erika Berger. Hun svarede ikke på mobilen, så i stedet tastede han nummeret til *Millenniums* redaktion. Det var Henry Cortez, der tog den.

"Erika er ude et eller andet sted," sagde Henry.

Mikael forklarede kortfattet, hvad der var sket, og bad Henry Cortez videregive oplysningerne til *Millenniums* chefredaktør.

"Okay. Hvad skal vi gøre?" spurgte Henry.

"Ikke noget i dag," sagde Mikael. "Jeg er nødt til at sove. Jeg tager til Stockholm i morgen, hvis der ikke sker noget uforudset. *Millennium* må bringe sin version i næste nummer, og det er der næsten en måned til."

Han afsluttede samtalen, krøb i seng og faldt i søvn, før der var gået et halvt minut.

VICEPOLITIMESTER Monica Spångberg bankede med en kuglepen på kanten af sit glas med Ramlösa og bad om stilhed. Ti personer sad samlet omkring mødebordet inde på hendes kontor på politigården. Der var tre kvinder og syv mænd. Forsamlingen bestod af chefen for drabsafdelingen, vicechefen for drabsafdelingen, tre kriminalkommissærer inklusive Marcus Erlander samt Göteborgpolitiets presseansvarlige. Til mødet var også indkaldt chefen for den indledende efterforskning Agneta Jervas fra anklagemyndigheden samt kriminalassistenterne Sonja Modig og Jerker Holmberg fra politiet i Stockholm. De sidstnævnte var inviteret for at vise samarbejdsvilje med kollegerne fra hovedstaden og muligvis for at vise dem, hvordan en rigtig politiefterforskning gik til.

Spångberg, der ofte var ene kvinde i mandlige omgivelser, havde ikke ry for at spilde tiden på formaliteter og høflige fraser. Hun forklarede, at politimesteren var på tjenesterejse til en EuroPol-konference i Madrid, at han havde afbrudt rejsen, da han havde fået besked om, at en politimand var blevet myrdet, men at han ikke forventedes hjem før sent på aftenen. Derefter henvendte hun sig direkte til chefen for drabsafdelingen, Anders Pehrzon, og bad denne opridse situationen.

"Det er nu omkring ti timer siden, at vores kollega Gunnar Andersson blev myrdet på Nossebrovägen. Vi kender navnet på morderen, Ronald Niedermann, men vi mangler endnu et billede af den pågældende person."

"Vi har et omkring tyve år gammelt billede af ham i Stockholm. Vi har fået det af Paolo Roberto, men det er næsten ubrugeligt," sagde Jerker Holmgren.

"Okay. Den politibil, som han stjal, blev som bekendt fundet i Alingsås i morges. Den stod parkeret i en sidegade omkring 350 meter fra togstationen. Der er ikke blevet rapporteret om nogen biltyverier i området her til morgen."

"Efterforskningsholdet?"

"Vi holder øje med tog, der ankommer til Stockholm og Malmö. Vi har udsendt en efterlysning, og vi har informeret politiet i Norge og Danmark. Vi har for øjeblikket tredive politifolk, der arbejder direkte med efterforskningen, og naturligvis holder hele korpset øjnene åbne."

"Ingen spor?"

"Nej. Ikke endnu. Men en person med Niedermanns særprægede udseende bør ikke være så svær at få øje på."

"Er der nogen, der ved, hvordan det står til med Fredrik Torstensson?" spurgte en af kriminalbetjentene fra drabsafdelingen.

"Han ligger på Sahlgrenska Sygehus. Han er hårdt såret, omtrent som efter en bilulykke. Det er svært at tro, at et menneske har forårsaget den slags kvæstelser med hænderne. Foruden benbrud og brækkede ribben har han en skadet halshvirvel, og der er risiko for, at han bliver delvis lam."

Alle reflekterede nogle øjeblikke over kollegaens situation, inden Spångberg igen tog ordet. Hun henvendte sig til Erlander.

"Hvad skete der egentlig i Gosseberga?"

"Thomas Paulsson skete i Gosseberga."

En enstemmig stønnen lød fra flere af mødedeltagerne.

"Kunne man ikke pensionere ham? Han er jo en omvandrende katastrofe."

"Jeg kender meget vel Paulsson," sagde Monica Spångberg skarpt. "Men jeg har ikke hørt om nogen klager over ham i de sidste ... tja ... to år."

"Politimesteren deroppe er jo en gammel bekendt af Paulsson og har vel forsøgt at hjælpe ham ved at holde en beskyttende hånd over ham. I den bedste mening, vil jeg mene, og det er ingen kritik af ham. Men i nat opførte Paulsson sig så besynderligt, at flere kolleger har rapporteret om sagen."

"På hvilken måde?"

Marcus Erlander skævede til Sonja Modig og Jerker Holmberg. Han var åbenbart genert over at skulle skilte med fejl og mangler i organisationen over for kollegerne fra Stockholm.

"Det mest besynderlige var vel, at han satte en kollega fra teknisk afdeling til at lave en fortegnelse over, hvad der fandtes i brændeskuret, hvor vi fandt ham der Zalachenko."

"En fortegnelse ... i brændeskuret?" spurgte Spångberg.

"Ja ... altså ... han ville vide, præcis hvor mange stykker brænde der var. For at rapporten kunne blive helt korrekt."

En sigende tavshed opstod omkring mødebordet, inden Erlander skyndsomt fortsatte.

"Nu til morgen er det kommet frem, at Paulsson er på i hvert fald to slags psykofarmaka ved navn Xanor og Efexor. Han burde egentlig have været sygemeldt, men har holdt sin tilstand hemmelig for kollegerne."

"Hvilken tilstand?" spurgte Spångberg skarpt.

"Præcis hvad han lider af, ved jeg selvfølgelig ikke – men den medicin, han tager, er dels stærkt angstdæmpende og dels opkvikkende. Han var simpelthen påvirket i nat."

"Herregud," sagde Spångberg med eftertryk. Hun lignede det uvejr, der var draget over Göteborg i morgentimerne. "Jeg vil gerne tale med Paulsson. Nu."

"Det bliver nok lidt svært. Han kollapsede i morges og er taget på hospitalet på grund af overanstrengelse. Vi var bare frygtelig uheldige, at netop han var på vagt."

"Må jeg spørge om noget?" spurgte chefen for drabsafdelingen. "Paulsson anholdt altså Mikael Blomkvist i nat?"

"Han har afleveret en rapport og indgivet en anmeldelse om chikane, voldelig modstand mod tjenestemand og ulovlig våbenbesiddelse."

"Hvad siger Blomkvist?"

"Han erkender chikanen, men hævder, at det var nødværge. Han mener, at modstanden bestod i et skarpt verbalt forsøg på at forhindre Torstensson og Andersson i at tage af sted for at arrestere Niedermann på egen hånd og uden forstærkning."

"Vidner?"

"Der er jo betjent Torstensson og Andersson. Lad mig lige sige, at jeg ikke tror en døjt på Paulssons anmeldelse om voldelig modstand. Det er en typisk modanmeldelse for at afværge fremtidige klager fra Blomkvist."

"Men Blomkvist havde altså på egen hånd overmandet Niedermann?" spurgte anklager Agneta Jervas.

"Ved hjælp af et våben."

"Så Blomkvist havde altså et våben. Så skulle anholdelsen af Blomkvist i hvert fald have en vis substans. Hvor fik han våbnet fra?"

"Det vil Blomkvist ikke udtale sig om, før han har talt med en advokat. Men Paulsson anholdt Blomkvist, da han forsøgte at *overdrage* våbnet til politiet."

"Må jeg stille et uformelt spørgsmål?" spurgte Sonja Modig forsigtigt.

Alle så på hende.

"Jeg har mødt Mikael Blomkvist ved flere lejligheder under efterforskningen, og min vurdering er, at han er et ret forstandigt menneske, selv om han er journalist. Jeg går ud fra, at det er dig, der skal tage beslutning om en eventuel sigtelse ..." Hun så på Agneta Jervas, der nikkede. "I så fald – det med chikane og modstand er jo bare tåbeligheder, så det går jeg ud fra, at du automatisk afskriver."

"Formentlig. Men ulovlig våbenbesiddelse er en lidt mere alvorlig sag."

"Jeg vil foreslå, at du forholder dig afventende. Blomkvist har på egen hånd samlet brikkerne til denne historie og ligger langt foran os i politiet. Vi har større nytte af at holde os på god fod med ham og samarbejde end af at skubbe ham fra os, så han kan gå ud og angribe hele politikorpset i medierne."

Hun tav. Et øjeblik efter rømmede Marcus Erlander sig. Hvis Sonja Modig kunne stikke snuden frem, ville han ikke stå tilbage.

"Jeg er faktisk enig. Jeg opfatter også Blomkvist som en forstandig person. Jeg har også undskyldt den behandling, han blev udsat for i nat. Han synes at være parat til at slå en streg over det.

Desuden har han integritet. Han har opsporet Lisbeth Salanders bopæl, men nægter at fortælle os, hvor den er. Han er ikke bange for at tage en offentlig diskussion med politiet ... og han befinder sig jo i en position, hvor hans stemme vil veje lige så tungt i medierne som en hvilken som helst rapport fra Paulsson."

"Men han nægter at videregive oplysninger om Salander til politiet?"

"Han siger, at det må vi spørge Lisbeth om."

"Hvad er det for et våben?" spurgte Jervas.

"Det er en Colt 1911 Government. Serienummeret er ukendt. Jeg har sendt våbnet til teknisk afdeling, men vi ved endnu ikke, om det er blevet brugt i nogen kriminel sammenhæng i Sverige. Hvis det er tilfældet, kommer sagen jo op på et lidt andet niveau."

Monica Spångberg hævede kuglepennen.

"Agneta, du afgør selv, om du vil indlede en forundersøgelse mod Blomkvist. Jeg foreslår, at du afventer rapporten fra teknisk afdeling. Lad os gå videre. Ham her Zalachenko ... hvad kan I fra Stockholm fortælle om ham?"

"Sagen er den, at så sent som i går eftermiddags havde vi aldrig hørt om hverken Zalachenko eller Niedermann," svarede Sonja Modig.

"Jeg troede, at I var på jagt efter en lesbisk satanistgruppe i Stockholm," sagde en af betjentene fra Göteborg. Nogle af de andre trak på smilebåndet. Jerker Holmberg inspicerede sine negle. Det var Sonja Modig, der måtte tage sig af spørgsmålet.

"Mellem os kan jeg vel godt fortælle, at vi har vores egen 'Thomas Paulsson' i afdelingen, og det med en lesbisk satanistgruppe er nok nærmere et sidespor, der stammer fra den kant."

Sonja Modig og Jerker Holmberg brugte derefter en halv times tid på at fortælle, hvad der var kommet frem i løbet af efterforskningen.

Da de var færdige, opstod der en lang tavshed omkring bordet.

"Hvis det her med Gunnar Björck passer, får Säpo det hedt," fastslog endelig vicechefen for drabsafdelingen.

Alle nikkede. Agneta Jervas løftede hånden.

"Hvis jeg forstår det ret, bygger jeres mistanke mest på antagelser og indicier. Som politiadvokat er jeg lidt bekymret for det faktiske bevisforhold."

"Det er vi bevidst om," sagde Jerker Holmberg. "Vi mener at vide, hvad der i store træk skete, men der er en del spørgsmål, som må udredes."

"Jeg har forstået, at I er i fuld gang med udgravninger i Nykvarn uden for Södertälje," sagde Spångberg. "Hvor mange mord drejer den her sag sig egentlig om?"

Jerker Holmberg lukkede træt øjnene.

"Vi begyndte med tre mord i Stockholm – det er de mord, som Lisbeth Salander har været efterlyst for, altså advokat Bjurman, journalist Dag Svensson og forsker Mia Bergman. I forbindelse med lageret i Nykvarn har vi indtil videre fundet tre grave. Vi har identificeret en af politiet kendt håndlanger og småtyv, som var skåret i småstykker og lå i den første grav. Vi har fundet en endnu uidentificeret kvinde i grav nummer to. Og vi har ikke nået at grave den tredje grav ud endnu. Den ser ud til at være af ældre dato. Desuden har Mikael Blomkvist fundet en forbindelse til mordet på en prostitueret kvinde i Södertälje for nogle måneder siden."

"Så med betjent Gunnar Andersson i Gosseberga drejer det sig om mindst otte mord ... det er jo en temmelig uhyggelig statistik. Mistænker vi ham Niedermann for samtlige mord? Han skulle altså være en fuldkommen sindssyg massemorder."

Sonja Modig og Jerker Holmberg udvekslede blikke. Nu drejede det sig om, i hvilken udstrækning de skulle binde sig til den påstand. Til sidst tog Sonja Modig ordet.

41

"Selv om de faktiske beviser mangler, så hælder jeg og min chef, altså kriminalkommissær Jan Bublanski, nok til, at Blomkvist har helt ret, når han påstår, at de tre første mord er blevet begået af Niedermann. Det vil betyde, at Salander er uskyldig. Med hensyn til gravene i Nykvarn er Niedermann forbundet med gerningsstedet gennem kidnapningen af Salanders veninde Miriam Wu. Der hersker vist ingen tvivl om, at hun stod for tur til en fjerde gravplads. Men den omtalte lagerbygnings ejermand er i familie med lederen af Svavelsjö MC, og vi må hellere vente med at drage konklusioner, til vi har fået identificeret ligene."

"Ham småtyven I har identificeret ..."

"Kenneth Gustafsson, 44 år, kendt håndlanger og problembarn siden teenagealderen. Umiddelbart vil jeg gætte på, at det drejer sig om et internt opgør af en eller anden slags. Svavelsjö MC er indblandet i alskens kriminalitet, deriblandt distribution af metamfetamin. Det kan altså være en skovkirkegård for folk, der er kommet på kant med Svavelsjö MC. Men ..."

"Ja?"

"Den prostituerede pige, der blev myrdet i Södertälje ... hun hedder Irina Petrova, 22 år."

"Okay."

"Obduktionen viste, at hun blev udsat for ekstremt grov vold og havde kvæstelser af den slags, som ses hos folk, der er blevet slået ihjel med et baseballbat eller lignende. Men kvæstelserne var tvetydige, og patologen har ikke kunnet bestemme, hvilket redskab der blev anvendt. Blomkvist gjorde faktisk en ganske skarp iagttagelse. Irina Petrova havde kvæstelser, der meget vel kan være påført med de bare næver ..."

"Niedermann?"

"Det er en rimelig antagelse. Beviserne mangler endnu."

"Hvordan kommer vi videre?" spurgte Spångberg.

"Jeg må konferere med Bublanski, men et naturligt næste skridt er vel at afhøre Zalachenko. Fra vores side er vi interesserede i at høre, hvad han ved om mordene i Stockholm, og for jer drejer det sig jo om at fange Niedermann."

En af kriminalbetjentene fra drabsafdelingen i Göteborg hævede hånden.

"Må jeg spørge .... hvad har vi fundet på gården i Gosseberga?"

"Meget lidt. Vi har fundet fire skydevåben. En Sig Sauer, der var skilt ad og ved at blive smurt på køkkenbordet. En polsk P-83 Wanad på gulvet ved siden af slagbænken. En Colt 1911 Government – det er den pistol, som Blomkvist forsøgte at overdrage til Paulsson. Og endelig en Browning kaliber 22, som nærmest er en legetøjspistol i den forsamling. Vi har mistanke om, at det er det våben, som Salander er blevet skudt med, da hun har en kugle i hjernen, men endnu er i live."

"Andet?"

"Vi har beslaglagt en taske med omkring 200.000 kroner. Tasken befandt sig på et værelse på overetagen, der blev benyttet af Niedermann."

"Og er I sikre på, at det er hans værelse?"

"Tja, han bruger størrelse XXL i tøj. Zalachenko er formentlig medium."

"Er der noget, som forbinder Zalachenko med kriminel virksomhed?" spurgte Jerker Holmberg.

Erlander rystede på hovedet.

"Det afhænger selvfølgelig af, hvordan vi fortolker våbenbeslaglæggelsen. Men bortset fra våben, og at Zalachenko har en meget avanceret kameraovervågning af gården, har vi ikke fundet noget, der adskiller gården i Gosseberga fra en hvilken som helst anden bondegård. Det er et meget spartansk møbleret hus."

Lidt i tolv bankede en uniformeret politimand på og afleverede et stykke papir til vicepolitimester Monica Spångberg. Hun hævede hånden.

"Vi har modtaget en efterlysning af en person i Alingsås. En 27-årig klinikassistent ved navn Anita Kaspersson forlod sin bopæl klokken 07.30 i morges. Hun afleverede et barn i børnehave og skulle derefter være ankommet til sin arbejdsplads før otte. Hvilket hun aldrig gjorde. Hun arbejder hos en privat tandlæge med praksis omkring 150 meter fra det sted, hvor den stjålne politibil blev fundet."

Erlander og Sonja Modig kiggede samtidig på deres armbåndsure.

"Så har han fire timers forspring. Hvad er det for en bil?"

"En mørkeblå Renault, årgang 1991. Her er nummeret."

"Efterlys den med det samme. På nuværende tidspunkt kan han være hvor som helst mellem Oslo, Malmö og Stockholm."

Efter yderligere lidt snak afsluttede de mødet med den beslutning, at Sonja Modig og Marcus Erlander skulle afhøre Zalachenko sammen.

HENRY CORTEZ RYNKEDE øjenbrynene og fulgte Erika Berger med blikket, da hun skråede fra sit kontor ud i tekøkkenet. Hun kom ud et øjeblik efter med en kop kaffe og vendte tilbage til sit kontor. Hun lukkede døren.

Henry Cortez kunne ikke rigtig sætte fingeren på, hvad der var galt. *Millennium* var en lille arbejdsplads af den slags, hvor medarbejderne kom tæt på hinanden. Han havde arbejdet på deltid på tidsskriftet i fire år, og i den tid havde han oplevet en del fænomenale stormvejr, ikke mindst i den periode hvor Mikael Blomkvist havde været tre måneder i fængsel for bagvaskelse, og avisen havde været lige ved at gå nedenom og hjem. Han havde oplevet mordet på medarbejderen Dag Svensson og dennes kæreste Mia Bergman.

Under det stormvejr havde Erika Berger været en klippe, som intet syntes at kunne rokke. Han var ikke overrasket over, at Erika Berger havde ringet og vækket ham tidligt om morgenen og sat ham og Lottie Karim i arbejde. Salandersagen var ved at falde fra hinanden, og Mikael Blomkvist var blevet indblandet i et politimord i Göteborg. Så langt så godt. Lottie Karim var mødt op på politigården for at få ordentlig besked. Henry havde brugt morgenen til at ringe rundt og forsøge at stykke sammen, hvad der var sket om natten. Blomkvist tog ikke telefonen, men takket være en række kilder havde Henry et relativt godt billede af, hvad der havde udspillet sig i løbet af natten.

Derimod havde Erika Berger været mentalt fraværende hele formiddagen. Det var yderst sjældent, at hun lukkede døren til sit kontor. Det skete næsten kun, når hun havde besøg eller arbejdede på højtryk med et eller andet problem. Denne morgen havde hun ikke haft besøg, og hun arbejdede ikke. Da Henry på et tidspunkt bankede på for at videregive nogle oplysninger, havde han fundet hende i stolen ved vinduet, hvor hun sad fordybet i tanker og tilsyneladende sløvt kiggede på folkestrømmen nede i Götgatan. Hun lyttede kun distræt til hans oplysninger.

Der var noget galt.

Dørklokken afbrød hans tanker. Han gik ud og åbnede, og der stod Annika Giannini. Henry Cortez havde mødt Mikael Blomkvists søster ved flere lejligheder, men kendte hende ikke nærmere.

"Hej, Annika," sagde han. "Mikael er her ikke i dag."

"Det ved jeg. Jeg vil gerne tale med Erika."

Erika Berger så op fra sin stol ved vinduet og tog sig skyndsomt sammen, da Henry slap Annika indenfor.

"Hej," sagde hun. "Mikael er her ikke i dag."

Annika smilede.

"Det ved jeg. Jeg er her på grund af Björcks Säporapport. Micke har bedt mig se på den for eventuelt at repræsentere Salander."

Erika nikkede. Hun rejste sig og hentede en mappe på skrivebordet.

Annika tøvede et øjeblik, halvt om halvt på vej til at forlade rummet. Så skiftede hun mening og satte sig over for Erika.

"Okay, hvad er der så galt med dig?"

"Jeg skal holde op på *Millennium*. Og jeg har ikke kunnet fortælle det til Mikael. Han har været så optaget af den her Salanderhistorie, at der ikke har været lejlighed til det, og jeg kan ikke fortælle det til de andre, før jeg har fortalt det til ham, og nu har jeg det frygtelig dårligt over det."

Annika Giannini bed sig i underlæben.

"Og nu fortæller du det til mig i stedet. Hvad skal du lave?"

"Jeg skal være chefredaktør på *Svenska Morgon-Posten*."

"Okay. I så fald er et tillykke jo på sin plads i stedet for gråd og tænders gnidsel."

"Men det var ikke sådan her, jeg havde tænkt mig at holde op på *Millennium*. Midt i et kæmpe kaos. Det kommer som et lyn fra en klar himmel, og jeg kan ikke sige nej. Det er jo en chance, som jeg aldrig får igen. Men jeg fik tilbuddet, lige inden Dag og Mia blev skudt, og der har været et sådant røre her, at jeg har fortiet det. Og nu har jeg fandens dårlig samvittighed."

"Okay. Og nu er du bange for at fortælle det til Micke."

"Jeg har ikke fortalt det til nogen. Jeg troede ikke, at jeg skulle begynde på SMP før efter sommerferien, og at der stadig var tid til at fortælle det. Men nu vil de have, at jeg begynder så hurtigt som muligt."

Hun tav og betragtede næsten grædefærdig Annika.

"Det her bliver praktisk talt min sidste uge på *Millennium*. Næste uge er jeg bortrejst og så ... jeg må have nogle ugers ferie for at lade op. Men den 1. maj begynder jeg på SMP."

"Og hvad ville der ske, hvis du var blevet kørt over af en bil? Så ville de have stået uden chefredaktør med et minuts varsel."

Erika så op.

"Men jeg er ikke blevet kørt over af en bil. Jeg har bevidst fortiet det i flere uger."

"Jeg forstår godt, at det er en svær situation, men jeg tror nu nok, at Micke, Christer og de andre skal klare det. Derimod synes jeg, at du skal fortælle dem det med det samme."

"Jo, men din forbandede bror er i Göteborg i dag. Han sover og tager ikke telefonen."

"Jeg ved det. Der er få mennesker, der er så gode til at lade være med at tage telefonen som Mikael. Men det her drejer sig ikke om dig og Micke. Jeg ved godt, at I har arbejdet sammen i tyve år eller deromkring og har noget kørende, men du må tænke på Christer og de andre på redaktionen."

"Men Mikael vil ..."

"Micke vil springe i luften. Ja, ja. Men hvis han ikke kan klare, at du efter tyve år har kludret lidt i det, så er han ikke den tid værd, som du har investeret i ham."

Erika sukkede.

"Tag dig sammen. Kald Christer og de andre på redaktionen sammen. Nu."

CHRISTER MALM SAD fortumlet et øjeblik, da Erika Berger havde samlet medarbejderne i *Millenniums* lille mødelokale. Der var blevet indkaldt til redaktionsmøde med nogle minutters varsel, ligesom han havde været på vej til at gøre en tidlig fredagssortie. Han skævede til Henry Cortez og Lottie Karim, der var præcis lige så overraskede som han. Redaktionssekretær Malin Eriksson havde heller ikke vidst noget, ligesom journalist Monica Nilsson og marketingchef Sonny Magnusson. Den eneste, der manglede i forsamlingen, var Mikael

Blomkvist, der befandt sig i Göteborg.

Herregud. Mikael ved ikke noget om det, tænkte Christer Malm. *Gad vide, hvordan han vil reagere.*

Så gik det op for ham, at Erika Berger var holdt op med at tale, og at der var helt stille i mødelokalet. Han rystede på hovedet, rejste sig og gav Erika et kram og et kys på kinden.

"Tillykke, Ricky," sagde han. "Chefredaktør for SMP. Det er virkelig ikke noget dårligt skridt fra denne lille skude."

Henry Cortez vågnede til live og begyndte spontant at klappe. Erika holdt hænderne afværgende op.

"Stop," sagde hun. "Jeg fortjener ingen klapsalver i dag."

Hun holdt en pause og så undersøgende på medarbejderne på den lille redaktion.

"Hør her ... jeg er frygtelig ked af, at det er blevet på denne måde. Jeg ville have fortalt jer det for flere uger siden, men det druknede i kaosset efter mordene. Mikael og Malin har arbejdet som besatte, og der har bare ikke været lejlighed til det. Og derfor er det endt sådan her."

Malin Eriksson indså med et forfærdende klarsyn, hvor underbemandet redaktionen egentlig var, og hvor frygtelig tomt det ville blive uden Erika. Lige meget hvad der skete, eller hvilket kaos der udbrød, havde hun været den klippe, som Malin havde kunnet læne sig op ad, altid urokkelig i stormvejret. Tja ... ikke så mærkeligt, at *Svenska Morgon-Posten* rekrutterede hende. Men hvad ville der ske nu? Erika havde altid været en nøgleperson på *Millennium.*

"Der er nogle ting, vi må have klarhed over. Jeg er godt klar over, at det her vil skabe uro på redaktionen. Det har virkelig ikke været min hensigt, men nu er det, som det er. For det første: Jeg forlader ikke *Millennium* helt. Jeg bliver stående som medejer og vil deltage i bestyrelsesmøderne. Derimod vil jeg naturligvis ikke have nogen indflydelse på det redaktionelle arbejde – det kunne give interessekonflikter."

Christer Malm nikkede tankefuldt.

"For det andet: Jeg holder formelt den sidste dag i april. Men det her bliver i praksis min sidste arbejdsdag. Næste uge er jeg bortrejst, som I ved. Det har været planlagt længe. Og jeg har besluttet, at jeg ikke kommer tilbage for at ordne det sidste."

Hun tav et øjeblik.

"Næste nummer ligger klart på computeren. Der er kun småting tilbage at ordne. Det bliver mit sidste nummer. Derefter må en anden chefredaktør tage over. Jeg rydder mit skrivebord i aften."

Tavsheden var massiv.

"Hvem der bliver ny chefredaktør efter mig, er en sag, der må tages op og besluttes i bestyrelsen. Men det skal også diskuteres blandt jer på redaktionen."

"Mikael," sagde Christer Malm.

"Nej. Endelig ikke Mikael. Han er den i særklasse dårligste chefredaktør, I kan vælge. Han er perfekt som ansvarshavende udgiver og skidegod til at få hul på og strikke umulige tekster sammen, der skal publiceres. Han er bremseklodsen. Chefredaktøren skal være den, der satser offensivt. Mikael har desuden en tendens til at begrave sig i sine egne historier og nogle gange være helt fraværende i flere uger. Han er bedst, når det spidser til, men han er utrolig dårlig til rutine-arbejde. Det ved I alle."

Christer Malm nikkede.

"*Millennium* har fungeret, fordi du og Mikael har suppleret hin-anden."

"Men ikke kun derfor. I kan vel godt huske, da Mikael sad oppe i Hedestad og surmulede i næsten et helt forbandet år. Dengang kla-rede *Millennium* sig uden ham, ligesom tidsskriftet er nødt til at klare sig uden mig nu."

"Okay. Hvad er din plan?"

"Mit valg ville være, at du tog over som chefredaktør, Chri-ster ..."

"Aldrig i livet." Christer Malm holdt hænderne afværgende op.

"... men da jeg ved, at du vil sige nej, har jeg en anden løsning. Malin. Du går ind som midlertidig chefredaktør fra og med i dag."

"Mig?!" sagde Malin.

"Ja, dig. Du har været en skidegod redaktionssekretær."

"Men jeg ..."

"Gør et forsøg. Jeg rydder mit skrivebord i aften. Du kan flytte ind mandag morgen. Majnummeret er næsten færdigt – det har vi allerede knoklet med. I juni er der dobbeltnummeret, og så har vi fri en måned. Hvis det ikke fungerer, må bestyrelsen finde en anden i august. Henry, du må gå op på fuldtid og erstatte Malin som redaktionssekretær. Senere må I rekruttere en ny medarbejder. Men det er jeres og bestyrelsens valg."

Hun tav et kort øjeblik og betragtede eftertænksomt forsamlingen.

"En ting til. Jeg begynder på en anden avis. SMP og *Millennium* er jo praktisk talt ikke konkurrenter, men det betyder alligevel, at jeg ikke vil vide spor mere om indholdet af næste nummer, end jeg allerede gør. Den slags må I tage med Malin fra nu af."

"Hvordan gør vi med Salanderhistorien?" spurgte Henry Cortez.

"Snak med Mikael om det. Jeg har en del viden om Salander, men den historie lægger jeg i mølposen. Den kommer ikke til at gå videre til SMP."

Erika følte sig pludselig enormt lettet.

"Det var alt," sagde hun og afsluttede mødet, rejste sig og gik tilbage til sit kontor uden videre kommentarer.

Millenniums redaktion sad tavs tilbage. Det var først en time senere, at Malin Eriksson bankede på døren til Erikas kontor.

"Hallo."

"Ja?" sagde Erika.

"Personalet vil gerne sige noget."

"Hvad?"

"Her udenfor."

Erika rejste sig og gik hen til døren. De havde dækket op med kage og fredagskaffe.

"Vi må holde en rigtig fest og fejre dig på et senere tidspunkt," sagde Christer Malm. "Indtil videre må du nøjes med kaffe og kage."

Erika Berger smilede for første gang den dag.

KAPITEL 3
Fredag den 8. april – lørdag den 9. april

ALEXANDER ZALACHENKO HAVDE været vågen i otte timer, da Sonja Modig og Marcus Erlander besøgte ham ved syvtiden om aftenen. Han havde gennemgået en temmelig omfattende operation, hvor en væsentlig del af kindbenet var blevet fikseret med titaniumskruer. Hans hoved var pakket ind i bandage, så kun det venstre øje var synligt. En læge havde forklaret, at øksehugget havde knust kindbenet, skadet pandebenet samt skrællet en stor del af kødet på højre side af ansigtet af og flyttet øjenhulen. Sårene gav ham mange smerter. Zalachenko havde fået store mængder smertestillende medicin, men var alligevel nogenlunde klar og kunne tale. Politiet måtte dog ikke trætte ham.

"Godaften, hr. Zalachenko," sagde Sonja Modig. Hun præsenterede sig selv og kollegaen Erlander.

"Jeg hedder Karl Axel Bodin," sagde Zalachenko besværet mellem sammenpressede tænder. Hans stemme var rolig.

"Jeg ved præcis, hvem du er. Jeg har læst dit cv hos Säpo."

Hvilket ikke var helt sandt, da Säpo endnu ikke havde udleveret et eneste stykke papir om Zalachenko.

"Det er længe siden," sagde Zalachenko. "Nu er jeg Karl Axel Bodin."

"Hvordan har du det?" fortsatte Modig. "Er du i stand til at føre en samtale?"

"Jeg vil gerne anmelde en forbrydelse. Jeg er blevet udsat for drabsforsøg af min datter."

"Det ved jeg. Den sag skal nok blive undersøgt til sin tid," sagde Erlander. "Men lige nu har vi mere presserende ting at tale om."

"Hvad kan være mere presserende end et drabsforsøg?"

"Vi vil gerne tale med dig om tre mord i Stockholm, mindst tre mord i Nykvarn samt en kidnapning."

"Det kender jeg ikke noget til. Hvem er blevet myrdet?"

"Hr. Bodin, vi har god grund til at formode, at din kompagnon, den 35-årige Ronald Niedermann, er skyldig i disse handlinger," sagde Erlander. "I nat myrdede Niedermann desuden en politimand fra Trollhättan."

Sonja Modig blev lidt overrasket over, at Erlander føjede Zalachenko ved at anvende navnet Bodin. Zalachenko drejede hovedet en anelse, så han kunne se Erlander. Hans stemme blev lidt mildere.

"Det var ... trist at høre. Jeg ved ikke noget om, hvad Niedermann går og laver. Jeg har ikke myrdet nogen politimand. Jeg blev selv udsat for et drabsforsøg i nat."

"Ronald Niedermann er for øjeblikket efterlyst. Har du nogen anelse om, hvor han kunne tænkes at gemme sig?"

"Jeg ved ikke, hvilke kredse han færdes i. Jeg ..." Zalachenko tøvede et øjeblik. Hans stemme blev fortrolig. "Jeg må indrømme ... mellem os sagt ... at jeg nogle gange har været bekymret for Niedermann."

Erlander bøjede sig en anelse frem.

"Hvad mener du?"

"Jeg har opdaget, at han er voldelig. Jeg er faktisk bange for ham."

"Mener du, at du har følt dig truet af Niedermann?" spurgte Erlander.

"Nemlig. Jeg er en gammel mand. Jeg kan ikke forsvare mig."

"Kan du forklare din relation til Niedermann?"

"Jeg er handikappet." Zalachenko pegede på sin fod. "Det her er anden gang, min datter forsøger at myrde mig. Jeg ansatte Niedermann som hjælper for mange år siden. Jeg troede, at han kunne beskytte mig ... men i virkeligheden har han overtaget mit liv. Han kommer og går, som han vil, jeg har ikke noget at skulle have sagt."

"Og hvad hjælper han dig med?" brød Sonja Modig ind. "At gøre den slags, som du ikke selv kan klare?"

Zalachenko sendte Sonja Modig et langt blik med sit eneste synlige øje.

"Jeg har forstået, at hun kastede en brandbombe ind i din bil for over ti år siden," sagde Sonja Modig. "Kan du forklare, hvad der gav hende den indskydelse?"

"Det må du spørge min datter om. Hun er sindssyg."

Hans stemme var igen fjendtlig.

"Mener du, at du ikke kan forestille dig nogen grund til, at Lisbeth Salander angreb dig i 1991?"

"Min datter er sindssyg. Det kan dokumenteres."

Sonja Modig lagde hovedet på skrå. Hun noterede sig, at Zalachenko svarede betydeligt mere aggressivt og fjendtligt, når hun stillede spørgsmålene. Hun noterede sig også, at Erlander havde lagt mærke til det samme. *Okay ... Good cop, bad cop.* Sonja Modig hævede stemmen.

"Tror du ikke, at hendes handling kunne have noget at gøre med, at du havde været så voldelig over for hendes mor, at moderen fik kroniske hjerneskader?"

Zalachenko betragtede Sonja Modig med et roligt ansigtsudtryk.

"Det der er noget ævl. Hendes mor var luder. Det var formentlig en af hendes kunder, der gav hende tæsk. Jeg kom bare tilfældigvis forbi."

Sonja Modig hævede øjenbrynene.

"Så du er altså uskyldig?"

"Naturligvis."

"Zalachenko ... lad mig se, om jeg har forstået dig ret. Du nægter altså, at du var voldelig mod din daværende kæreste, Agneta Sofia Salander, Lisbeth Salanders mor, selv om det er genstand for en omfangsrig, hemmeligstemplet undersøgelse af din daværende rådgiver i Säpo, Gunnar Björck."

"Jeg er aldrig blevet dømt for noget. Jeg har ikke engang været sigtet. Jeg kan ikke gøre for, hvad en eller anden idiot inden for Säpo fantaserer om i sine rapporter. Hvis jeg var mistænkt, burde jeg vel i det mindste være blevet afhørt."

Sonja Modig var målløs. Zalachenko så faktisk ud, som om han smilede bag bandagen.

"Jeg vil altså gerne anmelde min datter. Hun har forsøgt at dræbe mig."

Sonja Modig sukkede.

"Jeg begynder pludselig at forstå, hvorfor Lisbeth Salander føler behov for at hamre en økse i hovedet på dig."

Erlander rømmede sig.

"Undskyld, hr. Bodin ... vi skulle måske vende tilbage til, hvad du ved om Ronald Niedermanns aktiviteter."

Sonja Modig ringede til kriminalkommissær Jan Bublanski fra gangen uden for Zalachenkos stue.

"Ingenting," sagde hun.

"Ingenting?" gentog Bublanski.

"Han har indgivet politianmeldelse mod Lisbeth Salander for grov vold og drabsforsøg. Han påstår, at han ikke har noget at gøre med mordene i Stockholm."

"Og hvordan forklarer han, at Lisbeth Salander er blevet gravet ned på hans grund i Gosseberga?"

"Han siger, at han har været forkølet og har sovet det meste af dagen. Hvis Salander er blevet skudt i Gosseberga, må det være noget, som Ronald Niedermann har fundet på."

"Okay. Hvad har vi?"

"Hun blev skudt med en Browning kaliber 22. Det er derfor, hun lever. Vi har fundet våbnet. Zalachenko indrømmer, at det er hans."

"Aha. Han ved med andre ord, at vi vil finde hans fingeraftryk på våbnet."

"Nemlig. Men han siger, at sidst han så våbnet, lå det i hans skrivebordsskuffe."

"Altså har den fortræffelige Ronald Niedermann formentlig taget våbnet, mens Zalachenko sov, og har skudt Salander. Kan vi bevise det modsatte?"

Sonja Modig tænkte sig om et øjeblik, inden hun svarede:

"Han er fortrolig med svensk lovgivning og politiets metoder. Han vil ikke indrømme noget som helst, og han har Niedermann som bondeoffer. Jeg ved faktisk ikke, hvad vi kan bevise. Jeg har bedt Erlander sende hans tøj til teknisk afdeling for at undersøge, om der er krudtrester, men han vil formentlig hævde, at han øvede sig med våbnet for to dage siden."

Lisbeth Salander mærkede en duft af mandel og etanol. Det var, som om hun havde sprit i munden, og hun forsøgte at synke, men opdagede, at tungen virkede følelsesløs. Hun forsøgte at åbne øjnene, men kunne ikke. Hun hørte langt væk fra en stemme, som syntes at tale til hende, men hun kunne ikke forstå ordene. Pludselig hørte hun stemmen klart og tydeligt.

"Jeg tror, hun er ved at vågne."

Hun mærkede, at nogen rørte ved hendes pande, og forsøgte at vifte den nærgående hånd væk. I samme øjeblik følte hun en stærk smerte i sin venstre skulder. Hun slappede af.

"Kan du høre mig?"

Gå din vej.

"Kan du åbne øjnene?"

Hvad fanden er det for en idiot, der snakker?

Til sidst slog hun øjnene op. Først så hun kun besynderlige lyspletter, før en skikkelse trådte frem midt i synsfeltet. Hun forsøgte at fokusere, men skikkelsen smuttede hele tiden væk. Det var, som om hun havde en ordentlig skid på, og som om sengen hele tiden tiltede baglæns.

"Strslln," sagde hun.

"Hvad siger du?"

"Diot," sagde hun.

"Alle tiders. Kan du åbne øjnene igen."

Hun åbnede øjnene til to smalle sprækker. Hun så et fremmed ansigt og memorerede hver eneste detalje. En lyshåret mand med ekstremt blå øjne og et skævt, kantet ansigt ti-tyve centimeter fra hendes ansigt.

"Hej. Jeg hedder Anders Jonasson. Jeg er læge. Du er på hospitalet. Du er blevet skudt og er ved at vågne op fra en operation. Ved du, hvad du hedder?"

"Pschalandr," sagde Lisbeth Salander.

"Okay. Kan du gøre mig en tjeneste? Kan du tælle til ti?"

"Et to fire ... nej ... tre fire fem seks ..."

Så sov hun igen.

Dr. Anders Jonasson var dog tilfreds med den respons, han havde fået. Hun havde sagt sit navn og var begyndt at tælle. Det gav anledning til at tro, at hun stadig havde forstandsevnerne nogenlunde intakt og ikke ville vågne op som en grøntsag. Han noterede opvågningstidspunktet til at være 21.06, omkring seksten timer efter at han havde afsluttet operationen. Han havde sovet det meste af dagen og var taget tilbage til Sahlgrenska Sygehus ved syvtiden om aftenen. Han havde egentlig fri, men havde noget skrivebordsarbejde, han skulle nå.

Og han havde ikke kunnet lade være med at gå forbi intensivafdelingen og se til den patient, hvis hjerne han havde rodet i tidligt om morgenen.

"Lad hende sove lidt mere, men hold nøje øje med hendes EEG. Jeg er bange for, at der kan opstå hævelser eller blødninger i hjernen. Hun så ud til at have stærke smerter i skulderen, da hun forsøgte at bevæge armen. Hvis hun vågner, må I gerne give hende to milligram morfin i timen."

Han følte sig besynderligt opløftet, da han gik ud gennem hovedindgangen på Sahlgrenska Sygehus.

KLOKKEN VAR LIDT i to om natten, da Lisbeth Salander vågnede igen. Hun åbnede langsomt øjnene og så en lyskegle i loftet. Efter flere minutter drejede hun hovedet og blev bevidst om, at hun havde en støttekrave omkring halsen. Hun følte en dump hovedpine og en skarp smerte i skulderen, da hun forsøgte at flytte kropsvægten. Hun lukkede øjnene.

Hospital, tænkte hun straks. *Hvad laver jeg her?*

Hun følte sig ekstremt udmattet.

Først havde hun svært ved at samle tankerne. Så vendte spredte billeder tilbage.

Et kort øjeblik blev hun grebet af panik, da billedfragmenter af, hvordan hun havde gravet sig ud af en grav, vældede ind over hende. Så bed hun tænderne hårdt sammen og koncentrerede sig om at trække vejret.

Hun konstaterede, at hun levede. Hun var ikke rigtig sikker på, om det var godt eller skidt.

Lisbeth Salander kunne ikke rigtig huske, hvad der var sket, men hun så en tåget mosaik af billeder fra brændeskuret for sig, og hvordan hun rasende svingede en økse og ramte sin far i ansigtet. Zalachenko. Hun vidste ikke, om han levede eller var død.

Hun kunne ikke rigtig huske, hvad der var sket med Niedermann. Hun havde en vag fornemmelse af, at hun var overrasket over, at han havde løbet for sit liv, og at hun ikke forstod hvorfor.

Pludselig huskede hun, at hun havde set skide Kalle Blomkvist. Hun var ikke sikker på, om hun havde drømt det hele, men hun huskede et køkken – det måtte have været køkkenet i Gosseberga – og at hun mente at have set ham komme hen til hende. *Jeg må have hallucineret.*

Begivenhederne i Gosseberga virkede allerede meget langt borte eller muligvis som en absurd drøm. Hun koncentrerede sig om nuet.

Hun var såret. Det behøvede ingen at fortælle hende. Hun løftede højre hånd og følte hen over sit hoved. Hendes hoved var én stor forbinding. Så huskede hun det pludselig. Niedermann. Zalachenko. Det dumme svin havde også haft en pistol. En Browning, kaliber 22. Som i sammenligning med næsten alle andre skydevåben var at betragte som temmelig harmløs. Det var derfor, hun levede.

Jeg blev skudt i hovedet. Jeg kunne stikke fingeren ind i indgangshullet og røre ved min hjerne.

Hun var overrasket over, at hun levede. Hun konstaterede, at hun følte sig mærkelig uengageret og egentlig var ligeglad. Hvis døden var det sorte tomrum, hun lige var vågnet fra, så var døden ikke noget at bekymre sig om. Hun ville ikke kunne mærke forskel.

Med denne esoteriske tanke lukkede hun øjnene og faldt igen i søvn.

HUN HAVDE KUN SOVET i nogle minutter, da hun hørte bevægelse og lukkede øjenlågene op til en smal sprække. Hun så en sygeplejerske i hvid uniform bøje sig over hende. Hun lukkede øjnene og lod, som om hun sov.

"Du er vist vågen," sagde sygeplejersken.

"Mmm," sagde Lisbeth Salander.

"Hej, jeg hedder Marianne. Forstår du, hvad jeg siger?"

Lisbeth forsøgte at nikke, men indså, at hendes hoved var fikseret i støttekraven.

"Nej, lad være med at bevæge dig. Du skal ikke være bange. Du blev skudt og er blevet opereret."

"Må jeg få noget vand."

Marianne gav hende vand at drikke af et sugerør. Mens hun drak, registrerede hun endnu en person, der dukkede op på hendes venstre side.

"Hej, Lisbeth. Kan du høre mig?"

"Mmm," svarede Lisbeth.

"Jeg er dr. Helene Endrin. Ved du, hvor du befinder dig?"

"Hospitalet."

"Du befinder dig på Sahlgrenska Sygehus i Göteborg. Du er blevet opereret og ligger på intensivafdelingen."

"Mmm."

"Du skal ikke være bange."

"Jeg er blevet skudt i hovedet."

Endrin tøvede et øjeblik.

"Det stemmer. Kan du huske, hvad der skete?"

"Det dumme svin havde en pistol."

"Øh ... ja, netop."

"Kaliber 22."

"Aha. Det vidste jeg ikke."

"Hvor hårdt såret er jeg?"

"Din prognose er god. Det har stået skidt til med dig, men vi tror, at du har gode chancer for at blive helt rask."

Lisbeth overvejede beskeden. Så fikserede hun Endrin med blikket. Hun noterede sig, at hun var sløret.

"Hvad skete der med Zalachenko?"

"Hvem?"

"Den dumme skid. Lever han?"

"Du mener Karl Axel Bodin."

"Nej, jeg mener Alexander Zalachenko. Det er hans rigtige navn."

"Det ved jeg ikke noget om. Men den ældre mand, der kom ind samtidig med dig, er hårdt såret, men uden for livsfare."

Lisbeths hjerte sank en anelse. Hun overvejede lægens ord.

"Hvor er han henne?"

"Han ligger på stuen ved siden af. Men nu skal du ikke bekymre dig om ham. Du skal bare koncentrere dig om selv at blive rask."

Lisbeth lukkede øjnene. Hun tænkte et øjeblik på, om hun orkede at stå ud af sengen, finde et brugbart våben og afslutte det, hun var begyndt på. Så skød hun tankerne fra sig. Hun orkede knap nok at holde øjnene åbne. Det var med andre ord ikke lykkedes hende at dræbe Zalachenko. *Han slipper væk igen.*

"Jeg vil gerne undersøge dig lidt. Bagefter skal du få lov at sove," sagde Helene Endrin.

MIKAEL BLOMKVIST VÅGNEDE pludseligt og uden forklaring. Et øjeblik vidste han ikke, hvor han befandt sig, men kom så i tanke om, at han havde booket sig ind på City Hotel. Der var kulsort i værelset. Han tændte sengelampen og så på klokken. Halv tre om natten. Han havde sovet i femten timer uden afbrydelse.

Han stod op og gik ud på toilettet og tissede. Så tænkte han sig lidt om. Han vidste, at han ikke ville kunne sove mere og stillede sig i stedet ind under bruseren. Så tog han cowboybukser på og en vinrød pullover, der godt kunne bruge en tur i vaskemaskinen. Han var frygtelig sulten og ringede ned til receptionen og spurgte, om han kunne bestille kaffe og smørrebrød på dette tidlige tidspunkt. Det kunne han godt.

Han tog sine hyttesko og en jakke på og gik ned til receptionen og købte en kop kaffe og en plasticindpakket ostemad og en med leverpostej, som han tog med sig op på værelset. Mens han spiste, tændte han for sin iBook og satte ledningen i bredbåndsstikket. Han gik ind på *Aftonbladets* hjemmeside. Pågribelsen af Lisbeth Salander var ikke uventet deres største nyhed. Nyhedsdækningen var stadig præget af forvirring, men var i det mindste på rette spor. Den 37-årige Ronald Niedermann var eftersøgt for politimordet, og politiet ville også gerne tale med ham i forbindelse med mordene i Stockholm. Politiet havde endnu ikke sagt noget om Lisbeth Salanders rolle, og Zalachenko var ikke nævnt. Han blev kun omtalt som en 66-årig jordejer fra Gosseberga, og det var tydeligt, at pressen endnu havde den opfattelse, at han nok var et offer.

Da Mikael havde læst færdig, tændte han for mobilen og konstaterede, at han havde tyve nye beskeder. Tre af dem var formaninger om at ringe til Erika Berger. To var fra Annika Giannini. Fjorten var meddelelser fra journalister fra forskellige aviser. En var fra Christer Malm, som kortfattet sms'ede til ham: *Det er bedst, at du tager det første det bedste tog hjem.*

Mikael rynkede brynene. Det var en usædvanlig besked fra Christer Malm. Sms'en var blevet sendt klokken syv den foregående aften. Han undertrykte en tilskyndelse til at ringe og vække nogen klokken tre om natten. I stedet tjekkede han togplanen på nettet og konstaterede, at første tog til Stockholm gik klokken 05.20.

Han åbnede et nyt Worddokument. Derefter tændte han en cigaret, sad stille i tre minutter og stirrede på den tomme skærm. Endelig hævede han fingrene og begyndte at skrive.

[Hendes navn er Lisbeth Salander, og Sverige har lært hende at kende gennem politiets pressekonferencer og avisernes overskrifter. Hun er 27 år og 1,5 meter høj. Hun er blevet beskyldt for at være psykopat, morder og lesbisk satanist. Der har ikke været grænser for de fantasier, der er blevet bragt til torvs om hende. I dette nummer fortæller *Millennium* historien om, hvordan statsansatte konspirerede mod Lisbeth Salander for at beskytte en syg morder.]

Han skrev langsomt og foretog kun få rettelser i det første udkast. Han arbejdede koncentreret i tre kvarter og frembragte på den tid omkring to A4-sider, der hovedsagelig var en opsummering af den nat, hvor han fandt Dag Svensson og Mia Bergman, og hvorfor politiet fokuserede på Lisbeth Salander som mistænkt morder. Han citerede avisernes overskrifter om lesbiske satanister og formodningerne om, at der havde været pirrende BDSM-sex indblandet i mordene.

Til sidst kastede han et blik på uret og klappede skyndsomt skærmen på sin iBook ned. Han pakkede sin taske, gik ned til receptionen og tjekkede ud. Han betalte med kreditkort og tog en taxi til Göteborgs hovedbanegård.

MIKAEL BLOMKVIST GIK straks hen i spisevognen og bestilte kaffe og rundstykker. Derefter åbnede han sin iBook igen og læste den tekst igennem, han havde nået at skrive først på morgenen. Han befandt sig så langt inde i formuleringerne af Zalachenkohistorien, at han ikke fik øje på Sonja Modig, før hun rømmede sig og spurgte, om hun måtte gøre ham selskab. Han så op og klappede computeren sammen.

59

"På vej hjem?" spurgte Modig.

Han nikkede.

"Du med, forstår jeg."

Hun nikkede.

"Min kollega bliver et døgn mere."

"Har du hørt noget om Lisbeth Salanders tilstand? Jeg har sovet, siden vi skiltes."

"Hun vågnede først op i går aftes. Men lægerne mener, hun klarer den og bliver rask igen. Hun har været ufattelig heldig."

Mikael nikkede. Han indså pludselig, at han ikke havde været bekymret for hende. Han var gået ud fra, at hun ville overleve. Alt andet var utænkeligt.

"Er der sket andet af interesse?" spurgte han.

Sonja Modig betragtede ham tøvende. Hun spekulerede på, hvor meget hun kunne betro journalisten, som jo faktisk kendte mere til historien, end hun selv gjorde. På den anden side havde hun sat sig ved hans bord, og cirka hundrede andre journalister havde formentlig allerede opsnuset, hvad der foregik på politigården.

"Jeg vil ikke citeres," sagde hun.

"Jeg spørger bare af personlig interesse."

Hun nikkede og forklarede, at politiet eftersøgte Ronald Niedermann vidt og bredt over hele landet og særligt i Malmöområdet.

"Og Zalachenko. Har I afhørt ham?"

"Ja, vi har afhørt ham."

"Og?"

"Det kan jeg ikke fortælle om."

"Kom nu, Sonja. Jeg ved præcis, hvad I har talt om godt en time efter, at jeg er kommet op på redaktionen i Stockholm. Og jeg skriver ikke et ord af det, du fortæller mig."

Hun tøvede længe, før hun mødte hans blik.

"Han har indgivet anmeldelse mod Lisbeth Salander, fordi hun skal have forsøgt at myrde ham. Hun vil formentlig blive sigtet for grov vold eller drabsforsøg."

"Og hun vil med stor sandsynlighed henvise til nødværgeretten."

"Det håber jeg," sagde Sonja Modig.

Mikael så skarpt på hende.

"Det der lød ikke særlig politiagtigt," sagde han afventende.

"Bodin ... Zalachenko er glat som en ål og har svar på alle spørgsmål. Jeg er helt overbevist om, at det forholder sig mere eller mindre, som du fortalte os i går. Det betyder, at Salander er blevet udsat for et langt kontinuerligt retsovergreb, som har stået på, siden hun var 12 år gammel."

Mikael nikkede.

"Det er den historie, jeg vil trykke," sagde han.

"Den historie bliver ikke populær i visse kredse."

Hun tøvede endnu lidt. Mikael ventede.

"Jeg talte med Bublanski for en halv time siden. Han siger ikke så meget, men forundersøgelsen mod Salander for mordene på dine venner synes at være afblæst. Fokus har flyttet sig til Niedermann."

"Hvilket betyder, at ..."

Han lod spørgsmålet svæve i luften imellem dem. Sonja Modig trak på skuldrene.

"Hvem skal tage sig af efterforskningen af Salander?"

"Det ved jeg ikke. Historien i Gosseberga ligger vel først og fremmest hos politiet i Göteborg. Men jeg vil gætte på, at nogen i Stockholm får til opgave at samle alt materialet, så der kan rejses tiltale."

"Okay. Skal vi vædde på, at efterforskningen vil blive flyttet over til Säpo?"

Hun rystede på hovedet.

Lige inden Alingsås lænede Mikael sig frem mod hende.

"Sonja ... jeg tror godt, at du ved, hvor det lakker henad. Hvis Zalachenkohistorien bliver offentliggjort, bliver det en skandale af de helt store. Säpofolk har samarbejdet med en psykiater for at spærre Salander inde på galeanstalten. Det eneste, de kan gøre, er benhårdt at hævde, at Lisbeth Salander faktisk er sindssyg, og at tvangsindlæggelsen i 1991 var berettiget."

Sonja Modig nikkede.

"Jeg vil gøre alt for at spænde ben for den slags planer. Jeg mener, at Lisbeth Salander er lige så klog som du og jeg. Sær, helt sikkert, men hendes forstandsevner kan der ikke sættes spørgsmålstegn ved."

Sonja Modig nikkede. Mikael holdt en pause, mens han lod det, han havde sagt, trænge ind.

"Jeg vil få brug for nogen indenfor, som jeg kan stole på," sagde han.

Hun mødte hans blik.

"Jeg er ikke i stand til at afgøre, om Lisbeth Salander er psykisk syg," svarede hun.

"Nej, men du er i stand til at bedømme, om hun er blevet udsat for et retsovergreb eller ej."

"Hvad er det, du foreslår?"

"Jeg siger ikke, at du skal stikke dine kolleger, men jeg vil gerne have, at du lader mig det vide, hvis du opdager, at Lisbeth er ved at blive udsat for et nyt retsovergreb."

Sonja Modig sagde ikke noget.

"Jeg forlanger ikke, at du skal sladre om efterforskningstekniske detaljer eller den slags. Brug din egen dømmekraft. Men jeg er nødt til at vide, hvad der sker med sigtelsen mod Lisbeth Salander."

"Det lyder som en glimrende måde at blive fyret på."

"Du er en kilde. Jeg vil aldrig nogensinde navngive dig eller få dig i fedtefadet."

Han tog en notesblok og skrev en e-mailadresse.

"Det her er en anonym hotmail-adresse. Hvis du vil fortælle noget, kan du skrive til den adresse. Du bør ikke bruge din almindelige offentlige adresse, men oprette en helt tilfældig konto på hotmailen."

Hun tog imod adressen og lagde den i inderlommen på sin frakke. Hun lovede ingenting.

KRIMINALKOMMISSÆR MARCUS ERLANDER vågnede klokken syv lørdag morgen ved, at telefonen ringede. Han hørte stemmer fra tv'et og kunne dufte kaffe fra køkkenet, hvor hans kone var gået i gang med morgengøremålene. Han var kommet hjem til lejligheden i Mölndal klokken et om natten og havde sovet i godt fem timer. Inden da havde han været i gang næsten toogtyve timer. Han var derfor langtfra udsovet, da han rakte ud efter telefonen.

"Mårtensson, kriminalpolitiet, nattevagten. Er du stået op?"

"Nej," svarede Erlander. "Jeg har knap nok sovet endnu. Hvad er der sket?"

"Nyheder. Anita Kaspersson er blevet fundet."

"Hvor?"

"Lige uden for Seglora syd for Borås."

Erlander visualiserede et kort i hovedet.

"Syd for," sagde han. "Han tager småvejene. Han må have kørt på hovedvej 180 over Borås og være drejet sydpå. Har vi alarmeret Malmö?"

"Og Helsingborg, Landskrona og Trelleborg. Og Karlskrona. Jeg tænker på færgen østpå."

Erlander rejste sig op og gned sig i nakken.

"Han har næsten et døgns forspring nu. Han kan allerede være ude af landet. Hvor blev Kaspersson fundet?"

"Hun bankede på døren til en villa ved indfartsvejen til Seglora."

"Hvad?"

"Hun bankede ..."

"Jeg hørte det godt. Siger du, at hun lever?"

"Undskyld. Jeg er træt og udtrykker mig ikke helt klart. Anita Kaspersson vaklede ind i Seglora klokken 03.10 i nat og sparkede på døren til et hus og skræmte en børnefamilie op, der lå og sov. Hun var barfodet, stærkt afkølet og havde hænderne bundet på ryggen. Hun befinder sig nu på hospitalet i Borås, hvor hun er blevet genforenet med sin mand."

"Det var fandens. Jeg tror, at vi alle sammen gik ud fra, at hun ikke længere var i live."

"Nogle gange bliver man overrasket."

"Positivt overrasket."

"Og nu er det tid til de dårlige nyheder. Vicepolitimester Spångberg har været her siden klokken fem i morges. Hun beordrer dig til straks at stå op og tage til Borås for at afhøre Kaspersson."

EFTERSOM DET VAR LØRDAG morgen, gik Mikael ud fra, at *Millenniums* redaktion ville være affolket. Han ringede til Christer Malm, da X2000 passerede Årstabron og spurgte, hvad der var årsag til hans sms.

"Har du spist morgenmad?" spurgte Christer Malm.

"Togmorgenmad."

"Okay. Tag hjem til mig, så skal jeg lave noget ordentligt."

"Hvad drejer det sig om?"

"Det kan jeg fortælle, når du kommer."

Mikael tog tunnelbanen til Medborgarplatsen og gik hen til All-helgonagatan. Det var Christers kæreste, Arnold Magnusson, der åbnede. Hvor meget Mikael end forsøgte, kunne han aldrig frigøre sig fra følelsen af, at han stod og så på en reklameplakat for et eller andet. Arnold Magnusson havde en fortid på Dramaten og var en af Sveriges mest ombejlede skuespillere. Det var altid lidt forstyrrende at møde ham i virkeligheden. Mikael plejede ikke at lade sig imponere af berømtheder, men netop Arnold Magnusson havde et så karakteristisk udseende og var så forbundet med visse roller i film og tv, især rollen som den koleriske, men retfærdige kriminalkommissær Gunnar Frisk i en umådelig populær tv-serie, at Mikael stadig forventede, at han ville præsentere sig som Gunnar Frisk.

"Hva' så, Micke?" sagde Arnold.

"Hej," sagde Mikael.

"Køkkenet," sagde Arnold og slap ham ind.

Christer Malm serverede nybagte vafler med multebærsyltetøj og friskbrygget kaffe. Mikaels mundvand begyndte at løbe, allerede inden han havde nået at sætte sig, og han kastede sig over fadet. Christer Malm spurgte, hvad der var sket i Gosseberga. Mikael opsummerede detaljerne. Han var på sin tredje vaffel, før han fik spurgt om, hvad der var på færde.

"Vi har fået et lille problem på *Millennium*, mens du har været i Göteborg," sagde han.

Mikael hævede øjenbrynene.

"Hvad?"

"Ikke noget alvorligt. Men Erika Berger er blevet chefredaktør på *Svenska Morgon-Posten*. Hun havde sin sidste arbejdsdag på *Millennium* i går."

MIKAEL BLEV SIDDENDE med en vaffel halvvejs op til munden. Det tog flere sekunder, inden omfanget af budskabet var trængt ind.

"Hvorfor har hun ikke sagt noget?" spurgte han til sidst.

"Fordi hun ville fortælle det til dig først af alle, og du har løbet rundt og ikke været til at træffe i flere uger nu. Formentlig mente hun, at du havde tilstrækkeligt med problemer med Salanderhistorien. Da hun ville fortælle det til dig først af alle, har hun derfor heller ikke fortalt os noget, og den ene dag har taget den anden ... Tja. Lige pludselig befandt hun sig i en situation med megadårlig samvittighed og har gået og haft det rigtig skidt. Og vi har ikke bemærket noget som helst."

Mikael lukkede øjnene.

"Fandens," sagde han.

"Jeg ved det. Nu blev det i stedet sådan, at du blev den sidste på redaktionen, der fik noget at vide. Jeg ville gerne have en chance for at fortælle dig det, så du forstår, hvad der er sket, og ikke tror, at nogen er gået bag om ryggen på dig."

"Det tror jeg da ikke. Herregud. Skideflot, at hun har fået jobbet på SMP ... men hvad fanden gør vi på redaktionen?"

"Vi gør Malin til midlertidig chefredaktør fra og med næste nummer."

"Malin?"

"Hvis ikke du vil være chefredaktør ..."

"Nej, for fanden."

"Det tænkte jeg nok. Altså bliver Malin chefredaktør."

"Og hvem skal så være redaktionssekretær?"

"Henry Cortez. Han har været hos os i fire år nu og er ikke just nogen grøn praktikant længere."

Mikael overvejede forslaget.

"Har du andet, du vil sige?" spurgte han.

"Næ," sagde Christer Malm.

Mikael lo tørt.

"Okay. Så bliver det, som I har besluttet. Malin er skrap, men usikker. Henry skyder fra hoften lidt for ofte. Vi må holde et vågent øje med dem."

"Det må vi."

Mikael tav. Han tænkte, at det ville blive frygtelig tomt uden Erika, og at han ikke var sikker på, hvordan der ville blive på tidsskriftet fremover.

"Jeg er nødt til at ringe til Erika og ..."

"Næ, det tror jeg ikke, at du behøver."

"Hvad mener du?"

"Hun ligger og sover på redaktionen. Tag hen og væk hende."

MIKAEL FANDT EN TUNGT sovende Erika Berger på sovesofaen på hendes kontor på redaktionen. Hun havde brugt natten til at tømme reoler og skrivebord for personlige ejendele og papirer, hun gerne ville gemme. Hun havde fyldt fem flyttekasser. Mikael betragtede hende længe fra døråbningen, inden han gik ind og satte sig på sengekanten og vækkede hende.

"Hvorfor i himlens navn går du ikke over til mig og sover, hvis du absolut skal sove på arbejde," sagde han.

"Hej, Mikael," sagde hun.

"Christer har fortalt det."

Hun begyndte at sige noget, da han bøjede sig ned og kyssede hende på kinden.

"Er du sur?"

"Vanvittigt," sagde han tørt.

"Jeg er ked af det. Jeg kunne bare ikke sige nej til tilbuddet. Men det føles helt forkert, og som om jeg efterlader jer andre på *Millennium* i lort til halsen."

"Jeg er nok ikke den rette person til at kritisere dig for at forlade skuden. For to år siden skred jeg og efterlod dig i lort til halsen og i en situation, der var betydeligt værre end i dag."

"Det ene har ikke noget med det andet at gøre. Du tog en pause. Jeg holder op for altid, og jeg har ikke fået sagt noget. Det er jeg ked af."

Mikael var tavs et øjeblik. Så smilede han blegt.

"Når det er tid, så er det tid. *A woman's gotta do what a woman's gotta do, and all that crap.*"

Erika smilede. Det var de ord, hun havde brugt mod ham, da han flyttede til Hedeby. Han rakte hånden frem og ruskede hende venskabeligt i håret.

"At du vil holde op på det her galehus, forstår jeg godt, men at du vil være chef for Sveriges mest knastørre gammelmandsavis, vil tage lidt tid at fordøje."

"Der arbejder faktisk mange kvinder."

"Ahr. Tjek lederen. Det jo anno dazumal hele vejen igennem. Du må være en skinbarlig masochist. Skal vi gå ud og drikke en kop kaffe?"

Erika satte sig op.

"Jeg er nødt til at vide, hvad der er sket i Göteborg i nat."

"Jeg er ved at skrive artiklen," sagde Mikael. "Men der vil lyde et kæmpe ramaskrig, når vi trykker den."

"Ikke vi. I."

"Jeg ved det. Vi trykker den i forbindelse med retssagen. Men jeg går ud fra, at du ikke har tænkt dig at tage historien med til SMP. Faktum er, at jeg gerne vil have, at du skriver noget om Zalachen-kohistorien, inden du holder op på *Millennium.*"

"Micke, jeg ..."

"Din sidste leder. Du kan skrive den, når du har lyst. Den vil formentlig ikke blive trykt før retssagen, hvornår den så end skal være."

"Jeg tror ikke, det er nogen god idé. Hvad skal den handle om?"

"Moral," sagde Mikael Blomkvist. "Og historien om, at en af vores medarbejdere blev myrdet, fordi staten ikke gjorde sit arbejde for femten år siden."

Han behøvede ikke at sige mere. Erika Berger vidste præcis, hvilken leder han ville have. Hun overvejede sagen et kort øjeblik. Hun havde faktisk været kaptajn på skuden, da Dag Svensson blev myrdet. Hun følte sig pludselig meget bedre tilpas.

"Okay," sagde hun. "Den sidste leder."

KAPITEL 4

Lørdag den 9. april – søndag den 10. april

KLOKKEN ET LØRDAG eftermiddag havde politiadvokat Martina Fransson fra Södertälje tænkt færdigt. Skovkirkegården i Nykvarn var en værre redelighed, og kriminalafdelingen havde akkumuleret en uhørt mængde overarbejde siden den onsdag, hvor Paolo Roberto havde haft sin boksekamp mod Ronald Niedermann i lagerbygningen der. Det drejede sig om mord på mindst tre personer, der var blevet gravet ned i terrænet, kidnapning og vold af særlig grov karakter mod Lisbeth Salanders veninde Miriam Wu og endelig mordbrand. Begivenhederne i Nykvarn blev sat i forbindelse med begivenhederne på Stallarholmen, der egentlig lå i Strängnäs Politidistrikt i Södermanlands Len, men hvor Carl-Magnus Lundin fra Svavelsjö MC var en nøglefigur. Lundin lå for øjeblikket på hospitalet i Södertälje med foden i gips og hagen i stålskinne. Og under alle omstændigheder hørte samtlige lovovertrædelser ind under lenspolitiet, hvilket betød, at det var Stockholm, der ville få det sidste ord.

Om fredagen var den sigtede blevet fremstillet i retten med krav om varetægtsfængsling. Lundin havde med sikkerhed forbindelse til Nykvarn. Det var omsider blevet klarlagt, at lageret tilhørte firmaet Medimport, som på sin side var ejet af Anneli Karlsson, 52 år og bosat i Puerto Banus, Spanien. Hun var kusine til Magge Lundin, stod ikke i strafferegistret og syntes i denne sammenhæng nærmest at fungere som kamuflage.

Martina Fransson klappede mappen med forundersøgelsen i. Den var stadig på begynderstadiet og ville blive adskillige hundrede sider tykkere, inden retssagen kunne begynde. Men allerede nu måtte Martina Fransson tage nogle beslutninger. Hun så på kollegerne fra politiet.

"Vi har tilstrækkeligt til at sigte Lundin for meddelagtighed i kid-

68

napningen af Miriam Wu. Paolo Roberto har identificeret ham som manden, der kørte varevognen. Jeg kan formentlig også få dømt ham på indicier for meddelagtighed i mordbranden. Vi afventer med hensyn til sigtelsen for meddelagtighed i mordene på de tre personer, vi har gravet op på grunden, i hvert fald til alle er identificerede." Betjentene nikkede. Det var den besked, de havde ventet.

"Hvad gør vi med Sonny Nieminen?"

Martina Fransson bladrede frem til Nieminen i papirerne på skrivebordet.

"Det er en herre med en imponerende meritoversigt. Røveri, ulovlig våbenbesiddelse, vold, grov vold, drab og narkokriminalitet. Han blev altså pågrebet sammen med Lundin ved Stallarholmen. Jeg er fuldstændig overbevist om, at han er indblandet – det ville være for usandsynligt andet. Men problemet er, at vi ikke har noget på ham."

"Han siger, at han aldrig har været på lageret i Nykvarn, og at han bare kørte en tur med Lundin på motorcyklerne," sagde den kriminalassistent, der havde haft med Stallarholmen at gøre. "Han påstår, at han ikke havde nogen anelse om, hvilket ærinde Lundin havde på Stallarholmen."

Martina Fransson spekulerede på, om hun på en eller anden måde kunne skubbe sagen over på politiadvokat Richard Ekströms bord i Stockholm.

"Nieminen nægter at udtale sig om, hvad der skete, men nægter alligevel på det heftigste, at han har været medvirkende til kriminalitet," fortsatte kriminalassistenten.

"Nej, det virker jo snarere, som om han og Lundin var ofre for en forbrydelse på Stallarholmen," sagde Martina Fransson og trommede irriteret med fingerspidserne.

"Lisbeth Salander," tilføjede hun med åbenlys tvivl i stemmen. "Vi taler altså om en pige, der ser ud, som om hun knap er kommet i puberteten, og som er 1,5 meter høj og næppe besidder den legemsstyrke, der skal til for at besejre Nieminen og Lundin."

"Hvis hun ikke var bevæbnet. Med en pistol kan hun kompensere en hel del for sin spinkle fysik."

"Men det stemmer ikke rigtig med rekonstruktionen."

"Nej, hun brugte tåregas og sparkede Lundin i skridtet og ansigtet med et sådant raseri, at hun knuste en testikel og derefter kæbebenet. Skuddet i foden må være kommet efter slagsmålet. Men jeg har svært ved at tro, at det var hende, der var bevæbnet."

"Kriminalteknisk afdeling har identificeret det våben, Lundin blev skudt med. Det er en polsk P-83 Wanad med Makarov-ammunition. Den blev fundet i Gosseberga uden for Göteborg og har Salanders fingeraftryk på. Vi må næsten gå ud fra, at hun tog pistolen med til Gosseberga."

"Jo, men serienummeret viser, at pistolen blev stjålet for fire år siden ved et indbrud i en våbenbutik i Örebro. Tyvene blev fanget senere, men havde skilt sig af med våbnene. Det var en lokal bande med narkoproblemer, der færdedes i kredsen omkring Svavelsjö MC. Jeg ville meget hellere placere pistolen hos enten Lundin eller Nieminen."

"Det kan jo være så enkelt, at Lundin havde pistolen på sig, og at Salander afvæbnede ham, og at et skud gik af og ramte ham i foden. Hensigten kan i hvert fald ikke have været at dræbe ham, da han jo faktisk lever."

"Eller også skød hun ham i foden af sadistiske årsager. Hvad ved jeg. Men hvordan klarede hun Nieminen? Han har ingen synlige sår."

"Jo, han har faktisk to små brandsår på brystkassen."

"Og?"

"Formentlig en elpistol."

"Så Salander skulle altså have været bevæbnet med elpistol, tåregas og pistol. Hvor meget vejer alt det tilsammen ... Nej, jeg er ret sikker på, at Lundin eller Nieminen havde våbnet på sig, og at hun tog det fra dem. Præcis hvordan det gik til, at Lundin blev skudt, kan vi ikke rigtig få klarhed over, før nogen af de indblandede begynder at tale."

"Okay."

"Men den nuværende situation er altså, at Lundin er varetægtsfængslet af de grunde, jeg nævnte før. Derimod har vi ikke noget som helst på Nieminen. Altså har jeg tænkt mig at sætte ham på fri fod i eftermiddag."

SONNY NIEMINEN VAR i et frygteligt humør, da han forlod arresten på politigården i Södertälje. Han var også så tør i munden, at hans første stop blev en kiosk, hvor han købte en Pepsi, som han straks tyllede i sig. Han købte også en pakke Lucky Strike og en dåse snustobak af mærket Göteborgs Rapé. Han tændte mobiltelefonen, kontrollerede batteriet og tastede derefter nummeret til Hans-Åke Waltari, 33 år og *Sergeant at Arms* for Svavelsjö MC og dermed nummer tre i det interne hierarki. Der lød fire signaler, før Waltari svarede.

"Nieminen. Jeg er ude."

"Tillykke."

"Hvor er du?"

"Nyköping."

"Og hvad fanden laver du i Nyköping?"

"Vi besluttede at holde lav profil, da du og Magge blev arresteret, indtil vi fandt ud af, hvordan landet lå."

"Nu ved du, hvordan landet ligger. Hvor er alle de andre?"

Hans-Åke Waltari forklarede, hvor de resterende fem medlemmer af Svavelsjö MC befandt sig. Forklaringen hverken beroligede eller gjorde Sonny Nieminen tilfreds.

"Og hvem fanden passer butikken, mens I gemmer jer som ængstelige kællinger?"

"Det dér er ikke retfærdigt. Du og Magge tager af sted på et eller andet job, som vi ikke aner noget om, og pludselig er I indblandet i en ildkamp med hende den efterlyste luder, og Magge er blevet skudt, og du er arresteret. Bagefter begynder strisserne at grave lig op ved vores lager i Nykvarn."

"Og?"

"Og så begyndte vi at spekulere på, om du og Magge havde skjult noget for os andre."

"Og hvad fanden skulle det være? Det er os, der tager imod ordrer til firmaet."

"Men jeg har ikke hørt et ord om, at lageret også var en skovkirkegård. Hvem er de døde?"

Sonny Nieminen havde en skarp bemærkning på tungen, men besindede sig. Hans-Åke Waltari var en tungnem nar, men situationen var ikke den allerbedste til et skænderi. Nu drejede det sig om hurtigt at samle styrkerne. Efter at have nægtet sig igennem fem politiforhør, var det heller ikke særlig smart at udbasunere, at han havde viden om sagen i en mobiltelefon to hundrede meter fra politigården.

"Skide være med de lig," sagde han. "Dem aner jeg ikke noget om. Men Magge sidder i lort til halsen. Han kommer til at sidde inde et stykke tid, og i hans fravær er det mig, der er chefen."

"Okay. Hvad skal der så ske nu?" spurgte Waltari.

"Hvem holder øje med ejendommen, hvis I er gået under jorden alle sammen?"

"Benny Karlsson blev og holder skansen i klubhuset. Politiet foretog en husundersøgelse samme dag, som I blev pågrebet. De fandt ingenting."

"Benny K," udbrød Nieminen. "Benny K er jo for fanden kun en nybegynder, der ikke er tør bag ørerne endnu."

"Slap af. Han har selskab af ham den lyshårede, som du og Magge plejer at omgås med."

Sonny Nieminen blev pludselig iskold. Han så sig hurtigt om og gik nogle meter væk fra døren til kiosken.

"Hvad sagde du?" spurgte han lavmælt.

"Ham den lyshårede, som du og Magge omgås med, dukkede op og ville have hjælp til at gemme sig."

"Men for fanden, Waltari, han er jo efterlyst i hele fucking Sverige for politimord."

"Ja ... det var derfor, han gerne ville have et sted at gemme sig. Hvad skulle vi gøre? Han er jo din og Magges kammerat."

Sonny Nieminen lukkede øjnene i ti sekunder. Ronald Niedermann havde i flere år forsynet Svavelsjö MC med adskillige job, som havde givet gode indtægter. Men han var absolut ikke nogen ven. Han var en farlig skiderik og en psykopat og desuden en psykopat, som politiet søgte efter med lys og lygte. Sonny Nieminen stolede ikke et øjeblik på Ronald Niedermann. Det allerbedste ville være, hvis han blev fundet med en kugle i kraniet. Så ville politiovervågningen i hvert fald aftage en smule.

"Og hvor har I så gjort af ham?"

"Benny K har taget sig af ham. Han tog ham med hen til Viktor."

Viktor Göransson var klubbens kasserer og finansielle ekspert, bosat lige uden for Järna. Göransson havde taget et gymnasiefag i økonomi og havde indledt en karriere som finansiel rådgiver hos en jugoslavisk værtshuskonge, inden hele banden blev taget for grov økonomisk kriminalitet. Han havde mødt Magge Lundin i fængslet i Kumla i begyndelsen af 90'erne. Han var den eneste i Svavelsjö MC, der gik med jakke og slips.

"Waltari, sæt dig ind i bilen og mød mig i Södertälje. Hent mig uden for stationen om tre kvarter."

"Okay. Hvorfor så travlt?"

"Fordi vi må have styr på situationen så hurtigt som muligt."

HANS-ÅKE WALTARI skævede stjålent til Sonny Nieminen, der ikke sagde et ord, mens de kørte ud til Svavelsjö. Til forskel fra Magge Lundin var Nieminen aldrig særlig let at have med at gøre. Han var gudesmuk og så ganske blid ud, men var en letantændelig og farlig skiderik, særligt når han havde drukket. For øjeblikket var han ædru, men Waltari var bekymret for fremtiden med Nieminen som leder. Magge havde altid på en eller andet måde kunnet få Nieminen til at lystre. Han spekulerede på, hvordan fremtiden ville blive med Nieminen som klubbens præsident.

Benny K var ikke at se i klubhuset. Nieminen ringede to gange til hans mobiltelefon, men fik intet svar.

De tog hjem til Nieminens gård cirka en kilometer fra klubhuset. Politiet havde foretaget en husundersøgelse der, men ikke fundet noget af værdi for efterforskningen i forbindelse med Nykvarn. Politiet havde ikke fundet noget, der bestyrkede mistanken mod ham, hvorfor Nieminen befandt sig på fri fod.

Han tog et brusebad og skiftede tøj, mens Waltari tålmodigt ventede i køkkenet. Derefter gik de omkring 150 meter ind i skoven bag Nieminens gård og skrabede det jordlag bort, der dækkede en overfladisk begravet kiste indeholdende seks håndvåben, heraf en AK5, en større mængde ammunition og omkring to kilo sprængstof. Det var Nieminens lille våbenforråd. To af våbnene i kisten var polske P-83 Wanad'er. De stammede fra samme parti, som det våben Lisbeth Salander havde taget fra Nieminen på Stallarholmen.

Nieminen skød tanken om Lisbeth Salander fra sig. Det var et ubehageligt emne. I cellen på politigården i Södertälje havde han gang på gang gennemspillet den scene i hovedet, hvor han og Magge Lundin var ankommet til Nils Bjurmans sommerhus og havde fundet Salander på gårdspladsen.

Begivenhedsudviklingen havde været helt uforudsigelig. Han var taget af sted sammen med Magge Lundin for at brænde advokat Bjurmans skide sommerhus af. De var taget af sted på ordre fra den lyshårede idiot. Og så var de faldet over den skid til Salander – alene, 1,5 meter høj og tynd som en tændstik. Nieminen spekulerede på, hvor mange kilo hun egentlig vejede. Bagefter var alt gået galt og endt i et voldsorgie, som ingen af de to havde været forberedt på.

Rent teknisk kunne han godt forklare hændelsesforløbet. Salander havde haft en tåregaspatron, som hun havde tømt i hovedet på Magge Lundin. Magge burde have været forberedt, men var det ikke. Hun sparkede ham to gange, og der skulle ikke megen muskelstyrke til at sparke et kæbeben af led. Hun overrumplede ham. Det kunne forklares.

Men bagefter tog hun også ham, Sonny Nieminen, den mand som fuldvoksne og veltrænede fyre tøvede med at give sig i lag med. Hun bevægede sig hurtigt. Han havde bakset med at få sit våben frem. Hun havde slået ham ud lige så fornedrende let, som havde hun viftet en myg bort. Hun havde en elpistol. Hun havde ...

Han kunne næsten intet huske, da han vågnede, Magge Lundin var blevet skudt i foden, og politiet ankom. Efter en vis palaver mellem Strängnäs og Södertälje havnede han i spjældet i Södertälje. Og hun havde stjålet Magge Lundins Harley-Davidson. Hun havde skåret Svavelsjö MC's logo ud af hans læderjakke – selve det symbol der gjorde, at folk veg til side i værtshuskøen, og som gav ham en status, som en helt almindelig hr. Svensson ikke kunne sætte sig ind i. Hun havde fornedret ham.

Sonny Nieminen kogte pludselig indvendig. Han var kommet igennem politiforhørene. Han ville aldrig nogensinde fortælle, hvad der var sket på Stallarholmen. Indtil det øjeblik havde Lisbeth Salander ikke betydet det mindste for ham. Hun var et lille biprojekt, som Magge Lundin gik og syslede med – igen på foranledning af ham den skide Niedermann. Nu hadede han hende med en lidenskab, der overraskede ham. Han plejede at være cool og analyserende, men han vidste, at på et eller andet tidspunkt i fremtiden ville han få mulighed for at hævne sig og udviske skampletten. Men først måtte han få orden på det kaos, som Salander og Niedermann sammen havde udsat Svavelsjö MC for.

Nieminen samlede begge de resterende polske våben op, ladede det ene og gav det til Waltari.

"Har vi en plan?"

"Vi tager hen og får os en snak med Niedermann. Han er ikke en af os, og han er aldrig før blevet taget af politiet. Jeg ved ikke, hvordan han vil reagere, hvis han bliver taget, men hvis han taler, så kan han få os alle i spjældet. Og så er vi virkelig på den."

"Mener du, at vi skal ..."

Nieminen havde allerede bestemt sig for, at Niedermann skulle væk, men indså, at det ikke var tidspunktet at skræmme Waltari, ikke før de var nået frem.

"Jeg ved det ikke. Men vi må føle ham på tænderne. Hvis han har en plan og kan forsvinde udenlands allerhelvedes hurtigt, så kan vi godt hjælpe ham af sted. Men så længe han risikerer at blive taget af politiet, er han en trussel mod os."

DER VAR MØRKT på Viktor Göranssons gård uden for Järna, da Nieminen og Waltari kørte ind på gårdspladsen i tusmørket. Allerede dette virkede ildevarslende. De blev siddende i bilen og ventede lidt.

"Måske er de ude," foreslog Waltari.

"Ja, de er nok gået på værtshus med Niedermann," sagde Nieminen og åbnede bildøren.

Hoveddøren var ikke låst. Nieminen tændte loftslampen. De gik fra rum til rum. Der var rent og pænt, hvilket formentlig var hendes fortjeneste, hvad hed hun nu, den kvinde, som Göransson boede sammen med.

De fandt Viktor Göransson og hans kæreste i kælderen, stuvet af vejen i et vaskerum.

Nieminen bøjede sig ned og betragtede ligene. Han rakte en finger frem og mærkede på kvinden, hvis navn han ikke kunne komme i tanke om. Hun var iskold, og dødsstivheden havde indfundet sig. Det betød, at de havde været døde i måske fireogtyve timer.

Nieminen behøvede ingen retsmediciner til at fastslå, hvordan de var blevet dræbt. Hendes hals var brækket ved, at hovedet var blevet drejet 180 grader. Hun var fuldt påklædt i en T-shirt og cowboybukser og havde, så vidt Nieminen kunne se, ikke andre kvæstelser.

Viktor Göransson var derimod kun iført underbukser. Han var frygtelig maltrakteret og havde blå mærker og blodudtrædninger over hele kroppen. Begge hans arme var brækket og strittede i hver sin retning som forvredne grankviste. Han havde været udsat for vold i så lang tid, at det måtte betragtes som tortur. Han var til sidst blevet dræbt, så vidt Nieminen kunne bedømme, med et kraftigt slag mod struben. Strubehovedet var trykket langt ind i halsen på ham.

Sonny Nieminen rejste sig, gik op ad kældertrappen og ud ad hoveddøren. Waltari fulgte efter. Nieminen gik tværs over gårds-pladsen og hen til laden fem meter væk. Han skød haspen op og åbnede døren.

Han fandt en mørkeblå Renault, årgang 1991.

"Hvilken bil har Göransson?" spurgte Nieminen.

"Han kører Saab."

Nieminen nikkede. Han fiskede nogle nøgler op af jakkelommen og åbnede en dør længst inde i laden. Han behøvede kun at kaste et enkelt blik omkring sig for at se, at han var for sent ude. Et tungt våbenskab stod på vid gab.

Nieminen skar en grimasse.

"Omkring 800.000 kroner," sagde han.

"Hvad?" spurgte Waltari.

"Omkring 800.000 kroner havde Svavelsjö MC i det der skab. Vores penge."

Tre personer havde kendt til, hvor Svavelsjö MC opbevarede pengekassen, mens de ventede på investeringer og hvidvask. Viktor Göransson, Magge Lundin og Sonny Nieminen. Niedermann var på flugt. Han havde brug for kontanter. Han vidste, at det var Görans-son, der tog sig af pengene.

Nieminen lukkede døren igen og gik langsomt ud af laden. Han tænkte, så det knagede, mens han forsøgte at få overblik over kata-strofen. En del af Svavelsjö MC's midler var sat i værdipapirer, som han selv kunne komme til, og yderligere en portion kunne rekonstru-eres ved hjælp af Magge Lundin. Men en stor del af investeringerne eksisterede kun i Göranssons hoved, hvis han ikke havde givet klare instrukser til Magge Lundin. Hvilket Nieminen tvivlede på – Magge havde aldrig været nogen ørn til økonomi. Nieminen sjussede sig frem til, at Svavelsjö MC havde mistet hen imod tres procent af sine midler ved Göranssons død. Det var et knusende slag. Frem for alt havde de brug for kontanterne til at klare de daglige udgifter.

"Hvad gør vi nu?" spurgte Waltari.

"Nu går vi til politiet og fortæller, hvad der er sket her."

"Til politiet?"

"Ja, for fanden. Mine fingeraftryk findes i huset. Göransson og hans fisse skal findes så hurtigt som muligt, så retsmedicineren kan fastslå, at de døde, mens jeg var i fængsel."

"Jeg er med."

"Godt. Find Benny K. Jeg vil tale med ham. Hvis han altså stadig lever. Og bagefter skal vi finde Ronald Niedermann. Hver eneste kontakt, vi har rundt omkring i klubberne i Norden, skal holde øje med ham. Jeg vil have den lorts hoved på et fad. Han kører formentlig rundt i Göranssons Saab. Skaf registreringsnummeret."

DA LISBETH SALANDER vågnede, var klokken to lørdag eftermiddag, og en læge var ved at se på hende.

"Godmorgen," sagde han. "Jeg hedder Benny Svantesson og er læge. Har du ondt?"

"Ja," svarede Lisbeth Salander.

"Du får straks noget smertestillende. Men først vil jeg gerne undersøge dig."

Han klemte, trykkede og mærkede på hendes alvorligt tilredte krop. Lisbeth nåede at blive temmelig irriteret, inden han holdt op, men bestemte sig for, at hun følte sig så udmattet, at det var bedre at tie stille end at indlede opholdet på Sahlgrenska Sygehus med et skænderi.

"Hvordan ser det ud?" spurgte hun.

"Det skal nok ordne sig," sagde lægen og skrev nogle notater, inden han rejste sig.

Hvilket ikke var særlig oplysende.

Da han var gået, kom en sygeplejerske og hjalp Lisbeth med et bækken. Derefter fik hun lov til at sove igen.

ALEXANDER ZALACHENKO, alias Karl Axel Bodin, indtog en morgenmad bestående af flydende føde. Selv små bevægelser i ansigtsmusklerne gav voldsomme smerter i kæben og kindbenet, og at tygge var utænkeligt. Under nattens operation var to titaniumskruer blevet skruet ind i kæbebenet.

Smerten var dog ikke værre, end at han kunne klare det. Zalachenko var vant til smerte. Intet kunne stå mål med den smerte, han havde oplevet i flere uger og måneder femten år tidligere, da han havde brændt som en fakkel i bilen i Luntmakargatan. Efterbehandlingen havde været ét langt smertemaraton.

Lægerne havde besluttet, at han nok var uden for fare, men at han var alvorligt såret, og at han på grund af sin alder skulle blive liggende på intensivafdelingen et par dage mere.

Om lørdagen modtog han fire besøg.

Ved titiden vendte kriminalkommissær Erlander tilbage. Denne gang havde Erlander ladet hende den uforskammede Sonja Modig blive hjemme og havde i stedet selskab af den betydeligt mere sympatiske kriminalassistent Jerker Holmberg. De stillede omtrent de samme spørgsmål om Ronald Niedermann som den foregående aften. Han havde sin historie parat og begik ingen fejl. Da de begyndte at bombardere ham med spørgsmål om hans eventuelle indblanding i trafficking og anden kriminel virksomhed, nægtede han igen alt kendskab. Han var invalidepensionist og vidste ikke, hvad de talte om. Han skød al skylden over på Ronald Niedermann og tilbød på alle måder at bistå med hjælp til at lokalisere den flygtende politimorder.

Desværre var det selvfølgelig ikke så meget, han i praksis kunne hjælpe med. Han havde ingen anelse om, i hvilke kredse Niedermann færdedes, og hvem han kunne tænkes at søge tilflugt hos.

Ved ellevetiden fik han et kort besøg af en repræsentant for anklagemyndigheden, der formelt tilkendegav, at han var mistænkt for meddelagtighed i grov vold alternativt drabsforsøg på Lisbeth Salander. Zalachenko svarede igen med tålmodigt at forklare, at han var offeret, og at det i virkeligheden var Lisbeth Salander, der havde forsøgt at myrde ham. Repræsentanten for anklagemyndigheden tilbød ham retshjælp i form af en offentlig forsvarer. Zalachenko sagde, at han ville tænke over sagen.

Hvilket han ikke havde til hensigt at gøre. Han havde allerede en advokat, og hans første skridt om morgenen havde været at ringe og bede denne om at indfinde sig snarest. Martin Thomasson var følgelig den tredje gæst ved sygelejet. Han kom slentrende ind med en ubekymret mine, kørte fingrene igennem sin lyse hårpragt, rettede på brillerne og gav sin klient hånden. Han var blegfed og vældig charmerende. Han var ganske vist mistænkt for at have løbet ærinder for den jugoslaviske mafia, hvilket endnu var genstand for efterforskning, men han havde også ry for at vinde sine retssager.

Zalachenko havde fået Thomasson anbefalet af en forretningsforbindelse fem år tidligere, da han havde brug for at omstrukturere visse fonde, der havde forbindelse til et lille finansforetagende i Liechtenstein, som han ejede. Der var ikke tale om astronomiske summer, men Thomassons evner havde været ud over det sædvanlige, og Zalachenko havde sparet beskatningen. Zalachenko havde derefter hyret Thomasson endnu et par gange. Thomasson vidste, at pengene stammede fra kriminel virksomhed, hvilket ikke syntes at bekymre ham. Til sidst havde Zalachenko besluttet, at hele virksomheden skulle omstruktureres i et nyt foretagende med ham selv og Niedermann som ejere. Han var gået til Thomasson med det forslag, at advokaten skulle indgå som *sleeping partner* og tage sig af den finansielle del. Thomasson havde uden videre accepteret.

"Nåh, hr. Bodin, det her ser jo ikke for godt ud."

"Jeg er blevet udsat for grov vold og drabsforsøg," sagde Zalachenko.

"Det kan jeg se. En vis Lisbeth Salander, hvis jeg har forstået det ret."

Zalachenko sænkede stemmen.

"Vores partner Niedermann har, som du ved, klokket godt og grundigt i det."

"Ja, det forstår jeg."

"Politiet tror, at jeg er indblandet i sagen ..."

"Hvilket du naturligvis ikke er. Du er et offer, og det er vigtigt, at vi med det samme sørger for, at billedet ændres i medierne. Frøken Salander har jo allerede fået en del negativ omtale ... Den sag tager jeg mig af."

"Tak."

"Men lad mig sige med det samme, at jeg ikke er strafferetsadvokat. Du får brug for specialhjælp her. Jeg skal nok finde en advokat, du kan stole på."

DAGENS FJERDE BESØGENDE indfandt sig klokken elleve lørdag aften og havde held til at komme forbi sygeplejerskerne ved at vise legitimation og forklare, at han havde et presserende ærinde. Han blev vist hen til Zalachenkos stue. Patienten var stadig vågen og lå og spekulerede.

"Mit navn er Jonas Sandberg," sagde han og rakte en hånd frem, som Zalachenko ignorerede.

Det var en mand omkring de 35 år. Han havde sandfarvet hår og var skødesløst klædt i cowboybukser, ternet skjorte og læderjakke. Zalachenko betragtede ham tavst i femten sekunder.

"Jeg lå lige og spekulerede på, hvornår I ville dukke op."

"Jeg arbejder for Säpo," sagde Jonas Sandberg og fremviste sin legitimation.

"Næppe," sagde Zalachenko.

"Undskyld?"

"Du er måske nok ansat i Säpo, men det er næppe dem, du arbejder for."

Jonas Sandberg blev tavst stående og så sig omkring i rummet. Så trak han gæstestolen hen.

"Jeg kommer så sent på aftenen for ikke at vække opmærksomhed. Vi har diskuteret, hvordan vi skal hjælpe dig, og vi er nødt til at nå frem til en eller anden slags klarhed over, hvad der skal ske. Jeg er her ganske enkelt for at høre din version og forstå dine intentioner, så vi kan udarbejde en fælles strategi."

"Og hvordan havde du så tænkt dig, at den strategi skulle se ud?"

Jonas Sandberg betragtede tænksomt manden på sygelejet. Til sidst slog han ud med hænderne.

"Hr. Zalachenko ... jeg er bange for, at lavinen ruller, og skadevirkningerne er svære at få overblik over. Vi har diskuteret situationen. Graven i Gosseberga og det faktum, at Salander er blevet skudt tre gange, er svært at bortforklare. Men alt håb er ikke ude. Konflikten mellem dig og din datter kan forklare din angst for hende, og hvorfor du traf så drastiske foranstaltninger. Men jeg er bange for, at det bliver til nogen tid i fængsel."

Zalachenko følte sig pludselig opstemt og ville have slået en høj latter op, hvis det ikke havde været fuldstændig umuligt på grund af den situation, han befandt sig i. Det blev til en svag krusning om læberne. Alt andet forårsagede en alt for stærk smerte.

"Så det er altså vores fælles strategi?"

"Hr. Zalachenko. De kender til begrebet skadeskontrol. Det er nødvendigt, at vi når frem til enighed. Vi vil gøre alt, der står i vores magt for at bistå med advokat og den slags, men vi har brug for visse garantier, og for at du samarbejder."

"Du skal nok få en garanti af mig. I skal sørge for, at det her forsvinder." Han slog ud med hånden. "Niedermann er syndebuk, og jeg garanterer, at han ikke vil blive fundet."

"Der er tekniske beviser, der ..."

"Skide være med de tekniske beviser. Det er et spørgsmål om, hvordan efterforskningen udføres, og hvordan kendsgerningerne præsenteres. Min garanti er følgende ... hvis I ikke tryller det her væk, så inviterer jeg medierne til pressekonference. Jeg har navne, datoer, begivenheder. Jeg behøver vel ikke minde dig om, hvem jeg er."

"Du forstår det ikke ..."

"Jeg forstår det udmærket. Du er stikirenddreng. Hils din chef og fortæl, hvad jeg har sagt. Han skal nok forstå det. Hils ham og sig, at jeg har kopi af ... alt. Jeg kan slagte jer."

"Vi er nødt til at forsøge at nå frem til enighed."

"Denne samtale er slut. Gå så med dig. Og sig til dem, at næste gang skal de sende en voksen mand, som jeg kan diskutere med."

Zalachenko drejede hovedet, så han ikke længere havde øjenkontakt med sin gæst. Jonas Sandberg betragtede Zalachenko et kort øjeblik. Så trak han på skuldrene og rejste sig. Han var næsten henne ved døren, da Zalachenkos stemme lød igen.

"En ting til."

Sandberg vendte sig om.

"Salander."

"Hvad er der med hende?"

"Hun skal væk."

"Hvad mener du?"

Sandberg så et øjeblik så bekymret ud, at Zalachenko måtte smile, selv om smerten jog igennem kæben.

"Jeg ved godt, at I skvatrøve er for følsomme til at dræbe hende, og at I heller ikke har ressourcer til det. Hvem skulle måske gøre det ...

81

dig? Men hun skal væk. Hendes vidneudsagn skal erklæres for ugyldigt. Hun skal tvangsindlægges på livstid."

LISBETH SALANDER HØRTE skridt på gangen uden for sin stue. Hun kunne ikke opfatte navnet Jonas Sandberg og havde aldrig før hørt hans skridt.

Derimod havde hendes dør stået åben hele aftenen, fordi sygeplejersken besøgte hende med omkring ti minutters mellemrum. Hun havde hørt ham ankomme og forklare en sygeplejerske lige uden for hendes dør, at han var nødt til at tale med Karl Axel Bodin om en presserende sag. Hun havde hørt ham legitimere sig, men ingen af de ord, der blev udvekslet, gav nogen ledetråde til hans navn, eller hvori legitimationen bestod.

Sygeplejersken havde bedt ham vente, mens hun gik ind og kontrollerede, om hr. Karl Axel Bodin var vågen. Lisbeth Salander drog den konklusion, at legitimationen måtte være overbevisende.

Hun konstaterede, at sygeplejersken gik til venstre ude på gangen, og at hun skulle bruge sytten skridt for at nå hen til sin destination, og at den mandlige gæst kort efter brugte fjorten skridt til at tilbagelægge samme strækning. Det gav en gennemsnitsværdi på 15,5 skridt. Hun vurderede skridtlængden til at være 60 centimeter, hvilket ganget med 15,5 betød, at Zalachenko befandt sig på en stue, der lå 930 centimeter til venstre ude på gangen. Altså rundt regnet ti meter. Hun beregnede bredden på hendes stue til at være omkring fem meter, hvilket betød, at Zalachenko befandt sig to døre fra hende.

Ifølge de grønne tal på digitaluret på natbordet varede besøget helt præcis ni minutter.

ZALACHENKO LÅ VÅGEN, længe efter at Jonas Sandberg havde forladt ham. Han gik ud fra, at det ikke var hans rigtige navn, da svenske amatørspioner ifølge hans erfaring var meget fikseret på at bruge dæknavne, også når det var mindst nødvendigt. I hvert fald var Jonas (eller hvad han nu hed) den første indikation på, at Tjenesten havde taget notits af hans situation. I betragtning af al medieopmærksomheden ville det have været svært at undgå. Besøget var dog også en bekræftelse på, at situationen udgjorde en kilde til bekymring.

Hvilket den også burde gøre.

Han opvejede fordele og ulemper, opstillede muligheder og forkastede alternativer. Han var helt på det rene med, at tingene var gået fuldstændig amok. I en ideel verden ville han i dette øjeblik befinde sig i sit hjem i Gosseberga, Ronald Niedermann være i sikkerhed i udlandet og Lisbeth Salander ligge begravet i et hul i jorden. Selv om han rationelt forstod, hvad der var sket, kunne han for alt i verden ikke begribe, hvordan hun havde kunnet grave sig op af graven, slæbe sig hen til hans gård og ødelægge hans tilværelse med to øksehug. Hun var i besiddelse af vanvittige kræfter.

Derimod forstod han udmærket, hvad der var sket med Ronald Niedermann, og hvorfor han havde løbet for sit liv i stedet for at gøre kort proces mod Salander. Han vidste godt, at der var noget, der ikke var rigtigt i Niedermanns hoved, at han så syner – spøgelser. Mere end en gang havde han måttet gribe ind, når Niedermann havde handlet irrationelt og ligget helt sammenkrøbet på gulvet af skræk.

Dette bekymrede Zalachenko. Han var overbevist om, at da Ronald Niedermann endnu ikke var blevet pågrebet, så havde han handlet rationelt i døgnet efter flugten fra Gosseberga. Formentlig ville han forsøge at komme til Tallinn, der kunne han søge beskyttelse blandt kontakter i Zalachenkos kriminelle imperium. Det, der bekymrede ham, var, at han aldrig kunne forudsige, hvornår Niedermann ville blive paralyseret. Hvis det skete under flugten, ville han begå fejltagelser, og begik han fejltagelser, ville han blive taget. Han ville ikke overgive sig frivilligt, og det betød, at politifolk ville dø, og sandsynligvis også at Niedermann selv ville dø.

Denne tanke bekymrede Zalachenko. Han ville ikke have, at Niedermann døde. Niedermann var hans søn. På den anden side var det en beklagelig kendsgerning, at Niedermann ikke måtte pågribes levende. Niedermann havde aldrig tidligere været fængslet, og Zalachenko kunne ikke forudse, hvordan han ville reagere i en forhørssituation. Han havde mistanke om, at Niedermann desværre ikke ville være i stand til at tie stille. Derfor var det en fordel, hvis han blev dræbt af politiet. Han ville sørge over sin søn, men alternativet var værre. Det betød, at Zalachenko selv skulle tilbringe resten af sit liv i fængsel.

Men det var nu otteogfyrre timer siden, at Niedermann havde

påbegyndt sin flugt, og han var endnu ikke blevet pågrebet. Det var godt. Det var en indikation på, at Niedermann fungerede, og en Niedermann, der fungerede, var uovervindelig.

På længere sigt var der en anden bekymring. Han spekulerede på, hvordan Niedermann skulle klare sig på egen hånd, hvis hans far ikke var der til at guide ham igennem livet. I løbet af årene havde han noteret sig, at hvis han holdt op med at give instrukser eller gav Niedermann alt for frie tøjler til selv at tage beslutninger, kunne han glide ind i en ugidelig, passiv tilstand af ubeslutsomhed.

Zalachenko konstaterede – for gud ved hvilken gang – at det var synd og skam, at hans søn havde disse egenskaber. Ronald Niedermann var uden tvivl et meget begavet menneske, der havde nogle fysiske egenskaber, der gjorde ham til et formidabelt og frygtet menneske. Han var desuden en udmærket, koldsindig organisator. Hans problem var, at han helt manglede lederevner. Han havde hele tiden brug for nogen, der fortalte ham, hvad han skulle organisere.

Men alt dette var for øjeblikket uden for hans kontrol. Nu drejede det sig om Zalachenko selv. Hans situation var prekær, måske mere prekær end nogensinde før.

Han havde ikke oplevet advokat Thomassons besøg tidligere på dagen som særlig betryggende. Thomasson var og blev erhvervsjurist, og hvor effektiv han end var i den henseende, så var han ikke meget bevendt at læne sig op ad i den her situation.

Det andet var Jonas Sandbergs besøg. Sandberg udgjorde en væsentlig stærkere livline. Men den livline kunne også være en snare. Han måtte spille sine kort rigtigt, og han måtte overtage kontrollen med situationen. Kontrol betød alt.

Og endelig havde han sine egne ressourcer at sætte sin lid til. For øjeblikket havde han brug for lægebehandling. Men om et par dage, måske en uge, ville han være kommet sig. Stillede man tingene på spidsen, kunne han måske kun sætte lid til sig selv. Det betød, at han var nødt til at forsvinde for næsen af de betjente, der kredsede omkring ham. Han ville få brug for et skjulested, pas og kontanter. Alt dette kunne Thomasson forsyne ham med. Men først måtte han blive rask nok til at flygte.

Klokken et så natsygeplejersken ind til ham. Han lod, som om han sov. Da hun lukkede døren igen, satte han sig med besvær op i sengen og svingede benene ud over sengekanten. Han sad stille i lang tid og afprøvede sin balanceevne. Så satte han forsigtigt venstre fod i gulvet. Øksehugget havde heldigvis ramt hans allerede skadede højreben. Han rakte ud efter protesen, der befandt sig i et skab ved siden af sengen, og satte benstumpen på. Derefter rejste han sig. Han lagde vægten på det raske venstre ben og prøvede at sætte det højre ben ned. Da han lagde vægten over på det, jog en stærk smerte gennem benet.

Han bed tænderne sammen og tog et skridt. Han ville få brug for sine krykker, men han var overbevist om, at hospitalet straks ville tilbyde ham et par. Han støttede sig op ad væggen og humpede hen til døren. Det tog ham flere minutter, og han var nødt til at stå stille og overvinde smerten for hvert skridt.

Han hvilede på et ben og skubbede døren på klem og kiggede ud på gangen. Han så ingen og stak hovedet lidt længere ud. Han hørte svage stemmer til venstre og drejede hovedet. Det rum, hvor natsygeplejersken befandt sig, lå omkring tyve meter længere nede på den anden side af gangen.

Han drejede hovedet til højre og så udgangen for enden af gangen.

Tidligere på dagen havde han spurgt til Lisbeth Salanders tilstand. Han var trods alt hendes far. Sygeplejerskerne havde åbenbart fået besked på ikke at diskutere patienterne. En sygeplejerske havde neutralt sagt, at hendes tilstand var stabil. Men hun havde ubevidst kastet et kort blik hen ad gangen til venstre.

På en af stuerne mellem hans eget rum og sygeplejerskernes kontor lå Lisbeth Salander.

Han lukkede forsigtigt døren, haltede tilbage til sengen og tog protesen af. Han var våd af sved, da han endelig krøb ned under dynen.

KRIMINALASSISTENT JERKER HOLMBERG vendte tilbage til Stockholm ved frokosttid om søndagen. Han var træt, sulten og udmattet. Han tog tunnelbanen til rådhuset og gik til fods hen til politigården i Bergsgatan og videre til kriminalkommissær Jan Bublanskis kontor. Sonja Modig og Curt Svensson var allerede kommet. Bublanski havde indkaldt til møde om søndagen midt på dagen, fordi han vidste, at chefen for den indledende efterforskning, Richard Ekström, var optaget andetsteds.

"Tak, fordi I ville komme forbi," sagde Bublanski. "Jeg tror, det er på tide, at vi taler lidt sammen i fred og ro for at finde hoved og hale på den her redelighed. Jerker, har du noget nyt at sige?"

"Ikke noget, jeg ikke allerede har rapporteret i telefonen. Zalachenko giver sig ikke en tomme. Han er i alle henseender uskyldig og har ikke noget at bidrage med. Kun at ..."

"Ja?"

"Du har ret, Sonja. Han er et af de væmmeligste mennesker, jeg nogensinde har mødt. Det lyder åndssvagt. Politiet burde ikke ræsonnere på den måde, men der er noget skræmmende under hans beregnende overflade."

"Okay." Bublanski rømmede sig. "Hvad ved vi? Sonja?"

Hun smilede køligt

"Privatdetektiverne har vundet denne omgang. Jeg kan ikke finde Zalachenko i noget offentligt register, mens en Karl Axel Bodin er født i Uddevalla i 1942. Hans forældre var Marianne og Georg Bodin. Vi har fundet frem til dem, men de døde i en ulykke i 1946. Karl Axel Bodin voksede op hos en morbror i Norge. Der er altså ingen oplysninger om ham før i 70'erne, hvor han flyttede hjem til Sverige. Mikael Blomkvists historie om, at han er en afhoppet GRU-agent fra Rusland, synes umulig at verificere, men jeg er tilbøjelig til at tro, at han har ret."

"Og hvad betyder det?"

"Han er åbenbart blevet forsynet med en falsk identitet. Det må være sket med myndighedernes godkendelse."

"Säpo altså?"

"Det påstår Blomkvist. Men præcis hvordan det er gået til, ved jeg ikke. Det forudsætter, at dåbsattesten og en række andre papirer er blevet forfalsket og lagt ind i diverse offentlige svenske registre. Jeg tør ikke udtale mig om det lovlige i den handling. Det afhænger formentlig af, hvem der har taget beslutningen. Men for at gøre det legalt må beslutningen nærmest være taget på regeringsniveau."

Tavsheden lagde sig over Bublanskis kontor, mens de fire kriminalbetjente overvejede implikationerne.

"Okay," sagde Bublanski. "Vi er bare fire dumme strissere. Hvis

86

regeringen er indblandet, har jeg ikke tænkt mig at indkalde dem til afhøring."

"Hmm," sagde Curt Svensson. "Det ville eventuelt kunne føre til en forfatningsmæssig krise. I USA kan man indkalde regeringsmedlemmer til afhøring foran en almindelig domstol. I Sverige må man gå via grundlovsudvalget."

"Hvad vi derimod kan gøre er at spørge chefen," sagde Jerker Holmberg.

"Spørge chefen?" spurgte Bublanski.

"Thorbjörn Fälldin. Han var statsminister."

"Okay. Vi ringer til den forhenværende statsminister, hvor han så end bor, og spørger, om han har fusket med en afhoppet russisk spions identitetspapirer. Det tror jeg ikke."

"Fälldin bor i Ås i Härnösands Kommune. Jeg kommer fra et sted nogle kilometer derfra. Min far er medlem af Centerpartiet og kender Fälldin godt. Jeg har mødt ham flere gange både som barn og voksen. Han er en meget omgængelig person."

Tre kriminalbetjente stirrede forbløffet på Jerker Holmberg.

"Du kender Fälldin?" sagde Bublanski tvivlende.

Holmberg nikkede. Bublanski spidsede læberne.

"Ærlig talt ..." sagde Holmberg. "Det kunne løse en del problemer, hvis vi fik den forhenværende statsminister til at komme med en redegørelse, så vi ved, hvor vi står i alt det her. Jeg kan tage op og tale med ham. Vil han ikke sige noget, så vil han ikke sige noget. Og vil han sige noget, så sparer vi måske en hel del tid."

Bublanski overvejede forslaget. Så rystede han på hovedet. Ud af øjenkrogen så han, at både Sonja Modig og Curt Svensson nikkede eftertænksomt.

"Holmberg ... det er godt, at du tilbyder dig, men jeg tror, at vi lægger den idé på hylden indtil videre. Tilbage til sagen. Sonja."

"Ifølge Blomkvist kom Zalachenko hertil i 1976. Så vidt jeg kan forstå, er der kun én person, han kan have fået den oplysning af."

"Gunnar Björck," sagde Curt Svensson.

"Hvad har Björck sagt til os?" spurgte Jerker Holmberg.

"Ikke meget. Han henviser til sin tavshedspligt og siger, at han ikke kan diskutere noget uden tilladelse fra sin overordnede."

"Og hvem er hans overordnede?"

"Det nægter han at sige."

"Så hvad sker der med ham?"

"Jeg har anholdt ham for overtrædelse af sexkøbsloven. Vi har en udmærket dokumentation via Dag Svensson. Ekström var temmelig ophidset, men i og med at jeg havde indgivet en anmeldelse, risikerer han at få problemer, hvis han nedlægger forundersøgelsen," sagde Curt Svensson.

"Aha. Overtrædelse af sexkøbsloven. Det kan vel give dagbøder, går jeg ud fra."

"Formentlig. Men vi har ham i systemet og kan indkalde ham til afhøring igen."

"Men nu er vi altså inde på Säpos enemærker. Det kunne godt skabe en vis turbulens."

"Problemet er, at intet af det, der er sket indtil nu, kunne være sket, hvis ikke Säpo på en eller anden måde havde været indblandet. Det er muligt, at Zalachenko var en rigtig russisk spion, der hoppede af og fik politisk asyl. Det er også muligt, at han arbejdede for Säpo som spion eller kilde, eller hvilken titel man nu skal give ham, og at der var grund til at give ham en falsk identitet og anonymitet. Men der er tre problemer. For det første er den rapport, der blev skrevet i 1991, og som førte til, at Lisbeth Salander blev spærret inde, ulovlig. For det andet har Zalachenkos virksomhed indtil videre ikke spor med rigets sikkerhed at gøre. Zalachenko er en helt almindelig forbryder og er med stor sandsynlighed skyldig i flere mord og anden kriminalitet. Og for det tredje hersker der ingen tvivl om, at Lisbeth Salander blev skudt og begravet på hans grund i Gosseberga."

"Apropos det, så ville jeg vældig gerne læse den famøse rapport," sagde Jerker Holmberg.

Bublanskis blik blev mørkt.

"Ekström lagde beslag på den i fredags, og da jeg bad om at få den tilbage, sagde han, at han ville tage en kopi, hvilket han dog aldrig gjorde. I stedet ringede han tilbage og sagde, at han havde talt med statsadvokaten. Ifølge statsadvokaten betyder en hemmeligstempling, at rapporten ikke må spredes og ikke kopieres. Statsadvokaten har begæret alle kopier udleveret, indtil sagen er opklaret. Det betød, at Sonja måtte aflevere den kopi, hun havde."

"Så vi har altså ikke længere nogen rapport?"

"Nej."

"Fandens," sagde Holmberg. "Det her føles ikke rigtigt."

"Nej," sagde Bublanski. "Men frem for alt betyder det, at nogen handler imod os og desuden handler meget hurtigt og effektivt. Rapporten var jo det, der endelig satte os på det rigtige spor."

"Og så må vi finde ud af, hvem der handler imod os," sagde Holmberg.

"Et øjeblik," sagde Sonja Modig. "Vi har også Peter Teleborian. Han har bidraget til vores egen efterforskning ved at give os Lisbeth Salanders profil."

"Ja," sagde Bublanski med mørkere stemme. "Og hvad sagde han?"

"Han var meget bekymret for hendes sikkerhed og ville hende det godt. Men når alt kom til alt, sagde han, at hun var livsfarlig og formentlig ville gøre modstand. Vi har baseret en del af vores tankegang på det, han sagde."

"Og han har også hidset Hans Faste en del op," sagde Holmberg. "Har vi for resten hørt noget fra Faste?"

"Han har taget ferie," svarede Bublanski. "Spørgsmålet er nu, hvordan vi kommer videre."

De tilbragte de næste to timer med at diskutere muligheder. Den eneste praktiske beslutning, der blev taget, var, at Sonja Modig skulle tage tilbage til Göteborg næste dag for at høre, om Lisbeth Salander havde noget at sige. Da de endelig brød op, gjorde Sonja Modig og Curt Svensson hinanden selskab ned til parkeringskælderen.

"Jeg kom bare til at tænke på ..." Curt Svensson tav.

"Ja?" sagde Modig.

"Det var bare det, at da vi talte med Teleborian, var du den eneste i gruppen, der stillede spørgsmål og kom med indvendinger."

"Aha."

"Ja ... altså. Du har en god næse," sagde han.

Curt Svensson var ikke kendt for at rose folk til skyerne, og det var definitivt første gang, han havde sagt noget positivt eller opmuntrende til Sonja Modig. Han efterlod hende måbende ved hendes bil.

KAPITEL 5
Søndag den 10. april

MIKAEL BLOMKVIST HAVDE tilbragt lørdag nat i sengen sammen med Erika Berger. De havde ikke haft sex, men havde bare ligget og snakket. En væsentlig del af samtalen havde drejet sig om at udrede detaljerne i Zalachenkohistorien. Fortroligheden mellem Mikael og Erika var af en sådan art, at han ikke et øjeblik lod sig genere af, at Erika skulle begynde på en konkurrerende avis. Og Erika selv havde ikke på nogen måde til hensigt at stjæle historien. Det var *Millenniums* scoop, og muligvis følte hun en vis frustration over ikke at kunne være redaktør på det nummer. Det ville have været en sjov måde at afslutte årene på *Millennium* på.

De talte også om fremtiden, og hvad den nye situation ville betyde. Erika var fast besluttet på at beholde sit medejerskab af *Millennium* og blive siddende i bestyrelsen. Derimod var de enige om, at hun selvfølgelig ikke skulle have indblik i det løbende redaktionelle arbejde.

"Giv mig nogle år på *Svenska Morgon-Posten* ... hvem ved. Måske vender jeg tilbage til *Millennium* hen imod pensionsalderen," sagde hun.

Og de diskuterede deres eget komplicerede forhold til hinanden. De var enige om, at i praksis ville intet være forandret, andet end at de naturligvis ikke kunne mødes helt så ofte i fremtiden. Det ville blive som i 80'erne, inden *Millennium* var startet, og da de endnu havde forskellige arbejdspladser.

"Vi må vel ganske enkelt begynde at sætte tid af i kalenderen," konstaterede Erika med et svagt smil.

SØNDAG MORGEN TOG de hurtigt afsked, inden Erika kørte hjem til sin mand Greger Backman.

"Jeg ved ikke, hvad jeg skal sige," sagde Erika. "Men jeg kan genkende alle tegnene på, at du er midt i en historie, og at alt andet kommer i anden række. Ved du godt, at du opfører dig som en psykopat, når du arbejder?

Mikael smilede og gav hende et kram.

Da hun var gået, brugte han morgenen på at ringe til Sahlgrenska Sygehus for at få besked om Lisbeth Salanders tilstand. Ingen ville fortælle ham noget, og til sidst ringede han til kriminalkommissær Marcus Erlander, der forbarmede sig over ham og forklarede, at Lisbeths tilstand efter omstændighederne var god, og at lægerne var forsigtigt optimistiske. Han spurgte, om han måtte besøge hende. Erlander svarede, at Lisbeth Salander var varetægtsfængslet, og at hun ikke måtte tage imod besøg, men at spørgsmålet endnu var af akademisk art. Hendes tilstand gjorde, at hun ikke engang havde kunnet afhøres. Mikael fik Erlander til at love at ringe til ham, hvis hendes tilstand forværredes.

Da Mikael kontrollerede listen over opkald på sin mobil, kunne han konstatere, at han havde toogfyrre ubesvarede beskeder og sms'er fra forskellige journalister, der desperat forsøgte at få fat i ham. Nyheden om, at det var ham, der havde fundet Lisbeth Salander og alarmeret Redningstjenesten, og at han dermed var intimt forbundet med begivenhederne, havde det seneste døgn været genstand for en masse spekulationer i medierne.

Mikael slettede alle beskederne fra journalister. I stedet ringede han til sin søster, Annika Giannini, og aftalte at spise søndagsfrokost med hende.

Derefter ringede han til Dragan Armanskij, administrerende direktør og operativ chef for sikkerhedsfirmaet Milton Security. Han fik fat i ham på mobiltelefonen på bopælen på Lidingö.

"Du har i hvert fald en evne til at skabe overskrifter," sagde Armanskij tørt.

"Undskyld, at jeg ikke ringede til dig tidligere på ugen. Jeg fik en besked om, at du gerne ville have fat i mig, men jeg havde ikke rigtig tid ..."

"Vi har været i gang med vores egen efterforskning på Miltons. Og jeg forstod på Holger Palmgren, at du sad inde med oplysninger. Men det virker, som om du lå temmelig langt foran os."

Mikael tøvede lidt, mens han overvejede, hvordan han skulle formulere sig.

"Kan jeg stole på dig?" spurgte han.

Armanskij syntes overrasket over spørgsmålet.

"I hvilken henseende mener du?"

"Står du på Salanders side eller ej? Kan jeg stole på, at du vil hendes bedste?"

"Jeg er hendes ven. Som du ved, er det ikke nødvendigvis det samme som, at hun er min ven."

"Nej, det ved jeg. Men det, jeg spørger om, er, om du er klar til at stille dig i hendes ringhjørne og tage en ordentlig nævekamp mod hendes fjender. Der bliver mange omgange i den her kamp."

Armanskij tænkte over sagen.

"Jeg står på hendes side," svarede han.

"Kan jeg give dig oplysninger og diskutere sagen med dig uden at behøve at frygte, at de lækkes til politiet eller andre?"

"Jeg må ikke blive indblandet i noget kriminelt," sagde Armanskij.

"Det var ikke det, jeg spurgte om."

"Du kan stole hundrede procent på mig, så længe du ikke afslører, at du udøver kriminel virksomhed eller noget i den stil."

"Okay. Vi er nødt til at mødes."

"Jeg kommer ind til byen i aften. Middag?"

"Nej, jeg har ikke tid. Derimod ville jeg være glad, hvis vi kunne mødes i morgen aften. Du og jeg og måske yderligere nogle personer er nødt til at få talt lidt sammen."

"Du er velkommen oppe på Miltons. Skal vi sige klokken 18.00?"

"Endnu en ting ... jeg skal møde min søster, Annika Giannini, om to timer. Hun overvejer at påtage sig at være Lisbeth Salanders advokat, men hun kan selvfølgelig ikke arbejde gratis. Jeg kan betale en del af hendes honorar af egen lomme. Kan Milton Security bidrage?"

"Lisbeth får brug for en virkelig god strafferetsadvokat. Din søster er nok et dårligt valg, hvis du vil undskylde mig. Jeg har allerede talt med Miltons chefjurist, og han vil finde en passende advokat. Jeg havde tænkt mig Peter Althin eller en af hans kaliber."

"Nej. Lisbeth har brug for en helt anden slags advokat. Du vil forstå, hvad jeg mener, når vi har fået talt sammen. Men vil du sætte penge i hendes forsvar, hvis der skulle blive brug for det?"

"Jeg har allerede tænkt, at Milton skulle hyre en advokat ..."

"Betyder det ja eller nej? Jeg ved, hvad der skete med Lisbeth. Jeg ved omtrent, hvem der stod bag. Jeg ved hvorfor. Og jeg har en angrebsplan."

Armanskij lo.

"Okay. Jeg skal nok høre på dit forslag. Hvis jeg ikke bryder mig om det, så trækker jeg mig ud."

"Har du tænkt over mit forslag om, hvorvidt du vil repræsentere Lisbeth Salander?" spurgte Mikael, så snart han havde kysset sin søster på kinden, og de havde fået deres smørrebrød og kaffe.

"Ja. Og jeg er nødt til at sige nej. Du ved jo godt, at jeg ikke er strafferetsadvokat. Selv om hun nu går fri for de mord, hun har været eftersøgt for, så bliver der en hel række anklagepunkter. Hun får brug for nogen med en helt anden slags tyngde og erfaring end mig."

"Du tager fejl. Du er advokat, og du er en anerkendt ekspert i kvinderetsspørgsmål. Jeg vil vove at påstå, at du er præcis den advokat, hun har brug for."

"Mikael ... jeg tror ikke, at du rigtig forstår, hvad det betyder. Det her er en indviklet sag og ikke et ukompliceret tilfælde af vold mod eller seksuel forulempelse af en kvinde. Hvis jeg påtager mig at forsvare hende, kan det føre til en katastrofe."

Mikael smilede.

"Du har vist ikke forstået pointen. Hvis Lisbeth for eksempel var blevet tiltalt for mordene på Dag og Mia, ville jeg have hyret en advokat af Silbersky-typen eller en anden sværvægter af en strafferetsadvokat. Men denne retssag kommer til at dreje sig om helt andre ting. Og du er den mest perfekte advokat, jeg kan tænke mig."

Annika Giannini sukkede.

"Det er nok bedst, at du forklarer det nærmere."

De talte sammen i næsten to timer. Da Mikael havde forklaret det hele, var Annika Giannini overbevist. Og Mikael tog sin mobil og ringede igen til Marcus Erlander i Göteborg.

"Hej. Blomkvist igen."

"Jeg har ingen nyheder om Salander," sagde Erlander irriteret.

"Hvilket jeg går ud fra er gode nyheder i den her situation. Derimod har jeg nyheder om hende."

"Nå?"

"Ja, hun har fået en advokat, der hedder Annika Giannini. Hun sidder over for mig, og nu giver jeg hende telefonen."

Mikael rakte mobilen hen over bordet.

"Goddag. Jeg hedder Annika Giannini og er blevet bedt om at repræsentere Lisbeth Salander. Jeg er derfor nødt til at komme i kontakt med min klient, så hun kan godkende mig som sin forsvarer. Og jeg skal have nummeret til anklageren."

"Jeg forstår," sagde Erlander. "Så vidt jeg ved, er en offentlig forsvarer allerede blevet kontaktet."

"Godt. Har nogen spurgt Lisbeth Salander om hendes mening?"

Erlander tøvede.

"Vi har helt ærligt ikke haft mulighed for at veksle et ord med hende endnu. Vi håber at kunne tale med hende i morgen, hvis hendes tilstand tillader det."

"Godt. Så vil jeg gerne sige, at indtil frøken Salander siger noget andet, kan I betragte mig som hendes advokat. I kan ikke afhøre hende uden min tilstedeværelse. I kan kun besøge hende og spørge hende om, hvorvidt hun accepterer mig som advokat eller ej. Er det forstået?"

"Ja," sagde Erlander med et suk. Han var usikker på, hvad der egentlig gjaldt rent juridisk. Han tænkte sig lidt om. "Vi vil i første omgang gerne spørge Salander, om hun har nogen oplysninger om, hvor politimorderen Ronald Niedermann befinder sig. Er det okay at spørge hende om det, selv om du ikke er til stede?"

Annika Giannini tøvede.

"Okay ... I må godt spørge hende, om hun kan hjælpe politiet med at lokalisere Niedermann. Men I må ikke stille spørgsmål, der drejer sig om eventuelle sigtelser eller anklager mod hende. Er vi enige?"

"Det tror jeg."

MARCUS ERLANDER GIK direkte fra sit skrivebord og en trappe op og bankede på døren til chefen for den indledende efterforskning, Agneta Jervas. Han gengav indholdet af den samtale, han havde haft med Annika Giannini.

"Jeg vidste ikke, at Salander havde en advokat."

"Heller ikke jeg. Men Giannini er blevet hyret af Mikael Blomvist. Det er ikke sikkert, at Salander ved noget om det."

"Men Giannini er ikke strafferetsadvokat. Hun tager sig af kvinderetslige spørgsmål. Jeg har engang hørt et af hendes foredrag, hun er begavet, men helt uegnet til den her sag."

"Det er under alle omstændigheder Salander, der skal afgøre det."

"Det er muligt, at jeg bliver nødt til at opponere imod det i retten i så fald. For Salanders egen skyld skal hun have en rigtig forsvarer og ikke en berømthed, der gerne vil på spisesedlerne. Jeg ved ikke, hvad det er for noget."

"Hvad skal vi gøre?"

Agneta Jervas tænkte sig lidt om.

"Det her er en værre redelighed. Når det kommer til stykket, er jeg ikke engang sikker på, hvem der skal tage sig af sagen. Måske lander den hos Ekström i Stockholm. Men hun er nødt til at have en advokat. Okay ... spørg hende, om hun vil have Giannini."

DA MIKAEL KOM hjem ved femtiden om eftermiddagen, åbnede han sin iBook og skrev videre på den tekst, han var begyndt at formulere på hotellet i Göteborg. Han arbejdede i syv timer, indtil han havde identificeret de værste huller i historien. Der skulle stadig researches en del. Et spørgsmål, han ikke kunne besvare ud fra den eksisterende dokumentation, var præcis, hvem i Säpo ud over Gunnar Björck, der havde konspireret for at spærre Lisbeth Salander inde på galeanstalten. Han havde heller ikke fået klarhed over, hvilket forhold Björck og psykiateren Peter Teleborian havde til hinanden.

Omkring midnat slukkede han for computeren og gik i seng. For første gang i flere uger følte han, at han kunne slappe af og sove ordentligt. Historien var under kontrol. Selv om der var mange spørgsmål tilbage, havde han allerede tilstrækkeligt med materiale til at udløse en lavine af overskrifter.

Han følte en pludselig indskydelse til at ringe til Erika Berger og sætte hende ind i situationen. Men så kom han i tanke om, at hun ikke var på *Millennium* mere. Det var pludselig svært at falde i søvn.

MANDEN MED DEN brune mappe steg forsigtigt af 19.30-toget fra Göteborg på Stockholms hovedbanegård og blev stående et øjeblik i folkemængden, mens han orienterede sig. Han havde påbegyndt rejsen fra Laholm lidt over otte om morgenen ved at køre til Göteborg, hvor han gjorde et stop for at spise frokost med en gammel ven, inden han genoptog rejsen til Stockholm. Han havde ikke været i Stockholm i to år og havde egentlig ikke planlagt nogensinde igen at besøge hovedstaden. Selv om han havde boet der en stor del af sit arbejdsliv, følte han sig altid som en fremmed fugl i Stockholm, en følelse som var taget til for hvert besøg, han havde foretaget, siden han blev pensioneret.

Han gik langsomt gennem hovedbanegården, købte nogle aviser og to bananer i kiosken og betragtede eftertænksomt to muslimske kvinder med slør, der hastede forbi ham. Han havde ikke noget imod kvinder med slør. Det var ikke hans problem, hvis folk gerne ville maskere sig. Derimod generede det ham, at de absolut skulle maskere sig midt i Stockholm.

Han gik omkring tre hundrede meter hen til Freys Hotel ved siden af Bobergs gamle posthus i Vasagatan. Det var det hotel, han altid boede på ved de efterhånden sjældne Stockholmsbesøg. Det var centralt og propert. Desuden var det billigt, en forudsætning da han selv betalte rejsen. Han havde reserveret værelset dagen før og præsenteret sig som Evert Gullberg.

Så snart han var kommet op på værelset, gik han på toilettet. Han var kommet i den alder, hvor han var tvunget til at gå på toilettet hvert andet øjeblik. Det var flere år siden, han havde sovet en hel nat uden at vågne, fordi han skulle tisse.

Efter toiletbesøget tog han hatten af, en smalskygget, mørkegrøn, engelsk filthat, og løsnede slipseknuden. Han var 184 centimeter høj og vejede otteogtres kilo, hvilket betød, at han var spinkelt bygget. Han var klædt i en ternet tweedjakke og mørkegrå bukser. Han åbnede den brune mappe og pakkede to skjorter, et reserveslips og undertøj ud, som han lagde i kommoden på værelset. Derefter hængte han overfrakke og jakke op på bøjler i skabet bag værelsesdøren.

Det var for tidligt at gå i seng. Det var for sent til, at han gad gå en aftentur, en beskæftigelse han under alle omstændigheder ikke brød sig om. Han satte sig i hotelværelsets obligatoriske stol og så sig omkring. Han tændte for tv'et, men skruede ned for lyden, så han ikke behøvede at høre på det. Han overvejede at ringe ned til receptionen og bestille kaffe, men besluttede sig for, at det var for sent. I stedet åbnede han barskabet og hældte en miniatureflaske med Johnny Walker op, som han blandede med nogle dråber vand. Han åbnede aviserne og læste omhyggeligt alt, hvad der var blevet skrevet den dag om eftersøgningen af Ronald Niedermann og sagen Lisbeth Salander. Efter et stykke tid fandt han en skindindbundet notesbog frem og skrev nogle notater.

DEN FORHENVÆRENDE KONTORCHEF i Säpo, Evert Gullberg, var 78 år og havde officielt været pensioneret i fjorten år. Men sådan er det med gamle spioner. De dør aldrig, de glider bare ind i skyggerne.

Lige efter krigen, da Gullberg var 19 år, havde han søgt ind til en karriere i flåden. Han gjorde militærtjeneste som officerskadet og blev derefter optaget på officersuddannelsen. Men i stedet for en traditionel stilling til søs, som han havde forventet, blev han placeret i Karlskrona som kodebryder ved flådens efterretningstjeneste. Han havde ikke svært ved at forstå behovet for kodebrydning, der altså drejede sig om at finde ud af, hvad der foregik på den anden side af Østersøen. Derimod opfattede han arbejdet som kedeligt og uinteressant. Gennem forsvarets tolkeskole fik han dog lært russisk og polsk. Disse sprogkundskaber var en af grundene til, at han i 1950 blev rekrutteret til Säpo. Det var på den tid, hvor den ulasteligt korrekte George Thulin var chef for statspolitiets tredje afdeling. Da han begyndte, udgjorde det hemmelige politis samlede budget 2,7 millioner kroner, og den totale personalestyrke var på helt nøjagtig seksoghalvfems personer.

Da Evert Gullberg formelt gik på pension i 1992, udgjorde Säpos budget lidt over 350 millioner kroner, og han vidste ikke, hvor mange ansatte Firmaet havde.

Gullberg havde tilbragt et liv i hans majestæts hemmelige tjeneste eller muligvis i den socialdemokratiske velfærdsstats hemmelige tjeneste. Hvilket var ironisk, da han valg efter valg trofast havde stemt på de moderate bortset fra i 1991, hvor han bevidst havde stemt imod de moderate, da han anså Carl Bildt for at være en realpolitisk katastrofe. Det år havde han i stedet modløst stemt på Ingvar Carlsson. Årene med Sveriges bedste regering havde også bekræftet hans værste anelser. Den moderate regering var tiltrådt i en tid, hvor Sovjetunionen var kollapset, og efter hans mening havde næppe nogen regering været dårligere rustet til at møde og opfange de nye politiske muligheder inden for spionagens kunst, der dukkede op østpå. Bildt-regeringen havde tværtimod af økonomiske grunde skåret ned på Sovjetafdelingen og i stedet satset på det internationale pjat i Bosnien og Serbien – som om Serbien nogensinde kunne blive en trussel mod Sverige. Resultatet blev, at muligheden for på lang sigt at plante informanter i Moskva ikke blev til noget, og den dag klimaet igen blev råt – hvilket ifølge Gullberg var uundgåeligt – ville der igen blive stillet urimelige krav til Säpo og den militære efterretningstjeneste, som om de kunne trylle agenter frem efter forgodtbefindende.

GULLBERG HAVDE BEGYNDT sin karriere på det russiske kontor i statspolitiets tredje afdeling, og efter to år bag et skrivebord havde han gjort sine første famlende feltstudier som attaché med kaptajnsrang inden for flyvevåbnet ved den svenske ambassade i Moskva i 1952-53. Sjovt nok fulgte han i en anden kendt spions fodspor. Nogle år tidligere havde hans post været besat af den ikke helt ukendte flyverofficer af første rang Stig Wennerström.

Tilbage i Sverige havde Gullberg arbejdet for kontraspionagen, og ti år senere var han en af de yngre sikkerhedspolitifolk, der under den operative chef, Otto Danielsson, pågreb Wennerström og førte ham til en livstidsstraf på Långholmen.

Da det hemmelige politi blev omstruktureret under Per Gunnar Vinge i 1964 og blev til Rigspolitistyrelsens sikkerhedsafdeling, RSP/SÄK, gik personalerekrutteringen for alvor i gang. Dengang havde Gullberg arbejdet for Sikkerhedspolitiet i fjorten år og var blevet en af de betroede veteraner.

Gullberg havde aldrig nogensinde brugt betegnelsen Säpo om Sikkerhedspolitiet. Han brugte udtrykket RSP/SÄK i formelle sammenhænge og blot SÄK i uformelle sammenhænge. Blandt kolleger kunne han også referere til virksomheden som Foretagendet eller Firmaet eller slet og ret Afdelingen – men aldrig nogensinde Säpo. Årsagen var enkel. Firmaets vigtigste opgave var i mange år såkaldt personkontrol, det vil sige undersøgelser og registrering af svenske statsborgere, der kunne mistænkes for at nære kommunistiske og landsforræderiske sympatier. I Firmaet blev begrebet kommunist og landsforræder brugt synonymt. Det senere vedtagne begreb Säpo var faktisk noget, som det potentielt landsforræderiske kommunisttidsskrift *Clarté* havde brugt som et skældsord for politiets kommunistjægere. Og derfor brugte hverken Gullberg eller nogen anden veteran udtrykket Säpo. Han kunne for alt i verden ikke begribe, hvorfor hans tidligere chef, P.G. Vinge, havde kaldt sine memoirer for netop *Säpochef 1962-70.*

Det var omstruktureringen i 1964, der kom til at afgøre Gullbergs fremtidige karriere.

SÄK betød, at det hemmelige statspoliti blev forvandlet til, hvad der i redegørelserne fra Justitsministeriets departement blev beskrevet som en moderne politiorganisation. Det betød nyansættelser. Det bestandige behov for nyt personale betød uendelige indkøringsproblemer, hvilket i en ekspanderende organisation betød, at Fjenden fik kolossalt gode muligheder for at plante agenter inden for afdelingen. Det betød på sin side, at den interne sikkerhedskontrol måtte skærpes – det hemmelige politi kunne ikke længere være en intern klub bestående af forhenværende officerer, hvor alle kendte alle, og hvor den almindeligste kvalifikation ved nyrekruttering var, at faderen var officer.

I 1963 var Gullberg blevet overført fra kontraspionagen til personkontrollen, som havde fået øget betydning i kølvandet på afsløringen af Stig Wennerström. På det tidspunkt blev grundstenen lagt til det register, der hen imod slutningen af 1960'erne omfattede omkring 300.000 svenske statsborgere med upassende politiske sympatier. Men personkontrollen af svenske statsborgere i almindelighed var én ting – noget andet var spørgsmålet om, hvordan sikkerhedskontrollen i SÄK egentlig skulle udformes.

Wennerström havde udløst en lavine af intern rådvildhed hos det hemmelige statspoliti. Hvis en oberst i Forsvarsstaben kunne arbejde for russerne – han var desuden regeringens rådgiver i sager, der havde med atomvåben og sikkerhedspolitik at gøre – kunne man så være sikker på, at russerne ikke havde en lige så centralt placeret agent inden for Sikkerhedspolitiet? Hvem kunne garantere, at chefer

99

og mellemledere i Firmaet ikke faktisk arbejdede for russerne. Kort sagt – hvem skulle udspionere spionerne?

I august 1964 blev Gullberg indkaldt til et eftermiddagsmøde hos vicechefen for Sikkerhedspolitiet, Hans Wilhelm Francke. I mødet deltog foruden ham to personer fra Firmaets ledelse, vicesekretariatschefen og budgetchefen. Inden dagen var omme, havde Gullbergs liv fået ny mening. Han var blevet udvalgt. Han havde fået en ny stilling som chef for en nyindrettet afdeling med arbejdstitlen Specialsektionen, forkortet SS. Hans første tiltag var at omdøbe den til Specialanalysegruppen. Det holdt nogle minutter, indtil budgetchefen påpegede, at SA ikke var stort bedre end SS. Organisationens endelige navn blev Sektionen for Specialanalyse, SSA, og i daglig tale Sektionen, til forskel fra Afdelingen eller Firmaet, der hentydede til hele Sikkerhedspolitiet.

SEKTIONEN VAR FRANCKES idé. Han kaldte det den sidste forsvarslinje. En ultrahemmelig gruppe, der fandtes strategiske steder inden for Firmaet, men som var usynlig og ikke dukkede op i notater eller budgetbevillinger, og som dermed ikke kunne infiltreres. Deres opgave – at våge over nationens sikkerhed. Han havde magt til at muliggøre det. Han havde brug for budgetchefen og sekretariatschefen til at skabe den skjulte struktur, men de var alle soldater af den gamle skole og venner fra snesevis af skærmydsler med Fjenden.

Det første år bestod hele organisationen af Gullberg og tre håndplukkede medarbejdere. I løbet af de følgende ti år voksede Sektionen til elleve personer, hvoraf to var administrative sekretærer af den gamle skole, og resten var professionelle spionjægere. Det var en flad organisation. Gullberg var chef. Alle andre var medarbejdere, der så chefen stort set hver dag. Effektivitet blev præmieret højere end prestige og bureaukratiske formalia.

Formelt var Gullberg underordnet en lang række personer i hierarkiet under Sikkerhedspolitiets sekretariatschef, til hvem han skulle aflevere månedlige rapporter, men i praksis havde Gullberg fået en unik position med ekstraordinære magtbeføjelser. Han og kun han kunne beslutte at sætte den allerøverste Säpoledelse under lup. Han kunne, hvis det behagede ham, vende vrangen ud på selveste Per Gunnar Vinges liv. (Hvilket han også gjorde.) Han kunne indlede sine egne undersøgelser eller gennemføre telefonaflytninger uden at behøve at forklare sig eller overhovedet rapportere det til højere sted. Hans forbillede blev den amerikanske spionlegende James Jesus Angleton, der havde en lignende position inden for CIA, og som han desuden kom til at lære at kende personligt.

Organisatorisk blev Sektionen en mikroorganisation inden for Afdelingen, uden for, over og ved siden af hele det øvrige sikkerhedspoliti. Dette fik også geografiske konsekvenser. Sektionen havde kontor på Kungsholmen, men af sikkerhedsgrunde blev hele Sektionen i praksis flyttet uden for huset til en privat elleveværelses lejlighed på Östermalm. Etagen blev diskret lavet om til et sikret kontor, der aldrig var ubemandet, da den tro tjener og sekretær Eleanor Badenbrink blev indlogeret permanent i to af lejlighedens værelser nærmest entreen. Badenbrink var en uvurderlig ressource, som Gullberg havde fuldstændig tiltro til.

Organisatorisk forsvandt Gullberg og hans medarbejdere fra al offentlighed – de blev finansieret gennem en "særlig fond", men eksisterede ikke nogetsteds i det formelle sikkerhedspolitiske bureaukrati, der aflagde regnskab til Rigspolitistyrelsen eller Justitsministeriets departement. Ikke engang chefen for SÄK kendte til de hemmeligste af de hemmelige, der havde til opgave at håndtere det følsomste af det følsomme.

I fyrreårsalderen befandt Gullberg sig derfor i en situation, hvor han ikke behøvede at forklare sig for noget levende menneske og kunne foretage undersøgelser af hvem som helst.

Allerede fra begyndelsen stod det klart for Gullberg, at Sektionen for Specialanalyse kunne risikere at blive en politisk følsom gruppe. Arbejdsbeskrivelsen var mildest talt vagt defineret, og den skriftlige dokumentation var yderst sparsom. I september 1964 underskrev statsminister Tage Erlander et direktiv, der betød, at der skulle sættes budgetmidler af til Sektionen for Specialanalyse, der havde til opgave at håndtere specielt følsomme undersøgelser af betydning for rigets sikkerhed. Det var et af tolv lignende anliggender, som vicechefen for SÄK, Hans Wilhelm Francke, fremlagde på et eftermiddagsmøde. Dokumentet blev straks hemmeligstemplet og lagt i det ligeledes hemmeligstemplede særlige arkiv i SÄK.

Statsministerens underskrift betød dog, at Sektionen var en juridisk godkendt institution. Sektionens første årsbudget løb op i 52.000 kroner. At budgettet blev sat så lavt, anså Gullberg selv for at være en genistreg. Det betød, at oprettelsen af Sektionen fremstod som et rent dusinforetagende.

Desuden betød statsministerens underskrift, at han havde godkendt, at der var behov for en gruppe, der kunne svare for den "interne personkontrol". Samme underskrift kunne dog tolkes, som at statsministeren havde givet sin godkendelse til oprettelsen af en gruppe, der også kunne svare for kontrollen af "særligt følsomme personer" uden for SÄK, for eksempel af statsministeren selv. Det var sidstnævnte, der gav potentielt alvorlige politiske problemer.

EVERT GULLBERG KONSTATEREDE, at der ikke var mere Johnny Walker i hans glas. Han var ikke særlig vild med alkohol, men det havde været en lang dag og en lang rejse, og han mente at befinde sig i en fase af sit liv, hvor det var uvedkommende, om han besluttede sig for at tage en whisky eller to, og at han sagtens kunne fylde mere i glasset, hvis han havde lyst. Han hældte en miniatureflaske Glenfiddich i glasset.

Den følsomste af alle sager var selvfølgelig Olof Palme.

Gullberg huskede hver eneste detalje fra valgdagen i 1976. For første gang i moderne historie havde Sverige fået en borgerlig regering. Desværre var det med Thorbjörn Fälldin som statsminister, ikke Gösta Bohman, der var en mand af den gamle skole og langt bedre egnet. Men frem for alt var Palme slået, og dermed kunne Evert Gullberg ånde lettet op.

Palmes egnethed som statsminister havde været genstand for mere end en frokostsamtale i de allerhemmeligste gange i SÄK. I 1969 var Per Gunnar Vinge blevet fyret, efter han havde sat ord på den anskuelse, der blev delt af mange inden for Afdelingen – nemlig at Palme måske var agent for den russiske spionorganisation KGB. Vinges anskuelse var ikke kontroversiel i det klima, der herskede inden for Firmaet. Desværre havde han åbent drøftet sagen med statsamtsmand Ragnar Lassinantti ved et besøg i Norrbotten. Lassinantti havde hævet øjenbrynene to gange og derefter informeret ministerkontoret med det resultat, at Vinge fik besked på at indfinde sig til en samtale under fire øjne.

Til Evert Gullbergs fortrydelse havde spørgsmålene om Palmes eventuelle russiske kontakter aldrig fået noget svar. Trods ihærdige forsøg på at finde frem til sandheden og de afgørende beviser – *the smoking gun* – havde Sektionen aldrig nogensinde fundet det mindste belæg for, at det var tilfældet. I Gullbergs øjne var dette ikke ensbetydende med, at Palme var uskyldig, men snarere, at han var en overordentlig snu og intelligent spion, der ikke blev fristet til at begå de samme fejl, som andre russiske spioner havde gjort. Palme fortsatte med at holde dem for nar år efter år. I 1982 var Palmespørgsmålet igen blevet aktuelt, da han vendte tilbage som statsminister. Senere fulgte skuddene på Sveavägen, og spørgsmålet blev for evigt af akademisk art.

1976 HAVDE VÆRET et problematisk år for Sektionen. Inden for SÄK – blandt de få personer, der faktisk kendte til Sektionens eksistens – var der opstået en vis kritik. I de forløbne ti år havde sammenlagt femogtres tjenestemænd inden for Sikkerhedspolitiet fået løbepas af organisationen på grund af formodet politisk upålidelighed. For de flestes vedkommende var dokumentationen dog af en sådan art, at intet kunne bevises, hvilket resulterede i, at visse højere chefer begyndte at mumle noget om, at medarbejderne i Sektionen var nogle paranoide konspirationsteoretikere.

Gullberg kogte stadig indvendig, da han kom i tanke om en af de sager, som Sektionen havde taget sig af. Det gjaldt en person, der var blevet ansat i SÄK i 1968, og som Gullberg personlig havde bedømt som værende højst uegnet. Hans navn var kriminalkommissær Stig Bergling, løjtnant i den svenske hær, men som senere viste sig at være oberst i det russiske militærs efterretningstjeneste GRU. Fire gange i de kommende år forsøgte Gullberg at få Bergling fyret, men hver gang blev han ignoreret. Først i 1977 faldt det sådan, at Bergling blev genstand for mistanke også uden for Sektionen. Da var det for sent. Bergling blev den største skandale i svensk Sikkerhedspolitis historie.

Kritikken mod Sektionen havde taget til i første halvdel af 70'erne, og midt i årtiet havde Gullberg hørt flere forslag om, at budgettet skulle mindskes og endda forslag om, at virksomheden var unødvendig.

Sammenlagt betød kritikken, at der blev sat spørgsmålstegn ved Sektionens fremtid. Det år blev terrortruslen prioriteret højt inden for SÄK, hvilket i alle henseender var en spionmæssigt trist historie, der hovedsagelig drejede sig om forvirrede unge mennesker, der samarbejdede med arabiske eller propalæstinensiske elementer. Det store spørgsmål i Sikkerhedspolitiet var spørgsmålet om, hvorvidt personkontrollen skulle have særlig tilladelse til at undersøge udenlandske statsborgere, der var bosat i Sverige, eller om dette også fortsat udelukkende skulle være et anliggende for udlændingeafdelingen.

Af denne noget esoteriske bureaukratidiskussion var der opstået et behov hos Sektionen for at knytte en betroet medarbejder til virksomheden, der kunne forstærke dens kontrol, faktisk spionage, mod medarbejderne i udlændingeafdelingen.

Valget faldt på en ung medarbejder, der havde arbejdet i SÄK siden 1970, og hvis baggrund og politiske troværdighed var af en sådan beskaffenhed, at han mentes at kunne passe ind blandt medarbejderne i Sektionen. I sin fritid var han medlem af en organisation, der blev kaldt for Demokratisk Alliance, og som af socialdemokratiske medier blev beskrevet som højreekstremistisk. Dette var ingen belastning i Sektionen. Tre andre medarbejdere var faktisk også medlemmer af Demokratisk Alliance, og Sektionen havde haft stor betydning for, at Demokratisk Alliance overhovedet var blevet dannet. De bidrog også til en mindre del af finansieringen. Det var gennem denne organisation, at de var blevet opmærksomme på den nye medarbejder og havde rekrutteret ham til Sektionen. Hans navn var Gunnar Björck.

FOR EVERT GULLBERG var det et usandsynligt lykketræf, at det netop den dag, på valgdagen i 1976 da Alexander Zalachenko hoppede af til Sverige og kom gående ind på Norrmalms politistation og bad om asyl, var junioren Gunnar Björck, der i egenskab af sagsbehandler i udlændingeafdelingen tog imod ham. En agent som allerede var knyttet til de hemmeligste af de hemmelige.

Björck var årvågen. Han forstod straks Zalachenkos betydning, afbrød afhøringen og indlogerede afhopperen på et værelse på Hotel Continental. Det var derfor Evert Gullberg og ikke sin formelle chef i udlændingeafdelingen, Gunnar Björck ringede til for at slå alarm.

Telefonsamtalen kom på et tidspunkt, hvor valglokalerne var lukket og alle prognoser pegede på, at Palme ville tabe. Gullberg var netop kommet hjem og havde tændt for tv'et for at se de sidste valgresultater. Han havde først tvivlet på den besked, som den ophidsede unge mand kom med. Derefter var han kørt ned til Continental, mindre end 250 meter fra det hotelværelse, hvor han befandt sig på det tidspunkt, for at tage kommandoen over Zalachenkosagen.

I DET ØJEBLIK HAVDE Evert Gullbergs liv forandret sig radikalt. Ordet hemmeligstemplet havde fået en helt ny betydning og tyngde. Han erkendte behovet for at skabe en helt ny struktur omkring afhopperen.

Han valgte automatisk at inkludere Gunnar Björck i Zalachenkogruppen. Det var en klog og rimelig beslutning, eftersom Björck jo allerede kendte til Zalachenkos eksistens. Det var bedre at have ham indenfor end som en sikkerhedsrisiko udenfor. Det betød, at Björck blev forflyttet fra sin officielle post i udlændingeafdelingen til et skrivebord i lejligheden på Östermalm.

I den dramatik, der opstod, havde Gullberg fra begyndelsen valgt kun at informere én person inden for SÄK, nemlig sekretariatschefen, der allerede havde indblik i Sektionens virksomhed. Sekretariatschefen havde tygget på nyheden i flere dage, før han havde forklaret Gullberg, at afhopningen var så stor en ting, at chefen for SÄK måtte informeres, og at også regeringen måtte informeres.

Den nyligt tiltrådte chef for SÄK havde på det tidspunkt kendskab til Sektionen for Specialanalyse, men havde kun en vag fornemmelse af, hvad Sektionen egentlig beskæftigede sig med. Han var tiltrådt for at rydde op efter IB-affæren og var allerede på vej til en højere stilling i politiets hierarki. Chefen for SÄK havde i en fortrolig samtale med sekretariatschefen fået at vide, at Sektionen var en hemmelig gruppe, som var blevet nedsat af regeringen, som stod uden for den egentlige virksomhed, og som der ikke kunne sættes spørgsmålstegn ved. Da chefen på det tidspunkt var en mand, der absolut ikke stillede spørgsmål, som kunne generere ubehagelige svar, nikkede han forstående og accepterede, at der var noget, der hed SSA, og at han ikke havde noget med sagen at gøre.

Gullberg var ikke henrykt for tanken om at informere chefen om

Zalachenko, men accepterede virkeligheden. Han understregede det absolutte behov for total hemmeligholdelse og fik medhold og udfærdigede sådanne instrukser, at ikke engang chefen for SÄK kunne diskutere sagen på sit kontor uden at træffe særlige forsigtighedsforanstaltninger. Det blev besluttet, at Sektionen for Specialanalyse skulle tage sig af Zalachenko.

At informere den afgående statsminister var udelukket. På grund af den karrusel, som begyndte at køre i forbindelse med regeringsskiftet, havde den tiltrædende statsminister travlt med at udpege ministre og forhandle med de øvrige borgerlige partier. Det var først en måned efter regeringsdannelsen, at chefen for SÄK sammen med Gullberg tog til Rosenbad og informerede den nyindsatte statsminister. Gullberg havde til det sidste protesteret mod, at regeringen overhovedet skulle informeres, men chefen for SÄK havde holdt på sit – det var forfatningsmæssigt uforsvarligt ikke at informere statsministeren. På mødet havde Gullberg anvendt alle sine evner på så veltalende som muligt at overbevise statsministeren om vigtigheden af, at informationerne om Zalachenko ikke blev spredt uden for statsministerens eget kontor – at hverken udenrigsministeren eller forsvarsministeren eller noget andet medlem af regeringen blev informeret.

Fälldin var blevet rystet over den nyhed, at en russisk topagent havde søgt asyl i Sverige. Statsministeren var begyndt at tale om, at han faktisk i ærlighedens navn var nødt til at tage sagen op med i det mindste lederne af de øvrige to regeringspartier. Gullberg havde været forberedt på denne indvending og havde spillet det bedste kort ud, som han havde tilbage på hånden. Han havde svaret ved lavmælt at forklare, at hvis det skete, så han sig nødsaget til umiddelbart at indgive sin afskedsbegæring. Det var en trussel, der havde gjort indtryk på Fälldin. Implicit betød det, at statsministeren ville bære det personlige ansvar, hvis historien lækkede, og russerne sendte en dødspatrulje ud for at likvidere Zalachenko. Og hvis den person, der havde ansvaret for Zalachenkos sikkerhed, havde set sig nødsaget til at gå af, så ville en sådan afsløring blive en politisk og mediemæssig katastrofe for statsministeren.

Fälldin havde, endnu ny og usikker i sin rolle som statsminister, bøjet sig. Han havde godkendt et direktiv, der straks blev lagt i det hemmelige arkiv, og som betød, at Sektionen skulle svare for Zalachenkos sikkerhed og afhøring, samt at oplysningerne om Zalachenko ikke måtte forlade statsministerens kontor. Fälldin havde dermed underskrevet et direktiv, der i praksis beviste, at han var informeret, men som også betød, at han aldrig måtte diskutere sagen. Han skulle kort sagt glemme Zalachenko.

Fälldin havde dog insisteret på, at endnu en person i hans ministersekretariat, en håndplukket ministersekretær, skulle informeres og fungere som kontaktperson i sager, der drejede sig om afhopperen. Dette stillede Gullberg tilfreds. Han ville ikke have problemer med at klare en ministersekretær.

Chefen for SÄK var tilfreds. Zalachenkosagen var nu forfatningsmæssigt sikret, hvilket i dette tilfælde betød, at chefen havde ryggen fri. Gullberg var også tilfreds. Det var lykkedes ham at oprette en karantæne, der betød, at han kontrollerede informationsstrømmen. Han alene kontrollerede Zalachenko.

Da Gullberg kom tilbage til sit kontor på Östermalm, satte han sig ved sit skrivebord og skrev i hånden en liste over de personer, der havde viden om Zalachenko. Listen bestod af ham selv, Gunnar Björck, den operative chef i Sektionen Hans von Rottinger, vicekontorchefen Fredrik Clinton, sektionssekretær Eleanor Badenbrink samt to medarbejdere, der havde til opgave at registrere og løbende analysere den efterretningsinformation, som Zalachenko kunne bidrage med. Sammenlagt syv personer, der i de kommende år skulle udgøre en særlig sektion inden for Sektionen. Han tænkte på dem som den Interne Gruppe.

Uden for Sektionen var denne viden kendt af chefen for SÄK, vicechefen og sekretariatschefen. Derudover var statsministeren og en ministersekretær informeret. Sammenlagt tolv personer. Aldrig før havde en hemmelighed af denne betydning været kendt af en så udvalgt skare.

Derefter blev Gullberg mørk i blikket. Hemmeligheden var også kendt af en trettende person. Björck havde haft selskab af juristen Nils Bjurman. At gøre Bjurman til medarbejder i Sektionen var udelukket. Bjurman var ikke en rigtig sikkerhedspolitimand – han var praktisk talt ikke mere end praktikant i SÄK – og han havde ikke den viden og kompetence, der krævedes. Gullberg overvejede forskellige alternativer, men valgte derefter forsigtigt at geleide Bjurman ud af historien. Han truede med livstidsfængsel for landsforræderi, hvis Bjurman sagde så meget som et ord om Zalachenko. Han brugte bestikkelse i form af løfter om fremtidige opgaver og endelig smiger, som øgede Bjurmans egen selvfølelse. Han sørgede for, at Bjurman fik ansættelse på et velrenommeret advokatkontor, og derefter at han fik en strøm af opgaver, der holdt ham beskæftiget. Det eneste problem var, at Bjurman var så middelmådig en person, at han faktisk ikke evnede at udnytte sine muligheder. Han forlod advokatkontoret efter ti år og åbnede sit eget firma, der efterhånden blev et advokatkontor med én ansat ved Odenplan.

I de kommende år holdt Gullberg Bjurman under diskret, men bestandig overvågning. Det var først i slutningen af 80'erne, at han slækkede på overvågningen af Bjurman, da Sovjetunionen stod for fald, og Zalachenko ikke længere var en prioriteret sag.

FOR SEKTIONEN HAVDE Zalachenko først været et løfte om et gennembrud i Palmegåden, en sag der bestandigt beskæftigede Gullberg. Palme havde derfor været et af de første emner, som Gullberg luftede i forbindelse med den lange afhøring.

Forhåbningerne var dog snart blevet knust, da Zalachenko aldrig havde opereret i Sverige og ikke havde nogen rigtig viden om landet. Derimod havde Zalachenko hørt rygter om en "Rød springer", en betydningsfuld svensk eller muligvis skandinavisk politiker, der arbejdede for KGB.

Gullberg skrev en liste over navne, der blev føjet til Palme. Der var Carl Lidbom, Pierre Schori, Sten Andersson, Marita Ulvskog og yderligere et antal personer. Resten af sit liv skulle Gullberg gang på gang vende tilbage til den liste og altid blive svar skyldig.

Gullberg var pludselig en spiller blandt de store drenge. Han blev hilst med respekt i den eksklusive klub af udvalgte krigere, der alle kendte hinanden, og hvor kontakterne gik via personligt venskab og tillid – ikke gennem officielle kanaler og bureaukratiske regler. Han mødte selveste James Jesus Angleton, og han drak en whisky på en diskret klub i London med chefen for MI-6. Han blev en af de store.

PROFESSIONENS BAGSIDE VAR, at han aldrig ville kunne fortælle om sine succeser, ikke engang i posthume memoirer. Og bestandigt nærværende var der angsten for, at Fjenden skulle notere sig hans rejser, og at han blev overvåget – og selv ufrivilligt skulle føre russerne til Zalachenko.

I den henseende var Zalachenko sin egen værste fjende.

I det første år havde Zalachenko boet i en anonym lejlighed, der var ejet af Sektionen. Han figurerede ikke i noget register eller i noget offentligt dokument, og inden for Zalachenkogruppen havde de troet, at de havde god tid til at planlægge hans fremtid. Først i foråret 1978 fik han et pas udstedt i navnet Karl Axel Bodin og en møjsommeligt sammenstykket historie – en fiktiv, men verificerbar baggrund i de svenske registre.

Da var det allerede for sent. Zalachenko havde kneppet hende den skide luder Agneta Sofia Salander, født Sjölander, og han havde ubekymret præsenteret sig under sit virkelige navn – Zalachenko. Gullberg mente ikke, at det stod rigtigt til i hovedet på Zalachenko. Han havde mistanke om, at den russiske afhopper snart ville blive afsløret. Det var, som om han havde brug for en scene. Det var svært ellers at forklare, hvordan han kunne være så fandens dum.

Der var ludere, der var perioder med overdrevent alkoholforbrug, og der var tilfælde af vold og slagsmål med dørmænd og andre. Tre gange blev Zalachenko arresteret af svensk politi på grund af beruselse og to gange i forbindelse med værtshusslagsmål. Og hver gang måtte Sektionen diskret gribe ind og få ham ud og sørge for, at papirer forsvandt, og rapporter blev ændret. Gullberg satte Gunnar Björck på sagen. Björcks arbejde bestod i næsten døgnet rundt at nurse afhopperen. Det var svært, men der var ikke noget alternativ.

Det kunne være gået godt det hele. I begyndelsen af 80'erne var Zalachenko faldet lidt til ro og var begyndt at tilpasse sig. Men han opgav aldrig luderen Salander – og endnu værre, han var blevet far til Camilla og Lisbeth Salander.

Lisbeth Salander.

Gullberg udtalte navnet med væmmelse.

Allerede da pigerne var ni-ti år gamle, havde Gullberg haft en dårlig fornemmelse med hensyn til Lisbeth Salander. At hun ikke var normal, havde han ikke brug for en psykiater til at fortælle ham.

Gunnar Björck havde rapporteret, at hun var trodsig, voldsom og aggressiv mod Zalachenko, og at hun desuden ikke virkede, som om hun var det fjerneste bange for ham. Hun sagde sjældent noget, men hun gav på tusinde andre måder udtryk for sin misfornøjelse med tingenes tilstand. Hun var et vordende problem, men præcis hvor kæmpestort dette problem skulle blive, kunne Gullberg ikke i sin vildeste fantasi forestille sig. Det, han frygtede mest, var, at situationen i familien Salander skulle føre til indblanding fra socialforvaltningen, der ville fokusere på Zalachenko. Gang på gang bad han Zalachenko om at bryde med familien og forsvinde ud af deres liv. Zalachenko lovede, men brød altid sit løfte. Han havde andre ludere. Han havde masser af ludere. Men efter nogle måneder var han altid tilbage hos Agneta Sofia Salander.

Den skide Zalachenko. En spion, der lod pikken styre sit følelsesliv, var naturligvis ingen god spion. Men det var, som om Zalachenko stod over alle normale regler eller i hvert fald mente, at han stod over reglerne. Hvis han bare havde kunnet kneppe luderen uden nødvendigvis også at banke hende, hver gang de mødtes, havde det været en anden sag, men som tingene nu udviklede sig, så udsatte Zalachenko igen og igen sin kæreste for grov vold. Han syntes endda at tage det som en morsom udfordring af sine overvågere i Zalachenkogruppen at prygle hende bare for at drille dem og se dem lide.

At Zalachenko var en syg idiot, nærede Gullberg ingen tvivl om, men han befandt sig ikke i en situation, hvor han kunne vælge og vrage blandt afhoppede GRU-agenter. Han havde kun en eneste afhopper, og han var desuden bevidst om sin betydning for Gullberg.

Gullberg sukkede. Zalachenkogruppen have fået rollen som oprydningspatrulje. Det kunne ikke nægtes. Zalachenko vidste, at han kunne tage sig friheder, og at de snildt kunne rede problemerne ud for ham. Og når det drejede sig om Agneta Sofia Salander, udnyttede han disse muligheder til bristepunktet.

Det skortede ikke på advarsler. Da Lisbeth Salander lige var fyldt tolv år, havde hun stukket Zalachenko med en kniv. Sårene var ikke alvorlige, men han blev kørt til Sankt Görans Sygehus, og Zalachenkogruppen var nødt til at udføre et omfattende oprydningsarbejde. Dengang havde Gullberg en Meget Alvorlig Samtale med Zalachenko. Han havde gjort det fuldstændig klart, at Zalachenko aldrig nogensinde måtte kontakte familien Salander igen, og det havde Zalachenko lovet. Han havde holdt løftet i mere end et halvt år, før han tog hjem til Agneta Sofia Salander og bankede hende så voldsomt, at hun endte på plejehjem resten af livet.

At Lisbeth Salander var en mordlysten psykopat, der ville fremstille en brandbombe, var dog noget, som Gullberg ikke havde kunnet forestille sig. Den dag havde været et kaos. En labyrint af undersøgelser var i sigte, og hele Operation Zalachenko – faktisk hele Sektionen – hang i en meget tynd tråd. Hvis Lisbeth Salander talte, risikerede Zalachenko at blive afsløret. Hvis Zalachenko blev afsløret, ville dels en række operationer i Europa i de forløbne femten år risikere at gå i vasken, dels ville Sektionen risikere at blive udsat for en offentlig undersøgelse. Hvilket for enhver pris måtte forhindres.

Gullberg var bekymret. En offentlig undersøgelse ville få IB-affæren til at fremstå som en dokusoap. Hvis Sektionens arkiv blev åbnet, ville en række omstændigheder, der ikke var helt forenelige med forfatningen, blive blotlagt, for ikke at tale om deres mangeårige overvågning af Palme og andre kendte socialdemokrater. Det var et følsomt emne blot nogle år efter Palmemordet. Det ville have resulteret i efterforskning af Gullberg og flere andre ansatte i Sektionen. Endnu værre – gale journalister ville uden mindste tøven lancere den teori, at Sektionen stod bag Palmemordet, hvilket på sin side ville føre til endnu en labyrint af afsløringer og anklager. Det værste var, at Sikkerhedspolitiets ledelse havde forandret sig så meget, at ikke engang den højeste chef for SÄK kendte til Sektionens eksistens. Alle kontakter med SÄK strandede det år på den nye vicesekretariatschefs bord, og denne havde allerede i ti år været fast medlem af Sektionen.

DER HAVDE HERSKET en panisk og angstfuld stemning blandt medarbejderne i Zalachenkogruppen. Det var faktisk Gunnar Björck, der var kommet med løsningen i form af en psykiater ved navn Peter Teleborian.

Teleborian var blevet knyttet til SÄK's afdeling for kontraspionage i et helt andet ærinde, nemlig for at fungere som konsulent i forbindelse med, at kontraspionagen undersøgte en mistænkt industrispion. Der havde været grund til i en følsom periode i efterforskningen at forsøge at afgøre, hvordan den pågældende person ville agere, hvis han blev udsat for stress. Teleborian var en ung og lovende psykiater, der ikke talte mumbo jumbo, men kom med konkrete og håndfaste råd. Disse råd førte til, at SÄK kunne forhindre et selvmord, og at den pågældende spion kunne bruges som dobbeltagent, der sendte forkerte oplysninger til sine arbejdsgivere.

Efter Salanders angreb på Zalachenko havde Björck forsigtigt knyttet Teleborian til Sektionen som særlig konsulent. Og nu var der brug for ham mere end nogensinde før.

Løsningen på problemet havde jo været så enkel. Karl Axel Bodin kunne forsvinde ind i genoptræningen. Agneta Sofia Salander forsvandt ind i langtidsplejen, uhelbredeligt hjerneskadet. Alle politiundersøgelser blev samlet i SÄK og overført via vicesekretariatschefen til Sektionen.

Peter Teleborian havde netop fået job som assisterende overlæge på Skt. Stefans børnepsykiatriske klinik i Uppsala. Alt, hvad der behøvedes, var en retspsykiatrisk undersøgelse, som Björck og Teleborian skrev sammen, og derefter en kort og ikke særlig kontroversiel beslutning i retten. Det handlede bare om, hvordan det hele blev præsenteret. Forfatningen havde intet med sagen at gøre. Det drejede sig trods alt om rigets sikkerhed. Det måtte folk kunne forstå.

Og at Lisbeth Salander var sindssyg var jo soleklart. Nogle år på en lukket psykiatrisk anstalt ville sikkert gøre hende godt. Gullberg havde nikket og givet grønt lys for operationen.

ALLE BRIKKER VAR faldet på plads, og det var sket på et tidspunkt, hvor Zalachenkogruppen under alle omstændigheder var ved at blive opløst. Sovjetunionen var ophørt med at eksistere, og Zalachenkos storhed var definitivt en del af fortiden. Hans udløbsdato var allerede overskredet.

Zalachenkogruppen havde i stedet givet ham et generøst fratrædelsesvederlag fra en af Sikkerhedspolitiets fonde. De havde givet ham den bedst tænkelige genoptræning og havde med et lettelsens suk et halvt år senere kørt Karl Axel Bodin til Arlanda Lufthavn og købt ham en enkeltbillet til Spanien. De havde gjort ham klart, at fra det øjeblik gik Zalachenko og Sektionen hver deres veje. Det havde været en af Gullbergs allersidste opgaver. En uge senere gik han på pension og overlod sin plads til tronfølgeren Fredrik Clinton. Gullberg var kun ansat som konsulent og rådgiver i følsomme spørgsmål. Han var blevet i Stockholm i yderligere tre år og havde næsten dagligt arbejdet for Sektionen, men opgaverne blev færre, og sådan afviklede han langsomt sig selv. Han var vendt tilbage til sin hjemby, Laholm, og havde udført en del arbejde derfra. De første år var han regelmæssigt rejst til Stockholm, men også disse rejser blev mere og mere sjældne.

Han var holdt op med at tænke på Zalachenko. Indtil den morgen hvor han vågnede og fandt Zalachenkos datter på hver eneste avisforside, mistænkt for tredobbelt mord.

Gullberg havde forvirret fulgt med i nyhederne. Han forstod udmærket, at det næppe var noget tilfælde, at Salander havde haft Bjurman som formynder, men han kunne ikke se nogen umiddelbar fare for, at den gamle Zalachenkohistorie skulle dukke op til overfladen. Salander var sindssyg. At hun iscenesatte et mordorgie, overraskede ham ikke. Derimod havde han ikke en eneste gang tænkt på, at Zalachenko kunne have en forbindelse med det hele, før han tændte for morgennyhederne og fik begivenhederne i Gosseberga serveret. Da var det, at han var begyndt at ringe rundt og havde købt en togbillet til Stockholm.

Sektionen stod over for sin allerværste krise, siden den dag han grundlagde organisationen. Det hele truede med at briste.

ZALACHENKO SLÆBTE SIG ud på toilettet for at tisse. Efter at Sahlgrenska Sygehus havde forsynet ham med krykker, kunne han bevæge sig. Han havde brugt søndagen og mandagen på at gå korte træningsture. Han havde stadig fandens ondt i kæben og kunne kun indtage flydende føde, men han kunne nu rejse sig op og gå kortere strækninger.

Han var vant til krykker efter at have levet med en protese i snart femten år. Han øvede sig i kunsten at bevæge sig lydløst med krykkerne og vandrede frem og tilbage på stuen. Hver gang hans højre fod rørte gulvet, skød en stærk smerte gennem benet.

Han bed tænderne sammen. Han tænkte på, at Lisbeth Salander befandt sig på en stue i hans umiddelbare nærhed. Det havde taget ham hele dagen at finde ud af, at hun befandt sig to døre til højre fra hans stue.

Ved totiden om natten, ti minutter efter natsygeplejerskens besøg, var alt stille. Zalachenko rejste sig med besvær og famlede efter sine krykker. Han gik hen til døren og lyttede, men kunne ikke høre noget. Han skubbede døren op og gik ud på gangen. Han hørte svag musik fra personalekontoret. Han gik helt hen til udgangen for enden af gangen, skubbede døren op og kiggede ud på trappeopgangen. Der var elevator. Han gik tilbage hen ad gangen. Da han passerede Lisbeth Salanders stue, stoppede han op og hvilede mod krykkerne et øjeblik.

SYGEPLEJERSKERNE HAVDE LUKKET hendes dør den nat. Lisbeth Salander åbnede øjnene, da hun hørte en svag skrabende lyd ude på gangen. Hun kunne ikke identificere lyden. Det lød, som om nogen forsigtigt trak noget hen ad gangen. Et øjeblik var alt helt stille, og hun begyndte at spekulere på, om det var noget, hun havde bildt sig ind. Efter halvandet minut hørte hun lyden igen. Den flyttede sig. Hendes følelse af ubehag blev større.

Zalachenko befinder sig et eller andet sted derude.

Hun følte sig lænket til sengen. Det kløede under støttekraven. Hun mærkede en stærk lyst til at rejse sig. Efterhånden lykkedes det hende at sætte sig op i sengen. Det var omtrent alt, hvad hun orkede. Hun sank tilbage og lagde hovedet på puden.

Efter et stykke tid førte hun hånden op til støttekraven og fandt de knapper, der holdt kraven sammen. Hun knappede den op og smed kraven på gulvet. Pludselig blev det lettere at trække vejret.

Hun ville ønske, at hun havde haft et våben inden for rækkevidde, eller at hun havde haft kræfter nok til at rejse sig og gøre det af med ham en gang for alle.

Til sidst rejste hun sig op på albuerne. Hun tændte natlampen og så sig om i rummet. Hun kunne ikke se noget, der kunne bruges som våben. Så faldt hendes blik på et bord henne ved væggen tre meter fra hendes seng. Hun konstaterede, at nogen havde efterladt en blyant på bordet.

Hun ventede, til natsygeplejersken havde gået sin runde, hvilket syntes at ske omkring hver halve time denne nat. Hun gik ud fra, at den forlængede frekvens mellem besøgene betød, at lægerne havde besluttet, at hendes tilstand var bedre end tidligere på weekenden, hvor hun havde haft besøg hvert kvarter eller endnu oftere. Selv følte hun ingen mærkbar forskel.

Da hun var blevet alene, samlede hun kræfterne, satte sig op og svingede benene ud over sengekanten. Hun havde elektroder sat fast med tape, der registrerede hendes puls og åndedræt, men ledningerne løb i samme retning som blyanten. Hun rejste sig forsigtigt op og svajede pludselig, helt ude af balance. Et øjeblik føltes det, som om hun skulle besvime, men hun støttede sig op ad sengen og rettede blikket hen mod bordet foran sig. Hun tog tre vaklende skridt, strakte hånden frem og fik fat i blyanten.

Hun gik baglæns tilbage til sengen. Hun var fuldstændig udmattet.

Efter et stykke tid havde hun endelig samlet kræfter nok til at trække dynen op over sig. Hun holdt blyanten op og mærkede på spidsen. Det var en helt almindelig blyant i træ. Den var nyspidset og sylespids. Den kunne fint bruges som stikvåben mod ansigt eller øjne.

Hun lagde blyanten nede ved hoften, hvor den var let at få fat i, og faldt i søvn.

KAPITEL 6
Mandag den 11. april

MANDAG MORGEN STOD Mikael Blomkvist op lidt over ni og ringede til Malin Eriksson, der netop var kommet ind på *Millenniums* redaktion.

"Hej, chefredaktør," sagde han.

"Jeg er chokeret over, at Erika er væk, og at I vil have mig som ny chefredaktør."

"Nå."

"Hun er væk. Hendes skrivebord er tomt."

"Så ville det vel være en god idé at bruge dagen på at flytte ind på hendes kontor."

"Jeg ved ikke, hvordan jeg skal bære mig ad. Det virker så akavet."

"Jamen, det er det ikke. Alle er enige om, at du er det bedste valg i den her situation. Og du kan altid komme til mig og Christer."

"Tak for tilliden."

"Ahr," sagde Mikael. "Gør som du plejer. I den nærmeste tid tager vi problemerne, som de kommer."

"Okay. Hvad ville du?"

Han forklarede, at han havde tænkt sig at blive hjemme og skrive hele dagen. Malin blev pludselig klar over, at han rapporterede til hende på samme måde, som han – gik hun ud fra – havde informeret Erika Berger om, hvad han arbejdede med. Det blev forventet af hende, at hun kommenterede det. Eller blev det?

"Har du nogen instrukser til os?"

"Næ, tværtimod. Hvis du har nogen instrukser til mig, må du ringe. Jeg klør på med Salandersagen som før og bestemmer, hvad der sker der, men i alle andre henseender, der drejer sig om tidsskriftet, er det dig, der har bolden. Tag beslutningerne. Jeg skal nok bakke dig op."

"Og hvis jeg tager de gale beslutninger?"

"Hvis jeg ser eller hører noget, så griber jeg fat i dag. Men så skal det være noget særligt. Normalt er der ingen beslutninger, der er hundrede procent rigtige eller forkerte. Du skal tage dine beslutninger, som måske ikke er identiske med, hvad Erika Berger ville have besluttet. Og hvis jeg tog beslutninger, så ville det blive en tredje variant. Men det er dine beslutninger, der gælder nu."

"Okay."

"Hvis du er en god chef, vil du lufte spørgsmålene med de andre. Først og fremmest med Henry og Christer, derefter med mig, og til sidst tager vi de vanskelige spørgsmål på redaktionsmødet."

"Jeg skal gøre mit bedste."

"Godt."

Han satte sig i sofaen i stuen med sin iBook på skødet og arbejdede uden pause hele mandagen. Da han var færdig, havde han et groft førsteudkast til to artikler på sammenlagt tyve sider. Den del af historien koncentrerede sig om mordet på medarbejderen Dag Svensson og hans kæreste Mia Bergman – hvad de arbejdede med, hvorfor de blev skudt, og hvem der var morderen. Han regnede med, at han var nødt til at skrive yderligere omkring fyrre siders tekst til sommerens temanummer. Og han måtte beslutte sig for, hvordan han skulle beskrive Lisbeth Salander i teksten uden at krænke hendes integritet. Han vidste ting om hende, som hun for alt i verden ikke ville have offentliggjort.

EVERT GULLBERG SPISTE mandag morgen en morgenmad, der kun bestod af en skive brød og en kop sort kaffe i Freys cafeteria. Derefter tog han en taxi til Artillerigatan på Östermalm. Klokken 09.15 om morgenen ringede han på dørtelefonen, præsenterede sig og blev straks lukket ind. Han kørte op til femte sal, hvor han blev modtaget ved elevatoren af Birger Wadensjöö, 54 år. Den nye chef for Sektionen.

Wadensjöö havde været en af de yngste mænd i Sektionen, da Gullberg var gået på pension. Han var ikke sikker på, hvad han syntes om ham.

Han ville ønske, at den handlekraftige Fredrik Clinton stadig havde været der. Clinton havde efterfulgt Gullberg og været chef for Sektio-

117

nen frem til 2002, hvor diabetes og hjerte-karsygdomme mere eller mindre havde tvunget ham på pension. Gullberg havde ikke rigtig nogen fornemmelse af, hvilket stof Wadensjöö var gjort af.

"Hej, Evert," sagde Wadensjöö og gav sin forhenværende chef hånden. "Godt at du tog dig tid til at komme op."

"Jeg har ikke andet end tid," sagde Gullberg,

"Du ved, hvordan det er. Vi har været dårlige til at holde kontakten med de gamle tro tjenere."

Evert Gullberg ignorerede den bemærkning. Han gik til venstre ind i sit gamle kontor og slog sig ned ved et rundt mødebord ved vinduet. Wadensjöö (antog han) havde hængt reproduktioner af Chagall og Mondrian op på væggene. I sin tid havde Gullberg haft plantegninger af historiske skibe som Kronan og Wasa på væggene. Han havde altid drømt om havet, og han var faktisk marineofficer, selv om han ikke havde tilbragt mere end nogle få måneder af sin militærtjeneste til søs. Der var kommet computere til. I øvrigt så rummet næsten ligesådan ud, som før han holdt op. Wadensjöö serverede kaffe.

"De andre kommer straks," sagde han. "Jeg tænkte, at vi kunne veksle et par ord først."

"Hvor mange i Sektionen er der tilbage fra min tid?"

"Bortset fra mig – kun Otto Hallberg og Georg Nyström herinde på kontoret. Hallberg går på pension i år, og Nyström fylder 60. Ellers er det mest nye folk. Du har nok mødt nogle af dem før."

"Hvor mange arbejder der for Sektionen i dag?"

"Vi har omstruktureret en smule."

"Aha?"

"I dag er der syv fuldtidsansatte her i Sektionen. Vi har skåret ned. Men i øvrigt har Sektionen hele tretten medarbejdere inden for SÄK. De fleste af dem kommer aldrig herhen, men passer deres normale job og arbejder for os som en diskret bibeskæftigelse."

"Tretten medarbejdere."

"Plus syv. Det var faktisk dig, der skabte systemet. Vi har bare finpudset det og taler i dag om en intern og en ekstern organisation. Når vi rekrutterer nogen, får de tjenestefri en periode og går i skole hos os. Det er Hallberg, der sørger for undervisningen. Grunduddannelsen tager seks uger. Vi holder til ude på Orlogsskolen. Der-

118

efter tager de tilbage til deres normale job i Säpo, men nu med tjeneste hos os."

"Aha."

"Det er faktisk et fortræffeligt system. De fleste medarbejdere har ingen anelse om hinandens eksistens. Og her i Sektionen fungerer vi mest som rapportmodtagere. Det er de samme regler, der gælder fra din tid. Vi har bare en flad organisation."

"Operativ enhed?"

Wadensjöö rynkede brynene. På Gullbergs tid havde Sektionen haft en lille operativ enhed bestående af fire personer under kommando af den glatte Hans von Rottinger.

"Nja, egentlig ikke. Rottinger døde jo for fem år siden. Vi har en yngre talentfuld mand, som laver en del feltarbejde, men normalt bruger vi nogen fra den eksterne organisation, hvis det behøves. Desuden er det blevet mere teknisk kompliceret for eksempel at ordne en telefonaflytning eller at komme ind i en lejlighed. Nu til dags er der alarmer og andet uvæsen overalt."

Gullberg nikkede.

"Budget?" spurgte han.

"Vi har omkring elleve millioner i alt om året. En tredjedel går til lønninger, en tredjedel til forplejning og en tredjedel til firmaet."

"Budgettet er altså blevet mindre?"

"En smule. Men vi har en mindre personalestyrke, hvilket jo betyder, at firmabudgettet faktisk er øget."

"Aha. Fortæl, hvordan vores forhold til SÄK ser ud."

Wadensjöö rystede på hovedet.

"Sekretariatschefen og budgetchefen tilhører os. Formelt er sekretariatschefen vel den eneste, der har indsigt i vores virksomhed. Vi er så hemmelige, at vi ikke eksisterer. Men i virkeligheden kender et par vicekontorchefer også til vores eksistens. De gør deres bedste for ikke at høre om os."

"Aha. Hvilket betyder, at hvis der opstår problemer, vil den nuværende Säpoledelse få sig en ubehagelig overraskelse. Hvordan er det med forsvarsledelsen og regeringen?"

"Forsvarsledelsen koblede vi af for omkring ti år siden. Og regeringer kommer og går."

"Så vi er helt alene, hvis et uvejr skulle dukke op?"

Wadensjöö nikkede.

"Det er ulempen ved det her arrangement. Fordelen er jo indlysende. Men vores arbejdsopgaver har også ændret sig. Der er kommet en ny realpolitisk situation i Europa siden Sovjetunionens fald. Vores arbejde handler faktisk mindre og mindre om at identificere spioner. Nu handler det om terrorisme, men frem for alt om at bedømme personers politiske egnethed på følsomme poster."

"Det handler det altid om."

Det bankede på døren. Gullberg noterede sig en nydeligt klædt mand i tresserne og en yngre mand i cowboybukser og jakke.

"Hej, venner. Det her er Jonas Sandberg. Han har arbejdet her i fire år og står for de operative opgaver. Det var ham, jeg fortalte dig om. Og det her er Georg Nyström. I har mødt hinanden før."

"Hej, Georg," sagde Gullberg.

De gav hinanden hånden. Derefter vendte Gullberg sig om mod Jonas Sandberg.

"Og hvor kommer du så fra?" spurgte Gullberg og betragtede Jonas Sandberg.

"Nærmest fra Göteborg," sagde Sandberg spøgefuldt. "Jeg har mødt ham."

"Zalachenko ...?" spurgte Gullberg.

Sandberg nikkede.

"Slå jer ned, mine herrer," sagde Wadensjöö.

"Björck," sagde Gullberg og rynkede brynene, da Wadensjöö tændte en cigarillo. Han havde taget jakken af og lænet sig tilbage på stolen ved mødebordet. Wadensjöö kastede et blik på Gullberg og blev slået af, hvor utrolig tynd den gamle mand var blevet.

"Han blev altså pågrebet for overtrædelse af sexkøbsloven i fredags," sagde Georg Nyström. "Der er endnu ikke rejst tiltale, men han har i princippet allerede erkendt og er listet hjem igen med halen mellem benene. Han bor ude på Smådalarö, men han er sygemeldt. Pressen har ikke fundet ud af det endnu."

"Björck var engang en af de absolut bedste, vi havde her i Sektionen," sagde Gullberg. "Han havde en nøglerolle i Zalachenkosagen. Hvad er der sket med ham, siden jeg gik på pension?"

"Han er vel en af de ganske få interne medarbejdere, som er gået fra Sektionen tilbage til den eksterne virksomhed. Han var jo ude og baske lidt med vingerne også dengang."

"Jo, han havde brug for lidt hvile og ville udvide sin horisont. Han havde tjenestefri fra Sektionen i to år i 80'erne, hvor han arbejdede som efterretningsattaché. Da havde han arbejdet som en gal med Zalachenko næsten døgnet rundt fra 1976 og frem, og jeg mente, at han virkelig havde brug for en pause. Han var væk mellem 1985 og 1987, hvor han kom tilbage hertil."

"Man kan vel sige, at han sluttede i Sektionen i 1994, da han gik over til den eksterne organisation. I 1996 blev han viceafdelingschef i udlændingeafdelingen og havnede på en travl post, hvor han faktisk måtte arbejde temmelig meget med sine almindelige opgaver. Han har naturligvis holdt kontakten med Sektionen hele tiden, og jeg kan vel også godt sige, at vi har haft regelmæssige samtaler cirka en gang om måneden helt frem til den sidste tid."

"Han er altså syg."

"Det er ikke alvorligt, men meget smertefuldt. Han har en diskusprolaps. Han har haft tilbagevendende smerter de seneste år. For to år siden var han sygemeldt i fire måneder. Og så blev han syg igen i august i fjor. Han skulle være begyndt at arbejde igen den 1. januar, men sygemeldingen er blevet forlænget, og nu handler det hovedsagelig om at vente på en operation."

"Og han har brugt sin sygeorlov til at gå til ludere," sagde Gullberg.

"Ja, han er jo ugift, og luderbesøgene har vist stået på i mange år, hvis jeg har forstået det ret," sagde Jonas Sandberg, der indtil da havde siddet helt tavs i næsten en halv time. "Jeg har læst Dag Svenssons manuskript."

"Aha. Men kan nogen forklare mig, hvad der egentlig er sket?"

"Så vidt vi kan forstå, må det være Björck, der har sat hele den her karrusel i gang. Det er den eneste forklaring på, hvordan rapporten fra 1991 er havnet i advokat Bjurmans hænder."

"Som også tilbringer sin tid med at gå til ludere?" spurgte Gullberg.

"Ikke hvad vi ved af. Han figurerer i hvert fald ikke i Dag Svenssons materiale. Derimod var han jo Lisbeth Salanders formynder."

Wadensjöö sukkede.

"Det må vel siges at være min fejl. Du og Björck fik jo Salander ind på psykiatrisk afdeling i 1991. Vi havde regnet med, at hun skulle være væk betydelig længere, men hun havde jo fået en formynder, advokat Holger Palmgren, der faktisk havde held til at få hende ud. Hun blev sat i pleje hos en familie. Dengang var du gået på pension."

"Hvad skete der?"

"Vi holdt øje med hende. Hendes søster, Camilla Salander, var blevet sat i pleje hos en familie i Uppsala. Da de var 17 år, begyndte Lisbeth Salander pludselig at grave i fortiden. Hun søgte efter Zalachenko og gravede i alle offentlige registre, hun kunne finde. På en eller anden måde – vi er ikke sikre på, hvordan det gik til – fik hun oplysning om, at hendes søster vidste, hvor Zalachenko befandt sig."

"Stemmer det?"

Wadensjöö trak på skuldrene.

"Jeg aner det faktisk ikke. Søstrene havde ikke set hinanden i flere år, da Lisbeth Salander opsporede sin søster og forsøgte at få hende til at fortælle, hvad hun vidste. Det endte i et kæmpeskænderi og et vildt slagsmål mellem de to søstre."

"Aha?"

"Vi holdt nøje øje med Lisbeth i disse måneder. Vi havde også informeret Camilla Salander om, at hendes søster var voldelig og sindssyg. Det var hende, der kontaktede os efter Lisbeths pludselige besøg, hvilket betød, at vi øgede overvågningen af hende."

"Søsteren var altså din informant?"

"Camilla Salander var hunderæd for sin søster. I hvert fald vakte Lisbeth Salander også opmærksomhed på andre måder. Hun havde flere skænderier med folk fra socialforvaltningen, og vi vurderede, at hun stadig udgjorde en trussel mod Zalachenkos anonymitet. Senere var der den der episode i tunnelbanen."

"Hun angreb en pædofil ..."

"Nemlig. Hun havde åbenbart voldelige tendenser og var psykisk forstyrret. Vi mente, at det ville være bedst for alle parter, hvis hun forsvandt og blev indlagt på en eller anden afdeling igen, og benyttede os så at sige af lejligheden. Det var Fredrik Clinton og von Rottinger, der tog sig af det. De ansatte Peter Teleborian igen og kørte en sag i retten for at få hende institutionaliseret. Holger Palmgren repræsenterede Salander, og mod alle odds valgte domstolen at følge hans anbefalinger – mod at hun fik en formynder."

"Men hvordan blev Bjurman indblandet?"

"Palmgren fik et slagtilfælde i efteråret 2002. Salander var stadig en sag, som vi holdt øje med, da hun dukkede op i et eller andet computerregister, og jeg sørgede for, at Bjurman blev hendes nye formynder. Men han havde vel at mærke ingen anelse om, at hun var Zalachenkos datter. Hensigten var simpelthen den, at hvis hun begyndte at snakke om Zalachenko, ville han reagere og slå alarm."

"Bjurman var en idiot. Han skulle aldrig have haft noget med Zalachenko at gøre og endnu mindre med hans datter." Gullberg så på Wadensjöö. "Det var en alvorlig fejltagelse."

"Jeg ved det," sagde Wadensjöö. "Men det virkede helt rigtigt dengang, og jeg havde jo ikke drømt om ..."

"Hvor befinder søsteren sig i dag? Camilla Salander?"

"Vi ved det ikke. Da hun var 19 år, pakkede hun sin taske og forlod sin plejefamilie. Vi har ikke hørt en lyd fra hende siden. Hun er forsvundet."

"Okay, fortsæt ..."

"Jeg har en kilde inden for det åbne politi, der har talt med politiadvokat Richard Ekström," sagde Sandberg. "Ham der er med i efterforskningen. Kriminalkommissær Bublanski tror, at Bjurman voldtog Salander."

Gullberg betragtede Sandberg med uforstilt forbavselse. Så strøg han sig eftertænksomt over hagen.

"Voldtog?" spurgte han.

"Bjurman havde en tatovering tværs over maven med ordene JEG ER ET SADISTISK SVIN, EN PERVERS STODDER OG EN VOLDTÆGTSFORBRYDER."

Sandberg lagde et farvebillede fra obduktionen på bordet. Gullberg betragtede med store øjne Bjurmans mave.

"Og den skulle Zalachenkos datter altså have givet ham?"

"Det er svært at forklare situationen på andre måder. Men hun er åbenbart ikke ufarlig. Hun sparkede røven ud af bukserne på de to hooligans fra Svavelsjö MC."

"Zalachenkos datter," gentog Gullberg. Han vendte sig om mod

Wadensjöö. "Ved du hvad, jeg synes, at du skulle tage og ansætte hende."

Wadensjöö så så overrasket ud, at Gullberg var nødt til at tilføje, at det var en vittighed.

"Okay. Lad os have den arbejdshypotese, at Bjurman voldtog hende, og at hun hævnede sig. Hvad mere?"

"Den eneste, der kan svare på, hvad der præcis skete, er selvfølgelig Bjurman selv, og det bliver svært, da han er død. Men sagen er altså den, at han ikke burde have haft nogen anelse om, at hun var Zalachenkos datter. Det fremgår jo ikke af noget offentligt register. Men et eller andet sted på vejen opdagede Bjurman forbindelsen."

"Men for fanden, Wadensjöö, hun vidste jo godt, hvem der var hendes far og kan have fortalt det til Bjurman når som helst."

"Det ved jeg godt. Vi ... jeg tænkte mig ganske enkelt ikke om i den her sag."

"Det er utilgivelig inkompetent," sagde Gullberg.

"Jeg ved det godt. Og jeg har sparket mig selv i røven mange gange. Men Bjurman var en af de få, der kendte til Zalachenkos eksistens, og min tanke var, at det var bedre, at han opdagede, at hun var Zalachenkos datter, end at en helt ukendt formynder gjorde den samme opdagelse. Hun kunne jo i praksis have fortalt det til hvem som helst."

Gullberg trak sig i øreflippen.

"Nå ja ... fortsæt."

"Alt er hypoteser," sagde Georg Nyström mildt. "Men vores gæt er, at Bjurman forgreb sig på Salander, og at hun slog igen og lavede den der ..." Han pegede på tatoveringen på obduktionsbilledet.

"Sin fars datter," sagde Gullberg. Der var en snert af beundring i stemmen.

"Med det resultat at Bjurman kontaktede Zalachenko, for at han skulle tage sig af datteren. Zalachenko har jo som bekendt grund til at hade Lisbeth Salander mere end de fleste. Og Zalachenko lagde på sin side sagen ud i entreprise til Svavelsjö MC og ham der Niedermann, som han omgås med."

"Men hvordan fik Bjurman kontakt ..." Gullberg tav. Svaret var indlysende.

"Björck," sagde Wadensjöö. "Den eneste forklaring på, hvordan

Bjurman kunne finde Zalachenko, er, at Björck gav ham den oplysning."

"Fandens også," sagde Gullberg.

LISBETH SALANDER FØLTE et voksende ubehag forenet med en stærk irritation. Om morgenen var der kommet to sygeplejersker for at skifte sengetøj. De havde straks fundet blyanten.

"Hov, hvordan er den havnet her?" sagde en af sygeplejerskerne og lagde blyanten ned i lommen, mens Lisbeth betragtede hende med mord i blikket.

Lisbeth var igen våbenløs og desuden så kraftesløs, at hun ikke orkede at protestere.

Hun havde haft det dårligt hele weekenden. Hun havde en frygtelig hovedpine og fik noget kraftigt smertestillende. Hun havde en dump smerte i skulderen, som pludselig kunne skære som en kniv, når hun forsigtigt bevægede sig eller flyttede kropsvægten. Hun lå på ryggen med støttekrave rundt om halsen. Støttekraven skulle blive siddende et par dage mere, indtil såret i hovedet var begyndt at læge. Om søndagen havde hun feber, der steg til omkring 38,7 grader. Dr. Helena Endrin konstaterede, at hun havde en infektion i kroppen. Hun var med andre ord ikke rask. Hvilket Lisbeth ikke behøvede et termometer for at regne ud.

Hun konstaterede, at hun igen lå bundet til en statsejet seng, selv om der denne gang manglede en sele, der holdt hende på plads. Hvilket havde været overflødigt. Hun orkede ikke engang at sætte sig op og endnu mindre at flygte.

Mandag ved frokosttid fik hun besøg af dr. Anders Jonasson. Han så bekendt ud.

"Hej, kan du huske mig?"

Hun rystede på hovedet.

"Du var ret omtåget, men det var mig, der vækkede dig efter operationen. Og det var mig, der opererede dig. Jeg ville bare høre, hvordan du har det, og om alt er, som det skal være."

Lisbeth Salander betragtede ham med store øjne. At alt ikke var, som det skulle være, burde da være indlysende.

"Jeg hørte, at du tog nakkestøtten af i nat."

Hun nikkede.

"Vi havde jo ikke sat kraven på for sjovs skyld, men fordi du skulle holde hovedet i ro, mens helingsprocessen gik i gang."

Han betragtede den tavse pige.

"Okay," sagde han til sidst. "Jeg ville bare se til dig."

Han var henne ved døren, da han hørte hendes stemme.

"Jonasson, var det ikke?"

Han vendte sig om og smilede forbavset til hende.

"Det stemmer. Hvis du kan huske mit navn, så må du have været mere vågen, end jeg troede."

"Og det var dig, der opererede kuglen ud?"

"Det stemmer."

"Kan du fortælle mig, hvordan jeg har det? Ingen vil give mig et ordentligt svar."

Han gik tilbage til hendes seng og så hende ind i øjnene.

"Du har været heldig. Du blev skudt i hovedet, men virker ikke til at have skadet noget vitalt område. Den risiko, du løber for øjeblikket, er, at der opstår blødninger i hjernen. Det er derfor, vi gerne vil have, at du holder dig i ro. Du har en infektion i kroppen. Det lader til at være såret i skulderen, der er skurken. Det er muligt, at vi er nødt til at operere dig igen, hvis vi ikke kan komme infektionen til livs med antibiotika. Du har en smertefuld tid foran dig, mens helingsprocessen står på. Men som det ser ud, har jeg stor tiltro til, at du bliver helt rask."

"Kan det her give hjerneskader?"

Han tøvede, inden han nikkede.

"Ja, den risiko er der. Men alt tyder på, at du klarer dig. Der er også den mulighed, at der kommer en ardannelse i hjernen, der kan volde problemer, for eksempel at du udvikler epilepsi eller andre ting. Men ærlig talt, det er bare spekulationer. For øjeblikket ser det godt ud. Dine sår læger. Og dukker der problemer op senere, må vi klare dem. Er det et tilstrækkelig tydeligt svar?"

Hun nikkede.

"Hvor længe skal jeg så ligge her?"

"Du mener på hospitalet. Det varer i hvert fald et par uger, før vi slipper dig ud."

"Nej, jeg mener, hvor lang tid inden jeg kan rejse mig og begynde at gå og bevæge mig?"

"Det ved jeg ikke. Det afhænger af helingsprocessen. Men regn med mindst to uger, før vi kan begynde med nogen form for fysioterapi."

Hun betragtede ham alvorligt et øjeblik.

"Du har vel ikke en cigaret?"

Anders Jonasson slog en spontan latter op og rystede på hovedet.

"Ked af det. Der er rygeforbud herinde. Men jeg kan sørge for, at du får noget nikotinplaster eller nikotintyggegummi."

Hun tænkte sig lidt om, inden hun nikkede. Så så hun på ham igen.

"Hvordan går det med idioten?"

"Hvem? Du mener ..."

"Ham, der kom ind samtidig med mig."

"Ikke en af dine venner, kan jeg forstå. Jo, han overlever og har faktisk været oppe og gå rundt med krykker. Rent fysisk er han værre tilredt end dig og har en meget smertefuld læsion i ansigtet. Hvis jeg har forstået det ret, huggede du en økse i hovedet på ham."

"Han forsøgte at dræbe mig," sagde Lisbeth lavmælt.

"Det lyder jo ikke godt. Jeg er nødt til at gå. Skal jeg komme og se til dig igen?"

Lisbeth Salander tænkte sig lidt om. Så nikkede hun kort. Da han havde lukket døren, så hun eftertænksomt op i loftet. Zalachenko har fået krykker. Det var den lyd, jeg hørte i nat.

JONAS SANDBERG, DER var yngst i forsamlingen, måtte gå ud og købe mad. Han vendte tilbage med sushi og lys øl og serverede omkring mødebordet. Evert Gullberg blev en smule nostalgisk. Præcis sådan havde det været i hans tid, når en eller anden operation gik ind i en kritisk fase, og der blev arbejdet døgnet rundt.

Forskellen, konstaterede han, var muligvis den, at der i hans tid ikke var nogen, der ville komme på den tåbelige idé at købe rå fisk. Han ville ønske, at Sandberg havde købt kødboller med mos og tyttebær. Men han var på den anden side ikke sulten og kunne uden samvittighedskvaler skyde sin sushi til side. Han spiste en bid brød og drak mineralvand.

De fortsatte diskussionen over maden. De var kommet til det

punkt, hvor de var nødt til at opsummere situationen og beslutte sig for noget. Det var beslutninger, der hastede.

"Jeg lærte aldrig Zalachenko at kende," sagde Wadensjöö. "Hvordan var han?"

"Præcis som han er i dag, går jeg ud fra," svarede Gullberg. "Rasende intelligent med en nærmest fotografisk hukommelse for detaljer. Men efter min mening et svin. Og en smule sindssyg, skulle jeg mene."

"Jonas, du mødte ham i går. Hvad er din konklusion?" spurgte Wadensjöö.

Jonas Sandberg lagde bestikket ned.

"Han har kontrollen. Jeg har allerede fortalt om hans ultimatum. Enten tryller vi det hele væk, eller også sladrer han om Sektionen."

"Hvordan fanden kan han tro, at vi kan trylle noget væk, der har været igennem pressemøllen så mange gange?" spurgte Georg Nyström.

"Det drejer sig ikke om, hvad vi kan eller ikke kan. Det drejer sig om hans behov for at kunne kontrollere os," sagde Gullberg.

"Hvad er din vurdering? Vil han gøre det? Tale med medierne?" spurgte Wadensjöö.

Gullberg svarede tøvende.

"Det er næsten umuligt at svare på. Zalachenko kommer ikke med en tom trussel, og han vil gøre det, som er bedst for ham selv. I den forstand er han forudsigelig. Hvis det lønner sig for ham at tale med pressen ... hvis han kan få amnesti eller strafnedsættelse, vil han gøre det. Eller hvis han føler sig forrådt eller vil være ondskabsfuld."

"Uanset konsekvenserne?"

"Netop, uanset konsekvenserne. For ham drejer det sig om at vise sig stærkere end os alle sammen."

"Men selv om Zalachenko taler, er det ikke sikkert, at han bliver troet. For at bevise det er de nødt til at få fingre i vores arkiv. Han kender ikke til adressen her."

"Er du villig til at løbe risikoen? Lad os sige, at Zalachenko taler. Hvem vil så tale senere? Hvad gør vi, hvis Björck bekræfter hans historie? Og Clinton, der sidder i sit dialyseapparat ... hvad sker der, hvis han bliver religiøs og bitter på alt og alle? Tænk, hvis han beslutter sig for at bekende sine synder? Tro mig, hvis nogen begynder at tale, er det slut med Sektionen."

"Så ... hvad gør vi?"

Tavsheden lagde sig omkring bordet. Det var Gullberg, der tog tråden op.

"Problemet består af flere dele. For det første kan vi godt blive enige om, hvad konsekvenserne bliver, hvis Zalachenko taler. Hele det skide forfatningsmæssige Sverige vil kaste sig over os. Vi bliver udslettet. Jeg gætter på, at flere ansatte i Sektionen vil komme i fængsel."

"Firmaet er juridisk set legalt, vi arbejder faktisk på ordre fra regeringen."

"Sikke noget forbandet sludder," sagde Gullberg. "Du ved lige så vel som jeg, at et uklart formuleret dokument, der blev skrevet i midten af 1960'erne, ikke er en rød reje værd i dag."

"Jeg gætter på, at ingen af os vil kunne forestille os præcis, hvad der vil ske, hvis Zalachenko taler," tilføjede han.

Der blev stille igen.

"Altså må udgangspunktet være at få Zalachenko til at holde tæt," sagde Georg Nyström til sidst.

Gullberg nikkede.

"Og for at få ham til at tie stille er vi nødt til at kunne tilbyde ham noget substantielt. Problemet er, at han er utilregnelig. Han kunne lige så godt udlevere os af ren og skær ondskab. Vi må tænke over, hvordan vi kan holde ham i skak."

"Og kravene ...," sagde Jonas Sandberg. "At vi tryller det hele væk, og at Salander kommer på psykiatrisk afdeling."

"Salander skal vi nok klare. Det er Zalachenko, der er problemet. Men det leder os hen til den anden del – begrænsning af skadevirkningerne. Teleborians rapport fra 1991 er lækket, og den er potentielt en lige så stor trussel som Zalachenko."

Georg Nyström rømmede sig.

"Så snart det gik op for os, at rapporten var ude og var havnet hos politiet, tog jeg mine forholdsregler. Jeg gik via juristen Forelius i Säpo, som kontaktede statsadvokaten. Statsadvokaten har givet ordre til, at rapporten skal samles ind fra politiet – at den ikke må spredes eller kopieres."

"Hvor meget ved statsadvokaten?" spurgte Gullberg.

"Ikke noget som helst. Han handler på en officiel begæring fra

Säpo, der vedrører vigtigt hemmeligt materiale, og statsadvokaten har intet valg. Han kan ikke handle på nogen anden måde."

"Okay. Hvem har læst rapporten inden for politiet?"

"Den fandtes i to kopier, der blev læst af Bublanski, hans kollega Sonja Modig og endelig chefen for den indledende efterforskning Richard Ekström. Vi kan vel gå ud fra, at yderligere to politimænd ..." Nyström bladrede i sine noter. "En Curt Svensson og en Jerker Holmberg i hvert fald kender til indholdet."

"Altså fire betjente og en anklager. Hvad ved vi om dem?"

"Politiadvokat Ekström, 42 år. Betragtes som en mand med en lovende karriere. Han har været fuldmægtig i Justitsministeriet og haft med en del betydningsfulde sager at gøre. Flittig. PR-bevidst. Ambitiøs."

"Socialdemokrat?" spurgte Gullberg.

"Formentlig. Men han er ikke aktiv."

"Bublanski er efterforskningsleder. Jeg så ham til en pressekonference i tv. Han så ikke ud til at trives foran kameraerne."

"Han er 52 år og har et imponerende cv, men også ry for at være en gnavpotte. Han er jøde og ret ortodoks."

"Og hende kvinden ... hvem er hun?"

"Sonja Modig. Gift, 39 år, mor til to. Har gjort karriere ret hurtigt. Jeg talte med Peter Teleborian, der beskrev hende som emotionel. Hun satte spørgsmålstegn ved alt."

"Okay."

"Curt Svensson er en skrap fyr, 38 år. Kommer fra bandekriminalitetsafdelingen i Söderort og kom i fokus, da han skød og dræbte en bølle for et par år siden. Frikendt på alle punkter i efterforskningen. Det var for resten ham, Bublanski sendte af sted for at anholde Gunnar Björck."

"Okay. Husk på det dødsfald. Hvis der findes grund til at kaste tvivl over Bublanskis gruppe, kan vi altid fremhæve ham som en dårlig politimand. Jeg går ud fra, at vi stadig har nogle relevante pressekontakter ... Og den sidste fyr?"

"Jerker Holmberg. 55 år. Kommer fra Norrland og er egentlig specialist i gerningsstedsundersøgelser. Han fik tilbud om en kriminalkommissæruddannelse for et par år siden, men takkede nej. Han lader til at trives med sit job."

130

"Er nogen af dem politisk aktive?"

"Nej. Holmbergs far sad i kommunalbestyrelsen for Centerpartiet i 70'erne."

"Hmm. Det ser jo ud til at være en beskeden gruppe. Skal vi formode, at de er ret sammensvejsede. Kan vi isolere dem på en eller anden måde?"

"Der er også en femte betjent indblandet," sagde Nyström. "Hans Faste, 47 år. Jeg har opsnappet, at der er opstået en stærk splittelse mellem Faste og Bublanski. Det er så alvorligt, at Faste har sygemeldt sig."

"Hvad ved vi om ham?"

"Jeg får blandede reaktioner, når jeg spørger. Han har et langt cv og ingen rigtige anmærkninger i sin journal. Professionel. Men han er svær at have med at gøre. Og det virker, som om skænderiet med Bublanski drejer sig om Lisbeth Salander."

"Hvordan?"

"Faste ser ud til at have spundet den historie om en lesbisk satanistgruppe, som aviserne har skrevet om. Han bryder sig virkelig ikke om Salander og synes at tage det som en personlig fornærmelse, at hun eksisterer. Han står formentlig bag halvdelen af rygterne. Jeg hørte fra en tidligere kollega, at han generelt har svært ved at samarbejde med kvinder."

"Interessant," sagde Gullberg. Han tænkte sig lidt om. "Da aviserne allerede har skrevet om en lesbisk gruppe, kan der være grund til at spinde videre på den historie. Det bidrager jo ikke ligefrem til at styrke Salanders troværdighed."

"De politifolk, der har læst Björcks rapport, er altså et problem. Kan vi isolere dem på en eller anden måde?" spurgte Sandberg.

Wadensjöö tændte en ny cigarillo.

"Det er jo Ekström, som er chef for forundersøgelsen ..."

"Men det er Bublanski, der er lederen," sagde Nyström.

"Jo, men han kan ikke gå imod administrative beslutninger." Wadensjöö så tænksom ud. Han så på Gullberg. "Du har større erfaring end jeg, men hele den her historie har så mange tråde og udløbere ... Jeg tror, det ville være klogt at få Bublanski og Modig væk fra Salander."

"Det er godt, Wadensjöö," sagde Gullberg. "Og det er præcis, hvad vi skal gøre. Bublanski leder efterforskningen af mordet på Bjurman og det der par i Enskede. Salander er ikke længere aktuel i den sammenhæng. Nu drejer det sig om ham tyskeren Niedermann. Altså må Bublanski og hans hold koncentrere sig om at finde Niedermann."

"Okay."

"Salander er ikke længere deres sag. Og så har vi jo efterforskningen af det i Nykvarn ... det er jo tre ældre mord. Der er en forbindelse til Niedermann. Efterforskningen ligger nu nede i Södertälje, men det bør slås sammen til én efterforskning. Altså bør Bublanski have hænderne fulde et stykke tid. Hvem ved ... måske pågriber han ham der Niedermann."

"Hmm."

"Ham Faste ... kunne man få ham tilbage i tjeneste? Han lyder som en velegnet person til at opklare mistanken mod Salander."

"Jeg forstår godt, hvor du vil hen," sagde Wadensjöö. "Det drejer sig altså om at få Ekström til at skille de to sager ad. Men det her forudsætter, at vi kan kontrollere Ekström."

"Det burde ikke være det store problem," sagde Gullberg. Han skævede til Nyström, der nikkede.

"Jeg skal nok tage mig af Ekström," sagde Nyström. "Jeg gætter på, at han ville ønske, at han aldrig havde hørt om Zalachenko. Han gav Björcks rapport fra sig, så snart Säpo bad om det, og har allerede sagt, at han naturligvis vil være lydhør over for aspekter, der har med rigets sikkerhed at gøre."

"Hvad har du tænkt dig at gøre?" spurgte Wadensjöö mistænksomt.

"Lad mig bygge et scenarie op," sagde Nyström. "Jeg går ud fra, at vi simpelt hen på en fin måde forklarer ham, hvad han skal gøre, hvis han vil undgå, at hans karriere får en brat afslutning."

"Det er den tredje del, som er det alvorligste problem," sagde Gullberg. "Politiet fandt ikke Björcks rapport selv ... de fik den af en journalist. Og pressen er, som I alle nok forstår, et problem i den her sammenhæng. *Millennium*."

Nyström slog op i sin notesbog.

"Mikael Blomkvist," sagde han.

Alle ved bordet havde hørt om Wennerströmaffæren og kendte navnet Mikael Blomkvist.

"Dag Svensson, den journalist der blev myrdet, arbejdede på *Millennium*. Han var ved at skrive en historie om trafficking. Det var sådan, han kom til at interessere sig for Zalachenko. Det var Mikael Blomkvist, der fandt ham død. Desuden kender han Lisbeth Salander og har troet på hendes uskyld hele tiden."

"Hvordan fanden kan det være, at han kender Zalachenkos datter ... det virker alt for usandsynligt."

"Vi tror heller ikke, at det er tilfældigt," sagde Wadensjöö. "Vi tror, at Salander på en eller anden måde er forbindelsen mellem dem alle. Vi kan ikke rigtig forklare hvordan, men det er den eneste rimelige forklaring."

Gullberg sad tavs og tegnede koncentriske cirkler på sin blok. Til sidst så han op.

"Jeg må tænke lidt over det her. Jeg går mig en tur. Vi mødes igen om en time."

GULLBERGS UDFLUGT VAREDE i næsten fire timer og ikke i en time, som han havde sagt. Han gik kun i omkring ti minutter, før han fandt en café, der serverede en masse slags mærkelig kaffe. Han bestilte en helt almindelig kop sort kaffe og satte sig ved et hjørnebord nær udgangen. Han tænkte, så det knagede, og forsøgte at analysere de forskellige aspekter af problemet. Med jævne mellemrum noterede han nogle enkelte ord ned i en kalender.

Efter halvanden time begyndte en plan at tage form.

Det var ikke nogen god plan, men efter at han havde vendt og drejet alle muligheder, indså han, at problemet krævede drastiske foranstaltninger.

Heldigvis var de menneskelige ressourcer tilgængelige. Det var gennemførligt.

Han rejste sig, fandt en telefonboks og ringede til Wadensjöö.

"Vi er nødt til at udskyde mødet lidt," sagde han. "Jeg har et ærinde. Kan vi samles igen klokken fjorten nul nul?"

Derefter gik Gullberg ned til Stureplan og prajede en taxi. Han havde egentlig ikke råd til sådan en luksus for sin magre statstjenestemandspension, men på den anden side havde han en alder, hvor han ikke længere havde grund til at spare op til udskejelser. Han opgav en adresse i Bromma.

Da han var blevet sat af på den adresse, han havde opgivet, gik han et kvarter sydpå og ringede på døren til et mindre parcelhus. En kvinde i fyrrerne åbnede.

"Goddag. Jeg søger Fredrik Clinton."

"Hvem må jeg sige, det er?"

"En gammel kollega."

Kvinden nikkede og viste ham ind i stuen, hvor Fredrik Clinton langsomt rejste sig fra en sofa. Han var kun 68 år, men så ud til at være væsentlig ældre. Diabetes og problemer med kranspulsåren havde sat sine tydelige spor.

"Gullberg," sagde Clinton forbavset.

De betragtede hinanden længe. Derefter omfavnede de to gamle spioner hinanden.

"Jeg troede ikke, at jeg skulle få dig at se igen," sagde Clinton. "Jeg går ud fra, at det er det der, der har lokket dig hertil."

Han pegede på avisens forside, hvor der var gengivet et billede af Ronald Niedermann med overskriften "Politimorderen eftersøges i Danmark".

"Hvordan har du det?" spurgte Gullberg.

"Jeg er syg," sagde Clinton.

"Det kan jeg se."

"Hvis jeg ikke får en ny nyre, dør jeg snart. Og sandsynligheden for, at jeg får en ny nyre, er temmelig lille."

Gullberg nikkede.

Kvinden viste sig i døren ind til stuen og spurgte, om der var noget, Gullberg ville have.

"Kaffe, tak," sagde han. Da hun forsvandt, vendte han sig om mod Clinton. "Hvem er den kvinde?"

"Min datter."

Gullberg nikkede. Det var fascinerende, at næsten ingen af medarbejderne havde set hinanden i fritiden trods det intime fællesskab i de mange år i Sektionen. Gullberg kendte til hver eneste medarbejders mindste karaktertræk, styrker og svagheder, men han havde kun en vag anelse om deres familieforhold. Clinton havde været Gullbergs måske allernærmeste medarbejder i tyve år. Han vidste, at Clinton havde været gift og havde børn. Men han kendte ikke datterens navn, hans tidligere kones navn, eller vidste, hvor Clinton plejede at tilbringe sine sommerferier. Det var, som om alting uden for Sektionen var helligt og ikke måtte diskuteres.

"Hvad vil du?" spurgte Clinton.

"Må jeg spørge, hvad du mener om Wadensjöö?"

Clinton rystede på hovedet.

"Jeg blander mig ikke i noget."

"Det var ikke det, jeg spurgte om. Du kender ham. I har arbejdet sammen i ti år."

Clinton rystede på hovedet igen.

"Det er ham, der leder Sektionen i dag. Hvad jeg mener er uinteressant."

"Kan han klare det?"

"Han er ikke idiot."

"Men ...?"

"Analytiker. Vældig god til puslespil. Instinkt. Lysende administrator, der får budgettet til at hænge sammen på en måde, som vi ikke troede var muligt."

Gullberg nikkede. Det betydningsfulde var den egenskab, Clinton ikke nævnte.

"Er du klar til at vende tilbage til tjeneste?"

Clinton så op på Gullberg. Han tøvede i lang tid.

"Evert ... jeg tilbringer ni timer hver anden dag i et dialyseapparat på hospitalet. Jeg kan ikke gå på trapper uden at få åndenød. Jeg orker ingenting. Slet ingenting."

"Jeg har brug for dig. En sidste operation."

"Jeg kan ikke."

"Jo, du kan. Og du kan tilbringe ni timer hver anden dag i dialyse. Du kan tage elevatoren i stedet for trapperne. Jeg kan få ordnet det sådan, at nogen bærer dig frem og tilbage på en båre, hvis det behøves. Jeg har brug for din hjerne."

Clinton sukkede.

"Fortæl," sagde han.

"Vi står netop nu over for en ekstremt kompliceret situation, som kræver operative foranstaltninger. Wadensjöö har ansat en ung snothvalp, Jonas Sandberg, der udgør hele den operative afdeling, og jeg tror ikke, at Wadensjöö har nosser nok til at gøre det, der skal gøres. Det kan godt være, at han er en ørn til at trylle med budgettet, men han er bange for at tage operative beslutninger, og han er bange for at blande Sektionen ind i det feltarbejde, der er nødvendigt."

Clinton nikkede. Han smilede blegt.

"Operationen skal foregå på to forskellige fronter. En del af det handler om Zalachenko. Jeg er nødt til at tale ham til fornuft, og jeg tror, at jeg ved, hvordan jeg skal bære mig ad. Den anden del må varetages her fra Stockholm. Problemet er, at der ikke er nogen i Sektionen, der kan stå for det. Jeg har brug for dig til at lede det. En sidste instans. Jeg har en plan. Jonas Sandberg og Georg Nyström gør fodarbejdet. Du styrer operationen."

"Du forstår ikke, hvad du beder om."

"Jo ... jeg forstår godt, hvad jeg beder om. Og du må selv afgøre, om du stiller op eller ej. Men enten må vi gamle mænd rykke ind og gøre vores del af arbejdet, eller også vil Sektionen ikke eksistere om et par uger."

Clinton lagde albuen på kanten af sofaen og hvilede hovedet mod håndfladen. Han tænkte sig om i to minutter.

"Fortæl om din plan," sagde han endelig.

Evert Gullberg og Fredrik Clinton talte sammen i to timer.

WADENSJÖÖ SPÆRREDE ØJNENE op, da Gullberg vendte tilbage tre minutter i to med Fredrik Clinton på slæb. Clinton lignede et skelet. Han så ud til at have svært ved at gå og svært ved at trække vejret og havde en hånd liggende på Gullbergs skulder.

"Hvad i alverden ..." sagde Wadensjöö.

"Lad os genoptage mødet," sagde Gullberg kort.

De samlede sig igen omkring bordet i Wadensjöös direktørkontor. Clinton sank tavs ned på den stol, han fik tilbudt.

"I kender alle Fredrik Clinton," sagde Gullberg.

"Ja," svarede Wadensjöö. "Spørgsmålet er, hvad han laver her."

"Clinton har besluttet at vende tilbage til aktiv tjeneste. Han vil lede Sektionens operative afdeling, indtil den nuværende krise er overstået."

Gullberg holdt en hånd op og afbrød Wadensjöös protest, inden han overhovedet havde nået at formulere den.

"Clinton er træt. Han får brug for assistance. Han er nødt til regelmæssigt at besøge hospitalet for at gå i dialyse. Wadensjöö, du ansætter to personlige assistenter, der kan bistå ham med alt det praktiske. Men lad dette være klart: I denne sag er det Clinton, der træffer alle de operative beslutninger."

Han tav og ventede. Der lød ingen protester.

"Jeg har en plan. Jeg tror, at vi kan trække det her i land, men vi må handle hurtigt, så chancerne ikke løber os af hænde," sagde han. "Bagefter drejer det sig om, hvor beslutsomme I er i Sektionen for tiden."

Wadensjöö forstod godt, at Gullberg udfordrede ham.

"Fortæl."

"For det første: Politiet har vi allerede drøftet. Vi gør præcis, som vi aftalte. Vi forsøger at isolere dem i den fortsatte efterforskning og gelejde dem ind på et sidespor i jagten på Niedermann. Det bliver Georg Nyströms arbejde. Lige meget hvad, er Niedermann ikke betydningsfuld. Vi sørger for, at Faste får til opgave at efterforske Salander."

"Det er formentlig ikke så tosset," sagde Nyström. "Jeg tager mig ganske enkelt en diskret snak med politiadvokat Ekström."

"Hvis han sætter sig på tværs ..."

"Det tror jeg ikke, at han gør. Han er ambitiøs og går efter, hvad der gavner ham selv. Men jeg kan nok godt finde en løftestang, hvis det skulle knibe. Han ville afsky at blive inddraget i en skandale."

"Godt. Andet skridt er *Millennium* og Mikael Blomkvist. Det er derfor, at Clinton er vendt tilbage til tjeneste. Her kræves der ekstraordinære foranstaltninger."

"Det her vil jeg formentlig ikke bryde mig om," sagde Wadensjöö.

"Formentlig ikke, men *Millennium* kan ikke manipuleres på samme enkle måde. Derimod bygger truslen fra dem på en eneste ting, nemlig Björcks politirapport fra 1991. Som situationen er lige nu, går jeg ud fra, at rapporten befinder sig to steder, muligvis tre. Lisbeth Salander fandt rapporten, men Mikael Blomkvist fik på en eller anden måde fat i den. Det betyder, at der var en slags kontakt mellem Blomkvist og Salander i den tid, hvor hun var på flugt."

Clinton rakte hånden op og sagde sine første ord, siden han var ankommet.

"Det siger også noget om vores modstanderes karakter. Blomkvist

137

er ikke bange for at tage risici. Tænk på Wennerströmaffæren."
Gullberg nikkede.

"Blomkvist gav rapporten til sin chefredaktør Erika Berger, der på sin side gav den til Bublanski. Det betyder, at hun også har læst den. Vi kan gå ud fra, at de har taget en sikkerhedskopi. Jeg gætter på, at Blomkvist har en kopi, og at der findes en kopi på redaktionen."

"Det lyder rimeligt," sagde Wadensjöö.

"*Millennium* er et månedstidsskrift, hvilket betyder, at det ikke skal udkomme i morgen. Vi har altså tiden for os. Men vi er nødt til at få fat i begge disse rapporter. Og her kan vi ikke gå via statsadvokaten."

"Jeg er med."

"Det drejer sig altså om at indlede en operativ opgave og at begå indbrud hos både Blomkvist og på *Millenniums* redaktion. Kan du klare at organisere det, Jonas?"

Jonas Sandberg skævede til Wadensjöö.

"Evert, du må forstå, at ... vi ikke gør den slags mere," sagde Wadensjöö. "Vi befinder os i en ny tid, der mere beskæftiger sig med computerindtrængen, teleovervågning og den slags. Vi har ikke ressourcer til en operativ opgave."

Gullberg lænede sig ind over bordet.

"Wadensjöö, så er du nødt til at finde nogle ressourcer til en operativ opgave så hurtigt som bare fanden. Ansæt folk udefra. Ansæt en flok banditter fra den jugoslaviske mafia, der kan slå Blomkvist oven i hovedet, hvis det er nødvendigt. Men de der to kopier skal findes. Hvis de ikke har kopierne, har de ingen dokumentation, og dermed kan de ikke bevise en skid. Hvis I ikke klarer det, kan du sidde her med fingeren i røven, indtil grundlovsbeskyttelsen kommer og banker på døren."

Gullberg og Wadensjöös blikke mødtes et langt øjeblik.

"Jeg skal nok ordne det," sagde Jonas Sandberg pludselig.

Gullberg kastede et blik på novicen.

"Er du sikker på, at du kan klare at organisere sådan en sag?"

Sandberg nikkede.

"Godt. Fra nu af er Clinton chef. Det er ham, der giver ordrerne."

Sandberg nikkede.

"Det kommer til at dreje sig en hel del om overvågning. Den operative afdeling må havde tilført forstærkning," sagde Nyström. "Jeg har nogle navneforslag. Vi har en fyr i den eksterne organisation – han arbejder i personbeskyttelsen i Säpo og hedder Mårtensson. Han virker lovende og er ikke bange for noget. Jeg har længe overvejet at hente ham herover til den interne organisation. Jeg har endda overvejet, om han kunne blive min efterfølger."

"Det lyder godt," sagde Gullberg. "Clinton må afgøre det."

"Jeg har en anden nyhed," sagde Georg Nyström. "Jeg er bange for, at der kan findes en tredje kopi."

"Hvor?"

"Jeg har i løbet af formiddagen fået at vide, at Lisbeth Salander har fået en advokat. Hendes navn er Annika Giannini. Hun er Mikael Blomkvists søster."

Gullberg nikkede.

"Du har ret. Blomkvist har givet sin søster en kopi. Alt andet ville være urimeligt. Vi må med andre ord sætte alle tre – Berger, Blomkvist og Giannini – under lup i den kommende tid."

"Jeg tror ikke, at vi behøver at bekymre os om Berger. Der er kommet en pressemeddelelse i dag om, at hun bliver den ny chefredaktør på *Svenska Morgon-Posten*. Hun har ikke længere noget med *Millennium* at gøre."

"Okay, men tjek hende under alle omstændigheder. Med hensyn til *Millennium* må vi have telefonaflytning, mulighed for at aflytte deres bopæl og selvfølgelig redaktionen. Vi må kontrollere deres e-mail. Vi må vide, hvem de mødes med, og hvem de taler med. Og vi vil vældig gerne kende indholdet af bladet med deres afsløring. Og frem for alt må vi kunne beslaglægge rapporten. En hel del detaljer, med andre ord."

Wadensjöö lød tøvende.

"Evert, du beder os iværksætte en operativ aktivitet mod en tidsskriftredaktion. Det er noget af det farligste, vi kan gøre."

"Du har ikke noget valg. Enten må du smøge ærmerne op, eller også er det på tide, at en anden tager over som chef her."

Truslen hang som en sky over bordet.

"Jeg tror godt, at jeg kan klare *Millennium*," sagde Jonas Sandberg til sidst. "Men intet af dette løser det fundamentale problem. Hvad gør vi med din Zalachenko? Hvis han taler, er alle anstrengelser forgæves."

Gullberg nikkede langsomt.

"Jeg ved det. Det er min del af operationen. Jeg tror, at jeg har et argument, der vil overbevise Zalachenko om at tie stille. Men det kræver en del forberedelser. Jeg tager ned til Göteborg allerede i eftermiddag."

Han tav og så sig om i rummet. Så kiggede han Wadensjöö ind i øjnene.

"Clinton træffer de operative beslutninger i mit fravær," sagde han.

Efter et stykke tid nikkede Wadensjöö.

FØRST PÅ AFTENEN om mandagen vurderede dr. Helena Endrin i samråd med sin kollega Anders Jonasson, at Lisbeth Salanders tilstand var så stabil, at hun kunne tage imod besøg. Hendes første gæster var to kriminalbetjente, der fik et kvarter til at stille hende spørgsmål. Hun betragtede de to betjente i tavshed, da de kom ind på hendes stue og trak stole frem.

"Hej, mit navn er kriminalkommissær Marcus Erlander. Jeg arbejder i drabsafdelingen her i Göteborg. Det her er min kollega Sonja Modig fra politiet i Stockholm."

Lisbeth Salander sagde ikke goddag. Hun fortrak ikke en mine. Hun genkendte Modig som en af strisserne fra Bublanskis gruppe. Erlander smilede køligt til hende.

"Jeg forstår, at du ikke plejer at veksle mange ord med myndighederne. Så vil jeg oplyse dig om, at du overhovedet ikke behøver at sige noget. Derimod ville jeg være taknemmelig, hvis du ville tage dig tid til at lytte. Vi har flere ærinder og ikke lang tid til at snakke i dag. Der vil blive flere lejligheder senere."

Lisbeth Salander sagde stadig ingenting.

"Så vil jeg for det første oplyse dig om, at din ven Mikael Blomkvist har fortalt os, at en advokat ved navn Annika Giannini er villig til at repræsentere dig, og at hun har fået sagen. Han siger, at han allerede har nævnt hendes navn over for dig i en eller anden sammenhæng. Jeg er nødt til at få en bekræftelse fra dig om, at det er tilfældet, og jeg vil gerne vide, om du ønsker, at advokat Giannini kommer ned til Göteborg for at støtte dig."

Lisbeth Salander sagde ingenting.

Annika Giannini. Mikael Blomkvists søster. Han havde nævnt hende kort. Lisbeth havde ikke tænkt over, at hun havde brug for en advokat.

"Jeg er ked af det, men jeg må simpelthen bede dig om at svare på det spørgsmål. Det er nok med et ja eller nej. Hvis du siger ja, vil anklageren her i Göteborg kontakte advokat Giannini. Hvis du siger nej, vil en domstol udpege en offentlig forsvarer til dig. Hvad vil du?"

Lisbeth overvejede forslaget. Hun gik ud fra, at hun faktisk havde brug for en advokat, men at få skide Kalle Blomkvists søster som forsvarsadvokat var en svær pille at sluge. På den anden side var en ukendt offentlig forsvarer næppe bedre. Til sidst åbnede hun munden og sagde med hæs stemme et eneste ord:

"Giannini."

"Godt. Tak for det. Så har jeg et andet spørgsmål til dig. Du behøver ikke at sige et ord, før din advokat er til stede, men dette spørgsmål drejer sig ikke om dig eller dit velbefindende, så vidt jeg kan forstå. Politiet leder nu efter den 37-årige tyske statsborger Ronald Niedermann, der er efterlyst for mord på en politimand."

Lisbeth rynkede brynene. Det var nyt for hende. Hun havde ingen anelse om, hvad der var sket, efter at hun havde hugget øksen i hovedet på Zalachenko.

"Fra Göteborgs side vil vi gerne pågribe ham så hurtigt som muligt. Min kollega her fra Stockholm vil desuden gerne afhøre ham i forbindelse med de tre mord, som du tidligere har været mistænkt for. Vi beder dig altså om hjælp. Vores spørgsmål til dig er, om du har nogen anelse om ... om du vil hjælpe med at lokalisere ham."

Lisbeth flyttede mistænksomt blikket fra Erlander til Modig og tilbage igen.

De ved ikke, at han er min bror.

Derefter spekulerede hun på, om hun gerne ville have Niedermann anholdt eller ej. Helst ville hun tage ham med hen til et hul i jorden i Gosseberga og begrave ham. Endelig trak hun på skuldrene. Hvilket hun ikke skulle have gjort, da en skarp smerte straks skød gennem den venstre skulder.

"Hvad dag er det i dag?" spurgte hun.

"Mandag."

141

Hun tænkte sig om.

"Første gang, jeg hørte navnet Ronald Niedermann, var torsdag i sidste uge. Jeg opsporede ham i Gosseberga. Jeg har ingen anelse om, hvor han befinder sig, eller hvor han kan tænkes at flygte hen. Mit gæt er, at han hurtigst muligt vil forsøge at komme i sikkerhed i udlandet."

"Hvorfor tror du, at han har tænkt sig at flygte til udlandet?"

Lisbeth tænkte sig om.

"Mens Niedermann var ude og grave en grav til mig, sagde Zalachenko, at opmærksomheden var blevet lidt for stor, og at det allerede var planlagt, at Niedermann skulle tage til udlandet en tid."

Så mange ord havde Lisbeth Salander ikke vekslet med en politibetjent, siden hun var tolv år gammel.

"Zalachenko ... han er altså din far."

Det har de dog fundet ud af. Den skide Kalle Blomkvist formentlig.

"Så må jeg oplyse dig om, at din far har indgivet en politianmeldelse om, at du har forsøgt at myrde ham. Sagen ligger netop nu hos anklageren, der skal tage stilling til en eventuel tiltale. Hvad der derimod allerede foreligger nu er, at du er anholdt for grov vold. Du hamrede en økse i hovedet på Zalachenko."

Lisbeth Salander sagde ingenting. Der blev en lang tavshed. Så lænede Sonja Modig sig frem og sagde med lav stemme:

"Jeg vil bare sige, at vi inden for politiet ikke har så stor tiltro til Zalachenkos historie. Tag en alvorlig samtale med din advokat, så kan vi vende tilbage senere."

Erlander nikkede. Betjentene rejste sig.

"Tak for hjælpen med Niedermann," sagde Erlander.

Lisbeth var overrasket over, at betjentene havde optrådt så korrekt og næsten venligt. Hun tænkte over, hvad Sonja Modig havde sagt. Der må være en bagtanke, konstaterede hun.

KAPITEL 7

Mandag den 11. april – tirsdag den 12. april

KVART I SEKS MANDAG aften slog Mikael Blomkvist låget på sin iBook i og rejste sig fra bordet i køkkenet hjemme i lejligheden i Bellmansgatan. Han tog en jakke på og spadserede ned til Milton Securitys kontor ved Slussen. Han tog elevatoren op til receptionen på anden sal og blev straks vist hen til et mødelokale. Han ankom præcis klokken seks og var den sidst ankomne.

"Hej, Dragan," sagde han og gav hånd. "Tak, fordi du ville være vært for det her uformelle møde."

Han så sig om i lokalet. Forsamlingen bestod foruden ham selv og Dragan Armanskij af Annika Giannini, Holger Palmgren og Malin Eriksson. Fra Miltons side deltog også den forhenværende kriminalkommissær Sonny Bohman, der på Armanskijs ordre havde fulgt Salanderefterforskningen siden dag et.

Holger Palmgren var på sin første udflugt i mere end to år. Hans læge, dr. A. Sivarnandan, havde været alt andet end begejstret for at slippe ham ud af Ersta Rehabiliteringshjem, men Palmgren havde insisteret. Han havde fået selskab af sin personlige plejer Johanna Karolina Oskarsson, 39 år, hvis løn blev betalt af en fond, der på mystisk vis var blevet oprettet for at give Palmgren den bedst tænkelige pleje. Karolina Oskarsson ventede ved et cafébord uden for mødelokalet. Hun havde en bog med. Mikael lukkede døren.

"I, der ikke kender hende – Malin Eriksson er ny chefredaktør på *Millennium.* Jeg har bedt hende være med til det her møde, fordi det, vi skal diskutere, også vil påvirke hendes job."

"Okay," sagde Armanskij. "Vi er her. Jeg er lutter øren."

Mikael stillede sig ved Armanskijs whiteboard og samlede en tusch op. Han så sig omkring.

"Det her er nok det mest vanvittige, jeg nogensinde har været med til," sagde han. "Når det er forbi, vil jeg danne en forening. Jeg vil kalde den for Ridderne af det Vanvittige Bord, og dens formål skal være at arrangere en årlig middag, hvor vi bagtaler Lisbeth Salander. I er alle medlemmer."

Han holdt en pause.

"Sådan her ser virkeligheden ud," sagde han og begyndte at skrive stikord på Armanskijs whiteboard. Han talte i næsten en halv time. Diskussionen varede i hen ved tre timer.

Evert Gullberg satte sig sammen med Fredrik Clinton, da mødet formelt var forbi. De talte lavmælt sammen i nogle minutter, før Gullberg rejste sig. De gamle våbenbrødre gav hinanden hånden.

Gullberg tog en taxi tilbage til Freys Hotel og hentede sit tøj, tjekkede ud og tog et eftermiddagstog til Göteborg. Han valgte første klasse og fik en hel kupé for sig selv. Da han passerede Årstabron, fandt han en kuglepen og en blok med brevpapir frem. Han tænkte sig lidt om og begyndte at skrive. Han fyldte omkring halvdelen af papiret med ord, før han holdt inde og rev arket af blokken.

Forfalskede dokumenter var ikke hans afdeling og lå ikke inden for hans ekspertiseområde, men i netop dette tilfælde blev opgaven forenklet af, at de breve, han var ved at formulere, skulle være underskrevet af ham selv. Problemet var bare, at ikke et ord, der blev formuleret, var sandt.

Da han passerede Nyköping, havde han kasseret yderligere en del udkast, men han begyndte at få en idé om, hvordan brevet skulle formuleres. Da han ankom til Göteborg, havde han tolv breve, som han var tilfreds med. Han sørgede omhyggeligt for, at hans fingeraftryk var tydelige på brevpapiret.

På Göteborgs hovedbanegård lykkedes det ham at finde en fotokopimaskine og tage kopier af brevene. Derefter købte han kuverter og frimærker og lagde brevene i postkassen, der skulle tømmes klokken 21.00.

Gullberg tog en taxi til City Hotel i Lorensbergsgatan, hvor Clinton allerede havde bestilt et værelse til ham. Han kom således til at bo på samme hotel, som Mikael Blomkvist havde overnattet på nogle dage i forvejen. Han gik straks op på sit værelse og lod sig

144

dumpe ned på sengen. Han var frygtelig træt, og det gik op for ham, at han kun havde spist to skiver brød hele dagen. Han var stadig ikke sulten. Han klædte sig af, lagde sig ned under dynen og sov næsten øjeblikkeligt.

LISBETH SALANDER VÅGNEDE med et sæt, da hun hørte døren blive åbnet. Hun vidste med det samme, at det ikke var en af natsygeplejerskerne. Hun åbnede øjnene på klem og så silhuetten med krykkerne i døråbningen. Zalachenko stod stille og betragtede hende i lyset, der trængte ind fra belysningen ude på gangen.

Uden at bevæge sig vendte hun blikket, så hun kunne se digitaluret, der viste 03.10.

Hun flyttede blikket nogle millimeter og så vandglasset på kanten af sengebordet. Hun holdt blikket stift rettet mod vandglasset og beregnede afstanden. Hun ville lige kunne nå det uden at behøve at flytte kroppen.

Det ville tage en brøkdel af et sekund at strække armen ud og med en beslutsom bevægelse slå toppen af glasset mod den hårde kant på sengebordet. Det ville tage et halvt sekund at køre æggen op i struben på Zalachenko, hvis han lænede sig over hende. Hun forsøgte at finde på alternativer, men måtte erkende, at det var hendes eneste tilgængelige våben.

Hun slappede af og ventede.

Zalachenko blev stående i døråbningen i to minutter uden at røre sig.

Så trak han forsigtigt døren i igen. Hun hørte den svage, skrabende lyd fra krykkerne, da han stille fjernede sig fra hendes stue.

Efter fem minutter rejste hun sig op på albuerne, rakte ud efter glasset og tog en stor slurk. Hun svingede benene ud over sengekanten og rev elektroderne løs fra arm og brystkasse. Hun rejste sig svajende op. Det tog hende nogle minutter at få kontrol over kroppen. Hun haltede hen til døren, lænede sig op ad væggen og fik vejret. Hun svedte koldsved. Så blev hun iskoldt rasende.

Fuck you, Zalachenko. Lad os afslutte det her.

Hun havde brug for et våben.

I næste øjeblik hørte hun hurtige skridt ude på gangen.

Fandens. Elektroderne.

"Hvad i himlens navn laver du oppe?" udbrød natsygeplejersken.

"Jeg var nødt til ... at gå ... på toilettet," sagde Lisbeth Salander forpustet.

"Læg dig straks ned."

Hun greb Lisbeths hånd og støttede hende tilbage til sengen. Derefter hentede hun et bækken.

"Når du har brug for at komme på toilettet, skal du ringe efter os. Det er det, den knap der er til for," sagde sygeplejersken.

Lisbeth sagde ingenting. Hun koncentrerede sig om at presse nogle dråber ud.

MIKAEL BLOMKVIST VÅGNEDE halv elleve om tirsdagen, tog brusebad, satte kaffe over og slog sig derefter ned ved sin iBook. Efter mødet på Milton Security den foregående aften var han gået hjem og havde arbejdet til klokken fem om morgenen. Han følte endelig, at historien begyndte at tage form. Zalachenkos biografi var stadig svævende – det eneste, han havde at gå ud fra, var de oplysninger, han havde presset Björck til at afsløre, og de detaljer, som Holger Palmgren havde kunnet supplere med. Historien om Lisbeth Salander var nærmest færdig. Han forklarede trin for trin, hvordan hun var kommet i clinch med en bande koldkrigere fra Säpo og var blevet spærret inde på børnepsykiatrisk afdeling for ikke at røbe hemmeligheden om Zalachenko.

Han var tilfreds med teksten. Han havde en kanon historie, der ville blive en sællert, og som desuden ville skabe problemer langt op i det statslige bureaukrati.

Han tændte en cigaret, mens han tænkte sig om.

Han så to store huller, han var nødt til at fylde ud. Det ene var til at klare. Han måtte i gang med Peter Teleborian, og han så frem til opgaven. Når han var færdig med Teleborian, ville den kendte børnepsykiater være en af Sveriges mest forhadte mænd. Det var det ene.

Det andet problem var betydelig mere kompliceret.

Sammensværgelsen mod Lisbeth Salander – han tænkte på dem som Zalachenkoklubben – var at finde inden for Säpo. Han kendte et navn, Gunnar Björck, men Gunnar Björck kunne umuligt være den eneste ansvarlige. Der måtte være en gruppe, en afdeling af en eller anden slags. Der måtte være chefer, ansvarlige og et budget. Problemet var, at han ikke havde nogen anelse om, hvordan han skulle bære sig ad med at identificere disse personer. Han vidste ikke, hvor han skulle begynde. Han havde kun en rudimentær opfattelse af, hvordan Säpos organisation så ud.

I løbet af mandagen havde han indledt researchen ved at sende Henry Cortez hen til en række antikvariater på Södermalm med den opgave at købe hver eneste bog, der handlede om Säpo i en eller anden forstand. Cortez var kommet hjem til Mikael Blomkvist ved firetiden mandag eftermiddag med seks bøger. Mikael betragtede stakken på bordet.

Spionage i Sverige af Mikael Rosquist (Tempus, 1988); *Säpochef 1962-70* af Per Gunnar Vinge (W&W, 1988); *Hemmelige magter* af Jan Ottosson og Lars Magnusson (Tiden, 1991); *Magtkamp om Säpo* af Erik Magnusson (Corona, 1989); *En opgave* af Carl Lidbom (W&W, 1990) samt – en smule overraskende – *An Agent in Place* af Thomas Whiteside (Ballentine, 1966), der handlede om Wennerströmaffæren. Den i 60'erne altså, ikke hans egen Wennerströmaffære i det 21. århundrede.

Han havde tilbragt det meste af natten til tirsdag med at læse eller i hvert fald skimme de bøger, Henry Cortez havde fundet. Da han var færdig med at læse, kunne han konstatere forskellige ting. For det første syntes de fleste bøger om Säpo, der var blevet skrevet, at være udkommet i slutningen af 80'erne. En søgning på internettet viste, at der ikke fandtes noget nævneværdig aktuel litteratur om emnet.

For det andet så det ikke ud til, at der fandtes nogen forståelig oversigt over det svenske hemmelige politis virksomhed gennem årene. Det var måske forståeligt, hvis man tænkte på, at mange sager var hemmeligstemplede og derfor svære at skrive om, men det virkede ikke, som om der fandtes en eneste institution, forsker eller avis, der kritisk undersøgte Säpo.

Han noterede sig også det bemærkelsesværdige, at der ikke var nogen litteraturfortegnelse i nogen af de bøger, som Henry Cortez havde fundet. Fodnoter bestod i stedet ofte af henvisninger til artikler i pressen eller private interviews med en eller anden pensioneret Säpoansat.

147

Bogen *Hemmelige magter* var fascinerende, men behandlede mest tiden før og under anden verdenskrig. P.G. Vinges memoirer opfattede Mikael som en propagandabog skrevet i selvforsvar af en stærkt kritiseret og afskediget Säpochef. *An Agent in Place* indeholdt så mange mærkværdigheder om Sverige allerede i første kapitel, at han slet og ret smed bogen i papirkurven. De eneste bøger med en udtalt ambition om at beskrive Sikkerhedspolitiets arbejde var *Magtkamp om Säpo* og *Spionage i Sverige*. Der fandtes data, navne og bureaukrati. Særligt Erik Magnussons bog fandt han meget læseværdig. Selv om den ikke gav svar på nogen af hans umiddelbare spørgsmål, gav den en god forståelse af, hvordan Säpo havde set ud, og hvad organisationen havde begivet sig af med nogle årtier tilbage.

Den største overraskelse var dog *En opgave* af Carl Lidbom, der beskrev de problemer, som den forhenværende Parisambassadør sloges med, da han på ordre fra regeringen efterforskede Säpo i kølvandet på Palmemordet og Ebbe Carlsson-affæren. Mikael havde aldrig før læst noget af Carl Lidbom og var overrasket over det ironiske sprog, der var blandet med knivskarpe iagttagelser. Men heller ikke Carl Lidboms bog førte Mikael nærmere svarene på hans spørgsmål, selv om han begyndte at få en anelse om, hvad han var oppe imod.

Efter at have tænkt sig lidt om tog han mobilen og ringede til Henry Cortez.

"Hej, Henry. Tak for gårsdagens fodarbejde."

"Hmm. Hvad vil du?"

"Lidt mere fodarbejde."

"Micke, jeg har et job at passe. Jeg er blevet redaktionssekretær."

"Et udmærket karriereskridt."

"Hvad vil du?"

"I løbet af årene er der blevet skrevet en del offentlige rapporter om Säpo. Carl Lidbom har skrevet en. Der må findes adskillige af den slags rapporter."

"Aha."

"Bestil alt, hvad du kan finde fra Riksdagen hjem – budgetter, undersøgelser, spørgsmål til regeringen og den slags. Og bestil Säpos årsberetning så langt tilbage i tiden, du kan komme."

"Yes, massa."

"Godt. Og Henry ..."

"Ja?"

"... jeg har ikke brug for det før i morgen."

Lisbeth Salander brugte dagen til at tænke over Zalachenko. Hun vidste, at han befandt sig to stuer fra hende, at han listede omkring ude på gangen om natten, og at han var kommet hen til hendes stue klokken 03.10 om natten.

Hun havde sporet ham til Gosseberga med den intention at dræbe ham. Det var ikke lykkedes, og derfor levede Zalachenko og befandt sig mindre end ti meter fra hende. Hun sad i lort til halsen. Hvor meget kunne hun ikke rigtig overskue, men hun gik ud fra, at hun ville blive nødt til at flygte og diskret forsvinde udenlands, hvis ikke hun ville risikere at blive spærret inde på en eller anden galeanstalt igen med Peter Teleborian som fangevogter.

Problemet var selvfølgelig, at hun knap nok orkede at sætte sig op i sengen. Hun noterede sig forbedringerne. Hovedpinen var der stadig, men kom i bølger i stedet for at være konstant. Smerten i skulderen lå under overfladen og brød frem, når hun forsøgte at bevæge sig.

Hun hørte skridt uden for døren og så en sygeplejerske åbne døren og slippe en kvinde i sorte bukser, hvid bluse og mørk jakke ind. Det var en køn og slank kvinde med mørkt hår og kort drengefrisure. Hun udstrålede en tilfreds selvsikkerhed. Hun havde en sort mappe i hånden. Lisbeth så straks, at hun havde de samme øjne som Mikael Blomkvist.

"Hej, Lisbeth. Jeg hedder Annika Giannini," sagde hun. "Må jeg komme ind?"

Lisbeth betragtede hende udtryksløst. Hun havde pludselig ikke den mindste lyst til at møde Mikael Blomkvists søster og fortrød, at hun havde sagt ja til forslaget om, at hun skulle være hendes advokat.

Annika Giannini trådte indenfor, lukkede døren efter sig og trak en stol hen. Hun sad uden at sige noget et øjeblik og betragtede sin klient.

Lisbeth Salander så frygtelig ud. Hendes hoved var en stor bandage. Hun havde enorme lillafarvede blå mærker omkring begge øjne og blod i det hvide i øjnene.

"Inden vi begynder at diskutere noget, må jeg vide, om du virkelig gerne vil have, at jeg skal være din advokat. Jeg er normalt kun indblandet i civilsager, hvor jeg repræsenterer voldtægtsofre eller voldsofre. Jeg er ikke strafferetsadvokat. Derimod har jeg sat mig ind i detaljerne i din sag, og jeg vil gerne repræsentere dig, hvis jeg må. Jeg skal også sige, at Mikael Blomkvist er min bror – det ved du vist allerede – og at han og Dragan Armanskij betaler mit salær."

Hun ventede lidt, men da hun ikke fik nogen reaktion fra sin klient, fortsatte hun.

"Hvis du vil have mig som din advokat, kommer jeg til at arbejde for dig. Jeg arbejder altså ikke for min bror eller for Armanskij. Jeg vil også få bistand i strafferetsdelen af din gamle formynder Holger Palmgren. Han er en sej herre, der har slæbt sig ud af sin sygeseng for at hjælpe dig."

"Palmgren?" sagde Lisbeth Salander.

"Ja."

"Har du mødt ham?"

"Ja, han skal være min rådgiver."

"Hvordan har han det?"

"Han er rasende, men lader mærkelig nok ikke til at være bekymret for dig."

Lisbeth Salander smilede et skævt smil. Det var det første, siden hun var ankommet til Sahlgrenska Sygehus.

"Hvordan har du det?" spurgte Annika Giannini.

"Som en sæk lort," sagde Lisbeth Salander.

"Okay. Vil du have mig som forsvarer? Armanskij og Mikael betaler mit salær og ..."

"Nej."

"Hvad mener du?"

"Jeg betaler selv. Jeg vil ikke have en øre fra Armanskij og Kalle Blomkvist. Men jeg kan ikke betale dig, før jeg får adgang til internettet."

"Okay. Vi løser det spørgsmål, når vi kommer dertil, og det offentlige kommer under alle omstændigheder til at betale det meste af min løn. Du vil altså gerne have, at jeg repræsenterer dig?"

Lisbeth Salander nikkede kort.

"Godt. Så skal jeg begynde med at give dig en besked fra Mikael. Han udtrykker sig kryptisk, men siger, at du vil forstå, hvad han mener."

"Aha."

"Han siger, at han har fortalt mig det meste bortset fra et par ting. Det første drejer sig om de færdigheder, som han opdagede i Hedestad."

Mikael ved, at jeg har en fotografisk hukommelse ... og at jeg er hacker. Han har bare ikke sagt noget.

"Okay."

"Det andet er cd'en. Jeg ved ikke, hvad han hentyder til, men han siger, at du må afgøre, om du vil fortælle mig det eller ej. Forstår du, hvad han hentyder til?"

Cd'en med filmen, der viser Bjurmans voldtægt.

"Ja."

"Okay ..."

Annika Giannini virkede pludselig tøvende.

"Jeg er lidt irriteret på min bror. Selv om han har ansat mig, fortæller han mig kun, hvad der passer ham. Har du også tænkt dig at fortie ting for mig?"

Lisbeth tænkte sig lidt om.

"Det ved jeg ikke."

"Vi får brug for at tale en hel del med hinanden. Jeg har ikke tid til at blive og tale med dig lige nu, da jeg skal møde politianklager Agneta Jervas om tre kvarter. Jeg var bare nødt til at få bekræftet af dig, at du virkelig vil have mig som din advokat. Jeg skal også give dig en instruks ..."

"Aha."

"Som er følgende: Hvis jeg ikke er til stede, skal du ikke sige et eneste ord til politiet, hvad de end spørger om. Selv om de provokerer dig og anklager dig for forskellige ting. Kan du klare det?"

"Uden større anstrengelse," sagde Lisbeth Salander.

EVERT GULLBERG HAVDE været helt udmattet efter mandagens anstrengelser og vågnede først klokken ni om morgenen, hvilket var næsten fire timer senere end normalt. Han gik ud på badeværelset, vaskede sig og børstede tænder. Han stod længe og betragtede sit ansigt i spejlet, inden han slukkede lyset og klædte sig på. Han valgte den eneste resterende rene skjorte i den brune mappe og bandt et brunmønstret slips om halsen.

Han gik ned til hotellets spisesal, drak en almindelig kop kaffe og spiste en skive ristet lyst brød med ost med en lille klat appelsinmarmelade på. Han drak et stort glas mineralvand.

Derefter gik han ud i hotellobbyen og ringede til Fredrik Clintons mobiltelefon fra en kortautomat.

"Det er mig. Situationsrapport?"

"Ret bekymrende."

"Fredrik, orker du det her?"

"Ja, det er ligesom før i tiden. Bare synd, at Hans von Rottinger ikke lever. Han var bedre til at planlægge operationer end jeg."

"Du og han var jævnbyrdige. I kunne have byttet med hinanden når som helst. Hvilket I jo faktisk gjorde ret ofte."

"Det drejer sig om fingerspidsfornemmelse. Han var altså lige en tand skarpere."

"Hvordan går det for jer?"

"Sandberg er kvikkere, end vi troede. Vi har fået ekstern hjælp i form af Mårtensson. Han er stikirenddreng, men han er brugbar. Vi aflytter Blomkvists fastnettelefon og mobil. Senere på dagen tager vi os af Gianninis og *Millenniums* telefoner. Vi er i gang med at se på plantegninger over kontorer og lejligheder. Vi går ind snarest."

"Du må først lokalisere, hvor alle kopierne befinder sig ..."

"Det har jeg allerede gjort. Vi har været ufattelig heldige. Annika Giannini ringede til Blomkvist klokken ti i morges. Hun spurgte specifikt om, hvor mange kopier der var i omløb, og det fremgik af samtalen, at Mikael Blomkvist har den eneste kopi. Berger tog en kopi af rapporten, men sendte den til Bublanski."

"Godt. Vi har ingen tid at spilde."

"Jeg ved det. Men det må ske på én gang. Hvis vi ikke finder alle kopierne af Björcks rapport samtidig, vil det ikke lykkes for os."

"Jeg ved det."

"Det er lidt kompliceret, fordi Giannini tog til Göteborg i morges. Jeg har sendt et hold eksterne medarbejdere efter hende. De sidder i flyveren på vej derned netop nu."

"Godt."

Gullberg kunne ikke finde på mere at sige. Han tav et langt øjeblik.

"Tak, Fredrik," sagde han til sidst.

"Tak selv. Det her er sjovere end at sidde og vente forgæves på en nyre."

De sagde farvel til hinanden. Gullberg betalte hotelregningen og gik ud på gaden. Bolden var begyndt at rulle. Nu drejede det sig bare om, at koreografien blev præcis.

Han begyndte at gå ned til Park Avenue Hotel, hvor han bad om lov til at benytte faxen. Han ville ikke gøre det på det hotel, hvor han havde boet. Han faxede de breve, han havde skrevet i toget dagen før. Derefter gik han ud på Avenyn for at finde en taxi. Han stoppede op ved en affaldskurv og rev de fotokopier, han havde lavet af sine breve, i stykker.

ANNIKA GIANNINI TALTE med politiadvokat Agneta Jervas i et kvarter. Hun ville vide, hvilke anklager anklageren havde til hensigt at rette mod Lisbeth Salander, men forstod snart, at Jervas var usikker på, hvad der skulle ske.

"For øjeblikket nøjes jeg med at sigte hende for grov vold alternativt drabsforsøg. Jeg hentyder altså til Lisbeth Salanders øksehug mod sin far. Jeg går ud fra, at du vil påkalde dig retten til selvforsvar."

"Måske."

"Men ærlig talt er politimorderen Niedermann min prioritering lige nu."

"Okay."

"Jeg har været i kontakt med statsadvokaten. For øjeblikket drejer diskussionen sig om, at alle sigtelser mod din klient vil blive samlet under en anklager i Stockholm og vil blive sat i forbindelse med det, der er sket der."

"Jeg går ud fra, at sagen bliver flyttet til Stockholm."

"Godt. I så fald er jeg nødt til at afhøre Lisbeth Salander. Hvornår kan det ske?"

"Jeg har en udtalelse fra hendes læge Anders Jonasson. Han siger, at Lisbeth Salander de næste mange dage ikke er i stand til at deltage i en afhøring. Bortset fra hendes fysiske legemsbeskadigelser er hun stærkt påvirket af smertestillende medicin."

153

"Jeg har fået en lignende besked. Du forstår måske, at det er frustrerende for mig. Jeg gentager, at min prioritering netop nu er Ronald Niedermann. Din klient siger, at hun ikke ved, hvor han gemmer sig."

"Hvilket er i overensstemmelse med sandheden. Hun kender ikke Niedermann. Det lykkedes hende at identificere ham og opspore ham."

"Okay," sagde Agneta Jervas.

EVERT GULLBERG HAVDE en buket blomster i hånden, da han steg ind i elevatoren på Sahlgrenska Sygehus samtidig med en korthåret kvinde i mørk jakke. Han holdt høfligt elevatordøren åben og lod hende gå først hen til receptionen på afdelingen.

"Jeg hedder Annika Giannini. Jeg er advokat og skal træffe min klient, Lisbeth Salander, igen."

Evert Gullberg drejede hovedet og så forbavset på den kvinde, han havde lukket ud af elevatoren. Han flyttede blikket og så på hendes attachémappe, mens sygeplejersken kontrollerede Gianninis legitimation og konsulterede en liste.

"Stue 12," sagde sygeplejersken.

"Tak. Jeg har allerede været der, så jeg kan selv finde vej."

Hun tog mappen og forsvandt ud af Gullbergs synsfelt.

"Kan jeg hjælpe dig?" spurgte sygeplejersken.

"Ja tak, jeg vil gerne aflevere disse blomster til Karl Axel Bodin."

"Han må ikke tage imod besøg."

"Jeg ved det godt, jeg vil bare gerne aflevere blomsterne her."

"Det skal vi nok sørge for."

Gullberg havde mest taget blomster med for at have en undskyldning. Han ville have en opfattelse af, hvordan afdelingen så ud. Han takkede og gik mod udgangen. På vejen passerede han Zalachenkos dør, stue 14 ifølge Jonas Sandberg.

Han ventede ude på trappeopgangen. Gennem glasruden i døren så han sygeplejersken komme med den blomsterbuket, han netop havde afleveret, og forsvinde ind på Zalachenkos stue. Da hun vendte tilbage til sin plads, puffede Gullberg døren op, gik hurtigt hen til stue 14 og sneg sig indenfor.

"Hej, Alexander," sagde han.

154

Zalachenko så forbavset på sin uannoncerede gæst.

"Jeg troede, at du var død for længe siden," sagde han.

"Nej, ikke endnu," sagde Gullberg.

"Hvad vil du?" spurgte Zalachenko.

"Hvad tror du?"

Gullberg trak gæstestolen hen og slog sig ned.

"Formentlig se mig død."

"Ja, det ville være velset. Hvordan kunne du være så fandens tåbelig. Vi har givet dig et helt nyt liv, og så havner du her."

Hvis Zalachenko havde kunnet smile, havde han gjort det. Det svenske sikkerhedspoliti bestod efter hans opfattelse af amatører. Til disse regnede han Evert Gullberg og Sven Jansson alias Gunnar Björck. For ikke at tale om en komplet idiot som advokat Nils Bjurman.

"Og nu må vi endnu en gang redde dig ud af ilden."

Udtrykket gik ikke rigtig hjem hos den slemt forbrændte Zalachenko.

"Kom ikke her med dine moralprædikener. Få mig ud herfra."

"Det var det, jeg ville diskutere med dig."

Han løftede sin attachémappe op på skødet, fandt en notesbog frem og slog op på en blank side. Så så han undersøgende på Zalachenko.

"Jeg kunne godt tænke mig at vide en ting – vil du virkelig brænde os af efter alt, hvad vi har gjort for dig?"

"Hvad tror du?"

"Det kommer an på, hvor gal du er?"

"Du skal ikke kalde mig gal. Jeg er en overlever. Jeg gør det, jeg er nødt til for at overleve."

Gullberg rystede på hovedet.

"Nej, Alexander, du gør, hvad du gør, fordi du er ond og bundrådden. Du ville have besked fra Sektionen. Jeg er her for at give dig den. Vi har ikke tænkt os at løfte en finger for at hjælpe dig denne gang."

Zalachenko så for første gang usikker ud.

"Du har ikke noget valg," sagde han.

"Man har altid et valg," sagde Gullberg.

"Jeg vil ...."

"Du vil ikke noget som helst."

Gullberg trak vejret dybt og stak hånden ned i yderlommen på sin brune attachémappe og trak en Smith & Wesson 9 millimeter med guldbeklædt skæfte frem. Våbnet var en gave, han havde fået fra den engelske efterretningstjeneste femogtyve år tidligere – et resultat af et uvurderligt stykke information, han havde fået af Zalachenko og forvandlet til hård valuta i form af navnet på en stenograf ved det engelske MI5, der i god philbysk ånd arbejdede for russerne.

Zalachenko så overrasket ud. Han lo højt.

"Og hvad har du så tænkt dig at gøre med den? Skyde mig? Du kommer til at tilbringe resten af dit miserable liv i fængsel."

"Det tror jeg ikke," sagde Gullberg.

Zalachenko blev pludselig usikker på, om Gullberg bluffede eller ej.

"Det vil blive en skandale af enorme proportioner."

"Det tror jeg heller ikke. Der bliver bare nogle overskrifter. Men om en uge er der ingen, der overhovedet husker navnet Zalachenko."

Zalachenko kneb øjnene sammen.

"Dit skide svin," sagde Gullberg med en sådan kulde i stemmen, at Zalachenko frøs til is.

Han trykkede på aftrækkeren og placerede skuddet midt i panden, netop som Zalachenko skulle til at svinge sin protese ud over senge-kanten. Zalachenko blev kastet tilbage mod puden. Han sprællede spastisk nogle gange, inden han lå stille. Gullberg så en blomst af røde stænk forme sig på væggen bag sengens hovedgærde. Det rin-gede for hans ører efter knaldet, og han gned sig automatisk i øre-gangene med sin frie pegefinger.

Derefter rejste han sig, gik hen til Zalachenko, satte mundingen mod tindingen og trykkede på aftrækkeren to gange til. Han ville være sikker på, at idioten virkelig var død.

LISBETH SALANDER SATTE sig op med et sæt, da det første skud faldt. Hun mærkede en stærk smerte skyde gennem skulderen. Da de to følgende skud faldt, forsøgte hun at få benene ud over senge-kanten.

Annika Giannini havde kun talt med Lisbeth i nogle minutter, da de hørte skuddene. Hun sad først paralyseret og forsøgte at begribe, hvorfra det skarpe knald kom. Lisbeth Salanders reaktion fik hende til at indse, at der var noget i gære.

"Lig stille," skreg Annika Giannini. Hun satte automatisk håndfladen midt på Lisbeth Salanders brystkasse og trykkede bryskt sin klient ned i sengen med en sådan kraft, at luften gik ud af Lisbeth Salander.

Derefter gik Annika hurtigt gennem rummet og åbnede døren. Hun så to sygeplejersker, der løbende nærmede sig en stue to døre længere henne ad gangen. Den første af sygeplejerskerne stivnede på dørtærsklen. Annika hørte hende skrige: "Nej, lad være" og så hende derefter træde et skridt tilbage og kollidere med den anden sygeplejerske.

"Han er bevæbnet. Løb."

Annika så de to sygeplejersker åbne døren og søge tilflugt på stuen ved siden af Lisbeth Salander.

I næste øjeblik så hun den tynde, gråhårede mand i den ternede tweedjakke træde ud på gangen. Han havde en pistol i hånden. Annika identificerede ham som den mand, hun havde kørt i elevator med nogle minutter tidligere.

Derefter mødtes deres blikke. Han så forvirret ud. Så så hun ham dreje våbnet i hendes retning og tage et skridt fremad. Hun trak hovedet til sig, smækkede døren i og så sig desperat omkring. Der stod et højt sygeplejerskebord lige ved siden af, som hun trak hen til døren i en eneste bevægelse og kilede bordpladen fast under håndtaget.

Hun hørte en bevægelse, drejede hovedet og så, at Lisbeth Salander netop skulle til at kravle ud af sengen igen. Hun tog nogle hurtige skridt hen over gulvet, slog armene rundt om sin klient og løftede hende. Hun rev elektroder og drop løs, mens hun bar hende hen til toilettet og satte hende på toiletbrættet. Hun vendte sig om og låste toiletdøren. Derefter fandt hun mobiltelefonen frem fra jakkelommen og tastede 112 til alarmcentralen.

EVERT GULLBERG GIK HEN til Lisbeth Salanders stue og forsøgte at trykke dørhåndtaget ned. Det var blokeret af noget. Han kunne ikke rykke håndtaget en millimeter.

Et kort øjeblik blev han ubeslutsomt stående uden for døren. Han vidste, at Annika Giannini befandt sig på stuen, og han spekulerede på, om der lå en kopi af Björcks rapport i hendes taske. Han kunne ikke komme ind på stuen, og han havde ikke kræfter til at forcere døren.

Men det indgik ikke i planen. Clinton ville tage sig af truslen fra Giannini. Hans arbejde var bare Zalachenko.

Gullberg så sig omkring ude på gangen og indså, at han blev iagttaget af en snes sygeplejersker, patienter og besøgende, der kiggede ud gennem døråbningerne. Han hævede pistolen og affyrede et skud mod et maleri, der hang på væggen for enden af gangen. Hans publikum forsvandt som ved et trylleslag.

Han kastede et sidste blik på den lukkede dør, gik derefter beslutsomt tilbage til Zalachenkos stue og lukkede døren. Han satte sig i gæstestolen og betragtede den russiske afhopper, der havde været en så intim del af hans eget liv i så mange år. Han sad stille i næsten ti minutter, før han hørte bevægelse ude på gangen og indså, at politiet var ankommet. Han tænkte ikke på noget specielt.

Så hævede han pistolen en sidste gang, rettede den mod sin tinding og trykkede på aftrækkeren.

SÅDAN SOM SITUATIONEN udviklede sig, viste det uheldige sig i at begå selvmord på Sahlgrenska Sygehus. Evert Gullberg blev i stor hast kørt til hospitalets traumecenter, hvor dr. Anders Jonasson tog imod ham og straks satte et batteri af livsbevarende tiltag i gang.

For anden gang på mindre end en uge udførte Jonasson en akut operation, hvor han fjernede en kappeklædt kugle fra det menneskelige hjernevæv. Efter fem timers operation var Gullbergs tilstand kritisk. Men han var stadig i live.

Evert Gullbergs læsioner var dog betydelig alvorligere end de læsioner, som Lisbeth Salander havde pådraget sig. I flere døgn svævede han mellem liv og død.

MIKAEL BLOMKVIST BEFANDT sig på en kaffebar i Hornsgatan, da han hørte radioavisen meddele, at den endnu ikke navngivne 66-årige mand, der var mistænkt for drabsforsøg på Lisbeth Salander, var blevet skudt og dræbt på Sahlgrenska Sygehus i Göteborg. Han satte kaffekoppen ned, tog sin computertaske og hastede hen mod redaktionen i Götgatan. Han krydsede Mariatorget og svingede netop ind i Sankt Paulsgatan, da hans mobil ringede. Han svarede i farten.

"Blomkvist."

"Hej, det er Malin."

"Jeg hørte det i radioavisen. Ved vi hvem, der skød?"

"Ikke endnu. Henry Cortez er på jagt."

"Jeg er på vej ind. Oppe om fem minutter."

Mikael blev mødt i døren ind til *Millennium* af Henry Cortez, der var på vej ud.

"Ekström holder pressekonference klokken 15.00," sagde Henry. "Jeg tager ned til Kungsholmen."

"Hvad ved vi?" råbte Mikael efter ham.

"Malin," råbte Henry og forsvandt.

Mikael styrtede ind på Erika Bergers ... forkert, på Malin Erikssons kontor. Hun talte i telefon og noterede febrilsk på en gul post-it-seddel. Hun vinkede afværgende til ham. Mikael gik ud i tekøkkenet og hældte kaffe med mælk op i to kopper med logoer fra Kristdemokratiska Ungdomsförbundet, KDU og Sveriges Socialdemokratiska Ungdomsförbund, SSU. Da han vendte tilbage til Malins kontor, var hun netop ved at afslutte samtalen. Han gav hende SSU-koppen.

"Okay," sagde Malin. "Zalachenko blev skudt og dræbt klokken 13.15 i dag."

Hun så på Mikael.

"Jeg talte netop med en sygeplejerske på Sahlgrenska Sygehus. Hun siger, at morderen er en ældre mand i halvfjerdserne, der kom for at aflevere en buket blomster til Zalachenko nogle minutter før mordet. Morderen skød Zalachenko i hovedet med flere skud og skød derefter sig selv. Zalachenko er død. Morderen lever stadig og er netop ved at blive opereret."

Mikael åndede lettet op. Lige siden han hørte nyheden på kaffebaren, havde han haft hjertet i halsen og en panikagtig følelse af, at Lisbeth Salander kunne have affyret våbnet.

"Har vi et navn på ham, der skød?" spurgte han.

Malin rystede på hovedet i samme øjeblik, som telefonen ringede. Hun tog den, og af samtalen forstod han, at det var en freelancejournalist i Göteborg, som Malin havde sendt til Sahlgrenska Sygehus. Han vinkede til hende, gik ind på sit eget kontor og slog sig ned.

Det føltes, som om det var første gang i flere uger, at han overhovedet havde været på sin arbejdsplads. Der lå en kæmpe stak uåbnet post, som han beslutsomt skød til side. Han ringede til sin søster.

"Giannini."

"Hej, det er Mikael. Har du hørt, hvad der er sket på Sahlgrenska Sygehus?"

"Det kan man vel godt sige."

"Hvor er du?"

"På Sahlgrenska Sygehus. Idioten sigtede på mig."

Mikael sad målløs i flere sekunder, inden han forstod, hvad hans søster havde sagt.

"For fanden ... var du der?"

"Ja. Det er det mest forfærdelige, jeg nogensinde har været med til."

"Er du kommet til skade?"

"Nej, men han forsøgte at komme ind på Lisbeths stue. Jeg blokerede døren og låste os inde på toilettet."

Mikael mærkede pludselig, hvordan verden blev rykket ud af balance. Hans søster havde været lige ved at ...

"Og hvad med Lisbeth?" spurgte han.

"Hun er uskadt. Eller, jeg mener, hun blev i hvert fald ikke såret i dagens drama."

Han trak vejret en smule lettere.

"Annika, ved du noget om morderen?"

"Ikke det fjerneste. Det var en ældre mand, nydeligt klædt. Jeg syntes, at han så forvirret ud. Jeg har aldrig set ham før, men jeg kørte i elevator op med ham et par minutter før mordet."

"Og Zalachenko er med sikkerhed død?"

"Ja. Jeg hørte tre skud, og efter hvad jeg har opsnappet her, blev han skudt tre gange i hovedet. Men det har været det rene kaos her med tusinde betjente og evakuering af en afdeling, hvor der ligger hårdt tilskadekomne og syge mennesker, der ikke kan evakueres. Da politiet kom, var der nogen, der ville afhøre Salander, inden de forstod, hvor dårlig hun faktisk er. Jeg måtte skrue bissen på."

Kriminalkommissær Marcus Erlander fik øje på Annika Giannini gennem åbningen til Lisbeth Salanders stue. Advokaten havde mobiltelefonen trykket mod øret, og han ventede på, at hun

160

skulle afslutte samtalen.

To timer efter mordet herskede der stadig et organiseret kaos på gangen. Zalachenkos stue var afspærret. Læger havde forsøgt at give førstehjælp straks efter skuddene, men holdt snart inde med anstrengelserne. Zalachenko havde været hinsides al hjælp. Hans jordiske rester var blevet kørt til patologisk afdeling, og gerningsstedsundersøgelsen var i fuld gang.

Erlanders mobil ringede. Det var Fredrik Malmberg fra kriminalafdelingen.

"Vi har en sikker identifikation af morderen," sagde Malmberg. "Han hedder Evert Gullberg og er 78 år."

78 år. En aldersstegen morder.

"Og hvem fanden er Evert Gullberg?"

"Pensionist. Bosat i Laholm. Hans stillingsbetegnelse er erhvervsjurist. Jeg er blevet ringet op af Säpo, der fortalte, at man for nylig har indledt en forundersøgelse mod ham."

"Hvornår og hvorfor?"

"Hvornår ved jeg ikke. Men det var, fordi han havde den uvane at sende vanvittige trusselsbreve til offentlige personer."

"Som for eksempel."

"Justitsministeren."

Marcus Erlander sukkede. En gal mand altså. En rethaverisk person.

"Säpo blev i morges ringet op af flere aviser, der har fået breve fra Gullberg. Justitsministeriet lod også høre fra sig, da ham der Gullberg kom med en dødstrussel mod Karl Axel Bodin."

"Jeg vil have kopi af brevene."

"Fra Säpo?"

"Ja, for helvede. Tag op til Stockholm og hent dem fysisk, hvis det behøves. Jeg vil have dem på mit skrivebord, når jeg kommer tilbage til politigården. Hvilket bliver om nogle timer."

Han tænkte sig om et øjeblik og tilføjede så:

"Var det Säpo, der ringede til dig?"

"Det har jeg jo lige sagt."

"Jeg mener, var det dem, der ringede til dig og ikke omvendt?"

"Ja, netop."

"Okay," sagde Marcus Erlander og afbrød forbindelsen.

Han spekulerede på, hvad der gik af Säpo, siden de pludselig helt af sig selv kontaktede det åbne politi. Normalt plejede det at være næsten umuligt at få et ord ud af dem.

WADENSJÖÖ SLOG VREDT døren op til det kontor i Sektionen, som Fredrik Clinton brugte som hvilerum. Clinton satte sig forsigtigt op.

"Hvad fanden er det, der foregår?" skreg Wadensjöö. "Gullberg har myrdet Zalachenko og derefter skudt sig selv i hovedet."

"Jeg ved det godt," sagde Clinton.

"Ved du det godt?" udbrød Wadensjöö.

Wadensjöö var højrød i hovedet og så ud, som om han havde tænkt sig at få en blodprop.

"For fanden, han har skudt sig selv. Han har forsøgt at begå selvmord. Er han sindsforstyrret?"

"Han lever altså?"

"Indtil videre, men han har store skader i hjernen."

Clinton sukkede.

"Hvor synd," sagde han med sorg i stemmen.

"Synd?!" udbrød Wadensjöö. "Gullberg er jo sindssyg. Forstår du ikke, hvad ..."

Clinton afbrød ham.

"Gullberg har kræft i maven, tyktarmen og urinblæren. Han har været døende i flere måneder nu og havde i bedste fald et par måneder tilbage."

"Kræft?"

"Han har gået rundt med det der våben det sidste halve år, fast besluttet på at bruge det, når smerten blev uudholdelig, og inden han blev en fornedret hospitalsgenstand. Nu fik han lov at gøre en sidste indsats for Sektionen. Han gjorde det med stil."

Wadensjöö var næsten målløs.

"Du vidste altså, at han havde tænkt sig at dræbe Zalachenko."

"Selvfølgelig. Hans opgave var at sørge for, at Zalachenko aldrig fik mulighed for at tale. Og som du ved, kan man ikke true ham eller ræsonnere med ham."

"Men forstår du ikke, hvilken skandale det her kan blive? Er du lige så tosset som Gullberg?"

Clinton rejste sig med besvær. Han så Wadensjöö direkte ind i øjnene og gav ham en bunke faxer.

"Det var en operativ beslutning. Jeg sørger over min ven, men jeg vil formentlig snart følge efter ham. Men det her med en skandale ... En forhenværende skattejurist har skrevet øjensynligt sindsforvirrede og paranoide breve til aviser, politi og justitsministerium. Her har du et eksempel på brevene. Gullberg anklager Zalachenko for alt fra Palmemordet til forsøg på at forgifte Sveriges befolkning med klor. Brevene er åbenlyst sindssyge og er skrevet med visse steder ulæselig håndskrift og med versaler, understregninger og udråbstegn. Jeg kan godt lide hans måde at skrive mellem linjerne på."

Wadensjöö læste brevene med stigende forbavselse. Han tog sig til hovedet. Clinton så på ham.

"Hvad der end sker, vil Zalachenkos død ikke få noget med Sektionen at gøre. Det er en forvirret og dement pensionist, der har affyret skuddene."

Han holdt en pause.

"Det vigtige er, at du holder dig på rette spor fra nu af. *Don't rock the boat.*"

Han stirrede Wadensjöö stift ind i øjnene. Der var pludselig stål i den syges blik.

"Det, du er nødt til at forstå, er, at Sektionen er det svenske totalforsvars spydspids. Vi er den sidste forsvarslinje. Vores job er at våge over landets sikkerhed. Alt andet er uden betydning."

Wadensjöö stirrede tvivlende på Clinton.

"Vi er dem, der ikke findes. Vi er dem, som ingen takker. Vi er dem, der må tage de beslutninger, som ingen andre forstår at tage ... allermindst politikerne."

Der var foragt i stemmen, da han udtalte det sidste ord.

"Gør som jeg siger, så vil Sektionen måske overleve. Men for at det skal ske, må vi være beslutsomme og gøre os hårde."

Wadensjöö mærkede panikken vokse.

HENRY CORTEZ NEDSKREV febrilsk alt, hvad der blev sagt oppe fra podiet på pressekonferencen på politigården på Kungsholmen. Det var anklager Richard Ekström, der indledte konferencen. Han forklarede, at det om morgenen var blevet besluttet, at efterforskningen vedrørende politimordet i Gosseberga, for hvilket en Ronald Niedermann var efterlyst, skulle høre ind under en anklager i Göteborgs jurisdiktion, men at den øvrige efterforskning vedrørende Niedermann skulle håndteres af Ekström selv. Niedermann var altså mistænkt for mordene på Dag Svensson og Mia Bergman. Advokat Bjurman blev ikke nævnt. Ekström skulle også efterforske og rejse sigtelse mod Lisbeth Salander for mistanke om en lang række kriminelle handlinger.

Han forklarede, at han havde besluttet at offentliggøre nogle oplysninger på grund af det, der var sket i Göteborg tidligere på dagen, hvilket altså indebar, at Lisbeth Salanders far, Karl Axel Bodin, var blevet skudt og dræbt. Den direkte årsag til pressekonferencen var, at han ville dementere nogle oplysninger, som allerede var kommet frem i pressen, og som han havde modtaget en del henvendelser om.

"Ud fra de oplysninger, som for øjeblikket er tilgængelige, kan jeg sige, at Karl Axel Bodins datter, som altså er anholdt for drabsforsøg på sin far, ikke har noget med morgenens hændelser at gøre."

"Hvem er morderen?" skreg en journalist fra *Dagens Eko*.

"Den mand, der klokken 13.15 affyrede de dræbende skud mod Karl Axel Bodin og derefter forsøgte at begå selvmord, er identificeret. Han er en 78-årig pensionist, som i længere tid er blevet behandlet for en dødelig sygdom og psykiske problemer i forbindelse med dette."

"Har han nogen forbindelse med Lisbeth Salander?"

"Nej. Det kan vi med sikkerhed dementere. De to har aldrig mødt hinanden og kender ikke hinanden. Den 78-årige mand er en tragisk skæbne, der har handlet på egen hånd og efter egne tydeligvis paranoide tvangsforestillinger. Sikkerhedspolitiet har for nylig igangsat en undersøgelse af ham, fordi han har skrevet en del forvirrede breve til kendte politikere samt pressen. Så sent som her til morgen har aviser og myndigheder modtaget breve fra den 78-årige, hvori han truer Karl Axel Bodin på livet."

"Hvorfor har politiet ikke ydet Bodin beskyttelse?"

"Brevene blev sendt i går aftes og ankom altså i princippet i samme øjeblik, som mordet blev begået. Der var intet rimeligt varsel at nå at handle ud fra."

164

"Hvad hedder den 78-årige?"

"Vi vil på nuværende tidspunkt ikke ud med denne oplysning, før hans nærmeste er blevet underrettet."

"Hvad er hans baggrund?"

"Efter hvad jeg har forstået her til morgen, så har han tidligere arbejdet som revisor og skattejurist. Han har været pensioneret i femten år. Efterforskningen er stadig i fuld gang, men som I kan forstå ud fra de breve, han sendte, så er det en tragedie, der måske havde kunnet forhindres, hvis samfundet havde været lidt hurtigere."

"Har han truet andre personer?"

"Ja, så vidt jeg er blevet informeret, men jeg kender ikke de nærmere detaljer."

"Hvad betyder dette for sagen mod Lisbeth Salander?"

"Ikke noget på nuværende tidspunkt, vi har altså Karl Axel Bodins eget vidneudsagn til de betjente, der afhørte ham, og vi har omfattende tekniske beviser mod hende."

"Hvordan forholder det sig med oplysningerne om, at Bodin skal have forsøgt at myrde sin datter?"

"Dette er genstand for efterforskning, men der foreligger en stærk mistanke om, at det var tilfældet. Så vidt vi kan se på nuværende tidspunkt, drejer det sig om dybe modsætninger i en tragisk splittet familie."

Henry Cortez så tankefuld ud. Han kløede sig i øret. Han noterede sig, at journalistkollegerne noterede lige så febrilsk, som han gjorde.

GUNNAR BJÖRCK FØLTE en nærmest manisk panik, da han hørte nyheden om skuddene på Sahlgrenska Sygehus. Han havde frygtelige smerter i ryggen.

Han sad først ubeslutsom i over en time. Derefter løftede han røret og forsøgte at ringe til sin gamle beskytter Evert Gullberg i Laholm. Ingen tog telefonen.

Han lyttede til nyhederne og fik derigennem en opsummering af, hvad der var blevet sagt på politiets pressekonference. Zalachenko skudt af en 78-årig rethaverisk person.

Herregud. 78 år.

Han forsøgte igen forgæves at ringe til Evert Gullberg.

Til sidst tog panikken og bekymringen overhånd. Han kunne ikke blive i sit lejede hus på Smådalarö. Han følte sig omringet og udsat. Han havde brug for at tænke sig om. Han pakkede sin taske med tøj, smertestillende medicin og toiletsager. Han ville ikke bruge sin telefon, men haltede hen til en telefonkiosk ved den lokale købmand, ringede til Landsort og bookede et værelse i den gamle lodsgård. Landsort var verdens ende, og få mennesker ville søge ham der. Han bestilte værelset for to uger.

Han skævede til armbåndsuret. Han var nødt til at skynde sig for at nå den sidste færge og komme hjem så hurtigt, som hans smertende ryg ville tillade ham. Han gik direkte ud i køkkenet og kontrollerede, at kaffemaskinen var slukket. Derefter gik han ud i gangen for at hente tasken. Han kastede tilfældigvis et blik ind i stuen og stoppede overrasket op.

Først forstod han ikke, hvad han så.

Loftslampen var på en eller anden mystisk vis taget ned og sat på sofabordet. I dens sted hang et tov i loftskrogen lige over en skammel, der plejede at stå i køkkenet.

Björck stirrede uforstående på løkken.

Så hørte han bevægelse bag sig og mærkede, hvordan han blev svag i knæene.

Han vendte sig langsomt om.

Det var to mænd omkring 35 år. Han nåede at opfatte, at de var af sydlandsk udseende. Han nåede ikke at reagere, da de forsigtigt greb ham under hver sin armhule, løftede ham op og gik baglæns med ham hen til skamlen. Da han forsøgte at gøre modstand, skar smerten som en kniv gennem ryggen. Han var næsten paralyseret, da han mærkede, hvordan han blev løftet op på skamlen.

Jonas Sandberg havde selskab af en 49-årig mand, der gik under øgenavnet Falun, og som i sin ungdom havde været indbrudstyv af bestilling, men siden havde omskolet sig til låsesmed. Hans von Rottinger fra Sektionen havde i 1986 ansat Falun til en operation, der drejede sig om at forcere dørene ind til lederen af en anarkistisk sammenslutning. Falun var derefter med jævne mellemrum blevet engageret frem til midten af 90'erne, indtil den slags operationer aftog. Det var Fredrik Clinton, der tidligt på morgenen havde pustet liv i forbindelsen og hyret Falun til en opgave. Falun tjente 10.000 kroner skattefrit på cirka ti minutters arbejde. Til gengæld havde han forpligtet sig til ikke at stjæle noget fra den lejlighed, som var genstand for operationen; Sektionen var trods alt ikke en kriminel virksomhed.

Falun vidste ikke præcis, hvem Clinton repræsenterede, men han gik ud fra, at det havde noget med det militære at gøre. Han havde læst Guillou. Han stillede ingen spørgsmål. Derimod føltes det godt at være tilbage igen efter så mange års tavshed fra arbejdsgiveren.

Hans job var at åbne døren. Han var ekspert i at bryde ind, og han havde en dirkepistol. Alligevel tog det fem minutter at forcere låsen ind til Mikael Blomkvists lejlighed. Derefter ventede Falun ude på trappeopgangen, mens Jonas Sandberg trådte over tærsklen.

"Jeg er inde," sagde Sandberg i sit headset.

"Godt," svarede Fredrik Clinton i hans øresnegl. "Stille og roligt. Beskriv, hvad du ser."

"Jeg befinder mig i entreen med garderobe og hattehylde til højre og badeværelse til venstre. Lejligheden i øvrigt består af et stort rum på cirka femten kvadratmeter. Der er et lille åbent køkken til højre."

"Er der et skrivebord eller ..."

"Han ser ud til at arbejde ved spisebordet eller siddende i sofaen ... vent."

Clinton ventede.

"Ja. Der ligger en mappe på spisebordet med Björcks rapport. Det ser ud til at være originalen."

"Godt. Ligger der andet af interesse på bordet?"

"Bøger. P.G. Vinges memoirer. *Magtkamp om Säpo* af Erik Magnusson. En halv snes af den slags bøger."

"Nogen computer?"

"Nej."

"Noget sikkerhedsskab?"

"Nej ... ikke så vidt jeg kan se."

"Okay. Tag dig god tid. Gennemgå lejligheden meter for meter. Mårtensson rapporterer, at Blomkvist stadig er på redaktionen. Du har vel handsker på?"

"Selvfølgelig."

Marcus Erlander fik sig en snak med Annika Giannini, da ingen af dem talte i mobiltelefon længere. Han gik ind på Lisbeth Salanders stue, rakte hånden frem og præsenterede sig. Derefter hilste han på Lisbeth Salander og spurgte, hvordan hun havde det. Lisbeth Salander sagde ingenting. Han vendte sig om mod Annika Giannini.

"Jeg er nødt til at stille nogle spørgsmål."

"Aha."

"Kan du fortælle, hvad der skete?"

Annika Giannini beskrev, hvad hun havde oplevet, og hvordan hun havde handlet, indtil hun havde barrikaderet sig på toilettet sammen med Lisbeth Salander. Erlander så tankefuld ud. Han skævede til Lisbeth Salander og så derefter hen på hendes advokat igen.

"Du tror altså, at han kom hen til stuen her."

"Jeg hørte ham, da han forsøgte at trykke dørhåndtaget ned."

"Og det er du sikker på? Man kan let forestille sig ting og sager, når man er skræmt og ophidset."

"Jeg hørte ham. Han så mig. Han rettede våbnet mod mig."

"Tror du, at han forsøgte at skyde dig?"

"Det ved jeg ikke. Jeg trak hovedet til mig og blokerede døren."

"Det var klogt gjort. Og endnu klogere, at du bar din klient ud på toilettet. De her døre er så tynde, at kuglerne formentlig var gået lige igennem, hvis han havde skudt. Det, jeg forsøger at forstå, er, om han gik til angreb på dig personligt, eller om han bare reagerede på, at du så ham. Du var den nærmeste på gangen."

"Det stemmer."

"Opfattede du, at han kendte dig eller måske genkendte dig?"

"Nej, ikke direkte."

"Kan han havde kendt dig fra aviserne? Du har jo været citeret i flere sager af stor mediebevågenhed."

"Det er muligt. Det kan jeg ikke svare på."

"Og du havde aldrig set ham før?"

"Jeg så ham i elevatoren, da jeg kørte herop."

"Det vidste jeg ikke. Talte i sammen?"

"Nej. Jeg kastede et blik på ham i måske et halvt sekund. Han havde en buket blomster i den ene hånd og en attachémappe i den anden."

"Havde I øjenkontakt?"

"Nej. Han kiggede lige frem."

"Steg han ind først, eller steg han ind efter dig?"

Annika tænkte sig om.

"Vi steg nok ind mere eller mindre samtidig."

"Så han forvirret ud eller ..."

"Nej. Han stod stille med sine blomster."

"Hvad skete der så?"

"Jeg gik ud af elevatoren. Han steg ud samtidig, og jeg gik hen for at besøge min klient."

"Gik du direkte herhen?"

"Ja ... nej. Det vil sige, jeg gik hen til receptionen og legitimerede mig. Anklageren har jo nedlagt besøgsforbud til min klient."

"Hvor befandt manden sig på det tidspunkt?"

Annika Giannini tøvede.

"Jeg er ikke helt sikker. Han kom efter mig, går jeg ud fra. Jo, vent ... Han gik ud af elevatoren først, men stoppede så op og holdt døren for mig. Jeg kan ikke svare på det, men jeg tror også, at han gik hen til receptionen. Jeg var hurtigere end ham."

En høflig pensioneret morder, tænkte Erlander.

"Jo, han gik hen til receptionen," sagde han. "Han talte med sygeplejersken og afleverede blomsterbuketten. Men det så du altså ikke?"

"Nej. Det mindes jeg ikke."

Marcus Erlander tænkte sig lidt om, men kunne ikke komme på andet at spørge om. En frustreret følelse gnavede i ham. Han havde oplevet den følelse tidligere og lært at tolke den som et opkald fra sit instinkt.

Morderen var blevet identificeret som den 78-årige Evert Gullberg, tidligere revisor og eventuelt firmakonsulent og skattejurist. En mand i en høj alder. En mand, som Säpo for nylig havde indledt en forundersøgelse imod, fordi han var en gal mand, der skrev trusselsbreve til berømtheder.

Han havde politimæssig erfaring for, at der fandtes masser af gale mennesker, sygeligt besatte mennesker, der forfulgte berømtheder og søgte kærlighed ved at slå sig ned imellem træerne uden for deres villaer. Og når kærligheden ikke blev besvaret, kunne den hurtigt slå over i uforsonligt had. Der fandtes stalkers, der rejste fra Tyskland og Italien for at gøre kur til en 21-årig sangerinde i et kendt popband, og som senere blev irriterede over, at hun ikke straks ville indlede et forhold til dem. Der fandtes rethaveriske personer, som blev ved med at vende og dreje virkelige eller indbildte krænkelser, og som kunne optræde temmelig truende. Der fandtes rene psykopater og besatte konspirationsteoretikere med evne til at dechifrere skjulte budskaber, der undgik den normale verden.

Der fandtes endda temmelig mange eksempler på, at nogle af disse galninge kunne gå fra fantasi til handling. Var mordet på Anna Lindh netop ikke udtryk for et sådant galt menneskes impulsive handling? Måske. Måske ikke.

Men kriminalkommissær Marcus Erlander brød sig absolut ikke om tanken om, at en psykisk syg forhenværende skattejurist, eller hvad fanden han nu havde været, kunne spankulere ind på Sahlgrenska Sygehus med en blomsterbuket i den ene hånd og en pistol i den anden og henrette en person, der var genstand for en omfattende politiefterforskning – hans efterforskning. En mand som i offentlige registre hed Karl Axel Bodin, men som ifølge Mikael Blomkvist hed Zalachenko og var en afhoppet russisk agent og morder.

Zalachenko var i bedste fald et vidne og i værste fald indblandet i en hel række mord. Erlander havde haft mulighed for at afholde to korte afhøringer med Zalachenko, og ikke på noget tidspunkt havde han troet et øjeblik på dennes bedyrede uskyld.

Og hans morder havde vist interesse for Lisbeth Salander eller i hvert fald for hendes advokat. Han havde forsøgt at komme ind på hendes stue.

Og derefter forsøgt at begå selvmord ved at skyde sig i hovedet. Ifølge lægerne var han åbenbart så ilde tilredt, at han højst sandsynligt ville få held med sit forehavende, selv om kroppen endnu ikke havde indset, at det var på tide at lukke og slukke. Der var grund til at formode, at Evert Gullberg aldrig ville blive stillet for en dommer.

Marcus Erlander brød sig ikke om situationen. Ikke et øjeblik. Men han havde ingen belæg for, at Gullbergs skud havde været andet, end hvad de så ud til at være. Under alle omstændigheder ville han gerne være på den sikre side. Han så på Annika Giannini.

"Jeg har besluttet, at Lisbeth Salander skal flyttes til en anden stue.

Der er et rum på sidegangen til højre for receptionen, der ud fra et sikkerhedssynspunkt er væsentlig bedre end dette. Hvor der er frit udsyn døgnet rundt fra receptionen og personalekontoret.

"Tror du, at hun er i fare?"

"Der er intet, der tyder på det. Men i dette tilfælde vil jeg ikke løbe nogen risici."

Lisbeth Salander lyttede opmærksomt til samtalen mellem sin advokat og sin politimæssige modstander. Hun var imponeret over, at Annika Giannini svarede så præcist og klart og med en sådan detaljerigdom. Hun var endnu mere imponeret over den måde, advokaten havde holdt hovedet koldt på under stress.

I øvrigt havde hun haft en vanvittig hovedpine, siden Annika havde hevet hende ud af sengen og båret hende ud på toilettet. Hun ville instinktivt have så lidt med personalet at gøre som muligt. Hun brød sig ikke om at bede om hjælp eller vise tegn på svaghed. Men hovedpinen var så overvældende, at hun havde svært ved at tænke klart. Hun rakte hånden ud og ringede efter en sygeplejerske.

ANNIKA GIANNINI HAVDE planlagt besøget i Göteborg som en prolog til et arbejde, der ville komme til at tage lang tid. Hun havde planlagt at lære Lisbeth Salander bedre at kende, forhøre sig om hendes virkelige tilstand og skitsere den strategi, som hun og Mikael Blomkvist havde strikket sammen for den kommende juridiske proces. Hun havde oprindelig tænkt sig at vende tilbage til Stockholm allerede samme aften, men den dramatiske udvikling på Sahlgrenska Sygehus havde betydet, at hun endnu ikke havde haft tid til at tale med Lisbeth Salander. Hendes klient var i en betydelig værre forfatning, end hun havde troet, da lægerne havde forklaret, at hendes tilstand var stabil. Hun var også plaget af stærk hovedpine og høj feber, hvilket foranledigede en læge ved navn Helena Endrin til at ordinere noget kraftigt smertestillende, antibiotika og hvile. Så snart hendes klient var blevet flyttet til en ny stue, og en betjent stod posteret uden for døren, blev Annika sparket ud.

Hun mumlede og så på klokken, der var blevet halv fem. Hun tøvede. Hun kunne enten tage hjem til Stockholm med det resultat, at hun måske var nødt til at tage tilbage allerede næste dag. Eller også kunne hun blive natten over og risikere, at hendes klient var for syg til at få besøg også den næste dag. Hun havde ikke bestilt hotel-værelse, og hun var under alle omstændigheder en lavbudgetadvo-kat, der repræsenterede udsatte kvinder uden større økonomiske ressourcer, så hun plejede at undgå at belaste fakturaen med dyre hotelregninger. Hun ringede først hjem og derefter til Lillian Josefs-son, advokatkollega, medlem af Kvinders Netværk og gammel stu-diekammerat. De havde ikke set hinanden i to år og sludrede med hinanden et kort øjeblik, før Annika fremsatte sit ærinde.

"Jeg er i Göteborg," sagde Annika. "Jeg havde tænkt mig at tage hjem i aften, men der er sket noget i dag, som betyder, at jeg er nødt til at blive natten over. Ville det gøre noget, hvis jeg kom og vold-gæstede dig?"

"Hvor hyggeligt. Jamen søde, kom endelig og voldgæst mig. Vi har jo ikke set hinanden i evigheder."

"Forstyrrer jeg ikke?"

"Nej, naturligvis ikke. Jeg er flyttet. Nu bor jeg i en sidegade til Linnégatan. Jeg har et gæsteværelse. Og vi kan gå i byen og more os i aften."

"Hvis jeg orker det," sagde Annika. "Hvornår passer det?"

De blev enige om, at Annika skulle komme ved sekstiden.

Annika tog bussen til Linnégatan og tilbragte den næste time på en græsk restaurant. Hun var hundesulten og bestilte et grillspyd med salat. Hun sad længe og spekulerede over dagens begivenheder. Hun var stadig lidt rystet, selv om adrenalinet var nede på normalen igen, men hun var tilfreds med sig selv. I farens stund havde hun handlet uden tøven, effektivt og fattet. Hun havde truffet de rette valg uden overhovedet at tænke over det. Det var en skøn fornemmelse at have fået den indsigt om sig selv.

Efter et stykke tid fandt hun sin Filofax frem af tasken og slog op på sine notesblade. Hun læste koncentreret. Hun var stærkt tvivlende over for det, som hendes bror havde forklaret hende. Det havde lydt logisk dengang, men i virkeligheden var der store huller i planen. Men hun havde ikke tænkt sig at bakke ud nu.

Klokken seks betalte hun og spadserede hen til Lillian Josefssons lejlighed i Olivedalsgatan og tastede den dørkode, som hun havde fået af sin veninde. Hun trådte ind i en trappeopgang og var ved at se sig om efter elevatoren, da angrebet kom som et lyn fra en klar himmel. Hun fik intet forvarsel om, at noget var i gærde, før hun brutalt og med voldsom kraft blev skubbet lige ind i murstensvæggen inden for døren. Hun slog panden mod væggen og mærkede en lynende smerte.

I næste øjeblik hørte hun skridt, som hurtigt aftog, og så hørte hun, hvordan døren blev åbnet og lukket igen. Hun kom på fødderne, førte hånden til panden og så blod i sin håndflade. Hvad fanden. Hun så sig forvirret omkring og gik ud på gaden. Hun så et glimt af en ryg, der drejede omkring hjørnet ved Sveaplan. Hun stod forbavset stille i nogle minutter.

Så gik det op for hende, at hendes attachémappe manglede, og at hun netop havde været udsat for et røveri. Det tog et øjeblik, inden betydningen trængte ind i hendes bevidsthed. Nej. Zalachenkomappen. Hun mærkede chokket brede sig fra mellemgulvet og tog nogle tøvende skridt efter den flygtende mand. Hun stoppede næsten med det samme igen. Det var forgæves. Han var allerede borte.

Hun satte sig langsomt ned på kantstenen.

Så fløj hun op igen og stak hånden i jakkelommen. Filofaxen. Gudskelov. Hun havde lagt den i jakkelommen i stedet for i tasken, da hun forlod restauranten. Den indeholdt udkastet til hendes strategi til Lisbeth Salander-sagen, punkt for punkt.

Hun fór tilbage til døren og tastede koden igen, kom indenfor, løb op ad trapperne til tredje sal og hamrede på Lillian Josefssons dør.

KLOKKEN VAR NÆSTEN SYV, da Annika var faldet så meget ned, at hun kunne ringe til Mikael Blomkvist. Hun havde fået et blåt øje og en blødende flænge i øjenbrynet. Lillian Josefsson havde rengjort det med sårsprit og sat plaster på. Nej, Annika ville ikke på skadestue. Ja, hun ville gerne have en kop te. Først da begyndte hun at tænke rationelt igen. Hendes første træk blev at ringe til sin bror.

Mikael Blomkvist befandt sig stadig på *Millenniums* redaktion, hvor han søgte efter oplysninger om Zalachenkos morder sammen med Henry Cortez og Malin Eriksson. Han lyttede med stigende bestyrtelse til Annikas redegørelse for, hvad der var sket.

"Er du okay?" spurgte han.

"Blåt øje. Jeg er okay igen, når jeg er faldet lidt til ro."

"Et skide røveri?"

"De tog min attachémappe med den Zalachenkomappe, jeg fik af dig. Den er væk."

"Skidt med det, jeg får taget en kopi."

Han afbrød sig selv og mærkede pludselig nakkehårene rejse sig. Først Zalachenko. Så Annika.

"Annika ... jeg ringer tilbage."

Han klappede sin iBook i, lagde den ned i skuldertasken og forlod uden et ord redaktionen i største hast. Han løb hjem til Bellmansgatan og op ad trapperne.

Døren var låst.

Så snart han kom ind i lejligheden, så han, at den blå mappe, han havde efterladt på spisebordet, manglede. Han gad ikke lede efter den. Han vidste præcis, hvor den havde ligget, da han gik fra lejligheden. Han sank langsomt ned på en stol ved køkkenbordet, mens tankerne fór gennem hovedet på ham.

Nogen havde været inde i hans lejlighed. Nogen var ved at slette sporene efter Zalachenko.

Både hans egen og Annikas kopi manglede.

Bublanski havde stadig rapporten.

Eller havde han?

Mikael rejste sig og gik hen til sin telefon, hvor han stoppede op med hånden på røret. Nogen havde været inde i hans lejlighed. Han betragtede pludselig telefonen med største mistænksomhed og fumlede i jakkelommen efter sin mobil. Han blev stående med mobilen i hånden.

Hvor let var det at aflytte en mobilsamtale?

Han lagde langsomt mobilen ved siden af sin fastnettelefon og så sig omkring.

Jeg har med professionelle at gøre. Hvor svært er det at lade en lejlighed aflytte?

Han satte sig ved spisebordet igen.

Han så på sin computertaske.

Hvor svært er det at læse e-mails? Det tager Lisbeth Salander fem minutter.

HAN TÆNKTE SIG længe om, inden han gik tilbage til telefonen og ringede til sin søster i Göteborg. Han formulerede sig omhyggeligt.

"Hej ... hvordan går det nu?"

"Jeg er okay, Micke."

"Fortæl, hvad der skete, fra du kom fra Sahlgrenska Sygehus, og til overfaldet fandt sted."

Det tog ti minutter for hende at redegøre for sagen. Mikael diskuterede ikke implikationerne af det, hun fortalte, men indskød spørgsmål, indtil han var tilfreds. Han fremstod som en bekymret bror, samtidig med at hans hjerne arbejdede på et helt andet plan, mens han rekonstruerede fikspunkterne.

Hun havde bestemt sig for at blive i Göteborg klokken halv fem om eftermiddagen, ringede til en veninde på sin mobiltelefon og fik adressen og dørkoden. Tyven ventede inde i trappeopgangen klokken præcis seks.

Hendes mobil blev aflyttet. Det var den eneste rimelige forklaring.

Hvilket kun kunne betyde, at han også selv blev aflyttet.

Alt andet ville være tåbeligt.

"Men de tog Zalachenkomappen," gentog Annika.

Mikael tøvede et øjeblik. Den, der havde stjålet mappen, vidste allerede, at den var stjålet. Det var naturligt at fortælle det til Annika Giannini i telefonen.

"Min med," sagde han.

"Hvad?"

Han forklarede, at han var løbet hjem, og at den blå mappe på hans spisebord var væk.

"Okay," sagde Mikael dystert. "Det er en katastrofe. Zalachenkomappen er væk. Det var den tungeste del af bevisførelsen."

"Micke ... jeg er ked af det."

"Jeg med," sagde Mikael. "Satans! Men det er ikke din fejl. Jeg burde have offentliggjort rapporten samme dag, som jeg fandt den."

"Hvad gør vi?"

"Jeg ved det ikke. Det her er det værste, der kunne ske. Det her vælter hele vores oplæg. Vi har ikke skyggen af bevis mod Björck og Teleborian nu."

De talte i to minutter mere, inden Mikael afrundede samtalen.

"Jeg vil gerne have, at du tager op til Stockholm i morgen," sagde han.

"Sorry. Jeg skal mødes med Salander."

"Du kan mødes med hende om formiddagen. Kom op ad efter-middagen. Vi må tale sammen og finde ud af, hvad vi gør."

DA HAN HAVDE AFSLUTTET samtalen, blev Mikael siddende i sofaen og stirrede frem for sig. Så bredte der sig et smil på hans ansigt. Den, der aflyttede samtalen, vidste nu, at *Millennium* havde mistet Gunnar Björcks rapport fra 1991 og korrespondancen mellem Björck og hjernevrideren Peter Teleborian. De vidste, at Mikael og Annika var fortvivlede.

Så meget havde Mikael lært af den foregående nats studier af Sik-kerhedspolitiets historie, at misinformation lå til grund for al spion-virksomhed. Og han havde netop plantet noget misinformation, som på længere sigt kunne vise sig at være uvurderlig.

Han åbnede computertasken og fandt den kopi frem, han havde lavet til Dragan Armanskij, men som han endnu ikke havde nået at give ham. Det var det eneste resterende eksemplar. Det havde han ikke tænkt sig at smide væk. Tværtimod havde han tænkt sig straks at kopiere det i i hvert fald fem eksemplarer og at sprede dem ud til passende folk.

Så kastede han et blik på sit armbåndsur og ringede til *Millenniums* redaktion. Malin Eriksson var der stadig, men var ved at gå hjem.

"Hvorfor forsvandt du så pludseligt?"

"Kan du være sød og vente et øjeblik længere? Jeg kommer tilbage, og der er en ting, jeg må tale med dig om, inden du forsvinder."

Han havde ikke haft tid til at vaske i flere uger nu. Samtlige skjorter lå i vasketøjskurven. Han pakkede barbergrej og *Magtkamp om Säpo* sammen med det eneste tilbageværende eksemplar af Björcks rap-port. Han gik hen til Dressmann og købte fire skjorter, to par bukser og ti par underbukser og tog tøjet med sig op på redaktionen. Malin Eriksson ventede, mens han tog et hurtigt brusebad. Hun spekule-rede på, hvad der var på færde.

"Nogen har brudt ind hos mig og stjålet Zalachenkorapporten. Nogen overfaldt Annika i Göteborg og stjal hendes eksemplar. Jeg har belæg for, at hendes telefon bliver aflyttet, hvilket formentlig betyder, at min telefon, måske din telefon og måske alle *Millenniums* telefoner bliver aflyttet. Og jeg har mistanke om, at hvis nogen gør sig det besvær at bryde ind i min lejlighed, så ville det være ånds-svagt, hvis de ikke også placerede aflytningsudstyr dér."

"Aha," sagde Malin Eriksson mat. Hun skævede til sin mobil, der lå på skrivebordet foran hende.

"Arbejd, som du plejer. Brug mobilen, men lad ingen informationer slippe ud på den. Vi informerer Henry Cortez i morgen."

"Okay. Han gik for en time siden. Han efterlod en bunke rappor-ter på dit bord. Men hvad laver du her ..."

"Jeg har tænkt mig at sove på *Millennium* i nat. Hvis de skød Zala-chenko, stjal rapporterne og placerede aflytningsudstyr i min lejlig-hed i dag, så er der stor chance for, at de lige er gået i gang, og at de ikke har nået redaktionen endnu. Der har været folk her hele dagen. Jeg vil ikke have, at redaktionen skal stå tom hele natten."

"Du tror, at mordet på Zalachenko ... Men morderen var et 78-årigt psykiatrisk tilfælde."

"Jeg tror ikke en skid på sådan et sammentræf. Nogen er ved at slette sporene efter Zalachenko. Jeg er skide ligeglad med, hvem den 78-årige er, og hvor mange tossede breve han har skrevet til ministre. Han er lejemorder af en eller anden slags. Han kom med det formål at myrde Zalachenko ... og måske Lisbeth Salander."

"Men han begik selvmord eller forsøgte i hvert fald. Hvilken leje-morder ville gøre det?"

Mikael tænkte sig lidt om. Han mødte chefredaktørens blik.

"En, som er 78 år og måske ikke har noget at miste. Han er ind-blandet i det her, og når vi er færdig med at grave, vil vi kunne bevise det."

Malin Eriksson betragtede opmærksomt Mikaels ansigt. Hun havde aldrig før set ham så kold og urokkelig. Hun gøs pludselig. Mikael så hendes reaktion.

"En ting til. Nu er vi ikke længere indblandet i en kamp mod en flok kriminelle, men mod en statslig myndighed. Det her bliver hårdt."

Malin nikkede.

"Jeg havde ikke regnet med, at det ville komme så langt ud. Malin, hvis du gerne vil trække dig ud af det, så sig bare til."

Hun tøvede et øjeblik. Hun spekulerede på, hvad Erika Berger ville have sagt. Så rystede hun trodsigt på hovedet.

Del 2

HACKER REPUBLIC

1. til 22. maj

En irsk lov fra år 697 forbyder kvinder i militæret – hvilket antyder, at der tidligere *havde* været kvinder i militæret. Blandt de folkegrupper, der ved forskellige lejligheder i historien har haft kvindelige soldater, tælles blandt andre arabere, berbere, kurdere, rajputer, kinesere, filippinere, maorier, papuanere, australske aboriginere, mikronesiere og amerikanske indianere.

Der findes en rig flora af legender om frygtede kvindelige krigere fra antikkens Grækenland. Disse historier omtaler kvinder, der blev trænet i krigskunst, våbenbrug og fysiske strabadser. De levede adskilt fra mændene og drog i krig med egne regimenter. Historierne indeholder ikke sjældent indslag, der vidner om, at de besejrede mændene på slagmarken. Amazoner forekommer i græsk litteratur for eksempel i *Iliaden* af Homer fra omkring år 700 før Kristus.

Det var også grækerne, der opfandt udtrykket *amazoner*. Ordet betyder helt bogstaveligt "uden bryst". Det forklares, at for nemmere at kunne spænde en bue blev det højre bryst fjernet. Selv om et par af historiens vigtigste græske læger, Hippokrates og Galen, lader til at have været uenige om, hvorvidt denne operation forhøjede evnen til at bruge våben, er det tvivlsomt, om sådanne operationer virkelig blev udført. Deri findes et skjult sprogligt spørgsmålstegn – det er uklart, om præfikset "a" i "amazone" virkelig betyder "uden", og det er blevet foreslået, at det i virkeligheden betyder det modsatte – at en amazone var en kvinde med særligt store bryster. Der findes heller ikke et eneste eksempel på noget museum, der viser et billede, en amulet eller en statue, der forestiller en kvinde, der mangler højre bryst, hvilket burde have været et almindeligt forekommende motiv, hvis myten om brystoperationer havde været korrekt.

KAPITEL 8

Søndag den 1. maj – mandag den 2. maj

ERIKA BERGER TRAK vejret dybt, inden hun åbnede elevatordøren og trådte ind på *Svenska Morgon-Postens* redaktion. Klokken var kvart over ti om formiddagen. Hun var nydeligt klædt i sorte bukser, rød sweater og mørk jakke. Det var et strålende 1. majvejr, og på vej gennem byen havde hun konstateret, at arbejderbevægelsen var ved at samles, og at hun selv ikke havde gået i demonstrationsoptog i hen ved tyve år.

Et kort øjeblik stod hun helt alene og usynlig ved elevatordørene. Den første dag på det nye arbejde. Fra sin plads i entreen kunne hun se en stor del af centralredaktionen med nyhedsdisken i centrum. Hun hævede blikket en anelse og så glasdørene til chefredaktørens kontor, som i de kommende år skulle blive hendes arbejdsplads.

Hun var ikke helt overbevist om, at hun var den rette person til at lede den uformelige organisation, der udgjorde *Svenska Morgon-Posten*. Der var et gigantisk skridt fra *Millennium* med fem ansatte til en avis med firs journalister og yderligere omkring halvfems personer i form af administration, teknisk personale, layoutere, fotografer, annoncesælgere, distribution og alt det andet, der hører avismageri til. Desuden var der et forlag, et produktionsselskab og et holdingselskab. Sammenlagt omkring 230 personer.

Et kort øjeblik spekulerede hun på, om det hele ikke var én stor fejltagelse.

Så opdagede den ældre af de to receptionister, hvem der var kommet ind på redaktionen, trådte ud fra skranken og rakte hånden frem.

"Fru Berger. Velkommen til SMP."

"Jeg hedder Erika. Hej."

"Beatrice. Velkommen. Skal jeg vise dig vej til chefredaktør Moran-

181

der ... ja, altså, afgående chefredaktør, skulle jeg måske sige?"

"Tak, men han sidder i glasburet derhenne," sagde Erika og smilede. "Jeg tror, jeg finder det. Men tak for venligheden."

Hun gik hurtigt gennem redaktionen og noterede sig, at redaktionens summen aftog en smule. Hun mærkede pludselig alles blikke på sig. Hun stoppede op foran den halvtomme nyhedsdisk og nikkede venligt.

"Vi får nok snart mulighed for at hilse ordentligt på hinanden," sagde hun og gik videre hen og bankede på karmen til glasdøren.

Afgående chefredaktør Håkan Morander var 59 år og havde tilbragt tolv år i glasburet på SMP's redaktion. Præcis som Erika Berger var han engang blevet håndplukket udefra – han havde altså gået den samme tur hen over gulvet, som hun lige havde gjort. Han så forvirret op på hende, kastede et blik på sit armbåndsur og rejste sig.

"Hej, Erika," sagde han. "Jeg troede først, at du skulle begynde på mandag."

"Jeg kunne ikke holde ud at sidde derhjemme en dag mere. Så her er jeg."

Morander rakte hånden frem.

"Velkommen. Det bliver fandens dejligt, når du tager over."

"Hvordan har du det?" spurgte Erika.

Han trak på skuldrene i samme øjeblik, som Beatrice fra skranken kom ind med kaffe og mælk.

"Det føles allerede, som om jeg går på halv kraft. Jeg har egentlig ikke lyst til at tale om det. Man går rundt og føler sig som en teenager og udødelig hele livet, og pludselig har man frygtelig lidt tid tilbage. Og en ting er sikkert – jeg har ikke tænkt mig at spilde tiden i det her glasbur."

Han gned sig ubevidst på brystkassen. Han havde hjerte-karproblemer, hvilket var årsag til hans pludselige afgang, og at Erika skulle begynde flere måneder tidligere end oprindelig aftalt.

Erika vendte sig om og så ud over redaktionens kontorlandskab. Der var halvtomt. Hun så en journalist og en fotograf på vej hen mod elevatoren for at dække 1. maj.

"Hvis jeg forstyrrer, eller hvis du er optaget i dag, kan jeg godt gå igen."

"Mit job i dag er at skrive en leder på 4.500 enheder om 1. maj-

182

demonstrationerne. Jeg har skrevet så mange, at jeg kan gøre det i søvne. Hvis socialisterne vil indlede krig mod Danmark, skal jeg forklare, hvorfor de tager fejl. Hvis socialisterne vil undgå krig mod Danmark, skal jeg forklare, hvorfor de tager fejl."

"Danmark?" spurgte Erika.

"Tja, en del af budskabet 1. maj er nødt til at handle om konflikten i integrationsspørgsmålet. Og socialisterne tager selvfølgelig fejl, hvad de end siger."

Han lo pludselig.

"Det lyder kynisk."

"Velkommen til SMP."

Erika havde aldrig haft en mening om chefredaktør Håkan Morander. Han var en anonym magthaver blandt eliten af chefredaktører. Når hun læste hans ledere, fremstod han som kedelig og konservativ og ekspert i skattekværulanteri, som en typisk liberal ytringsfrihedstilhænger, men hun havde aldrig før mødt ham eller talt med ham.

"Fortæl om jobbet," sagde hun.

"Jeg holder op sidst i juni. Vi kører parallelt i to måneder. Du vil opdage positive og negative sider. Jeg er kyniker, så jeg ser vel mest de negative sider."

Han rejste sig og stillede sig ved siden af hende ved glasvinduet.

"Du vil opdage, at du får en del modstandere derude – dagchefer og veteraner blandt redaktørerne, der har skabt deres egne små imperier og har egne klubber, som du ikke kan blive medlem af. De vil forsøge at udvide grænserne og gennemtvinge deres egne overskrifter og vinklinger, og du skal virkelig have nosser for at stå imod."

Erika nikkede.

"Du har natcheferne Billinger og Karlsson ... de er et kapitel for sig. De hader hinanden og har gudskelov ikke vagt sammen, men de opfører sig, som om de er chefredaktører. Du har Anders Holm, der er nyhedschef, og som du vil få en hel del at gøre med. I vil formentlig komme til at kæmpe nogle kampe. I virkeligheden er det ham, der laver SMP hver dag. Du har nogle journalister, som er divaer, og nogle, der egentlig burde gå på pension."

"Er der ingen gode medarbejdere?"

Morander lo pludselig.

"Jo, men du må selv finde ud af, hvem du kommer overens med.

183

Vi har nogle journalister derude, som er rigtig, rigtig gode."

"Ledelsen?"

"Magnus Borgsjö er bestyrelsesformand. Det var jo ham, der rekrutterede dig. Han er charmerende, lidt af den gamle skole og lidt fornyer, men frem for alt er han den person, der bestemmer. Du har nogle bestyrelsesmedlemmer, flere fra ejerfamilien, som mest synes at sidde og spilde tiden, samt nogle der flagrer rundt som bestyrelsesprofessionelle."

"Det lyder, som om du ikke er så tilfreds med bestyrelsen?"

"Der er en klar opdeling. Du udgiver aviser. De tager sig af økonomien. De skal ikke blande sig i indholdet i avisen, men der dukker altid situationer op. Ærlig talt, Erika, det her bliver hårdt."

"Hvorfor det?"

"Oplaget er faldet med næsten 150.000 eksemplarer siden glansperioden i 60'erne, og SMP begynder at nærme sig den grænse, hvor det er ulønsomt. Vi har rationaliseret og skåret 180 stillinger ned siden 1980. Vi er gået over til tabloidformat – hvilket vi burde have gjort for tyve år siden. SMP hører stadig til de store aviser, men der skal ikke meget til, før vi kan betragtes som en B-avis. Hvis vi ikke allerede bliver det."

"Hvorfor valgte de så mig?" spurgte Erika.

"Fordi gennemsnitsalderen på dem, der læser SMP, er 50 plus, og tilvæksten af folk i tyverne er næsten nul. SMP skal fornyes. Og ræsonnementet i bestyrelsen var at tage dig ind som den mest usandsynlige chefredaktør, de kunne forestille sig."

"En kvinde?"

"Ikke bare en kvinde. Den kvinde, der knuste Wennerströms imperium, og som hyldes som den dybdeborende journalistiks dronning med ry for at være hård i filten som ingen anden. Tænk dig om. Det er ikke til at stå for. Hvis ikke du kan forny avisen, kan ingen. SMP ansætter altså ikke kun Erika Berger, men frem for alt ryet omkring Erika Berger."

DA MIKAEL BLOMKVIST forlod Café Copacabana ved Kvartersbiografen ved Hornstull, var klokken lidt over to om eftermiddagen. Han tog solbriller på, drejede op ad Bergsunds Strand på vej til tunnelbanen og så næsten med det samme den grå Volvo, der var parkeret lige rundt om hjørnet. Han passerede uden at sænke farten og konstaterede, at det var den samme nummerplade, og at bilen var tom.

Det var syvende gang, han havde observeret den samme bil i løbet af de sidste fire døgn. Han vidste ikke, om bilen havde været i nærheden af ham langt tidligere, og at han overhovedet havde lagt mærke til den, var rent held. Første gang han havde lagt mærke til bilen, havde den stået parkeret i nærheden af hans gadedør i Bellmansgatan onsdag morgen, da han var spadseret hen til *Millenniums* redaktion. Han havde tilfældigvis kastet et blik på nummerpladen, der begyndte med bogstaverne KAB og havde reageret, fordi det var navnet på Alexander Zalachenkos skuffefirma, Karl Axel Bodin AB. Formentlig ville han ikke have reflekteret videre over sagen, hvis det ikke havde været for det faktum, at han havde set den samme bil og samme nummerplade bare nogle timer senere, da han spiste frokost med Henry Cortez og Malin Eriksson ved Medborgarplatsen. Denne gang stod Volvoen parkeret i en sidegade til *Millenniums* redaktion.

Han tænkte kort på, om han var ved at blive paranoid, men da han senere på eftermiddagen besøgte Holger Palmgren på rehabiliteringshjemmet i Ersta, havde den grå Volvo stået på gæsteparkeringen. Det var ikke noget tilfælde. Mikael Blomkvist begyndte at holde øje med sine omgivelser. Han blev ikke overrasket, da han morgenen efter igen så bilen.

Ikke på noget tidspunkt havde han set en fører af bilen. En samtale med centralregistret for motorkøretøjer gav ham dog den oplysning, at bilen var registreret i navnet Göran Mårtensson, 40 år og med bopæl i Vittangigatan i Vällingby. Kort tids research resulterede i den oplysning, at Göran Mårtenssons stillingsbetegnelse var firmakonsulent, og at han var ejer af et enkeltmandsfirma, der havde til huse i en postboks i Fleminggatan på Kungsholmen. Mårtensson havde et i denne sammenhæng interessant cv. Som 18-årig, i 1983, havde han aftjent sin værnepligt hos Kustjägarna og var derefter blevet ansat i forsvaret. Han var avanceret til løjtnant, inden han i 1989 tog sin afsked, sadlede om og begyndte at studere på Politihøjskolen i Solna. Mellem 1991 og 1996 arbejdede han hos politiet i Stockholm. I 1997 forsvandt han fra ydre tjeneste, og i 1999 havde han oprettet sit enkeltmandsfirma.

Säpo altså.

185

Mikael bed sig i underlæben. En hårdtarbejdende journalist kunne blive paranoid for mindre. Mikael drog den konklusion, at han stod under diskret overvågning, men at denne var så klodset udført, at han faktisk havde lagt mærke til den.

Eller var den klodset? Den eneste grund til, at han havde lagt mærke til bilen, var den besynderlige nummerplade, som tilfældigvis betød noget for ham. Havde det ikke været for KAB, ville han ikke have værdiget bilen et blik.

Om fredagen havde KAB glimret ved sit fravær. Mikael var ikke helt sikker, men han troede, at han muligvis havde haft selskab af en rød Audi den dag, men det var ikke lykkedes ham at se registreringsnummeret. Om lørdagen havde Volvoen dog været tilbage.

PRÆCIS TYVE SEKUNDER efter at Mikael Blomkvist havde forladt Café Copacabana, hævede Christer Malm sit digitale Nikon og tog en serie på tolv billeder fra sin plads i skyggen på Café Rossos udendørsservering på den anden side af gaden. Han fotograferede de to mænd, der kom ud fra caféen lige efter Mikael og fulgte i kølvandet på ham forbi Kvartersbiografen.

Den ene mand var ubestemmelig midaldrende i den yngre ende og havde lyst hår. Den anden så ud til at være ældre med tyndt rødblondt hår og mørke solbriller. Begge var klædt i cowboybukser og mørke skindjakker.

De skiltes ved den grå Volvo. Den ældre af mændene åbnede bildøren, mens den yngre fulgte efter Mikael Blomkvist til fods mod tunnelbanen.

Christer Malm sænkede kameraet og sukkede. Han havde ingen anelse om, hvorfor Mikael havde trukket ham til side og indtrængende bedt ham om at gå rundt i kvarteret ved Copacabana søndag eftermiddag for at undersøge, om han kunne finde en grå Volvo med det aktuelle registreringsnummer. Han havde fået besked på at placere sig, så han kunne fotografere den person, som ifølge Mikael med stor sandsynlighed ville åbne bildøren lidt over tre. Samtidig skulle han holde øjnene åbne efter nogen, der eventuelt skyggede Mikael Blomkvist.

Det lød som optakten til en typisk blomkvist. Christer Malm var aldrig rigtig sikker på, om Mikael Blomkvist var paranoid af natur, eller om han havde paranormale evner. Siden begivenhederne i Gosseberga var Mikael blevet ekstremt indelukket og generelt svær at kommunikere med. Det var overhovedet ikke usædvanligt, når Mikael arbejdede med en eller anden kompliceret sag – Christer havde oplevet præcis den samme indadvendte besættelse og det samme hemmelighedskræmmeri i forbindelse med Wennerström-historien – men denne gang var det tydeligere end nogensinde.

Derimod havde Christer ikke svært ved at konstatere, at Mikael Blomkvist ganske rigtigt blev skygget. Han spekulerede på, hvilket nyt helvede der var under opsejling, og som med stor sandsynlighed ville kræve *Millenniums* tid, kræfter og ressourcer. Christer Malm mente ikke, at situationen var til at lave en blomkvist, da tidsskriftets chefredaktør var deserteret til *Svenska Morgon-Posten,* og *Millenniums* møjsommeligt rekonstruerede stabilitet pludselig var truet.

Men han havde på den anden side ikke gået i demonstrationsoptog med undtagelse af Prideparaden i mindst ti år og havde intet bedre at tage sig til denne 1. majsøndag end at føje Mikael. Han rejste sig og slentrede efter den mand, der skyggede Mikael Blomkvist. Hvilket ikke indgik i instruksen. På den anden side tabte han manden af syne oppe i Långholmsgatan.

ET AF MIKAEL BLOMKVISTS første skridt, da han havde indset, at hans telefon sandsynligvis blev aflyttet, havde været at sende Henry Cortez ud for at købe brugte mobiltelefoner. Cortez havde fundet et billigt restparti Ericsson T10 til spotpris. Mikael åbnede anonyme taletidskonti hos Comviq. De ekstra telefoner blev fordelt mellem ham selv, Malin Eriksson, Henry Cortez, Annika Giannini, Christer Malm og Dragan Armanskij. De skulle kun bruges til samtaler, de absolut ikke ville have aflyttet. Normal telefonkommunikation skulle ske på de almindelige offentlige numre. Hvilket betød, at alle måtte gå rundt med to telefoner.

Mikael tog fra Copacabana til *Millennium,* hvor Henry Cortez havde weekendvagt. Siden mordet på Zalachenko havde Mikael lavet en vagtplan, der betød, at *Millenniums* redaktion altid var bemandet, og at nogen sov der om natten. Vagtplanen omfattede ham selv, Henry Cortez, Malin Eriksson og Christer Malm. Hverken Lottie Karim, Monica Nilsson eller marketingschefen Sonny Magnusson var medregnet. De var ikke engang blevet spurgt. Lottie Karim var notorisk mørkeræd og ville for alt i verden ikke have accepteret at sove alene på redaktionen. Monica Nilsson var ikke det fjerneste mørkeræd, men arbejdede som en sindssyg med sine arbejdsopgaver og var af den slags, der gik hjem, når arbejdsdagen var slut. Og Sonny Eriksson var 61 år, havde ikke noget med det redaktionelle at gøre og skulle desuden snart på ferie.

"Noget nyt?" spurgte Mikael.

"Ikke specielt," sagde Henry Cortez. "Nyhederne i dag handler selvfølgelig om 1. maj."

Mikael nikkede.

"Jeg bliver siddende her et par timer. Tag fri, og kom tilbage ved nitiden i aften."

Da Henry Cortez var forsvundet, gik Mikael hen til sit skrivebord og fandt den anonyme telefon frem. Han ringede til freelancejournalisten Daniel Olofsson i Göteborg. *Millennium* havde i årenes løb udgivet flere artikler af Olofsson, og Mikael havde stor tiltro til hans journalistiske evne til at samle materiale sammen.

"Hej, Daniel. Mikael Blomkvist her. Har du tid for øjeblikket?"

"Ja."

"Jeg har noget researcharbejde, jeg skal have gjort. Du kan fakturere for fem dage, og det skal ikke resultere i en artikel. Eller rettere sagt – du må gerne skrive en artikel om emnet, så trykker vi den, men det er altså bare researchen, vi er ude efter."

"Shoot."

"Det lyder nok lidt mærkeligt. Du må ikke diskutere det her med nogen bortset fra mig, og du må kun kommunikere med mig via hotmail. Du må ikke engang fortælle nogen, at du laver research til en opgave for *Millennium*."

"Det lyder helt i orden. Hvad er du ude efter?"

"Jeg vil gerne have, at du laver en arbejdspladsreportage fra Sahlgrenska Sygehus. Vi kalder reportagen *Skadestuen*, og den skal afspejle forskellen mellem virkeligheden og tv-serien. Jeg vil gerne have, at du besøger og følger arbejdet på skadestuen, akutmodtagelsen og intensivafdeling et par dage. Taler med læger, sygeplejersker og rengøringspersonale og alle, der arbejder der. Hvordan er arbejdsvilkårene? Hvad laver de? Den slags. Billeder naturligvis."

"Intensivafdelingen?" spurgte Olofsson.

"Netop. Jeg vil gerne have, at du koncentrerer dig om plejen af hårdt sårede patienter på gang 11C. Jeg vil vide, hvordan gangen ser ud på en plantegning, hvem der arbejder der, hvordan de ser ud, og hvilken baggrund de har."

"Hmm," sagde Daniel Olofsson. "Hvis jeg ikke tager fejl, så ligger en vis Lisbeth Salander på 11C."

Han var ikke tabt bag en vogn.

"Er det rigtigt?" sagde Mikael Blomkvist. "Interessant. Find ud af hvilken stue hun ligger på, hvad der er i de omgivende rum, og hvad rutinerne omkring hende er."

"Jeg aner, at denne reportage kommer til at dreje sig om noget ganske andet," sagde Daniel Olofsson.

"Som sagt ... Jeg er bare interesseret i den research, du laver."

De udvekslede hotmailadresser.

LISBETH SALANDER LÅ på ryggen på gulvet på sin stue på Sahlgrenska Sygehus, da Marianne åbnede døren.

"Hmm," sagde Marianne og udtrykte derigennem sine tvivl om det hensigtsmæssige ved at ligge på gulvet på intensivafdelingen. Men hun accepterede, at det var patientens eneste ordentlige motionsplads.

Lisbeth Salander var gennemblødt af sved og havde brugt en halv time på at forsøge at lave armbøjninger, maverulninger og strækøvelser efter de anbefalinger, hendes terapeut havde givet hende. Hun havde et skema med en lang række øvelser, hun skulle udføre hver dag for at styrke muskulaturen i skuldre og hofte efter operationen tre uger tidligere. Hun trak vejret tungt og følte sig helt ude af form. Hun blev hurtigt træt, og det strammede og værkede i skulderen ved den mindste anstrengelse. Derimod var hun uden tvivl i bedring. Den hovedpine, der havde plaget hende den første tid efter operationen, var aftaget og optrådte nu kun sporadisk.

Hun mente, at hun var så rask, at hun uden tvivl havde kunnet forlade hospitalet eller i det mindste humpe ud af det, hvis det havde været muligt, hvad det ikke var. Dels havde lægerne endnu ikke erklæret hende for rask, og dels var døren til hendes stue hele tiden låst og bevogtet af en satan fra Securitas, der sad på en stol ude på gangen.

Derimod var hun tilstrækkelig rask til at kunne flyttes til genoptræning på en almindelig afdeling. Efter lidt diskussion frem og tilbage var politi og hospitalsledelse dog blevet enige om, at Lisbeth skulle blive på stue 18 indtil videre. Årsagen var, at stuen var nem at overvåge, at der hele tiden var bemanding i nærheden, og at stuen lå afsides for enden af den L-formede gang. Det havde derfor været nemmere indtil videre at lade hende blive på gang 11C, hvor personalet var sikkerhedsbevidst efter mordet på Zalachenko og allerede kendte til problematikken omkring hendes person, end at flytte hende til en helt ny afdeling med alt, hvad det indebar af forandrede rutiner.

Hendes ophold på Sahlgrenska Sygehus var under alle omstændigheder et spørgsmål om et par uger til. Så snart lægerne udskrev hende, skulle hun flyttes til Kronobergsfængslet i Stockholm, mens hun ventede på retssagen. Og den person, der besluttede, hvornår det skulle ske, var dr. Anders Jonasson.

Det havde taget ti dage efter skuddene i Gosseberga, før Jonasson havde givet politiet lov til at gennemføre den første rigtige afhøring, hvilket i Annika Gianninis øjne var aldeles udmærket. Anders Jonasson havde desværre også sat en kæp i hjulet for Annikas egen adgang til sin klient. Hvilket var irriterende.

Efter tumulten i forbindelse med mordet på Zalachenko havde han evalueret Lisbeth Salanders tilstand og taget hensyn til det faktum, at Lisbeth Salander rimeligvis måtte være udsat for en stor portion stress i betragtning af, at hun havde været mistænkt for tredobbelt mord. Anders Jonasson havde ingen anelse om hendes eventuelle skyld eller uskyld, og som læge var han heller ikke det mindste interesseret i svaret på det spørgsmål. Han havde bare vurderet, at Lisbeth Salander var udsat for stress. Hun var blevet skudt tre gange, og en af kuglerne havde ramt hende i hjernen og næsten dræbt hende. Hun havde feber, som ikke ville gå væk, og hun havde stærk hovedpine.

Han ville gerne være på den sikre side. Mordmistænkt eller ej, så var hun hans patient, og hans opgave var at sørge for hendes snarlige bedring. Han udfærdigede derfor et besøgsforbud, der ikke havde noget at gøre med anklagerens juridisk motiverede besøgsforbud. Han ordinerede medicin og fuldstændig ro.

Eftersom Anders Jonasson mente, at total isolation var en så inhuman måde at straffe mennesker på, at det faktisk grænsede til tortur, og at intet menneske fik det godt af at være helt adskilt fra sine venner, besluttede han, at Lisbeth Salanders advokat Annika Giannini skulle gøre tjeneste som stedfortrædende ven. Jonasson havde en alvorlig samtale med Annika Giannini og forklarede, at hun kunne få adgang til Lisbeth Salander en time hver dag. I den tid måtte hun besøge hende, tale med hende eller bare sidde tavst og holde hende med selskab. Samtalen skulle dog så vidt muligt ikke dreje sig om Lisbeth Salanders verdslige problemer og forestående juridiske bataljer.

"Lisbeth Salander er blevet skudt i hovedet og er faktisk hårdt såret," forklarede han. "Jeg tror, at hun er uden for fare, men der er altid risiko for, at der opstår blødninger, eller at der tilstøder komplikationer. Hun har brug for hvile, så sårene kan læge. Først derefter kan hun give sig i kast med sine juridiske problemer."

Annika Giannini havde forstået logikken i Jonassons ræsonnement. Hun førte almindelige samtaler med Lisbeth Salander og antydede kun, hvordan hendes og Mikaels strategi så ud, men i den første tid havde hun ingen mulighed for at gå i detaljer. Lisbeth Salander var ganske enkelt så omtåget af medicin og så udmattet, at hun ofte faldt i søvn midt i deres samtale.

DRAGAN ARMANSKIJ KIGGEDE på Christer Malms billedserie af de to mænd, der havde fulgt efter Mikael Blomkvist fra Copacabana. Billederne var knivskarpe.

"Nej," sagde han. "Jeg har aldrig set dem før."

Mikael Blomkvist nikkede. De var mødtes på Armanskijs kontor på Milton Security mandag morgen. Mikael var gået ind i bygningen gennem garagen.

"Den ældre er altså Göran Mårtensson, der ejer Volvoen. Han har fulgt efter mig som en dårlig samvittighed i mindst en uge, men der kan selvfølgelig være tale om længere tid."

"Og du påstår, at han er fra Säpo."

Mikael pegede på det, han havde fundet frem til om Mårtenssons karriere. Det talte for sig selv. Armanskij tøvede. Han nærede modstridende følelser over for Blomkvists afsløring.

En ting var, at det statslige hemmelige politi altid klokkede i det. Det var i sagens natur ikke kun Säpo, der gjorde det, men formentlig alle verdens efterretningstjenester. Det franske hemmelige politi havde engang sendt et hold dykkere til New Zealand for at sprænge Greenpeacefartøjet Rainbow Warrior i luften. Hvilket måtte betragtes som verdenshistoriens mest kiksede efterretningsoperation, muligvis med undtagelse af præsident Nixons indbrud i Watergate. Med en så åndssvag kommandogang var det ikke så mærkeligt, at der opstod skandaler. Succeserne blev aldrig rapporteret. Derimod kastede pressen sig over Sikkerhedspolitiet, når noget upassende, åndssvagt eller mislykket fandt sted og gerne med bagklogskabens briller på.

Armanskij havde aldrig forstået svensk presses forhold til Säpo.

På den ene side betragtede pressen Säpo som en fortræffelig kilde, og en næsten hvilken som helst uigennemtænkt politisk dumhed resulterede i opsigtsvækkende overskrifter. Säpo har mistanke om ... En udtalelse fra Säpo var vigtig.

På den anden side gav både medier og politikere af varierende kulører sig med sjælden grundighed af med at skose Säpofolk, der udspionerede svenske statsborgere, når de blev fanget. Deri lå der noget så modsigelsesfuldt, at Armanskij ved forskellige lejligheder havde konstateret, at hverken politikere eller medier var rigtig kloge.

Armanskij havde ikke noget imod, at Säpo eksisterede. Nogen måtte påtage sig at sørge for, at nationalbolsjevikiske idioter, der havde forlæst sig på Bakunin, eller hvem fanden den slags nynazister læste, ikke flikkede en bombe sammen af kunstgødning og olie og placerede den i en varevogn uden for Rosenbad. Altså var der brug for Säpo, og Armanskij mente, at lidt småspionage ikke altid var af det onde, så længe formålet var at værne om statsborgernes almene tryghed.

Problemet var selvfølgelig, at en organisation, der har til opgave at udspionere statsborgere, må stå under den mest rigide offentlige kontrol, og at der må foreligge en exceptionelt høj grad af forfatningsmæssig indsigt. Problemet med Säpo var, at det var næsten umuligt for politikere og riksdagsmedlemmer at få indsigt, selv når statsministeren ansatte en særlig efterforsker, der på papiret skulle have adgang til alt. Armanskij havde lånt Carl Lidboms bog *En opgave* og læst den med stigende forbavselse. I USA ville de ti ledende Säpofolk straks være blevet fængslet for obstruktion og tvunget til at stille op til et eller andet offentligt forhør i kongressen. I Sverige var de tilsyneladende ikke til at nå.

Sagen Lisbeth Salander viste, at noget var sygt i organisationen, men da Mikael Blomkvist var kommet og havde givet ham en sikker mobiltelefon, havde Dragan Armanskijs første reaktion været, at Blomkvist var paranoid. Først da han havde sat sig ind i detaljerne og studeret Christer Malms billeder, havde han modvilligt konstateret, at Blomkvist havde belæg for sine mistanker. Hvilket ikke var et godt tegn, men tydede på, at den sammensværgelse, der femten år før havde ramt Lisbeth Salander, ikke havde været et tilfælde.

Der var ganske enkelt for mange sammentræf til, at det kunne være tilfældigt. Lad gå med at Zalachenko blev myrdet af en gal mand. Men ikke i samme stund som både Mikael Blomkvist og Annika Giannini fik stjålet det dokument, der udgjorde grundstenen i bevisbyrden. Det var en værre redelighed. Og desuden gik kronvidnet Gunnar Björck hen og hængte sig.

"Okay," sagde Armanskij og samlede Mikaels dokumentation sammen. "Er vi enige om, at jeg tager det her videre til min kontakt?"

"Det er altså en person, som du stoler på."

"Jeg ved, at det er en person med høj moral og stor respekt for demokratiet."

"Inden for Säpo?" spurgte Mikael Blomkvist med åbenlys tvivl i stemmen.

"Vi er nødt til at være enige. Både jeg og Holger Palmgren har accepteret din plan og samarbejder med dig. Men jeg hævder, at vi ikke kan klare den her sag helt på egen hånd. Vi må finde allierede inden for bureaukratiet, hvis det ikke skal ende med en katastrofe."

"Okay," sagde Mikael og nikkede modvilligt. "Jeg er så vant til altid at afslutte mit engagement i det øjeblik, *Millennium* går i trykken. Jeg har aldrig før udleveret oplysninger om en historie, før den er trykt."

"Men det har du allerede gjort i det her tilfælde. Du har allerede fortalt det til mig, din søster og til Palmgren."

Mikael nikkede.

"Og du har gjort det, fordi også du kan indse, at den her sag befinder sig langt hinsides en overskrift i dit tidsskrift. I denne sag er du ikke en objektiv journalist, men en aktør i begivenhederne."

Mikael nikkede.

"Og som aktør har du brug for hjælp til at få succes med dine målsætninger."

Mikael nikkede. Han havde i hvert fald ikke fortalt hele sandheden til hverken Armanskij eller Annika Giannini. Han havde stadig hemmeligheder, han delte med Lisbeth Salander. Han gav Armanskij hånden.

KAPITEL 9
Onsdag den 4. maj

TRE DAGE EFTER, at Erika Berger var tiltrådt som chefredaktør på SMP, døde chefredaktør Håkan Morander omkring frokosttid. Han havde siddet i glasburet hele morgenen, mens Erika sammen med redaktionssekretær Peter Fredriksson havde haft et møde med sportsredaktøren, for at hun kunne hilse på medarbejderne og sætte sig ind i, hvordan de arbejdede. Fredriksson var 45 år og ligesom Erika Berger relativt ny på SMP. Han havde kun arbejdet på avisen i fem år. Han var fåmælt, alment kompetent og behagelig, og Erika havde allerede bestemt, at hun i vid udstrækning ville stole på Fredrikssons viden, når hun overtog kommandoen over skuden. Hun brugte en stor del af sin tid på at finde ud af, hvem hun kunne stole på og straks ville tilknytte ledelsen. Fredriksson var definitivt en af kandidaterne. Da de vendte tilbage til det centrale bord, så de Håkan Morander rejse sig og komme hen til døren i glasburet.

Han så overrasket ud.

Så lænede han sig stejlt fremad og greb om ryglænet på en kontorstol i nogle sekunder, inden han faldt til gulvet.

Han var død, før ambulancen overhovedet var ankommet.

Der herskede en forvirret stemning på redaktionen om eftermiddagen. Bestyrelsesformand Borgsjö ankom ved totiden og samlede medarbejderne til en kort mindestund. Han talte om, hvordan Morander havde viet de sidste femten år af sit liv til avisen, og om den pris journalistikken nogle gange kræver. Han holdt et minuts stilhed. Da det var forbi, så han sig usikkert omkring, som om han ikke rigtig vidste, hvordan han skulle fortsætte.

At mennesker dør på deres arbejdsplads er usædvanligt – endda sjældent. Mennesker har værsgo at trække sig tilbage for at dø. De skal forsvinde ind i pensionen eller sygeplejen og pludselig blive genstand for samtale i kantinen nogle dage. Har du for resten hørt, at gamle Karlsson døde i fredags? Jo, det var hjertet. Afdelingen sender blomster til begravelsen. At dø midt på sin arbejdsplads og for øjnene af alle medarbejderne var påtrængende på en helt anden måde. Erika lagde mærke til det chok, der havde lagt sig over redaktionen. SMP stod uden styrmand. Det gik pludselig op for hende, at flere medarbejdere skævede til hende. Det ukendte kort.

Uden at være blevet bedt om det og uden rigtig at vide hvad hun skulle sige, rømmede hun sig, tog et halvt skridt frem og talte med høj og klar stemme.

"Jeg nåede kun at kende Håkan Morander i sammenlagt tre dage. Det er kort tid, men ud fra den smule, jeg nåede at se ham, kan jeg ærligt sige, at jeg gerne ville have haft mulighed for at lære ham bedre at kende."

Hun tav, da hun ud af øjenkrogen så, at Borgsjö så på hende. Han virkede overrasket over, at hun overhovedet ytrede sig. Hun tog endnu et skridt fremad. Ikke smile. Du må ikke smile. Så ser du usikker ud. Hun hævede stemmen en smule.

"Moranders hurtige bortgang vil skabe problemer her på redaktionen. Jeg skulle først have efterfulgt ham om to måneder og stolede på, at jeg ville få tid til at få del i hans erfaringer."

Hun kunne mærke, at Borgsjö åbnede munden for at sige noget.

"Nu vil det ikke ske, og vi kommer til at opleve en tid med omstillinger. Men Morander var chefredaktør for en avis, og denne avis skal også udkomme i morgen. Nu er der ni timer tilbage til sidste tryk og fire timer tilbage, inden ledersiden skal være færdig. Må jeg spørge jer ... hvem blandt medarbejderne var Moranders bedste ven og nærmeste fortrolige?"

En kort tavshed opstod, mens medarbejderne skævede til hinanden. Til sidst hørte Erika en stemme fra venstre.

"Det var jeg nok."

Gunnar Magnusson, 61 år, redaktionssekretær på ledersiden og medarbejder på SMP i femogtredive år.

"Nogen må sætte sig ned og skrive en nekrolog over Morander. Jeg kan ikke gøre det ... det ville virke arrogant. Orker du at skrive den tekst?"

Gunnar Magnusson tøvede et øjeblik, men nikkede så.

196

"Det skal jeg nok," sagde han.

"Vi bruger hele ledersiden og indstiller alt andet materiale."

Gunnar nikkede.

"Vi skal bruge billeder ..." Hun skævede til højre og opdagede billedchef Lennart Torkelsson. Han nikkede.

"Vi må i gang med arbejdet. Det kommer måske til at vippe en smule i den nærmeste tid. Når jeg får brug for hjælp til at tage beslutninger, vil jeg spørge jer til råds og sætte min lid til jeres kompetence og erfaring. I ved, hvordan man laver denne her avis, mens jeg stadig har en tid på skolebænken foran mig."

Hun vendte sig om mod redaktionssekretær Peter Fredriksson.

"Peter, jeg forstod på Morander, at du var et menneske, han havde stor tiltro til. Du skal være min mentor den nærmeste tid og må trække et lidt tungere læs end sædvanlig. Jeg er nødt til at bede dig om at være min rådgiver. Er det okay med dig?"

Han nikkede. Hvad kunne han ellers gøre?

Hun vendte tilbage til ledersiden.

"En ting til ... Morander sad og skrev sin leder tidligere i formiddags. Gunnar, kan du gå ind på hans computer og se efter, om den blev færdig? Selv om den ikke er helt afsluttet, trykker vi den under alle omstændigheder. Det var Håkan Moranders sidste leder, og det ville være synd og skam ikke at trykke den. Den avis, vi laver i dag, er stadig Håkan Moranders avis."

Tavshed.

"Hvis der er nogen af jer, der har brug for en pause for at være jer selv eller tænke lidt, så tag den uden at føle dårlig samvittighed. I ved alle, hvilke deadlines vi har."

Tavshed. Hun lagde mærke til, at nogle nikkede halvt bifaldende.

"*Go to work, boys and girls,*" sagde hun lavmælt.

JERKER HOLMBERG SLOG ud med hænderne i en hjælpeløs gestus. Jan Bublanski og Sonja Modig så tvivlende ud. Curt Svensson så neutral ud. Alle tre granskede resultatet af den forundersøgelse, som Holmberg havde afsluttet om morgenen.

"Ingenting?" sagde Sonja Modig. Hun lød undrende.

"Ingenting," sagde Holmberg og rystede på hovedet. "Patologens slutrapport kom her til morgen. Der er intet, som tyder på andet end selvmord ved hængning."

Alle flyttede blikket til de fotografier, der var blevet taget i stuen i sommerhuset på Smådalarö. Alt pegede på, at Gunnar Björck, vice-afdelingschef i Sikkerhedspolitiets udlændingeafdeling, selv havde stillet sig op på en skammel, bundet en løkke i lampekrogen, lagt den om sin egen hals og med stor beslutsomhed havde sparket skamlen flere meter væk fra sig. Patologen var tøvende med det præcise døds-tidspunkt, men havde endelig fastslået det til om eftermiddagen den 12. april. Björck var blevet fundet den 17. april af ingen mindre end Curt Svensson. Det var sket, fordi Bublanski gentagne gange havde forsøgt at få kontakt med Björck og endelig irriteret havde sendt Svensson af sted for at tage ham med på stationen.

På et eller andet tidspunkt i løbet af disse dage havde lampekro-gen i loftet givet efter for vægten, og Björcks krop var faldet ned på gulvet. Svensson havde set kroppen gennem et vindue og slået alarm. Bublanski og de andre, der ankom til stedet, havde fra begyndelsen ment, at det var et gerningssted, og opfattet det, som om Björck var blevet garrotteret af nogen. Det var først den tekniske undersøgelse, der senere på dagen bragte lampekrogen til veje. Jerker Holmberg havde fået til opgave at efterforske, hvordan Björck var død.

"Der er intet, der tyder på noget kriminelt, eller at Björck ikke var alene ved hændelsen," sagde Holmberg.

"Lampen ..."

"Loftslampen har fingeraftryk fra ejeren af huset – der satte den op for to år siden – og Björck selv. Det tyder på, at han har taget lampen ned."

"Hvor kommer linen fra?"

"Fra flagstangen i baghaven. Nogen har skåret omkring to meter line af. Der lå en morakniv på sålbænken uden for altandøren. Ifølge ejeren af huset er det hans kniv. Den plejer at ligge i en værktøjskasse under køkkenbordet. Björcks fingeraftryk er på både skaftet og bladet samt på værktøjskassen."

"Hmm," sagde Sonja Modig.

"Hvad er det for knuder?" spurgte Curt Svensson.

"Almindelige kællingeknuder. Det er muligvis det eneste, der er lidt bemærkelsesværdigt. Björck kunne jo sejle og vidste, hvordan man binder de rigtige knob. Men hvem ved, hvor meget et menneske, der har tænkt sig at begå selvmord, gider beskæftige sig med knobene."

"Stoffer?"

"Ifølge den toksikologiske rapport havde Björck spor af kraftigt smertestillende piller i blodet. Det er receptpligtig medicin af en slags, som Björck har fået ordineret. Han havde også spor af alkohol, men ikke noget promilleindhold der er værd at tale om. Han var med andre ord mere eller mindre ædru."

"Patologen skriver, at han fandt en rift på Björck."

"En tre centimeter lang rift på ydersiden af venstre knæ. Jeg har tænkt over den, men den kan være kommet på flere forskellige måder ... for eksempel kan han have stødt sig på en stolekant eller lignende."

Sonja Modig holdt et foto op, der forestillede Björcks deformerede ansigt. Løkken havde skåret sig så dybt ind, at selve linen ikke kunne ses under hudfolderne. Ansigtet så grotesk opsvulmet ud.

"Vi kan fastslå, at han formentlig har hængt der i flere timer, måske snarere et døgn, før krogen har givet efter. Alt blodet findes dels i hovedet, hvor løkken gjorde, at blodet ikke kunne løbe ned i kroppen, dels i de lavere ekstremiteter. Da krogen brast, slog han sig imod kanten af sofabordet med brystkassen. Der er opstået en svær kvæstelse der. Men dette sår kom lang tid efter, at han var død."

"Fandens til måde at dø på," sagde Curt Svensson.

"Jeg ved ikke. Linen var så tynd, at den skar dybt ind og stoppede blodtilførslen. Han har formentlig mistet bevidstheden inden for nogle sekunder og er død inden et eller to minutter."

Bublanski slog med afsmag forundersøgelsen sammen. Han brød sig ikke om det. Han brød sig absolut ikke om, at Zalachenko og Björck formentlig begge døde samme dag. Den ene skudt af en gal mand og den anden for egen hånd. Men ingen som helst spekulationer kunne rokke ved den kendsgerning, at gerningsstedsundersøgelsen ikke gav den mindste støtte til den teori, at nogen havde hjulpet Björck i døden.

"Han var hårdt presset," sagde Bublanski. "Han vidste godt, at Zalachenkosagen var ved at blive opdaget, og at han selv risikerede at ryge ind for overtrædelse af sexkøbsloven og blive hængt ud i medierne. Gad vide, hvad han var mest bange for. Han var syg og havde lidt af kroniske smerter i lang tid ... Jeg ved ikke. Jeg ville have sat pris på, at han havde efterladt et brev eller noget i den stil."

"Mange af dem, der begår selvmord, skriver aldrig noget afskedsbrev."

"Jeg ved det. Okay. Vi har ikke noget valg. Vi henlægger Björcksagen."

ERIKA BERGER KUNNE ikke få sig selv til straks at sætte sig på Moranders stol i glasburet og skubbe hans personlige ejendele til side. Hun aftalte med Gunnar Magnusson, at han skulle tale med Moranders familie om, at enken, når det var belejligt, skulle besøge avisen og tage det med hjem, der tilhørte hende.

I stedet lod hun rydde en plads ved centraldisken midt i redigeringshavet, hvor hun stillede sin laptop og tog styringen. Der var kaotisk. Men tre timer efter at hun i flyvende fart havde overtaget roret på SMP, gik ledersiden i trykken. Gunnar Magnusson havde flikket en firespalters artikel sammen om Håkan Moranders livsgerning. Siden var bygget op omkring et centralt placeret portræt af Morander, hans uafsluttede leder til venstre og en serie billeder nederst. Den var ikke helt vellykket rent layoutmæssigt, men den havde en emotionel gennemslagskraft, der gjorde disse fejl acceptable.

Lidt i seks om aftenen gennemgik Erika overskrifter i første sektion og diskuterede artikler med redaktionschefen, da Borgsjö kom hen til hende og rørte ved hendes skulder. Hun så op.

"Må jeg veksle et par ord med dig?"

De gik hen til kaffeautomaten i kantinen.

"Jeg ville bare sige, at jeg er meget tilfreds med, hvordan du overtog kommandoen i dag. Jeg tror, at du overraskede os alle."

"Jeg havde ikke noget valg. Men det kommer til at vare lidt, før jeg er helt på højde med situationen."

"Det er vi bevidste om."

"Vi?"

"Jeg mener både personalet og bestyrelsen. I særdeleshed bestyrelsen. Men efter hvad der er sket i dag, er jeg mere end nogensinde overbevist om, at du er det helt rette valg. Du kom lige i sidste øjeblik, og du er blevet tvunget til at overtage styringen i en meget besværlig situation."

Erika rødmede næsten. Det havde hun ikke gjort, siden hun var fjorten år.

"Må jeg komme med et godt råd ...?"

"Naturligvis."

"Jeg hørte, at du havde en meningsudveksling om overskrifterne med Anders Holm, nyhedschefen."

"Vi var uenige om vinklingen i artiklen om regeringens skatteforslag. Han lagde en mening ind i overskriften på nyhedssiden. Der hvor vi skal være neutrale. Meninger skal komme på ledersiden. Og mens jeg er ved det – jeg vil skrive ledere nu og da, men jeg er som sagt ikke partipolitisk aktiv, og vi må løse spørgsmålet om, hvem der bliver chef for lederredaktionen."

"Magnusson må tage over indtil videre," sagde Borgsjö.

Erika Berger trak på skuldrene.

"Jeg er ligeglad med, hvem I vælger, men det bør være en person, der tydeligt står for avisens holdninger."

"Okay. Det, jeg vil sige, er, at du nok er nødt til at give Holm lidt albuerum. Han har arbejdet på SMP længe og været nyhedschef i femten år. Han ved, hvad han gør. Han kan være en gnavpotte, men er praktisk talt uundværlig."

"Jeg ved det. Det har Morander fortalt. Men når det gælder nyhedspolicy, er han nok nødt til at falde til patten. Når alt kommer til alt, så ansatte I jo faktisk mig til at forny avisen."

Borgsjö nikkede eftertænksomt.

"Okay. Vi må løse problemerne, efterhånden som de opstår."

ANNIKA GIANNINI VAR både træt og irriteret, da hun onsdag aften steg om bord på X2000 på Göteborgs hovedbanegård for at vende tilbage til Stockholm. Hun havde det, som om hun havde boet på X2000 den forløbne måned. Familien havde hun næsten ikke set. Hun hentede kaffe i spisevognen, gik hen til sin plads og slog op i mappen med noter fra den seneste samtale med Lisbeth Salander. Hvilket også var grunden til, at hun var træt og irriteret.

Hun fortier noget, tænkte Annika Giannini. Idioten fortæller mig ikke sandheden. Og Micke fortier også noget. Gud ved, hvad de har gang i.

Hun konstaterede også, at da hendes bror og hendes klient ikke havde kommunikeret med hinanden, så måtte sammensværgelsen – hvis det nu var sådan en – være en tavs overenskomst, der faldt dem helt naturlig. Hun forstod ikke, hvad det drejede sig om, men gik ud fra, at det berørte noget, som Mikael troede, det var vigtigt at skjule.

Hun frygtede, at det var et spørgsmål om moral, hvilket var hans svage punkt. Han var Lisbeth Salanders ven. Hun kendte sin bror og vidste, at han var loyal hinsides fornuftens grænser mod mennesker, han en gang havde defineret som venner, selv om vennen var umulig og tog lodret fejl. Hun vidste også, at Mikael kunne acceptere mange dumheder, men at der var en uudtalt grænse, der ikke måtte overskrides. Præcis hvor denne grænse lå syntes at variere fra person til person, men hun vidste, at Mikael i nogle tilfælde havde brudt fuldstændig med folk, der tidligere havde været nære venner, fordi de havde gjort noget, som han opfattede som amoralsk eller uacceptabelt. I sådanne tilfælde blev han rigid. Bruddet var totalt, for evigt og helt indiskutabelt. Mikael tog ikke engang telefonen, selv om den pågældende ringede for at bede om forladelse på sine grædende knæ.

Hvad der rørte sig i Mikaels hoved, kunne Annika Giannini godt begribe. Hvad der derimod skete inde i Lisbeth Salander, havde hun ingen anelse om. Nogle gange troede hun, at det stod helt stille deroppe.

Af Mikael havde hun forstået, at Lisbeth Salander kunne være gnaven og ekstremt reserveret over for sine omgivelser. Indtil hun havde mødt Lisbeth Salander, havde Annika troet, at det ville være et forbigående stadie, og at det var et spørgsmål om at vinde hendes tillid. Men Annika måtte konstatere, at efter en måneds samtale – godt nok var de to første uger spildt, fordi Lisbeth Salander ikke orkede at føre en samtale – så var konversationen i lange intervaller højst ensidig.

Annika havde også noteret sig, at Lisbeth Salander til tider syntes at befinde sig i dyb depression og ikke udviste den mindste interesse for at redde sig ud af sin situation eller for sin fremtid. Det virkede, som om Lisbeth Salander ganske enkelt ikke forstod eller bekymrede sig om, at Annikas eneste mulighed for at forsvare hende ordentligt afhang af, at hun havde adgang til alle oplysninger. Hun kunne ikke arbejde i mørke.

Lisbeth Salander var tvær og fåmælt. Hun havde lange tænkepauser og formulerede sig præcist, når hun sagde noget. Ofte svarede hun slet ikke, og nogle gange svarede hun pludselig på et spørgsmål, som Annika havde stillet flere dage tidligere. I forbindelse med politiforhøret havde Lisbeth Salander siddet helt tavs i sengen og stirret frem for sig. Med en enkelt undtagelse havde hun ikke vekslet et eneste ord med betjentene. Undtagelsen var, da kriminalkommissær Marcus Erlander havde spurgt om, hvad hun kendte til Ronald Niedermann; da havde hun set på ham og sagligt besvaret hvert eneste spørgsmål. Så snart han skiftede emne, havde hun mistet interessen og stirret frem for sig.

Annika var forberedt på, at Lisbeth ikke ville sige noget til politiet. Hun talte af princip ikke med myndigheder. Hvilket i dette tilfælde var udmærket. Selv om Annika formelt med jævne mellemrum opfordrede sin klient til at besvare spørgsmålene fra politiet, var hun inderst inde meget tilfreds med Salanders kompakte tavshed. Årsagen var enkel. Det var en konsekvent tavshed. Den indeholdt ingen løgne, som hun kunne fanges i, og ingen modsætningsfyldte ræsonnementer, der ville tage sig ilde ud i retssagen.

Men selv om Annika var forberedt på tavsheden, så var hun overrasket over, at den var så urokkelig. Når de var alene, havde hun spurgt, hvorfor Lisbeth nærmest demonstrativt nægtede at tale med politiet.

"De fordrejer bare det, jeg siger, og bruger det imod mig."

"Men hvis du ikke forklarer dig, bliver du dømt."

"Så må det blive på den måde. Jeg har ikke startet denne her redelighed. Og vil de dømme mig for den, er det ikke mit problem."

Lisbeth Salander havde lidt efter lidt fortalt Annika næsten alt, hvad der var sket på Stallarholmen, selv om Annika oftest havde måttet trække det ud af hende. Alt bortset fra én ting. Hun forklarede ikke, hvordan det kunne være, at Magge Lundin havde fået en kugle i foden. Hvor meget hun end spurgte og plagede, kiggede Lisbeth Salander bare frækt på hende og smilede sit skæve smil.

Hun havde også fortalt, hvad der skete i Gosseberga. Men hun havde ikke sagt noget om, hvorfor hun havde opsporet sin far. Var hun kommet for at myrde sin far – hvilket anklageren hævdede – eller for at tale ham til rette? Juridisk set var forskellen himmelvid.

Da Annika tog hendes forhenværende formynder advokat Nils

Bjurman op, blev Lisbeth endnu mere fåmælt. Hendes standardsvar var, at det ikke var hende, der havde skudt ham, og at det heller ikke var en af anklagerne imod hende.

Og når Annika kom ind på det mest fundamentale i hele hændelsesforløbet, dr. Peter Teleborians rolle i 1991, blev Lisbeth Salander fuldstændig tavs.

Det holder ikke, konstaterede Annika. Hvis ikke Lisbeth har tiltro til mig, så taber vi sagen. Jeg er nødt til at tale med Mikael.

LISBETH SALANDER SAD på sengekanten og så ud ad vinduet. Hun kunne se facaden på den anden side af parkeringspladsen. Hun havde siddet uanfægtet og ubevægelig i over en time, da Annika Giannini rejste sig og i raseri smækkede døren bag sig. Hun havde hovedpine igen, men den var ikke særlig kraftig. Derimod var hun i dårligt humør.

Hun var irriteret på Annika Giannini. Ud fra en praktisk synsvinkel kunne hun godt forstå, hvorfor hendes advokat hele tiden talte om detaljerne i hendes fortid. Rent rationelt forstod hun godt, hvorfor Annika måtte have alle oplysningerne. Men hun havde ikke det mindste lyst til at tale om sine følelser eller sine handlinger. Hun mente, at hendes liv var hendes privatsag. Det var ikke hendes fejl, at hendes far var en syg sadist og morder. Det var ikke hendes fejl, at hendes bror var massemorder. Og gudskelov var der ingen, der vidste, at han var hendes bror, hvilket ellers med stor sandsynlighed også ville blive lagt hende til last i den psykiatriske vurdering, der før eller siden skulle laves. Det var ikke hende, der havde myrdet Dag Svensson og Mia Bergman. Det var ikke hende, der havde valgt en formynder, der viste sig at være et svin og en voldtægtsforbryder.

Alligevel var det hendes liv, vrangen skulle vendes ud på, og hun skulle tvinges til at forklare sig og bede om forladelse, fordi hun havde forsvaret sig.

Hun ville være i fred. Og når alt kom til alt, så var det hende, der måtte leve med sig selv. Hun forventede ikke, at nogen skulle være hendes ven. Den skide Annika Giannini stod godt nok på hendes side, men det var et professionelt venskab, da hun var hendes advokat. Den skide Kalle Blomkvist var derude et eller andet sted – Annika var fåmælt om sin bror, og Lisbeth spurgte aldrig. Hun forventede ikke, at han ville gøre alt for mange knuder, da mordet på Dag Svensson var opklaret, og han havde fået sin historie.

Hun spekulerede på, hvad Dragan Armanskij mente om hende efter alt det, der var sket.

Hun spekulerede på, hvordan Holger Palmgren opfattede situationen.

Ifølge Annika Giannini havde begge stillet sig i hendes ringhjørne, men det var bare ord. De kunne intet gøre for at løse hendes private problemer.

Hun spekulerede på, hvad Miriam Wu følte for hende.

Hun spekulerede på, hvad hun følte for sig selv og nåede frem til, at hun mest følte ligegyldighed over for hele sit liv.

Hun blev pludselig forstyrret af sikkerhedsvagten, der satte nøglen i låsen og slap dr. Anders Jonasson ind.

"Godaften, frøken Salander. Og hvordan har du det så i dag?"

"Okay," svarede hun.

Han kontrollerede hendes journal og konstaterede, at hun var feberfri. Hun havde vænnet sig til hans besøg, der fandt sted et par gange om ugen. Af alle de mennesker, der havde med hende at gøre og rørte ved hende, var han den eneste, som hun havde en smule tillid til. Ikke på noget tidspunkt havde hun oplevet, at han havde skævet mærkeligt til hende. Han besøgte hendes stue, småsnakkede lidt og undersøgte, hvordan hendes krop havde det. Han stillede ingen spørgsmål om Ronald Niedermann eller Alexander Zalachenko, eller om hun var gal, eller hvorfor politiet holdt hende indespærret. Han syntes bare at være interesseret i, hvordan hendes muskler fungerede, hvordan helingen i hendes hjerne skred frem, og hvordan hun havde det i al almindelighed.

Desuden havde han bogstavelig talt rodet rundt inde i hendes hjerne. En, der havde rodet rundt inde i hendes hjerne, skulle behandles med respekt, mente hun. Hun indså til sin egen forbavselse, at hun oplevede Anders Jonassons besøg som behagelige, selv om han rørte ved hende og analyserede hendes feberkurver.

"Er det okay, hvis jeg lige forsikrer mig om det?"

Han foretog sin sædvanlige undersøgelse af hende ved at se på hendes pupiller, lytte til hendes vejrtrækning, tage hendes puls og kontrollere hendes sår.

"Hvordan har jeg det?" spurgte hun.

"Du er helt klart i bedring. Men du må arbejde hårdere med gymnastikken. Og du klør dig i sårskorpen på hovedet. Lad være med det."

Han holdt en pause.

"Må jeg stille dig et personligt spørgsmål?"

Hun skævede til ham. Han ventede, til hun nikkede.

"Den der drage, du har tatoveret ... jeg har ikke set hele tatoveringen, men jeg kan konstatere, at den er meget stor og dækker en stor del af din ryg. Hvorfor fik du den?"

"Har du ikke set den?"

Han smilede pludselig.

"Jeg mener, at jeg har set et glimt af den, men da du var helt uden tøj i mit selskab, var jeg travlt beskæftiget med at stoppe blødninger og operere kugler ud af dig og den slags."

"Hvorfor spørger du?"

"Af ren nysgerrighed."

Lisbeth Salander tænkte sig om i lang tid. Til sidst så hun på ham.

"Jeg fik den af private årsager, som jeg ikke vil fortælle om."

Anders Jonasson tænkte over svaret og nikkede tankefuldt.

"Okay. Undskyld, jeg spurgte."

"Vil du se den?"

Han så forbavset ud.

"Ja, hvorfor ikke."

Hun vendte ryggen mod ham og trak natkjolen over hovedet. Hun stillede sig sådan, at lyset fra vinduet faldt på hendes ryg. Han konstaterede, at dragen dækkede et område på højre side af ryggen. Den begyndte på skulderen og sluttede med en hale et stykke nede på hoften. Den var smuk og professionelt lavet. Den lignede et rigtigt kunstværk.

Efter et stykke tid drejede hun hovedet.

"Tilfreds?"

"Den er smuk. Men det må have gjort fandens ondt."

"Ja," indrømmede hun. "Det gjorde ondt."

ANDERS JONASSON FORLOD Lisbeth Salanders stue noget forvirret. Han var tilfreds med, hvordan hendes genoptræning skred frem. Men han kunne ikke blive klog på den besynderlige pige inde på stuen. Man behøvede ingen magistergrad i psykologi for at drage den konklusion, at hun ikke havde det særlig godt rent psykisk. Hun var høflig, men stemmen var fuld af hård mistænksomhed. Han havde også forstået, at hun var høflig mod det øvrige personale, men at hun ikke sagde en lyd, når politiet kom på besøg. Hun var helt indelukket i en skal og distancerede sig hele tiden fra omgivelserne.

Politiet havde låst hende inde og en anklager sigtet hende for drabsforsøg og grov vold. Han var forbløffet over, at en så lille og spinkel pige havde haft den fysiske styrke, der skulle til den slags voldskriminalitet, særligt da volden var rettet mod fuldvoksne mænd.

Han havde mest spurgt til hendes drage for at finde et personligt emne, han kunne tale med hende om. Han var egentlig ikke interesseret i, hvorfor hun smykkede sig på denne overdrevne måde, men han gik ud fra, at når hun havde valgt at stemple sin krop med så stor en tatovering, så havde den en særlig betydning for hende. Altså var den et godt emne at indlede en samtale med.

Han havde fået for vane at besøge hende et par gange om ugen. Besøgene lå egentlig uden for hans skema, da det var Helena Endrin, der var hendes læge. Men Anders Jonasson var chef for traumeafdelingen, og han var umådeligt tilfreds med den indsats, han havde gjort den nat, hvor Lisbeth Salander blev kørt ind på akutmodtagelsen. Han havde truffet den rette beslutning, da han valgte at fjerne kuglen, og så vidt han kunne se, havde hun ingen eftervirkninger i form af hukommelsestab, nedsatte kropsfunktioner eller andre handikap efter skudsåret. Hvis hendes bedring fortsatte på samme måde, ville hun kunne forlade hospitalet med et ar i hovedet, men uden andre komplikationer. Hvilke ar der havde dannet sig i hendes sjæl, kunne han ikke udtale sig om.

Han gik hen til sit kontor og opdagede en mand i mørk jakke, der stod lænet op ad væggen ved hans dør. Han havde et kraftigt, stridt hår og et velplejet skæg.

"Jonasson?"

"Ja."

"Hej, mit navn er Peter Teleborian. Jeg er overlæge på Skt. Stefans psykiatriske klinik i Uppsala."

"Ja, jeg kender dig godt."

"Godt. Jeg vil gerne tale lidt med dig, hvis du har tid."

Anders Jonasson låste døren op til sit kontor.

"Hvad kan jeg hjælpe med?" spurgte Anders Jonasson.

"Det gælder en af dine patienter. Lisbeth Salander. Jeg vil gerne besøge hende."

"Hmm. I så fald må du spørge anklageren. Hun er fængslet og har forbud mod at få besøg. Den slags besøg må også meldes i forvejen til Salanders advokat ..."

"Ja ja, det ved jeg. Jeg tænkte bare, at vi kunne se bort fra alt bureaukratiet i dette tilfælde. Jeg er læge, og så kan du jo uden videre give mig lov til at besøge hende af rent medicinske grunde."

"Jo, det kunne måske ordnes. Men jeg forstår ikke rigtig sammenhængen."

"Jeg var i flere år Lisbeth Salanders psykiater, da hun var anbragt på Skt. Stefans i Uppsala. Jeg fulgte hende, til hun fyldte 18 år, da retten slap hende ud i samfundet, dog med en formynder. Jeg bør måske nævne, at jeg selvfølgelig modsatte mig dette. Siden da har hun drevet for vejr og vind, og resultatet ser vi i dag."

"Okay," sagde Anders Jonasson.

"Jeg føler stadig et stort ansvar for hende og ville altså gerne have mulighed for at vurdere, hvor meget hendes tilstand er forværret de seneste ti år."

"Forværret?"

"Sammenlignet med dengang hun fik kvalificeret pleje som teenager. Jeg tænkte, at vi kunne finde en ordentlig løsning på det her, os læger imellem."

"Mens jeg har det i frisk erindring ... Du kan måske hjælpe mig med en ting, som jeg ikke rigtig forstår, os læger imellem altså. Da hun kom ind her på Sahlgrenska Sygehus, foranstaltede jeg en stor medicinsk undersøgelse af hende. En kollega bestilte Lisbeth Salanders retsmedicinske journal. Den var forfattet af en dr. Jesper H. Löderman."

"Det stemmer. Jeg var vejleder for Jesper, da han skrev ph.d.-afhandling."

"Okay. Men jeg noterede mig, at den retsmedicinske rapport var meget vag."

"Aha."

"Den indeholder ingen diagnose, men virker mest som et akademisk studie af en tavs patient."

Peter Teleborian lo.

"Ja, hun er ikke let at have med at gøre. Som det fremgår af rapporten, så nægtede hun konsekvent at tale med Löderman. Det resulterede i, at han var nødt til at udtrykke sig vagt. Hvilket var helt korrekt af ham."

"Okay. Men anbefalingen var i hvert fald, at hun skulle institutionaliseres."

"Det bygger på hendes tidligere historie. Vi har jo sammenlagt en mangeårig erfaring med hendes sygdomsbillede."

"Og det er det, jeg ikke rigtig forstår. Da hun blev bragt herind, forsøgte vi at rekvirere hendes journal fra Skt. Stefans. Men vi har ikke fået den endnu."

"Det er jeg ked af. Men den er hemmeligstemplet ved en retslig beslutning."

"Okay. Og hvordan skal vi på Sahlgrenska Sygehus kunne give hende en ordentlig pleje, hvis vi ikke kan få adgang til hendes journal? Det er jo faktisk os, der har det medicinske ansvar for hende nu."

"Jeg har taget mig af hende, siden hun var 12 år, og jeg tror ikke, at der er nogen anden læge i Sverige med den samme indsigt i hendes sygdomsbillede."

"Som er ...?"

"Lisbeth Salander lider af en alvorlig psykisk forstyrrelse. Som du ved, er psykiatri ingen eksakt videnskab. Jeg vil ikke så gerne binde mig til en eksakt diagnose. Men hun har åbenlyse tvangsforestillinger med tydelige paranoide skizofrene træk. I billedet indgår også perioder med maniodepressivitet, og hun mangler empati."

Anders Jonasson studerede dr. Peter Teleborian i ti sekunder, før han slog ud med hænderne.

"Jeg skal ikke diskutere diagnose med dr. Teleborian, men har du aldrig overvejet en betydelig enklere diagnose?"

"Som hvad?"

"For eksempel Aspergers syndrom. Jeg har ganske vist ikke foretaget en psykiatrisk vurdering af hende, men hvis jeg spontant skulle komme med et gæt, så ville det være nærliggende med en eller anden form for autisme. Det ville forklare hendes manglende evner til at relatere til sociale konventioner."

"Jeg er ked af det, men Aspergerpatienter plejer ikke at sætte ild til deres forældre. Tro mig, jeg har aldrig før mødt en så tydeligt defineret sociopat."

"Jeg opfatter hende som indelukket, men ikke som en paranoid sociopat."

"Hun er ekstremt manipulerende," sagde Peter Teleborian. "Hun viser det, hun tror, du vil se."

Anders Jonasson rynkede umærkeligt øjenbrynene. Pludselig gik Peter Teleborian stik imod hans egen samlede opfattelse af Lisbeth Salander. Hvis der var noget, han ikke opfattede hende som, så var det manipulerende. Tværtimod, hun var et menneske med en urokkelig distance til omgivelserne, som ikke viste nogen emotioner overhovedet. Han forsøgte at forene det billede, som Teleborian tegnede, med det billede, han selv havde fået af Lisbeth Salander.

"Og du har set hende i en kort periode, hvor hun har været tvunget passiv på grund af sine læsioner. Jeg har set hendes voldsomme udbrud og urimelige had. Jeg har brugt mange år på at forsøge at hjælpe Lisbeth Salander. Det er derfor, jeg er her. Jeg foreslår et samarbejde mellem Sahlgrenska Sygehus og Skt. Stefans."

"Hvilken slags samarbejde taler du om?"

"Du tager dig af hendes fysiske problemer, og jeg er overbevist om, at det er den allerbedste pleje, hun kan få. Men jeg nærer stor bekymring for hendes psykiske tilstand, og jeg vil gerne komme ind på et tidligt stadie. Jeg er klar til at tilbyde al den hjælp, jeg kan bistå med."

"Okay."

"Jeg er nødt til at besøge hende for i første omgang at vurdere hendes tilstand."

"Okay. Desværre kan jeg ikke hjælpe dig."

"Undskyld?"

"Som jeg sagde tidligere, er hun fængslet. Hvis du vil indlede en psykiatrisk behandling af hende, må du henvende dig til advokat Jervas, der tager beslutninger om den slags, og det må ske i samråd med Salanders advokat Annika Giannini. Hvis der er tale om en retspsykiatrisk undersøgelse, må retten give dig den opgave."

"Det var netop hele det bureaukrati, jeg ville undgå."

"Jo, men jeg er ansvarlig for hende, og hvis hun skal stilles for retten inden for en overskuelig fremtid, må vi have papirer på alt det, vi har foretaget. Altså er vi nødt til alt det bureaukratiske."

"Okay. Så kan jeg afsløre, at jeg allerede har fået en forespørgsel fra anklager Richard Ekström i Stockholm, der har bedt mig om at lave en retspsykiatrisk undersøgelse. Den vil blive aktuel i forbindelse med retssagen."

"Godt. Så vil du få besøgstilladelse, uden at vi behøver at slække på reglerne."

"Men mens vi gennemgår den bureaukratiske proces, er der risiko for, at hendes tilstand forværres. Jeg er bare interesseret i hendes sundhed."

"Det er jeg også," sagde Anders Jonasson. "Og os imellem kan jeg godt sige, at jeg ikke ser tegn på, at hun skulle være psykisk syg. Hun er ilde tilredt og befinder sig i en presset situation. Men jeg mener absolut ikke, at hun er skizofren eller lider af paranoide tvangsforestillinger."

DR. PETER TELEBORIAN brugte endnu lang tid på at forsøge at få Anders Jonasson til at ændre sin beslutning. Da han omsider indså, at det var nytteløst, rejste han sig tvært og tog afsked.

Anders Jonasson sad længe og betragtede tænksomt den stol, som Teleborian havde siddet i. Det var slet ikke usædvanligt, at andre læger kontaktede ham med råd eller synspunkter om behandlingen. Men det drejede sig næsten udelukkende om patienter hos en læge, der allerede havde en eller anden form for ansvar for den igangværende behandling. Han havde aldrig før været med til, at en psykiater landede som en flyvende tallerken og nærmest insisterede på at skulle have adgang til en patient uden hensyntagen til almindelig bureaukrati, og en patient som han åbenbart ikke havde behandlet i mange år. Efter et stykke tid skævede Anders Jonasson til sit armbåndsur og konstaterede, at den var lidt i syv om aftenen. Han løftede røret og ringede til Martina Karlgren, den psykolog og vagthavende samtalepartner, som Sahlgrenska Sygehus tilbød traumepatienter.

"Hej, jeg går ud fra, at du er gået for i dag. Forstyrrer jeg?"

"Nej, jeg er hjemme, men laver ikke noget særligt."

"Jeg sidder lige og tænker lidt. Du har talt med vores patient Lisbeth Salander. Kan du fortælle, hvilket indtryk du har af hende."

"Tja, jeg har besøgt hende tre gange og tilbudt hende en samtale. Hun har venligt, men bestemt afslået."

"Hvad er dit indtryk af hende?"

"Hvad mener du?"

"Martina, jeg ved godt, at du ikke er psykiater, men du er et klogt og forstandigt menneske. Hvilket indtryk har du af hende?"

Martina Karlgren tøvede lidt.

"Jeg er ikke sikker på, hvordan jeg skal besvare spørgsmålet. Jeg har mødt hende to gange, hvor hun var relativt nyankommet og så ilde tilredt, at jeg ikke fik nogen rigtig kontakt med hende. Senere besøgte jeg hende for omkring en uge siden på begæring af dr. Helena Endrin."

"Hvorfor bad Helena dig om at besøge hende?"

"Lisbeth Salander er ved at blive rask. Hun ligger hovedsagelig og stirrer op i loftet. Endrin ville gerne have, at jeg skulle se til hende."

"Og hvad skete der?"

"Jeg præsenterede mig. Vi talte sammen et par minutter. Jeg spurgte, hvordan hun havde det, og om hun havde behov for at have nogen at tale med. Hun sagde, at det havde hun ikke. Jeg spurgte, om jeg kunne hjælpe hende med noget. Hun bad mig om at smugle en pakke cigaretter ind."

"Var hun irriteret eller fjendtlig?"

Martina Karlgren tænkte sig lidt om.

"Nej, det vil jeg ikke påstå. Hun var rolig, men holdt afstand. Jeg opfattede mere hendes bøn om at smugle cigaretter ind som en vittighed end som en seriøs anmodning. Jeg spurgte, om hun ville have noget at læse i, hvis jeg kunne skaffe hende nogle bøger af en eller anden slags. Det ville hun først ikke, men så spurgte hun, om jeg havde nogen videnskabelige tidsskrifter, der handlede om genetik og hjerneforskning."

"Om hvad?"

"Genetik."

"Genetik?"

"Ja, jeg sagde, at der stod nogle populærvidenskabelige bøger om emnet i vores bibliotek. Dem var hun ikke interesseret i. Hun sagde,

at hun havde læst bøger om emnet før og nævnte nogle standard-
værker, som jeg aldrig havde hørt om. Hun var altså mere interes-
seret i ren forskning om emnet."

"Aha," sagde Anders Jonasson forbløffet.

"Jeg sagde, at vi nok ikke havde så avanceret litteratur i patientbib-
lioteket – vi har jo mere Philip Marlowe end videnskabelige bøger
– men at jeg skulle se, om jeg kunne opstøve noget."

"Gjorde du det?"

"Jeg gik op og lånte nogle eksemplarer af *Nature* og *New England
Journal of Medicine*. Hun blev glad og takkede mig for, at jeg havde
gjort mig det besvær."

"Men det er jo temmelig avancerede tidsskrifter, der mest inde-
holder artikler og ren forskning."

"Hun læser dem med stor interesse."

Anders Jonasson sad målløs lidt.

"Hvordan vil du bedømme hendes psykiske tilstand?"

"Indelukket. Hun har ikke diskuteret noget som helst privat med
mig."

"Opfatter du hende som psykisk syg, maniodepressiv eller para-
noid?"

"Nej, slet ikke. I så fald ville jeg have slået alarm. Hun er uden
tvivl speciel, hun har store problemer og befinder sig i en tilstand
af stress. Men hun er rolig og saglig og synes at kunne håndtere sin
situation."

"Okay."

"Hvorfor spørger du? Er der sket noget?"

"Nej, der er ikke sket noget. Jeg kan bare ikke blive klog på
hende."

KAPITEL 10

Lørdag den 7. maj – torsdag den 12. maj

MIKAEL BLOMKVIST LAGDE mappen med den research fra sig, han havde fået af freelanceren Daniel Olofsson i Göteborg. Han så tankefuldt ud ad vinduet og betragtede strømmen af mennesker i Götgatan. Det var en af de ting, han syntes allerbedst om ved sit kontor. Götgatan var fuld af liv døgnet rundt, og eftersom han sad ved vinduet, følte han sig aldrig rigtig isoleret eller alene.

Han følte sig stresset, selv om han ikke havde noget, der hastede. Han havde stædigt arbejdet videre med de artikler, han havde tænkt sig at fylde *Millenniums* sommernummer med, men havde omsider indset, at materialet var så omfattende, at ikke engang et temanummer var tilstrækkeligt. Han var havnet i samme situation som med Wennerströmaffæren og havde besluttet at udgive artiklerne som bog. Han havde allerede omkring 150 sider og regnede med, at hele bogen ville blive på omkring 300-350 sider.

Den nemme del var færdig. Han havde beskrevet mordene på Dag Svensson og Mia Bergman og fortalt om, hvordan det kunne være, at han selv var den person, der fandt deres lig. Han havde forklaret, hvorfor Lisbeth Salander blev mistænkt. Han brugte et helt kapitel på syvogtredive sider til at slagte dels mediernes skriverier om Lisbeth, dels politiadvokat Richard Ekström og indirekte hele politiefterforskningen. Efter nogen overvejelse havde han mildnet sin kritik mod Bublanski og hans kolleger. Det gjorde han efter at have studeret en video fra Ekströms pressekonference, hvor det åbenlyst fremgik, at Bublanski følte sig ekstremt dårligt tilpas og helt klart var misfornøjet med Ekströms hurtige konklusioner.

Efter det indledende drama var han gået tilbage i tiden og havde beskrevet Zalachenkos ankomst til Sverige, Lisbeth Salanders opvækst og de begivenheder, der førte til, at hun blev spærret inde på Skt. Stefans i Uppsala. Han var meget omhyggelig med fuldstændig at tilintetgøre dr. Peter Teleborian og afdøde Gunnar Björck. Han præsenterede den retspsykiatriske undersøgelse fra 1991 og forklarede, hvorfor Lisbeth Salander var blevet en trussel mod anonyme statstjenestemænd, der havde gjort det til deres opgave at beskytte den russiske afhopper. Han gengav store dele af korrespondancen mellem Teleborian og Björck.

Endvidere beskrev han Zalachenkos nye identitet og virksomhedsområde som fuldtidskriminel. Han beskrev medhjælperen Ronald Niedermann, kidnapningen af Miriam Wu og Paolo Robertos indgriben. Endelig havde han opsummeret afslutningen i Gosseberga, der førte til, at Lisbeth Salander blev skudt og begravet, og forklaret, hvordan det kunne være, at en politimand helt unødvendigt blev myrdet, da Niedermann allerede var fanget.

Derefter begyndte historien at flyde lidt mere trægt. Mikaels problem var, at fortællingen stadig havde betydelige huller. Gunnar Björck havde ikke handlet alene. Bag hele hændelsesforløbet måtte der findes en større gruppe med ressourcer og indflydelse. Alt andet ville være utænkeligt. Men til sidst havde han draget den konklusion, at den retsstridige behandling af Lisbeth Salander ikke kunne være sanktioneret af regeringen eller Sikkerhedspolitiets ledelse. Bag denne konklusion lå der ikke nogen overdreven tiltro til statsmagterne, men en tiltro til den menneskelige natur. En operation af den slags havde aldrig kunnet hemmeligholdes, hvis den var blevet politisk forankret. Nogen ville have haft en høne at plukke med nogen andre og sladret, hvorefter pressen ville have fundet frem til Salandersagen mange år tidligere.

Han forestillede sig Zalachenkoklubben som en lille anonym gruppe aktivister. Problemet var bare, at han ikke kunne identificere nogen af dem, måske bortset fra Göran Mårtensson, 40 år, politimand på en hemmelig opgave, som brugte tid og kræfter på at skygge ham.

Tanken var, at bogen skulle ligge færdigtrykt og klar til at blive distribueret samme dag, som retssagen mod Lisbeth Salander blev indledt. Sammen med Christer Malm planlagde han en paperbackudgave, der skulle pakkes ind i plastic sammen med en dyrere udgave af *Millenniums* sommernummer. Han havde fordelt arbejdsopgaverne

215

ud på Henry Cortez og Malin Eriksson, der skulle skrive tekster om Sikkerhedspolitiets historie, IB-affæren og lignende.

At der ville blive en retssag mod Lisbeth Salander stod nu klart. Politiadvokat Richard Ekström havde rejst sigtelse for grov vold mod Magge Lundin og grov vold, alternativt drabsforsøg mod Karl Axel Bodin alias Alexander Zalachenko.

Der var endnu ikke sat en dato på retssagen, men fra journalistkolleger havde Mikael opsnappet oplysninger om, at Ekström planlagde en retssag i juli, lidt afhængigt af Lisbeth Salanders helbredstilstand. Mikael forstod godt intentionen. En retssag i højsommeren vækker altid mindre opmærksomhed end en retssag på andre tider af året.

Han rynkede panden og så ud ad vinduet på sit kontor på *Millenniums* redaktion.

Det er ikke forbi. Sammensværgelsen mod Lisbeth fortsætter. Det er den eneste måde at forklare aflyttede telefoner, overfaldet på Annika Giannini, tyveriet af Salanderrapporten fra 1991. Og måske mordet på Zalachenko.

Men han manglede beviser.

Sammen med Malin Eriksson og Christer Malm havde Mikael taget den beslutning, at *Millennium Forlag* også skulle udgive Dag Svenssons bog om trafficking inden retssagen. Det var bedre at præsentere hele pakken på en gang, og der var ingen grund til at vente med udgivelsen. Tværtimod, bogen ville aldrig kunne vække samme interesse på noget andet tidspunkt. Malin havde hovedansvaret for færdigredigeringen af Dag Svenssons bog, mens Henry Cortez hjalp Mikael med bogen om Salandersagen. Lottie, Karim og Christer Malm (modvilligt) var dermed blevet midlertidige redaktionssekretærer på *Millennium* med Monica Nilsson som den eneste tilgængelige journalist. Resultatet af denne forhøjede arbejdsbyrde var, at hele *Millenniums* redaktion var ved at gå i knæ, og at Malin Eriksson måtte hyre flere freelancere til at producere artikler. Det ville blive dyrt, men de havde ikke noget valg.

Mikael skrev en note på en gul post-it-seddel om, at han måtte ordne rettighederne med Dag Svenssons familie. Han havde allerede fundet ud af, at Dag Svenssons forældre boede i Örebro og var de eneste arvinger. I praksis behøvede han ikke tilladelse til at udgive bogen i Dag Svenssons navn, men han havde under alle omstændigheder tænkt sig at tage til Örebro og besøge dem personligt for at få deres godkendelse. Han havde udskudt det, fordi han havde haft for meget at lave, men det var på høje tid at afklare den detalje.

DEREFTER VAR DER kun i hundredvis af andre detaljer tilbage. Nogle af dem drejede sig om, hvordan han skulle behandle Lisbeth Salander i teksterne. For at kunne afgøre det endegyldigt var han nødt til at tale personligt med hende og få tilladelse til at fortælle sandheden eller i hvert fald dele af sandheden. Og den snak kunne han ikke få, fordi Lisbeth Salander var fængslet og havde besøgsforbud.

I den henseende var Annika Giannini heller ingen hjælp. Hun fulgte slavisk det gældende regelsæt og havde ikke til hensigt at være Mikael Blomkvists stikirenddreng med hemmelige beskeder. Annika fortalte heller ikke noget om, hvad hun og hendes klient diskuterede, andet end det der drejede sig om sammensværgelsen mod hende, og hvor Annika havde brug for hjælp. Det var frustrerende, men korrekt. Mikael havde derfor ingen anelse om, hvorvidt Lisbeth havde afsløret over for Annika, at hendes forhenværende formynder havde voldtaget hende, og at hun havde hævnet sig ved at tatovere et opsigtsvækkende budskab på hans mave. Så længe Annika ikke tog sagen op, kunne Mikael heller ikke gøre det.

Men frem for alt udgjorde Lisbeth Salanders isolation et genuint problem. Hun var computerekspert og hacker, hvilket Mikael kendte til, men ikke Annika. Mikael havde lovet Lisbeth aldrig at afsløre hendes hemmelighed, og han havde holdt sit løfte. Problemet var, at han nu selv havde stor brug for hendes evner.

Altså måtte han på en eller anden måde etablere en kontakt med Lisbeth Salander.

Han sukkede, åbnede Daniel Olofssons mappe igen og fandt to stykker papir frem. Det ene var en kopi fra pasregisteret forestillende en Idris Ghidi, født 1950. Det var en mand med overskæg, olivenfarvet hud og sort hår med grå tindinger.

Det andet stykke papir var Daniel Olofssons resumé af Idris Ghidis baggrund.

Ghidi var kurdisk flygtning fra Irak. Daniel Olofsson havde gravet væsentlig mere information frem om Idris Ghidi end om nogen anden ansat. Forklaringen på denne informationsdiskrepans var, at

Idris Ghidi i nogen tid havde vakt medieopmærksomhed og figurerede i flere artikler i Mediearkivet.

Født 1950 i byen Mosul i det nordlige Irak havde Idris Ghidi uddannet sig til ingeniør og været en del af det store økonomiske boom i 70'erne. I 1984 var han begyndt at arbejde som lærer på et byggeteknisk gymnasium i Mosul. Han var ikke kendt som politisk aktivist. Desværre var han kurder og per definition potentielt kriminel i Saddam Husseins Irak. I oktober 1987 blev Idris Ghidis far anholdt, mistænkt for kurdisk aktivitet. Nogen præcisering af, hvad det kriminelle bestod i, blev ikke angivet. Han blev henrettet som landsforræder, formentlig i januar 1988. To måneder senere blev Idris Ghidi hentet af det hemmelige irakiske politi, netop som han havde indledt en time i elasticitetslære for brokonstruktioner. Han blev ført til et fængsel uden for Mosul, hvor han i løbet af elleve måneder blev udsat for omfattende tortur for at få ham til at tilstå. Præcis hvad det forventedes, at han skulle tilstå, forstod Idris Ghidi aldrig, og derfor fortsatte torturen.

I marts 1989 betalte en farbror til Idris Ghidi en sum svarende til 50.000 svenske kroner til den lokale leder af Baathpartiet, hvilket blev anset for tilstrækkelig kompensation for den skade, som den irakiske stat havde lidt på grund af Idris Ghidi. To dage senere blev han frigivet og overladt i sin farbrors varetægt. Ved frigivelsen vejede han niogtredive kilo og var ude af stand til at gå. Inden frigivelsen var hans venstre hofte blevet knust med en hammer, så han ikke skulle løbe rundt og finde på flere unoder i fremtiden.

Idris Ghidi svævede mellem liv og død i flere uger. Da han var kommet lidt til hægterne, flyttede hans farbror ham til en gård i en by tres kilometer fra Mosul. Han samlede kræfter i løbet af sommeren og blev tilstrækkelig stærk til igen at gå nogenlunde ved hjælp af krykker. Han var helt på det rene med, at han aldrig ville blive genansat. Spørgsmålet var bare, hvad han skulle lave i fremtiden. I august fik han pludselig besked om, at hans to brødre var blevet anholdt af det hemmelige politi. Han skulle aldrig se dem igen. Han gik ud fra, at de lå begravede under en eller anden sandhøj uden for Mosul. I september fik hans farbror at vide, at Idris Ghidi igen var eftersøgt af Saddam Husseins politi. Han besluttede at henvende sig til en anonym parasit, der mod en sum svarende til 30.000 kroner førte Idris Ghidi over grænsen til Tyrkiet og ved hjælp af et falsk pas videre til Europa.

Idris Ghidi landede i Arlanda Lufthavn i Sverige den 19. oktober 1989. Han kunne ikke et ord svensk, men havde fået instrukser om at opsøge paspolitiet og straks bede om politisk asyl, hvilket han gjorde på gebrokkent engelsk. Han blev transporteret til en flygtningelejr i Upplands-Väsby, hvor han tilbragte de næste to år, indtil udlændingestyrelsen besluttede, at Idris Ghidi manglede tilstrækkelig grund til at få opholdstilladelse i Sverige.

På det tidspunkt havde Ghidi lært svensk og fået lægehjælp til sin knuste hofte. Han var blevet opereret to gange og kunne bevæge sig uden krykker. Imens havde Sjöbodebatten udspillet sig i Sverige, flygtningelejre var blevet udsat for attentater, og Bert Karlsson havde grundlagt partiet Nyt Demokrati.

Den direkte årsag til, at Idris Ghidi figurerede i Mediearkivet, var, at han i elvte time fik en ny advokat, der gik ud i medierne og redegjorde for hans situation. Andre kurdere i Sverige engagerede sig i sagen Idris Ghidi, deriblandt medlemmer af den stridbare familie Baksi. Protestmøder blev afholdt, og der blev formuleret petitioner til integrationsminister Birgit Friggebo. Det vakte så stor medieopmærksomhed, at udlændingestyrelsen ændrede sin beslutning, og Ghidi fik opholds- og arbejdstilladelse i kongeriget Sverige. I januar 1992 forlod han flygtningelejren i Upplands-Väsby som en fri mand.

Efter frigivelsen fra flygtningelejren blev en ny procedure anvendt på Idris Ghidi. Han skulle finde et arbejde, samtidig med at han endnu gik til genoptræning for sin ødelagte hofte. Idris Ghidi opdagede snart, at det faktum, at han var en veluddannet bygningsingeniør med mangeårig erhvervserfaring og gode akademiske papirer, ikke betød det fjerneste. I de kommende år arbejdede han som avisbud, opvasker, rengøringsmand og taxichauffør. Arbejdet som avisbud var han nødt til at sige op. Han kunne ganske enkelt ikke gå på trapper i det tempo, der blev krævet af ham. Arbejdet som taxichauffør kunne han godt lide, bortset fra to ting: Han havde absolut intet lokalkendskab til vejnettet i Stockholm og omegn, og han kunne ikke sidde stille ret længe ad gangen, før smerten i hoften blev uudholdelig.

I maj 1998 flyttede Idris Ghidi til Göteborg. Grunden var, at en fjern slægtning forbarmede sig over ham og tilbød ham en fast stilling i et rengøringsfirma. Idris Ghidi var ude af stand til at arbejde på fuldtid og fik en deltidsstilling som chef for et rengøringshold på Sahlgrenska Sygehus, som firmaet havde kontrakt med. Han havde nogle rutiner og et let arbejde, der betød, at han seks dage om ugen vaskede gulve på et bestemt antal gange, deriblandt gang 11C.

Mikael Blomkvist læste Daniel Olofssons resumé og studerede portrættet af Idris Ghidi fra pasregisteret. Derefter loggede han ind på Mediearkivet og fandt flere af de artikler, der havde ligget til grund for Olofssons resumé. Han læste koncentreret og tænkte sig derefter om i lang tid. Han tændte en cigaret. Rygeforbuddet på redaktionen var hurtigt blevet mindre strikt, efter Erika Berger var holdt op. Henry Cortez havde endda helt åbent sat et askebæger frem på sit skrivebord.

Endelig fandt Mikael den A4-side, som Daniel Olofsson havde skrevet om dr. Anders Jonasson. Han læste den med panden i dybe folder.

MIKAEL BLOMKVIST KUNNE ikke se bilen med nummerpladen KAB og havde ikke fornemmelsen af at blive overvåget, men han ville gerne være på den sikre side, da han om mandagen gik fra Akademiboghandlen til sideindgangen af stormagasinet Nordiska Kompaniet og direkte ud gennem hovedindgangen. Den, der kunne skygge nogen inde i Nordiska Kompaniet, måtte være i besiddelse af overnaturlige evner. Han slukkede for begge sine mobiltelefoner og gik via Gallerian til Gustav Adolfs torg, forbi Riksdagshuset og ind i Gamle Stan. Så vidt han kunne se, fulgte ingen efter ham. Han tog nogle omveje ad små sidegader, til han kom til den rigtige adresse og bankede på døren til forlaget *Svartvitt.*

Klokken var halv tre om eftermiddagen. Mikael kom uanmeldt, men redaktør Kurdo Baksi var der og lyste op, da han så Mikael Blomkvist.

"Hej, hej," sagde Kurdo Baksi hjerteligt. "Hvorfor kommer du aldrig og hilser på mig?"

"Jeg er her jo nu," sagde Mikael.

"Ja, men det er mindst tre år siden sidst."

De gav hinanden hånden.

Mikael Blomkvist havde kendt Kurdo Baksi siden 80'erne. Mikael havde været en af de personer, der havde hjulpet Kurdo Baksi med praktisk arbejde, da denne begyndte at udgive avisen *Svartvitt* i et oplag, der blev piratkopieret om natten hos det svenske LO. Kurdo var blevet taget på fersk gerning af den senere pædofiljæger Per-Erik Åström fra Red Barnet, der i 80'erne havde været researchsekretær hos LO. Åström var en sen nat trådt ind i kopirummet og havde fundet bunkevis af sider fra *Svartvitts* første nummer sammen med en mærkbart stille Kurdo Baksi. Åström havde set på den dårligt layoutede forside og havde sagt, at sådan kunne en avis for fanden da ikke se ud. Han havde derefter designet det logo, der kom til at blive *Svartvitts* avishoved i femten år, før avisen gik i graven og blev til bogforlaget *Svartvitt*. På det tidspunkt havde Mikael en frygtelig stilling som informationsmedarbejder i LO – hans eneste berøring med informationsbranchen. Per-Erik Åström havde overtalt ham til at læse korrektur og hjælpe *Svartvitt* med noget redigering. Siden da havde Kurdo Baksi og Mikael Blomkvist været venner.

Mikael Blomkvist slog sig ned i en sofa, mens Kurdo Baksi hentede kaffe fra en automat ude på gangen. De talte lidt sammen på den måde, som man nu gør, når man ikke har set hinanden et stykke tid, men blev gang på gang afbrudt af Kurdos mobil, der ringede, og han førte korte samtaler på kurdisk eller muligvis tyrkisk eller arabisk eller et andet sprog, som Mikael ikke forstod noget af. Sådan havde det også været ved tidligere besøg på forlaget *Svartvitt*. Folk ringede fra hele verden for at tale med Kurdo.

"Kære Mikael, du ser bekymret ud. Hvad har du på hjerte?" spurgte Kurdo Baksi endelig.

"Kan du ikke slukke mobilen i fem minutter, så vi kan tale uforstyrret."

Kurdo slukkede mobilen.

"Okay ... jeg har brug for en tjeneste. En vigtig tjeneste, og det skal være nu og må ikke diskuteres uden for dette rum."

"Fortæl."

"I 1989 kom en kurdisk flygtning ved navn Idris Ghidi til Sverige fra Irak. Da han blev truet med udvisning, fik han hjælp af din familie, hvilket førte til, at han til sidst fik opholdstilladelse. Jeg ved ikke, om det var din far eller en anden i familien, der hjalp ham."

"Det var min farbror Mahmut Baksi, der hjalp Idris Ghidi. Jeg kender godt Idris. Hvad er der med ham?"

"Han arbejder lige nu i Göteborg. Jeg har brug for hans hjælp til at udføre et enkelt job. Jeg er villig til at betale ham."

"Hvad er det for et job?"

"Stoler du på mig, Kurdo?"

"Naturligvis. Vi har altid været venner."

"Det job, jeg skal have udført, er noget usædvanligt. Faktisk meget usædvanligt. Jeg vil ikke fortælle, hvori jobbet består, men jeg forsikrer dig om, at det ikke på nogen måde er ulovligt eller kommer til at give dig eller Idris Ghidi problemer."

Kurdo Baksi betragtede opmærksomt Mikael Blomkvist.

"Okay. Og du vil ikke fortælle mig, hvad det drejer sig om?"

"Jo færre der ved noget, desto bedre. Det, jeg behøver din hjælp til, er en introduktion, så Idris er villig til at lytte til, hvad jeg har at sige."

Kurdo tænkte sig lidt om. Så gik han hen til sit skrivebord og åbnede en kalender. Han søgte i nogle minutter, før han fandt Idris Ghidis telefonnummer. Derefter løftede han røret. Samtalen blev ført på kurdisk. Mikael kunne ud fra Kurdos ansigtsudtryk se, at den blev indledt med de sædvanlige høflighedsfraser og småsnak. Derefter blev han alvorlig og forklarede sit ærinde. Lidt efter vendte han sig om mod Mikael.

"Hvornår vil du møde ham?"

"Fredag eftermiddag, hvis det passer. Spørg, om jeg må besøge ham i hans hjem."

Kurdo talte lidt videre, før han afsluttede samtalen.

"Idris Ghidi bor i Angered," sagde Kurdo Baksi. "Har du adressen?"

Mikael nikkede.

"Han er hjemme klokken fem fredag eftermiddag. Du er velkommen til at besøge ham."

"Tak, Kurdo," sagde Mikael.

"Han arbejder på Sahlgrenska Sygehus som rengøringsmand," sagde Kurdo Baksi.

"Jeg ved det," sagde Mikael.

"Jeg har jo ikke kunnet undgå at læse i aviserne, at du er indblandet i den her Salanderhistorie."

"Det er rigtigt."

"Hun blev skudt."

"Netop."

"Jeg synes også at huske, at hun ligger på Sahlgrenska Sygehus."

"Det er også rigtigt."

Kurdo Baksi var heller ikke tabt bag en vogn.

Han forstod, at Blomkvist havde noget suspekt for, hvad han også var kendt for. Han havde kendt Mikael siden 80'erne. De havde aldrig været bedste venner, men havde heller aldrig været uvenner, og Mikael havde altid stillet op, hvis Kurdo havde bedt om en tjeneste. Gennem årene havde de drukket en øl eller to sammen, når de var stødt på hinanden til en fest eller på et værtshus.

"Er jeg ved at blive indblandet i noget, jeg burde vide mere om?" spurgte Kurdo.

"Du er ikke ved at blive indblandet i noget. Din rolle har bare været at gøre mig den tjeneste at præsentere mig for en af dine bekendte. Og jeg gentager ... jeg vil ikke bede Idris Ghidi om at gøre noget ulovligt."

Kurdo nikkede. Denne forsikring var nok for ham. Mikael rejste sig.

"Jeg skylder dig en tjeneste."

"Vi skylder altid hinanden tjenester," sagde Kurdo Baksi.

HENRY CORTEZ LAGDE røret og trommede så højt med fingrene mod kanten af skrivebordet, at Monica Nilsson irriteret hævede et øjenbryn og så olmt på ham. Hun konstaterede, at han sad dybt opslugt af sine egne tanker. Hun følte sig irriteret i al almindelighed og besluttede sig for ikke at lade det gå ud over ham.

Monica Nilsson var godt klar over, at Blomkvist hviskede og tiskede med Cortez, Malin Eriksson og Christer Malm om Salander-historien, mens hun selv og Lottie Karim forventedes at tage sig af det grove arbejde med næste nummer af et tidsskrift, som ikke havde nogen rigtig leder, siden Erika Berger var holdt op. Malin var god nok, men hun var urutineret og manglede den pondus, som Erika Berger havde haft. Og Cortez var en grønskolling.

Monica Nilssons irritation skyldes ikke, at hun følte sig forbigået eller ville have deres job – det var det sidste, hun ville. Hendes arbejde bestod i at holde rede på redigering, Riksdag og statslig virksomhed for *Millennium*. Det var et arbejde, hun trivedes med og kunne ud og ind. Desuden havde hun nok at gøre med andre forpligtelser, som at skrive en klumme i et fagtidsskrift hver uge samt diverse frivilligt arbejde for Amnesty International og andet. I dette indgik ikke at blive chefredaktør for *Millennium*, arbejde mindst tolv timer om dagen og ofre fridage og ferier.

Derimod oplevede hun, at noget havde forandret sig på *Millennium*. Tidsskriftet føltes pludselig fremmed. Og hun kunne ikke sætte fingeren på, hvad der var galt.

Mikael Blomkvist var som altid uansvarlig, forsvandt på sine mystiske rejser og kom og gik, som han selv havde lyst. Han var ganske vist medejer af *Millennium* og kunne selv bestemme, hvad han ville, men lidt ansvarsfølelse kunne man da for fanden godt forlange.

Christer Malm var den anden resterende medejer, og han var næsten lige så behjælpelig, som når han var på ferie. Han var uden tvivl begavet og havde kunnet gå ind og overtage redaktørstolen, når Erika havde været på ferie eller var optaget af andet, men han ordnede mest, hvad andre allerede havde besluttet. Han var brillant, når det gjaldt grafisk tilrettelæggelse og præsentationer, men han var helt håbløs, når det drejede sig om at planlægge et tidsskrift.

Monica Nilsson rynkede øjenbrynene.

Nej, nu var hun uretfærdig. Det, der irriterede hende, var, at der var sket noget på redaktionen. Mikael arbejdede sammen med Malin og Henry, og alle andre var ligesom udenfor. De havde dannet en inderkreds og lukket sig inde på Erikas kontor ... på Malins kontor og kom ud helt tavse. Under Erika havde tidsskriftet altid været et kollektiv. Monica kunne ikke forstå, hvad der var sket, men hun forstod, at hun blev holdt udenfor.

Mikael arbejdede på Salanderhistorien og sagde ikke en lyd om, hvad den drejede sig om. Det var på den anden side ikke usædvanligt. Han havde heller ikke sagt noget om Wennerströmhistorien – ikke engang Erika havde vidst noget – men denne gang havde han Henry og Malin som fortrolige.

Monica var kort sagt irriteret. Hun trængte til ferie. Hun trængte til at komme lidt væk. Hun så Henry Cortez trække i fløjlsjakken.

"Jeg går lige lidt," sagde han. "Vil du ikke sige til Malin, at jeg er væk i to timer."

"Hvad sker der?"

"Jeg tror måske, at jeg er ved at få hul på en historie. En rigtig god historie. Om toiletter. Jeg skal lige tjekke nogle ting, men hvis det her går glat, har vi en god artikel til juninummeret."

"Toiletter?" spurgte Monica Nilsson og så efter ham.

ERIKA BERGER BED tænderne sammen og lagde langsomt artiklen til den forestående retssag mod Lisbeth Salander fra sig. Det var en kort tekst, tospalters, skrevet til side fem med indenrigsnyheder. Hun betragtede manuskriptet i et minut og spidsede læberne. Klokken var 15.30, og det var torsdag. Hun havde arbejdet på SMP i tolv dage. Hun løftede røret og ringede til nyhedschef Anders Holm.

"Hej, det er Berger. Kan du finde journalisten Johannes Frisk og møde på mit kontor med ham omgående."

Hun lagde røret på og ventede tålmodigt, indtil Holm kom slentrende ind i glasburet med Johannes Frisk i hælene. Erika så på sit armbåndsur.

"Toogtyve," sagde hun.

"Hvad?" spurgte Holm.

"Toogtyve minutter. Det tog toogtyve minutter for dig at rejse dig fra redigeringsbordet, gå femten meter hen til Johannes Frisks skrivebord og slæbe dig herned med ham."

"Du sagde ikke, at det hastede. Jeg har temmelig travlt."

"Jeg sagde ikke, at det hastede. Jeg sagde, at du skulle hente Johannes Frisk og indfinde dig på mit kontor. Jeg sagde omgående, og så mente jeg omgående, ikke i aften eller næste uge, eller hvornår det nu behager dig at løfte bagen fra din stol."

"Du, jeg synes, at ..."

"Luk døren."

Hun ventede, til Anders Holm havde lukket døren bag sig. Erika studerede ham tavst. Han var uden tvivl en meget dygtig nyhedschef, og hans rolle bestod i at sørge for, at SMP's sider hver dag var fyldt med de rigtige artikler, der var forståeligt sammensat og præsenteret i den orden og af det omfang, det var blevet besluttet på morgenmødet. Anders Holm jonglerede således med et kolossalt antal arbejdsopgaver hver dag. Og han gjorde det uden at tabe bolden.

Problemet med Anders Holm var, at han konsekvent ignorerede

de beslutninger, som Erika Berger tog. I to uger havde hun forsøgt at finde en formel til at kunne samarbejde med ham. Hun havde ræsonneret venligt, prøvet direkte ordrer, opmuntret ham til at tænke på egen hånd og i det hele taget gjort alt for, at han skulle forstå, hvordan hun ville have, at avisen skulle udformes.

Intet havde hjulpet.

Den artikel, hun forkastede om eftermiddagen, havnede alligevel i avisen i løbet af aftenen, når hun var gået hjem. *Der var en artikel, der blev kasseret, og vi fik et hul, som jeg var nødt til at fylde ud med noget.*

Den overskrift, som Erika havde besluttet skulle bruges, blev pludselig forkastet og erstattet med noget helt andet. Det var ikke altid forkert, men det blev gjort, uden at hun blev konsulteret. Det blev gjort demonstrativt og udfordrende.

Det var altid småting. Redaktionsmødet klokken 14.00 blev pludselig flyttet frem til 13.50, uden at hun blev informeret, og størstedelen af beslutningerne var allerede taget, når hun dukkede op til mødet. *Undskyld ... jeg glemte i skyndingen at give dig besked.*

Erika Berger kunne slet ikke begribe, hvorfor Anders Holm havde anlagt den attitude over for hende, men hun konstaterede, at venlige samtaler og milde reprimander ikke virkede. Hun havde indtil videre ikke indladt sig på en diskussion foran andre medarbejdere på redaktionen, men forsøgt at begrænse sin irritation til personlige, fortrolige samtaler. Det havde ikke givet resultat, og derfor var det på tide at udtrykke sig tydeligere, denne gang over for medarbejderen Johannes Frisk, hvilket borgede for, at indholdet af samtalen ville blive spredt ud over hele redaktionen.

"Det første, jeg gjorde, da jeg begyndte, var at sige, at jeg havde en personlig interesse i alt, hvad der havde med Lisbeth Salander at gøre. Jeg forklarede, at jeg ville have besked om alle planlagte artikler i forvejen, og at jeg ville se dem og godkende alt, der skulle trykkes. Jeg har mindet dig om det mindst en halv snes gange og senest på redaktionsmødet i fredags. Hvilken del af den besked er det, du ikke forstår?"

"Alle de artikler, der er planlagt eller under produktion, er omtalt i memoerne på intranettet. De sendes altid til din computer. Du er hele tiden informeret."

"Sikke noget sludder. Da jeg fik SMP ind ad brevsprækken i

morges, havde vi en trespalters om Salander og udviklingen i sagen omkring Stallarholmen på den bedste nyhedsplads."

"Det var Margareta Orrings artikel. Hun er freelancer og afleverede først ved syvtiden i går aftes."

"Margareta Orring ringede med artikelforslaget allerede klokken elleve i går formiddag. Du godkendte og gav hende opgaven klokken halv tolv. Du sagde ikke et ord om det på mødet klokken 14.00."

"Den er med i memoet."

"Nej, sådan her står der i memoet: 'Margareta Orring, interview med anklager Martina Fransson. Re: narkotikabeslaglæggelse i Södertälje.'"

"Grundhistorien var altså et interview med Martina Fransson angående en beslaglæggelse af anabolske steroider, som et prospect i Svavelsjö MC var blevet anholdt for."

"Netop. Og ikke et ord i memoet om Svavelsjö MC, eller at interviewet skulle dreje sig om Magge Lundin og Stallarholmen og dermed om efterforskningen af Lisbeth Salander."

"Jeg går ud fra, at det kom op i løbet af interviewet ..."

"Anders, jeg kan ikke begribe hvorfor, men du står her og lyver mig lige op i ansigtet. Jeg har talt med Margareta Orring, der skrev interviewet. Hun forklarede mig ganske tydeligt, hvad hendes interview ville fokusere på."

"Jeg beklager, men jeg forstod nok ikke, at fokus ville være på Salander. Nu fik jeg en artikel sent om aftenen. Hvad skulle jeg gøre, kassere hele historien? Orring havde skrevet en god artikel."

"Der er vi enige. Det er en udmærket historie. Det bliver dermed din tredje løgn på omkring lige så mange minutter. Orring afleverede nemlig klokken 15.20, altså lang tid før jeg gik hjem ved sekstiden."

"Berger, jeg bryder mig ikke om din tone."

"Godt. Så kan jeg oplyse dig om, at jeg hverken bryder mig om din tone, dine udflugter eller dine løgne."

"Du lyder, som om du tror, at jeg har gang i en eller anden slags sammensværgelse imod dig."

"Du har stadig ikke besvaret spørgsmålet. Og punkt to: I dag dukker den her artikel af Johannes Frisk op på mit skrivebord. Jeg kan ikke mindes, at vi talte om dette på mødet klokken 14. Hvordan kan det være, at en af vores journalister har brugt dagen på at arbejde med Salander, uden at jeg kender til det?"

Johannes Frisk vred sig. Han valgte klogt nok ikke at sige noget.

"Altså ... vi laver en avis, og der er sikkert hundredvis af artikler, du ikke kender til. Vi har rutiner her på SMP, som vi har måttet indordne os efter. Jeg har ikke tid og mulighed for at særbehandle visse artikler."

"Jeg har ikke bedt dig om at særbehandle visse artikler. Jeg har krævet, at jeg for det første bliver informeret om alt, der har med sagen Salander at gøre, og for det andet at jeg skal godkende alt, hvad der trykkes om emnet. Altså, en gang til, hvilken del af den besked er det, du ikke forstår?"

Anders Holm sukkede og anlagde en plaget mine.

"Okay," sagde Erika Berger. "Så skal jeg udtrykke mig endnu tydeligere. Jeg har ikke tænkt mig at skændes med dig om det her. Vi må se, om du forstår følgende budskab: Hvis dette gentager sig en gang til, så fyrer jeg dig som nyhedschef. Og så kan du sidde og redigere familiesiderne eller tegneseriesiden eller lignende. Jeg kan ikke have en nyhedschef, jeg ikke kan stole på eller samarbejde med, og som undergraver mine beslutninger. Har du forstået?"

Anders Holm slog ud med hænderne i en gestus, der tydede på, at han mente, at Erika Bergers anklager var absurde.

"Har du forstået? Ja eller nej?"

"Jeg hører, hvad du siger."

"Jeg spurgte, om du har forstået. Ja eller nej?"

"Tror du virkelig, at du kan slippe af sted med det? Den her avis udkommer, fordi jeg og andre tandhjul i maskineriet arbejder røven ud af bukserne. Bestyrelsen vil ..."

"Bestyrelsen vil gøre, som jeg siger. Jeg er her for at forny avisen. Jeg har en omhyggeligt formuleret opgave, som vi forhandlede frem, og som betød, at jeg har ret til at foretage vidtrækkende redaktionelle forandringer på chefniveau. Jeg kan skille mig af med dødvægten og rekruttere nyt blod udefra, hvis jeg ønsker det. Og Holm, du virker mere og mere som dødvægt på mig."

Hun tav. Anders Holm mødte hendes blik. Han så rasende ud.

"Det var alt," sagde Erika Berger. "Jeg foreslår, at du omhyggeligt gennemtænker, hvad vi har talt om i dag."

"Jeg har ikke tænkt mig ..."

"Det er op til dig. Det var alt. Gå nu."

Han drejede om på hælen og forsvandt ud af glasburet. Hun så ham forsvinde gennem redaktionshavet i retning af kaffestuen. Johannes Frisk rejste sig og gjorde ansats til at følge efter.

"Ikke dig, Johannes. Bliv lidt og sid ned."

Hun fandt hans artikel frem og skimmede den endnu en gang.

"Du har et vikariat her, har jeg forstået."

"Ja, jeg har været her i fem måneder, og det her er min sidste uge."

"Hvor gammel er du?"

"27."

"Jeg beklager, at du havnede i en krydsild mellem mig og Holm. Fortæl om den her historie."

"Jeg fik et tip i morges og gik til Holm med det. Han sagde, at jeg skulle følge op på det."

"Okay. Historien drejer sig om, at politiet nu undersøger en mistanke om, at Lisbeth Salander har været indblandet i salg af anabolske steroider. Har denne historie nogen sammenhæng med gårsdagens tekst fra Södertälje, hvor der også dukkede anabolske steroider op?"

"Ikke hvad jeg ved af, men det er muligt. Den her sag med anabolske steroider har at gøre med hendes forbindelse til boksere. Paolo Roberto og hans venner."

"Sælger Paolo Roberto anabolske steroider?"

"Hvad ... nej naturligvis ikke. Det er mere boksemiljøet, det drejer sig om. Salander plejede at træne med nogle suspekte typer på en klub i Söder. Men det er altså politiets vinkling. Ikke min. Og et eller andet sted er der dukket en mistanke op om, at hun kan være indblandet i salg af anabolske steroider."

"Så der er altså ingen substans overhovedet i den historie. Det er mere et løst rygte?"

"Det er ikke noget rygte, at politiet ser på den mulighed. Om de har ret eller uret, ved jeg ikke noget om."

"Okay, Johannes. Så vil jeg gerne have, at du forstår, at det jeg diskuterer med dig nu, ikke har noget at gøre med mit forhold til Anders Holm. Jeg synes, at du er en udmærket journalist. Du skriver godt, og du har øje for detaljer. Det her er kort sagt en god historie. Mit eneste problem er, at jeg ikke tror på indholdet i den."

"Jeg kan forsikre dig om, at den er helt korrekt."

"Og jeg skal forklare dig, hvorfor der er en grundlæggende fejl ved den historie. Hvorfra kom tippet?"

"Fra en kilde inden for politiet."

"Hvem?"

Johannes Frisk tøvede. Det var en automatisk respons. Præcis som alle andre journalister i hele verden brød han sig ikke om at nævne navnet på sin kilde. På den anden side var Erika Berger chef-redaktør og dermed en af de få personer, der kunne afkræve ham den oplysning.

"En politimand i drabsafdelingen, der hedder Hans Faste."

"Var det ham, der ringede til dig, eller dig, der ringede til ham?"

"Han ringede til mig."

Erika Berger nikkede.

"Hvorfor tror du, at han ringede til dig?"

"Jeg har interviewet ham et par gange under eftersøgningen af Salander. Han ved, hvem jeg er."

"Og han ved, at du er 27 år og vikar, og at du kan bruges, når han vil placere oplysninger, som anklageren vil have ud."

"Jo, alt det der forstår jeg godt. Men jeg fik et tip fra politiefter-forskningen, tog så af sted og drak en kop kaffe med Faste, og han fortæller det her. Han er citeret korrekt. Hvad skal jeg gøre?"

"Jeg er overbevist om, at du har citeret korrekt. Det, der burde være sket, er, at du skulle have forelagt oplysningerne for Anders Holm, der burde have banket på min dør og forklaret situationen, og sammen kunne vi have besluttet, hvad der skulle ske."

"Okay. Men jeg ..."

"Du afleverede materialet til Holm, der er nyhedschef. Du hand-lede korrekt. Det er hos Holm, at fejlen ligger. Men lad os analysere din artikel. For det første, hvorfor vil Faste have den her oplysning lækket?"

Johannes Frisk trak på skuldrene.

"Betyder det, at du ikke ved det, eller at du er ligeglad?"

"Jeg ved det ikke."

"Okay. Hvis jeg påstår, at den her historie er løgnagtig, og at Salander ikke har noget som helst med anabolske steroider at gøre, hvad siger du så?"

"Jeg kan ikke bevise det modsatte."

"Præcis. Så det betyder, at du mener, at man skal trykke en historie, der måske er løgnagtig, bare fordi vi ikke har viden om det modsatte."

"Nej, vi har et journalistisk ansvar. Men det er jo en balancegang. Vi kan ikke afstå fra at trykke, når vi har en kilde, der faktisk udtrykkeligt påstår noget."

"Filosofi. Vi kan spørge os selv om, hvorfor kilden vil have den oplysning ud. Lad mig dermed forklare, hvorfor jeg har givet ordre til, at alt, hvad der drejer sig om Salander, skal forbi mit skrivebord. Jeg har nemlig en særlig viden om emnet, som ingen anden her på SMP har. Retsredaktionen er informeret om, at jeg sidder inde med denne viden og ikke kan diskutere den med dem. *Millennium* vil trykke en historie, som jeg har skrevet under på ikke at afsløre for SMP, selv om jeg arbejder her. Jeg fik oplysningen i egenskab af chefredaktør for *Millennium*, og lige nu befinder jeg mig mellem to stole. Forstår du, hvad jeg mener?"

"Ja."

"Og min viden fra *Millennium* betyder, at jeg uden den mindste tvivl kan fastslå, at den her historie er løgn og har til hensigt at skade Lisbeth Salander før den kommende retssag."

"Det er svært at skade Lisbeth Salander mere, når man tænker på alle de afsløringer, der allerede er kommet frem ..."

"Afsløringer som hovedsagelig er løgn og forvrængninger. Hans Faste er en af de centrale kilder til alle påstandene om, at Lisbeth Salander er en paranoid, voldelig lesbisk, der dyrker satanisme og BDSM-sex. Og medierne har simpelthen købt Fastes kampagne, fordi det er en tilsyneladende seriøs kilde, og det altid er godt at skrive om sex. Og nu fortsætter han med en ny vinkel, der kommer til at ligge hende til last i den offentlige bevidsthed, og som han vil have, at SMP skal hjælpe ham med at sprede. Sorry, men ikke på min vagt."

"Okay."

"Godt. Så kan jeg sammenfatte alt, hvad jeg siger i en eneste sætning. Din arbejdsbeskrivelse som journalist er at sætte spørgsmålstegn ved og kritisk granske – ikke ukritisk at gentage – påstande, der kommer fra en aldrig så velplaceret spiller inden for bureaukratiet. Glem aldrig det. Du er en dødgod skribent, men det talent er ganske værdiløst, hvis du glemmer arbejdsbeskrivelsen."

"Ja."

"Jeg har tænkt mig at kassere den her historie."

"Okay."

"Den holder ikke. Jeg tror ikke på indholdet."

"Okay."

"Det betyder ikke, at jeg mistror dig."

"Tak."

"Derfor har jeg tænkt mig at sende dig tilbage til dit skrivebord med et forslag til en ny historie."

"Aha."

"Det hænger sammen med min kontrakt med *Millennium*. Jeg kan altså ikke røbe, hvad jeg kender til Salanderhistorien. Samtidig er jeg chefredaktør for en avis, der risikerer at skride i svinget og ud af banen, fordi redaktionen ikke har de oplysninger, som jeg har."

"Hmm."

"Og det ville jo ikke være så godt. Det her er en unik situation og drejer sig kun om Salander. Jeg har derfor besluttet at finde en journalist, som jeg styrer i den rigtige retning, så vi ikke står med bukserne nede, når *Millennium* udkommer."

"Og du tror altså, at *Millennium* vil trykke noget bemærkelsesværdigt om Salander?"

"Jeg ikke bare tror det, jeg ved det. *Millennium* sidder inde med et scoop, der vil vende op og ned på Salanderhistorien, og det driver mig til vanvid, at jeg ikke kan gå ud med den historie. Men det er ganske enkelt umuligt."

"Men du påstår altså, at du kasserer min tekst, fordi du ved, at den ikke passer ... Det betyder, at du allerede nu har sagt, at der er noget i historien, som alle andre journalister er gået glip af."

"Præcis."

"Undskyld, men det er svært at tro, at hele Mediesverige har gået rundt på sådan en mine ..."

"Lisbeth Salander har været genstand for en mediehetz. Der hører normale regler op med at gælde, og en hvilken som helst gang sludder kan vinde løbet."

"Så du siger altså, at Salander ikke er, hvad hun ser ud til."

"Forsøg med den tanke, at hun er uskyldig i det, hun er blevet anklaget for, at det billede, der er blevet tegnet af hende, er det rene vrøvl, og at der er helt andre kræfter på spil, end der hidtil er kommet frem."

"Du påstår altså, at det forholder sig sådan?"

Erika Berger nikkede.

"Og det betyder, at det, jeg netop forsøgte at få trykt, er en del af en fortsat kampagne imod hende."

"Præcis."

"Men du kan ikke fortælle, hvad historien går ud på."

"Nej."

Johannes Frisk kløede sig lidt i hovedet. Erika Berger ventede, til han havde tænkt færdigt.

"Okay ... hvad vil du så have, at jeg skal gøre?"

"Gå tilbage til dit skrivebord og tænk over en anden historie. Du behøver ikke at stresse, men lige før retssagen begynder, vil jeg kunne gå ud med en lang artikel, måske et helt opslag, der undersøger sandhedsindholdet i alle de påstande, der er kommet om Lisbeth Salander. Begynd med at gennemlæse alle presseklip og lav en liste over, hvad der er blevet sagt om hende, og undersøg påstandene en efter en."

"Aha ..."

"Tænk som en journalist. Undersøg, hvem der spreder historien, hvorfor den er blevet spredt, og hvis interesse det gavner."

"Men jeg er nok ikke på SMP mere, når retssagen begynder. Det her er som sagt sidste uge af mit vikariat."

Erika åbnede en plastiklomme fra en skrivebordsskuffe og lagde et papir foran Johannes Frisk.

"Jeg har allerede forlænget vikariatet med tre måneder. Du arbejder ugen ud i den almindelige stilling og indfinder dig her på mandag."

"Aha ..."

"Hvis du stadig vil være i folden her hos SMP selvfølgelig."

"Naturligvis."

"Du er ansat til at lave research uden for det almindelige redaktionelle arbejde. Du arbejder direkte under mig. Du skal specialovervåge Salanderretssagen for SMP's regning."

"Nyhedschefen vil formentlig mene noget andet ..."

"Du skal ikke bekymre dig om Holm. Jeg har talt med chefen for retsredaktionen og ordnet det sådan, at der ikke opstår problemer fra den side. Men du kommer til at researche i baggrunden, ikke i nyhedsrapporteringen. Hvordan lyder det?"

"Kanon."

"Jamen ... så er vi færdige. Vi ses på mandag."

Hun viftede ham ud af glasburet. Da hun så op, fik hun øje på Anders Holm, der betragtede hende fra den anden side af centraldisken. Han slog blikket ned og lod, som om han ikke så hende.

KAPITEL 11

Fredag den 13. maj – lørdag den 14. maj

MIKAEL BLOMKVIST SØRGEDE omhyggeligt for, at han ikke blev skygget, da han tidligt fredag morgen gik fra *Millenniums* redaktion hen til Lisbeth Salanders gamle lejlighed i Lundagatan. Han var nødt til at tage til Göteborg for at møde Idris Ghidi. Problemet var at arrangere en transport, der var sikker, og hvor han ikke ville blive observeret eller efterlade spor. Han havde efter moden overvejelse besluttet ikke at tage toget, da han ikke ville bruge kreditkort. Normalt plejede han at låne Erika Bergers bil, hvilket dog ikke længere var muligt. Han havde overvejet at bede Henry Cortez eller en anden om at leje en bil, men endte hele tiden med det forbehold, at så ville der opstå papirspor.

Endelig nåede han frem til en løsning, der lå lige for. Han hævede en større mængde kontanter fra en hæveautomat i Götgatan. Han brugte Lisbeth Salanders nøgler til at åbne døren til hendes vinrøde Honda, der havde stået efterladt uden for hendes lejlighed siden marts. Han justerede sædet og konstaterede, at benzintanken var halvt fuld. Endelig bakkede han ud og kørte mod E4 via Liljeholmsbron.

Han parkerede i en sidegade til Avenyn i Göteborg klokken 14.50. Han spiste sen frokost på den første café, han kom forbi. Klokken 16.10 tog han sporvognen til Angered og steg af i centrum. Det tog tyve minutter at finde den adresse, hvor Idris Ghidi boede. Han kom omkring ti minutter for sent til det aftalte møde.

Idris Ghidi haltede. Han åbnede døren, gav Mikael Blomkvist hånden og inviterede ham indenfor i en spartansk møbleret stue. På en kommode ved siden af det bord, han bad Mikael om at sætte sig ved, stod der en halv snes indrammede fotografier, som Mikael studerede.

"Min familie," sagde Idris Ghidi.

235

Idris Ghidi talte med stærk accent. Mikael havde på fornemmelsen, at han ikke ville overleve én af Folkpartiets sprogtester.

"Er det dine brødre?"

"Mine to brødre længst til venstre blev myrdet af Saddam i 80'erne ligesom min far i midten. Mine to farbrødre blev myrdet af Saddam i 90'erne. Min mor døde i 2000. Mine tre søstre lever. De bor i udlandet. To i Syrien og min lillesøster i Madrid."

Mikael nikkede. Idris Ghidi hældte tyrkisk kaffe op.

"Jeg skulle hilse fra Kurdo Baksi."

Idris Ghidi nikkede.

"Har han forklaret dig, hvad jeg ville?"

"Kurdo sagde, at du ville give mig et job, men ikke hvad det drejede sig om. Lad mig begynde med at sige, at jeg ikke tager jobbet, hvis det er noget ulovligt. Jeg har ikke råd til at blive indblandet i den slags."

Mikael nikkede.

"Der er ikke noget ulovligt i det, jeg vil bede dig om, men det er usædvanligt. Selve arbejdet skal foregå de næste par uger, og arbejdet skal passes hver dag. På den anden side tager det kun omkring et minut om dagen at udføre arbejdet. For det er jeg villig til at betale dig tusinde kroner om ugen. Pengene får du i hånden lige ud af min lomme, og jeg har ikke tænkt mig at opgive det til skattemyndighederne."

"Okay. Hvad skal jeg gøre?"

"Du arbejder som rengøringsmand på Sahlgrenska Sygehus."

Idris Ghidi nikkede.

"En af dine arbejdsopgaver består i hver dag – eller seks dage om ugen, hvis jeg har forstået det ret – at gøre rent på gang 11C, der er intensivafdelingen."

Idris Ghidi nikkede.

"Nu skal du høre, hvad jeg gerne vil have dig til."

Mikael Blomkvist lænede sig frem og forklarede sit ærinde.

Politiadvokat Richard Ekström betragtede tankefuldt sin gæst. Det var tredje gang, han mødte politikommissær Georg Nyström. Han så et furet ansigt indrammet af kort, gråt hår. Georg Nyström havde første gang besøgt ham dagene efter mordet på Zalachenko.

Han havde vist legitimation, der bekræftede, at han arbejdede for Säpo. De havde ført en lang og lavmælt samtale.

"Det er vigtigt, at du forstår, at jeg på ingen måde forsøger at påvirke, hvordan du har tænkt dig at agere, eller hvordan du passer dit arbejde," sagde Nyström.

Ekström nikkede.

"Jeg understreger også, at du under ingen omstændigheder må videregive de informationer til offentligheden, som jeg giver dig."

"Jeg forstår," sagde Ekström.

Hvis sandheden skulle frem, så måtte Ekström erkende, at han ikke rigtig forstod det, men han ville ikke fremstå som en idiot ved at stille alt for mange spørgsmål. Han havde forstået, at Zalachenko var en sag, der måtte behandles med den allerstørste forsigtighed. Han havde også forstået, at Nyströms besøg var helt uformelt, om end det skete med godkendelse fra betydningsfulde personer inden for Säpo.

"Det drejer sig om menneskeliv," havde Nyström forklaret allerede ved det første møde. "Fra Sikkerhedspolitiets side er alt, der drejer sig om Zalachenkosagen, hemmeligstemplet. Jeg kan bekræfte, at han er en afhoppet forhenværende russisk agent for det sovjetiske militære efterretningsvæsen og en af nøglepersonerne i russernes offensiv mod Vesteuropa i 70'erne."

"Aha ... det er også, hvad Mikael Blomkvist påstår."

"Og i det her tilfælde har Mikael Blomkvist helt ret. Han er journalist og er faldet over en af det svenske totalforsvars hemmeligste sager gennem tiderne."

"Han har tænkt sig at trykke det."

"Naturligvis. Han repræsenterer massemedierne med alle deres fordele og ulemper. Vi lever i et demokrati og kan selvfølgelig ikke påvirke, hvad massemedierne skriver. Ulempen i det her tilfælde er selvfølgelig, at Blomkvist kun kender til en brøkdel af sandheden om Zalachenko, og meget af det, han kender til, er forkert."

"Okay."

"Det, som Blomkvist ikke forstår, er, at hvis sandheden om Zalachenko bliver kendt, vil russerne kunne identificere vores informanter og kilder i Rusland. Det betyder, at mennesker, der har risikeret deres liv for demokratiet, risikerer at blive dræbt."

"Men er Rusland ikke et demokrati nu? Jeg mener, hvis det her havde været under kommunismen ..."

"Det der er illusioner. Det drejer sig om mennesker, der har gjort sig skyldige i spionage mod Rusland – og der er ikke noget regime i verden, der ville acceptere det, selv om det er sket for mange år siden. Og flere af disse kilder er stadig aktive ..."

Der fandtes slet ikke den slags agenter, men det kunne politiadvokat Ekström jo ikke vide. Han var nødt til at tro Nyström på hans ord. Og han kunne ikke lade være med at føle sig smigret over at få del i oplysninger, som var noget af det mest tophemmelige, der fandtes i Sverige. Han var en smule overrasket over, at det svenske Sikkerhedspoliti havde kunnet infiltrere det russiske forsvar på den måde, som Nyström antydede, og han forstod, at dette naturligvis var oplysninger, der absolut ikke måtte spredes.

"Da jeg fik den opgave at kontakte dig, havde vi først foretaget en omhyggelig undersøgelse af dig," sagde Nyström.

Forførelse handlede altid om at finde menneskets svagheder. Politiadvokat Ekströms svaghed var hans overbevisning om sin egen betydning, og at han naturligvis som alle andre mennesker satte pris på smiger. Det handlede om at få ham til at føle sig udvalgt.

"Og vi konstaterede, at du er et menneske, som folk inden for politiet nærer stor tiltro til ... og selvfølgelig også inden for regeringskredse," tilføjede Nyström.

Ekström så fornøjet ud. At ikke navngivne mennesker i regeringskredse nærede *tiltro* til ham, var en oplysning, som, uden at der blev sagt noget, tydede på, at han kunne regne med taknemmelighed, hvis han spillede sine kort rigtigt. Det tegnede godt for den fremtidige karriere.

"Okay ... og hvad er det egentlig, du vil?"

"Min opgave er ganske enkelt så diskret som muligt at hjælpe dig med viden. Du forstår naturligvis, hvor usandsynlig kompliceret den her historie er blevet. På den ene side foregår der nu i henhold til loven en forundersøgelse, som du er hovedansvarlig for. Ingen ... hverken regeringen eller Sikkerhedspolitiet eller nogen anden må blande sig i, hvordan du laver den forundersøgelse. Dit job består i at finde sandheden og sigte de skyldige. Det er en af de vigtigste funktioner, der eksisterer i en retsstat."

Ekström nikkede.

"På den anden side ville det være en national katastrofe af nærmest ufattelige proportioner, hvis hele sandheden om Zalachenko lækkede."

"Så hvad er formålet med dit besøg?"

"For det første er det min opgave at gøre dig bevidst om den følsomme situation. Jeg tror ikke, at Sverige har befundet sig i en mere udsat situation siden anden verdenskrig. Man kan sige, at Sveriges skæbne i visse henseender hviler i dine hænder."

"Hvem er din chef?"

"Jeg er ked af det, men jeg kan ikke afsløre navnet på de personer, der arbejder med den her sag. Lad mig bare fastslå, at mine instrukser kommer fra højest tænkelige sted."

Herregud. Han handler på ordre fra regeringen. Men det kan ikke siges åbent, da det ville blive en politisk katastrofe.

Nyström så, at Ekström bed på krogen.

"Hvad jeg derimod kan gøre, er at være dig behjælpelig med oplysninger. Jeg har meget vidtstrakte beføjelser til ud fra min egen vurdering at indvie dig i materiale, der er noget af det hemmeligste, vi har i dette land."

"Aha."

"Det betyder, at når du har spørgsmål om noget, hvad det så end er, så er det mig, du skal henvende dig til. Du skal ikke tale med andre inden for Sikkerhedspolitiet, men kun med mig. Min opgave består i at være din guide i denne labyrint, og hvis der er optræk til sammenstød mellem forskellige interesser, skal vi hjælpes ad med at finde en løsning."

"Okay. I så fald bør jeg vel sige, at jeg er taknemmelig over, at du og dine kolleger er villige til at gøre det lettere for mig på denne måde."

"Vi vil gerne have, at retsprocessen går sin gang, selv om det er en svær situation."

"Godt. Jeg forsikrer dig om, at jeg nok skal være yderst diskret. Det er jo ikke første gang, at jeg tager mig af informationer, der er klassificeret som hemmelige ..."

"Nej, det ved vi jo udmærket godt."

Ekström havde haft en snes spørgsmål, som Nyström omhyggeligt havde noteret ned og derefter forsøgt at besvare, så godt han kunne. Ved det tredje besøg ville Ekström få svar på flere af de spørgsmål, han havde stillet. Det vigtigste af disse spørgsmål var, hvad sandheden var om Björcks rapport fra 1991.

"Det der er en bekymrende sag," sagde Nyström.

Han så bekymret ud.

"Jeg skal måske begynde med at sige, at vi har haft en analysegruppe til at arbejde næsten døgnet rundt for at finde ud af, præcis hvad der er sket, siden denne rapport dukkede op til overfladen. Og nu begynder vi at nå til det punkt, hvor vi kan drage konklusioner. Og det er nogle meget ubehagelige konklusioner."

"Det kan jeg forstå. Den der rapport hævder jo, at Sikkerhedspolitiet og psykiateren Peter Teleborian konspirerede for at få Lisbeth Salander indlagt på psykiatrisk afdeling."

"Hvis det bare var så vel," sagde Nyström og smilede svagt.

"Vel?"

"Ja, hvis det bare havde forholdt sig sådan, var sagen jo enkel. Så var der blevet begået et kriminelt overgreb, der kan føre til en sigtelse. Problemet er, at denne rapport ikke stemmer med de rapporter, der er arkiveret hos os."

"Hvad mener du?"

Nyström tog en mappe op i hånden og åbnede den.

"Det, jeg har her, er den virkelige rapport, som Gunnar Björck skrev i 1991. Her er også originalkorrespondancen mellem ham og Teleborian, som vi har i arkivet. Problemet er, at de to versioner ikke stemmer overens med hinanden."

"Forklar."

"Det forfærdelige er jo, at Björck gik hen og hængte sig. Vi går ud fra, at det var på grund af de afsløringer om hans seksuelle affærer, som han stod overfor. *Millennium* havde tænkt sig at hænge ham ud. Det drev ham ud i en så dyb fortvivlelse, at han valgte at tage sit eget liv."

"Ja ..."

"Originalrapporten er en undersøgelse af Lisbeth Salanders forsøg på at myrde sin far, Alexander Zalachenko, med en brandbombe. De første tredive sider af rapporten, som Blomkvist fandt, stemmer overens med originalen. Disse sider indeholder intet mærkeligt. Det er først på side 33, hvor Björck konkluderer og råder, at diskrepansen opstår."

"Hvordan?"

"I orginalversionen giver Björck fem tydelige råd. Vi behøver ikke at feje ind under gulvtæppet, at det drejer sig om at nedtone Zalachenkosagen i medierne og lignende. Björck foreslår, at Zalachenkos genoptræning – han var jo slemt forbrændt – skal ske i udlandet. Og lignende ting. Han foreslår også, at Lisbeth Salander skal tilbydes den bedst tænkelige psykiatriske pleje."

"Aha ..."

"Problemet er bare, at nogle sætninger er blevet ændret på en meget subtil måde. På side 34 er der et afsnit, hvor Björck synes at fastslå, at Salander skal stemples som psykotisk, for at hun ikke skal virke troværdig, hvis nogen begynder at stille spørgsmål om Zalachenko."

"Og denne påstand figurerer ikke i originalrapporten?"

"Præcis. Gunner Björck foreslog aldrig noget sådant. Det havde desuden været retsstridigt. Han foreslog, at hun skulle have den pleje, som hun faktisk havde brug for. I Blomkvists kopi er dette blevet en sammensværgelse."

"Kan jeg få lov at læse originalen?"

"Værsgo. Men jeg er nødt til at tage rapporten med mig, når jeg går. Og inden du læser den, så lad mig henlede din opmærksomhed på bilaget med den efterfølgende korrespondance mellem Björck og Teleborian. Det er næsten helt igennem den rene forfalskning. Her drejer det sig ikke om subtile ændringer, men om grove forfalskninger."

"Forfalskninger?"

"Jeg tror, at det er det eneste passende ord i den sammenhæng. Originalen viser, at Peter Teleborian fik til opgave af retten at foretage en retspsykiatrisk undersøgelse af Lisbeth Salander. Det er der ikke noget mærkeligt i. Lisbeth Salander var tolv år og havde forsøgt at dræbe sin far med en brandbombe; det ville være bemærkelsesværdigt, hvis det *ikke* havde resulteret i en psykiatrisk undersøgelse."

"Det er jo sandt."

"Hvis du havde været anklager, går jeg ud fra, at du også ville have begæret både en social og en psykiatrisk undersøgelse."

"Absolut."

"Teleborian var jo allerede dengang en berømt og respekteret børnepsykiater og havde desuden arbejdet inden for retsmedicinen. Han fik til opgave at foretage en helt normal undersøgelse og nåede frem til den konklusion, at Lisbeth Salander var psykisk syg ... jeg behøver ikke at komme ind på de fagtekniske termer."

"Okay ..."

"Dette meddelte Teleborian i en rapport, som han sendte til Björck, og som derefter blev forelagt retten, der besluttede, at Salander skulle indlægges på Skt. Stefans."

"Okay."

"I Blomkvists version mangler den rapport helt, som Teleborian skrev. I stedet for den finder vi en korrespondance mellem Björck og Teleborian, der tyder på, at Björck instruerer ham i at forfalske en mentalundersøgelse."

"Og du mener, at dette er en forfalskning?"

"Uden tvivl."

"Men hvem skulle have interesse i at lave sådan en forfalskning?"

Nyström lagde rapporten fra sig og rynkede øjenbrynene.

"Nu kommer du til selve kernespørgsmålet."

"Og svaret er ...?"

"Vi ved det ikke. Det er det spørgsmål, vores analysegruppe arbejder meget hårdt med at forsøge at besvare."

"Kan det være Blomkvist, der har brygget det hele sammen?"

Nyström slog en latter op.

"Nja, det var vel også en af vores første tanker. Men det tror vi ikke. Vi tror, at forfalskningen er blevet foretaget for længe siden, formentlig næsten samtidig med, at originalrapporten blev skrevet."

"Aha?"

"Og det fører til en ubehagelig konklusion. Den, der foretog forfalskningen, havde nøje kendskab til sagen. Og desuden havde forfalskeren adgang til den samme skrivemaskine, som Gunnar Björck brugte."

"Siger du ..."

"Vi ved ikke, *hvor* Björck skrev rapporten. Det kan have været på en skrivemaskine i hjemmet, på hans arbejdsplads eller et helt andet sted. Vi kan tænke os to alternativer. Enten at den, der lavede forfalskningen, var en inden for psykiatrien eller retsmedicinen, der af en eller anden grund ville skandalisere Teleborian. Eller også blev forfalskningen foretaget af helt andre grunde af nogen inden for Sikkerhedspolitiet."

"Hvorfor?"

"Det skete i 1991. Der kan have været en russisk agent inden for Säpo, der havde fået opsporet Zalachenko. Den mulighed har medført, at vi for øjeblikket undersøger et stor mængde gamle personfiler."

"Men hvis KGB havde fået nys om det ... så burde dette da være sluppet ud for flere år siden."

"Rigtigt tænkt. Men glem ikke, at det var netop på den tid, hvor Sovjetunionen faldt, og KGB blev opløst. Vi ved ikke, hvad der gik galt. Det var måske en planlagt operation, der blev skrinlagt. En ting, som KGB var en sand mester i, var dokumentforfalskning og misinformation."

"Men hvilken grund skulle KGB have haft til en sådan forfalskning ...?"

"Det ved vi heller ikke. Men en åbenlys grund ville naturligvis være at skandalisere den svenske regering."

Ekström nev sig i underlæben.

"Så det, du siger, er, at den medicinske bedømmelse af Salander er korrekt?"

"Åh ja. Uden tvivl. Salander er splitterravende gal, for at udtrykke det lidt nonchalant. Det behøver du ikke at være i tvivl om. Det var en helt rigtig forholdsregel at indlægge hende på en lukket afdeling."

"TOILETTER," SAGDE DEN midlertidige chefredaktør Malin Eriksson tvivlende. Hun lød, som om hun troede, at Henry Cortez lavede sjov med hende.

"Toiletter," gentog Henry Cortez og nikkede.

"Du vil skrive en artikel om toiletter. Til *Millennium?*"

Monica Nilsson lo pludselig højt og upassende. Hun havde set hans slet skjulte entusiasme, da han kom slentrende ind til fredagsmødet, og hun genkendte alle tegn på en journalist, der havde en historie på bedding.

"Okay, forklar."

"Det er meget enkelt," sagde Henry Cortez. "Sveriges i særklasse største industri er byggebranchen. Det er en industri, der i praksis ikke kan flytte udenlands, selv om Skanska tilsyneladende har et kontor i London. Husene skal jo under alle omstændigheder bygges i Sverige."

"Ja, men det er da ikke noget nyt."

"Næ, men det, der er en smule nyt, er, at byggebranchen ligger et par lysår bagefter al anden industri i Sverige, når det drejer sig om konkurrence og effektivitet. Hvis Volvo skulle bygge biler på samme måde, ville den seneste model af Volvo koste omkring en eller to millioner kroner stykket. For al normal industri drejer det sig om at presse priser. For byggebranchen er det omvendt. De skider på at presse priserne, hvilket betyder, at kvadratmeterprisen stiger, og at staten subventionerer med skattemidler, for at det ikke skal blive helt urimeligt."

"Hvori ligger historien?"

"Vent. Det er kompliceret. Lad os sige, at prisudviklingen på hamburgere havde opført sig ligesådan siden 70'erne, så ville en Big Mac koste omkring hundrede og halvtreds kroner eller mere. Hvad det ville koste med pomfritter og cola, har jeg ikke lyst til at tænke på, men min løn her på *Millennium* ville nok ikke række så frygtelig langt. Hvor mange ved det her bord ville gå på McDonald's og købe en hamburger for en hundredkroneseddel?"

Ingen sagde noget.

"Klogt. Men når NCC smækker nogle kasser op i Gåshaga på Lidingö, tager de ti- eller tolvtusinde i leje om måneden for en treværelses. Hvor mange af jer betaler det?"

"Jeg har ikke råd," sagde Monica Nilsson.

"Næ, men du bor allerede i en toværelses ved Danvikstull, som din far købte til dig for tyve år siden, og som du ville få, lad os sige halvanden million for, hvis du solgte. Men hvad gør en 20-årig, der vil flytte hjemmefra? De har ikke råd. Altså fremlejer de eller bliver boende hjemme hos deres mor, til de bliver pensioneret."

"Hvor kommer toiletterne ind i billedet?" spurgte Christer Malm.

"Jeg kommer til det. Spørgsmålet er bare, hvorfor huse er så forbandet dyre? Jo, fordi de, der bestiller husene, ikke ved, hvordan de skal bestille. Lidt forenklet sagt ringer en kommunal boligforening til et byggefirma a la Skanska og siger, at de gerne vil bestille hundrede lejligheder og spørger, hvad det koster. Og Skanska regner på det, vender tilbage og siger, at det koster omkring 500 millioner kroner. Hvilket betyder en kvadratmeterpris på x antal kroner, og at det kommer til at koste ti af de store, hvis du vil flytte ind. For til forskel fra McDonald's kan du ikke bare bestemme dig for, at du ikke gider bo nogen steder. Altså må du betale, hvad det koster."

"Søde Henry ... kom nu til sagen."

"Jamen, det er jo det, der er sagen. Hvorfor koster det ti af de store at flytte ind i de der skide kæmpekasser i Hammarbyhamnen? Jo, fordi byggefirmaet er skide ligeglad med at presse prisen. Kunden skal jo under alle omstændigheder betale. En af de store udgifter er materialer til byggeriet. Handlen med byggematerialer går gennem grossister, der sætter deres egne priser. Da der ikke findes nogen rigtig konkurrence der, koster et badekar 5.000 kroner i Sverige. Samme badekar fra det samme firma koster 2.000 kroner i Tyskland. Der er ingen rimelig meromkostning, der kan forklare prisforskellen."

"Okay."

"En hel del af det her kan læses i en rapport fra regeringens byggeomkostningskommission, der var aktiv i slutningen af 90'erne. Der er ikke sket meget siden. Ingen forhandler med byggefirmaerne om det urimelige i prisfastsættelsen. Dem, der bestiller, betaler, hvad det koster, og priserne betales til sidst af lejerne, køberne eller skatteyderne."

"Henry, toiletterne?"

"Den smule, der er sket siden byggeomkostningskommissionen, er sket på lokalplan, hovedsagelig uden for Stockholm. Der er købere, der er blevet trætte af de høje byggepriser. Et typisk eksempel er Karlskronahem, der bygger billigere end nogen anden, simpelthen ved at købe materialerne op selv. Og desuden har Svensk Handel blandet sig. De synes, at byggematerialepriserne er fuldkommen vanvittige og forsøger derfor at gøre det lettere for køberne at tage billigere, men lige så gode produkter hjem. Og det førte til et lille sammenstød på Byggemessen i Älvsjö for et år siden. Svensk Handel havde fundet en fyr fra Thailand, der solgte toiletter for omkring 500 kroner stykket."

"Aha? Og?"

"Nærmeste konkurrent var et svensk grossistfirma, der hedder Vitavara AB, og som sælger rigtige svenske toiletter for 1.700 kroner stykket. Og begavede købere ude i kommunerne begynder at klø sig i håret og undre sig over, hvorfor de skal hoste op med 1.700 kroner, når de kan få et toilet, der er lige så godt fra Thailand for 500 kroner."

"Måske af bedre kvalitet?" spurgte Lottie Karim.

"Nej. Helt ens produkter."

"Thailand," sagde Christer Malm. "Det lugter af børnearbejde og den slags. Det kunne forklare den lave pris."

"Niks," sagde Henry Cortez. "Børnearbejde findes først og fremmest inden for tekstil- og souvenirindustrien i Thailand. Og pædofilhandlen selvfølgelig. Det her er rigtig industri. FN holder et vågent øje med børnearbejde, og jeg har tjekket firmaet. De opfører sig ordentligt. Det her er altså et stort, moderne og respektabelt industriforetagende i hvidevarebranchen."

"Aha ... men vi snakker altså lavtlønnede lande, hvilket betyder, at du risikerer at skrive en artikel, der plæderer for, at svensk industri skal udkonkurreres af thailandsk industri. Spark svenske lønmodtagere ud, nedlæg firmaet her og importer fra Thailand. Du får nok ingen point fra LO."

Et smil bredte sig over Henry Cortez' ansigt. Han lænede sig tilbage og så uforskammet kæphøj ud.

"Niks," sagde han. "Gæt, hvor Vitavara AB får lavet deres toiletter til 1.700 kroner stykket?"

En tavshed lagde sig over redaktionen.

"Vietnam," sagde Henry Cortez.

"Det er ikke rigtigt," sagde chefredaktør Malin Eriksson.

"Jep," sagde Henry. "De har lavet toiletter i underentreprise dernede i hvert fald i ti år. Svenske lønmodtagere blev fyret allerede i 90'erne."

"Åh, for fanden."

"Men her kommer pointen. Hvis vi importerer direkte fra fabrikken i Vietnam, ville prisen ligge på omkring 390 kroner. Gæt, hvordan man kan forklare prisforskellen mellem Thailand og Vietnam."

"Sig ikke, at ..."

Henry Cortez nikkede. Hans smil var bredere end ansigtet.

"Vitavara AB lægger arbejdet ud til noget, der hedder Fong Soo Industries. De står på FN's liste over firmaer, der i hvert fald ved en undersøgelse i 2001 benyttede børnearbejdskraft. Men størsteparten af arbejderne er straffefanger."

Malin Eriksson smilede pludselig.

"Det her er godt," sagde hun. "Det er rigtig godt. Du skal nok blive journalist, når du bliver stor. Hvor hurtigt kan du have artiklen klar?"

"To uger. Jeg skal have tjek på en hel del international handel først. Og så har vi brug for en *bad guy* til historien, så jeg vil finde ud af, hvem der ejer Vitavara AB."

"Så kan vi altså få den med i juninummeret?" spurgte Malin håbefuldt.

"No problem."

KRIMINALKOMMISSÆR JAN BUBLANSKI betragtede udtryksløst politiadvokat Richard Ekström. Mødet havde varet i fyrre minutter, og Bublanski mærkede en stærk trang til at bøje sig frem og tage det eksemplar af Svea Rikes Lag, der lå på kanten af Ekströms skrivebord, og hamre den ned i hovedet på anklageren. Han spekulerede tavst på, hvad der ville ske, hvis han gjorde det. Det ville unægtelig skabe overskrifter i aviserne og sandsynligvis resultere i en voldsdom. Han skød tanken fra sig. Selve pointen med det socialiserede menneske var ikke at give efter for den slags impulser, uanset hvor provokerende modparten opførte sig. Og det var jo faktisk oftest i forbindelse med, at nogen havde givet efter for sådanne impulser, at kriminalkommissær Bublanski plejede at blive tilkaldt.

"Jamen godt," sagde Ekström. "Jeg opfatter det, som om vi er enige."

"Nej, vi er ikke enige," svarede Bublanski og rejste sig. "Men du er chef for den indledende efterforskning."

Han mumlede for sig selv, da han drejede ind på gangen til sit kontor og kaldte kriminalassistenterne Curt Svensson og Sonja Modig sammen. De to udgjorde hans personale denne eftermiddag. Jerker Holmberg havde ganske ubelejligt besluttet sig for at tage to ugers ferie.

"Mit kontor," sagde Bublanski. "Tag kaffe med."

Da de havde bænket sig, åbnede Bublanski sin blok med noter fra mødet med Ekström.

"Situationen for øjeblikket er, at vores chef for den indledende efterforskning har frafaldet tiltalen mod Lisbeth Salander i forbindelse med de drab, hun har været efterlyst for. Hun indgår altså ikke længere i forundersøgelsen, hvad os angår."

"Det må vel trods alt ses som et skridt fremad," sagde Sonja Modig.

Curt Svensson sagde som sædvanlig ingenting.

"Det er jeg ikke så sikker på," sagde Bublanski. "Salander er stadig mistænkt for grov vold i forbindelse med Stallarholmen og Gosseberga. Men dette indgår ikke i vores efterforskning. Vi skal koncentrere os om at finde Niedermann og undersøge skovkirkegården i Nykvarn."

"Jeg er med."

"Men det står klart nu, at Ekström vil sigte Lisbeth Salander. Sagen er overført til Stockholm, hvor en helt separat efterforskning skal finde sted."

"Aha?"

"Og gæt hvem der skal efterforske Salander?"

"Jeg frygter det værste."

"Hans Faste er tilbage i tjenesten. Han skal være Ekström behjælpelig i efterforskningen af Salander."

"For fanden, hvor er det langt ude. Faste er jo fuldstændig uegnet til at efterforske Salander."

"Jeg ved det. Men Ekström har jo et godt argument. Han har været sygemeldt siden ... hmm, kollapset i april, og det her er en god og enkel sag, han kan koncentrere sig om."

Tavshed.

"Altså skal vi overlade alt Salander-materialet til ham i eftermiddag."

"Og den her historie med Gunnar Björck og Säpo og rapporten fra 1991 ..."

"Skal Faste og Ekström tage sig af."

"Jeg bryder mig ikke om det her," sagde Sonja Modig.

"Heller ikke jeg. Men Ekström er chef, og han har støtte længere oppe i bureaukratiet. Med andre ord er vores arbejde stadig at finde morderen. Curt, hvordan går det med det?"

Curt Svensson rystede på hovedet.

"Niedermann er stadig som sunket i jorden. Jeg må indrømme, at jeg i alle disse år som politimand aldrig har været med til noget lignende. Vi har ikke hørt fra en eneste, der kender ham eller synes at have en anelse om, hvor han befinder sig."

"Mærkeligt," sagde Sonja Modig. "Men han er altså efterlyst for politimordet i Gosseberga, for et tilfælde af grov vold mod en politimand, for drabsforsøg på Lisbeth Salander og for kidnapning og vold mod klinikassistent Anita Kaspersson. Samt for mordene på Dag Svensson og Mia Bergman. I samtlige disse sager foreligger der gode tekniske beviser."

"Så er vi nået langt. Hvordan går det med undersøgelsen af Svavelsjö MC's finansielle ekspert?"

"Viktor Göransson og hans kæreste Lena Nygren. Vi har tekniske beviser, der forbinder Niedermann med stedet. Fingeraftryk og dna fra Göranssons krop. Niedermann skrabede knoerne temmelig meget under mordene."

"Okay. Noget nyt om Svavelsjö MC?"

"Sonny Nieminen er tiltrådt som chef, mens Magge Lundin sidder varetægtsfængslet for kidnapningen af Miriam Wu. Rygtet går, at Nieminen har udlovet en stor belønning til den, der kan give et tip om, hvor Niedermann befinder sig."

"Hvilket kun gør det endnu mere mærkeligt, at han ikke er blevet fundet. Hvordan var det nu med Göranssons bil?"

"Da vi fandt Anita Kasperssons bil på Göranssons gård, tror vi, at Niedermann har byttet køretøj. Vi har ikke noget spor efter bilen."

"Så det spørgsmål, vi må stille os, er altså, om Niedermann stadig gemmer sig et eller andet sted i Sverige – i så fald hvor og hos hvem – eller om han allerede har nået at redde sig i sikkerhed i udlandet. Hvad tror I?"

"Vi har ikke noget, der peger i retning af, at han er forsvundet til udlandet, men det er jo absolut det eneste logiske."

"Hvor har han i så fald gjort af bilen?"

Både Sonja Modig og Curt Svensson rystede på hovedet. Politiarbejde var i ni tilfælde ud af ti ganske ukompliceret, når det drejede sig om eftersøgning af efterlyste, navngivne personer. Det drejede sig om at lave en logisk kæde og så begynde at hale ind på den. Hvem var hans venner? Hvem havde han siddet i fængsel sammen med? Hvor boede hans kæreste? Hvem plejede han at gå ud og drikke sammen med? I hvilket område blev hans mobil senest brugt? Hvor befandt hans køretøj sig? For enden af kæden ville den eftersøgte være at finde.

Problemet med Ronald Niedermann var, at han ikke havde nogen venner, ingen kæreste, aldrig havde siddet i fængsel og ikke havde en mobil, man kendte til.

En stor del af eftersøgningen havde derfor drejet sig om at finde Viktor Göranssons bil, som Ronald Niedermann formodedes at køre i. Det ville give en indikation af, hvor eftersøgningen burde fortsætte. Oprindelig havde de forventet, at bilen ville dukke op inden for nogle få døgn, formentlig på en eller anden parkeringsplads i Stockholm. Trods efterlysningen glimrede køretøjet dog ved sit fravær.

"Hvis han befinder sig udenlands ... hvor er han så?"

"Han er tysk statsborger, så det naturlige ville jo være, at han søgte til Tyskland."

"Han er efterlyst i Tyskland. Han synes ikke at have nogen kontakt med sine gamle venner i Hamborg."

Curt Svensson viftede med hånden.

"Hvis det var hans plan at tage til Tyskland ... Hvorfor skulle han i så fald tage til Stockholm? Burde han ikke være kørt mod Malmö og Øresundsbroen eller nogle af færgerne?"

"Jeg ved det godt. Og Marcus Erlander i Göteborg koncentrerede eftersøgningen om de steder de første døgn. Politiet i Danmark er informeret om Göranssons bil, og vi kan med sikkerhed sige, at han ikke er taget med nogen af færgerne."

"Men han tog til Stockholm og Svavelsjö MC, hvor han slog deres kasserer ihjel og – må vi formode – forsvandt med en ukendt sum penge. Hvad ville det næste skridt være?"

"Han må ud af Sverige," sagde Bublanski. "Det naturlige ville være nogle af færgerne over til Baltikum. Men Göransson og hans kæreste blev myrdet sent på natten den 9. april. Det betyder, at Niedermann kan have taget færgen næste morgen. Vi blev alarmeret omkring seksten timer efter, at de døde, og har eftersøgt bilen siden."

"Hvis han har taget færgen om morgenen, burde Göranssons bil have stået parkeret ved en af færgehavnene," konstaterede Sonja Modig.

Curt Svensson nikkede.

"Kan det være så enkelt, at vi ikke har fundet Göranssons bil, fordi Niedermann er kørt ud af landet nordpå via Haparanda? En lang omvej omkring Den Botniske Bugt, men på seksten timer burde han have passeret grænsen til Finland."

"Jo, men derefter må han have skilt sig af med bilen et eller andet sted i Finland, og på nuværende tidspunkt burde vores finske kolleger have fundet den."

De sad tavse i lang tid. Til sidst rejste Bublanski sig og stillede sig hen til vinduet.

"Både logik og odds taler imod det, men Göranssons bil er stadig forsvundet. Kan han have fundet et gemmested, hvor han holder lav profil, et sommerhus eller ..."

"Næppe et sommerhus. På det her tidspunkt af året er alle husejere ude og se til deres sommerhuse."

"Og næppe noget med forbindelse til Svavelsjö MC. Det er nok de sidste, han har lyst til at støde ind i."

"Og dermed bør hele den kriminelle verden være udelukket ... Nogen kæreste vi ikke kender til?"

De havde masser af spekulationer, men ingen kendsgerninger at gå efter.

DA CURT SVENSSON var gået hjem, gik Sonja Modig tilbage til Jan Bublanskis kontor og bankede på dørkarmen. Han vinkede hende indenfor.

"Har du tid i to minutter?"

"Hvad?"

"Salander."

"Okay."

"Jeg bryder mig ikke om det her med Ekström og Faste og en ny retssag. Du har læst Björcks rapport. Jeg har læst Björcks rapport. Hun kom ned med nakken i 1991, og det ved Ekström. Hvad fanden sker der?"

Bublanski tog læsebrillerne af og lagde dem i brystlommen.

"Jeg ved det ikke."

"Har du ingen anelse?"

"Ekström hævder, at Björcks rapport og korrespondancen med Teleborian er en forfalskning."

"Sikke noget sludder. Hvis det var en forfalskning, ville Björck jo have sagt det, da vi tog ham med på stationen."

"Ekström siger, at Björck ikke ville tale om det, da det var en hemmeligstemplet sag. Jeg fik kritik for, at jeg foregreb begivenhederne og tog ham med på stationen."

"Jeg begynder at synes mindre og mindre om Ekström."

"Han bliver presset fra flere sider."

"Det er ingen undskyldning."

"Vi har ikke monopol på sandheden. Ekström hævder, at han har belæg for, at rapporten er en forfalskning – der eksisterer ingen rigtig rapport med det journalnummer. Han siger også, at forfalskningen er dygtigt lavet, og at indholdet er en blanding af sandhed og fantasi."

"Hvilken del var sandhed, og hvilken del var fantasi?"

"Rammefortællingen er nogenlunde korrekt. Zalachenko er Lisbeth Salanders far, og han var en værre idiot, der tævede hendes mor. Problemet er det sædvanlige – moderen ville ikke indgive politianmeldelse, og derfor stod det på i flere år. Björck havde til opgave at undersøge, hvad der skete, da Lisbeth forsøgte at dræbe sin far med en brandbombe. Han korresponderede med Teleborian – men al korrespondancen i den form, vi har set, er en forfalskning. Teleborian foretog en helt almindelig psykiatrisk undersøgelse af Salander og konstaterede, at hun var gal, og en anklager besluttede ikke at køre sagen mod hende videre. Hun havde brug for behandling, og det fik hun på Skt. Stefans."

"Hvis det nu er en forfalskning ... hvem skulle i så fald havde lavet den og hvorfor?"

Bublanski slog ud med hænderne.

"Laver du sjov med mig?"

"Som jeg har forstået det, vil Ekström kræve en gennemgribende mentalundersøgelse af Salander igen."

"Det vil jeg ikke acceptere."

"Det er ikke længere vores bord. Vi er sat af Salandersagen."

"Og Hans Faste er sat på ... Jan, jeg går til pressen, hvis de der idioter går i krig mod Salander en gang til ..."

"Nej, Sonja. Det gør du ikke. For det første har vi ikke adgang til rapporten længere, og dermed har du ingen beviser for, hvad du påstår. Du vil fremstå som en skide paranoid, og dermed er din karriere forbi."

"Jeg har stadig rapporten," sagde Sonja Modig lavmælt. "Jeg tog en kopi til Curt Svensson, som jeg aldrig gav ham, da statsadvokaten samlede dem ind."

"Og hvis du lækker den rapport, bliver du ikke bare fyret, men gør dig også skyldig i en grov tjenestefejl og i at have lækket en hemmeligstemplet rapport til medierne."

Sonja Modig sad tavst et øjeblik og betragtede sin chef.

"Sonja, du skal ikke gøre det. Lov mig det."

Hun tøvede.

"Nej, Jan, det kan jeg ikke love. Der er noget sygt ved hele den her historie."

Bublanski nikkede.

"Ja, det er sygt. Men vi ved ikke, hvem der er vores fjender lige nu."

Sonja Modig lagde hovedet på skrå.

"Har *du* tænkt dig at gøre noget?"

"Det har jeg ikke tænkt mig at diskutere med dig. Stol på mig. Det er fredag aften. Hold weekend. Gå hjem med dig. Denne samtale har aldrig fundet sted."

KLOKKEN VAR HALV TO lørdag eftermiddag, da Securitasvagten Niklas Adamsson hævede blikket fra den bog om nationaløkonomi, som han skulle op i tre uger senere. Han hørte lyden af de roterende børster i den lavmælt brummende rengøringsvogn og konstaterede, at det var den haltende fremmedarbejder. Han plejede altid at hilse høfligt, men var ellers meget tavs og plejede ikke at grine de gange, hvor han havde forsøgt at lave sjov med ham. Han så ham tage en flaske Ajax frem, spraye to gange på skranken i receptionen og tørre den ren med en klud. Derefter tog han en moppe og svabede i nogle kroge af receptionen, hvor rengøringsvognens børster ikke kunne nå. Niklas Adamsson begravede næsen i bogen igen og fortsatte med at læse.

Det varede ti minutter, før rengøringsmanden havde fået arbejdet sig hen til Adamssons plads for enden af gangen. De nikkede til hinanden. Adamsson rejste sig og lod manden tage gulvet omkring stolen uden for Lisbeth Salanders stue. Han havde set rengøringsmanden stort set hver dag, han havde haft vagt uden for hendes rum, men kunne ikke huske navnet. Det var i hvert fald et fremmedarbejdernavn. Derimod følte Adamsson ikke noget større behov for at kontrollere legitimationen. Dels skulle fremmedarbejderen ikke ind på fangens stue – den blev gjort rent om formiddagen af to rengøringsdamer – og dels opfattede han ikke den haltende rengøringsmand som nogen større trussel.

Da rengøringsmanden havde gjort rent for enden af gangen, låste han døren op til det rum, der lå tættest på Salanders stue. Adamsson skævede til rengøringsmanden, men heller ikke dette udgjorde nogen afvigelse fra de daglige rutiner. Rengøringsrummet lå for enden af gangen. De næste fem minutter tømte han spanden, rengjorde børster og fyldte rengøringsvognen med plasticposer til affaldsspandene. Endelig kørte han hele rengøringsvognen ind i rummet.

IDRIS GHIDI KENDTE godt Securitasvagten ude på gangen. Det var en lyshåret fyr omkring de femogtyve år, der sad der to eller tre dage om ugen, og som læste bøger om nationaløkonomi. Ghidi drog den konklusion, at han arbejdede på Securitas, samtidig med at han studerede, og at han var næsten lige så opmærksom på omgivelserne som en mursten.

Idris Ghidi spekulerede på, hvad Adamsson ville gøre, hvis nogen virkelig forsøgte at komme ind på Lisbeth Salanders stue.

Idris Ghidi spekulerede også på, hvad Mikael Blomkvist egentlig var ude på. Han rystede på hovedet. Han havde selvfølgelig læst om journalisten i aviserne, forbundet ham med Lisbeth Salander på 11C og forventet, at han ville blive bedt om at smugle noget ind til hende. I så fald ville han have været nødt til at afslå, da han ikke havde adgang til hendes stue og aldrig havde set hende. Men hvad han end forventede sig, var det ikke den ordre, han fik.

Han kunne ikke se noget ulovligt i opgaven. Han smugkiggede gennem døråbningen og så, at Adamsson igen havde sat sig på stolen uden for døren, og at han læste i sin bog. Han var glad for, at der overhovedet ikke var nogen mennesker i nærheden, hvilket næsten altid var tilfældet, fordi rengøringsrummet lå for enden af en blind gang. Han stak hånden ned i lommen i rengøringskitlen og tog en ny Sony Ericsson Z600 mobiltelefon op. Idris Ghidi havde set telefonen i en reklame og konstateret, at den kostede omkring 3.500 kroner i handlen og havde alle mobilmarkedets finesser.

Han kastede et blik på displayet og noterede sig, at mobilen var tændt, men at lyden var slået fra, både ringesignal og vibration. Så stillede han sig på tå og skruede et cirkelformet hvidt dæksel af, der var sat på en udluftningsventil, som førte ind til Lisbeth Salanders rum. Han lagde mobilen uden for synsvidde inde i ventilen, præcis som Mikael Blomkvist havde bedt ham gøre.

Det hele tog omkring et halvt minut. Næste dag ville det tage omkring ti sekunder. Det, han skulle gøre, var at tage mobilen ned, skifte batteri og lægge den tilbage i ventilen. Det gamle batteri skulle han tage med hjem og lade det op om natten.

Det var alt, hvad Idris Ghidi skulle gøre.

Dette ville dog ikke hjælpe Salander. På hendes side af væggen var der skruet et gitter fast. Hun ville aldrig kunne komme til mobilen, uanset hvordan hun bar sig ad, medmindre hun fik fat i en stjerneskruetrækker og en stige.

"Jeg ved det," havde Mikael sagt. "Men hun skal aldrig røre den mobiltelefon."

Dette skulle Idris Ghidi gøre hver dag, indtil Mikael Blomkvist meddelte, at det ikke længere var nødvendigt.

Og for dette arbejde kunne Idris Ghidi indkassere tusinde kroner om ugen lige ned i foret. Desuden måtte han beholde mobilen, når jobbet var ovre.

Han rystede på hovedet. Han forstod naturligvis godt, at Mikael havde gang i noget fordækt, men han kunne ikke for alt i verden begribe, hvad det gik ud på. At placere en mobiltelefon i en udluftningsventil i et låst rengøringsrum, tændt, men med lyden slået fra, var en fidus på et sådant niveau, at Ghidi ikke rigtig kunne begribe, hvad det skulle gøre godt for. Hvis Blomkvist gerne ville have mulighed for at kommunikere med Lisbeth Salander, ville det være betydelig mere begavet at bestikke en af rengøringsdamerne til at smugle en telefon ind til hende. Det var ligesom ikke rigtig logisk.

Ghidi rystede på hovedet. På den anden side havde han ikke noget imod at gøre Mikael Blomkvist den tjeneste, så længe denne betalte ham tusinde kroner om ugen. Og han havde ikke tænkt sig at stille nogen spørgsmål.

Dr. Anders Jonasson satte farten lidt ned, da han så en mand på fyrre plus læne sig mod gitterporten uden for sin lejlighed i Hagagatan. Manden så vagt bekendt ud og nikkede genkendende til ham.

"Dr. Jonasson?"

"Ja, det er mig."

"Undskyld, at jeg ulejliger dig herude på gaden uden for din lejlighed. Men jeg ville ikke opsøge dig på arbejde, og jeg vil gerne tale med dig."

"Hvad drejer det sig om, og hvem er du?"

"Mit navn er Mikael Blomkvist. Jeg er journalist og arbejder på tidsskriftet *Millennium*. Det drejer sig om Lisbeth Salander."

"Åh, nu kan jeg kende dig. Det var dig, der alarmerede Redningstjenesten, da hun blev fundet ... Var det dig, der havde sat isoleringstape på hendes skudsår?"

"Ja, det var mig."

"Det var rigtig smart. Men jeg er ked af det. Jeg kan ikke diskutere mine patienter med journalister. Du må henvende dig til pressetjenesten på Sahlgrenska Sygehus som alle andre."

"Du misforstår mig. Jeg vil ikke have oplysninger, og jeg er her i et privat ærinde. Du behøver ikke at sige et ord til mig eller videregive nogen oplysninger. Det er faktisk lige omvendt. Jeg vil gerne give dig nogle oplysninger."

Anders Jonasson rynkede brynene.

"Vær nu rar," bad Mikael Blomkvist. "Jeg har ikke for vane at antaste kirurger sådan herude på gaden, men det er meget vigtigt, at jeg får lov at tale med dig. Der ligger en café rundt om hjørnet lidt længere nede ad gaden. Må jeg give en kop kaffe?"

"Hvad vil du tale om?"

"Om Lisbeth Salanders fremtid og velbefindende. Jeg er hendes ven."

Anders Jonasson tøvede i lang tid. Han var godt klar over, at hvis det havde været en anden end Mikael Blomkvist – hvis et ukendt menneske var kommet hen til ham på den måde – så havde han nægtet. Men det faktum, at Blomkvist var en kendt person, betød, at Anders Jonasson følte sig nogenlunde sikker på, at det ikke drejede sig om noget fordækt.

"Jeg vil under ingen omstændigheder interviewes, og jeg vil ikke diskutere min patient."

"Det er helt okay," sagde Mikael.

Anders Jonasson nikkede til sidst kort og gjorde Blomkvist selskab hen til den pågældende café.

"Hvad drejer det sig om?" spurgte han neutralt, da de havde fået deres kaffe. "Jeg lytter, men jeg har ikke tænkt mig at kommentere noget."

"Du er bange for, at jeg skal citere dig eller hænge dig ud i medierne. Lad mig da gøre det helt klart fra begyndelsen, at det aldrig vil ske. Hvad mig angår, så har denne samtale aldrig fundet sted."

"Okay."

"Jeg vil bede dig om en tjeneste. Men inden jeg gør det, må jeg forklare præcis hvorfor, så du kan tage stilling til, om det er moralsk acceptabelt for dig at gøre mig den tjeneste."

"Jeg bryder mig ikke rigtig om den her samtale."

"Du skal kun lytte. Som Lisbeth Salanders læge er det dit arbejde at sørge for hendes fysiske og psykiske sundhed. Som Lisbeth Salanders ven er det *min* opgave at gøre det samme. Jeg er ikke læge og kan derfor ikke pille kugler ud af kraniet på hende og den slags, men jeg har en anden egenskab, som er mindst lige så vigtig for hendes velbefindende."

"Aha."

"Jeg er journalist, og jeg har fundet frem til sandheden om, hvad der er sket hende."

"Okay."

"Jeg kan helt overordnet fortælle, hvad det drejer sig om, og så kan du selv drage dine konklusioner."

"Aha."

"Jeg skal måske begynde med at sige, at Annika Giannini er Lisbeth Salanders advokat. Du har mødt hende."

Anders Jonasson nikkede.

"Annika er min søster, og det er mig, der betaler hende løn for at forsvare Lisbeth Salander."

"Aha."

"At hun er min søster, kan du tjekke i folkeregistret. Dette her er en tjeneste, som jeg ikke kan bede Annika om at gøre. Hun diskuterer ikke Lisbeth med mig. Hun har også tavshedspligt, og hun adlyder et helt andet regelsæt."

"Hmm."

"Jeg går ud fra, at du har læst om Lisbeth i aviserne."

Jonasson nikkede.

"Hun er blevet beskrevet som en psykotisk, sindssyg, lesbisk massemorder. Det er noget værre snak. Lisbeth Salander er ikke psykotisk, og hun er formentlig lige så klog som du og jeg. Og hendes seksuelle præferencer angår ingen."

"Hvis jeg har forstået det ret, har sagen taget en ny drejning. Nu er det i stedet ham tyskeren, der nævnes i forbindelse med mordene."

"Hvilket er helt korrekt. Ronald Niedermann er skyldig og en helt igennem samvittighedsløs morder. Derimod har Lisbeth fjender. Rigtig store, stygge fjender. Nogle af disse fjender findes inden for Sikkerhedspolitiet."

Anders Jonasson hævede tvivlende øjenbrynene.

"Da Lisbeth var tolv år gammel, blev hun spærret inde på en børnepsykiatrisk klinik i Uppsala, fordi hun var faldet over en hemmelighed, som Säpo for enhver pris ville forsøge at hemmeligholde. Hendes far, Alexander Zalachenko, som jo blev myrdet på Sahlgrenska Sygehus, er en afhoppet russisk spion, et levn fra den kolde krig. Han var også en kvindemishandler, der år efter år tævede Lisbeths mor. Da Lisbeth var tolv år gammel, hævnede hun sig og forsøgte at dræbe Zalachenko med en brandbombe. Det var derfor, hun blev spærret inde på børnepsykiatrisk afdeling."

"Jeg er ikke med. Hvis hun forsøgte at dræbe sin far, var der måske grund til at indlægge hende til psykiatrisk behandling."

"Min historie – som jeg har tænkt mig at trykke – er, at Säpo vidste, hvad der var sket, men valgte at beskytte Zalachenko, fordi han var en vigtig kilde til information. Altså opfandt de en diagnose og sørgede for, at Lisbeth blev spærret inde."

Anders Jonasson så så tvivlende ud, at Mikael smilede.

"Alt, hvad jeg fortæller dig nu, kan jeg dokumentere. Og jeg har tænkt mig at skrive en udførlig artikel før Lisbeths retssag. Tro mig – der bliver et helvedes hus."

"Ja, det kan jeg tænke mig."

"Jeg har tænkt mig at afsløre og gå lige i struben på to læger, der er løbet Säpos ærinde, og som har hjulpet med at begrave Lisbeth på en galeanstalt. Jeg har tænkt mig skånselsløst at hænge dem ud. En af disse læger er en meget kendt og respekteret person. Men som sagt – jeg har al den dokumentation, jeg behøver."

"Okay. Hvis en læge har været indblandet i noget sådant, er det en skam for hele lægestanden."

"Nej, jeg tror ikke på kollektiv skyld. Det er en skam for de implicerede. Det samme gælder Säpo. Der findes sikkert gode folk, der arbejder for Säpo. Det her drejer sig om en lille gruppe. Da Lisbeth var bare atten år, forsøgte de igen at spærre hende inde på en institution. Denne gang lykkedes det ikke for dem, men hun fik en formynder. Under retssagen vil de igen forsøge at kaste så meget snavs som muligt på hende. Jeg – eller rettere sagt min søster – vil slås for, at Lisbeth bliver frikendt, og at hendes umyndighedserklæring ophæves."

"Okay."

"Men hun har brug for noget ammunition. Det er altså forudsætningerne i det her spil. Jeg burde måske også nævne, at der er nogen inden for politiet, der faktisk står på Lisbeths side i denne strid. Men det gør chefen for forundersøgelsen ikke, altså ham der har rejst tiltale mod hende."

"Aha."

"Lisbeth har brug for hjælp inden retssagen."

"Aha, men jeg er ikke advokat."

"Nej, men du er læge, og du har adgang til Lisbeth."

Anders Jonassons øjne blev smalle.

"Det, jeg har tænkt mig at bede dig om, er uetisk og kan endda betragtes som et lovbrud."

"Aha."

"Men det er det mest moralsk rigtige at gøre. Hendes rettigheder krænkes bevidst af personer, der burde beskytte hende."

"Aha."

"Jeg kan give et eksempel. Som du ved, er Lisbeth underlagt besøgsforbud, og hun må ikke læse aviser eller kommunikere med omverdenen. Anklageren har desuden gennemført et ytringsforbud for hendes advokat. Annika har tappert holdt sig til reglerne. Derimod er anklageren den overvejende kilde til lækager til journalister, der fortsætter med at skrive dårligt om Lisbeth Salander."

"Ja?"

"Den her historie for eksempel." Mikael holdt en ugegammel avis op. "En kilde inden for efterforskningen hævder, at Lisbeth er utilregnelig, hvilket resulterer i, at avisen kommer med en række spekulationer om hendes mentale tilstand."

"Jeg læste godt artiklen. Det er noget værre sludder."

"Så du mener altså ikke, at Salander er gal?"

"Det kan jeg ikke udtale mig om. Derimod ved jeg, at der ikke er foretaget nogen som helt form for psykiatrisk undersøgelse. Altså er artiklen noget sludder."

"Okay. Men jeg kan dokumentere, at det er en politimand ved navn Hans Faste, der arbejder for politiadvokat Ekström, der har lækket disse oplysninger."

"Aha."

"Ekström vil forlange, at retssagen kommer til at ske for lukkede døre, hvilket betyder, at ingen udenforstående vil kunne læse og vurdere bevismaterialet mod hende. Men hvad værre er ... i og med at anklageren har isoleret Lisbeth, vil hun ikke kunne foretage den research, der kræves for, at hun skal kunne varetage sit forsvar."

"Hvis jeg har forstået det ret, så har hun en advokat, der skal tage sig af hendes forsvar."

"Lisbeth er, som du sikkert har forstået på det her tidspunkt, en meget speciel person. Hun har hemmeligheder, som jeg kender til, men som jeg ikke kan afsløre over for min søster. Derimod kan Lisbeth vælge, om hun vil benytte sig af det forsvar i retten."

"Aha."

"Og for at gøre det, har Lisbeth brug for den her."

Mikael lagde Lisbeth Salanders Palm Tungsten T3 håndcomputer og en batterilader på cafébordet mellem dem.

"Det her er det vigtigste våben, Lisbeth har i sit arsenal. Hun har brug for den."

Anders Jonasson så mistænksomt på computeren.

"Hvorfor ikke give den til hendes advokat?"

"Fordi det kun er Lisbeth, som ved, hvordan hun skal få adgang til bevismaterialet."

Anders Jonasson sad tavst i lang tid uden at røre computeren.

"Lad mig fortælle dig om dr. Peter Teleborian," sagde Mikael og tog den mappe frem, hvor han havde samlet alt det vigtige materiale.

De blev siddende i over to timer og talte lavmælt sammen.

KLOKKEN VAR LIDT over otte lørdag aften, da Dragan Armanskij forlod Milton Securitys kontor og gik ned til Söderforsamlingens Synagoge i Sankt Paulsgatan. Han bankede på, præsenterede sig og blev sluppet ind af rabbineren selv.

"Jeg har aftalt at mødes med en bekendt her," sagde Armanskij.

"En trappe op. Nu skal jeg vise vej."

Rabbineren tilbød ham en kalot, som Armanskij tøvende tog på. Han var opdraget i en muslimsk familie, hvor det at gå med kalot og besøge en jødisk synagoge ikke indgik i de daglige ritualer. Han følte sig forlegen med kalotten på hovedet.

Jan Bublanski havde også kalot på.

"Hej, Dragan. Tak, fordi du tog dig tid. Jeg har lånt et rum af rabbineren, så vi kan tale uforstyrret."

Armanskij slog sig ned over for Bublanski.

"Jeg går ud fra, at du har en god grund til det her hemmelighedskræmmeri."

"Jeg skal ikke trække det i langdrag. Jeg ved, at du er ven med Lisbeth Salander."

Armanskij nikkede.

"Jeg vil gerne vide, hvad du og Blomkvist har fundet på for at hjælpe Salander."

"Hvorfor tror du, at vi har fundet på noget?"

"Fordi politiadvokat Richard Ekström har spurgt mig en halv snes gange, hvor meget indblik I på Milton Security egentlig havde i Salanderefterforskningen. Han spørger ikke for sjovs skyld, men fordi han er bekymret for, at du skal diske op med noget, der kan give genlyd i medierne."

"Hmm."

"Og hvis Ekström er bekymret, så er det, fordi han ved eller frygter, at du har gang i noget. Eller i det mindste gætter jeg på, at han har talt med nogen, der frygter det."

"Nogen?"

"Dragan, der er ingen grund til at lege gemmeleg. Du ved, at Salander blev udsat for et overgreb i 1991, og jeg frygter, at hun vil blive udsat for et nyt overgreb, når retssagen begynder."

"Du er politimand i et demokrati. Hvis du sidder inde med oplysninger, bør du handle."

Bublanski nikkede.

"Jeg har også tænkt mig at handle. Spørgsmålet er bare hvordan."

"Fortæl, hvad du ville have sagt."

"Jeg vil vide, hvad du og Blomkvist har fundet på. Jeg går ud fra, at I ikke sidder og triller tommelfingre."

"Det er kompliceret. Hvordan ved jeg, at jeg kan stole på dig?"

"Der findes en rapport fra 1991, som Mikael Blomkvist fandt ..."

"Jeg kender godt til den."

"Jeg har ikke længere adgang til rapporten."

"Heller ikke jeg. Begge de eksemplarer, som Blomkvist og hans søster havde, er bortkommet."

"Bortkommet?" spurgte Bublanski.

"Blomkvists eksemplar blev stjålet ved et indbrud i hans lejlighed, og Annika Gianninis kopi forsvandt ved et overfaldstyveri i Göteborg. Alt dette skete samme dag, som Zalachenko blev myrdet."

Bublanski sad i lang tid uden at sige noget.

"Hvorfor har vi ikke hørt noget om den sag?"

"Som Mikael Blomkvist udtrykte det: Der findes kun én god grund til at skrive om det og et uendeligt antal dårlige grunde."

"Men I ... han har tænkt sig at skrive om det og trykke det?"

Armanskij nikkede kort.

"Et overfald i Göteborg og et indbrud her i Stockholm. Samme dag. Det betyder, at vores modstandere er velorganiserede," sagde Bublanski.

"Desuden skal jeg måske nævne, at vi har belæg for, at Gianninis telefon bliver aflyttet."

"Der er nogen, der begår en mængde lovbrud her."

"Spørgsmålet er altså, hvem der er vores modstandere," sagde Dragan Armanskij.

"Det er også min tanke. I sidste ende er det altså Säpo, der har interesse i at fortie Björcks rapport. Men Dragan ... vi taler om svensk sikkerhedspoliti. Det er en statslig myndighed. Jeg kan ikke tro, at dette skulle være noget, som er sanktioneret af Säpo. Jeg tror ikke engang, at Säpo har kompetence til at gøre sådan noget her."

"Jeg ved det. Jeg har også svært ved at sluge det her. For ikke at nævne det faktum, at nogen går ind på Sahlgrenska Sygehus og skyder hovedet af Zalachenko."

Bublanski var tavs. Armanskij slog det sidste søm i.

"Og samtidig går Gunnar Björck hen og hænger sig."

"Så I tror altså, at det drejer sig om organiseret mord. Jeg kender Marcus Erlander, der stod for efterforskningen i Göteborg. Han har ikke fundet noget, der tyder på, at mordet var andet end en syg mands impulshandling. Og vi har efterforsket Björcks dødsfald minutiøst. Alt tyder på, at det var selvmord."

Armanskij nikkede.

"Evert Gullberg, 78 år, kræftsyg og døende, behandlet for klinisk depression nogle måneder før mordet. Jeg har sat Fräklund til at grave alt frem, der angår Gullberg, i offentlige dokumenter."

"Ja?"

"Han aftjente sin værnepligt i Karlskrona i 40'erne, studerede jura og blev senere skatterådgiver for private firmaer. Han havde kontor her i Stockholm i omkring tredive år, lav profil, private kunder ... hvem de så end var. Pensioneret i 1991. Flyttede til hjembyen Laholm i 1994 ... Intet bemærkelsesværdigt."

"Men?"

"Undtagen nogle detaljer, der forvirrer. Fräklund kan ikke finde en eneste reference til Gullberg i nogen sammenhæng. Han er aldrig blevet nævnt i nogen avis, og der er ingen, der ved, hvilke kunder han havde. Det er fuldstændig, som om han aldrig har eksisteret i erhvervslivet."

"Hvad vil du sige med det?"

"Säpo ville være en åbenlys forbindelse. Zalachenko var russisk afhopper, og hvem andre end Säpo skulle have taget sig af ham.

Senere taler vi om muligheden for at organisere, at Lisbeth Salander blev spærret inde på en psykiatrisk afdeling i 1991. For ikke at tale om indbrud, overfald og telefonaflytning femten år efter ... Men jeg tror heller ikke, at Säpo står bag det her. Mikael Blomkvist kalder dem for *Zalachenkoklubben* ... en lille gruppe outsidere bestående af overvintrede koldkrigere, der gemmer sig på en eller anden skummel gang i Säpo."

Bublanski nikkede.

"Men hvad kan vi gøre?"

KAPITEL 12

Søndag den 15. maj – mandag den 16. maj

POLITIKOMMISSÆR TORSTEN EDKLINTH, chef for grundlovsbe-
skyttelsen, en afdeling i Sikkerhedspolitiet, kneb sig i øreflippen og
betragtede tankefuldt den administrerende direktør for det ansete
private sikkerhedsfirma Milton Security, der pludselig havde ringet
og insisteret på at invitere ham på søndagsmiddag i hjemmet på
Lidingö. Armanskijs fru Ritva havde serveret en lækker gryderet.
De havde spist og konverseret høfligt. Edklinth havde undret sig
over, hvad Armanskij egentlig var ude på. Efter middagen trak Ritva
sig tilbage til en tv-sofa og lod dem alene tilbage ved spisebordet.
Armanskij var lidt efter lidt begyndt at fortælle historien om Lis-
beth Salander.

Edklinth drejede langsomt på rødvinsglasset.

Dragan Armanskij var ikke idiot. Det vidste han godt.

Edklinth og Armanskij havde kendt hinanden i tolv år, lige siden
et kvindeligt riksdagsmedlem havde modtaget en række anonyme
dødstrusler. Politikeren havde anmeldt sagen til partiets gruppe-
formand i Riksdagen, hvorefter Riksdagens sikkerhedsafdeling var
blevet informeret. Truslerne var skriftlige og vulgære og indeholdt
oplysninger af en slags, der insinuerede, at brevskriveren faktisk
havde et vist personkendskab til riksdagsmedlemmet. Historien blev
dermed genstand for Sikkerhedspolitiets interesse. Mens efterforsk-
ningen foregik, blev riksdagsmedlemmet beskyttet.

Personbeskyttelsen var dengang den budgetmæssigt mindste afde-
ling inden for Sikkerhedspolitiet. Ressourcerne var begrænsede. Afde-
lingen er ansvarlig for beskyttelse af kongehuset og statsministeren og
derudover for de enkelte ministre og partiledere efter behov. Behovet
oversteg oftest ressourcerne, og i virkeligheden manglede flertallet af
de svenske politikere alle former for seriøs personbeskyttelse. Riks-

265

dagsmedlemmet fik bevilliget overvågning i forbindelse med nogle offentlige arrangementer, men blev overladt til sig selv efter arbejdsdagens afslutning, det vil sige på det tidspunkt, hvor sandsynligheden steg for, at en galning, der havde for vane at forfølge en bestemt person, kunne forventes at slå til. Riksdagsmedlemmets mistro til Sikkerhedspolitiets evner til at beskytte hende voksede hurtigt.

Hun boede i et hus i Nacka. Da hun kom hjem sent en aften efter en duel i finansudvalget, opdagede hun, at nogen var brudt ind gennem altandøren, havde skrevet kønsdiskriminerende skældsord på væggene i stuen samt onaneret i riksdagsmedlemmets soveværelse. Hun tog derfor røret og ansatte Milton Security til at sørge for sin beskyttelse. Hun underrettede ikke Säpo om denne beslutning, og da hun næste morgen skulle optræde på en skole i Täby, opstod der en frontalkollision mellem statslige og private bodyguards.

På det tidspunkt var Torsten Edklinth konstitueret vicechef for personbeskyttelsen. Han afskyede instinktivt den situation, at private bodyguards skulle udføre opgaver, som statslige bodyguards havde til opgave at udføre. Men han kunne godt se, at riksdagsmedlemmet havde belæg for sine klager, om ikke andet så var hendes tilsnavsede seng bevis nok for mangel på statslig effektivitet. I stedet for at tage kampen op, besindede Edklinth sig og lavede en frokostaftale med Milton Securitys chef Dragan Armanskij. De besluttede, at situationen muligvis var mere alvorlig, end Säpo først havde antaget, og at der var grund til at skærpe beskyttelsen af politikeren. Edklinth var også klog nok til at indse, at Armanskijs folk ikke bare besad den kompetence, som jobbet krævede – de havde mindst lige så god en uddannelse og formentlig et bedre teknisk udstyr. De løste problemet ved, at Armanskijs folk fik hele ansvaret for beskyttelsen, mens Sikkerhedspolitiet fik ansvaret for selve efterforskningen af forbrydelsen og betalte regningen.

De to mænd opdagede også, at de syntes ret godt om hinanden og havde let ved at samarbejde, hvilket siden var sket ved flere lejligheder i årenes løb. Edklinth havde derfor stor respekt for Dragan Armanskijs evner, og da denne inviterede på middag og bad om en privat og fortrolig samtale, så var han villig til at lytte.

Derimod havde han ikke forventet, at Armanskij skulle placere en brandbombe i skødet på ham.

"Hvis jeg forstår dig ret, så hævder du, at Sikkerhedspolitiet bedriver kriminel virksomhed."

"Nej," sagde Armanskij. "Så misforstår du mig. Jeg påstår, at nogle personer, der er ansat inden for Sikkerhedspolitiet, bedriver en sådan virksomhed. Jeg tror ikke et øjeblik, at dette er sanktioneret af Sikkerhedspolitiets ledelse, eller at det har fået nogen form for statslig godkendelse."

Edklinth betragtede Christer Malms fotografier af manden, der steg ind i en bil med en nummerplade, der begyndte med bogstaverne KAB.

"Dragan ... er du sikker på, at det ikke er en practical joke?"

"Jeg ville ønske, at det bare var en vittighed."

Edklinth tænkte sig lidt om.

"Og hvad i alverden forventer du så, at jeg skal gøre ved det?"

NÆSTE MORGEN PUDSEDE Torsten Edklinth omhyggeligt sine briller, mens han tænkte. Han var en gråhåret mand med store ører og et stærkt, markeret ansigt. For øjeblikket var ansigtet dog mere forvirret end stærkt. Han befandt sig på sit kontor i politigården på Kungsholmen og havde tilbragt en stor del af natten med at gruble over, hvordan han skulle håndtere den oplysning, som Dragan Armanskij havde givet ham.

Det var ikke behagelige tanker. Sikkerhedspolitiet var den institution i Sverige, som alle partier (nå ja, næsten alle) påstod var uundværlig, og som alle samtidig syntes at nære mistro til og spinde fantasifulde konspirationsteorier om. Skandalerne havde unægtelig været mange, ikke mindst i de venstreradikale 70'ere, hvor en del ... grundlovsstridige fejltagelser havde fundet sted. Men fem statslige og stærkt kritiserede Säporapporter senere havde en ny generation af tjenestemænd vundet indpas. Det var en yngre skole af aktivister, der var blevet rekrutteret fra det rigtige politis økonomiafdelinger, våbenafdelinger og bedrageriafdelinger – politimænd der var vant til at undersøge faktisk kriminalitet og ikke politiske fantasier.

Sikkerhedspolitiet var blevet moderniseret, og ikke mindst havde grundlovsbeskyttelsen fået en fremtrædende rolle. Dets opgave var, som det var blevet formuleret af regeringen, at forebygge og afsløre trusler mod rigets indre sikkerhed. Dette blev defineret som *ulovlig virksomhed, der har til hensigt med vold, trusler eller tvang at ændre vores statsform, få besluttende politiske organer eller myndigheder til at træffe beslutninger i en vis retning eller hindre de enkelte statsborgere i at udøve deres grundlovssikrede friheder og rettigheder.*

Grundlovsbeskyttelsens opgave var derfor at forsvare det svenske demokrati mod virkelige eller formodede antidemokratiske anslag. Til dette regnedes først og fremmest anarkister og nazister. Anarkister, fordi de stædigt begik civil ulydighed i form af mordbrande mod pelsbutikker. Nazister, fordi de var nazister og dermed per definition modstandere af demokratiet.

Med juristuddannelsen som basis var Torsten Edklinth begyndt som anklager og havde derefter arbejdet for Sikkerhedspolitiet i enogtyve år. Han havde først befundet sig i felten som administrator for personbeskyttelsen og derefter i grundlovsbeskyttelsen, hvor hans opgaver vekslede fra analyse til administrativt lederskab og efterhånden chef. Han var med andre ord den højeste chef for den politimæssige del af forsvaret for det svenske demokrati. Politikommissær Torsten Edklinth betragtede sig selv som demokrat. I den betydning var definitionen enkel. Grundloven blev fastlagt af Riksdagen, og hans opgave var at sørge for, at denne forblev intakt.

Svensk demokrati bygger på en eneste lov, nemlig loven om ytringsfrihed. Ytringsfriheden fastslår borgerens uomtvistelige ret til at sige, mene, tænke og tro hvad som helst. Denne rettighed omfatter alle svenske statsborgere, fra den sindssyge nazist til den stenkastende anarkist og alle derimellem.

Alle andre grundlag, som for eksempel regeringsformen, er kun praktiske dekorationer på ytringsfriheden. Loven om ytringsfrihed er derfor den lov, som demokratiet står og falder med. Edklinth mente, at hans primære opgave bestod i at forsvare svenske statsborgeres lovmæssige ret til at mene og sige præcis, hvad de ville, selv om han ikke et øjeblik var enig i indholdet af deres meninger og ytringer.

Denne frihed indebærer dog ikke, at alt er tilladt, som visse ytringsfrihedsfundamentalister, først og fremmest pædofile og racistiske grupper, forsøger at hævde i den kulturpolitiske debat. Alt demokrati har sine begrænsninger, og ytringsfrihedens begrænsninger fastsættes af presseloven. Denne definerer i princippet fire indskrænkninger i demokratiet: Det er forbudt at udgive børnepornografi og vise seksuelle voldshandlinger, fuldstændig ligegyldigt hvor kunstnerisk ophavsmanden mener, at skildringen er. Det er forbudt at opfordre til kriminalitet. Det er forbudt at æreskrænke og bagvaske et andet menneske. Og det er forbudt at bedrive hetz mod befolkningsgrupper.

Selv presseloven er blevet vedtaget af Riksdagen og udgør socialt og demokratisk acceptable indskrænkninger af demokratiet, det vil sige den sociale kontrakt, der udgør rammen om et civiliseret samfund. Kernen i lovgivningen betyder, at intet menneske har ret til at mobbe eller fornedre et andet menneske.

Eftersom loven om ytringsfrihed og presseloven er love, fordres en myndighed, der kan garantere, at lovene bliver efterlevet. I Sverige er denne funktion fordelt på to institutioner, hvoraf den ene, rigsadvokaten, har til opgave at retsforfølge overtrædelser af presseloven.

I den henseende var Torsten Edklinth ingenlunde tilfreds. Han mente, at rigsadvokaten traditionelt var alt for slap med hensyn til retsforfølgelse af, hvad der faktisk var direkte overtrædelser af den svenske grundlov. Rigsadvokaten plejede at svare, at demokratiets princip var så vigtigt, at det kun var i yderste nødstilfælde, han kunne gribe ind og retsforfølge. Denne attitude var der dog stadigt oftere blevet sat spørgsmålstegn ved de seneste år, ikke mindst efter at Den Svenske Helsingforskomités generalsekretær, Robert Hårdh, havde fundet frem til en rapport, der undersøgte rigsadvokatens mangel på initiativ igennem en årrække. Rapporten konstaterede, at det var nærmest umuligt at retsforfølge og få nogen dømt i henhold til loven om hetz mod befolkningsgrupper.

Den anden institution var Sikkerhedspolitiets afdeling for grundlovsbeskyttelsen, og politikommissær Torsten Edklinth tog denne opgave meget alvorligt. Han mente selv, at det var den fineste og vigtigste post, en svensk politimand nogensinde kunne få, og han ville ikke bytte sin udnævnelse med nogen anden post inden for hele det juridiske eller politimæssige Sverige. Han var ganske enkelt den eneste politimand i Sverige, der havde til offentlig opgave at fungere som en politisk politimand. Det var en delikat opgave, der krævede stor kløgt og millimeterdemokrati, eftersom erfaringer fra alt for mange lande viste, at et politisk politi let kunne forvandles til den største trussel mod demokratiet.

Medierne og offentligheden troede for det meste, at grundlovs-beskyttelsen hovedsagelig havde til opgave at holde rede på nazi-ster og militante veganere. Det var ganske vist rigtigt nok, at den slags ytringer var genstand for en væsentlig del af grundlovsbeskyt-telsens interesse, men derudover var der en lang række institutio-ner og fænomener, der også hørte til afdelingens opgaver. Hvis, lad os sige, kongen eller forsvarschefen fik den idé, at parlamentaris-men havde udspillet sin rolle, og at Riksdagen burde erstattes med militærdiktatur eller lignende, ville kongen eller forsvarschefen hur-tigt blive genstand for grundlovsbeskyttelsens interesse. Og hvis en gruppe politifolk fik den idé at strække lovene, så individets grund-lovsbeskyttede rettigheder blev indskrænket, var det også grund-lovsbeskyttelsens opgave at reagere. I sådanne alvorlige tilfælde var det desuden vedtaget, at efterforskningen skulle høre under stats-advokaten.

Problemet var selvfølgelig, at grundlovsbeskyttelsen næsten ude-lukkende havde en analyserende og undersøgende funktion og ingen operativ virksomhed. Det var hovedsagelig enten det almindelige politi eller andre afdelinger inden for Sikkerhedspolitiet, der greb ind, når der skulle arresteres nazister.

Dette forhold var i Torsten Edklinths øjne dybt utilfredsstillende. Næsten alle normale lande har en selvstændig forfatningsdomstol i en eller anden form, der blandt andet har til opgave at sørge for, at myndighederne ikke forgriber sig på demokratiet. I Sverige hører denne opgave ind under rigsadvokaten eller ombudsmanden, der dog kun har at rette sig efter andre menneskers beslutninger. Hvis Sverige havde haft en forfatningsdomstol, havde Lisbeth Salanders advokat straks kunnet sagsøge den svenske stat for krænkelse af hendes grundlovssikrede rettigheder. Domstolen ville dermed kunne kræve papir på bordet og indkalde hvem som helt, inklusive statsmi-nisteren, til afhøring, indtil spørgsmålet var afklaret. Som situationen var nu, kunne advokaten højst indgive en anmeldelse til ombuds-manden, der dog ikke havde beføjelse til at vandre ind hos Säpo og kræve dokumentation.

Torsten Edklinth havde i mange år været en varm fortaler for oprettelsen af en forfatningsdomstol. Så havde han nemt kunnet håndtere de oplysninger, han havde fået af Dragan Armanskij ved at indgive en politianmeldelse og overlade dokumentationen til domstolen. Dermed ville en fast procedure gå i gang.

Som situationen var nu, manglede Torsten Edklinth juridisk beføjelse til at indlede en forundersøgelse.

Han sukkede og tog en snus i munden.

Hvis Dragan Armanskijs oplysninger var i overensstemmelse med sandheden, havde altså et antal sikkerhedspolitimænd i ledende stillinger set gennem fingre med en række grove forbrydelser mod en svensk kvinde, derefter på falsk grundlag spærret hendes datter inde på en psykiatrisk afdeling og endelig tildelt en forhenværende russisk topspion fripas til at beskæftige sig med våbenkriminalitet, narkokriminalitet og trafficking. Torsten Edklinth spidsede læberne. Han havde ikke engang lyst til at regne ud, hvor mange enkelte lovovertrædelser der faktisk havde fundet sted i årenes løb. For ikke at tale om indbrud hos Mikael Blomkvist, overfald på Lisbeth Salanders advokat, og muligvis – hvilket Edklinth havde svært ved at tro var sandt – meddelagtighed i mordet på Alexander Zalachenko.

Det var en suppedas, som Torsten Edklinth ikke havde den mindste lyst til at blive indblandet i. Desværre var han allerede blevet det, da Dragan Armanskij havde inviteret ham på middag.

Det spørgsmål, som han dermed måtte besvare, var, hvordan han skulle håndtere situationen. Formelt var svaret på spørgsmålet enkelt. Hvis Armanskijs historie var sand, var i hvert fald Lisbeth Salander i allerhøjeste grad blevet frataget sin mulighed for at udøve sine grundlovssikrede friheder og rettigheder. Fra en grundlovsmæssig synsvinkel åbnedes også et slangebo af mistanker om, at besluttende politiske organer eller myndigheder kunne overtales til at tage beslutninger i en vis retning, hvilket altså berørte selve kernen i grundlovsbeskyttelsens opgave. Torsten Edklinth var en politimand med kendskab til noget kriminelt og havde derfor pligt til at kontakte en anklager og indgive anmeldelse. Mere uformelt var svaret ikke helt så enkelt. Det var rent ud sagt kompliceret.

VICEKRIMINALKOMMISSÆR MONICA FIGUEROLA var trods sit usædvanlige navn født i Dalarna i en slægt, der havde huseret i Sverige i hvert fald siden Gustav Vasas tid. Hun var en kvinde, folk plejede at lægge mærke til. Det hang sammen med flere ting. Hun var

36 år, hele 184 centimeter høj og havde blå øjne og kortklippet, lys-blondt hår med naturlige krøller. Hun så godt ud og klædte sig på en måde, der gjorde hende attraktiv.

Og hun var exceptionelt veltrænet.

Det sidstnævnte kom sig af, at hun havde dyrket atletik på elite-plan i teenagealderen og havde været tæt på at kvalificere sig til det svenske landshold som 17-årig. Hun var siden dengang holdt op med at dyrke atletik, men trænede fanatisk i motionscentret fem aftener om ugen. Hun motionerede så ofte, at endorfinerne fungerede som et narkotisk præparat, der gav hende abstinenser, hvis hun holdt op med træningen. Hun løbetrænede, løftede jern, spillede tennis, dyr-kede karate og havde desuden i omkring ti år dyrket bodybuilding. Denne ekstreme variant af kropsforherligelse havde hun trappet kraftigt ned på to år tidligere, hvor hun brugte to timer hver dag på at løfte jern. Nu gjorde hun det kun i kort tid hver dag, men hendes almindelige træning var af en sådan slags, at hendes krop var så muskuløs, at hun af ondsindede kolleger blev kaldt for hr. Figuerola. Da hun gik i ærmeløse trøjer eller sommerkjoler, kunne ingen undgå at lægge mærke til hendes biceps og skuldre.

Noget, der foruden hendes kropsbygning forstyrrede mange af hendes mandlige arbejdskammerater, var, at hun desuden var mere end et pretty face. Hun var gået ud af gymnasiet med det højeste gennemsnit, havde uddannet sig til politibetjent, da hun var i begyn-delsen af tyverne og derefter gjort tjeneste i ni år ved politiet i Upp-sala, samtidig med at hun læste jura i fritiden. For sjovs skyld havde hun også taget eksamen i statskundskab. Hun havde ingen proble-mer med at memorere og analysere viden. Hun læste sjældent kri-mier eller anden adspredelseslitteratur. Derimod begravede hun sig med stor interesse i de mest forskellige emner fra international jura til antikkens historie.

Hos politiet var hun gået fra at være gadebetjent, hvilket var et tab for trygheden i Uppsalas gader, til en stilling som kriminalassi-stent, først i drabsafdelingen og derefter i den afdeling, der specia-liserede sig i økonomisk kriminalitet. I 2000 havde hun søgt til Sik-kerhedspolitiet i Uppsala, var blevet forfremmet til vicekriminal-kommissær, og i 2001 var hun flyttet til Stockholm. Hun havde først arbejdet i kontraspionagen, men var næsten med det samme blevet håndplukket til grundlovsbeskyttelsen af Torsten Edklinth, der tilfældigvis kendte Monica Figuerolas far og havde fulgt hendes karriere gennem årene.

Da Edklinth omsider besluttede, at han faktisk var nødt til at reagere på Dragan Armanskijs oplysninger, havde han spekuleret lidt og derefter løftet røret og bedt Monica Figuerola om at indfinde sig på hans kontor. Hun havde arbejdet mindre end tre år i grundlovsbeskyttelsen, hvilket betød, at hun stadig var mere en rigtig politimand end en skrivebordskriger.

Hun var klædt i stramme cowboybukser, turkisfarvede sandaler med en lille hæl og en marineblå jakke.

"Hvad arbejder du med for tiden?" spurgte Edklinth og bad hende om at tage plads.

"Vi er ved at følge op på røveriet af den der døgnkiosk i Sunne for to uger siden."

Sikkerhedspolitiet plejede ganske vist ikke at efterforske røverier mod kiosker. Den slags politimæssigt basisarbejde lå udelukkende hos det almindelige politi. Monica Figuerola var chef for en afdeling bestående af fem medarbejdere i grundlovsbeskyttelsen, der tog sig af at analysere politisk kriminalitet. Det vigtigste hjælpemiddel bestod af nogle computere, der var koblet til det åbne politis døgnrapporter. Stort set hver eneste politianmeldelse, der blev rapporteret i et hvilket som helst politidistrikt i Sverige, passerede gennem de computere, som Monica Figuerola havde ansvaret for. Computerne havde noget software, der automatisk scannede hver eneste politirapport og havde til opgave at reagere på 310 specifikke ord, for eksempel perker, skinhead, hagekors, indvandrer, anarkist, nazihilsen, nazist, nationaldemokrat, landsforræder, jødeluder eller negerelsker. Hvis et sådant nøgleord forekom i en politirapport, slog computeren alarm, og den pågældende rapport blev fundet frem og undersøgt manuelt. Alt efter sammenhængen kunne der derefter bestilles en forundersøgelse og en videre undersøgelse igangsættes.

En af grundlovsbeskyttelsens opgaver er blandt andet hvert år at udgive rapporten *Trusler mod rigets sikkerhed*, der udgør den eneste pålidelige statistik over politisk kriminalitet. Statistikken bygger udelukkende på anmeldelser til lokale politimyndigheder. I sagen med røveriet mod kiosken i Sunne havde computeren reageret på tre nøgleord – indvandrer, skuldermærke og perker. To maskerede unge mænd havde, mens de truede med en pistol, røvet en kiosk, der var ejet af indvandrere. De havde fået fingre i 2.780 kroner samt en stang cigaretter. En af røverne havde en stumpet jakke på med et svensk flag som skuldermærke. De andre røvere havde gentagne gange skreget skide perker til butiksindehaveren og tvunget denne til at lægge sig ned på gulvet.

Sammenlagt var dette tilstrækkeligt til, at Figuerolas medarbejdere skulle finde forundersøgelsen frem og forsøge at finde ud af, om røverne havde tilknytning til de lokale nazistgrupper i Värmland, og om røveriet i så fald kunne defineres som racistisk kriminalitet, da en af røverne havde givet udtryk for racistiske anskuelser. Hvis det var tilfældet, kunne røveriet meget vel udgøre en brik i det næste års statistiske sammenligning, som derefter skulle analyseres og indføjes i den europæiske statistik, som EU's kontor i Wien årligt sammenfattede. Det kunne også vise sig, at røverne var spejdere, der havde købt en Fröviksjakke med det svenske flag, og at det var et rent sammentræf, at butiksindehaveren var indvandrer, og at ordet perker forekom. Hvis det var tilfældet, skulle Figuerolas afdeling stryge røveriet af statistikken.

"Jeg har en besværlig opgave til dig," sagde Torsten Edklinth.

"Aha," sagde Monica Figuerola.

"Det er et job, der potentielt kan indebære, at du i den grad kommer i unåde, og endda at din karriere bliver ødelagt."

"Okay."

"Hvis det på den anden side lykkes dig at klare opgaven, og resultatet falder ordentligt ud, kan det betyde stor fremgang for karrieren. Jeg har tænkt mig at flytte dig over til grundlovsbeskyttelsens operative enhed."

"Undskyld, at jeg påpeger det, men grundlovsbeskyttelsen har ingen operativ enhed."

"Jo," sagde Torsten Edklinth. "Der findes faktisk en sådan enhed. Jeg har netop grundlagt den her til morgen. Den består for øjeblikket af en eneste person. Og det er dig."

Monica Figuerola så skeptisk ud.

"Grundlovsbeskyttelsens opgave er at forsvare grundloven mod indre trusler, hvilket normalt betyder nazister eller anarkister. Men

274

hvad gør vi, hvis det viser sig, at truslen mod grundloven kommer fra vores egen organisation?"

Han brugte den næste halve time til at gengive hele den historie, som Dragan Armanskij havde fortalt ham den foregående aften.

"Hvem er kilden til denne påstand?" spurgte Monica Figuerola.

"Ikke vigtigt lige nu. Koncentrer dig om den oplysning, som informanten har givet os."

"Det, jeg spekulerer over, er, om du anser kilden for at være troværdig."

"Jeg har kendt denne kilde i mange år og mener, at kilden har en meget høj troværdighed."

"Det her lyder jo faktisk helt ... ja, jeg ved ikke hvad. Usandsynligt er vist for mildt sagt."

Edklinth nikkede.

"Som en spionroman," sagde han.

"Hvad forventer du, at jeg skal gøre?"

"Du er med øjeblikkelig virkning fritaget fra alle andre opgaver. Du har en eneste opgave – at undersøge sandhedsindholdet i den her historie. Du skal enten verificere eller affærdige påstandene. Du rapporterer direkte til mig og ikke til nogen anden."

"Herregud," sagde Monica Figuerola. "Jeg forestår godt, hvad du mener med, at det her kan indebære, at jeg falder i unåde."

"Ja, men hvis historien er sand ... hvis en brøkdel af alle disse påstande er sande, så står vi over for en forfatningsmæssig krise, som vi er nødt til at tage hånd om."

"Hvor skal jeg begynde? Hvordan skal jeg bære mig ad?"

"Begynd med det enkleste. Begynd med at læse den her rapport, som Gunnar Björck skrev i 1991. Bagefter skal du identificere de personer, der påstås at overvåge Mikael Blomkvist. Ifølge min kilde ejes bilen af en Göran Mårtensson, 40 år, politimand med bopæl i Vittangigatan i Vällingby. Derefter skal du identificere den anden person, der er på de billeder, som Mikael Blomkvists fotograf tog. Den lyshårede yngre mand der."

"Okay."

"Derefter skal du undersøge Evert Gullbergs baggrund. Jeg har aldrig hørt om manden, men ifølge min kilde må der være en forbindelse til Säpo."

"Så nogen her i Säpo skulle altså havde bestilt et spionmord hos en 78-årig mand. Det tror jeg ikke på."

"Ikke desto mindre skal du kontrollere det. Og efterforskningen skal ske i hemmelighed. Inden du træffer nogen foranstaltninger, vil jeg informeres. Jeg vil ikke have nogen ringe i vandet."

"Det er en enorm efterforskning, du bestiller. Hvordan skal jeg gøre det her på egen hånd?"

"Det skal du heller ikke. Du skal bare lave et første tjek. Hvis du kommer tilbage og siger, at du har tjekket historien, og at du ikke kan finde noget, så er alt godt. Men hvis du finder noget mistænkeligt, må vi beslutte, hvordan vi skal gå videre."

MONICA FIGUEROLA BRUGTE sin frokostpause på at løfte jern i politigårdens træningsrum. Selve frokosten bestod af sort kaffe og et stykke smørrebrød med frikadelle og rødbedesalat, som hun tog med tilbage til sit kontor. Hun lukkede døren, ryddede til side på skrivebordet og begyndte at læse Gunnar Björcks rapport, mens hun spiste sit stykke smørrebrød.

Hun læste også bilagene med korrespondancen mellem Björck og dr. Peter Teleborian. Hun noterede sig hvert eneste navn og hver eneste begivenhed i rapporten, der ville kunne verificeres. Efter to timer rejste hun sig, gik hen til kaffeautomaten og hentede mere kaffe. Da hun forlod sit kontor, låste hun døren, hvilket var en del af de daglige rutiner i Säpo.

Det første, hun gjorde, var at kontrollere journalnummeret. Hun ringede til registraturen og fik den besked, at der ikke eksisterede nogen rapport med det aktuelle journalnummer. Hendes andet tjek bestod i at konsultere et mediearkiv. Det gav større gevinst. Tre aviser havde rapporteret om en person, der var kommet alvorligt til skade ved en bilbrand i Luntmakargatan den pågældende dato i 1991. Ofret for ulykken var en ikke navngiven midaldrende mand. En avis skrev, at ifølge et vidne var branden helt forsætligt startet af en ung pige. Det skulle altså være den famøse brandbombe, som Lisbeth Salander havde kastet mod en russisk agent ved navn Zalachenko. Begivenheden så i hvert fald ud til at have fundet sted.

Gunnar Björck, der stod som rapportens ophavsmand, var en virkelig person. Han var en kendt højerestående ansat i udlændingeafdelingen, sygemeldt på grund af diskusprolaps og desværre død for egen hånd.

Personaleenheden kunne dog ikke give besked om, hvad Gunnar Björck havde arbejdet med i 1991. Opgaven var hemmeligstemplet selv for andre medarbejdere i Säpo. Hvilket var helt almindeligt.

At Lisbeth Salander havde boet i Lundagatan i 1991 og tilbragt de efterfølgende to år på Skt. Stefans børnepsykiatriske klinik var nemt at verificere. Her syntes virkeligheden i det mindste ikke at modsige rapportens indhold.

Peter Teleborian var en kendt psykiater, der plejede at optræde i tv. Han havde arbejdet på Skt. Stefans i 1991 og var i dag overlæge der.

Monica Figuerola spekulerede længe over rapportens betydning. Derefter ringede hun til viceafdelingschefen i personaleafdelingen.

"Jeg har et svært spørgsmål," sagde hun.

"Hvad?"

"Vi er ved at lave en analyse i grundlovsbeskyttelsen, hvor det drejer sig om at bedømme en persons troværdighed og almene psykiske sundhed. Jeg har brug for at konsultere en psykiater eller en anden inden for det felt, der er godkendt til at tage del i hemmeligstemplede oplysninger. Man har nævnt dr. Peter Teleborian for mig, og nu vil jeg gerne vide, om jeg kan stole på ham."

Det varede lidt, inden hun fik svar.

"Dr. Peter Teleborian har været ekstern konsulent for Säpo et par gange. Han er sikkerhedsklassificeret, og du kan generelt godt diskutere hemmeligstemplede oplysninger med ham. Men inden du henvender dig til ham, er du nødt til at følge den bureaukratiske procedure. Din chef skal godkende det hele og skrive en formel begæring om at få lov at konsultere Teleborian."

Monica Figuerolas hjerte sank en smule. Hun havde verificeret noget, der ikke kunne være kendt uden for en meget begrænset skare. Peter Teleborian havde haft med Säpo at gøre. Dermed blev rapportens troværdighed styrket.

Hun lagde rapporten fra sig og helligede sig anden del af den information, som Torsten Edklinth havde forsynet hende med. Hun studerede Christer Malms billeder af de to personer, der ifølge oplysningerne havde skygget Mikael Blomkvist fra Café Copacabana den 1. maj.

Hun konsulterede centralregistret for motorkøretøjer og konstaterede, at Göran Mårtensson var en eksisterende person, der ejede en grå Volvo med det pågældende registreringsnummer. Derefter fik hun gennem Säpos personaleafdeling bekræftet, at han var ansat i Säpo. Det var det allermest simple kontroltjek, hun kunne foretage, og selv denne information syntes at være korrekt. Hendes hjerte sank yderligere.

Göran Mårtensson arbejdede i personbeskyttelsen. Han var livvagt. Han indgik i en gruppe af medarbejdere, der ved flere lejligheder havde sørget for statsministerens sikkerhed. De sidste mange uger havde han dog tilfældigvis være udlånt til kontraspionagen. Tjenesteledigheden var begyndt den 10. april, nogle dage efter at Alexander Zalachenko og Lisbeth Salander var blevet indlagt på Sahlgrenska Sygehus, men den slags midlertidige omrokeringer var ikke ualmindelige, hvis der manglede personale på grund af en eller anden akut sag.

Derefter ringede Monica Figuerola til viceafdelingschefen i kontraspionagen, en mand som hun kendte personligt og havde arbejdet for i sin korte tid i afdelingen. Hun spurgte, om Göran Mårtensson arbejdede med noget vigtigt, eller om han kunne udlånes til en efterforskning i grundlovsbeskyttelsen.

Vicechefen i kontraspionagen var forbløffet. Monica Figuerola måtte være blevet fejlinformeret. Göran Mårtensson fra personbeskyttelsen var ikke udlånt til kontraspionagen. Desværre.

Monica Figuerola lagde røret på og stirrede på telefonen i to minutter. I personbeskyttelsen troede man, at Mårtensson var udlånt til kontraspionagen. I kontraspionagen havde man slet ikke lånt ham. Den slags forflyttelser skulle godkendes og ordnes af vicesekretariatschefen. Hun rakte ud efter telefonrøret for at ringe til vicesekretariatschefen, men tog sig i det. Hvis man i personbeskyttelsen havde lånt Mårtensson ud, måtte vicesekretariatschefen have godkendt beslutningen. Men Mårtensson var ikke i kontraspionagen. Hvilket vicesekretariatschefen måtte være klar over. Og hvis Mårtensson var udlånt til en afdeling, der skyggede Mikael Blomkvist, måtte vicesekretariatschefen også kende til det.

Torsten Edklinth havde sagt, at hun ikke skulle skabe ringe i vandet. At spørge vicesekretariatschefen kunne være ensbetydende med at kaste en meget stor sten i en lille andedam.

ERIKA BERGER SATTE SIG bag sit skrivebord i glasburet lidt over halv elleve mandag formiddag og pustede ud. Hun trængte i den grad til den kop kaffe fra automaten i kafferummet, som hun netop havde hentet. Hun havde tilbragt de første arbejdstimer med to møder. Det første var et femten minutter langt morgenmøde, hvor redaktionssekretær Peter Fredriksson trak retningslinjerne op for dagens arbejde. Hun følte sig i stadigt højere grad nødsaget til at stole på Fredrikssons vurderinger i mangel på tiltro til Anders Holm.

Det andet var et timelangt møde med bestyrelsesformand Magnus Borgsjö, SMP's økonomidirektør Christer Sellberg og den budgetansvarlige Ulf Flodin. Mødet var en gennemgang af et vigende annoncemarked og et faldende løssalg. Budgetchefen og økonomidirektøren var enige om, at der skulle tiltag til for at mindske avisens underskud.

"Vi klarede første kvartal i år takket være en marginal vækst på annoncemarkedet, og fordi to af vores medarbejdere gik på pension ved årsskiftet. Disse stillinger er ikke genbesat," sagde Ulf Flodin. "Vi vil formentlig klare indeværende kvartal med et marginalt underskud. Men der er ingen tvivl om, at gratisaviserne *Metro* og *Stockholm City* æder mere og mere af annoncemarkedet i Stockholm. Den eneste prognose, vi kan give, er, at tredje kvartal i år vil give et betydeligt underskud."

"Og hvordan imødegår vi det?" spurgte Borgsjö.

"Det eneste rimelige alternativ er nedskæringer. Vi har ikke skåret ned siden 2002. Men jeg vil mene, at vi før årsskiftet må skære mindst ti stillinger væk."

"Hvilke stillinger?" spurgte Erika Berger.

"Vi må arbejde med salamimetoden og fjerne en stilling her og der. Sportsredaktionen har for øjeblikket 6,5 stillinger. Der bør vi skære ned til fem heltidsstillinger."

"Hvis jeg har forstået det ret, er der allerede skåret ind til benet på sportsredaktionen. Det betyder, at vi er nødt til at skære ned på sportsdækningen i sin helhed."

Flodin trak på skuldrene.

"Jeg lytter gerne til bedre forslag."

"Jeg har ingen bedre forslag, men i princippet er det sådan, at hvis vi skærer personalet væk, må vi lave en tyndere avis, og hvis vi laver en tyndere avis, vil antallet af læsere blive færre og dermed også annoncørerne."

"Den evige onde cirkel," sagde økonomidirektør Sellberg.

"Jeg er ansat til at vende den her udvikling. Det betyder, at jeg vil satse offensivt på at forandre avisen og gøre den mere attraktiv for læserne. Men det kan jeg ikke gøre, hvis jeg skal skære ned på personalet."

Hun vendte sig om mod Borgsjö.

"Hvor længe kan avisen bløde? Hvor stort et underskud kan vi tage, inden det vender?"

Borgsjö spidsede læberne.

"Siden 90'ernes begyndelse har SMP spist en stor del af de gamle fondsmidler. Vi har en aktieportefølje, som har mistet omkring tredive procent i værdi sammenlignet med for ti år siden. En stor del af disse fonde er blevet brugt til investeringer i computerteknologi. Det er altså ufattelig store udgifter, vi har haft."

"Jeg har noteret mig, at SMP har udviklet sit eget tekstredigeringssystem, det der kaldes AXT. Hvad kostede det at udvikle?"

"Omkring fem millioner kroner."

"Jeg forstår ikke rigtig logikken her. Der findes billigere kommercielle programmer på markedet, der allerede er færdige. Hvorfor har SMP satset på at udvikle egen software?"

"Ja du, Erika ... svar på det, hvem der kan. Men det var den forhenværende teknikchef, der overtalte os. Han mente, at det ville blive billigere i det lange løb, og at SMP desuden ville kunne sælge licenser til programmet til andre aviser."

"Og har nogen købt softwaren?"

"Ja faktisk, en lokalavis i Norge."

"Strålende," sagde Erika Berger tørt. "Næste spørgsmål. Vi sidder med computere, der er fem-seks år gamle ..."

"Det er udelukket at foretage investeringer i nye computere i løbet af det næste år," sagde Flodin.

Diskussionen var fortsat. Erika begyndte at blive meget bevidst

280

om, at hendes indvendinger blev ignoreret af Flodin og Sellberg. For dem var det nedskæringer, det gjaldt, hvilket var forståeligt fra en budgetchefs og en økonomidirektørs synsvinkel og uacceptabelt ud fra en nytiltrådt chefredaktørs horisont. Det, der irriterede hende, var dog, at de blev ved med at affærdige hendes argumenter med venlige smil, som fik hende til at føle sig som en skolepige til lektieoverhøring. Uden at et eneste upassende ord var blevet udtalt, havde de en attitude over for hende, der var så klassisk, at det næsten var underholdende. Du skal ikke bryde din lille hjerne med så komplicerede ting, lille ven.

Borgsjö var ingen større hjælp. Han forholdt sig afventende og lod de øvrige deltagere i mødet tale, men hun oplevede ikke den samme nedladende attitude fra ham.

Hun sukkede, tændte for sin laptop og åbnede sin e-mail. Hun havde fået 19 mails. Fire af disse var spam fra nogen, der ville (a) have at hun skulle købe Viagra, (b) tilbyde hende cybersex med *The sexiest Lolitas on the net* mod en sum på kun fire amerikanske dollar i minuttet, (c) et noget grovere tilbud om *Animal Sex, the Juiciest Horse Fuck in the Universe*, samt (d) abonnere på det elektroniske nyhedsbrev *mode.nu*, der blev produceret af et snuskforetagende, der overdængede markedet med reklametilbud, og som aldrig holdt op med at sende skidtet, lige meget hvor mange gange hun frabad sig reklamerne. Yderligere syv mails bestod af såkaldte Nigeriabreve fra enken til den forhenværende nationalbankchef i Abu Dhabi, der tilbød hende svimlende summer, hvis hun bare ville bidrage med lidt tillidsvækkende kapital og lignende sludder.

De tilbageværende mails bestod af et morgenmemo, et frokostmemo, tre mails fra redaktionssekretær Peter Fredriksson, der holdt hende ajour med udviklingen i dagens hovedhistorie, en mail fra hendes personlige revisor, der ville have et møde for at afstemme hendes lønforandringer efter skiftet fra *Millennium* til SMP, samt en mail fra hendes tandlæge, der mindede hende om, at det var tid til kvartalsbesøget. Hun noterede tiden ned i sin elektroniske kalender og indså straks, at hun var nødt til at aflyse, da hun havde et stort redaktionsmøde den dag.

Endelig åbnede hun den sidste mail, der havde afsenderen <centralred@smpost.se> og overskriften [Til chefredaktørens oriente-

281

ring]. Hun satte langsomt kaffekoppen fra sig.

[LUDER! DU TROR, AT DU ER NOGET, DIN SKIDE FISSE.
DU SKAL IKKE TRO, AT DU KAN KOMME HER OG VÆRE
SÅ SKIDE VIGTIG. JEG FÅR DIG KNEPPET I RØVEN MED
EN SKRUETRÆKKER, DIN LUDER! JO HURTIGERE DU
FORSVINDER, DESTO BEDRE.]

Erika Berger hævede automatisk blikket og søgte nyhedschef Anders Holm. Han sad ikke på sin plads, og hun kunne ikke se ham på redaktionen. Hun så på afsenderen, løftede derefter røret og ringede til Peter Fleming, der var SMP's teknikchef.

"Hej. Hvem benytter adressen <centralred@smpost.se>?"

"Ingen. Den adresse findes ikke på SMP."

"Jeg har lige fået en mail fra netop den adresse."

"Det er en falsk mail. Indeholder mailen virus?"

"Nej, virusprogrammet har i hvert fald ikke reageret."

"Okay. Adressen eksisterer ikke. Men det er meget let at lave en tilsyneladende rigtig adresse. Der findes sider på nettet, man kan sende dem igennem."

"Kan man spore sådan en mail?"

"Det er næsten umuligt, selv om den pågældende person skulle være så dum at sende fra sin private hjemmecomputer. Man kan muligvis spore IP-adressen til en server, men hvis han bruger en konto, som han har oprettet på for eksempel hotmail, så holder sporet op."

Erika takkede for oplysningerne. Hun tænkte sig lidt om. Det var ikke første gang, hun fik en trusselsmail eller en besked fra en idiot. Mailen hentydede åbenbart til hendes nye arbejde som chefredaktør på SMP. Hun spekulerede på, om det var en eller anden galning, der havde læst om hende i forbindelse med Moranders død, eller om afsenderen var at finde i huset.

MONICA FIGUEROLA SPEKULEREDE længe og grundigt over, hvordan hun skulle gribe det an med Evert Gullberg. En fordel ved at arbejde i grundlovsbeskyttelsen var, at hun havde udstrakte beføjelser til at finde næsten en hvilken som helst politirapport frem i hele

Sverige, der kunne tænkes at have med racistisk eller politisk kriminalitet at gøre. Hun konstaterede, at Alexander Zalachenko var indvandrer, og at der i hendes arbejdsopgave blandt andet indgik at efterforske vold mod udlandsfødte personer og at afgøre, om denne var racistisk motiveret eller ej. Hun havde derfor legitim ret til at tage del i efterforskningen af mordet på Zalachenko for at afgøre, om Evert Gullberg havde tilknytning til en racistisk organisation, eller om han havde givet udtryk for racistiske tilbøjeligheder i forbindelse med mordet. Hun bestilte rapporten og læste den omhyggeligt igennem. Der genfandt hun de breve, der var blevet sendt til justitsministeren, og konstaterede, at de foruden en række rethaveriske og nedsættende personangreb også indeholdt ordene perkerelsker og landsforræder.

Derefter var klokken blevet fem. Monica Figuerola låste alt materialet inde i boksen på sit kontor, ryddede kaffekoppen væk, lukkede computeren ned og stemplede ud. Hun gik hurtigt hen til motionscentret ved Sankt Eriksplan og brugte den følgende time på lidt rolig styrketræning.

Da hun var færdig, gik hun hen til sin toværelses lejlighed i Pontonjärgatan, tog et brusebad og spiste en sen, men sund og alsidig middag. Hun overvejede lidt at ringe til Daniel Mogren, der boede tre blokke længere nede ad gaden. Daniel var tømrer og bodybuilder og havde i tre år af og til været hendes træningskammerat. De seneste måneder havde de også mødtes og haft vennesex.

Sex var jo næsten lige så tilfredsstillende som hård træning i træningscentret, men ved 30 plus eller tættere på de 40 minus var Monica Figuerola begyndt at tænke på, om hun trods alt ikke skulle begynde at interessere sig for en permanent mand og en mere permanent livssituation. Måske endda få et barn. Dog ikke med Daniel Mogren.

Efter et øjebliks overvejelse besluttede hun sig for, at hun egentlig ikke havde lyst til at se nogen. I stedet gik hun i seng med en bog om antikkens historie. Hun faldt i søvn lidt før midnat.

KAPITEL 13
Tirsdag den 17. maj

MONICA FIGUEROLA VÅGNEDE ti minutter over seks tirsdag morgen, løb en lang tur langs Norr Mälarstrand, tog et brusebad og stemplede ind på politigården ti over otte. Hun brugte morgentimerne på at skrive et memo med de konklusioner, hun var nået frem til dagen før.

Klokken ni ankom Torsten Edklinth. Hun gav ham tyve minutter til at klare eventuel morgenpost og gik derefter hen til hans dør og bankede på. Hun ventede i ti minutter, mens hendes chef læste hendes memo. Han læste de fire A4-sider to gange fra begyndelsen til slutningen. Til sidst så han op på hende.

"Vicesekretariatschefen," sagde han eftertænksomt.

Hun nikkede.

"Han må have godkendt udlånet af Mårtensson. Han må derfor vide, at Mårtensson ikke er i kontraspionagen, hvor han ifølge personbeskyttelsen burde befinde sig."

Torsten Edklinth tog brillerne af, fandt en papirserviet frem og pudsede dem grundigt. Han tænkte sig om. Han havde mødt vicesekretariatschef Albert Shenke på møder og interne konferencer utallige gange, men kunne ikke påstå, at han personlig kendte ham specielt godt. Han var en relativt lavstammet person med tyndt rødt hår og med et taljemål, der var bulnet ud i årenes løb. Han vidste, at Shenke var omkring 55 år, og at han havde arbejdet i Säpo i hvert fald femogtyve år, eventuelt længere endnu. Han havde været vicesekretariatschef det seneste årti og inden da arbejdet som afdelingsleder og på andre poster inden for administrationen. Han opfattede Shenke som en fåmælt person, der havde nosser, hvis det behøvedes. Edklinth havde ingen anelse om, hvad Shenke gik og lavede i fritiden, men han huskede, at han engang havde set ham i parke-

284

ringskælderen på politigården i træningstøj og med golfkøller over skulderen. Han var også en gang flere år før tilfældigvis stødt ind i Shenke i Operaen.

"Der var en ting, der slog mig," sagde hun.

"Hvad?"

"Evert Gullberg. Han gjorde militærtjeneste i 40'erne, blev skattejurist og forsvandt i tågerne i 50'erne."

"Ja?"

"Da vi diskuterede det her, talte vi om ham, som om han havde været lejemorder."

"Jeg ved godt, at det lyder søgt, men ..."

"Det, der slog mig, var, at der findes så lidt baggrundsmateriale om ham, at det næsten virker forkert. Både IB og Säpo etablerede firmaer uden for huset i 50'erne og 60'erne."

Torsten Edklinth nikkede.

"Jeg spekulerede faktisk på, hvornår du ville tænke på den mulighed."

"Jeg har brug for tilladelse til at gå ind i personalefilerne fra og med 50'erne," sagde Monica Figuerola.

"Nej," sagde Torsten Edklinth og rystede på hovedet. "Vi kan ikke gå ind i arkivet uden tilladelse fra vicesekretariatschefen, og vi vil ikke vække opmærksomhed, før vi har fundet ud af mere."

"Hvordan synes du så, vi skal gå videre?"

"Mårtensson," sagde Edklinth. "Find ud af, hvad han går og laver."

Lisbeth Salander stod og studerede udluftningsvinduet inde på sit aflåste rum, da hun hørte nøglen i døren og så dr. Anders Jonasson træde indenfor. Klokken var over ti tirsdag aften. Han afbrød hendes tanker om, hvordan hun skulle flygte fra Sahlgrenska Sygehus.

Hun havde målt udluftningsventilen i vinduet og konstateret, at hendes hoved ville kunne gå igennem, og at hun nok ikke ville have nævneværdige problemer med at klemme resten af kroppen igennem. Der var tre etager ned til jorden, men en kombination af iturevne lagner og en tre meter lang forlængerledning til en gulvlampe ville løse det problem.

I tankerne havde hun planlagt sin flugt trin for trin. Problemet var

tøj. Hun havde trusser, sygehusets natkjole og et par plasticsanda-
ler, som hun havde fået lov at låne. Hun havde to hundrede kroner i
kontanter, som hun havde fået af Annika Giannini til at købe slik for
i hospitalskiosken. Det ville være nok til et par billige cowboybuk-
ser og en T-shirt hos Frelsens Hær, forudsat at hun kunne lokalisere
en Frelsens Hær-butik i Göteborg. Resten af pengene måtte række
til en telefonsamtale til Plague. Derefter ville tingene løse sig. Hun
planlagde at lande i Gibraltar inden for nogle døgn efter sin flugt og
derefter opbygge en ny identitet et eller andet sted i verden.

Anders Jonasson nikkede og satte sig i gæstestolen. Hun satte sig
på sengekanten.

"Hej, Lisbeth. Undskyld, at jeg ikke har nået at besøge dig de sene-
ste dage, men der har været frygtelig travlt på skadestuen, og jeg er
desuden blevet supervisor for et par unge læger."

Hun nikkede. Hun forventede ikke, at Anders Jonasson skulle
besøge hende mere end andre.

Han fandt hendes journal frem og studerede opmærksomt hendes
temperaturkurve og medicinering. Han noterede sig, at hun stadig lå
mellem 37 og 37,2 grader, og at hun i den forløbne uge ikke havde
fået nogen hovedpinepiller.

"Det er Endrin, der er din læge. Er du glad for hende?"

"Hun er okay," svarede Lisbeth uden større entusiasme.

"Er det okay, hvis jeg lige tjekker?"

Hun nikkede. Han tog en pennelygte op af lommen, bøjede sig
frem og lyste hende ind i øjnene for at se, hvordan pupillerne trak
sig sammen og udvidede sig. Han bad hende om at åbne munden
og undersøgte hendes hals. Derefter lagde han forsigtigt hænderne
omkring hendes hals og drejede hendes hoved frem og tilbage og
ud til siderne nogle gange.

"Har du nogen gener i nakken?" spurgte han.

Hun rystede på hovedet.

"Hvordan går det med hovedpinen?"

"Den vender tilbage en gang imellem, men det går over igen."

"Helingsprocessen er stadig i gang. Hovedpinen vil forsvinde
efterhånden."

Hun havde stadig så kort hår, at han bare behøvede at fjerne en
lille tot hår for at mærke arret over øret. Det helede uden problemer,

men der var stadig en lille sårskorpe.

"Du har kløet i såret igen. Hold nu op med det."

Hun nikkede. Han tog hende under venstre armhule og løftede armen.

"Kan du løfte armen selv?"

Hun rakte armen op.

"Har du nogen smerter eller noget ubehag i skulderen?"

Hun rystede på hovedet.

"Strammer det?"

"En smule."

"Jeg tror, at du er nødt til at træne musklerne i skulderen lidt mere."

"Det er svært, når man er låst inde."

Han smilede til hende.

"Det vil ikke vare evigt. Laver du de der øvelser, som fysioterapeuten har givet dig?"

Hun nikkede. Han fandt stetoskopet frem og trykkede det mod sit håndled lidt for at varme det. Så satte han sig på sengekanten, knappede hendes natkjole op og lyttede til hendes hjerte og mærkede pulsen. Han bad hende bøje sig fremover og placerede stetoskopet på hendes ryg for at lytte til lungerne.

"Host."

Hun hostede.

"Okay. Du kan godt knappe natkjolen igen. Du er mere eller mindre rask nu."

Hun nikkede. Hun forventede, at han dermed ville rejse sig og love at vende tilbage om nogle dage, men han blev siddende i stolen. Han sad længe uden at sige noget og syntes at tænke på et eller andet. Lisbeth ventede tålmodigt.

"Ved du, hvorfor jeg blev læge?" spurgte han pludselig.

Hun rystede på hovedet.

"Jeg kommer fra en arbejderfamilie. Jeg har altid gerne villet være læge. Jeg havde faktisk tænkt mig at blive psykiater, da jeg var i teenagealderen. Jeg var frygtelig intellektuel."

Lisbeth betragtede ham med pludselig opmærksomhed, så snart han havde nævnt ordet psykiater.

"Men jeg var ikke sikker på, om jeg kunne klare studierne. Så da jeg var gået ud af gymnasiet, uddannede jeg mig til svejser og arbejdede som det i nogle år."

Han nikkede som tegn på, at han fortalte sandheden.

"Jeg syntes, at det var en god idé at have noget at falde tilbage på, hvis lægestudierne skulle mislykkes. Og der er ikke så frygtelig stor forskel på at være svejser og læge. Det drejer sig om at lappe ting og sager sammen. Og nu arbejder jeg her på Sahlgrenska Sygehus og lapper folk som dig sammen."

Hun rynkede brynene og spekulerede mistænksomt på, om han lavede sjov med hende. Men han så helt alvorlig ud.

"Lisbeth ... jeg spekulerer på ..."

Han var tavs i så lang tid, at Lisbeth var lige ved at spørge ham om, hvad han ville. Men hun beherskede sig og ventede.

"Jeg spekulerer på, om du ville blive sur på mig, hvis jeg bad om lov til at stille dig et privat og personligt spørgsmål. Jeg vil gerne spørge dig i egenskab af privatperson. Altså ikke som læge. Jeg skal nok lade være med at notere dit svar ned, og jeg har ikke tænkt mig at diskutere det med noget andet menneske. Du behøver ikke at svare, hvis du ikke vil."

"Hvad?"

"Det er et nærgående og personligt spørgsmål."

Hun mødte hans blik.

"Siden du blev tvangsindlagt på Skt. Stefans i Uppsala, dengang du var 12 år gammel, har du nægtet at svare, når en psykiater har forsøgt at tale med dig. Hvordan kan det være?"

Lisbeth Salanders blik blev en smule mørkere. Hun betragtede Anders Jonasson med helt udtryksløse øjne. Hun sad uden at sige noget i to minutter.

"Hvorfor vil du vide det?" spurgte hun endelig.

"Ærlig talt, så er jeg ikke helt sikker. Jeg tror, at jeg forsøger at forstå noget."

En lille krusning viste sig på hendes læbe.

"Jeg taler ikke med hjernevridere, fordi de aldrig lytter til, hvad jeg siger."

Anders Jonasson nikkede og lo pludselig.

"Okay. Sig mig engang ... hvad synes du om Teleborian?"

Anders Jonasson havde slynget navnet så uventet ud, at det næsten gav et sæt i Lisbeth. Hendes øjne blev væsentligt smallere.

"Hvad fanden er det her, tyve spørgsmål til professoren? Hvad er du ude på?"

Hendes stemme lød pludselig som sandpapir. Anders Jonasson bøjede sig så langt frem imod hende, at han næsten invaderede hendes intimsfære.

"Fordi en ... hvad var det for et udtryk, du brugte ... hjernevrider ved navn Peter Teleborian, der ikke er helt ukendt inden for min profession, har været efter mig to gange de seneste dage og har forsøgt at få tilladelse til at undersøge dig."

Det løb pludselig Lisbeth koldt ned ad ryggen.

"Retten vil bede ham om at foretage en retspsykiatrisk undersøgelse af dig."

"Og?"

"Jeg bryder mig ikke om Peter Teleborian. Jeg har nægtet ham adgang. I det sidste tilfælde dukkede han uanmeldt op her på afdelingen og forsøgte at bluffe sig ind til dig via en sygeplejerske."

Lisbeth kneb læberne sammen.

"Hans opførsel var en smule besynderlig og lidt for ivrig til at føles rigtig. Altså vil jeg gerne vide, hvad du mener om ham."

Denne gang var det Anders Jonassons tur til tålmodigt at vente på Lisbeth Salanders svar.

"Teleborian er et svin," svarede hun endelig.

"Er der noget personligt mellem jer?"

"Det kan man godt sige."

"Jeg har også haft en samtale med en myndighedsperson, der så at sige forlanger, at jeg slipper Teleborian ind til dig."

"Og?"

"Jeg spurgte, hvilke medicinske forudsætninger han havde til at vurdere din tilstand, og bad ham gå ad helvede til. Bare med et mere diplomatisk ordvalg."

"Okay."

"Et sidste spørgsmål. Hvorfor fortæller du mig det her?"

"Du spurgte jo."

"Jo, men jeg er læge, og jeg har studeret psykiatri. Så hvorfor taler du med mig? Skal jeg tolke det, som at du har en smule tiltro til mig?"

Hun svarede ikke.

"Så vælger jeg at tolke det på den måde. Du skal vide, at du er min patient. Det betyder, at jeg arbejder for dig og ikke for nogen anden."

Hun så mistænksomt på ham. Han sad lidt uden at sige noget, mens han betragtede hende. Så sagde han med et let tonefald:

"Rent medicinsk er du mere eller mindre rask. Du har brug for endnu nogle ugers genoptræning. Men desværre er du meget rask."

"Desværre?"

"Ja." Han smilede godmodigt til hende. "Det går alt for godt."

"Hvad mener du?"

"Det betyder, at jeg ikke har nogen legitim grund til at holde dig isoleret her, og at anklageren dermed snart vil få dig overført til et fængsel i Stockholm, mens du venter på retssagen om seks uger. Jeg vil gætte på, at der kommer sådan en begæring allerede i næste uge. Og det betyder, at Peter Teleborian vil få tilladelse til at observere dig."

Hun sad helt stille i sengen. Anders Jonasson så distraheret ud og bøjede sig frem og rettede på hendes pude. Han talte med en stemme, som om han tænkte højt.

"Du har hverken hovedpine eller den mindste feber, så Endrin vil formentlig snart udskrive dig."

Han rejste sig pludselig.

"Tak, fordi du talte med mig. Jeg kommer og ser til dig igen, inden du bliver flyttet."

Han var helt henne ved døren, før hun åbnede munden.

"Jonasson."

Han vendte sig om imod hende.

"Tak."

Han nikkede kort en enkelt gang, inden han gik ud og låste døren.

LISBETH SALANDER SAD længe og stirrede på den låste dør. Til sidst lagde hun sig tilbage og stirrede op i loftet.

Det var på det tidspunkt, at hun opdagede, at der lå noget hårdt under hendes hoved. Hun løftede puden og opdagede til sin overraskelse en lille stofpose, der definitivt ikke havde befundet sig der før. Hun åbnede den og stirrede uforstående på en Palm Tungsten T3 håndcomputer og en batterioplader. Så kiggede hun nærmere på computeren og opdagede en lille skramme i den øverste kant. Hendes hjerte sprang et slag over. Det er min Palm. Men hvordan ... Hun flyttede overrasket blikket til den låste dør. Anders Jonasson var fuld af overraskelser. Hun var pludselig ophidset. Hun tændte straks for computeren og opdagede lige så hurtigt, at den var kodeordsbeskyttet.

Hun stirrede frustreret på skærmen, der blinkede opfordrende. Og hvordan fanden skulle jeg kunne ... Så så hun ned i stofposen og opdagede et sammenfoldet stykke papir i bunden. Hun rystede papiret ud, foldede det ud og læste en sætning skrevet med sirlig håndskrift.

Det er dig, der er hackeren. Find selv ud af det!/ Kalle B.

Lisbeth lo for første gang i flere uger. Tak for sidst. Hun tænkte sig om et øjeblik. Så fandt hun den digitale pen og skrev talkombinationen 9277, der svarede til bogstaverne WASP på tastaturet. Det var den kode, som den skide Kalle Blomkvist havde regnet ud, da han uindbudt havde tiltvunget sig adgang til hendes lejlighed i Fiskargatan ved Mosebacke og udløst tyverialarmen.

Det virkede ikke.

Hun forsøgte med 52553, der svarede til bogstaverne KALLE.

Det virkede heller ikke. Da den skide Kalle Blomkvist formentlig regnede med, at hun skulle bruge computeren, måtte han have valgt et nemt kodeord. Han havde brugt signaturen Kalle, som han plejede at hade. Hun associerede. Hun tænkte sig lidt om. Det måtte være noget fornærmende. Derefter tastede hun 63663, der svarede til ordet PIPPI.

Computeren gik straks i gang.

Der viste sig en Smiley med en taleboble på skærmen.

[Se, det var da ikke så svært. Jeg foreslår, at du klikker på gemte dokumenter.]

Hun fandt straks dokumentet <Hej Sally> øverst i køen. Hun klik-kede og læste.

[Først og fremmest – det her er mellem dig og mig. Din advokat, altså min søster Annika, har ingen anelse om, at du har adgang til den her computer. Sådan må det forblive.

Jeg ved ikke, hvor meget du forstår af, hvad der sker uden for dit aflåste rum, men sjovt nok (din karakter til trods) har du en del loyale idioter, der arbejder for dig. Når det her er forbi, vil jeg formelt grundlægge en idealistisk forening, som jeg har tænkt mig at kalde Ridderne af det Vanvittige Bord. Forenin-gens eneste opgave skal være at holde en årligt tilbageven-dende middag, hvor vi morer os med kun at tale dårligt om dig. (Nej, du er ikke inviteret.)

Nuvel. Til sagen. Annika slider som et bæst på at forberede retssagen. Et problem i den sammenhæng er selvfølgelig, at hun arbejder for dig og insisterer på det der åndssvage integri-tetssludder. Det betyder, at hun ikke engang fortæller mig, hvad hun og du diskuterer, hvilket i den her sammenhæng er lidt af et handikap. Heldigvis tager hun imod information.

Vi må tale sammen, du og jeg.

Brug ikke min e-mail.

Måske er jeg paranoid, men jeg har grund til at tro, at jeg ikke er den eneste, der læser den. Hvis du vil skrive noget, skal du i stedet gå ind på Yahoogruppen [Det_Vanvittige_Bord]. ID Pippi og kodeordet er p9i2p7p7i /Mikael]

Lisbeth læste Mikaels brev to gange og så forbløffet på sin håndcom-puter. Efter en periode i totalt computercølibat havde hun umåde-lige cyberabstinenser. Hun spekulerede på, hvilken storetå den skide Kalle Blomkvist havde tænkt med, da han smuglede en computer ind til hende, men glemte, at hun havde brug for sin mobil for at kunne få kontakt med nettet.

Hun lå og spekulerede, da hun hørte skridt ude på gangen. Hun slukkede straks for computeren og lagde den ind under puden. Da hun hørte nøglen i låsen, gik det op for hende, at stofposen og bat-teriopladeren stadig lå på natbordet. Hun rakte hånden ud og fejede posen ned under dynen og pressede den sammenfiltrede ledning op i skridtet. Hun lå passivt og stirrede op i loftet, da natsygeplejersken kom ind, hilste venligt og spurgte, hvordan det stod til med Lisbeth, og om hun havde brug for noget.

Lisbeth forklarede, at hun havde det godt, og at hun gerne ville have en pakke cigaretter. Dette ønske blev venligt, men bestemt afslået. Hun fik en pakke nikotintyggegummi. Da sygeplejersken lukkede døren, så Lisbeth et glimt af Securitasvagten, der sad posteret på en stol ude på gangen. Lisbeth ventede, til hun hørte skridtene fjerne sig, før hun fandt håndcomputeren frem igen.

Hun tændte den og søgte efter kontakt med nettet.

Det var en næsten chokerende følelse, da håndcomputeren pludselig angav, at den havde fundet en forbindelse. *Kontakt med nettet. Umuligt.*

Hun sprang ud af sengen så hurtigt, at det gjorde ondt i den tilskadekomne hofte. Hun så sig forbløffet om i værelset. Hvordan? Hun gik en langsom runde og undersøgte hver en krog ... *Nej, der er ingen mobil her i rummet.* Alligevel havde hun kontakt med nettet. Så bredte der sig et skævt smil på hendes ansigt. Forbindelsen var radiostyret og forbundet til en mobil gennem Bluetooth, der havde en rækkevidde på ti til tolv meter. Hendes blik vandrede hen til en ventilationskanal lige oppe under loftet.

Den skide Kalle Blomkvist havde plantet en telefon lige uden for hendes rum. Det var den eneste forklaring.

Men hvorfor ikke smugle en telefon ind også ... *Naturligvis. Batterierne.*

Hendes Palm skulle kun lades op hver tredje dag eller så. En mobil der var forbundet til nettet, og som hun surfede meget på, ville hurtigt have opbrugt batterierne. Blomkvist eller snarere en eller anden, han havde ansat, og som befandt sig derude, måtte skifte batterier med jævne mellemrum.

Derimod havde han naturligvis sendt batteriopladeren til hendes Palm. Den måtte hun have ved hånden. Men det var nemmere at gemme én genstand end to. *Han er ikke så dum endda.*

Lisbeth begyndte med at beslutte, hvordan hun ville opbevare computeren. Hun måtte finde et gemmested. Der sad en stikkontakt ved døren og i panelet på væggen bag sengen. Det var det panel, der forsynede hendes sengelampe og digitalur med strøm. Der var et hulrum efter den radio, der var blevet fjernet. Hun smilede. Der var både plads til batteriopladeren og computeren. Hun kunne bruge strømkilden inde i sengebordet til at lade computeren stå og lade op i dagtimerne.

LISBETH SALANDER VAR lykkelig. Hendes hjerte bankede højt, da hun for første gang i to måneder tændte computeren og gik på internettet.

At surfe på en Palm-håndcomputer med en lillebitte skærm og digitalpen var ikke det samme som at surfe på en PowerBook med en 17-tommer skærm. *Men hun var på nettet.* Fra sin seng på Sahlgrenska Sygehus kunne hun nå hele verden.

Hun begyndte med at gå ind på en privat hjemmeside, der gjorde reklame for temmelig uinteressante billeder af en ukendt og ikke særlig dygtig amatørfotograf ved navn Gill Bates i Jobsville, Pennsylvania. Lisbeth havde engang kontrolleret sagen og konstateret, at byen Jobsville ikke eksisterede. Trods dette havde Bates taget over 200 billeder af samfundet og lagt et galleri af små *thumbnails* ud. Hun scrollede ned til billede 167 og klikkede forstørrelsen frem. Billedet forestillede kirken i Jobsville. Hun satte cursoren på spidsen af spiret på kirketårnet og klikkede. Hun fik straks et pop up-vindue frem, der bad om ID og kodeord. Hun fandt den digitale pen frem og skrev ordet *Remarkable* i vinduet med ID og *A(89)Cx#magnolia* som kodeord.

Der dukkede et vindue op med teksten [ERROR – You have the wrong password] og en knap med [OK – Try again]. Lisbeth vidste, at hvis hun klikkede på [OK – Try again] og forsøgte med et nyt kodeord, ville det samme vindue dukke op igen – år efter år, uanset hvor længe hun blev ved. I stedet klikkede hun på bogstavet [O] i ordet [ERROR].

Skærmen blev sort. Derefter blev en animeret dør åbnet og noget, der lignede Lara Croft, trådte frem. En taleboble materialiseredes med teksten [WHO GOES THERE?].

Hun klikkede på taleboblen og skrev ordet *Wasp*. Hun fik straks svaret [PROVE IT – OR ELSE ...], mens den animerede Lara Croft afsikrede sin pistol. Lisbeth vidste, at det ikke var en helt fiktiv trussel. Hvis hun skrev det forkerte kodeord tre gange i træk, ville siden blive lukket ned og navnet Wasp blive slettet fra medlemslisten. Hun tastede omhyggeligt kodeordet *MonkeyBusiness.*

Skærmen ændrede form og fik en blå baggrund med teksten:

[Welcome to Hacker Republic, citizen Wasp. It is 56 days since your last visit. There are 10 citizens online. Do you want to (a) Browse the Forum (b) Send a Message (c) Search the Archive (d) Talk (e) Get laid?]

Hun klikkede på vinduet [(d) Talk] og gik derefter til menuen [Who's online?] og fik en fortegnelse med navnene Andy, Bambi, Dakota, Jabba, BuckRogers, Mandrake, Pred, Slip, SisterJen, SixOfOne og Trinity.

<Hi gang>, skrev Wasp.

<Wasp. That really U?>, skrev SixOfOne straks. <Look who's home>

<Hvor har du været?>, spurgte Trinity.

<Plague sagde, at du har problemer>, skrev Dakota.

Lisbeth var ikke sikker, men hun havde mistanke om, at Dakota var en kvinde. De øvrige statsborgere online, inklusive en, der kaldte sig SisterJen, var fyre. Hacker Republic havde sammenlagt (sidst hun var på) toogtres statsborgere, hvoraf fire var piger.

<Hej Trinity>, skrev Lisbeth. <Hej alle>

<Hvorfor hilser du på Trin? Har I gang i noget, eller er der noget galt med os andre?>, skrev Dakota.

<Vi har datet>, skrev Trinity. <Wasp omgås kun med intelligente mennesker>

Han fik straks *abuse* fra fem forskellige steder.

Af de toogtres statsborgere havde Wasp mødt to personer ansigt til ansigt. Plague, der for en gangs skyld ikke var online, var den ene. Trinity var den anden. Han var englænder og boede i London. Hun havde mødt ham to år før i nogle timer, da han havde hjulpet hende og Mikael Blomkvist i jagten på Harriet Vanger ved at foretage en ulovlig aflytning af en fastnettelefon i den nydelige forstad Sankt Albans. Lisbeth fumlede med den klodsede digitalpen og ønskede, at hun havde haft et tastatur.

<Er du der?>, spurgte Mandrake.

Hun skrev:

<Sorry. Har kun en Palm. Det går langsomt>

<Hvad er der sket med din computer?>, spurgte Pred.

<Min computer er okay. Det er mig, der har et problem>

<Fortæl storebror, hvad der er galt>, skrev Slip.

<Jeg er blevet sat i fængsel af staten>

<Hvad? Hvorfor?>, kom det straks fra tre chattere.

Lisbeth opsummerede sin situation på fem linjer, hvilket blev modtaget med bekymring.

<Hvordan har du det?>, spurgte Trinity.

<Jeg har et hul i hovedet>

<Jeg kan ikke mærke forskel>, konstaterede Bambi.

<Wasp har altid haft hul i hovedet>, sagde SisterJen, hvilket blev efterfulgt af en række nedsættende bemærkninger om Wasps forstandsevner. Lisbeth smilede. Konversationen blev genoptaget med et indlæg af Dakota.

<Vent. Dette er et angreb mod en statsborger fra Hacker Republic. Hvordan skal vi tage til genmæle?>

<Atomvåbenangreb mod Stockholm?>, foreslog SixOfOne.

<Nej, det ville være at gå til yderligheder>, sagde Wasp.

<En lillebitte bombe?>

<Gå hjem og læg dig, SixOO>

<Vi kunne få Stockholm til at gå i sort>, foreslog Mandrake.

<Virus, der lukker regeringen ned?>

STATSBORGERNE I HACKER REBUBLIC var i almindelighed ikke spredere af computervirus. Tværtimod var de hackere og derfor uforsonlige modstandere af idioter, der udsendte computervirus, som bare havde til hensigt at sabotere nettet og ødelægge computere. De var informationsnarkomaner og ville have et fungerende net, de kunne hacke.

Men forslaget om at lukke den svenske regering ned var ingen tom trussel. Hacker Republic udgjorde en meget eksklusiv klub med de bedste af de bedste, et elitekorps, som en hvilken som helst forsvarsmagt ville have betalt enorme summer for at kunne bruge til cybermilitære formål, hvis altså *the citizens* kunne overtales til at føle den slags loyalitet med nogen stat. Hvilket ikke var særlig sandsynligt.

Men de var alle *Computer Wizards* og var næppe helt uvidende om kunsten at konstruere computervirus. De var heller ikke svære at overtale til at gennemføre særlige kampagner, hvis situationen krævede det. Nogle år tidligere var en *citizen* i Hacker Rep, der i det civile var programudvikler i Californien, blevet franarret et patent af et dot-com-firma i fremmarch, som desuden havde den frækhed at trække statsborgeren i retten. Dette foranledigede samtlige aktivister i Hacker Rep til i et halvt års tid at bruge en opsigtsvækkende mængde energi på at hacke og ødelægge hver eneste computer, det pågældende firma ejede. Hver eneste forretningshemmelighed og mail – sammen med nogle forfalskede dokumenter, der kunne tolkes, som at firmaets administrerende direktør begik skattefusk – blev med stor entusiasme lagt ud på nettet sammen med oplysninger om den administrerende direktørs hemmelige elskerinde og billeder fra en fest i Hollywood, hvor den administrerende direktør sniffede kokain. Firmaet var gået konkurs efter et halvt år, og flere år senere hjemsøgte nogle medlemmer af *folkemilitsen* i Hacker Rep, der ikke så let kunne tilgive, med jævne mellemrum den forhenværende administrerende direktør.

Hvis et halvt hundrede af verdens dygtigste hackere besluttede sig for at gå til samlet angreb mod en stat, ville staten formentlig overleve, men ikke uden betydelige problemer. Omkostningerne ville formentlig løbe op i milliarder, hvis Lisbeth gav sit samtykke. Hun tænkte sig lidt om.

<Ikke lige nu. Men hvis tingene ikke går, som jeg gerne vil, bliver jeg måske nødt til at bede om hjælp>

<Bare sig til>, sagde Dakota.

<Det er længe siden, at vi har været i krig mod en regering>, sagde Mandrake.

<Jeg har et forslag, der går ud på at reversere skatteindbetalingssystemet. Et program der ville være skræddersyet til et lille land som Norge>, skrev Bambi.

<Udmærket, men Stockholm ligger altså i Sverige>, skrev Trinity.

<Godt det samme. Nu skal I høre ...>

Lisbeth Salander lænede sig tilbage mod puden og fulgte konversationen med et skævt smil. Hun spekulerede på, hvorfor hun, der havde så svært ved at tale om sig selv med mennesker, hun mødte ansigt til ansigt, helt ubekymret kunne udlevere sine mest intime hemmeligheder til en samling fuldkommen ukendte idioter på internettet. Men faktum var, at hvis Lisbeth Salander havde en familie og et gruppetilhørsforhold, så var det netop disse komplette galninge. Ingen af dem havde egentlig mulighed for at hjælpe hende med hendes problemer med den svenske stat. Men hun vidste, at hvis det blev nødvendigt, ville de bruge væsentlig tid og energi på nogle behørige styrkedemonstrationer. Gennem netværket kunne hun også få adgang til gemmesteder i udlandet. Det var takket være Plagues kontakter på nettet, at hun havde kunnet skaffe et norsk pas i navnet Irene Nesser.

Lisbeth havde ingen anelse om, hvordan statsborgerne i Hacker Rep så ud, og hun havde kun en vag fornemmelse af, hvad de foretog sig uden for nettet – statsborgerne var notorisk vage med deres identiteter. For eksempel påstod SixOfOne, at han var en sort, amerikansk statsborger af hankøn og af katolsk herkomst, der var bosat i Toronto, Canada. Han kunne lige så godt være hvid, kvinde, lutheraner og bosat i Skövde.

Den, hun kendte bedst, var Plague – det var ham, der engang have introduceret hende til familien, og ingen blev nogensinde medlem af det eksklusive selskab uden meget stærke anbefalinger. Den, der blev medlem, måtte desuden være personlig bekendt af nogen af de andre statsborgere – i hendes tilfælde Plague.

På nettet var Plague en intelligent og socialt begavet statsborger. I virkeligheden var han en stærkt overvægtig og socialt forstyrret 30-årig førtidspensionist med bopæl i Sundbyberg. Han vaskede sig alt for sjældent, og hans lejlighed lugtede af abe. Lisbeth plejede at være sparsom med sine besøg hos ham. Det var fint bare at omgås ham på nettet.

Mens chatten fortsatte, downloadede Wasp de mails, der var kommet til hendes private mailboks i Hacker Rep. En mail var fra medlemmet Poison og indeholdt en forbedret version af hendes program *Asphyxia* 1.3, der var tilgængelig for alle republikkens statsborgere i Arkivet. *Asphyxia* var et program, som hun kunne bruge til at kontrollere andre menneskers computere med på internettet. Poison forklarede, at han havde gode resultater med at bruge programmet, og at hans opdaterede version omfattede de seneste versioner af Unix, Mac og Windows. Hun mailede et kort svar og takkede for opgraderingen.

I den kommende time, mens det begyndte at blive aften i USA, var yderligere en halv snes *citizens* kommet online, havde hilst Wasp velkommen hjem og var begyndt at deltage i debatten. Da Lisbeth endelig loggede ud, drejede diskussionen sig om, hvorvidt man kunne få den svenske statsministers computer til at sende høflige, men fuldstændig forrykte mails til andre regeringschefer i verden. Der var blevet dannet en arbejdsgruppe for at bringe klarhed over spørgsmålet. Lisbeth sluttede med at skrive et kort indlæg.

<Fortsæt med at tale, men gør ikke noget, uden at jeg har sagt god for det. Jeg vender tilbage, når jeg kan gå på nettet igen>

Alle sagde kys og kram og opfordrede hende til at pleje sit hul i hovedet.

DA LISBETH HAVDE LOGGET af Hacker Republic, gik hun ind på [www.yahoo.com] og loggede ind på den private nyhedsgruppe [Det_Vanvittige_Bord]. Hun opdagede, at nyhedsgruppen havde to medlemmer; hende selv og Mikael Blomkvist. Mailboksen indeholdt en eneste mail, der var blevet sendt to dage før. Den havde titlen [Læs dette først].

[Hej Sally. Situationen lige nu er følgende:
• Politiet har endnu ikke fundet din lejlighed og er ikke i besiddelse af dvd'en med Bjurmans voldtægt. Dvd'en udgør et meget tungtvejende bevis, men jeg vil ikke give den til Annika uden din tilladelse. Jeg har også nøglerne til din lejlighed og passet udstedt til en Irene Nesser.
• Derimod har politiet den rygsæk, du havde med dig til Gosseberga. Jeg ved ikke, om den indeholder noget uheldigt.]

Lisbeth tænkte sig lidt om. Nja. En halvtom termokande med kaffe, nogle æbler og et sæt skiftetøj. Det var okay.

[Du vil blive sigtet for grov vold, alternativt drabsforsøg på Zala-
chenko samt grov vold mod Carl-Magnus Lundin fra Svavelsjö
MC på Stallarholmen – dvs. at du skød ham i foden og spar-
kede kæben af led på ham. En pålidelig kilde inden for politiet
siger dog, at bevismaterialet i begge tilfælde er en anelse uklart.
Følgende er vigtigt:

(1) Inden Zalachenko blev skudt, nægtede han alt og påstod,
at det måtte have været Niedermann, der skød dig og gravede
dig ned i skoven. Han anmeldte dig for drabsforsøg. Anklage-
ren vil lægge vægt på, at det er anden gang, du forsøger at
myrde Zalachenko.

(2) Hverken Magge Lundin eller Sonny Nieminen har sagt et
ord om, hvad der skete på Stallarholmen. Lundin sidder inde for
kidnapning af Miriam Wu. Nieminen er på fri fod.]

Lisbeth overvejede hans ord og trak på skuldrene. Alt dette havde
hun allerede diskuteret med Annika Giannini. Det var en skidt situa-
tion, men ingen nyhed. Hun havde åbenhjertigt gjort rede for alt,
hvad der var sket i Gosseberga, men havde afholdt sig fra at fortælle
nogen detaljer om Bjurman.

[I femten år stod Zala under beskyttelse, nærmest uanset hvad
han foretog sig. Karrierer blev bygget på Zalachenkos betyd-
ning. Et antal gange hjalp man Zala med at rydde op efter hans
hærgen. Alt dette er kriminel virksomhed. De svenske myndighe-
der hjalp altså med at dække over forbrydelser mod individer.

Hvis dette bliver kendt, vil det føre til en politisk skandale, der
kommer til at berøre både borgerlige og socialdemokratiske
regeringer. Det betyder frem for alt, at et antal myndighedsper-
soner i Säpo vil blive hængt ud som hjælpere ved kriminel og
umoralsk virksomhed. Selv om de enkelte forbrydelser er for-
ældede, vil der blive skandale. Det drejer sig om sværvægtere,
der i dag er pensionister eller tæt på pensionsalderen.

De vil gøre alt for at mindske skadevirkningerne, og derfor
bliver du pludselig endnu en gang en brik i spillet. Denne gang
handler det dog ikke om, at de vil foretage en bondeofring – nu
handler det om, at de aktivt må begrænse skadevirkningerne

for deres egen skyld. Altså må du spærres inde.]

Lisbeth bed sig i underlæben.

[Det fungerer sådan her: De ved, at de ikke kan bevare hemmeligheden om Zalachenko særlig meget længere. Jeg kender historien, og jeg er journalist. De ved, at jeg før eller siden vil trykke den. Nu spiller det ikke så stor en rolle, da han jo er død. Nu slås de i stedet for selv at overleve. Følgende punkter står derfor højt på deres dagsorden:

(1) De må overbevise retten (det vil sige offentligheden) om, at beslutningen om at spærre dig inde på Skt. Stefans i 1991 var en legitim beslutning – at du virkelig var psykisk syg.

(2) De må holde "sagen Lisbeth Salander" adskilt fra "sagen Zalachenko". De vil forsøge at skabe en situation, hvor de kan sige, at "ja, Zalachenko var et svin, men det havde ikke noget at gøre med beslutningen om at spærre hans datter inde. Hun blev buret inde, fordi hun var sindssyg – alle andre påstande er syge fantasier fra bitre journalister. Nej, vi har ikke hjulpet Zalachenko til nogen kriminel virksomhed – det er kun vrøvl og fantasier fra en sindssyg teenagepige."

(3) Problemet er selvfølgelig, at hvis du bliver frikendt i den kommende retssag, betyder det, at retten påstår, at du ikke er gal, hvilket altså er bevis for, at der var noget skummelt ved indespærringen i 1991. Det betyder, at de for enhver pris vil forsøge at få dig dømt til psykiatrisk behandling og tvangsindlæggelse. Hvis retten fastslår, at du er psykisk syg, vil mediernes interesse for at fortsætte med at rode i Salandersagen høre op. Sådan fungerer medierne.

Er du med?]

Lisbeth nikkede for sig selv. Alt dette havde hun allerede regnet ud. Problemet var, at hun ikke rigtig vidste, hvad hun skulle gøre ved det.

[Lisbeth – helt alvorligt – denne kamp vil blive afgjort i medierne og ikke i retssalen. Desværre kommer retssagen af "integritetsgrunde" til at blive ført bag lukkede døre.

Samme dag som Zalachenko blev myrdet, skete der et ind-
brud i min lejlighed. Der er ingen tegn på indbrud på døren, og
intet er blevet rørt eller ændret – ud over én ting. Mappen fra
Bjurmans sommerhus med Gunnar Björcks rapport fra 1991
forsvandt. Samtidig blev min søster overfaldet og hendes kopi
stjålet. Den mappe er dit vigtigste bevismateriale.

Jeg har opført mig, som om vi har mistet Zalachenkopapi-
rerne. I virkeligheden havde jeg en tredje kopi, som jeg ville give
Armanskij. Jeg har kopieret den i op til flere eksemplarer og lagt
kopierne ud her og der.

Modstandersiden i form af visse myndighedspersoner og
visse psykiatere er selvfølgelig også sammen med anklager
Richard Ekström ved at forberede retssagen. Jeg har en kilde,
der informerer mig lidt om, hvad de er i gang med, men jeg tror,
at du har bedre mulighed for at finde frem til relevante oplys-
ninger ... i så fald haster det.

Anklageren vil forsøge at få dig dømt til psykiatrisk tvangs-
indlæggelse. Til sin hjælp har han din gamle bekendt Peter
Teleborian.

Annika vil ikke kunne gå ud og lave en mediekampagne på
samme måde, som anklagersiden vil lække oplysninger, som det
nu passer ham. Hendes hænder er altså bundet på ryggen.

Derimod er jeg ikke underlagt den slags restriktioner. Jeg kan
skrive, præcis hvad jeg vil – og jeg har desuden et helt tids-
skrift til rådighed.

To vigtige detaljer mangler.

1. For det første vil jeg have noget, der beviser, at anklager
Ekström i dag samarbejder med Teleborian på en eller anden
upassende måde, og at hensigten endnu en gang er at spærre
dig inde på galeanstalten. Jeg vil kunne sætte mig i den bedste
tv-sofa og fremlægge den dokumentation, der ødelægger ankla-
gerens argument.

2. For at kunne gå i mediekrig mod Säpo må jeg offentligt
kunne sidde og diskutere den slags ting, som du formentlig
vil mene er dine helt personlige anliggender. Anonymitet er i
den her situation ganske overvurderet med tanke på, hvad der

er blevet skrevet om dig siden påske. Jeg må kunne opbygge et helt nyt mediebillede af dig – selv om det efter din mening krænker din integritet – og helst med din godkendelse. Forstår du, hvad jeg mener?]

Hun åbnede arkivet i [Det_Vanvittige_Bord]. Det indeholdt seksogtyve dokumenter af varierende størrelse.

KAPITEL 14
Onsdag den 18. maj

MONICA FIGUEROLA STOD op klokken fem onsdag morgen og løb en usædvanlig kort tur, inden hun tog et brusebad og trak i et par sorte cowboybukser, en hvid top og en tynd, grå bomuldsjakke. Hun lavede kaffe, som hun hældte op i en termokande, og smurte nogle sandwich. Hun spændte også et pistolhylster på og fandt sin Sig Sauer frem fra våbenskabet. Lidt over seks startede hun sin hvide Saab 9-5 og kørte til Vittangigatan i Vällingby.

Göran Mårtensson boede på øverste sal i en firetagers bygning i forstaden. I løbet af tirsdagen havde hun fundet alt det frem, der havde været om ham i statens arkiver. Han var ugift, hvilket dog ikke forhindrede ham i at bo sammen med nogen. Han havde en ren straffeattest, ingen større formue og syntes ikke at leve noget udsvævende liv. Han var sjældent sygemeldt.

Det eneste bemærkelsesværdige ved ham var, at han havde licens til ikke mindre end seksten skydevåben. Tre af disse var jagtgeværer, mens de øvrige var håndvåben af forskellig slags. Så længe han havde licens, var det jo ganske vist ikke kriminelt, men Monica Figuerola nærede en velbegrundet skepsis mod folk, der besad så store mængder våben.

Volvoen med nummerpladen, der begyndte med KAB, stod på parkeringspladsen omkring fyrre meter fra det sted, hvor Monica Figuerola parkerede. Hun hældte en halv kop sort kaffe op i et plastickrus og spiste en baguette med salat og ost. Derefter skrællede hun en appelsin og suttede længe på hver båd.

VED MORGENRUNDEN VAR Lisbeth Salander sløj og havde stærk hovedpine. Hun bad om en Alvedon, hvilket hun fik uden diskussion.

Efter en time var hovedpinen blevet værre. Hun ringede på syge-plejersken og bad om endnu en Alvedon. Heller ikke den hjalp. Ved frokosttid havde Lisbeth så ondt i hovedet, at sygeplejersken til-kaldte dr. Endrin, der efter en kort undersøgelse foreskrev kraftigt smertestillende piller.

Lisbeth lagde pillerne under tungen og spyttede dem ud, så snart hun blev alene.

Ved totiden om eftermiddagen begyndte hun at kaste op. Dette gentog sig ved tretiden.

Ved firetiden kom dr. Anders Jonasson op på afdelingen, lige inden Helena Endrin var ved at gå hjem. De konfererede et kort øjeblik.

"Hun har det skidt og har stærk hovedpine. Jeg har givet hende Dexofen. Jeg forstår ikke rigtig, hvad der sker med hende ... Det er jo gået sådan fremad med hende den sidste tid. Det kan være en influ-enza af en eller anden slags ..."

"Har hun feber?" spurgte Jonasson.

"Nej, kun 37,2 for en time siden. Ikke noget at snakke om."

"Okay. Jeg skal nok holde øje med hende i nat."

"Nu går jeg jo på ferie i tre uger," sagde Endrin. "Det bliver dig eller Svantesson, der skal tage sig af hende. Men Svantesson har ikke haft så meget med hende at gøre ..."

"Okay. Jeg skriver mig selv på som hendes læge, mens du er på ferie."

"Godt. Hvis der opstår en krise, og du har brug for hjælp, kan du selvfølgelig bare ringe."

De besøgte kort Lisbeths sygeleje sammen. Hun lå under dynen, der var trukket helt op til næsetippen, og så sløj ud. Anders Jonasson lagde sin hånd på hendes pande og konstaterede, at den var fugtig.

"Jeg tror, at vi er nødt til at undersøge dig lidt."

Han takkede Endrin og sagde godnat til hende.

Ved femtiden opdagede Jonasson, at Lisbeth havde en tempera-tur på 37,8, hvilket blev noteret i hendes journal. Han tilså hende tre gange i løbet af natten og skrev ned i journalen, at temperaturen blev liggende omkring de 38 grader – for højt til at være normalt og for lavt til at udgøre et virkeligt problem. Ved ottetiden beordrede han en kranierøntgenundersøgelse.

Da han fik røntgenpladerne, studerede han dem indgående. Han kunne ikke se noget opsigtsvækkende, men konstaterede, at der var et næsten ikke synligt mørkere parti i umiddelbar forbindelse med kuglehullet. Han skrev en nøje gennemtænkt og uforpligtende formulering i hendes journal:

"Røntgenundersøgelsen giver ikke grundlag for definitive konklusioner, men patientens tilstand er åbenbart hurtigt blevet forværret i løbet af dagen. Det kan ikke udelukkes, at der foreligger en mindre blødning, der ikke kan ses på røntgenbillederne. Patienten skal holdes i ro og under streng observation den nærmeste tid."

ERIKA BERGER HAVDE FÅET treogtyve mails, da hun ankom til SMP klokken syv onsdag morgen.

En af disse mails havde afsenderen <redaktion-sr@sverigesradio. com>. Teksten var kort. Den indeholdt kun et ord.

[LUDER]

Hun sukkede og løftede pegefingeren for at slette mailen. I sidste øjeblik ændrede hun mening. Hun bladrede tilbage i køen af indkomne mails og åbnede den mail, der var kommet to dage tidligere. Afsenderen havde været <centralred@smpost.se>. *Hmm. To mails med ordet luder og falske afsendere fra medieverdenen.* Hun oprettede en ny mappe, som hun døbte [Medieidioter] og gemte begge mails der. Derefter gav hun sig i kast med morgenens nyhedsmemo.

GÖRAN MÅRTENSSON FORLOD sin bopæl klokken 07.40 om morgenen. Han satte sig i sin Volvo og kørte mod centrum, men drejede ind over Stora Essingen og Gröndal til Södermalm. Han kørte hen til Hornsgatan og så til Bellmansgatan via Brännkyrkagatan. Han drejede til venstre ind i Tavastgatan ved værtshuset Bishop's Arms og parkerede lige på hjørnet.

Monica Figuerola var vanvittig heldig. Netop som hun nåede hen til Bishop's Arms, drejede en varevogn ud og efterlod en parkeringsplads ved kantstenen i Bellmansgatan. Hun havde krydset ved Bellmansgatan og Tavastgatan lige foran sig. Fra sin plads på toppen af bakken foran Bishop's Arms havde hun en mageløs udsigt over scenen. Hun så et lille glimt af bagruden på Mårtenssons Volvo i Tavastgatan. Lige foran hende, på den ekstremt stejle bakke ned mod Pryssgränd, lå Bellmansgatan 1. Hun så facaden fra siden og kunne derfor ikke se selve gadedøren, men så snart nogen trådte ud på gaden, kunne hun observere det. Hun tvivlede ikke på, at det var denne adresse, der var årsagen til Mårtenssons besøg i området. Det var Mikael Blomkvists gadedør.

Monica Figuerola konstaterede, at området omkring Bellmansgatan 1 var et mareridt at overvåge. Det eneste sted, hvor døren i bunden af Bellmansgatan kunne observeres direkte, var fra promenaden og gangbroen oppe på det øvre Bellmansgatan ved Mariahissen og Laurinska-huset. Der var ingen steder at parkere, og observatøren stod fuldt synlig på gangbroen som en svale på en gammel telefonledning. Det sted i krydset ved Bellmansgatan og Tavastgatan, hvor Monica Figuerola havde parkeret, var i princippet det eneste sted, hvor hun kunne sidde i bilen og have udsyn til hele området. Det var også et dårligt sted, da en opmærksom person let kunne se hende i bilen.

Hun drejede hovedet. Hun ville ikke forlade bilen og begynde at slentre omkring i området; hun var godt klar over, at man let lagde mærke til hende. Som politimand havde hun udseendet imod sig.

Mikael Blomkvist trådte ud ad døren klokken 09.10. Monica Figuerola noterede tidspunktet ned. Hun så, at hans blik løb hen over gangbroen på øvre Bellmansgatan. Han begyndte at gå op ad bakken lige imod hende.

Monica Figuerola åbnede handskerummet og foldede et Stockholmskort ud, som hun lagde på passagersædet. Derefter åbnede hun en notesblok, tog en kuglepen op af lommen, fandt sin mobiltelefon frem og lod, som om hun talte i den. Hun holdt hovedet bøjet, så hånden med telefonen skjulte en del af hendes ansigt.

Hun så, at Mikael Blomkvist kastede et kort blik ind på Tavastgatan. Han vidste, at han blev skygget og måtte have set Mårtenssons bil, men han gik videre uden at vise interesse for bilen. *Opfører sig roligt og koldblodigt. Andre ville have flået bildøren op og givet ham klø.*

I næste øjeblik passerede han hendes bil. Monica Figuerola var meget optaget af at finde en adresse på Stockholmskortet, samtidig med at hun talte i mobil, men hun kunne mærke, at Mikael Blomkvist så på hende, da han passerede. *Mistænksom mod alt i omgivel-*

serne. Hun så hans ryg i sidespejlet i passagersiden, da han fortsatte ned mod Hornsgatan. Hun havde set ham på tv et par gange, men det var første gang, hun så ham i virkeligheden. Han var klædt i cowboybukser, T-shirt og en grå jakke. Han havde en skuldertaske over den ene skulder og gik med lange skridt. En temmelig flot fyr.

Göran Mårtensson dukkede op på hjørnet ved Bishop's Arms og fulgte Mikael Blomkvist med øjnene. Han havde en temmelig stor sportstaske over skulderen og var netop ved at afslutte en samtale i mobiltelefonen. Monica Figuerola havde forventet, at han ville følge efter Mikael Blomkvist, men til sin overraskelse krydsede han gaden lige foran hendes bil og drejede til venstre nedad bakken mod Mikael Blomkvists gadedør. I næste øjeblik passerede en mand i overalls Monica Figuerolas bil og slog følge med Mårtensson. *Hallo, hvor kom du fra?*

De stoppede op uden for Mikael Blomkvists gadedør. Mårtensson tastede dørkoden, og så forsvandt de ind i trappeopgangen. *De har tænkt sig at tjekke lejligheden. Amatører. Hvad fanden tror han, at han har gang i?*

Derefter løftede Monica Figuerola blikket op til bakspejlet og fór sammen, da hun pludselig fik øje på Mikael Blomkvist igen. Han var kommet tilbage og stod omkring ti meter bag hende, akkurat tæt nok på til at kunne følge Mårtensson og hans kompagnon med øjnene over toppen af den stejle bakke ned mod Bellmansgatan 1. Hun betragtede hans ansigt. Han så ikke på hende. Derimod havde han set Göran Mårtensson forsvinde ind ad gadedøren. Efter et øjeblik vendte Blomkvist om på hælen og fortsatte med at gå mod Hornsgatan.

Monica Figuerola sad uden at røre sig i et halvt minut. *Han ved, at han bliver skygget. Han holder øje med omgivelserne. Men hvorfor gør han ikke noget? Normale mennesker ville sætte himmel og jord i bevægelse ... han er ved at planlægge noget.*

MIKAEL BLOMKVIST LAGDE røret og betragtede eftertænksomt notesblokken på skrivebordet. Centralregistret for motorkøretøjer havde netop oplyst ham om, at den bil med en lyshåret kvinde, han havde observeret på toppen af Bellmansgatan, tilhørte en Monica Figuerola, født 1969, der boede i Pontonjärgatan på Kungsholmen.

Da det var en kvinde, der havde siddet i bilen, antog Mikael, at det var Figuerola selv.

Hun havde talt i mobiltelefon og konsulteret et kort, der lå opslået på passagersædet. Mikael havde ingen grund til at formode, at hun havde noget med Zalachenkoklubben at gøre, men han registrerede enhver afvigelse fra det normale i sine omgivelser og specielt omkring sin lejlighed.

Han hævede stemmen og råbte til Lottie Karim.

"Hvem er den her pige? Find et pasfoto af hende, find ud af, hvor hun arbejder, og hvad du ellers kan finde om hendes baggrund."

"Okay," sagde Lottie Karim og gik tilbage til sit skrivebord.

SMP's ØKONOMIDIREKTØR Christer Sellberg så nærmest forbløffet ud. Han skød det A4-papir med ni korte punkter fra sig, som Erika Berger havde fremlagt på budgetudvalgets ugentlige møde. Budgetchef Ulf Flodin så bekymret ud. Bestyrelsesformand Borgsjö så som altid neutral ud.

"Det her er umuligt," konstaterede Sellberg med et høfligt smil.

"Hvorfor det?" spurgte Erika Berger.

"Bestyrelsen går aldrig med til det. Det går jo imod al ret og rimelighed."

"Skal vi tage det fra begyndelsen," foreslog Erika Berger. "Jeg er blevet ansat til at gøre SMP rentabel igen. For at kunne det er jeg nødt til at have noget at arbejde med. Ikke sandt?"

"Jo, men ..."

"Jeg kan ikke trylle indholdet i en avis frem ved at sidde i glasburet og ønske mig alt muligt."

"Du forstår ikke de økonomiske realiteter."

"Det er muligt. Men jeg forstår mig på at lave avis. Og virkeligheden er den, at de seneste femten år er SMP's sammenlagte personalestyrke blevet beskåret med mindst 118 personer. Lad gå med at halvdelen af dem er grafikere, der er blevet erstattet af ny teknik og så videre, men antallet af tekstproducerende journalister er blevet beskåret med hele 48 personer i den tid."

"Det har været nødvendige nedskæringer. Hvis ikke de havde fundet sted, ville avisen have været nedlagt for længe siden."

"Lad os vente med, hvad der er nødvendigt og ikke nødvendigt.

De seneste tre år er atten journaliststillinger forsvundet. Desuden befinder vi os nu i den situation, at hele ni stillinger på SMP er ledige og i en vis udstrækning besat af tilfældige vikarer. Sportsredaktionen er stærkt underbemandet. Der skal være ni ansatte, og i mere end et år har to stillinger været ubesatte."

"Det handler om at spare penge. *Så enkelt er det.*"

"Kulturen har tre ubesatte stillinger. Erhvervsredaktionen mangler en stilling. Retsredaktionen eksisterer i praksis ikke. Der har vi en redaktionschef, der låner journalister fra indlandsredaktionen til hver opgave. Og så videre. SMP har ikke haft en seriøs dækning af de offentlige myndigheder i mindst otte år. Der er vi helt afhængige af freelancere og det materiale, som Tidningarnas Telegrambyrå producerer ... og som du ved, nedlagde Tidningarnas Telegrambyrå den redaktion, der tog sig af den slags for mange år siden. Der findes med andre ord ikke en eneste redaktion i Sverige, der holder øje med de offentlige myndigheder."

"Avisbranchen befinder sig i en udsat situation ..."

"Virkeligheden er den, at enten bør SMP nedlægges med øjeblikkelig virkning, eller også træffer bestyrelsen den beslutning at foretage en offensiv satsning. Vi har i dag færre ansatte, der skriver mere tekst hver dag. Artiklerne bliver dårlige, overfladiske og utroværdige. Altså holder folk op med at læse SMP."

"Du forstår ikke det her ..."

"Jeg er træt af at høre, at jeg ikke forstår det her. Jeg er ikke en praktikant, der er her for at lære noget."

"Men dit forslag er vanvittigt."

"Hvorfor det?"

"Du foreslår, at avisen ikke skal give overskud."

"Hør nu her, Sellberg, i det her år kommer du til at dele en stor pose penge ud som afkast til avisens treogtyve aktionærer. Oven i det kommer de fuldkommen absurde bonusser, der kommer til at koste SMP i nærheden af ti millioner kroner, til ni personer, der sidder i SMP's bestyrelse. Du har givet dig selv en bonus på 400.000 kroner som belønning for, at du har administreret nedskæringer på SMP. Det er godt nok langtfra så stor en bonus, som diverse Skandiadirektører har raget til sig, men i mine øjne er du ikke en eneste øre værd. Bonus skal udbetales, hvis man har gjort noget, der har styrket SMP. I virkeligheden har dine nedskæringer gjort SMP svagere og krisen dybere."

"Det der er virkelig uretfærdigt. Bestyrelsen har godkendt hvert eneste forslag, jeg har fremlagt."

"Bestyrelsen har godkendt dine forslag, fordi du har garanteret en dividende hvert år. Det er det, der må stoppe her og nu."

"Du foreslår altså i fuldt alvor, at bestyrelsen skal stryge alle dividender og bonusser. Tror du virkelig, at aktionærerne vil gå med til det?"

"Jeg foreslår et nulgevinstsystem i år. Det vil betyde en besparelse på hen ved 21 millioner kroner og mulighed for en stor styrkelse af SMP's personale og økonomi. Jeg foreslår også lønsanktioner for cheferne. Jeg får 88.000 kroner om måneden, hvilket er fuldstændig vanvittigt for en avis, der ikke engang har råd til at ansætte folk til sportsredaktionen."

"Du vil altså sænke din egen løn? Er det en eller anden form for lønkommunisme, du der foreslår?"

"Hold op med det sludder. Du får 112.000 kroner om måneden, hvis man ikke tæller din årsbonus med. Det er sindssygt. Hvis avisen var stabil og hev en ordentlig profit hjem, så måtte du for min skyld gerne dele al den bonus ud, du ville. Men det er ikke tidspunktet for dig til at hæve din egen bonus i år. Jeg foreslår en halvering af alle cheflønninger."

"Det, du ikke forstår, er, at vores aktionærer er aktionærer, fordi de vil tjene penge. Det kaldes kapitalisme. Hvis du foreslår, at de skal tabe penge, så vil de ikke være aktionærer længere."

"Jeg foreslår ikke, at de skal tabe penge, men det kan meget vel komme dertil også. Med ejerskab følger ansvar. Det er, som du selv påpeger, kapitalismen, der gælder her. SMP's ejere vil lave fortjeneste. Med dit ræsonnement vil du have, at reglerne for kapitalismen udelukkende skal gælde for de ansatte på SMP, men at aktionærerne og du selv skal undtages."

Sellberg sukkede og himlede med øjnene. Han søgte hjælpeløst Borgsjö med blikket. Borgsjö studerede tænksomt Erika Bergers nipunktsprogram.

Monica Figuerola ventede i niogfyrre minutter, før Göran Mårtensson og den ukendte mand kom ud ad gadedøren i Bellmansgatan 1. Da de begyndte at gå hen mod hende op ad bakken, hævede hun sit Nikon med et 300 millimeter teleobjektiv og tog to billeder. Hun lagde kameraet i handskerummet og skulle netop til at arrangere sig med sit kort igen, da hun tilfældigvis kastede et blik mod Mariahissen. Hun spærrede øjnene op. I udkanten af øvre Bellmansgatan, lige ved siden af døren til Mariahissen, stod en mørkhåret kvinde med et digitalkamera og filmede Mårtensson og hans kompagnon. *Hvad fanden ... finder der en eller anden offentlig spionkongres sted her i Bellmansgatan?*

Mårtensson og den ukendte mand skiltes på toppen uden at tale sammen. Mårtensson gik hen til sin bil i Tavastgatan. Han startede motoren, svingede ud og forsvandt ud af Monica Figuerolas synsfelt.

Hun flyttede blikket til bakspejlet, hvor hun så ryggen af manden i overalls. Hun hævede blikket og så, at kvinden med kameraet var holdt op med at filme og var på vej i hendes retning foran Laurinska-huset.

Plat eller krone? Hun vidste allerede, hvem Göran Mårtensson var, og hvad han lavede. Både manden i overalls og kvinden med kameraet var ukendte kort. Men hvis hun forlod sin bil, risikerede hun at blive set af kvinden med kameraet.

Hun sad stille. I bakspejlet så hun manden i overalls dreje til venstre ind i Brännkyrkagatan. Hun ventede, indtil kvinden med kameraet nåede hen til krydset foran hende, men i stedet for at følge efter manden i overalls drejede hun 180 grader ned ad bakken mod Bellmansgatan 1. Monica Figuerola så en kvinde omkring 35 år. Hun havde mørkt, kortklippet hår og var klædt i mørke cowboybukser og sort jakke. Så snart hun var kommet lidt ned ad bakken, rev Monica Figuerola bildøren op og løb ned mod Brännkyrkagatan. Hun kunne ikke se manden i overalls. I næste øjeblik drejede en Toyota varevogn ud fra kantstenen. Monica Figuerola så manden i halvprofil og memorerede nummerpladen. Men også selv om hun skulle glemme registreringsnummeret, ville hun kunne spore ham. Bilens sider gjorde reklame for Lars Faulssons Låse- og Nøgleservice samt et telefonnummer.

Hun gjorde ikke noget forsøg på at løbe tilbage til sin bil for at følge efter Toyotaen. I stedet gik hun langsomt tilbage. Hun nåede op på toppen af bakken lige tids nok til at se kvinden med kameraet forsvinde ind ad Mikael Blomkvists gadedør.

Hun satte sig ind i sin bil og noterede både registreringsnummeret og telefonnummeret til Lars Faulssons Låse- og Nøgleservice. Derefter kløede hun sig i håret. Der var en farlig og temmelig mystisk trafik omkring Mikael Blomkvists adresse. Hun hævede blikket og så mod taget på Bellmansgatan 1. Hun vidste, at Blomkvist havde en lejlighed i tagetagen, men på tegningerne fra stadsbygningskontoret havde hun konstateret, at den lå på den anden side af huset med gavlvindue ud mod Riddarfjärden og Gamla Stan. En eksklusiv adresse i det forskønnede gamle kvarter. Hun spekulerede på, om han var en pralende opkomling.

Hun ventede i ni minutter, før kvinden med kameraet kom ud ad gadedøren. I stedet for at vende tilbage op ad bakken til Tavastgatan fortsatte hun ned ad bakken og drejede til højre omkring hjørnet på Pryssgränd. *Hmm.* Hvis hun havde en bil parkeret nede på Pryssgränd, var Monica Figuerola hjælpeløst fortabt. Men hvis hun bevægede sig til fods, havde hun kun én udgang fra bunden af bakken – op ad Brännkyrkagatan ved Pustegränd nærmere Slussen.

Monica Figuerola forlod bilen og drejede til venstre mod Slussen i Brännkyrkagatan. Hun var næsten henne ved Pustegränd, da kvinden med kameraet drejede ud foran hende. Bingo. Hun fulgte hende forbi Hilton ud på Södermalmstorg foran Stadsmuseet ved Slussen. Kvinden gik raskt og målbevidst til uden at se sig omkring. Monica Figuerola gav hende cirka tredive meter. Hun forsvandt ind ad indgangen til tunnelbanen ved Slussen, og Monica Figuerola satte det lange ben foran, men hun stoppede op, da hun så kvinden gå hen til stationskiosken i stedet for at forsvinde gennem bommene.

Monica Figuerola betragtede kvinden i køen til kiosken. Hun var omkring 1,70 meter høj og så forholdsvis veltrænet ud. Hun havde gummisko på. Som hun stod der med begge fødder solidt plantet ved lugen til kiosken, fik Monica Figuerola pludselig en fornemmelse af, at hun var politimand. Kvinden købte en dåse Catch Dry, vendte tilbage til Södermalmstorg og drejede til højre over Katarinavägen.

Monica Figuerola fulgte efter. Hun var ret sikker på, at kvinden ikke havde set hende. Kvinden forsvandt rundt om hjørnet oven for McDonald's, og Monica Figuerola skyndte sig efter på omkring fyrre meters afstand.

Da hun var kommet rundt om hjørnet, var kvinden sporløst forsvundet. Monica Figuerola standsede forbavset op. *Fandens også.* Hun gik langsomt forbi dørene. Så faldt hendes blik på et skilt. *Milton Security.*

Monica Figuerola nikkede for sig selv og gik tilbage til Bellmansgatan.

Hun kørte op til Götgatan, hvor *Millenniums* redaktion lå, og brugte den følgende halve time på at krydse rundt i gaderne omkring redaktionen. Hun så ikke Mårtenssons bil. Omkring frokosttid vendte hun tilbage til politigården på Kungsholmen og tilbragte den næste time med at løfte jern i motionsrummet.

"VI HAR ET PROBLEM," sagde Henry Cortez.

Malin Eriksson og Mikael Blomkvist så op fra manuskriptet til bogen om Zalachenkosagen. Klokken var halv to om eftermiddagen.

"Sæt dig," sagde Malin.

"Det drejer sig om Vitavara AB, altså det firma, der laver toiletter i Vietnam, som de sælger for 1.700 kroner stykket."

"Aha. Hvori består problemet?" spurgte Mikael.

"Vitavara AB er et datterselskab af SveaBygg AB."

"Aha. Det er jo et ret stort firma."

"Ja. Bestyrelsesformanden hedder Magnus Borgsjö og er bestyrelseshaj. Han sidder blandt andet som bestyrelsesformand for *Svenska Morgon-Posten* og ejer omkring ti procent af SMP."

Mikael så skarpt på Henry Cortez.

"Er du sikker."

"Ja. Erika Bergers chef er en værre skurk, der udnytter børnearbejdere i Vietnam."

"Ups," sagde Malin Eriksson.

REDAKTIONSSEKRETÆR PETER FREDRIKSSON så ud til at være ubehageligt til mode, da han forsigtigt bankede på døren til Erika Bergers glasbur ved totiden om eftermiddagen.

314

"Hvad?"

"Øh, det er lidt pinligt. Men en på redaktionen har fået nogle mails fra dig."

"Fra mig?"

"Ja, suk."

"Hvad er det?"

Han gav hende nogle A4-ark med udskrevne mails, der havde adresse til Eva Carlsson, 26-årig vikar på kultursiderne. Afsenderen var ifølge brevhovedet <erika.berger@smpost.se>.

[Elskede Eva. Jeg vil kærtegne dig og kysse dine bryster. Jeg er varm af ophidselse og kan ikke beherske mig. Jeg beder dig om at besvare mine følelser. Kan vi mødes. Erika]

Eva Carlsson havde ikke besvaret dette indledende forslag, hvilket havde resulteret i yderligere to mails de følgende dage.

[Kære elskede Eva. Jeg beder dig om ikke at støde mig bort. Jeg er vanvittig af begær. Jeg vil se dig nøgen. Jeg skal gøre det dejligt for dig. Du vil ikke fortryde. Jeg vil kysse hver en centimeter af din nøgne hud, dine smukke bryster og din vidunderlige grotte. Erika]

[Eva. Hvorfor svarer du ikke? Du skal ikke være bange for mig. Stød mig ikke bort. Du er ingen uskyldighed. Du ved, hvad det drejer sig om. Jeg vil have sex med dig, og jeg skal belønne dig rigeligt. Hvis du er sød mod mig, så vil jeg være sød mod dig. Du har spurgt om forlængelse af dit vikariat. Det står i min magt at forlænge det og endda lave det om til en fast stilling. Lad os mødes i aften klokken 21.00 ved min bil i parkeringskælderen. Din Erika.]

"Nå," sagde Erika Berger. "Og nu spekulerer hun på, om jeg sidder her og sender frække forslag til hende."

"Ikke helt ... jeg mener ... øh."

"Peter, tal lige ud af posen."

"Hun troede måske halvt om halvt på den første mail eller blev i

315

hvert fald ret overrasket over den. Men så indså hun jo, at det her er helt vanvittigt og ikke lige din stil og så ..."

"Så?"

"Tja, hun synes, at det er pinligt, og ved ikke rigtig, hvad hun skal gøre. Med til det hele hører vel, at hun er ret imponeret af dig og synes om dig ... som chef altså. Så hun kom til mig og bad mig om råd."

"Okay. Og hvad sagde du til hende?"

"Jeg sagde, at det her er en, som har forfalsket din adresse og generer hende. Eller muligvis jer begge to. Og så lovede jeg at tale med dig om sagen."

"Tak. Kan du være sød at sende hende ind til mig om ti minutter."

Erika brugte tiden på at skrive sin helt egen mail.

[Jeg finder det nødvendigt at informere jer om, at en medarbejder på SMP har modtaget en række mails, der ser ud til at komme fra mig. Mailene indeholder seksuelle hentydninger af grov karakter. Selv har jeg fået mails med vulgært indhold fra en afsender, der giver sig ud for at være "centralred" på SMP. En sådan adresse findes som bekendt ikke på SMP.

Jeg har konsulteret teknikchefen, der siger, at det er meget let at forfalske en afsenderadresse. Jeg ved ikke rigtig, hvordan det foregår, men der findes åbenbart sider på nettet, som den slags kan ske fra.

Jeg vil gerne vide, om andre medarbejdere har fået mærkelige mails. Jeg vil i så fald bede dem om straks at rapportere det til redaktionssekretær Peter Fredriksson. Hvis dette fortsætter, må vi overveje en politianmeldelse.

Erika Berger, chefredaktør]

Hun printede en kopi af mailen ud og trykkede derefter på sendknappen, så meddelelsen gik ud til samtlige ansatte inden for SMP-koncernen. I samme øjeblik bankede Eva Carlsson på døren.

"Hej, sid ned," sagde Erika. "Jeg hører, at du har fået en mail fra mig."

"Øh, jeg tror ikke, at den kommer fra dig."

"For et halvt minut siden fik du i hvert fald en mail fra mig. Denne mail har jeg skrevet helt selv og sendt til samtlige medarbejdere."

Hun gav Eva Carlsson den udprintede kopi.

"Okay, jeg er med," sagde Eva Carlsson.

"Jeg beklager, at nogen har udset sig dig som målskive for denne ubehagelige hetz."

"Du behøver ikke at undskylde, hvad en eller anden idiot går og finder på."

"Jeg vil bare forsikre mig om, at du ikke har nogen tilbageværende mistanke om, at jeg har noget med disse mails at gøre."

"Jeg har aldrig troet, at det var dig, der sendte dem."

"Okay, tak," sagde Erika og smilede.

MONICA FIGUEROLA BRUGTE eftermiddagen på at samle informationer. Hun begyndte med at bestille et pasfoto af Lars Faulsson for at verificere, at det var den person, hun havde set i Göran Mårtenssons selskab. Derefter slog hun op i strafferegistret og fik straks gevinst.

Lars Faulsson, 47 år og kendt under øgenavnet Falun, havde indledt sin karriere med biltyveri som 17-årig. I 70'erne og 80'erne var han blevet arresteret to gange og sigtet for indbrud, groft tyveri og hæleri. Han var først blevet idømt en mild fængselsstraf og anden gang tre års fængsel. Han blev på det tidspunkt betragtet som *up and coming* i forbryderkredse og var blevet afhørt som mistænkt for i hvert fald tre andre indbrud, hvoraf et var et relativt kompliceret og opsigtsvækkende pengeskabskup mod et varehus i Västerås. Efter afsluttet fængselsstraf i 1984 havde han holdt sig i skindet – eller i hvert fald ikke begået noget kup, der havde resulteret i en pågribelse eller dom. Derimod havde han omskolet sig til låsesmed (af alle erhverv) og i 1987 startet sit eget firma, Lars Faulssons Låse- og Nøgleservice, med en adresse ved Nortull.

At identificere den ukendte kvinde, der havde filmet Mårtensson og Faulsson, viste sig at være nemmere, end Monica havde forestillet sig. Hun ringede ganske enkelt til receptionen hos Milton Security og forklarede, at hun søgte en kvindelig ansat, hun havde mødt for et stykke tid siden, men som hun havde glemt navnet på. Hun kunne dog give en god beskrivelse af den pågældende kvinde. Receptionen

317

oplyste hende om, at det lød som Susanne Linder og stillede hende videre. Da Susanne Linder tog telefonen, sagde Monica Figuerola undskyld og forklarede, at hun havde fået galt nummer.

Hun gik ind i folkeregistret og konstaterede, at der var femten, som hed Susanne Linder i Stockholmsområdet. Tre af dem var omkring 35 år. En boede i Norrtälje, en i Stockholm og en i Nacka. Hun bestilte deres pasfotos og identificerede straks den kvinde, hun havde skygget fra Bellmansgatan som den Susanne Linder, der havde folkeregisteradresse i Nacka.

Hun sammenfattede dagens begivenheder i et memo og gik ind til Torsten Edklinth.

VED FEMTIDEN KLAPPEDE Mikael Blomkvist Henry Cortez' researchmappe sammen og skød den med væmmelse fra sig. Christer Malm lagde Henry Cortez' udskrevne tekst, som han havde læst fire gange, ned på bordet. Henry Cortez sad i sofaen på Malin Erikssons kontor og så brødebetynget ud.

"Kaffe," sagde Malin og rejste sig. Hun kom tilbage med fire kopper og kaffekanden.

Mikael sukkede.

"Det er en skidegod historie," sagde han. "Førsteklasses research. Dokumentation hele vejen igennem. Perfekt dramaturgi med en *bad guy*, der tager røven på de svenske lejere og ejere ned gennem systemet – hvilket er helt legalt – men som er så skidegrådig og dum, at han benytter sig af et firma i Vietnam, der bruger børnearbejde."

"Desuden godt skrevet," sagde Christer Malm. "Dagen efter at bladet er kommet på gaden, vil Borgsjö være persona non grata i svensk erhvervsliv. Tv skal nok bide på den artikel. Han kommer til at befinde sig der ved siden af Skandiadirektørerne og andre fuskere. Et ægte scoop fra *Millennium*. Godt gået, Henry,"

Mikael nikkede.

"Men det her med Erika er en hage," sagde han.

Christer Malm nikkede.

"Men hvorfor er det egentlig et problem?" spurgte Malin. "Det er jo ikke Erika, der er skurken. Vi må vel have lov at gå en hvilken som helst bestyrelsesformand efter i sømmene, selv om det tilfældigvis er hendes chef."

"Det er et skidestort problem," sagde Mikael.

"Erika Berger er ikke holdt op her," sagde Christer Malm. "Hun ejer tredive procent af *Millennium* og sidder i vores bestyrelse. Hun er endda bestyrelsesformand, indtil vi kan vælge Harriet Vanger på det næste bestyrelsesmøde, hvilket ikke bliver før i august. Og Erika arbejder på SMP, hvor hun også sidder i bestyrelsen, og hvor hendes bestyrelsesformand vil blive hængt ud af os."

Dyster tavshed.

"Hvad fanden gør vi?" spurgte Henry Cortez. "Skal vi droppe artiklen?"

Mikael så Henry Cortez direkte i øjnene.

"Nej, Henry. Vi skal ikke droppe artiklen. Den måde arbejder vi ikke på her på *Millennium*. Men det her kræver en del fodarbejde. Vi kan ikke bare lade som ingenting og først lade Erika se det på en spiseseddel."

Christer Malm nikkede og fægtede med en finger.

"Vi sætter virkelig Erika i en slem knibe. Hun bliver nødt til at vælge mellem at sælge sin andel og straks at melde sig ud af *Millenniums* bestyrelse eller i værste fald at blive fyret fra SMP. I alle tilfælde vil hun havne i en frygtelig interessekonflikt. Ærlig talt, Henry ... jeg er enig med Mikael i, at vi skal trykke historien, men det kan tænkes, at vi bliver nødt til at skyde den en måned."

Mikael nikkede.

"Fordi vi også sidder i en interessekonflikt," sagde han.

"Skal jeg ringe til hende?" spurgte Christer Malm.

"Nej," sagde Mikael. "Jeg ringer til hende og aftaler et møde. For eksempel i aften."

TORSTEN EDKLINTH LYTTEDE opmærksomt til Monica Figuerola, da hun fortalte om cirkusset omkring Mikael Blomkvists lejlighed i Bellmansgatan 1. Han følte, at gulvet gyngede svagt under ham.

"En ansat i Säpo gik altså ind ad Mikaels Blomkvists gadedør sammen med en forhenværende pengeskabstyv, der har omskolet sig til låsesmed."

"Det er rigtigt."

"Hvad tror du, at de lavede i trappeopgangen?"

"Det ved jeg ikke. Men de var væk i niogfyrre minutter. Et gæt er selvfølgelig, at Faulsson åbnede døren, og at Mårtensson opholdt sig i Blomkvists lejlighed."

"Og hvad lavede de der?"

"Det kan næppe have drejet sig om at installere aflytningsudstyr, da det kun tager et minut. Altså må Mårtensson have snuset i Blomkvists papirer, eller hvad det nu er, han har derhjemme."

"Men Blomkvist er advaret ... de stjal jo Björcks rapport fra hans hjem."

"Netop. Han ved, at der bliver holdt øje med ham, og han holder også øje med dem, der holder øje med ham. Han er cool."

"Hvordan?"

"Han har en plan. Han indsamler oplysninger og har tænkt sig at hænge Göran Mårtensson ud. Det er den eneste rimelige forklaring."

"Og så dukkede den her kvinde Linder op."

"Susanne Linder, 34 år, bor i Nacka. Hun er forhenværende politibetjent."

"Politibetjent?"

"Efter politiskolen arbejdede hun seks år i Södermalmsafdelingen. Hun sagde pludselig op. Der er intet i hendes papirer, der forklarer hvorfor. Hun var arbejdsløs i nogle måneder, før hun blev ansat af Milton Security."

"Dragan Armanskij," sagde Edklinth tankefuldt. "Hvor længe var hun inde i ejendommen?"

"Ni minutter."

"Og gjorde hvad?"

"Et gæt er – da hun filmede Mårtensson og Faulsson ude på gaden – at hun dokumenterer deres aktiviteter. Det betyder, at Milton Security arbejder sammen med Blomkvist og har sat overvågningskameraer op i hans lejlighed eller i trappeopgangen. Hun gik formentlig ind for at tømme kameraerne for information."

Edklinth sukkede. Zalachenkohistorien begyndte at blive frygtelig kompliceret.

"Okay. Tak. Gå hjem. Jeg må tænke over det her."

Monica Figuerola gik ned til motionscentret ved Sankt Eriksplan for at træne.

MIKAEL BLOMKVIST BRUGTE sin blå T10 reservetelefon fra Ericsson, da han tastede nummeret til Erika Berger på SMP. Han afbrød dermed en diskussion, som Erika havde med redaktørerne om, på hvilken måde en artikel om international terrorisme skulle vinkles.

"Jamen, hej ... vent lige lidt."

Erika lagde hånden over telefonrøret og så sig omkring.

"Jeg tror, at vi er færdige," sagde hun og gav et par sidste instrukser om, hvordan hun ville have det. Da hun var blevet alene i glasburet, løftede hun igen røret.

"Hej, Mikael. Undskyld, at jeg ikke har ladet høre fra mig. Jeg er bare helt overbebyrdet med arbejde, og der er tusinde ting at sætte sig ind i."

"Jeg har heller ikke ligefrem haft svært ved at få tiden til at gå," sagde Mikael.

"Hvordan går det med Salandersagen?"

"Godt. Men det er ikke derfor, jeg ringer. Vi er nødt til at ses. I aften."

"Jeg ville ønske, at jeg kunne, men jeg er først færdig ved ottetiden. Og jeg er dødtræt. Jeg har været i gang siden klokken seks i morges."

"Ricky ... jeg taler ikke om at opretholde dit sexliv. Jeg er nødt til at tale med dig. Det er vigtigt."

Erika tav et øjeblik.

"Hvad drejer det sig om?"

"Det tager vi, når vi ses. Men det er ikke noget sjovt."

"Okay. Jeg kommer hjem til dig ved halvnitiden."

"Nej, ikke hjemme hos mig. Det er en lang historie, men min lejlighed er et dårligt sted fremover. Mød mig på Samirs Gryta, så tager vi en øl."

"Jeg kører bil."

"Godt, så tager vi en lys øl."

ERIKA BERGER VAR en smule irriteret, da hun trådte ind på Samirs Gryta ved halvnitiden. Hun havde dårlig samvittighed over, at Mikael overhovedet ikke havde hørt fra hende, siden den dag hun var spankuleret ind på SMP. Men hun havde aldrig haft så meget at lave som nu.

Mikael Blomkvist gjorde tegn til hende fra et hjørnebord ved vinduet. Hun dvælede lidt på dørtrinet. Mikael føltes et øjeblik som et vildfremmed menneske, og hun oplevede, at hun betragtede ham med nye øjne. *Hvem er det der? Gud, hvor er jeg træt.* Så rejste han sig og kyssede hende på kinden, og hun indså til sin forfærdelse, at hun overhovedet ikke havde skænket ham en tanke i flere uger, og at hun savnede ham noget så forfærdeligt. Det var fuldstændig, som om tiden på SMP havde været en drøm, og hun pludselig ville vågne op på sofaen på *Millennium.* Det føltes uvirkeligt.

"Hej, Mikael."

"Hej, chefredaktør. Har du spist?"

"Klokken er halv ni. Jeg har ikke dine mærkelige spisevaner."

Men så gik det op for hende, at hun var hundesulten. Samir kom med spisekortet, og hun bestilte en øl og en lille tallerken calamares med kartoffelbåde. Mikael bestilte couscous og en øl.

"Hvordan går det?" spurgte hun.

"Det er en interessant tid, vi lever i. Jeg har nok at gøre."

"Hvordan går det med Salander?"

"Hun er en del af alt det interessante."

"Micke, jeg har ikke tænkt mig at stjæle din historie."

"Undskyld ... det er ikke, fordi jeg ikke vil svare. Men tingene er en smule forvirrende for tiden. Jeg fortæller gerne, men det vil tage den halve nat. Hvordan er det at være chef på SMP?"

"Det er ikke ligefrem som på *Millennium.*"

Hun sad lidt uden at sige noget.

"Jeg går ud som et lys, når jeg kommer hjem, og når jeg vågner, ser jeg budgetkalkuler for mig. Jeg har savnet dig. Kan vi ikke gå hjem til dig og sove. Jeg orker ikke at have sex, men jeg vil gerne bare putte mig ind til dig og sove."

"Sorry, Ricky. Min lejlighed er ikke noget godt sted for øjeblikket."

"Hvorfor ikke? Er der sket noget?"

"Nja ... nogen har sat mikrofoner op i min lejlighed og hører hvert et ord, jeg siger derinde. Selv har jeg installeret skjult kameraovervågning, der viser, hvad der sker, når jeg ikke er hjemme. Jeg tror hellere, at vi må spare eftertiden for din nøgne bagdel."

"Laver du sjov?"

"Nej. Men det var ikke derfor, at jeg absolut måtte se dig."

"Hvad er der sket? Du ser så mærkelig ud."

"Tja ... du er begyndt på SMP. Og vi på *Millennium* er faldet over en historie, der vil gøre det af med din bestyrelsesformand. Det drejer sig om udnyttelse af børnearbejdere og politiske fanger i Vietnam. Jeg tror, at vi er havnet i en interessekonflikt."

Erika lagde gaflen ned og stirrede på Mikael. Hun kunne med det samme se, at Mikael ikke lavede sjov.

"Det forholder sig sådan her," sagde han. "Borgsjö er bestyrelsesformand og aktiemajoritetsejer i et firma, der hedder SveaBygg, og som har et datterselskab, der hedder Vitavara AB. De laver toiletter hos et firma i Vietnam, der ifølge FN benytter sig af børnearbejdskraft."

"Sig det lige igen."

Mikael fortalte i detaljer den historie, som Henry Cortez havde stykket sammen. Han åbnede sin skuldertaske og fandt en kopi frem med dokumentationen. Erika læste langsomt Cortez' artikel igennem. Til sidst så hun op og mødte Mikaels blik. Hun følte en overdreven panik blandet med mistænksomhed.

"Hvordan fanden kan det være, at det første, som *Millennium* foretager sig, efter jeg er holdt op, er at begynde at gå dem, der sidder i SMP's bestyrelse, efter i sømmene?"

"Sådan er det ikke, Ricky."

Han forklarede, hvordan historien var vokset frem.

"Og hvor længe har du kendt til det her?"

"Siden i eftermiddags. Jeg føler en dyb lede ved hele den her udvikling."

"Hvad har I tænkt jer at gøre?"

"Jeg ved det ikke. Vi er nødt til at trykke den. Vi kan ikke gøre en undtagelse, bare fordi det drejer sig om din chef. Men ingen af os har lyst til at skade dig." Han slog ud med hånden. "Vi er ret fortvivlede. Ikke mindst Henry."

"Jeg sidder stadig i *Millenniums* bestyrelse. Jeg er medejer ... det vil blive opfattet som ..."

"Jeg ved præcis, hvordan det vil blive opfattet. Du vil i den grad ende i suppedasen på SMP."

Erika mærkede trætheden vælte ind over sig. Hun bed tænderne sammen og kvalte en impuls til at bede Mikael om at neddysse sagen.

"For fanden da også," sagde hun. "Er der ingen tvivl om, at historien holder ...?"

Mikael rystede på hovedet.

"Jeg brugte hele eftermiddagen og aftenen på at gennemgå Henrys dokumentation. Vi er klar til at slagte Borgsjö."

"Hvad har I tænkt jer at gøre?"

"Hvad ville du have gjort, hvis vi havde fundet den her historie for to måneder siden?"

Erika Berger betragtede opmærksomt sin ven og elsker igennem mere end tyve år. Så slog hun øjnene ned.

"Du ved jo godt, hvad jeg ville have gjort."

"Det her er et katastrofalt sammentræf. Intet af det er rettet mod dig. Jeg er virkelig ked af det. Det er derfor, jeg insisterede på det her møde omgående. Vi er nødt til at beslutte, hvad vi skal gøre."

"Vi?"

"Artiklen var sat til at komme i juninummeret. Men jeg har sørget for, at den allertidligst bliver trykt i augustnummeret, og den kan skydes endnu længere frem, hvis du har brug for det."

"Okay."

Hendes stemme fik en bitter klang.

"Jeg foreslår, at vi ikke beslutter noget i aften. Du tager den her dokumentation og går hjem og tænker over det. Gør ikke noget, før vi har fundet frem til en fælles strategi. Vi har tid nok."

"Fælles strategi?"

"Du må enten trække dig ud af *Milenniums* bestyrelse, i god tid inden artiklen går i trykken, eller sige op på SMP. Men du kan ikke sidde på begge stole."

Hun nikkede.

"Jeg er så tæt forbundet med *Millennium*, at ingen vil tro på, at jeg ikke har en finger med i spillet, hvor meget jeg så end trækker mig."

"Der er også et alternativ. Du kan tage historien med til SMP, konfrontere Borgsjö og kræve hans afgang. Jeg er overbevist om, at Henry ville gå med til det. Men gør absolut ikke noget, før vi er blevet enige."

"Det første, jeg gør, er at sørge for, at den person, der rekrutterede mig, bliver fyret."

"Jeg beklager."

"Han er ikke noget dårligt menneske."

Mikael nikkede.

"Jeg tror dig. Men han er grådig."

Erika nikkede. Hun rejste sig.

"Jeg tager hjem."

"Ricky, jeg ..."

Hun afbrød ham.

"Jeg er bare dødtræt. Tak, fordi du advarede mig. Jeg er nødt til at tænke over, hvad det her betyder."

Mikael nikkede.

Hun gik uden at kysse ham på kinden og overlod regningen til ham.

ERIKA BERGER HAVDE parkeret to hundrede meter fra Samirs Gryta og var kommet halvvejs, da hun mærkede, at hun havde så stærk hjertebanken, at hun var nødt til at stoppe op og læne sig op ad muren ved en gadedør. Hun havde det skidt.

Hun stod længe og indåndede den kølige majluft. Pludselig gik det op for hende, at hun havde arbejdet i gennemsnit femten timer om dagen siden 1. maj. Det var snart tre uger. Hvordan ville hun ikke have det efter tre år? Hvordan havde Morander haft det, da han faldt død om midt inde på redaktionen.

Efter ti minutter gik hun tilbage til Samirs Gryta og mødte Mikael, netop som han kom gående ud ad døren. Han stoppede forbavset op.

"Erika ..."

"Sig ikke noget, Mikael. Vi har været venner så længe, at intet kan ødelægge det. Du er min bedste ven, og det her er præcis, som dengang du forsvandt til Hedestad for to år siden, bare modsat. Jeg føler mig presset og ulykkelig."

Han nikkede og slog armene om hende. Hun fik pludselig tårer i øjnene.

"Tre uger på SMP har allerede knækket mig," sagde hun og lo.

"Så så. Der skal nok lidt mere til at knække Erika Berger."

"Din lejlighed duer ikke. Jeg er for træt til at tage helt hjem til Saltsjöbaden. Jeg falder bare i søvn bag rettet og kører mig ihjel. Jeg har lige taget en beslutning. Jeg har tænkt mig at gå ned til Scandic Crown og leje et værelse. Gå med mig."

Han nikkede.

"Det hedder Hilton nu."

"Godt det samme."

DE GIK DEN KORTE STRÆKNING. Ingen af dem sagde noget. Mikael havde armen rundt om hendes skulder. Erika skævede til ham og så, at han var præcis lige så træt som hun.

De gik direkte hen til receptionen, bestilte et dobbeltværelse og betalte med Erikas kreditkort. De gik op på værelset, klædte sig af, tog brusebad og kravlede i seng. Erika havde ondt i musklerne, som havde hun løbet Stockholm Maraton. De lå og omfavnede hinanden lidt og gik så ud som to lys.

Ingen af dem lagde mærke til, at de blev overvåget. De bemærkede aldrig den mand, der observerede dem i hotellets foyer.

KAPITEL 15

Torsdag den 19. maj – søndag den 22. maj

LISBETH SALANDER BRUGTE en stor del af natten til torsdag på at læse Mikael Blomkvists artikler og de kapitler af hans bog, der var nogenlunde færdige. Eftersom politiadvokat Ekström satsede på en retssag i juli, havde Mikael sat en deadline for trykning den 20. juni. Det betød, at ham den skide Kalle Blomkvist havde omkring en måned til at blive færdig med skriveriet og til at lappe alle hullerne i teksten.

Lisbeth forstod ikke, hvordan han skulle kunne nå det, men det var hans problem og ikke hendes. Hendes problem var at beslutte, hvordan hun skulle forholde sig til de spørgsmål, han havde stillet.

Hun tog sin Palm Tungsten T3 og loggede ind på [Det_Vanvittige_Bord] for at se, om han havde skrevet noget nyt det forløbne døgn. Hun konstaterede, at det ikke var tilfældet. Derefter gik hun ind på det dokument, som han havde givet overskriften [Centrale spørgsmål]. Hun kunne allerede ordene udenad, men læste det under alle omstændigheder endnu en gang. Han skitserede den strategi, som Annika Giannini allerede havde tegnet for hende. Da Annika havde talt med hende, havde hun lyttet med distræt og distanceret interesse, næsten som om det ikke angik hende. Men Mikael Blomkvist kendte til hemmeligheder om hende, som Annika Giannini ikke gjorde. Han kunne derfor præsentere strategien på en vægtigere måde. Hun gik ned til fjerde afsnit.

[Det eneste menneske, der kan afgøre, hvordan din fremtid skal se ud, er dig selv. Det spiller ingen rolle, hvor meget Annika end slider for dig, eller hvordan jeg, Armanskij, Palmgren og andre støtter dig. Jeg har ikke tænkt mig at forsøge at overtale dig til noget. Du må selv beslutte, hvordan du vil gøre. Enten vender du retssagen til din fordel, eller også lader du dem dømme dig. Men hvis du skal vinde, må du slås.]

Hun slukkede for computeren og så op i loftet. Mikael bad hende om lov til at fortælle sandheden i sin bog. Han havde til hensigt at fortie afsnittet om Bjurmans voldtægt. Han havde allerede skrevet afsnittet og sprang over episoden ved at fastslå, at Bjurman havde indledt et samarbejde med Zalachenko, der havde trukket følehornene til sig, da Bjurman gik fra koncepterne, og derfor havde Niedermann set sig nødsaget til at dræbe ham. Han kom ikke ind på Bjurmans motiv.

Ham den skide Kalle Blomkvist komplicerede tilværelsen for hende.

Hun tænkte sig længe om.

Da klokken var to om natten, tog hun sin Palm Tungsten T3 og åbnede tekstbehandlingsprogrammet. Hun klikkede på et nyt dokument, fandt den elektroniske pen frem og begyndte at klikke bogstaver frem på det digitale tastatur.

[Mit navn er Lisbeth Salander. Jeg blev født den 30. april 1978. Min mor hed Agneta Sofia Salander. Hun var 17 år, da jeg blev født. Min far var en psykopat, morder og kvindemishandler ved navn Alexander Zalachenko. Han havde tidligere arbejdet som illegal operatør i Vesteuropa for det sovjetiske militærs efterretningstjeneste GRU.]

Det gik langsomt med at skrive, da hun måtte klikke sig frem bogstav for bogstav. Hun formulerede hver sætning i hovedet, inden hun skrev den ned. Hun foretog ikke en eneste rettelse i den tekst, hun havde skrevet. Hun arbejdede frem til klokken fire om morgenen, hvor hun slukkede for sin computer og satte den til genopladning i hulrummet på bagsiden af sengebordet. Da havde hun skrevet noget, der svarede til to A4-ark med enkelt linjeafstand.

ERIKA BERGER VÅGNEDE klokken syv om morgenen. Hun følte sig langtfra udhvilet, men hun havde sovet uafbrudt i otte timer. Hun kastede et blik på Mikael Blomkvist, der stadig sov tungt.

Hun begyndte med at tænde for mobilen og kontrollere, om hun havde fået nogen beskeder. Displayet viste, at hendes mand, Greger Backman, havde ringet til hende elleve gange. Pis. Jeg glemte at ringe. Hun tastede nummeret og forklarede, hvor hun befandt sig, og hvorfor hun ikke var kommet hjem om natten. Han var sur.

"Erika, det gør du altså ikke igen. Du ved godt, at det ikke har noget med Mikael at gøre, men jeg har været helt ude af den i nat. Jeg var hunderæd for, at der var sket noget. Du er nødt til at ringe og fortælle, at du ikke kommer hjem. Du må ikke glemme sådan noget."

Greger Backman var helt indforstået med, at Mikael Blomkvist var hans kones elsker. Deres affære fandt sted med hans samtykke. Men når hun tidligere havde besluttet sig for at sove hos Mikael, havde hun altid ringet til sin mand først og forklaret situationen. Denne gang var hun taget ind på Hilton uden tanke for andet end at få lov at sove.

"Undskyld," sagde hun. "Jeg gik simpelthen i gulvet i går."

Han gryntede lidt.

"Du må ikke være sur, Greger. Jeg orker det ikke lige nu. Du kan skælde mig ud i aften."

Han gryntede lidt mindre og lovede at skælde hende ud senere.

"Okay. Hvordan går det med Blomkvist?"

"Han sover." Hun lo pludselig. "Tro det eller ej, men vi sov, inden der var gået fem minutter efter, at vi havde lagt os. Det er aldrig sket før."

"Erika, det her er alvor. Du burde nok gå til læge."

Da hun havde afsluttet samtalen med sin mand, ringede hun til omstillingen på SMP og lagde en besked til redaktionssekretær Peter Fredriksson. Hun forklarede, at hun var blevet forhindret, og at hun ville komme lidt senere end sædvanlig. Hun bad ham aflyse et tidligere planlagt møde med kultursidernes medarbejdere.

Derefter fandt hun sin skuldertaske, gravede en tandbørste frem og gik ud på badeværelset. Så gik hun tilbage til sengen og vækkede Mikael.

"Hej," mumlede han.

"Hej," sagde hun. "Skynd dig ud på badeværelset, og vask dig og børst tænder."

"Hva ... hvad?"

Han satte sig op og så sig så forvirret omkring, at hun var nødt til at minde ham om, at han befandt sig på Hilton ved Slussen. Han nikkede.

"Kom. Gå så ud på badeværelset."

"Hvorfor?"

"Fordi så snart du kommer tilbage, vil jeg have sex med dig."

Hun så på sit armbåndsur.

"Og skynd dig. Jeg har et møde klokken elleve, og det tager i hvert fald en halv time for mig at gøre mig i stand bagefter. Og så er jeg nødt til at købe en ren trøje på vej til arbejde. Det giver os kun omkring to timer til at indhente en masse spildtid."

Mikael gik ud på badeværelset.

JERKER HOLMBERG PARKEREDE sin fars Ford på gårdspladsen hos den forhenværende statsminister Thorbjörn Fälldin i Ås lige uden for Ramvik i Härnösands kommune. Han steg ud af bilen og så sig omkring. Det var torsdag eftermiddag. Det støvregnede, og markerne var meget grønne. I en alder af 79 år var Fälldin ikke længere aktiv landmand, og Holmberg spekulerede på, hvem der såede og høstede. Han vidste, at han blev iagttaget fra køkkenvinduet. Det var helt normalt på landet. Han var selv opvokset i Hälledal uden for Ramvik nogle stenkast fra Sandöbron, et af verdens smukkeste steder. Efter Jerker Holmbergs mening.

Han gik op til hovedtrappen og bankede på.

Den forhenværende Centerpartileder så gammel ud, men han virkede stadig vital og stærk.

"Hej, Thorbjörn. Jeg hedder Jerker Holmberg. Vi har mødtes før, men det er nogle år siden sidst. Min far er Gustav Holmberg, som var valgt for Centerpartiet i 70'erne og 80'erne."

"Hej. Jo, jeg kan godt kende dig, Jerker. Du er politimand nede i Stockholm, hvis ikke jeg husker forkert. Det må være en ti-femten år siden."

"Jeg tror endda, at det er længere siden. Må jeg komme ind?"

Han slog sig ned ved køkkenbordet, mens Thorbjörn Fälldin hældte kaffe op.

"Jeg håber, at alt er vel med din far. Det er vel ikke derfor, at du er kommet?"

"Nej. Far har det godt. Han er ude og sømme tag på hytten."

"Hvor gammel er han nu?"

"Han fyldte 71 år for to måneder siden."

"Aha," sagde Fälldin og satte sig. "Men hvad drejer det her besøg sig så om?"

Jerker Holmberg kiggede ud gennem køkkenvinduet og så en skade slå sig ned ved siden af hans bil for at undersøge jorden. Derefter vendte han sig om mod Fälldin.

"Jeg kommer uindbudt og med et stort problem. Det er muligt, at når denne samtale er forbi, bliver jeg fyret fra jobbet. Jeg er her altså i embeds medfør, men min chef, kriminalkommissær Jan Bublanski fra drabsafdelingen i Stockholm, kender ikke til dette besøg."

"Det lyder alvorligt."

"Jeg er altså ude på meget tynd is, hvis mine overordnede skulle få noget at vide om det her besøg."

"Okay."

"Men jeg er bange for, at hvis jeg ikke handler, så er der risiko for et frygteligt retsovergreb, og det endda for anden gang."

"Det er nok bedst, at du forklarer."

"Det drejer sig om en mand ved navn Alexander Zalachenko. Han var spion for det russiske GRU og hoppede af til Sverige på valgdagen i 1976. Han fik asyl og begyndte at arbejde for Säpo. Jeg har grund til at tro, at du kender til den historie."

Thorbjörn Fälldin betragtede opmærksomt Jerker Holmberg.

"Det er en lang historie," sagde Holmberg og begyndte at fortælle om den forundersøgelse, han havde været indblandet i de seneste måneder.

ERIKA BERGER VÆLTEDE sig om på maven og hvilede hovedet mod knoerne. Hun smilede pludselig.

"Mikael, har du aldrig tænkt på, om vi to egentlig ikke er splitterravende tossede?"

"Hvordan?"

"Sådan har jeg det i hvert fald. Jeg har et umådeligt begær efter dig. Jeg føler mig som en gal teenager."

"Aha."

"Og bagefter vil jeg gerne hjem til min mand."

Mikael grinede.

"Jeg kender en god psykolog," sagde han.

Hun prikkede ham i siden med en finger.

"Mikael, det begynder at føles, som om det her med SMP var en kæmpestor fejltagelse."

"Snak. Det er jo en kæmpe chance for dig. Hvis nogen kan blæse liv i det kadaver, så er det dig."

"Ja, måske. Men det er netop det, der er problemet. SMP føles som et kadaver. Og så lod du den der godbid om Magnus Borgsjö falde i går aftes. Jeg begriber ikke, hvad jeg laver der."

"Lad nu tingene falde lidt på plads."

"Jo, men det med Borgsjö er ikke særlig godt. Jeg har ikke den fjerneste idé om, hvordan jeg skal takle det."

"Jeg ved det heller ikke. Men vi må finde på noget."

Hun sagde ikke noget et stykke tid.

"Jeg savner dig."

Han nikkede og så på hende.

"Jeg savner også dig," sagde han.

"Hvor meget ville det kræve for, at du kom over til SMP og blev nyhedschef?"

"Aldrig i livet. Er ham der, hvad er det nu han hedder, Holm, ikke nyhedschef?"

"Jo, men han er en idiot."

"Det har du ret i."

"Kender du ham?"

"Ja da. Jeg arbejdede tre måneder som vikar under ham i midten af 80'erne. Han er et røvhul, der spiller folk ud mod hinanden. Desuden ..."

"Desuden hvad?"

"Arh, ikke noget. Jeg vil ikke løbe med sladder."

"Sig det."

"En pige, der hed Ulla-et-eller-andet, der også var vikar, hævdede, at han udsatte hende for sexchikane. Jeg ved ikke, hvad der var sandt og falskt, men tillidsmanden gjorde ikke noget, og hun fik ikke forlænget kontrakten, selv om det havde været aktuelt."

Erika Berger så på uret og sukkede, svingede benene ud over sengekanten og forsvandt ud under bruseren. Mikael havde ikke rørt sig, da hun kom ud, tørrede sig og trak i tøjet.

"Jeg bliver liggende lidt," sagde han.

Hun kyssede ham på kinden, vinkede og forsvandt.

MONICA FIGUEROLA PARKEREDE tyve meter fra Göran Mårtenssons bil i Luntmakargatan lige ved Olof Palmes Gata. Hun så Mårtensson gå omkring tres meter hen til automaten for at betale parkeringsafgiften. Han gik hen til Sveavägen.

Monica Figuerola ignorerede parkeringsafgiften. Hun ville miste ham af syne, hvis hun løb hen og betalte. Hun fulgte efter Mårtensson op til Kungsgatan, hvor han drejede af til venstre. Han forsvandt ind på Kungstornet. Hun knurrede, men havde ikke noget valg og ventede i tre minutter, før hun fulgte efter ham ind på caféen. Han sad i underetagen og talte med en mand omkring 35 år. Han var lyshåret og så temmelig veltrænet ud. En strisser, tænkte Monica Figuerola.

Hun identificerede ham som den mand, Christer Malm havde fotograferet uden for Copacabana den 1. maj.

Hun købte en kop kaffe, satte sig i den anden ende af caféen og slog op i *Dagens Nyheter*. Mårtensson og hans selskab talte lavmælt. Hun kunne ikke høre et ord af, hvad de sagde. Hun tog sin mobiltelefon og lod, som om hun talte i den – hvilket var unødvendigt, da ingen af mændene så på hende. Hun tog et billede med mobilen, som hun vidste ville være i 72 dpi og derfor af for lav kvalitet til at kunne trykkes. Derimod kunne det bruges som bevis for, at mødet havde fundet sted.

Efter omkring et kvarter rejste den lyshårede mand sig og forlod Kungstornet. Monica Figuerola bandede indvendigt. Hvorfor var hun ikke blevet udenfor? Hun ville have genkendt ham, da han forlod caféen. Hun ville rejse sig og straks genoptage jagten, men Mårtensson blev siddende og drak sin kaffe færdig. Hun ville ikke tiltrække sig opmærksomhed ved at rejse sig og følge efter hans uidentificerede selskab.

Efter omkring 40 sekunder rejste Mårtensson sig op og gik hen til toilettet. Så snart han havde lukket døren, kom Monica Figuerola på benene og fór ud på Kungsgatan. Hun så til den ene og den anden side, men den lyshårede mand var forsvundet.

Hun tog chancen og fór op til krydset af Sveavägen. Hun kunne ikke se ham nogen steder og skyndte sig ned i tunnelbanen. Det var håbløst.

Hun gik tilbage til Kungstornet. Mårtensson var også forsvundet.

ERIKA BERGER BANDEDE rasende, da hun kom tilbage til det sted to gader fra Samirs Gryta, hvor hun havde parkeret sin BMW aftenen forinden.

Bilen stod der stadig, men i løbet af natten havde nogen punkteret samtlige fire bildæk. Forbandede skiderikker, bandede hun for sig selv, mens hun kogte.

Der var ikke så mange alternativer. Hun ringede til autohjælpen og forklarede sin situation. Hun havde ikke tid til at blive og vente, men lagde bilnøglen i udstødningsrøret, så kranføreren kunne komme ind i bilen. Derefter gik hun ned til Mariatorget og prajede en taxi.

LISBETH SALANDER GIK ind på Hacker Republics internetside og konstaterede, at Plague var logget på. Hun gjorde opmærksom på sig selv.

<Hej Wasp. Hvordan er der på Sahlgrenska?>
<Fredfyldt. Jeg har brug for din hjælp>
<Kors>
<Jeg troede aldrig, at jeg skulle spørge>
<Det må være alvorligt>
<Göran Mårtensson, bosiddende i Vällingby. Jeg har brug for at få adgang til hans computer>
<Okay>
<Alt materialet skal overføres til Mikael Blomkvist på *Millennium*>
<Okay. Det klarer jeg>
<Storebror tjekker Kalle Blomkvists telefon og formentlig også hans e-mail. Du skal sende alt materialet til en hotmailadresse>
<Okay>
<Hvis jeg ikke er tilgængelig, vil Blomkvist få brug for din hjælp. Han må kunne kontakte dig>
<Hmm>
<Han er lidt firkantet, men du kan stole på ham>

\<Hmm\>

\<Hvor meget vil du have?\>

Plague var tavs nogle sekunder.

\<Har det her med din situation at gøre?\>

\<Ja\>

\<Kan det hjælpe dig?\>

\<Ja\>

\<Så er det okay\>

\<Tak. Men jeg betaler altid min gæld. Jeg får brug for din hjælp til retssagen. Jeg betaler 30.000\>

\<Har du råd?\>

\<Jeg har råd\>

\<Okay\>

\<Jeg tror, at vi får brug for Trinity. Tror du, at du kan lokke ham til Sverige?\>

\<For at gøre hvad?\>

\<Det han er bedst til. Jeg betaler ham standardhonorar + omkostninger\>

\<Okay. Hvem?\>

Hun forklarede, hvad det var, hun ville have gjort.

DR. ANDERS JONASSON så bekymret ud, da han fredag morgen høfligt betragtede en temmelig irriteret kriminalassistent Hans Faste på den anden side af skrivebordet.

"Jeg beklager," sagde Anders Jonasson.

"Jeg forstår ikke det her. Jeg troede, at Salander var blevet rask. Jeg er kommet helt til Göteborg, dels for at afhøre hende og dels for at forberede overførslen af hende til en celle i Stockholm, hvor hun hører hjemme."

"Jeg beklager," sagde Anders Jonasson igen. "Jeg vil vældig gerne af med hende, for vi har sandelig ikke nogen overflod af sengepladser. Men ..."

"Kan det ikke være, at hun simulerer?"

Anders Jonasson lo.

"Det tror jeg ikke er sandsynligt. Du er nødt til at forstå følgende. Lisbeth Salander er blevet skudt i hovedet. Jeg opererede en kugle ud, og det var nærmest et spil roulette, om hun ville overleve eller ej.

Hun overlevede, og hendes prognose har været umådelig tilfredsstillende ... så god, at jeg og mine kolleger forberedte os på at udskrive hende. Men så skete der en tydelig forværring i går. Hun klagede over stærk hovedpine, har pludselig udviklet feber og har kastet op to gange. I løbet af natten gik feberen ned, og hun var næsten feberfri, og jeg troede, at det var noget forbigående. Men da jeg undersøgte hende her til morgen, var feberen steget til næsten 39 grader, hvilket er alvorligt. Nu er feberen faldet igen."

"Men hvad er der galt?"

"Det ved jeg ikke, men at hendes temperatur farer op og ned, tyder på, at det ikke er influenza eller noget lignende. Præcis hvad det skyldes, kan jeg dog ikke svare på, men det kan være så enkelt, at hun er allergisk over for noget medicin eller noget andet, som hun er kommet i kontakt med."

Han fandt et billede frem på computeren og viste Hans Faste skærmen.

"Jeg beordrede en røntgenfotografering af hovedet. Som du kan se, er der et mørkere parti her i umiddelbar forbindelse med hendes skudhul. Jeg kan ikke afgøre, hvad det er. Det kan være ardannelsen i forbindelse med helingen, men det kan også være en mindre blødning, der er opstået. Men indtil vi har fundet ud af, hvad der er galt, slipper jeg hende ikke ud, hvor presserende det end er."

Hans Faste nikkede opgivende. Han vidste bedre end at argumentere med en læge, da de havde magt over liv og død og var det nærmeste Guds stedfortræder der fandtes på jorden. Politiet muligvis undtaget. Under alle omstændigheder havde han hverken kompetence eller viden til at afgøre, hvor syg Lisbeth Salander var.

"Og hvad sker der nu?"

"Jeg har beordret fuldstændig ro, og at hendes fysioterapi afbrydes – hun bliver genoptrænet på grund af skudsårene i skulderen og hoften."

"Okay ... jeg er nødt til at kontakte politiadvokat Ekström i Stockholm. Det her var lidt af en overraskelse. Hvad kan jeg sige til ham?"

"For to dage siden var jeg parat til at godkende en overflytning måske i slutningen af ugen. Som situationen er nu, kommer det til at vare en tid endnu. Du må forberede ham på, at jeg nok ikke vil kunne træffe en beslutning før næste uge, og at det måske varer op til to uger, inden I kan overflytte hende til fængslet i Stockholm. Det afhænger helt af, hvordan det går med hende."

"Datoen for retssagen er sat til juli ..."

"Hvis ikke der sker noget uforudset, bør hun være på benene i god tid inden da."

KRIMINALKOMMISSÆR JAN BUBLANSKI betragtede mistænksomt den muskuløse kvinde på den anden side af cafébordet. De sad ved den udendørs servering nede på Norr Mälerstrand og drak kaffe. Det var fredag den 20. maj og sommerlunt i luften. Hun havde legitimeret sig som Monica Figuerola fra Säpo og havde fanget ham klokken fem, netop som han var på vej hjem. Hun havde foreslået en samtale over en kop kaffe.

Bublanski havde først været modstræbende og tvær. Efter et stykke tid havde hun set ham ind i øjnene og sagt, at hun ikke officielt havde fået til opgave at afhøre ham, og at han naturligvis ikke behøvede at sige noget til hende, hvis han ikke ville. Han havde spurgt, hvad hendes ærinde var, og hun havde åbenhjertigt forklaret, at hun havde fået til opgave af sin chef uofficielt at skabe et billede af, hvad der var sandt og falskt i den såkaldte Zalachenkosag, som til tider blev omtalt som Salandersagen. Hun forklarede også, at det ikke var helt sikkert, at hun overhovedet havde ret til at stille ham spørgsmål, og at han måtte afgøre, hvad han ville.

"Hvad vil du vide?" spurgte Bublanski endelig.

"Fortæl, hvad du ved om Lisbeth Salander, Mikael Blomkvist, Gunnar Björck og Alexander Zalachenko. Hvordan passer puslespilsbrikkerne sammen?"

De talte sammen i mere end to timer.

TORSTEN EDKLINTH TÆNKTE længe og grundigt over, hvordan han skulle gå videre. Efter fem dages efterforskning havde Monica Figuerola givet ham en række tydelige indikationer på, at noget var helt galt inden for Säpo. Han forstod behovet for at gå varsomt til værks, indtil han havde tilstrækkeligt materiale. Som situationen var nu, befandt han sig selv i en vis forfatningsmæssig knibe, eftersom han ikke havde beføjelser til at foretage operative efterforskninger i hemmelighed og især ikke mod sine egne medarbejdere.

Derfor måtte han finde en formel, der gjorde hans foranstaltninger legitime. I en krisesituation kunne han altid henvise til sin politimæssige autoritet, og at det altid var en politimands pligt at efterforske forbrydelser – men nu var forbrydelsen af en så ekstremt følsom forfatningsmæssig karakter, at han sandsynligvis ville blive fyret, hvis han trådte forkert. Han tilbragte fredagen i ensom grublen på sit kontor.

De konklusioner, han var nået frem til, var, at Dragan Armanskij havde ret, hvor usandsynligt det end kunne lyde. Der eksisterede en sammensværgelse inden for Säpo, hvor et antal personer handlede uden for eller ved siden af den almindelige virksomhed. Eftersom denne virksomhed havde foregået i mange år – i hvert fald siden 1976, da Zalachenko ankom til Sverige – måtte virksomheden være organiseret og sanktioneret oppefra. Hvor højt op sammensværgelsen førte, havde han ingen anelse om.

Han skrev tre navne på en blok på skrivebordet.

Göran Mårtensson, personbeskyttelsen. Kriminalassistent
Gunnar Björck, viceafdelingschef i udlændingeafdelingen. Død.
(Selvmord?)
Albert Shenke, vicesekretariatschef, Säpo

Monica Figuerola var nået frem til den konklusion, at i hvert fald vicesekretariatschefen måtte have trukket i trådene, da Mårtensson i personbeskyttelsen blev forflyttet til kontraspionagen uden egentlig at blive det. Han overvågede jo journalisten Mikael Blomkvist, hvilket ikke havde noget som helst at gøre med kontraspionagens virksomhed.

Til listen skulle også føjes flere navne uden for Säpo.

Peter Teleborian, psykiater
Lars Faulsson, låsesmed

Teleborian var blevet hyret af Säpo som psykiatrisk konsulent nogle enkelte gange i slutningen af 80'erne og begyndelsen af 90'erne. Det var helt præcis sket i tre tilfælde, og Edklinth havde undersøgt rapporterne i arkivet. Det første tilfælde havde været ekstraordinært: Kontraspionagen havde identificeret en russisk informant inden for svensk teleindustri, og spionens baggrund indikerede, at han eventuelt ville være disponeret for selvmord i tilfælde af afsløring. Teleborian havde foretaget en opsigtsvækkende god analyse, der betød, at informanten kunne bruges som dobbeltagent. De øvrige to tilfælde, hvor Teleborian var blevet hyret, havde drejet sig om betydelig mindre evalueringer, dels af en ansat inden for Säpo, der havde alkoholproblemer, dels af en mærkelig seksuel adfærd hos en diplomat fra et afrikansk land.

Men hverken Teleborian eller Faulsson – i særdeleshed ikke Faulsson – havde nogen stilling inden for Säpo. Alligevel var de via deres opgaver knyttet til ... til hvad?

Sammensværgelsen var intimt forbundet med den afdøde Alexander Zalachenko, afhoppet russisk GRU-operatør, der ifølge oplysningerne var ankommet til Sverige på valgdagen i 1976, og som ingen havde hørt om. *Hvordan var det muligt?*

Edklinth forsøgte at forestille sig, hvad der rimeligvis kunne være sket, hvis han selv havde siddet i en chefstilling i Säpo i 1976, da Zalachenko var hoppet af. Hvordan ville han have handlet? Absolut diskretion. Det havde været nødvendigt. Afhopningen måtte kun være kendt af en lille eksklusiv kreds, hvis ikke oplysningerne skulle risikere at lække tilbage til russerne og ... Hvor lille en kreds?

En operativ afdeling?

En ukendt operativ afdeling?

Hvis alting var gået efter forskrifterne, burde Zalachenko være endt under kontraspionagen. Helst burde han være endt under den militære efterretningstjeneste, men de havde hverken ressourcer eller kompetence til at foretage den slags operativ virksomhed. Altså Säpo.

Men kontraspionagen havde aldrig haft ham. Björck var nøglen; han havde åbenbart været en af de personer, der havde taget sig af Zalachenko. Men Björck havde aldrig haft noget med kontraspionagen at gøre. Björck var et mysterium. Formelt havde han haft en stilling i udlændingeafdelingen siden 70'erne, men i virkeligheden havde han knap nok vist sig på afdelingen førend i 90'erne, hvor han pludselig var blevet viceafdelingschef.

Alligevel var Björck hovedkilden til Blomkvists informationer. Hvordan havde Blomkvist fået Björck til at afsløre den slags dynamit? Til en journalist?

Luderne. Björck gik til teenageludere, og *Millennium* havde tænkt sig at afsløre ham. Blomkvist måtte have afpresset Björck.

Senere kom Lisbeth Salander ind i billedet.

Afdøde advokat Nils Bjurman havde arbejdet på udlændingeafdelingen samtidig med den afdøde Björck. Det var dem, der tog sig af Zalachenko. Men hvad gjorde de af ham?

Nogen måtte have truffet beslutningerne. Med en afhopper af så stor betydning måtte ordrerne være kommet fra allerhøjeste sted.

Fra regeringen. Det måtte være blevet godkendt der. Alt andet var utænkeligt.

Eller hvad?

Edklinth fik kuldegysninger. Alt dette var formelt forståeligt. En afhopper af Zalachenkos kaliber måtte behandles med størst mulig diskretion. Det var, hvad han selv ville have besluttet. Det var, hvad regeringen Fälldin måtte have besluttet. Det ville være helt rimeligt.

Men det, der skete i 1991, var urimeligt. Björck havde hyret Peter Teleborian til at spærre Lisbeth Salander inde på et sindssygehospital for børn med den begrundelse, at hun var psykisk syg. Det var en forbrydelse. Det var så grov en forbrydelse, at Edklinth fik kuldegysninger igen.

Nogen måtte have truffet beslutningen. I så fald kunne det ganske enkelt ikke være regeringen ... Ingvar Carlsson havde været statsminister, efterfulgt af Carl Bildt. Men ingen politiker ville overhovedet røre sådan en beslutning med en ildtang, en beslutning der gik stik imod al ret og rimelighed, og som ville resultere i en katastrofal skandale, hvis det nogensinde blev kendt.

Hvis regeringen var indblandet, var Sverige ikke en millimeter bedre end et hvilket som helst diktatur i verden.

Det var ikke muligt.

Og derefter begivenhederne på Sahlgrenska Sygehus den 12. april. Zalachenko meget belejligt myrdet af en psykisk syg, i samme øjeblik der skete et indbrud hos Mikael Blomkvist, og Annika Giannini blev overfaldet. I begge tilfælde blev Gunnar Björcks mærkelige rapport fra 1991 stjålet. Det var informationer, som Dragan Armanskij havde bidraget med helt *off the record.* Der forelå ingen politianmeldelse.

Og samtidig går Gunnar Björck hen og hænger sig. Den person, som Edklinth mere end nogen anden ønskede, at han kunne have haft en alvorlig samtale med.

Torsten Edklinth troede ikke på tilfældigheder i et sådant mega-format. Kriminalkommissær Jan Bublanski troede ikke på den slags tilfældigheder. Mikael Blomkvist troede ikke på det. Edklinth fattede pennen endnu en gang.

Evert Gullberg, 78, skattejurist???

Hvem fanden var Evert Gullberg?

Han overvejede at ringe til chefen for Säpo, men afholdt sig fra det af den enkle årsag, at han ikke vidste, hvor højt op i organisationen sammensværgelsen strakte sig. Han vidste kort sagt ikke, hvem han kunne stole på.

Efter at have affærdiget den mulighed at henvende sig til nogen inden for Säpo, spekulerede han lidt på at henvende sig til det åbne politi. Jan Bublanski var leder af efterforskningen af Ronald Niedermann og burde selvfølgelig være interesseret i al nærliggende information. Men rent politisk var det umuligt.

Han følte en stor byrde på sine skuldre.

Til sidst var der kun et alternativ, der var forfatningsmæssigt rigtigt, og som muligvis kunne betyde beskyttelse, hvis han havnede i politisk unåde i fremtiden. Han måtte henvende sig til *chefen* og skaffe politisk forankring for det, han arbejdede med.

Han så på uret. Lidt i fire om eftermiddagen. Han løftede røret og ringede til justitsministeren, som han havde kendt i flere år og havde mødt ved adskillige rapportfremlæggelser i departementet. Han fik ham faktisk i røret, inden der var gået fem minutter.

"Hej, Torsten," sagde justitsministeren. "Det er længe siden. Hvad drejer det sig om?"

"Ærlig talt, jeg tror nok, at jeg ringer for at undersøge, hvor meget tillid du har til mig."

"Tillid. Det var da et underligt spørgsmål. Jeg nærer da stor tillid til dig. Hvad foranlediger et sådant spørgsmål?"

"Det foranlediges af et dramatisk og ekstraordinært ønske ... Jeg er nødt til at have et møde med dig og statsministeren, og det haster."

"Ups."

"Du må undskylde, men jeg vil gerne vente med at forklare noget, indtil vi kan slå os ned og tale sammen under fire øjne. Jeg har en sag på mit bord, der er så bemærkelsesværdig, at jeg mener, at både du og statsministeren må informeres."

"Det lyder alvorligt."

"Det er alvorligt."

"Har det noget med terrorister og skræmmebilleder at gøre ..."

"Nej. Det er mere alvorligt end som så. Jeg sætter hele min anseelse og min karriere på spil ved at ringe til dig med dette ønske. Jeg ville ikke have ringet, hvis jeg ikke mente, at situationen var så alvorlig, at det var nødvendigt."

"Okay. Deraf dit spørgsmål, om jeg nærer tillid til dig eller ej ... Hvor hurtigt er du nødt til at tale med statsministeren?"

"Allerede i aften, hvis det er muligt."

"Nu bliver jeg bekymret."

"Det har du desværre også grund til."

"Hvor lang tid kommer mødet til at tage?"

Edklinth tænkte sig om.

"Det kommer nok til at tage en time at genfortælle alle detaljerne."

"Jeg ringer tilbage om et øjeblik."

Justitsministeren ringede tilbage, inden der var gået et kvarter og forklarede, at statsministeren havde mulighed for at tage imod Torsten Edklinth i sit hjem klokken 21.30 samme aften. Edklinth havde håndsved, da han lagde røret på. *Okay ... i morgen tidlig er min karriere måske forbi.*

Han løftede røret igen og ringede til Monica Figuerola.

"Hej Monica. Klokken 21.00 i aften skal du på arbejde. Du skal være pæn i tøjet."

"Jeg er altid pæn i tøjet," sagde Monica Figuerola.

STATSMINISTEREN BETRAGTEDE chefen for grundlovsbeskyttelsen med et blik, der nærmest kunne betragtes som mistroisk. Edklinth

342

fik en følelse af, at et tandhjul roterede med høj hastighed bag statsministerens briller.

Statsministeren flyttede blikket til Monica Figuerola, der ikke havde sagt noget under det timelange foredrag. Han så en usædvanlig høj og muskuløs kvinde, der så tilbage på ham med et høfligt afventende blik. Derefter vendte han sig om mod justitsministeren, der var blevet en anelse bleg, mens foredraget havde stået på.

Endelig trak statsministeren vejret dybt ind, tog brillerne af og stirrede i lang tid frem for sig.

"Jeg tror, at vi har brug for lidt mere kaffe," sagde han til sidst.

"Ja tak," sagde Monica Figuerola.

Edklinth nikkede, og justitsministeren skænkede op fra en termokande.

"Lad mig lige repetere, så jeg er absolut sikker på, at jeg har forstået dig ret," sagde statsministeren. "Du har mistanke om, at der er en sammensværgelse i gang inden for Säpo, der handler uden for deres opdrag, og at denne sammensværgelse igennem årene har bedrevet noget, der kan betegnes som kriminel virksomhed."

Edklinth nikkede.

"Og du kommer altså til mig, fordi du ikke har tiltro til Säpos ledelse?"

"Nja," svarede Edklinth. "Jeg besluttede at henvende mig direkte til dig, fordi denne slags virksomhed strider mod grundloven, men jeg kender ikke til sammensværgelsens formål og ved ikke, om jeg har misfortolket noget. Virksomheden er måske i virkeligheden legitim og sanktioneret af regeringen. Så risikerer jeg at handle på fejlagtige eller misforståede oplysninger og dermed at røbe en igangværende hemmelig operation."

Statsministeren så på justitsministeren. Begge forstod, at Edklinth garderede sig.

"Jeg har aldrig hørt tale om noget i den stil. Kender du noget til det?"

"Absolut ikke," svarede justitsministeren. "Der står ikke noget i nogen rapport fra Säpo, som jeg har set, der skulle have nogen som helst forbindelse til dette."

"Mikael Blomkvist tror, at det er en intern fraktion inden for Säpo. Han kalder den for *Zalachenkoklubben*."

"Jeg har aldrig nogensinde hørt tale om, at Sverige skulle have taget imod og støttet nogen russisk afhopper af denne kaliber ... Han hoppede altså af under Fälldinregeringen ..."

"Jeg har svært ved at tro, at Fälldin skulle have fortiet en sådan sag," sagde justitsministeren. "Et sådant afhop burde have været en meget højt prioriteret opgave at overlade til den næste regering."

Edklinth rømmede sig.

"Olof Palme tog over efter den borgerlige regering. Det er ingen hemmelighed, at nogle af mine forgængere i Säpo havde en besynderlig opfattelse af Palme ..."

"Du mener, at nogen glemte at informere den socialdemokratiske regering ..."

Edklinth nikkede.

"Jeg vil minde dig om, at Fälldin sad to mandatperioder. Begge gange kollapsede regeringen. Først overlod han taburetten til Ola Ullsten, der dannede en mindretalsregering i 1979. Så kollapsede regeringen en gang til, da Moderaterna hoppede af, og Fälldin regerede sammen med Folkpartiet. Formentlig befandt Statsministeriet sig i et vist kaos under overtagelserne. Det er endda muligt, at en sådan sag som Zalachenko ganske enkelt blev holdt inden for så snæver en kreds, at statsminister Fälldin ikke havde noget rigtigt indblik, og at han derfor aldrig havde noget at videregive til Palme."

"Hvem er i så fald ansvarlig?" spurgte statsministeren.

Alle bortset fra Monica Figuerola rystede på hovedet.

"Jeg går ud fra, at det her uvægerligt vil lække til medierne," sagde statsministeren.

"Mikael Blomkvist og *Millennium* vil helt sikkert trykke det. Vi befinder os med andre ord i en nødsituation."

Edklinth var omhyggelig med at bruge ordet *vi*. Statsministeren nikkede. Han indså situationens alvor.

"Så må jeg begynde med at takke dig for, at du kom til mig med denne sag så hurtigt, som du gjorde. Jeg plejer ikke at tage imod den slags hastebesøg, men justitsministeren sagde, at du var et forstandigt menneske, og at der måtte være sket noget ekstraordinært, siden du ville besøge mig uden for alle normale kanaler."

Edklinth åndede lettet op. Hvad der end skete, ville statsministerens vrede ikke ramme ham.

"Nu må vi bare beslutte, hvordan vi skal håndtere det. Har du nogen forslag?"

"Måske," svarede Edklinth tøvende.

Han forblev tavs så længe, at Monica Figuerola rømmede sig.

"Må jeg få lov at sige noget?"

"Værsgo," sagde statsministeren.

"Hvis det forholder sig sådan, at regeringen ikke kender til denne operation, er den ulovlig. Den, der er ansvarlig for sådanne sager, er den kriminelle, det vil sige den eller de statstjenestemænd, der har overtrådt deres egne beføjelser. Hvis vi kan verificere alle de påstande, som Mikael Blomkvist kommer med, betyder det, at en gruppe ansat inden for Säpo har haft en kriminel virksomhed kørende. Dette problem falder derefter i to afdelinger."

"Hvad mener du?"

"For det første må spørgsmålet om, hvordan dette har været muligt besvares. Hvis ansvar er det? Hvordan har en sådan sammensværgelse kunnet opstå inden for rammerne af en etableret politiorganisation? Jeg vil minde om, at jeg selv arbejder for Säpo, og jeg er stolt af at gøre det. Hvordan har det kunnet foregå så længe? Hvordan har denne aktivitet kunnet skjules og finansieres?"

Statsministeren nikkede.

"Der vil blive skrevet bøger om det her," fortsatte Monica Figuerola. "Men en ting står klart – det må være blevet finansieret, og det må dreje sig om i hvert fald flere millioner kroner årligt. Jeg har set på Säpos budget og kan ikke se noget, der kan rubriceres som Zalachenkoklubben. Men som du ved, er der et antal skjulte fonde, som vicesekretariatschefen og budgetchefen har indblik i, men som jeg ikke har adgang til."

Statsministeren nikkede dystert. Hvorfor skulle Säpo altid være sådan et mareridt at administrere?

"Den anden del handler om, hvem der er indblandet. Eller mere præcist, hvilke personer der bør rejses tiltale imod."

Statsministeren spidsede læberne.

"Efter min mening er alle disse spørgsmål afhængige af den beslutning, du tager de næste minutter."

Torsten Edklinth holdt vejret. Hvis han havde kunnet sparke Monica Figuerola over skinnebenet, ville han have gjort det. Hun havde pludselig skåret igennem al retorik og påstået, at statsministeren var personligt ansvarlig. Han havde selv tænkt at komme frem til den samme konklusion, dog først efter en langvarig diplomatisk rundvandring.

"Hvilken beslutning synes du, at jeg skal tage?" spurgte statsministeren.

"Set fra vores side har vi fælles interesser. Jeg har arbejdet i grundlovsbeskyttelsen i tre år, og jeg mener, at det er en opgave af central betydning for svensk demokrati. Säpo har klaret sig godt i forfatningsmæssige sammenhænge de seneste år. Jeg er selvfølgelig ikke interesseret i, at skandalen skal ramme Säpo. For os er det vigtigt at fremhæve, at det her drejer sig om en kriminel virksomhed, der bliver bedrevet af enkeltindivider."

"Virksomhed af denne slags er definitivt ikke sanktioneret af regeringen," sagde justitsministeren.

Monica Figuerola nikkede og tænkte sig om i nogle sekunder.

"Efter min mening haster det, hvis skandalen ikke skal ramme regeringen – hvilket bliver tilfældet, hvis regeringen forsøger at mørklægge historien," sagde hun.

"Regeringen plejer ikke at mørklægge kriminel virksomhed," sagde justitsministeren.

"Nej, men lad os rent hypotetisk antage, at regeringen gjorde det. I så fald bliver det en skandale af enorme dimensioner."

"Fortsæt," sagde statsministeren.

"Den nuværende situation kompliceres af, at vi i grundlovsbeskyttelsen i praksis er tvunget til at lave et stykke arbejde, der strider mod regulativerne, for overhovedet at kunne efterforske den her historie. Vi vil altså gerne have, at det skal gå ordentligt til rent juridisk og forfatningsmæssigt."

"Det vil vi alle," sagde statsministeren.

"I så fald foreslår jeg, at du – i din egenskab af statsminister – beordrer grundlovsbeskyttelsen til snarest at opklare dette rod. Giv os en skriftlig ordre, og giv os de beføjelser, der er brug for."

"Jeg er ikke sikker på, at det, du foreslår, er lovligt," sagde justitsministeren.

"Jo. Det er lovligt. Regeringen har magt til at træffe vidtrækkende foranstaltninger i tilfælde af, at forfatningen trues af ulovlige forandringer. Hvis en gruppe militærpersoner eller en gruppe inden for politiet begynder at drive selvstændig udenrigspolitik, har et statskup de facto fundet sted i landet."

"Udenrigspolitik?" spurgte justitsministeren.

Statsministeren nikkede pludselig.

"Zalachenko var afhopper fra en fremmed magt," sagde Monica Figuerola. "Den information, han bidrog med, blev ifølge Mikael Blomkvist videregivet til udenlandske efterretningstjenester. Hvis regeringen ikke var informeret, har et statskup fundet sted."

"Jeg forstår din tankegang," sagde statsministeren. "Nu skal I høre, hvad jeg mener."

Statsministeren rejste sig og vandrede en omgang rundt om salonbordet. Til sidst stoppede han op foran Edklinth.

"Du har en begavet medarbejder. Desuden går hun lige til sagen."

Edklinth sank en klump og nikkede. Statsministeren vendte sig om mod justitsministeren.

"Ring til statssekretæren og departementschefen i Justitsministeriet. I morgen tidlig vil jeg have et dokument i hænderne, der giver grundlovsbeskyttelsen ekstraordinære magtbeføjelser til at handle i den her sag. Opgaven består i at kortlægge sandhedsindholdet i de påstande, vi har diskuteret, samle dokumentation af omfanget samt identificere de personer, der er ansvarlige eller indblandet."

Edklinth nikkede.

"Dokumentet skal ikke fastslå, at du kører en forundersøgelse – jeg kan tage fejl, men jeg mener kun, at det er statsadvokaten, der kan udpege en forundersøgelsesleder i den her situation. Derimod kan jeg give dig til opgave at lede en enmandsefterforskning for at finde frem til sandheden. Det, du laver, er altså en af statens offentlige undersøgelser. Er du med?"

"Ja, men jeg vil gerne have lov til at påpege, at jeg faktisk selv er gammel anklager."

"Hmm. Vi må bede departementschefen om at se på det her og bestemme præcis, hvad der formelt er rigtigt. Du er i hvert fald alene ansvarlig for denne efterforskning. Du udvælger selv de medarbejdere, du har brug for. Hvis du finder belæg for kriminel virksomhed, skal du videregive denne information til statsadvokaten, der beslutter, om der skal retsforfølges."

"Jeg er nødt til at slå op, hvordan procedurerne er, men jeg tror, at du er nødt til at informere Riksdagens formand og grundlovsudvalget ... det her vil snart være lækket," sagde justitsministeren.

"Med andre ord må vi arbejde hurtigt," sagde statsministeren.

"Hmm," sagde Monica Figuerola.

"Hvad?" spurgte statsministeren.

"Der er stadig to problemer tilbage ... For det første kan *Millenniums* udgivelse kollidere med vores efterforskning, og for det andet begynder retssagen mod Lisbeth Salander om et par uger."

"Kan vi finde ud af, hvornår *Millennium* kommer på gaden?"

"Vi kan muligvis spørge," sagde Edklinth. "Det absolut sidste, vi har lyst til, er at blande os i mediernes arbejde."

"Med hensyn til hende Salander ..." begyndte justitsministeren. Han tænkte sig lidt om. "Det er forfærdeligt, hvis hun er blevet udsat for de overgreb, som *Millennium* hævder ... kan det virkelig være muligt?"

"Det frygter jeg," sagde Edklinth.

"I så fald må vi sørge for, at hun får oprejsning og frem for alt, at hun ikke bliver udsat for nye overgreb," sagde statsministeren.

"Og hvordan skal det så gå til?" spurgte justitsministeren. "Regeringen kan under ingen omstændigheder gribe ind i en igangværende sag. Det ville være lovbrud."

"Kan vi ikke tale med anklageren ...?"

"Nej," sagde Edklinth. "Som statsminister må du ikke indvirke på den juridiske proces i nogen henseender."

"Salander må med andre ord tage sin kamp i retten," sagde justitsministeren. "Først hvis hun taber retssagen og appellerer til regeringen, kan regeringen gribe ind og benåde hende eller beordre statsadvokaten til at undersøge, om der findes grundlag for en retssag."

Så tilføjede han en ting:

"Men det gælder altså kun, hvis hun får en fængselsdom. Hvis hun bliver dømt til psykiatrisk behandling, kan regeringen ikke gøre noget som helst. Så er det et medicinsk spørgsmål, og statsministeren har ikke kompetence til at afgøre, om hun er rask."

KLOKKEN TI FREDAG aften hørte Lisbeth Salander nøglen i døren. Hun slukkede straks for computeren og stak den ind under puden. Da hun kiggede op, så hun Anders Jonasson lukke døren.

"Godaften, frøken Salander," sagde han. "Og hvordan har du det så her til aften?"

"Jeg har en rasende hovedpine og føler mig febril," sagde Lisbeth.

"Det lyder jo ikke så godt."

Lisbeth Salander så ikke ud, som om hun var nævneværdigt plaget af hverken feber eller hovedpine. Dr. Anders Jonasson brugte ti minutter på at undersøge hende. Han konstaterede, at feberen i løbet af aftenen igen var steget markant.

"Det er jo ærgerligt, at vi skulle rammes af dette, når du var kommet dig så fint de seneste uger. Nu kan jeg desværre ikke slippe dig ud de første par uger."

"To uger burde være tilstrækkeligt."

Han sendte hende et langt blik.

AFSTANDEN MELLEM LONDON og Stockholm ad landevejen er groft regnet 1.800 kilometer, hvilket det i teorien tager omkring tyve timer at tilbagelægge. I virkeligheden havde det taget tæt på tyve timer bare at nå til grænsen mellem Tyskland og Danmark. Himlen var fuld af blytunge tordenskyer, og da manden, der blev kaldt for Trinity, om mandagen befandt sig midt på Øresundsbroen, begyndte det at støvregne. Han sagtnede farten og tændte for vinduesviskerne.

Trinity syntes, at det var et helvede at køre bil i Europa, fordi hele det kontinentale Europa insisterede på at køre i den gale side af vejen. Han havde pakket sin varevogn lørdag morgen og taget bilfærgen mellem Dover og Calais og derefter krydset Belgien via Liège. Han havde passeret den tyske grænse ved Aachen og derefter taget Autobahn nordpå mod Hamborg og videre til Danmark.

Hans kompagnon Bob the Dog døsede på bagsædet. De havde skiftedes til at køre, og bortset fra nogle timelange stop på cafterier langs vejen havde de holdt sig på omkring halvfems kilometer i timen hele vejen. Varevognen var atten år gammel og kunne ikke præstere en meget højere hastighed.

Der var nemmere måder at komme fra London til Stockholm

på, men desværre var det usandsynligt, at han ville kunne føre et omkring tredive kilo tungt elektronisk udstyr ind i Sverige på et regulært flight. Selv om de havde passeret seks landegrænser under rejsen, var han ikke blevet stoppet af en eneste tolder eller paskontrol. Trinity var en varm tilhænger af EU, hvis regler forenklede hans kontinentale besøg.

Trinity var 32 år og født i byen Bradford, men havde boet i det nordlige London, siden han var barn. Han havde kun ringe formel uddannelse, en erhvervsskole hvor han havde fået bevis på, at han var uddannet teletekniker, og efter at han var fyldt 19 år, havde han i tre år også arbejdet som installatør for British Telecom.

I virkeligheden havde han en teoretisk viden om elektronik og computervidenskab, der betød, at han uden videre kunne kaste sig ud i diskussioner, hvor han ville overgå en hvilken som helst snobbet professor i emnet. Han havde levet med computere, siden han var omkring 10 år, og havde hacket sin første computer, da han var 13. Det havde givet ham smag for det, og da han var 16 år, havde han udviklet sig i en grad, så han konkurrerede med de bedste i verden. Der var en periode, hvor han tilbragte hvert et vågent minut foran computerskærmen, skrev egne programmer og lagde lumske fælder ud på nettet. Han listede sig ind hos BBC, hos det engelske forsvarsdepartement og hos Scotland Yard. Det lykkedes ham endda flygtigt at tage kommandoen over en britisk atomubåd på patrulje i Nordsøen. Heldigvis hørte Trinity til den nysgerrige snarere end den ondsindede computermarodør. Hans fascination ophørte i det øjeblik, han havde skaffet sig adgang til en computer og tiltusket sig dens hemmeligheder. Når det gik højest, lavede han en eller anden practical joke, som for eksempel at instruere computeren i atomubåden i at foreslå kaptajnen at tørre sig i røven, når han bad om en position. Den sidstnævnte episode havde givet anledning til en række krisemøder i Forsvarsministeriet, og efterhånden kunne Trinity godt se, at det måske ikke var den bedste idé at prale med sine færdigheder, hvis staten mente det alvorligt med sine trusler om at idømme hackere mangeårige fængselsstraffe.

Han uddannede sig til teletekniker, da han i forvejen vidste, hvordan telefonnettet fungerede, konstaterede, at det var håbløst gammeldags, og sadlede om til privat sikkerhedskonsulent, som installerede alarmsystemer og gik systemer, der skulle beskytte mod indbrud, efter i sømmene. Han kunne også tilbyde særligt udvalgte klienter finesser som overvågning og telefonaflytning.

Han var en af grundlæggerne af Hacker Republic. Og Wasp var en af statsborgerne.

Da han og Bob the Dog nærmede sig Stockholm, var klokken halv otte søndag aften. Da de passerede Ikea ved Kungens Kurva i Skärholmen, fandt Trinity sin mobiltelefon frem og tastede et nummer, han havde memoreret.

"Plague," sagde Trinity.

"Hvor er I?"

"Du sagde, at jeg skulle ringe, når vi passerede Ikea."

Plague beskrev vejen til vandrehjemmet på Långholmen, hvor han havde bestilt plads til kollegerne fra England. Da Plague næsten aldrig forlod sin lejlighed, aftalte de at mødes hjemme hos ham klokken ti næste morgen.

Efter nærmere eftertanke besluttede Plague sig for at gøre sig den anstrengelse at vaske op, gøre rent og lufte ud, inden gæsterne ankom.

Del 3

DISC CRASH

27. maj til 6. juni

Historikeren Diodorus fra Sicilien, 100-tallet før Kristus (som af andre historikere anses for at være en upålidelig kilde) beskriver amazoner i Libyen, hvilket på den tid var en samlebetegnelse for hele Nordafrika vest for Egypten. Dette amazonvælde var et gynokrati, det vil sige, at kun kvinder måtte beklæde offentlige, inklusive militære, poster. Ifølge legenden blev riget regeret af en dronning Myrina, der med 30.000 kvindelige soldater og 3.000 kvindelige kavalerister fejede gennem Egypten og Syrien, endte helt oppe ved det Ægæiske Hav og fortrængte en række mandlige hære på vejen. Da dronning Myrina endelig faldt, gik hendes hær i opløsning.

Myrinas hær satte dog spor i regionen. Kvinderne i Anatolien greb til våben for at knuse en invasion fra Kaukasus, da de mandlige soldater var blevet udslettet i et omfattende folkedrab. Disse kvinder blev trænet i alle former for våbenbrug, deriblandt bue og pil, spyd, stridsøkse og lanse. De kopierede grækernes bronzebrynjer og rustninger.

De affærdigede ægteskab som underkastelse. For at avle børn blev der bevilget tjenestefrihed, i løbet af hvilken de havde samleje med tilfældigt udvalgte anonyme mænd fra nærliggende byer. Kun den kvinde, der havde dræbt en mand i strid, måtte opgive sin uskyld.

KAPITEL 16

Fredag den 27. maj – tirsdag den 31. maj

MIKAEL BLOMKVIST FORLOD *Millenniums* redaktion halv elleve fredag aften. Han gik ned til trappeopgangens nederste etage, men i stedet for at gå ud på gaden drejede han til venstre, gik gennem kælderetagen, ud i gården og gennem naboejendommens udgang mod Hökens Gata. Han mødte en gruppe unge mennesker på vej fra Mosebacke, men ingen tog notits af ham. Hvis han blev overvåget, ville vedkommende tro, at han som sædvanlig overnattede på *Millenniums* redaktion. Han havde etableret et mønster allerede i april. I virkeligheden var det Christer Malm, der havde nattevagten på redaktionen.

Han brugte et kvarter på at gå ad små gader og stræder rundt i Mosebacke, inden han styrede mod Fiskargatan 9. Han åbnede med den rigtige dørkode og tog trapperne til øverste etage, hvor han brugte Lisbeth Salanders nøgle til hendes dør. Han slog alarmen fra. Han følte sig altid lige forvirret, når han trådte ind i Lisbeth Salanders lejlighed, der bestod af enogtyve værelser, hvoraf de tre var møblerede.

Han begyndte med at brygge en kande kaffe og smøre nogle madder, inden han gik ind i Lisbeths arbejdsværelse og startede hendes PowerBook.

Fra det øjeblik i midten af april, hvor Björcks rapport var blevet stjålet, og Mikael var blevet advaret om, at han blev overvåget, havde han oprettet sin private højborg i Lisbeths lejlighed. Han havde overført al væsentlig dokumentation til hendes skrivebord. Han tilbragte flere nætter om ugen i hendes lejlighed, sov i hendes seng og arbejdede ved hendes computer. Hun havde tømt computeren for al information, inden hun rejste til Gosseberga for at gøre op med Zalachenko. Mikael gættede på, at hun formentlig ikke havde planlagt at vende tilbage. Han havde brugt hendes installationscd'er til at geninstallere computeren.

Siden april havde han ikke stukket netkablet ind i sin egen computer en eneste gang. Han loggede sig på hendes bredbånd, startede Messenger og fandt den adresse, som hun havde oprettet til ham og meddelt ham via yahoogruppen [Det_Vanvittige_Bord].

< Hej Sally>
< Fortæl>
<Jeg har arbejdet på de to kapitler, vi diskuterede tidligere på ugen. Ny version ligger på Yahoo. Hvordan går det med dig?>
<Klar med sytten sider. Lad mig læse, så tales vi ved senere>
<Jeg har mere>
<Hvad?>
<Jeg har oprettet endnu en yahoogruppe under navnet Ridderne>

Mikael smilede.

<Okay. Ridderne af Det Vanvittige Bord>
<Kodeord yacaraca12>
<Okay>
<Fire medlemmer. Dig, mig, Plague og Trinity>
<Dine mystiske tusmørkevenner>
<Gardering>
<Okay>
<Plague har kopieret oplysninger fra Ekströms computer. Vi hackede den i april>
<Okay>
<Hvis jeg mister håndcomputeren, vil han holde dig underrettet>
<Godt. Tak>

MIKAEL ÅBNEDE MESSENGER og gik ind på den nyoprettede yahoogruppe [Ridderne]. Det eneste, han fandt, var et link fra Plague til en anonym http-adresse, som kun bestod af tal. Han kopierede adressen ind i Explorer, trykkede på enter-tasten og kom straks ind på en hjemmeside et sted på internettet, der indeholdt de seksten gigabyte, der udgjorde politiadvokat Richard Ekströms harddisk.

356

Plague havde åbenbart gjort det let for sig selv ved at kopiere Ekströms harddisk direkte af. Mikael brugte over en time på at sortere indholdet. Han slettede programfiler, software og uendelige mængder af forundersøgelser, der syntes at gå flere år tilbage i tiden. Til sidst downloadede han fire mapper. Tre af disse var døbt [ForUnd/ Salander], [Skraldespand/Salander] respektive [ForUnd/Niedermann]. Den fjerde mappe var en kopi af politiadvokat Ekströms mailfolder frem til klokken 14.00 den foregående dag.

"Tak, Plague," sagde Mikael Blomkvist til sig selv.

Han brugte tre timer på at læse Ekströms forundersøgelse og strategi til retssagen mod Lisbeth Salander. Ikke uventet kredsede den meget omkring hendes mentale tilstand. Ekström havde bedt om en stor mentalundersøgelse og havde sendt en del mails, hvis mål var at få hende overført til Kronobergsfængslet så hurtigt som muligt.

Mikael konstaterede, at Ekströms eftersøgning af Niedermann syntes at stå i stampe. Bublanski var efterforskningsleder. Det var lykkedes ham at tilvejebringe en del tekniske beviser mod Niedermann i spørgsmålet om mordene på Dag Svensson og Mia Bergman ligesom med mordet på advokat Bjurman. Mikael Blomkvist havde selv ved tre lange afhøringer i april bidraget med en stor del af dette bevismateriale, og hvis Niedermann nogensinde blev pågrebet, ville han være nødt til at vidne. Endelig havde dna fra nogle sveddråber og to hårstrå fra Bjurmans lejlighed kunnet parres med dna fra Niedermanns værelse i Gosseberga. Samme dna var også blevet fundet i rigelig mængde på ligene af Svavelsjö MC's finansielle rådgiver Viktor Göransson.

Derimod havde Ekström besynderligt få oplysninger om Zalachenko.

Mikael tændte en cigaret, stillede sig hen ved vinduet og så ud mod Djurgården.

Ekström ledte for øjeblikket to forundersøgelser, der blev holdt adskilt fra hinanden. Kriminalassistent Hans Faste var efterforskningsleder i alt, der vedrørte Lisbeth Salander. Bublanski beskæftigede sig kun med Niedermann.

Det naturlige for Ekström, da navnet Zalachenko dukkede op i forundersøgelsen, ville have været at kontakte generaldirektøren for Säpo og spørge om, hvem Zalachenko egentlig var. Nogen sådan

kontakt kunne Mikael ikke finde i Ekströms mail, kalender eller nota-
ter. Derimod stod det klart, at han havde en del oplysninger om Zala-
chenko. Blandt notaterne fandt han flere kryptiske formuleringer.
Salanderrapporten et falsum. Björcks original stemmer ikke med
Blomkvists version. Hemmeligstemplet.

Hmm. Derefter en række notater, der hævdede, at Lisbeth Salan-
der var paranoid og skizofren.

Korrekt at låse Salander inde i 1991.

Det, der bandt efterforskningerne sammen, fandt Mikael i Lis-
beth Salanders skraldespand, det vil sige de oplysninger, som ankla-
geren have vurderet som værende irrelevante for forundersøgelsen,
og som derfor ikke skulle bruges i retssagen eller indgå i bevisma-
terialet imod hende. Dertil hørte stort set alt, der havde med Zala-
chenkos fortid at gøre.

Efterforskningen var helt utilstrækkelig.

Mikael spekulerede på, hvor meget af dette der var et sammen-
træf, og hvor meget der var arrangeret. Hvor gik grænsen? Og var
Ekström bevidst om, at der var en grænse?

Eller kunne det forholde sig sådan, at nogen bevidst forsynede
Ekström med troværdige, men vildledende oplysninger?

Endelig loggede han sig ind på hotmailen og brugte de næste ti
minutter på at kontrollere en halv snes anonyme e-mailkonti, han
havde oprettet. Han havde troligt kontrolleret den hotmailadresse,
han havde givet til kriminalassistent Sonja Modig, hver dag. Han
nærede ingen større forhåbning om, at hun ville lade høre fra sig.
Han var derfor lettere overrasket, da han gik ind på adressen og fandt
en mail fra rejseselskab9april@hotmail.com. Beskeden bestod af en
eneste sætning.

[Café Madeleine, øverste etage, lørdag kl. 11.00.]

Mikael Blomkvist nikkede eftertænksomt.

PLAGUE SENDTE EN chatbesked til Lisbeth Salander omkring midnat
og afbrød hendes skriverier midt i en formulering om hendes liv
med Holger Palmgren som formynder. Hun stirrede irriteret på dis-
playet.

358

<Hvad vil du?>

<Hej Wasp, hvor er det også hyggeligt at høre fra dig>

<Ja ja. Hvad?>

<Teleborian>

Hun satte sig op i sengen og så spændt på håndcomputerens skærm.

<Fortæl>

<Trinity fiksede det på rekordtid>

<Hvordan?>

<Hjernevrideren holder sig aldrig i ro. Han rejser mellem Uppsala og Stockholm hele tiden, og vi kan ikke lave en *hostile takeover*>

<Jeg ved det. Hvordan så?>

<Han spiller tennis to gange om ugen. Omkring to timer. Efterlader computeren i bilen i en parkeringskælder>

<Aha>

<Trinity havde ingen problemer med at nulstille bilalarmen og fjerne computeren. Han behøvede kun en halv time til at kopiere alt via Firewire og lægge Asphyxia ind>

<Hvor?>

Plague gav hende http-adressen til den server, hvor han opbevarede Peter Teleborians harddisk.

<For at citere Trinity ... *This is some nasty shit*>

<?>

<Tjek hans harddisk>

LISBETH SALANDER AFBRØD chatten med Plague, gik på nettet og fandt den server, som Plague havde angivet. Hun brugte de næste tre timer på at granske den ene mappe efter den anden på Teleborians computer.

Hun fandt korrespondancen mellem Teleborian og en person, der havde en hotmailadresse og sendte krypterede mails. Da hun havde adgang til Teleborians PGP-nøgle, havde hun ingen problemer med at læse korrespondancen som almindelig tekst. Hans navn var Jonas, efternavn manglede. Jonas og Teleborian havde en usund interesse i Lisbeth Salanders manglende trivsel.

Yes ... vi kan bevise, at der er en sammensværgelse.

Men det, der virkelig interesserede Lisbeth Salander, var syvogfyrre mapper, der indeholdt 8.756 billeder med hård børnepornografi. Hun åbnede billede efter billede, der viste børn i alderen omkring 15 år eller yngre. Et antal billeder forestillede meget små børn. Størstedelen af billederne forestillede piger. Flere af billederne var sadistiske.

Hun fandt links til i hvert fald en halv snes personer i flere lande, der byttede børneporno med hinanden.

Lisbeth bed sig i underlæben. Ellers var hendes ansigt udtryksløst.

Hun mindedes de nætter, da hun var 12 år gammel og havde ligget fikseret i et stimulifrit rum på Skt. Stefans børnepsykiatriske klinik. Teleborian var gang på gang trådt ind i mørket i hendes rum og havde betragtet hende i natlampens skær.

Hun vidste det. Han havde aldrig rørt hende, men hun havde altid vidst det.

Hun forbandede sig selv. Hun skulle have taget sig af Teleborian for flere år siden. Men hun havde fortrængt ham og ignoreret hans eksistens.

Hun havde ladet ham være i fred.

Efter et stykke tid sendte hun en chatbesked til Mikael Blomkvist på Messenger.

Mikael Blomkvist tilbragte natten i Lisbeth Salanders lejlighed i Fiskargatan. Først halv syv om morgenen slukkede han computeren. Han sov med billeder af hård børnepornografi på nethinden, vågnede kvart over ti og kastede sig ud af Lisbeth Salanders seng, tog et brusebad og bestilte en taxi, der hentede ham uden for Södra Teatern. Han blev sat af i Birger Jarlsgatan fem minutter i elleve og gik hen til Café Madeleine.

Sonja Modig ventede på ham. Foran hende stod en kop sort kaffe.

"Hej," sagde Mikael.

"Jeg tager en stor chance her," sagde hun uden at sige goddag. "Jeg bliver fyret og kan blive retsforfulgt, hvis det nogensinde kommer ud, at jeg har mødt dig."

"Jeg siger ikke noget til nogen."

Hun virkede stresset.

360

"En af mine kolleger besøgte for nylig den forhenværende stats-minister Thorbjörn Fälldin. Han tog af sted helt privat, og hans job hænger i en tynd tråd."

"Okay."

"Jeg kræver altså anonymitetsbeskyttelse for os begge to."

"Jeg ved ikke engang, hvilken kollega du taler om."

"Det fortæller jeg om lidt. Jeg vil gerne have, at du lover at give ham kildebeskyttelse."

"Du har mit ord."

Hun skævede til uret.

"Har du travlt?"

"Ja, jeg skal møde min mand og mine børn i Sturegallerian om ti minutter. Min mand tror, at jeg er inde på jobbet."

"Og Bublanski ved ikke noget om det her."

"Nej."

"Okay. Du og din kollega er kilder og er under kildebeskyttelse. Begge to. Det gælder, indtil vi går i graven."

"Min kollega er Jerker Holmberg, som du mødte nede i Göte-borg. Hans far er medlem af Centerpartiet, og Jerker har kendt Fäll-din, siden han var barn. Holmberg tog på privat besøg og spurgte om Zalachenko."

"Okay."

Mikaels hjerte bankede pludselig højt.

"Fälldin virker til at være en fin fyr. Holmberg fortalte om Zala-chenko og bad om at få at vide, hvad Fälldin kendte til afhopningen. Fälldin sagde ingenting. Så fortalte Holmberg, at vi har mistanke om, at Lisbeth Salander blev spærret inde på psykiatrisk afdeling af dem, der beskyttede Zalachenko. Fälldin blev meget oprørt."

"Okay."

"Fälldin fortalte, at den daværende chef for Säpo og en kollega kom og besøgte ham, kort efter at han var blevet statsminister. De fortalte en fantastisk spionhistorie om en russisk afhopper, der var kommet til Sverige. Fälldin fik at vide, at det var den mest følsomme militære hemmelighed, som Sverige var i besiddelse af ... at der ikke var noget inden for hele det svenske totalforsvar, der overhovedet kom i nærheden."

"Okay."

"Fälldin sagde, at han ikke vidste, hvordan man håndterede den slags sager. Han var nyvalgt statsminister, og der var ingen med den slags erfaring i regeringen. Socialdemokraterne havde jo haft regeringsmagten i over fyrre år. Han fik at vide, at han alene havde det personlige ansvar for at træffe en beslutning, og at Säpo ville frasige sig ansvaret, hvis han konsulterede regeringskollegerne. Han oplevede det hele som meget ubehageligt og vidste ganske enkelt ikke, hvad han skulle gøre."

"Okay."

"Til sidst så han sig nødsaget til at gøre, som herrerne fra Säpo foreslog. Han udfærdigede et direktiv, der gjorde Säpo alene ansvarlig for håndteringen af Zalachenko. Fälldin fik ikke engang at vide, hvad afhopperen hed."

"Okay."

"Derefter hørte Fälldin stort set ingenting om sagen i sine to mandatperioder. Derimod gjorde han noget overordentlig klogt. Han insisterede på, at en statssekretær skulle indvies i hemmeligheden og fungere som *go between* mellem Statsministeriet og dem, der beskyttede Zalachenko."

"Aha?"

"Statssekretæren hedder Bertil K. Janeryd, er i dag 63 år og er Sveriges ambassadør i Amsterdam."

"Åh, for fanden."

"Da det var gået op for Fälldin, hvor alvorlig den her forundersøgelse er, satte han sig og skrev et brev til Janeryd."

Sonja Modig skød en kuvert hen over bordet.

Kære Bertil,
Den hemmelighed, vi begge har dækket over under min regeringsperiode, er nu genstand for meget alvorlige beskyldninger. Den person, som sagen drejede sig om, er nu død og kan ikke længere lide overlast. Derimod kan andre mennesker lide overlast.

Det er af stor betydning, at vi får svar på nogle nødvendige spørgsmål.

Den person, der viderebringer dette brev, arbejder uofficielt og har min fulde tillid. Jeg beder dig om at lytte til hans historie

og svare på de spørgsmål, han stiller.
Brug din sunde fornuft.
/TF

"Det her brev hentyder altså til Jerker Holmberg."

"Nej. Holmberg bad Fälldin om ikke at skrive noget navn. Han sagde udtrykkeligt, at han ikke vidste, hvem der ville tage til Amsterdam."

"Du mener ..."

"Jeg og Jerker har talt tingene igennem. Vi befinder os allerede på tynd is, og vi har brug for årer snarere end ishakker. Vi har absolut ikke bemyndigelse til at tage til Amsterdam og afhøre ambassadøren. Det kan du derimod gøre."

Mikael foldede brevet sammen og skulle til at lægge det i jakkelommen, da Sonja Modig greb hans hånd. Hendes greb var hårdt.

"Den ene oplysning for den anden," sagde hun. "Vi vil vide, hvad Janeryd fortæller dig."

Mikael nikkede. Sonja Modig rejste sig.

"Vent. Du sagde, at Fälldin fik besøg af to personer fra Säpo. Den ene var Säpochefen. Hvem var kollegaen?"

"Fälldin mødte ham kun den ene gang og kunne ikke huske hans navn. Der blev ikke taget referat ved mødet. Han husker ham som en mager mand med et tyndt overskæg. Han blev præsenteret som chefen for Sektionen for Specialanalyse eller noget i den stil. Fälldin så senere på en organisationsplan over Säpo og kunne ikke finde den afdeling."

Zalachenkoklubben, tænkte Mikael.

Sonja Modig satte sig igen. Hun syntes at veje sine ord.

"Okay," sagde hun til sidst. "Med risiko for at jeg bliver henrettet. Der findes en registeringsprotokol, som hverken Fälldin eller gæsterne tænkte på."

"Hvad?"

"Fälldins gæstebog på Rosenbad."

"Og?"

"Jerker bad om at få gæstebogen udleveret. Den er offentligt tilgængelig."

"Og?"

Sonja Modig tøvede endnu en gang.

"I gæstebogen står der, at statsministeren mødte Säpochefen plus en kollega for at diskutere nogle generelle spørgsmål."

"Stod der noget navn?"

"Ja. E. Gullberg."

Mikael mærkede, hvordan blodet fór ham til hovedet.

"Evert Gullberg," sagde han.

Sonja Modig så sammenbidt ud. Hun nikkede. Så rejste hun sig og gik.

MIKAEL BLOMKVIST SAD stadig på Café Madeleine, da han tændte for sin anonyme mobiltelefon og bestilte en flybillet til Amsterdam. Flyet gik fra Arlanda Lufthavn klokken 14.50. Han gik hen til Dressmann i Kungsgatan og købte en ren skjorte og et par underbukser, derefter gik han hen på apoteket i Klara, hvor han købte tandbørste og toiletsager. Han sørgede omhyggeligt for, at han ikke blev skygget, da han løb hen til Arlanda Express. Han nåede frem til flyet ti minutter før tid.

18.30 tjekkede han ind på et tarveligt hotel i *Red Light district* omkring ti minutters gåtur fra hovedbanegården i Amsterdam.

Han tilbragte to timer med at lokalisere Sveriges ambassadør i Amsterdam og fik telefonkontakt ved nitiden. Han brugte al sin overtalelsesevne og understregede, at han havde et ærinde af største vigtighed, som han var nødt til at diskutere straks. Ambassadøren gav sig endelig og gik med til at møde Mikael klokken ti søndag formiddag.

Derefter gik Mikael ud og spiste middag på en restaurant ved siden af hotellet. Han faldt i søvn allerede ved ellevetiden om aftenen.

AMBASSADØR BERTIL K. JANERYD var meget fåmælt, da han bød på kaffe i sit private hjem.

"Nå ... Hvad er det så, der haster så meget?"

"Alexander Zalachenko. Den russiske afhopper, der kom til Sverige i 1976," sagde Mikael og overrakte ham brevet fra Fälldin.

Janeryd så overrasket ud. Han læste brevet og lagde det forsigtigt til side.

Mikael brugte den næste halve time på at forklare, hvori problemet bestod, og hvorfor Fälldin havde skrevet brevet.

"Jeg ... jeg kan ikke diskutere den sag," sagde Janeryd til sidst.

"Jo, det kan du."

"Nej, jeg kan kun diskutere det med grundlovsudvalget."

"Sandsynligheden er stor for, at du også kommer til det. Men der står i brevet, at du skal bruge din sunde fornuft."

"Fälldin er et hæderligt menneske."

"Det er jeg ikke det mindste i tvivl om. Jeg er ikke ude efter hverken dig eller Fälldin. Du behøver ikke at afsløre den mindste militære hemmelighed, som Zalachenko eventuelt afslørede."

"Jeg kender ikke til nogen hemmelighed. Jeg vidste ikke engang, at hans navn var Zalachenko ... Jeg kender kun til ham under et dæknavn."

"Hvilket?"

"Han blev kaldt Ruben."

"Okay."

"Jeg kan ikke diskutere det."

"Jo, det kan du," gentog Mikael og satte sig til rette. "Det forholder sig nemlig sådan, at hele den her historie bliver offentliggjort inden for kort tid. Og når det sker, vil medierne enten henrette dig eller beskrive dig som en hæderlig statstjenestemand, der forsøgte at få det bedste ud af en dårlig situation. Det var dig, som Fälldin havde givet til opgave at være mellemmand mellem ham og dem, der beskyttede Zalachenko. Det ved jeg allerede."

Janeryd nikkede.

"Fortæl."

Janeryd var tavs i næsten et minut.

"Jeg fik aldrig nogen oplysninger. Jeg var ung ... jeg vidste ikke, hvordan jeg skulle håndtere sagen. Jeg mødte dem cirka to gange om året i de år, hvor det var aktuelt. Jeg fik at vide, at Ruben ... Zalachenko var i live og ved godt helbred, at han samarbejdede, og at de oplysninger, han videregav, var uvurderlige. Jeg fik aldrig nogen detaljer at vide. Jeg havde *ikke behov* for at få noget at vide."

Mikael ventede.

"Afhopperen havde opereret i andre lande og vidste ingenting om Sverige, og derfor blev han aldrig noget stort problem for vores sikkerhedspolitik. Jeg informerede statsministeren et par gange, men der var som regel ikke noget at sige."

"Okay."

"De sagde altid, at han blev behandlet på den sædvanlige måde, og at de oplysninger, han gav, blev håndteret via vores sædvanlige kanaler. Hvad skulle jeg sige? Hvis jeg spurgte, hvad det betød, så smilede de og sagde, at det lå uden for mit sikkerhedsniveau. Jeg følte mig som en idiot."

"Du reflekterede aldrig over, om der var noget galt med arrangementet?"

"Nej. Der var ikke noget galt med arrangementet. Jeg forudsatte jo, at Säpo vidste, hvad de gjorde og havde den fornødne rutine og erfaring. Men jeg kan ikke diskutere sagen."

Janeryd havde på det tidspunkt diskuteret sagen i flere minutter.

"Alt dette er uvæsentligt. Det eneste væsentlige lige nu er en eneste ting."

"Hvad?"

"Navnene på de personer, du mødte."

Janeryd så spørgende på Mikael.

"De personer, der beskyttede Zalachenko, er gået langt ud over alle rimelige beføjelser. De har begået grov kriminel virksomhed og er nødt til at blive genstand for en forundersøgelse. Det er derfor, at Fälldin har sendt mig til dig. Fälldin kender ikke navnene. Det var dig, der mødte dem."

Janeryd lukkede øjnene og pressede læberne sammen.

"Du mødte Evert Gullberg ... det var ham, der var hovedmanden."

Janeryd nikkede.

"Hvor mange gange mødte du ham?"

"Han var med ved samtlige møder undtagen et. Der var omkring ti møder i løbet af de år, hvor Fälldin var statsminister."

"Hvor mødtes I?"

"I lobbyen på et eller andet hotel. Oftest Sheraton. En gang på Amaranten på Kungsholmen og nogle gange på Continental's Pub."

"Og hvem var mere med til møderne?"

Janeryd blinkede resigneret.

"Det er så længe siden ... jeg kan ikke huske det."

"Forsøg."

"Der var en ... Clinton. Som den amerikanske præsident."

"Fornavn?"

"Fredrik Clinton. Ham mødte jeg fire-fem gange."

"Okay ... flere?"

"Hans von Rottinger. Ham kendte jeg gennem min mor."

"Din mor?"

"Ja, min mor kendte familien von Rottinger. Hans von Rottinger var en sympatisk mand. Før han pludselig dukkede op til et møde sammen med Gullberg, havde jeg ingen anelse om, at han arbejdede for Säpo."

"Det gjorde han heller ikke," sagde Mikael.

Janeryd blegnede.

"Han arbejdede for noget, der hedder Sektionen for Specialanalyse," sagde Mikael. "Hvad fik du at vide om den gruppe?"

"Ingenting ... jeg mener, det var jo dem, der tog sig af afhopperen."

"Jo, men er det ikke mærkeligt, at de ikke er at finde nogen steder i Säpos organisationsplan?"

"Det er jo absurd ..."

"Ja, ikke sandt? Hvordan gik det til, når I aftalte møderne? Ringede de til dig, eller ringede du til dem?"

"Nej ... tid og sted for hvert møde blev bestemt på det foregående møde."

"Hvad skete der, hvis du var nødt til at komme i kontakt med dem? For eksempel for at ændre mødetidspunktet eller noget lignende."

"Jeg havde et telefonnummer, jeg kunne ringe til."

"Hvilket nummer?"

"Det kan jeg ærlig talt ikke huske."

"Hvem var nummeret til?"

"Det ved jeg ikke. Jeg brugte det aldrig."

"Okay. Næste spørgsmål ... hvem tog over efter dig?"

"Hvad mener du?

"Da Fälldin gik af. Hvem overtog din plads?"

"Det ved jeg ikke."

"Skrev du ikke nogen rapport?"

"Nej, alt var jo hemmeligt. Jeg måtte ikke engang tage notater."

"Og du briefede aldrig nogen efterfølger?"

"Nej."

"Hvad skete der så?"

"Tja ... Fälldin gik jo af og overlod posten til Ola Ullsten. Jeg fik oplyst, at vi skulle vente til efter næste valg. Så blev Fälldin genvalgt, og vores møder blev genoptaget. Så blev der valg i 1985, og socialdemokraterne vandt. Og jeg går ud fra, at Palme valgte en eller anden til min efterfølger. Selv begyndte jeg i udenrigsdepartementet og blev diplomat. Jeg blev udstationeret i Egypten og derefter i Indien."

Mikael fortsatte med at stille spørgsmål i yderligere nogle minutter, men han var overbevist om, at han allerede havde fået alt det at vide, Janeryd havde at fortælle. Tre navne.

Fredrik Clinton.

Hans von Rottinger.

Og Evert Gullberg – manden der skød Zalachenko.

Zalachenkoklubben.

Han takkede Janeryd for oplysningerne og tog en taxi tilbage til hovedbanegården. Det var først, da han sad i taxien, at han åbnede jakkelommen og slukkede for båndoptageren. Han landede i Arlanda Lufthavn halv otte søndag aften.

ERIKA BERGER BETRAGTEDE tankefuldt billederne på skærmen. Hun hævede blikket og granskede den halvtomme redaktion uden for glasburet. Anders Holm havde fri. Hun kunne ikke se nogen, der udviste interesse for hende, hverken åbenlyst eller i smug. Hun havde heller ingen grund til at nære mistanke om, at nogen på redaktionen ville hende noget ondt.

Mailen var ankommet et minut tidligere. Afsenderen var redax@ aftonbladet.com. *Hvorfor lige Aftonbladet?* Adressen var forfalsket.

Dagens besked indeholdt ingen tekst. Der var kun et jpg-billede, som hun åbnede i Photoshop.

Billedet var pornografisk og forestillede en nøgen kvinde med exceptionelt store bryster og hundehalsbånd om halsen. Hun stod på alle fire og blev taget bagfra.

Kvindens ansigt var skiftet ud. I stedet for det originale ansigt var Erika Bergers ansigt blevet sat ind. Billedet var hendes egen gamle byline fra *Millennium* og kunne downloades fra nettet.

I billedets underkant var der skrevet et ord med sprayfunktionen i Photoshop.

Luder.

Det var den niende anonyme besked, hun havde fået, der indeholdt ordet "luder", og som tilsyneladende havde en afsender på et stort kendt medieforetagende i Sverige. Hun havde åbenbart fået en *cyber stalker* på halsen.

TELEFONAFLYTNING VAR ET mere besværligt kapitel end computerovervågning. Trinity havde ingen problemer med at lokalisere kablet til politiadvokat Ekströms fastnettelefon derhjemme; problemet var selvfølgelig, at Ekström sjældent eller aldrig brugte den til arbejdsrelaterede samtaler. Han gad ikke engang forsøge at bugge Ekströms arbejdstelefon på politigården på Kungsholmen. Det ville have krævet adgang til det svenske kabelnet i en udstrækning, som Trinity ikke havde.

Derimod brugte Trinity og Bob the Dog det meste af en uge på at identificere og udskille Ekströms mobiltelefon i baggrundsbruset fra næsten 200.000 andre mobiltelefoner inden for en kilometers radius af politigården.

Trinity og Bob the Dog brugte en teknik, der blev kaldt for Random Frequency Tracking System, RFTS. Teknikken var ikke ukendt. Den var blevet udviklet af det amerikanske National Security Agency, NSA, og var indbygget i et ukendt antal satellitter, der punktovervågede særlig interessante krisesteder og hovedstæder rundt omkring i verden.

NSA disponerede over enorme ressourcer og brugte et stort net til at opfange en stor mængde mobilsamtaler i en vis region samtidig. Hver enkelt samtale blev separeret og behandlet digitalt via computere, der var programmeret til at reagere på visse ord, for eksempel terrorist eller kalashnikov. Hvis sådan et ord mentes at forekomme, udsendte computeren automatisk en alarm, der betød, at en eller anden operatør manuelt gik ind og aflyttede samtalen for at bedømme, om det var af interesse eller ej.

Et vanskeligere problem var det at identificere en specifik mobiltelefon. Hver mobiltelefon har sin egen unikke signatur – et fingeraftryk – i form af telefonnummeret. Med exceptionelt følsomt apparatur kunne NSA fokusere på et specielt område og udskille og aflytte mobilsamtaler. Teknikken var enkel, men ikke hundrede procent sikker. Udgående samtaler var særligt svære at identificere, mens en indkommende samtale derimod nemmere lod sig identificere, da den indledes med netop det fingeraftryk, der skulle få den pågældende telefon til at opsnappe signalet.

Forskellen mellem Trinitys og NSA's aflytningsambitioner var af økonomisk art. NSA havde et årsbudget på flere milliarder amerikanske dollar, tæt på 12.000 fuldtidsansatte agenter og adgang til den absolut førende teknologi inden for it og telefoni. Trinity havde sin varevogn med omkring tredive kilo tilsvarende elektronisk udrustning, hvoraf en stor del bestod af hjemmekonstruktioner, som Bob the Dog havde sat sammen. NSA kunne via den globale satellitovervågning fokusere ekstremt følsomme antenner mod en specifik bygning hvor som helst i hele verden. Trinity havde en antenne, som Bob the Dog havde konstrueret, og som havde en effektiv rækkevidde på 500 meter.

Den teknik, som Trinity rådede over, betød, at han måtte parkere varevognen i Bergsgatan eller en af de nærliggende gader og med megen møje kalibrere udstyret, indtil han havde identificeret det fingeraftryk, som udgjorde politiadvokat Richard Ekströms mobilnummer. Da han ikke kunne svensk, måtte han dirigere samtalen via en anden mobil hjem til Plague, der stod for selve aflytningen.

I fem døgn havde en stadig mere klatøjet Plague lyttet sig helt skæv i hovedet til en meget stor mængde samtaler til og fra politigården og de omgivende bygninger. Han havde hørt brudstykker af igangværende efterforskninger, afsløret planlagte stævnemøder og optaget en masse samtaler, der indeholdt uinteressant nonsens. Sent om aftenen den femte dag sendte Trinity et signal, som et digitaldisplay straks identificerede som politiadvokat Ekströms mobilnummer. Plague låste parabolantennen på den eksakte frekvens.

Teknikken med RFTS fungerede hovedsagelig med hensyn til indgående samtaler til Ekström. Trinitys parabol opsnappede simpelthen den søgning af Ekströms mobilnummer, der blev sendt ud i æteren i hele Sverige.

I og med at Trinity kunne begynde at bånde samtaler fra Ekström, fik han også et stemmeaftryk af Ekström, som Plague kunne bearbejde.

Plague kørte Ekströms digitaliserede stemme gennem et program, der hed VPRS, og som står for Voiceprint Recognition System. Han specificerede en halv snes almindeligt forekommende ord, for eksempel "okay" og "Salander". Når han havde fem forskellige eksempler på et ord, blev det kortlagt i forhold til den tid, det tog at udtale, hvor dyb stemmen var, hvilket frekvensomfang det havde, hvordan endelsen blev betonet og en halv snes andre ting. Resultatet blev en grafisk kurve. Dermed havde Plague mulighed for også at aflytte udgående samtaler fra politiadvokat Ekström. Hans parabol lyttede hele tiden efter samtaler, hvor netop Ekströms grafiske kurve for en halv snes almindeligt forekommende ord optrådte. Teknikken var ikke perfekt. Men omkring halvtreds procent af alle samtaler, som Ekström foretog på sin mobil fra et eller andet sted i politigårdens nærmeste omgivelser, blev aflyttet og båndet.

Desværre havde teknikken en åbenlys ulempe. Så snart politiadvokat Ekström forlod politigården, ophørte muligheden for at aflytte mobilen, for så vidste Trinity ikke, hvor han befandt sig, og kunne ikke parkere i mobilens umiddelbare nærhed.

PÅ ORDRE FRA HØJESTE sted havde Torsten Edklinth endelig kunnet oprette en lille, men legitim operativ afdeling. Han håndplukkede fire medarbejdere og valgte bevidst yngre talenter med baggrund i det åbne politi, der for relativt nylig var blevet rekrutteret til Säpo. To havde en baggrund i bedrageriafdelingen, en hos bagmandspolitiet og en kom fra drabsafdelingen. De blev kaldt ind på Edklinths kontor og fik et foredrag om opgavens art og behovet for absolut diskretion. Han understregede, at efterforskningen skete på direkte ønske fra statsministeren. Monica Figuerola blev deres chef og styrede efterforskningen med en styrke, der modsvarede hendes ydre.

Men efterforskningen gik langsomt, hvilket først og fremmest skyldtes, at ingen var helt sikker på, hvem eller hvad der skulle undersøges. I mere end et tilfælde overvejede Edklinth og Figuerola simpelthen at pågribe Mårtensson og begynde at stille spørgsmål. Men hver gang besluttede de sig for at afvente situationen. En arrestation ville betyde, at hele efterforskningen kom til at stå vidt åben.

Først om tirsdagen, elleve dage efter mødet med statsministeren, bankede Monica Figuerola på døren til Edklinths kontor.

"Jeg tror, at vi har fat i noget."

"Sæt dig."

"Evert Gullberg."

"Ja?"

"En af vores efterforskere har haft en snak med Marcus Erlander, der tager sig af efterforskningen af mordet på Zalachenko. Ifølge Erlander kontaktede Säpo politiet i Göteborg allerede to timer efter mordet og videregav oplysninger om Gullbergs trusselsbreve."

"Det var hurtigt."

"Ja, lidt for hurtigt. Säpo faxede ni breve til politiet i Göteborg, som Gullberg blev opgivet som forfatter til. Der er bare et problem ved den sag."

"Hvad?"

"To af brevene var stilet til Justitsministeriet – til justitsministeren og indenrigsministeren."

"Ja, det ved jeg allerede."

"Jo, men brevet til indenrigsministeren blev ikke journalført før den næstkommende dag i ministeriet. Det ankom med en senere post."

Edklinth stirrede på Monica Figuerola. For første gang følte han virkelig rædsel over, at alle hans mistanker kunne vise sig at være begrundede. Monica Figuerola fortsatte ubønhørligt.

"Med andre ord sendte Säpo en fax af et trusselsbrev, der endnu ikke var nået frem til adressaten."

"Herregud," sagde Edklinth.

"Det var en medarbejder i personbeskyttelsen, der faxede brevet."

"Hvem?"

"Jeg tror ikke, at han har noget med sagen at gøre. Brevene lå på hans skrivebord om morgenen, og kort efter mordet fik han til opgave at kontakte politiet i Göteborg."

"Hvem gav ham den opgave?"

"Vicesekretariatschefens sekretær."

"Herregud, Monica ... Forstår du, hvad det betyder?"

"Ja."

"Det betyder, at Säpo var indblandet i mordet på Zalachenko."

"Nej, men det betyder definitivt, at nogle personer *inden for* Säpo havde kendskab til mordet, inden det blev begået. Spørgsmålet er bare hvem?"

"Vicesekretariatschefen ..."

"Ja, men jeg begynder at tro, at den her Zalachenkoklub findes uden for huset."

"Hvad mener du?"

"Mårtensson. Han blev flyttet fra personbeskyttelsen og arbejder på egen hånd. Vi har haft ham overvåget på fuld tid den forløbne uge. Han har ikke kontakt med nogen inde i huset, hvad vi ved af. Han får opkald på en mobiltelefon, som vi ikke kan aflytte. Vi ved ikke, hvilket nummer det er, men det er ikke hans egen mobil. Han har mødt ham den lyshårede mand, som vi endnu ikke har kunnet identificere."

Edklinth lagde panden i dybe folder. I samme øjeblik bankede Anders Berglund på døren. Han var den medarbejder, der var blevet rekrutteret til den nystartede operative afdeling, og som tidligere havde arbejdet i bagmandspolitiet.

"Jeg tror, at jeg har fundet Evert Gullberg," sagde Berglund.

"Kom ind," sagde Edklinth.

Berglund lagde et flosset sort-hvid billede på skrivebordet. Edklinth og Figuerola betragtede billedet. Det forestillede en mand, som begge genkendte. Han blev ført gennem en døråbning af to kraftige politimænd. Den legendariske spionofficer Stig Wennerström.

"Det her billede kommer fra Åhlén & Åkerlunds Forlag og blev trykt i tidsskriftet *Se* i foråret 1964. Det blev taget i forbindelse med den retssag, hvor Wennerström blev idømt livsvarigt fængsel."

"Aha."

"I baggrunden ser du tre personer. Til højre kriminalkommissær Otto Danielsson, der altså var den, der arresterede Wennerström."

"Ja ..."

"Se på den mand, der står skråt til venstre bag Danielsson."

Edklinth og Figuerola så en høj mand med et lille overskæg og en hat. Han mindede vagt om forfatteren Dashiell Hammett.

"Sammenlign ansigtet med dette pasfoto af Gullberg. Han var 66 år, da pasfotoet blev taget."

Edklinth rynkede brynene.

"Jeg ville nok ikke kunne svare på, om det er den samme person ..."

"Men det kan jeg," sagde Berglund. "Vend billedet om."

På bagsiden sad et stempel, der forklarede, at billedet tilhørte

Åhlén & Åkerlunds Forlag, og at fotografens navn var Julius Estholm. Teksten var skrevet med blyant. *Stig Wennerström flankeret af to politimænd på vej ind i Stockholms byret. I baggrunden O. Danielsson, E. Gullberg og H.W. Francke.*

"Evert Gullberg," sagde Monica Figuerola. "Han var i Säpo."

"Nej," sagde Berglund. "Det var han ikke rent teknisk. I hvert fald ikke da det her billede blev taget."

"Nå?"

"Säpo blev først grundlagt fire måneder senere. På det her billede arbejdede han stadig for Det Hemmelige Statspoliti."

"Hvem er H.W. Francke?" spurgte Monica Figuerola.

"Hans Wilhelm Francke," sagde Edklinth. "Han døde i begyndelsen af 90'erne, men var vicechef for Det Hemmelige Statspoliti i slutningen af 50'erne og begyndelsen af 60'erne. Han var lidt af en legende, præcis ligesom Otto Danielsson. Jeg har faktisk mødt ham et par gange."

"Aha," sagde Monica Figuerola.

"Han forlod Säpo i slutningen af 60'erne. Francke og P.G. Vinge kom aldrig overens, og han blev vel nærmest fyret, da han var omkring 50-55 år. Han startede sit eget."

"Startede sit eget?"

"Ja, han blev rådgiver i sikkerhedsspørgsmål for den private industri. Han havde et kontor ved Stureplan, men han holdt også forelæsninger nu og da for den interne uddannelse i Säpo. Det var sådan, jeg mødte ham."

"Okay. Hvad skændtes Vinge og Francke om?"

"De gik bare ikke i spænd. Francke var lidt af en cowboy, der så KGB-agenter overalt, og Vinge var en bureaukrat af den gamle skole. Kort efter blev Vinge jo fyret, lidt ironisk, fordi han troede, at Palme arbejdede for KGB."

"Hmm," sagde Monica Figuerola og betragtede billedet, hvor Gullberg og Francke stod side om side.

"Jeg tror, det er på tide, at vi tager en ny snak med justitsministeren," sagde Edklinth til hende.

"*Millennium* udkom i dag," sagde Monica Figuerola.

Edklinth sendte hende et skarpt blik.

"Ikke et ord om Zalachenkosagen," sagde hun.

KAPITEL 17

Onsdag den 1. juni

MIKAEL BLOMKVIST FIK ingen forudgående advarsel om, at der befandt sig nogen i trappeopgangen, da han drejede rundt om det sidste hjørne på trappen uden for sin tagetage i Bellmansgatan 1. Klokken var syv om aftenen. Han stivnede, da han så en lyshåret kvinde med kort, krøllet hår sidde på det øverste trappetrin. Han genkendte hende straks som Monica Figuerola, Säpo, fra det pasfoto, som Lottie Karim havde fundet til ham.

"Hej, Blomkvist," sagde hun venligt og slog den bog i, som hun havde siddet og læst i. Mikael skævede til bogen og konstaterede, at den var på engelsk og handlede om antikkens gudsopfattelse. Han hævede blikket og kiggede undersøgende på sin uventede gæst. Hun rejste sig. Hun var klædt i en hvid, kortærmet sommerkjole og havde lagt en teglrød skindjakke over trappegelænderet.

"Vi er nødt til at tale med dig," sagde hun.

Mikael Blomkvist betragtede hende. Hun var høj, højere end ham, og indtrykket forstærkedes af, at hun stod to trappetrin over ham. Han betragtede hendes arme, sænkede blikket til hendes ben og måtte erkende, at hun havde betydeligt flere muskler end ham.

"Du tilbringer vist en del timer i motionscentret," sagde han.

Hun smilede og fandt sin legitimation frem.

"Jeg hedder ..."

"Du hedder Monica Figuerola, er født i 1969 og bor i Pontonjärgatan på Kungsholmen. Du er oprindelig fra Borlänge, men har arbejdet i politiet i Uppsala. De sidste tre år har du arbejdet i Säpo, grundlovsbeskyttelsen. Du er motionsfanatiker, dyrkede engang atletik på eliteniveau og var lige ved at komme med på det svenske OL-hold. Hvad vil du?"

Hun var overrasket, men nikkede og fattede sig hurtigt.

375

"Udmærket," sagde hun muntert. "Du ved, hvem jeg er, og at du ikke behøver at være bange for mig."

"Ikke det?"

"Der er nogen, der er nødt til at tale med dig i fred og ro. Eftersom din lejlighed og din mobil tilsyneladende bliver aflyttet, og der er grund til at være diskret, er jeg blevet sendt af sted med en invitation til dig."

"Og hvorfor skulle jeg tage noget sted hen med et menneske, der arbejder for Säpo?"

Hun tænkte sig lidt om.

"Tja ... du kan følge med på en venlig, personlig indbydelse, eller hvis det føles bedre for dig, kan jeg lægge dig i håndjern og tage dig med."

Hun smilede sødt. Mikael Blomkvist smilede tilbage.

"Du, Blomkvist ... jeg forstår godt, at du ikke har særlig god grund til at stole på nogen, der kommer fra Säpo. Men nu forholder det sig altså sådan, at ikke alle, der arbejder der, er dine fjender, og der er god grund til, at du får dig en snak med mine arbejdsgivere."

Han forholdt sig afventende.

"Hvordan vil du have det? I håndjern eller frivilligt?"

"Jeg er allerede blevet lagt i håndjern af politiet en gang i år. Min kvote er opbrugt. Hvor skal vi hen?"

Hun kørte i en ny Saab 9-5 og havde parkeret rundt om hjørnet nede på Pryssgränd. Da de steg ind i bilen, tog hun sin mobiltelefon og valgte et nummer fra telefonbogen.

"Vi kommer om et kvarter," sagde hun.

Hun bad Mikael Blomkvist om at spænde sikkerhedsselen, tog vejen over Slussen ned til Östermalm og parkerede i en sidegade til Artillerigatan. Hun blev siddende et øjeblik og betragtede ham.

"Blomkvist ... det her er en venligt indstillet forsamling. Du risikerer ikke noget."

Mikael Blomkvist sagde ingenting. Han ventede med at afsige dom, indtil han vidste, hvad det drejede sig om. Hun tastede dørkoden. De tog elevatoren op til tredje sal til en lejlighed med navnet Martinsson.

"Vi har kun lånt lejligheden til aftenens møde," sagde hun og åbnede døren. "Til højre, stuen."

Den første, Mikael så, var Torsten Edklinth, hvilket ikke var nogen overraskelse, da Säpo i allerhøjeste grad var indblandet i begivenhedsforløbet, og Edklinth var Monica Figuerolas chef. At chefen for grundlovsbeskyttelsen havde besværet sig med at hente ham ind, tydede på, at nogen var bekymret.

Derefter så han en skikkelse henne ved vinduet, der vendte sig om mod ham. Justitsministeren. Hvilket var overraskende.

Så hørte han en lyd fra højre og så en uhørt velkendt person rejse sig fra en lænestol. Han havde ikke regnet med, at Monica Figuerola ville hente ham ind til et konspirativt aftenmøde med statsministeren.

"Godaften, hr. Blomkvist," sagde statsministeren. "Undskyld, at vi bad dig om at dukke op til dette møde med så kort varsel, men vi har diskuteret situationen og er blevet enige om, at vi er nødt til at tale med dig. Må jeg byde på en kop kaffe eller noget andet at drikke?"

Mikael så sig omkring. Han så et spisebord i mørkt træ, der var fyldt med glas, tomme kaffekopper og resterne af et fad med smørrebrød. De måtte allerede have siddet der nogle timer.

"Ramlösa," sagde han.

Monica Figuerola serverede. De slog sig ned i sofagruppen, mens hun holdt sig i baggrunden.

"Han genkendte mig og vidste, hvad jeg hed, hvor jeg bor, hvor jeg arbejder, og at jeg er motionsnarkoman," sagde Monica Figuerola.

Statsministeren kastede et hurtigt blik på Torsten Edklinth og derefter på Mikael Blomkvist. Det gik pludselig op for Mikael, at det var ham, der havde overtaget. Statsministeren havde brug for ham og havde formentligt ingen anelse om, hvor meget Mikael Blomkvist vidste eller ikke vidste.

"Jeg forsøger at holde rede på alle aktørerne i den her suppedas," sagde Mikael let.

Fandeme, om jeg ikke står her og skal til at bluffe statsministeren.

"Og hvorfor kender du Monica Figuerolas navn?" spurgte Edklinth.

Mikael skævede til chefen for grundlovsbeskyttelsen. Han havde ingen anelse om, hvad der havde fået statsministeren til at foranstalte et hemmeligt møde med ham i en lånt lejlighed på Östermalm, men han følte sig inspireret. Det kunne i praksis ikke være foregået på så forfærdelig mange måder. Det var Dragan Armanskij, der havde sat bolden i bevægelse ved at videregive oplysningen til en person, som han havde tillid til. Hvilket måtte have været Edklinth eller nogen tæt på ham. Mikael tog chancen.

"En fælles bekendt har talt med dig," sagde han til Edklinth. "Du satte Figuerola til at finde ud af, hvad der var på færde, og hun opdagede, at nogle folk inden for Säpo går og laver ulovlig aflytning, bryder ind i min lejlighed og den slags. Det betyder, at du har fået Zalachenkoklubbens eksistens bekræftet. Det gjorde dig så bekymret, at du følte behov for at gå videre med sagen, men du sad lidt der på dit kontor og vidste ikke rigtig, i hvilken retning du skulle vende dig. Så vendte du dig mod justitsministeren, der vendte sig mod statsministeren. Og nu sidder vi her. Hvad vil I?"

Mikael talte i en tone, der indikerede, at han havde en centralt placeret kilde, og at han havde fulgt hvert et skridt, som Edklinth havde taget. Han så, at hans blufferi gik hjem, da Edklinth spærrede øjnene op. Han fortsatte.

"Zalachenkoklubben udspionerer mig, jeg udspionerer dem, og du udspionerer Zalachenkoklubben, og statsministeren er på nuværende tidspunkt både vred og bekymret. Han ved, at i slutningen af den her samtale venter der en skandale, som regeringen måske ikke overlever."

Monica Figuerola smilede pludselig, men skjulte smilet ved at hæve et glas Ramlösa. Hun forstod, at Mikael bluffede, og hun vidste, hvordan han havde kunnet overraske hende med at kende hendes navn og skonummer.

Han så mig i bilen i Bellmansgatan. Han er på mærkerne. Han så mit registreringsnummer og identificerede mig. Men resten er gætterier.

Hun sagde ingenting.

Statsministeren så bekymret ud.

"Er det, hvad der venter?" spurgte han. "En skandale, der vil vælte regeringen?"

"Regeringen er ikke mit problem," sagde Mikael. "Min arbejdsbeskrivelse består i at afsløre smuds som Zalachenkoklubben."

Statsministeren nikkede.

"Og mit job består i at lede landet i overensstemmelse med grundloven."

"Hvilket betyder, at mit problem i allerhøjeste grad er regeringens problem. Men ikke det modsatte."

"Kan vi ikke holde op med at tale udenom. Hvorfor tror du, at jeg har arrangeret dette møde?"

"For at finde ud af, hvad jeg ved, og hvad jeg har tænkt mig at gøre."

"Delvist rigtigt. Men mere præcist er vi jo havnet i en forfatningsmæssig krise. Lad mig først forklare, at regeringen ikke har noget som helst med den her sag at gøre. Vi er blevet taget fuldstændig på sengen. Jeg har aldrig hørt tale om den her ... det du kalder for Zalachenkoklubben. Justitsministeren har aldrig hørt et ord om sagen. Torsten Edklinth, som har en fremtrædende stilling i Säpo og har arbejdet inden for Säpo i mange år, har aldrig hørt tale om den."

"Det er stadig ikke mit problem."

"Jeg ved det. Det, vi vil vide, er, hvornår du har tænkt dig at trykke din artikel og gerne præcis, hvad du har tænkt dig at offentliggøre. Jeg stiller bare spørgsmålet. Det har ikke noget med skadeskontrol at gøre."

"Ikke?"

"Blomkvist, det absolut mest åndssvage, jeg kunne gøre i den her situation, ville være at forsøge at påvirke indholdet i din historie. Derimod har jeg tænkt mig at foreslå et samarbejde."

"Forklar."

"Da vi nu har fået bekræftet, at der eksisterer en sammensværgelse inden for en exceptionelt følsom del af statsforvaltningen, har jeg beordret en efterforskning." Statsministeren vendte sig om mod justitsministeren. "Kan du forklare præcis, hvad regeringens ordre går ud på."

"Det er meget enkelt. Torsten Edklinth har fået til opgave straks at efterforske, om det kan lade sig gøre at bekræfte det her. Hans opgave består i at samle oplysninger, der kan videregives til statsadvokaten, som for sit vedkommende har til opgave at bedømme, om der skal rejses tiltale. Det er altså en meget tydelig ordre."

Mikael nikkede.

"Edklinth har i løbet af aftenen rapporteret, hvordan efterforskningen skrider frem. Vi har haft en lang diskussion om forfatningsmæssige forhold – vi vil selvfølgelig gerne have, at det skal gå rigtigt til."

"Naturligvis," sagde Mikael med en stemme, der indikerede, at han ikke stolede spor på statsministerens løfter.

"Efterforskningen er nu inde i en følsom fase. Vi har endnu ikke identificeret præcis, hvem der er indblandet. Vi har brug for tid til det. Og det er derfor, vi sendte Monica Figuerola af sted for at invitere dig til det her møde."

"Det gjorde hun også i den grad. Jeg havde ikke meget valg."

Statsministeren rynkede øjenbrynene og skævede til Monica Figuerola.

"Glem det," sagde Mikael. "Hun opførte sig eksemplarisk. Hvad vil du?"

"Vi vil vide, hvornår du har tænkt dig at offentliggøre sagen. For øjeblikket foregår denne efterforskning jo under stor diskretion, og hvis du handler, før Edklinth er færdig, kan det ødelægge det hele."

"Hmm. Og hvornår vil du gerne have, at jeg skal offentliggøre det? Efter næste valg?"

"Du bestemmer selv. Det er ikke noget, som jeg kan påvirke. Det, jeg beder dig om, er, at du fortæller, hvornår du har tænkt dig at udgive det, så vi ved præcis, hvilken deadline vi har for efterforskningen."

"Okay. Du talte om samarbejde ..."

Statsministeren nikkede.

"Jeg vil begynde med at sige, at jeg under normale omstændigheder aldrig ville drømme om at bede en journalist komme til sådan et møde her."

"I normale tilfælde ville du formentlig have gjort alt for at holde journalister væk fra sådan et møde her."

"Ja, men jeg har forstået, at du bliver drevet af flere faktorer. Som journalist har du det ry, at du ikke lægger fingrene imellem, når det gælder korruption. I denne sag er der ingen modsætninger imellem os."

"Ikke?"

"Nej. Ikke det mindste. Eller rettere sagt ... de modsætninger, der findes, er muligvis af juridisk karakter, men ikke med hensyn til målsætning. Hvis denne Zalachenkoklub eksisterer, er den ikke kun en helt igennem kriminel sammenslutning, men også en trussel mod rigets sikkerhed. De må stoppes, og de ansvarlige stilles til ansvar. På det punkt burde du og jeg da være enige?"

Mikael nikkede.

"Jeg har forstået, at du kender til mere af denne historie end nogen anden. Vi foreslår, at du deler din viden med os. Hvis dette var en regulær politiefterforskning af en almindelig forbrydelse, ville forundersøgelseslederen kunne beslutte at indkalde dig til afhøring. Men det her er, som du nok forstår, en ekstrem situation."

Mikael sad tavs og overvejede situationen et kort øjeblik.

"Og hvad får jeg til gengæld, hvis jeg samarbejder?"

"Ingenting. Jeg købslår ikke med dig. Hvis du vil udgive i morgen tidlig, så gør du det. Jeg har ikke tænkt mig at blive indblandet i nogen studehandel, som kan være forfatningsmæssigt tvivlsom. Jeg beder dig om at samarbejde for nationens bedste."

"Ingenting kan være ret meget," sagde Mikael Blomkvist. "Lad mig forklare en ting ... jeg er pissesur. Jeg er så pisse hamrende sur på staten, regeringen og Säpo og disse satans idioter, som helt uden grund spærrede en 12-årig pige inde på en psykiatrisk afdeling og bagefter sørgede for at umyndiggøre hende."

"Lisbeth Salander er blevet en regeringssag," sagde statsministeren og smilede faktisk. "Mikael, jeg er personlig meget oprørt over, hvad der er sket hende. Og tro mig, når jeg siger, at de ansvarlige vil blive stillet til ansvar. Men inden vi kan gøre det, må vi vide, hvem de ansvarlige er."

"Du har dine problemer. Mit problem er, at jeg vil have Lisbeth Salander frikendt og erklæret for myndig."

"Det kan jeg ikke hjælpe dig med. Jeg står ikke over loven og kan ikke dirigere, hvad anklagere og domstole beslutter. Hun må frikendes ved en domstol."

"Okay," sagde Mikael Blomkvist. "Du vil have et samarbejde. Giv mig indblik i Edklinths efterforskning, så skal jeg fortælle, hvornår og hvad jeg har tænkt mig at offentliggøre."

"Det indblik kan jeg ikke give dig. Det ville være at placere mig selv i samme forhold til dig, som justitsministerens forgænger engang stod i til en vis Ebbe Carlsson."

"Jeg er ikke Ebbe Carlsson," sagde Mikael roligt.

"Det har jeg forstået. Derimod kan Torsten Edklinth selvfølgelig selv afgøre, hvad han kan dele med dig inden for rammerne af sin opgave."

"Hmm," sagde Mikael Blomkvist. "Jeg vil vide, hvem Evert Gullberg var."

En tavshed lagde sig over sofagruppen.

"Evert Gullberg var formentlig mangeårig chef for den afdeling inden for Säpo, som du kalder for Zalachenkoklubben," sagde Edklinth.

Statsministeren så skarpt på Edklinth.

"Det ved han vist allerede," sagde Edklinth undskyldende.

"Det stemmer," sagde Mikael. "Han begyndte i Säpo i 50'erne og blev chef for noget, der kaldes for Sektionen for Specialanalyse i 60'erne. Det var ham, der tog sig af hele Zalachenkosagen."

Statsministeren rystede på hovedet.

"Du ved mere, end du burde. Jeg vil bare gerne vide, hvordan du har fundet ud af det. Men jeg har ikke tænkt mig at spørge."

"Jeg har huller i min historie," sagde Mikael. "Jeg vil gerne have lappet de huller. Giv mig de oplysninger, så skal jeg ikke spænde ben for jer."

"Som statsminister kan jeg ikke udlevere de oplysninger. Og Torsten Edklinth balancerer på en meget slap line, hvis han gør det."

"Hold op med det sludder. Jeg ved, hvad I vil have. Du ved, hvad jeg vil have. Hvis I giver mig de oplysninger, vil jeg behandle jer som kilder, med al den anonymitet det indebærer. Misforstå mig ikke, jeg vil fortælle sandheden, som jeg opfatter den, i min reportage. Hvis du er indblandet, vil jeg hænge dig ud og sørge for, at du aldrig nogensinde bliver genvalgt. Men på nuværende tidspunkt har jeg ingen grund til at tro, at det er tilfældet."

Statsministeren skævede til Edklinth. Efter et kort øjeblik nikkede han. Mikael tog det som et tegn på, at statsministeren netop havde begået et lovbrud – om end af en mere akademisk art – og givet sin tavse accept af, at Mikael kunne få del i hemmeligstemplede oplysninger.

"Det her kan løses ganske enkelt," sagde Edklinth. "Jeg er alene om efterforskningen og bestemmer selv, hvilke medarbejdere jeg rekrutterer. Du kan ikke blive ansat i efterforskningen, da det ville betyde, at du blev tvunget til at underskrive en tavshedserklæring. Men jeg kan ansætte dig som ekstern konsulent."

ERIKA BERGERS LIV var blevet fyldt med uendelige møder og arbejde døgnet rundt, efter hun var trådt i afdøde chefredaktør Håkan Moranders fodspor. Hun følte sig bestandig uforberedt, utilstrækkelig og uvidende.

Det var først onsdag aften, næsten to uger efter at Mikael Blomkvist havde givet hende Henry Cortez' researchmappe om bestyrelsesformand Magnus Borgsjö, at Erika havde tid til at tage sig af problemet. Da hun åbnede mappen, indså hun, at hendes sendrægtighed også skyldtes, at hun faktisk ikke havde lyst til at beskæftige sig med sagen. Hun vidste allerede, at hvordan hun end håndterede den, ville det ende med en katastrofe.

Hun kom hjem til villaen i Saltsjöbaden usædvanlig tidligt ved syvtiden om aftenen, slog alarmen fra i hallen og konstaterede overrasket, at hendes mand, Greger Backman, ikke var hjemme. Det tog hende lidt tid at komme i tanke om, at hun havde kysset ham ekstra omhyggeligt om morgenen, fordi han skulle til Paris for at holde nogle forelæsninger, og at han ikke ville være tilbage før i weekenden. Det gik op for hende, at hun ikke anede, hvem han skulle forelæse for, hvad forelæsningen skulle handle om, eller hvorfor han skulle holde den.

Altså, undskyld, men jeg har forlagt min mand. Hun følte sig som en person i en bog af dr. Richard Schwartz og spekulerede på, om hun havde brug for en psykolog.

Hun gik op ovenpå, fyldte vand i badekarret og klædte sig af. Hun tog researchmappen med sig i bad og tilbragte den næste halve time med at gennemlæse hele historien. Da hun var færdig, kunne hun ikke lade være med at smile. Henry Cortez ville blive en formidabel journalist. Han var 26 år og havde arbejdet på *Millennium* i fire år, siden han blev færdig med journalistuddannelsen. Hun følte en vis stolthed. Hele historien om toiletterne og Borgsjö havde *Millenniums* særkende fra start til slut, og hver en sætning var dokumenteret.

Hun følte sig også dyster til mode. Magnus Borgsjö var et godt menneske, som hun faktisk syntes om. Han var stille, lydhør, havde charme og var ikke fin på den. Desuden var han hendes chef og arbejdsgiver.

For fanden, Borgsjö. Hvordan kunne du være så skidedum?

Hun tænkte lidt over, om der kunne være alternative forbindelser eller formildende omstændigheder og vidste allerede, at det ikke kunne bortforklares.

Hun lagde researchmappen i vindueskarmen, strakte sig i badekarret og tænkte.

At *Millennium* ville trykke historien var ufravigeligt sikkert. Havde hun stadig selv været chefredaktør for tidsskriftet, ville hun ikke have tøvet et øjeblik, og det faktum, at *Millennium* havde lækket historien til hende i forvejen, var bare en personlig gestus, der indikerede, at *Millennium* så vidt muligt ville mildne skadevirkningerne for hende personligt. Hvis situationen havde været den omvendte – hvis SMP havde fundet noget tilsvarende om *Millenniums* bestyrelsesformand (som jo plejede at være Erika Berger), ville hun heller ikke have været i tvivl om, hvorvidt det skulle trykkes eller ej.

Udgivelsen ville skade Magnus Borgsjö alvorligt. Det alvorligste var egentlig ikke, at hans firma Vitavara AB bestilte toiletter fra et firma i Vietnam, der stod på FN's sorte liste over firmaer, der udnyttede børnearbejdere – og i det her tilfælde desuden slavearbejdskraft i form af straffefanger. Og sandsynligvis ville nogle af disse straffefanger kunne defineres som politiske fanger. Det alvorlige var, at Magnus Borgsjö kendte til disse forhold og alligevel havde valgt at fortsætte med at bestille toiletter fra Fong Soo Industries. Det var en grådighed, der i kølvandet på andre gangsterkapitalister som Skandias afgåede administrerende direktør, ikke fik lov at passere hos det svenske folk.

Magnus Borgsjö ville givetvis hævde, at han ikke kendte til forholdene på Fong Soo, men Henry Cortez havde god dokumentation for det, og i det øjeblik Borgsjö forsøgte at lyve, ville han desuden blive afsløret som løgner. I juni 1997 var Magnus Borgsjö nemlig rejst til Vietnam for at underskrive de første kontrakter. Han havde på det tidspunkt tilbragt ti dage i Vietnam og blandt andet besøgt firmaets fabrikker. Hvis han forsøgte at påstå, at det aldrig var gået op for ham, at flere af de arbejdere, der var på fabrikken, kun var 12-13 år, ville han fremstå som en idiot.

Spørgsmålet om Borgsjös eventuelle manglende viden blev derefter fuldstændig afgjort, i og med at Henry Cortez kunne bevise, at FN's kommission mod børnearbejde i 1999 havde sat Fong Soo Industries på listen over firmaer, der udnytter børnearbejdskraft.

Dette var derefter blevet genstand for diverse tidsskriftartikler, og to af hinanden uafhængige idealistiske organisationer mod børnearbejde, deriblandt den internationalt prestigefyldte International Joint Effort Against Child Labour i London, havde skrevet en række breve til firmaer, der købte varer hos Fong Soo. Der var blevet sendt ikke mindre end syv breve til Vitavara AB. To af disse breve var adresserede til Magnus Borgsjö personligt. Organisationen i London havde med glæde videregivet dokumentationen til Henry Cortez og samtidig påpeget, at Vitavara AB ikke på noget tidspunkt havde besvaret brevene.

Derimod var Magnus Borgsjö rejst til Vietnam yderligere to gange, i 2001 og 2004, for at forny kontrakten. Det var dødsstødet. Alle muligheder for, at Borgsjö kunne henvise til uvidenhed, ophørte dermed.

Den medieopmærksomhed, der ville følge, kunne kun føre til én ting. Hvis Borgsjö var klog, undskyldte han og trak sig fra sine bestyrelsesposter. Hvis han satte sig til modværge, ville han blive tilintetgjort i processen.

Hvorvidt Borgsjö var eller ikke var bestyrelsesformand i Vitavara AB, var Erika Berger ligeglad med. Det alvorlige for hendes vedkommende var, at han også var bestyrelsesformand for SMP. Når det kom ud, ville han blive tvunget til at gå af. I en tid hvor avisen balancerede på afgrunden, og et fornyelsesarbejde var blevet indledt, havde SMP ikke råd til at have en bestyrelsesformand med en tvivlsom moral. Avisen ville lide skade. Derfor måtte han væk fra SMP.

For Erika Bergers vedkommende opstod der dermed to alternative måder at gebærde sig på.

Enten kunne hun gå til Borgsjö, lægge kortene på bordet, fremlægge dokumentationen og dermed få ham til selv at drage den konklusion, at han måtte gå af, før historien blev trykt.

Eller, hvis han blev genstridig, ville hun skynde sig at sammenkalde bestyrelsen, informere om situationen og tvinge bestyrelsen til at fyre ham. Og hvis bestyrelsen ikke gik med til det, ville hun selv med umiddelbar virkning gå af som chefredaktør for SMP.

Da Erika Berger var kommet så langt i sin tankerække, var badevandet blevet koldt. Hun tog et brusebad, tørrede sig, gik ind i soveværelset og ringede til Mikael Blomkvist. Han svarede ikke. I stedet gik hun nedenunder for at sætte kaffe over og for første gang, siden hun var begyndt på SMP, undersøge, om der var en film i tv, som hun kunne slappe af til.

Da hun gik forbi døren ind til stuen, følte hun en skarp smerte i foden, så ned og opdagede, at hun blødte voldsomt. Hun tog endnu et skridt, men smerten skar gennem hele foden. Hun hinkede hen til en antik stol og satte sig. Hun løftede foden og opdagede til sin forfærdelse, at et glasskår sad fast i hendes trædepude under hælen. Først blev hun mat. Så tog hun sig sammen, tog fat i glasskåret og trak det ud. Det gjorde fandens ondt, og blodet vældede i bogstaveligste forstand ud af såret.

Hun rev kommodeskuffen i hallen op, hvor hun opbevarede tørklæder, handsker og huer. Hun fandt et halstørklæde, som hun hurtigt viklede stramt om foden. Blodstrømmen formindskedes noget.

Hun så forbavset på det blodige glasskår. *Hvordan var det havnet der?* Så opdagede hun flere glasskår på entregulvet. *Hvad fanden ...* Hun rejste sig op, kastede et blik ind i stuen og så, at det store panoramavindue med udsigt over Saltsjön var knust, og at hele gulvet var fyldt med glasskår.

Hun bakkede hen til hoveddøren, tog de sko på, som hun havde sparket af, da hun kom hjem. Det vil sige, hun tog den ene sko på, satte den sårede fods tæer ned i den anden og mere eller mindre hinkede ind i stuen og betragtede ødelæggelserne.

Så opdagede hun murstenen midt på sofabordet.

Hun hinkede hen til altandøren og gik ud i baghaven.

Nogen havde sprayet et ord på facaden med meterhøje bogstaver.

LUDER

KLOKKEN VAR LIDT over ni om aftenen, da Monica Figuerola holdt bildøren for Mikael Blomkvist. Hun gik rundt om bilen og satte sig på førersædet.

"Skal jeg køre dig hjem, eller vil du hellere sættes af et andet sted?"

Mikael Blomkvist så tomt frem for sig.

"Ærlig talt ... jeg ved ikke rigtig, hvor jeg befinder mig. Jeg har aldrig afpresset en statsminister før."

Monica Figuerola slog en høj latter op.

"Du spillede dine kort ret godt," sagde hun. "Jeg havde ingen anelse om, at du havde sådan et talent for poker."

"Jeg mente hvert et ord."

"Jo, men det, jeg hentydede til, var, at du lod, som om du vidste en hel del mere, end du i virkeligheden ved. Det gik op for mig, da jeg forstod, hvordan du havde identificeret mig."

Mikael drejede hovedet og så på hendes profil.

"Du tog mit registreringsnummer, da jeg sad på toppen af bakken ude foran din lejlighed."

Han nikkede.

"Du fik det til at fremstå, som om du vidste, hvad der blev diskuteret på statsministerens kontor."

"Hvorfor sagde du ingenting?"

Hun sendte ham et hurtigt blik og drejede ud i Grev Turegatan.

"Spillets regler. Jeg burde ikke have placeret mig der. Men der var ingen andre steder, hvor jeg kunne parkere. Du holder i den grad øje med omgivelserne, ikke også?"

"Du sad med et kort på forsædet og talte i telefon. Jeg tog registreringsnummeret og tjekkede det helt rutinemæssigt. Jeg tjekker alle de biler, jeg reagerer på. Det er som oftest en nitte. I dit tilfælde opdagede jeg, at du arbejdede i Säpo."

"Jeg holdt øje med Mårtensson. Senere opdagede jeg, at du holdt øje med ham via Susanne Linder på Milton Security."

"Hende har Armanskij sat på sagen for at kunne dokumentere, hvad der sker omkring min lejlighed."

"Og da hun forsvandt ind ad din dør, går jeg ud fra, at Armanskij har sat en eller anden form for skjult overvågning op i din lejlighed."

"Det stemmer. Vi har en udmærket video, hvor vi kan se, hvordan de bryder ind og gennemgår mine papirer. Mårtensson havde en bærbar kopimaskine med. Har I identificeret Mårtenssons kompagnon?"

"Han er ikke vigtig. Låsesmed med en kriminel fortid, der formentlig bliver betalt for at åbne din dør."

"Navn?"

"Kildebeskyttet."

"Selvfølgelig."

"Lars Faulsson. 47 år. Kaldes for Falun. Dømt for et pengeskabskup i 80'erne og lidt andre småtterier. Har en butik ved Norrtull."

"Tak."

"Men lad os gemme hemmelighederne til mødet i morgen."

Mødet var endt med en aftale om, at Mikael Blomkvist skulle besøge grundlovsbeskyttelsen den næste dag for at indlede en informationsudveksling. Mikael tænkte. De passerede netop Sergels Torg.

"Ved du hvad? Jeg er hundesulten. Jeg spiste sen frokost ved totiden i eftermiddags og havde tænkt mig at lave lidt pasta, da jeg kom hjem og blev samlet op af dig. Har du spist?"

"Et stykke tid siden."

"Kør os hen til en eller anden restaurant, hvor man kan få noget anstændig mad."

"Al mad er anstændig."

Han skævede til hende.

"Jeg troede, at du var sådan en sundhedsfanatiker."

"Nej, jeg er motionsfanatiker. Hvis man træner, kan man spise, hvad man har lyst til. Inden for rimelighedens grænser selvfølgelig."

Hun holdt ind på Klarabergsviadukten og overvejede alternativerne. I stedet for at dreje ned mod Södermalm fortsatte hun lige ud til Kungsholmen.

"Jeg ved ikke, hvordan restauranterne er på Söder, men jeg kender en udmærket bosnisk restaurant ved Fridhemsplan. Deres burek er fantastisk."

"Lyder godt," sagde Mikael Blomkvist.

BOGSTAV FOR BOGSTAV prikkede Lisbeth Salander sin redegørelse frem. Hun arbejdede i gennemsnit fem timer hver dag. Hun formulerede sig præcist. Hun var meget omhyggelig med at mørklægge alle detaljer, der kunne bruges imod hende.

Det faktum, at hun var spærret inde, var blevet en velsignelse. Hun kunne arbejde når som helst, hun var alene på stuen, og fik altid et forvarsel om, at hun skulle gemme computeren væk, når hun hørte raslen fra nøgleknippet eller en nøgle, der blev sat i låsen.

388

[Da jeg var ved at låse Bjurmans sommerhus uden for Stallar-
holmen, ankom Carl-Magnus Lundin og Sonny Nieminen på
motorcykel. Da de forgæves havde ledt efter mig nogen tid
på foranledning af Zalachenko/Niedermann, blev de forbavset
over at se mig på stedet. Magge Lundin steg af motorcyklen og
sagde: "Jeg tror, at lebben har brug for noget pik". Både han og
Nieminen optrådte så truende, at jeg var nødt til at gøre brug af
nødværgeretten. Jeg forlod stedet på Lundins motorcykel, som
jeg senere lod stå ved Älvsjömessen.]

Hun gennemlæste ordene og nikkede anerkendende. Der var ingen
grund til at fortælle, at Magge Lundin havde kaldt hende for en
luder, og at hun derfor havde bøjet sig ned og samlet Sonny Niemi-
nens P-83 Wanad op og straffet Lundin ved at skyde ham i foden.
Det kunne politiet formentlig selv regne ud, men det var deres sag
at bevise, at det var tilfældet. Hun havde ikke tænkt sig at gøre deres
arbejde lettere ved at indrømme noget, som ville betyde fængsels-
straf for grov vold.

Teksten var vokset til noget, der svarede til treogtredive sider, og
hun nærmede sig slutningen. Hun var i visse afsnit meget sparsom
med detaljer og var meget omhyggelig med ikke på noget tidspunkt
at fremlægge beviser, der kunne styrke nogen af de mange påstande,
hun kom med. Hun gik så langt, at hun dækkede over visse åben-
lyse beviser og i stedet for satte teksten ind i næste led i begiven-
hedskæden.

Hun tænkte sig lidt om, scrollede tilbage og gennemlæste det
afsnit, hvor hun redegjorde for advokat Nils Bjurmans grove og sadi-
stiske voldtægt. Det var det afsnit, hun havde brugt mest tid på, og et
af de få afsnit, som hun havde omformuleret flere gange, før hun var
tilfreds med resultatet. Afsnittet var på 19 linjer. Hun redegjorde sag-
ligt for, hvordan han havde slået hende, kastet hende ned på maven
på sengen, tapet hendes mund til og givet hende håndjern på. Hun
fastslog derefter, at han havde udført gentagne seksuelle voldshand-
linger mod hende, som i løbet af natten havde omfattet både anal
og oral penetration. Hun redegjorde endvidere for, hvordan han en
enkelt gang under voldtægten havde bundet et stykke tøj – hendes
T-shirt – om hendes hals og kvalt hende i så lang tid, at hun havde

389

mistet bevidstheden. Derefter fulgte yderligere nogle linjers tekst, hvor hun identificerede de redskaber, han havde anvendt under voldtægten, hvilket inkluderede en kort pisk, en analdildo, en grov dildo og klemmer, som han satte fast på hendes brystvorter.

Hun rynkede panden og studerede teksten. Til sidst løftede hun den elektroniske pen og prikkede endnu nogle linjers tekst frem.

[På et tidspunkt, da jeg stadig havde munden tapet til, kommenterede Bjurman det faktum, at jeg havde mange tatoveringer og piercinger, deriblandt en ring i venstre brystvorte. Han spurgte, om jeg kunne lide at blive piercet, og forlod derefter rummet et øjeblik. Han vendte tilbage med en knappenål, som han stak igennem min højre brystvorte.]

Efter at have gennemlæst den nye tekst, nikkede hun anerkendende. Den bureaukratiske tone gav teksten et så surrealistisk præg, at den fremstod som en urimelig fantasi.

Historien lød ganske enkelt ikke troværdig.

Hvilket var Lisbeth Salanders hensigt.

I samme øjeblik hørte hun raslen fra sikkerhedsvagtens nøgleknippe. Hun klappede straks håndcomputeren sammen og lagde den i hulrummet på bagsiden af sengebordet. Det var Annika Giannini. Hun rynkede øjenbrynene. Klokken var over ni om aftenen, og Giannini plejede ikke at dukke op så sent.

"Hej, Lisbeth."

"Hej."

"Hvordan har du det?"

"Jeg er ikke død endnu."

Annika Giannini sukkede.

"Lisbeth ... de har fastsat datoen for retssagen til den 13. juli."

"Det er okay."

"Nej, det er ikke okay. Tiden løber, og du vil ikke betro dig til mig. Jeg begynder at frygte, at jeg har begået en kolossal fejltagelse ved at påtage mig at være din advokat. Hvis vi skal have den mindste chance, er du nødt til at stole på mig. Vi er nødt til at samarbejde."

Lisbeth studerede Annika Giannini i lang tid. Til sidst lænede hun hovedet tilbage og så op i loftet.

"Jeg ved, hvordan vi skal bære os ad," sagde hun. "Jeg har forstået Mikaels plan. Og han har ret."

"Det er jeg ikke så sikker på," sagde Annika.

"Men jeg er sikker."

"Politiet vil afhøre dig igen. En Hans Faste fra Stockholm."

"Lad ham bare afhøre mig. Jeg siger ikke et ord."

"Du er nødt til at komme med en redegørelse."

Lisbeth så skarpt på Annika Giannini.

"Jeg gentager. Jeg siger ikke et ord til politiet. Når vi træder ind i den retssal, skal anklageren ikke have et ord fra en eller andet afhøring at falde tilbage på. Det eneste, de skal have, er den redegørelse, som jeg er ved at formulere nu, og som i det store hele vil fremstå som urimelig. Og den får de nogle dage før retssagen."

"Og hvornår har du tænkt dig at sætte dig og skrive den redegørelse?"

"Du får den om nogle dage. Men den skal ikke sendes til anklageren før lige inden retssagen."

Annika Giannini så tvivlende ud. Lisbeth sendte hende pludselig et forsigtigt, skævt smil.

"Du taler om tillid. Kan jeg stole på dig?"

"Naturligvis."

"Okay, kan du smugle en håndcomputer ind til mig, så jeg kan kontakte folk via internettet?"

"Nej, naturligvis ikke. Hvis det bliver opdaget, bliver der rejst tiltale mod mig, og så mister jeg min advokatbestalling."

"Men hvis en anden smugler sådan en computer ind til mig, ville du så anmelde det til politiet?"

Annika hævede øjenbrynene.

"Hvis jeg ikke kender til den ..."

"Men hvis du kender til den. Hvad ville du så gøre?"

Annika tænkte sig længe om.

"Jeg ville lukke øjnene."

"Den her hypotetiske computer vil snart sende en hypotetisk mail til dig. Når du har læst den, vil jeg gerne have, at du besøger mig igen."

"Lisbeth ..."

"Vent. Det forholder sig sådan her. Anklageren spiller med mærkede kort. Jeg befinder mig i en dårlig position, lige meget hvordan jeg bærer mig ad, og hensigten med retssagen er at få mig tvangsindlagt på en lukket psykiatrisk afdeling."

"Det ved jeg."

"Hvis jeg skal overleve, må jeg også bruge beskidte metoder."

Til sidst nikkede Annika Giannini.

"Da du kom til mig første gang, havde du en besked med fra Mikael Blomkvist. Han sagde, at han havde fortalt dig det meste med nogle få undtagelser. Én undtagelse er de færdigheder, han opdagede hos mig, da vi var i Hedestad."

"Ja."

"Det, han hentydede til, er, at jeg er skide god til computere. Så god at jeg kan læse og kopiere, hvad der står i politiadvokat Ekströms computer."

Annika Giannini blegnede.

"Det skal du ikke blandes ind i. Du kan altså ikke bruge det materiale i retssagen," sagde Lisbeth.

"Nej, næppe."

"Altså kender du ikke noget til det."

"Okay."

"Derimod kan en anden, lad os sige din bror, offentliggøre udvalgte dele af det materiale. Det må du tage med i betragtning, når du planlægger vores strategi for retssagen."

"Okay."

"Annika, den her retssag kommer til at dreje sig om, hvem der bruger de groveste metoder."

"Det ved jeg godt."

"Jeg er tilfreds med dig som min advokat. Jeg stoler på dig, og jeg har brug for din hjælp."

"Hmm."

"Men hvis du modarbejder, at jeg også bruger uetiske metoder, kan vi komme til at tabe retssagen."

"Ja."

"Og i så fald vil jeg vide det nu. Så må jeg afskedige dig og anskaffe mig en ny advokat."

"Lisbeth, jeg kan ikke begå lovovertrædelser."

"Du skal ikke begå nogen lovovertrædelser. Men du er nødt til at lukke øjnene for, at jeg gør det. Kan du det?"

Lisbeth Salander ventede tålmodigt i næsten et minut, før Annika Giannini nikkede.

"Godt, så lad mig i hovedtræk fortælle, hvad min redegørelse kommer til at indeholde."

De talte sammen i to timer.

MONICA FIGUEROLA HAVDE haft ret i, at den bosniske restaurants burek var fantastisk. Mikael Blomkvist skævede forsigtigt til hende, da hun vendte tilbage fra et toiletbesøg. Hun bevægede sig graciøst som en balletdanserinde, men havde en krop som ... Mikael kunne ikke lade være med at blive fascineret. Han undertrykte en indskydelse til at række hånden frem og mærke på hendes benmuskler.

"Hvor længe har du trænet?" spurgte han.

"Siden jeg var teenager."

"Og hvor mange timer om ugen bruger du på træningen?"

"To timer om dagen. Nogle gange tre."

"Hvorfor? Jeg mener, jeg forstår godt, hvorfor man træner, men ..."

"Du synes, at det er overdrevet."

"Jeg ved ikke rigtig, hvad jeg mente."

Hun smilede og virkede slet ikke irriteret over hans spørgsmål.

"Måske er du bare irriteret over at se en pige med muskler og synes, at det er usexet og ufeminint?"

"Nej, slet ikke. Det passer til dig på en eller anden måde. Du er meget sexet."

Hun lo igen.

"Jeg er ved at trappe ned på træningen. For ti år siden dyrkede jeg benhård bodybuilding. Det var sjovt. Men nu må jeg være forsigtig, så alle mine muskler ikke bliver forvandlet til fedt, og jeg bliver kvabset. Så nu løfter jeg jern en gang om ugen og bruger resten af tiden på løbetræning, badminton, svømning og den slags. Det er mere motion end råtræning."

"Okay."

"Grunden til, at jeg træner, er, at det er skønt. Det er et almindeligt fænomen blandt ekstremsportsudøvere. Kroppen udvikler et smertestillende stof, som man bliver afhængig af. Efter et stykke tid får man abstinenser, hvis man ikke løber hver dag. Det er et enormt kick af velvære at give alt, hvad man har i sig. Næsten lige så godt som sex."

Mikael grinede.

"Du burde selv træne," sagde hun. "Du bulner ud i taljen."

"Jeg ved det," sagde han. "En bestandig dårlig samvittighed. Jeg vågner en gang imellem op, begynder at løbe og taber et par kilo, men så bliver jeg optaget af noget andet og har ikke tid til det en måned eller to."

"Du har været ret optaget de seneste måneder."

Han blev pludselig alvorlig. Så nikkede han.

"Jeg har læst en masse om dig de sidste to uger. Du slog politiet med flere hestelængder, da du opsporede Zalachenko og identificerede Niedermann."

"Lisbeth Salander var hurtigere."

"Hvordan bar du dig ad med at finde frem til Gosseberga?"

Mikael trak på skuldrene.

"Almindelig research. Det var ikke mig, der fandt ham, men vores redaktionssekretær, eller nuværende chefredaktør, Malin Eriksson, som det lykkedes for at finde frem til ham gennem fagregistret. Han sad i bestyrelsen for Zalachenkos firma KAB."

"Jeg er med."

"Hvorfor blev du ansat i Säpo?" spurgte han.

"Tro det eller ej, men jeg er faktisk noget så umoderne som demokrat. Jeg mener, at der er brug for politiet, og at et demokrati har brug for et politisk vagtværn. Derfor er jeg meget stolt af at få lov at arbejde for grundlovsbeskyttelsen."

"Hmm," sagde Mikael Blomkvist.

"Du bryder dig ikke om Säpo?"

"Jeg bryder mig ikke om institutioner, der står over normal parlamentarisk kontrol. Det er en invitation til magtmisbrug, uanset hvor gode intentionerne er. Hvorfor er du interesseret i antikkens gudsopfattelse?"

Hun hævede øjenbrynene.

"Du sad og læste en bog med den titel i min trappeopgang."

"Nå ja. Emnet fascinerer mig."

"Aha."

"Jeg er interesseret i alt muligt. Jeg har læst jura og statskundskab, imens jeg har arbejdet som politimand. Og inden det læste jeg både idéhistorie og filosofi."

"Har du ingen svage sider?"

"Jeg læser ikke skønlitteratur, går aldrig i biografen og ser kun nyhederne i tv. Og du, hvorfor blev du journalist?"

"Fordi der findes institutioner som Säpo, der mangler parlamentarisk opsyn, og som må afsløres med jævne mellemrum."

Mikael smilede.

"Ærlig talt, jeg ved det ikke rigtig. Men egentlig er svaret det samme som dit. Jeg tror på et grundlovsfæstet demokrati, og det må af og til forsvares."

"Som du gjorde med finansmanden Hans-Erik Wennerström."

"Noget i den retning."

"Du er ugift. Kommer du sammen med Erika Berger?"

"Erika Berger er gift."

"Okay. Så alle rygterne er bare sludder. Har du en kæreste?"

"Ingen fast."

"Så de rygter er også sande.'"

Mikael trak på skuldrene og smilede igen.

CHEFREDAKTØR MALIN ERIKSSON tilbragte aftenen til langt ud på de små timer ved køkkenbordet i hjemmet i Årsta. Hun sad bøjet over udskrifter af *Millenniums* budget og var så optaget, at kæresten Anton efterhånden opgav forsøget på at føre en normal samtale med hende. Han vaskede op, smurte lidt sen natmad og lavede kaffe. Derefter lod han hende være i fred og satte sig foran en tv-genudsendelse af *Crime Scene Investigation.*

Malin Eriksson havde aldrig før i sit liv brugt tid på noget mere avanceret end et husholdningsbudget, men hun havde siddet sammen med Erika Berger og månedskonteret, og hun forstod godt principperne. Nu var hun pludselig blevet chefredaktør, og med det fulgte også budgetansvaret. På et tidspunkt efter midnat besluttede hun, at hvad der end skete, ville hun være nødt til at finde en, der kunne hjælpe hende. Ingela Oscarsson, der tog sig af bogføringen en dag om ugen, var ikke selv budgetansvarlig og var ikke til nogen hjælp, når det skulle besluttes, hvordan en freelancer skulle aflønnes, eller om de havde råd til at købe en ny laserprinter ud over det beløb, der var afsat til tekniske forbedringer. Det var i praksis en underlig situation – *Millennium* havde overskud, men havde det kun, fordi Erika Berger hele tiden havde balanceret på et nul. En så enkel ting som en ny farvelaserprinter til 45.000 kroner blev i stedet en sorthvid printer til 8.000 kroner.

Et øjeblik misundte hun Erika Berger. På SMP havde hun et budget, hvor sådan en udgift blev betragtet som småpenge.

Millenniums økonomiske situation havde været god det seneste års tid, men overskuddet stammede hovedsagelig fra salget af Mikael Blomkvists bog om Wennerströmaffæren. Det beløb, der var blevet sat af til investeringer, skrumpede bekymrende hurtigt ind. En medvirkende årsag var de udgifter, som Mikael havde haft i forbindelse med Salanderhistorien. *Millennium* havde ikke de ressourcer, der krævedes for at holde en medarbejder på løbende budget med allehånde udgifter i form af udlejningsbiler, hotelværelser, taxiture, indkøb af researchmateriale, mobiltelefoner og lignende.

Malin godkendte en faktura fra freelanceren Daniel Olofsson i Göteborg. Hun sukkede. Mikael Blomkvist havde sagt god for et beløb på 14.000 kroner for en uges research til en historie, der ikke engang skulle trykkes. Godtgørelsen til en Idris Ghidi i Göteborg indgik i budgettet under posten 'Honorar til anonyme kilder', der ikke måtte navngives, hvilket betød, at revisoren ville kritisere den manglende kvittering, og at det ville være en sag, der skulle godkendes af bestyrelsen. *Millennium* betalte desuden et honorar til Annika Giannini, der ganske vist ville få penge fra det offentlige, men som under alle omstændigheder havde brug for kontanter til at betale togbilletter og andet med.

Hun lagde kuglepennen fra sig og betragtede de slutbeløb, hun havde regnet sig frem til. Mikael Blomkvist havde hensynsløst brændt over 150.000 kroner af på Salanderhistorien helt uden for budget. Sådan kunne det ikke fortsætte.

Hun indså, at hun var nødt til at tale med ham.

ERIKA BERGER TILBRAGTE aftenen på skadestuen på Nacka Sygehus i stedet for i tv-sofaen. Glasskåret havde skåret sig så dybt ind, at blødningen ikke ville stoppe, og ved undersøgelsen viste det sig, at et stykke af glasskåret stadig sad inde i hendes hæl og måtte fjernes. Hun blev lokalbedøvet og fik derefter syet såret med tre sting.

Erika Berger bandede sig igennem hospitalsbesøget og forsøgte med jævne mellemrum at ringe til Greger Backman, alternativt Mikael Blomkvist. Det behagede dog hverken hendes mand eller hendes elsker at tage telefonen. Ved titiden om aftenen havde hun foden i en stor bandage. Hun fik lov at låne et par krykker og tog en taxi hjem igen.

Hun brugte et godt stykke tid på at humpe rundt på fod og tåspids, gøre rent på stuegulvet og bestille en ny rude fra en døgnåben glarmesterkæde. Hun havde heldet med sig. Det havde været en rolig aften i byen, og glarmesteren ankom inden for tyve minutter. Men så var uheldet ude efter hende igen. Stuevinduet var så stort, at der ikke var en rude i den størrelse på lager. Håndværkeren tilbød provisorisk at dække vinduet til med krydsfiner, hvilket hun taknemmeligt accepterede.

Mens krydsfineren blev sat på plads, ringede hun til vagthavende i det private sikkerhedsfirma NIP, der stod for Nacka Integrated Protection, og spurgte, hvorfor i hede hule helvede husets dyre tyverialarm ikke var blevet udløst, da nogen kastede en mursten ind gennem det største vindue i den 250 kvadratmeter store villa.

En bil fra NIP kom for at se på sagen, og det blev konstateret, at den tekniker, der havde installeret alarmen flere år tidligere, tydeligvis havde glemt at forbinde ledningerne fra vinduet i stuen.

Erika Berger var målløs.

NIP tilbød at tage sig af sagen allerede den følgende morgen. Erika svarede, at de ikke skulle gøre sig den ulejlighed. Hun ringede i stedet til Milton Securitys nattevagt og forklarede sin situation, og at hun ville have en komplet alarmpakke så snart som muligt. *Ja, jeg ved godt, at der skal underskrives kontrakt først, men sig til Dragan Armanskij, at Erika Berger har ringet, og sørg for, at alarmen bliver installeret i morgen.*

Til sidst ringede hun også til politiet. Hun fik den besked, at der ikke var nogen ledig bil, der kunne undværes til det formål. Hun fik det råd at henvende sig til nærpolitistationen den næste dag. *Tak. Fuck off.*

Derefter sad hun alene og sydede i lang tid, inden adrenalinen begyndte at lægge sig, og hun indså, at hun var nødt til at sove alene i et ualarmeret hus, samtidig med at nogen kaldte hende en luder og udviste voldelige tendenser og listede rundt i nærheden.

Et kort øjeblik spekulerede hun på, om hun burde tage ind til byen og tilbringe natten på et hotel, men Erika Berger var nu engang sådan et menneske, der ikke brød sig om at blive udsat for trusler og endnu mindre brød sig om at bøje sig for trusler. *Fandeme, om jeg vil lade en eller anden skide idiot drive mig ud af mit hjem.*

Derimod foretog hun visse enkle sikkerhedsforanstaltninger.

Mikael Blomkvist havde fortalt hende, hvordan Lisbeth Salander havde klaret seriemorderen Martin Vanger med en golfkølle. Hun gik derfor ud i garagen og brugte ti minutter på at lede efter sin golftaske, som hun ikke havde set i femten år. Hun valgte den jernkølle, der havde det bedste svung, og satte den i passende afstand fra sengen i soveværelset. Hun lagde en putter i hallen og en anden jernkølle i køkkenet. Hun hentede en hammer fra værktøjskassen i kælderen og lagde den i badeværelset ved siden af soveværelset.

Hun fandt sin tåregasspray frem fra skuldertasken og stillede dåsen på natbordet. Endelig fandt hun en gummikile, lukkede soveværelses-døren og kilede den fast. Derefter håbede hun næsten, at den idiot, der kaldte hende en luder og smadrede hendes vindue, ville være dum nok til at vende tilbage i nattens løb.

Da hun følte sig forsvarligt forskanset, var klokken blevet et om natten. Hun skulle være på SMP klokken otte. Hun konsulterede sin kalender og konstaterede, at hun havde fire mødeaftaler med start klokken ti. Hendes fod gjorde frygtelig ondt, og hun haltede rundt på tæerne. Hun klædte sig af og krøb ned under dynen. Hun brugte ikke natkjole og spekulerede på, om hun skulle tage en T-shirt på, men da hun havde sovet nøgen, siden hun var teenager, besluttede hun, at en mursten gennem stuevinduet ikke skulle få lov at ændre på hendes private vaner.

Derefter lå hun selvfølgelig vågen og spekulerede.

Luder.

Hun havde fået ni mails, der alle indeholdt ordet luder, og som så ud til at komme fra forskellige kilder inden for medierne. Den første var kommet fra hendes egen redaktion, men afsenderen var forfalsket.

Hun stod op og hentede sin nye Dell laptop, som hun havde fået i forbindelse med sin ansættelse på SMP.

Den første mail – som også var den mest vulgære og truende, og hvor der stod, at hun ville blive kneppet med en skruetrækker – var ankommet den 16. maj, ti dage tidligere.

Mail nummer to var kommet to dage senere, den 18. maj.

Derefter en uges pause, inden mailene begyndte at komme igen, nu med et interval på omkring fireogtyve timer. Derefter angrebet på hendes hjem. *Luder.*

I mellemtiden havde Eva Carlsson i kulturafdelingen modtaget mærkelige mails, som Erika selv tilsyneladende var ophavsmand til. Og hvis Eva Carlsson havde fået mærkelige e-mails, var det også muligt, at brevskriveren havde været flittig – at andre mennesker også havde fået post fra "hende", som hun ikke kendte til.

Det var en ubehagelig tanke.

Det mest bekymrende var dog angrebet på huset i Saltsjöbaden.

Det betød, at nogen havde gjort sig det besvær at lokalisere hendes bopæl, tage derhen og kaste en mursten gennem vinduet. Angrebet var forberedt – angriberen have taget en spraydåse med maling med sig. I næste øjeblik blev hun iskold, da det gik op for hende, at hun muligvis burde tilføje endnu et overgreb til listen. Hendes bil havde fået samtlige fire dæk punkteret, da hun havde overnattet sammen med Mikael Blomkvist på Hilton ved Slussen.

Konklusionen var lige så ubehagelig som indlysende. Hun havde en stalker efter sig.

Et eller andet sted derude var der en person, som af ukendte årsager generede Erika Berger.

At Erikas hjem var blevet udsat for et angreb, var til at forstå – det lå hvor det lå og var svært at gemme eller flytte. Men hvis hendes bil blev udsat for et angreb, mens den stod parkeret på en tilfældig gade på Södermalm, betød det, at hendes stalker altid befandt sig i hendes umiddelbare nærhed.

KAPITEL 18

Torsdag den 2. juni

ERIKA BERGER VÅGNEDE fem minutter over ni ved, at mobilen ringede.

"Godmorgen, fru Berger. Dragan Armanskij. Jeg har forstået, at der er sket noget i nat."

Erika forklarede, hvad der var sket, og spurgte, om Milton Security kunne erstatte Nacka Integrated Protection.

"Vi kan i hvert fald installere en alarm, der fungerer," sagde Armanskij sarkastisk. "Problemet er, at den nærmeste bil, vi har ved nattetid, er Nacka centrum. Udrykningstiden er omkring en halv time. Hvis vi tager jobbet, må jeg lægge dit hus ud i entreprise. Vi har en samarbejdsaftale med et lokalt sikkerhedsfirma, Adam Sikkerhed i Fisksätra, der har en udrykningstid på ti minutter, hvis alt fungerer."

"Det er bedre end NIP, der slet ikke dukker op."

"Jeg vil informere dig om, at det er et familieforetagende bestående af far, to sønner og et par fætre. Grækere, fine folk, jeg har kendt faderen i mange år. De har dækning cirka 320 dage om året. De dage, hvor de ikke har mulighed for at komme på grund af ferier eller andet, vil det blive meddelt i forvejen, og så er det vores bil i Nacka, der kommer."

"Det er fint med mig."

"Jeg sender en person her til formiddag. Han hedder David Rosin og er allerede på vej ud til dig. Han vil foretage en sikkerhedsanalyse. Han har brug for dine nøgler, hvis du ikke er hjemme, og han må have din tilladelse til at gennemgå huset fra gulv til loft. Han vil fotografere dit hus, grunden og de nærmeste omgivelser."

"Okay."

"Rosin er meget erfaren, og vi vil komme med et forslag til sikkerhedsforanstaltningerne. Vi har en plan klar om nogle dage. Den omfatter overfaldsalarm, brandsikkerhed, evakuering og indbruds-sikring."

"Okay."

"Hvis der sker noget, skal du også vide, hvad du skal gøre i de ti minutter, det tager for bilen fra Fisksätra at nå frem til dig."

"Ja."

"Vi installerer alarmen allerede i eftermiddag. Derefter må vi underskrive en kontrakt."

Umiddelbart efter samtalen med Dragan Armanskij gik det op for Erika, at hun havde sovet over sig. Hun tog mobilen igen og ringede til redaktionssekretær Peter Fredriksson og forklarede, at hun var kommet til skade og bad ham om at aflyse mødet klokken ti.

"Har du det ikke godt?" spurgte han.

"Jeg har skåret mig i foden," sagde Erika. "Jeg kommer haltende, så snart jeg er klar."

Hun begyndte med at gå ud på toilettet, der lå i forbindelse med soveværelset. Så tog hun et par sorte busker på og lånte en tøffel af sin mand, som hun kunne have på den sårede fod. Hun valgte en sort bluse og hentede jakken. Inden hun fjernede gummitrekanten fra soveværelsesdøren, bevæbnede hun sig med tåregaspatronen.

Hun gik forsigtigt gennem huset og tændte for kaffemaskinen. Hun spiste morgenmad ved køkkenbordet, hele tiden opmærksom på lyde i omgivelserne. Hun havde lige hældt endnu en kop kaffe op, da David Rosin fra Milton Security bankede på døren.

MONICA FIGUEROLA GIK hen til Bergsgatan og samlede sine fire medarbejdere til et tidligt morgenmøde.

"Vi har en deadline nu," sagde Monica Figuerola. "Vores arbejde skal være klar til den 13. juli, hvor retssagen mod Lisbeth Salander begynder. Det betyder, at vi har omkring en måned til det. Lad os afstemme vores oplysninger og beslutte, hvilke ting der er vigtigst lige nu. Hvem vil begynde?"

Berglund rømmede sig.

"Den lyshårede mand, der møder Mårtensson. Hvem er han?"

Alle nikkede. Samtalen kom i gang.

"Vi har billeder af ham, men ingen anelse om, hvordan vi finder ham. Vi kan ikke efterlyse ham."

"Og Gullberg? Der må være en historie, det kan lade sig gøre at spore. Vi har ham i Det Hemmelige Politi fra begyndelsen af 50'erne til 1964, hvor Säpo blev grundlagt. Så forsvinder han ud i periferien."

Figuerola nikkede.

"Skal vi drage den konklusion, at Zalachenkoklubben blev grundlagt i 1964? Altså lang tid inden Zalachenko var kommet hertil?"

"Formålet må have været et andet ... en hemmelig organisation i organisationen."

"Det var efter Wennerström. Alle var paranoide."

"Et slags hemmeligt spionpoliti?"

"Der findes faktisk paralleller i udlandet. I USA blev der oprettet en særlig gruppe interne spionjægere inden for CIA i 60'erne. Den blev ledet af en James Jesus Angleton og var næsten ved at sabotere hele CIA. Angletons hold var fanatikere og paranoide – de mistænkte alle og enhver inden for CIA for at være russiske agenter. Et af resultaterne var, at CIA's arbejde i mange henseender blev paralyseret."

"Men det er spekulationer ..."

"Hvor opbevares de gamle personalesager?"

"Gullberg står ikke i dem. Jeg har allerede tjekket."

"Men budgettet da? Sådan en organisation må finansieres på en eller anden måde ..."

Diskussionen fortsatte frem til frokost, hvor Monica Figuerola undskyldte sig og gik ned i motionsrummet for at være i fred og tænke sig lidt om.

ERIKA BERGER HALTEDE ind på SMP's redaktion ved frokosttid. Hun havde så ondt i foden, at hun overhovedet ikke kunne sætte fodsålen ned. Hun hinkede hen til glasburet og sank lettet ned i sin kontorstol. Peter Fredriksson så hende henne fra sin plads ved centraldisken. Hun vinkede til ham.

"Hvad er der sket?" spurgte han.

"Jeg trådte på et glasskår, der satte sig fast inde i hælen."

"Det var da ikke så godt."

"Nej, det var ikke så godt. Peter, er der kommet flere mærkelige e-mails til nogen?"

"Ikke hvad jeg har hørt."

"Okay. Hold øjne og ører åbne. Jeg vil vide, hvis der sker noget mærkeligt rundt omkring på SMP."

"Hvad mener du?"

"Jeg er bange for, at der er en eller anden idiot, der bliver ved at sende giftige mails, og som har udset sig mig som offer. Jeg vil altså vide, hvis du opsnapper, at der er gang i noget."

"Den slags mails som Eva Carlsson fik?"

"Hvad som helst der virker mærkeligt. Selv har jeg fået en hel masse mærkelige mails, der anklager mig for lidt af hvert og foreslår diverse perverse ting, der burde gøres ved mig."

Peter Fredriksson blev mørk i blikket.

"Hvor længe har det stået på?"

"Et par uger. Fortæl nu. Hvad skal der stå i avisen i morgen?"

"Hmm."

"Hvad hmm?"

"Holm og chefen på retsredaktionen er på krigsstien."

"Aha. Hvorfor?"

"På grund af Johannes Frisk. Du har forlænget hans vikariat og givet ham en reportageopgave, og han vil ikke fortælle, hvad det drejer sig om."

"Han må ikke fortælle, hvad det drejer sig om. Min ordre."

"Det siger han også. Hvilket betyder, at Holm og retsredaktionen er irriterede på dig."

"Okay. Arranger et møde med retsredaktionen klokken tre i efter-middag, så skal jeg forklare situationen."

"Holm er ret sur ..."

"Jeg er også ret sur på Holm, så det står lige."

"Han er så sur, at han har klaget til bestyrelsen."

Erika så op. *For fanden. Jeg må snakke med Borgsjö.*

"Borgsjö kommer ind i eftermiddag og vil have et møde med dig. Jeg har mistanke om, at det skyldes Holm."

"Okay. Hvad tid?"

"Klokken to."

Han begyndte med at gennemgå frokostmemoet.

Dr. ANDERS JONASSON besøgte Lisbeth Salander under frokosten. Hun skød sin tallerken med grøntsagsstuvning fra sig. Som altid undersøgte han hende kort, men hun lagde mærke til, at han var holdt op med at lægge sin sjæl i undersøgelserne.

"Du er rask," konstaterede han.

"Hmm. Du må gøre noget ved maden her på stedet."

"Maden?"

"Kan du ikke klare en pizza eller noget."

"Ked af det. Budgettet rækker ikke til det."

"Det tænkte jeg nok."

"Lisbeth. Der bliver en stor gennemgang af dit helbred i morgen ..."

"Okay. Og jeg er rask."

"Du er tilstrækkelig rask til at blive flyttet til Kronobergsfængslet i Stockholm."

Hun nikkede.

"Jeg ville formentlig kunne trække flytningen ud nogle uger endnu, men mine kolleger vil begynde at undre sig."

"Så lad være med det."

"Sikker?"

Hun nikkede.

"Jeg er klar. Og det skal jo ske før eller siden."

Han nikkede.

"Godt," sagde Anders Jonasson. "Jeg giver grønt lys for flytningen i morgen. Det betyder, at du formentlig vil blive flyttet med det samme."

Hun nikkede.

"Det er muligt, at det bliver aktuelt allerede i weekenden. Hospitalsledelsen vil ikke have dig her."

"Det forstår jeg."

"Øh ... altså, dit legetøj ..."

"Det ligger i hulrummet bag sengebordet."

Hun pegede.

"Okay."

De sad tavse et stykke tid, inden Anders Jonasson rejste sig.

"Jeg må se til de andre patienter, der har større behov for min hjælp."

"Tak for hjælpen. Jeg skylder dig en tjeneste."

"Jeg har bare gjort mit arbejde."

"Nej, du har gjort betydelig mere. Det skal jeg ikke glemme."

MIKAEL BLOMKVIST GIK ind på politigården på Kungsholmen gennem porten i Polhemsgatan. Monica Figuerola tog imod ham og ledsagede ham op til grundlovsbeskyttelsens lokaler. De skævede tavst til hinanden i elevatoren.

"Er det nu også klogt, at jeg viser mig her i huset?" spurgte Mikael. "Nogen kunne jo få øje på mig og begynde at undre sig."

Monica Figuerola nikkede.

"Det bliver det eneste møde her. I fremtiden vil vi mødes i et lille kontorlokale, vi har lejet ved Fridhemsplan. Vi får adgang til det i morgen. Men det her er okay. Grundlovsbeskyttelsen er en lille og næsten selvforvaltende enhed, som ingen andre i Säpo bekymrer sig om. Og vi ligger på en helt anden etage end resten af Säpo."

Han nikkede til Torsten Edklinth uden at give hånd og hilste på to medarbejdere, der åbenbart var en del af Edklinths efterforskningshold. De præsenterede sig som Stefan og Anders. Mikael noterede sig, at de ikke sagde noget efternavn.

"Hvor begynder vi?" spurgte Mikael.

"Hvad siger du til at begynde med lidt kaffe ... Monica?"

"Ja tak," sagde Monica Figuerola.

Mikael lagde mærke til, at chefen for grundlovsbeskyttelsen tøvede et øjeblik, inden han rejste sig, hentede kaffekanden og tog den med hen til mødebordet, hvor kopperne allerede var sat frem. Torsten Edklinth havde formentlig ment, at Monica Figuerola skulle servere kaffen. Mikael konstaterede også, at Edklinth smilede for sig selv, hvilket Mikael tog som et godt tegn. Så blev han alvorlig.

"Jeg ved ærlig talt ikke, hvordan jeg skal håndtere den her situation. At en journalist sidder med til møderne i Säpo er formentlig unikt. Det, vi taler om nu, er altså i mange tilfælde hemmeligstemplede oplysninger."

"Jeg er ikke interesseret i militære hemmeligheder. Jeg er interesseret i Zalachenkoklubben."

"Men vi må finde en balance. For det første skal medarbejderne her ikke navngives i dine artikler."

"Okay."

Edklinth så forbavset på Mikael Blomkvist.

"For det andet skal du ikke tale med nogen andre medarbejdere end mig og Monica Figuerola. Det er os, der afgør, hvad vi kan fortælle dig."

"Hvis du har en lang liste med krav, burde du have nævnt dem i går."

"I går havde jeg ikke nået at tænke over sagen."

"Så skal jeg afsløre noget for dig. Det her er formentlig første og eneste gang i min karriere, at jeg kommer til at fortælle indholdet i en endnu ikke offentliggjort historie til en politimand. Så for at citere dig ... jeg ved ærlig talt ikke, hvordan jeg skal håndtere den her situation."

En kort tavshed lagde sig over bordet.

"Vi kunne måske ..."

"Hvad med at ..."

Edklinth og Monica Figuerola begyndte at sige noget samtidig og tav så begge.

"Jeg er ude efter Zalachenkoklubben. I vil retsforfølge Zalachenkoklubben. Lad os holde os til det," sagde Mikael.

Edklinth nikkede.

"Hvad har I?"

Edklinth forklarede, hvad Monica Figuerola og hendes hold havde fundet frem til. Han viste billedet af Evert Gullberg sammen med spionofficeren Stig Wennerström.

"Godt. Jeg vil have en kopi af billedet."

"Det findes i Åhlén & Åkerlunds arkiv," sagde Monica Figuerola.

"Det ligger på bordet foran mig. Med tekst på bagsiden," sagde Mikael.

"Okay. Giv ham en kopi," sagde Edklinth.

"Det betyder, at Zalachenko blev myrdet af Sektionen."

"Mord og selvmord af en mand, der selv var døende af kræft. Gullberg lever endnu, men lægerne giver ham højst nogle uger. Han har pådraget sig sådanne hjerneskader efter selvmordsforsøget, at han i princippet er en grøntsag."

"Og han var den person, der var hovedansvarlig for Zalachenko, da han hoppede af."

"Hvordan ved du det?"

"Gullberg mødte statsminister Thorbjörn Fälldin seks uger efter Zalachenkos afhop."

"Kan du bevise det?"

"Jep. Statsministeriets gæstebog. Gullberg kom sammen med den daværende chef for Säpo."

"Som nu er død."

"Men Fälldin lever og er parat til at fortælle om sagen."

"Har du ..."

"Nej, jeg har ikke talt med Fälldin. Men det har en anden gjort. Jeg kan ikke navngive vedkommende. Kildebeskyttelse."

Mikael forklarede, hvordan Thorbjörn Fälldin havde reageret på oplysningerne om Zalachenko, og hvordan han var taget til Holland og havde interviewet Janeryd.

"Så Zalachenkoklubben befinder sig altså i dette hus," sagde Mikael og pegede på billedet.

"Delvist. Vi tror, at det er en organisation i organisationen. Zalachenkoklubben kan ikke eksistere uden hjælp fra nøglepersoner her i huset. Men vi tror, at den såkaldte Sektionen for Specialanalyse etablerede sig et eller andet sted uden for huset."

"Så fungerer det altså sådan, at en person kan være ansat af Säpo, få sin løn af Säpo og i virkeligheden rapportere til en anden arbejdsgiver."

"Ja, sådan cirka."

"Men hvem i huset hjælper så Zalachenkoklubben?"

"Det ved vi ikke endnu. Men vi har en mistanke."

"Mårtensson?" foreslog Mikael.

Edklinth nikkede.

"Mårtensson arbejder for Säpo, og når Zalachenkoklubben har brug for ham, bliver han fritaget fra sit ordinære arbejde," sagde Monica Figuerola.

"Hvordan kan det lade sig gøre rent praktisk?"

"Udmærket spørgsmål," sagde Edklinth og smilede svagt. "Du har måske lyst til at begynde at arbejde for os?"

"Aldrig i livet," sagde Mikael.

"Jeg laver bare sjov. Men det er et naturligt spørgsmål. Vi har en mistanke, men vi kan ikke bevise mistanken endnu."

"Lad mig se ... det må være nogen med administrative beføjelser."

"Vi mistænker vicesekretariatschef Albert Shenke," sagde Monica Figuerola.

"Og nu kommer vi til den første forhindring," sagde Edklinth. "Vi har givet dig et navn, men oplysningen er udokumenteret. Hvordan har du tænkt dig at behandle den sag?"

"Jeg kan ikke offentliggøre et navn, som jeg ikke har dokumentation for. Hvis Shenke er uskyldig, vil han stævne *Millennium* for bagvaskelse."

"Godt. Så er vi enige. Det her samarbejde må behandles fortroligt imellem os. Din tur. Hvad har du?"

"Tre navne," sagde Mikael. "De to første var medlemmer af Zalachenkoklubben i 80'erne."

Edklinth og Figuerola reagerede med det samme.

"Hans von Rottinger og Fredrik Clinton. Rottinger er død. Clinton er pensioneret. Men begge indgik i kredsen nærmest Zalachenko."

"Og det tredje navn?" spurgte Edklinth.

"Teleborian er sat i forbindelse med en person, der hedder *Jonas*. Vi kender ikke efternavnet, men vi ved, at han er med i Zalachenkoklubben årgang 2005 ... Vi har faktisk spekuleret lidt på, om det kan være ham, der er sammen med Mårtensson på billederne fra Copacabana."

"Og i hvilken sammenhæng er navnet Jonas dukket op?"

"Lisbeth Salander har hacket Peter Teleborians computer, og vi kan følge med i korrespondancen, der viser, hvordan Teleborian konspirerer med Jonas på samme måde, som han konspirerede med Björck i 1991. Han giver Teleborian instrukser. Og nu kommer vi til den anden forhindring," sagde Mikael og smilede til Edklinth. "Jeg kan dokumentere mine påstande, men jeg kan ikke give jer dokumentationen uden at røbe en kilde. I må acceptere det, jeg siger."

Edklinth så spekulativ ud.

"En af Teleborians kolleger i Uppsala måske," sagde han. "Okay. Vi begynder med Clinton og von Rottinger. Fortæl, hvad du ved."

BESTYRELSESFORMAND MAGNUS BORGSJÖ tog imod Erika Berger på sit kontor ved siden af bestyrelsens mødelokale. Han så bekymret ud.

"Jeg hører, at du er kommet til skade," sagde han og pegede på hendes fod.

"Det går over," sagde Erika og lænede krykkerne mod hans skrivebord, da hun slog sig ned i hans gæstestol.

"Nå, men det er jo godt. Erika, du har nu været her en måned, og jeg ville gerne have, at vi fik mulighed for at snakke sammen. Hvordan er det at være her?"

Jeg er nødt til at diskutere Vitavara med ham. Men hvordan? Hvornår?

"Jeg er begyndt at få fod på situationen. Der er to ting. På den ene side har SMP økonomiske problemer, og budgettet er ved at kvæle avisen. På den anden side har SMP en utrolig mængde dødvægt på redaktionen."

"Er der nogen positive ting?"

"Ja, en masse rutinerede og professionelle mennesker, der ved, hvordan arbejdet skal gøres. Problemet er bare, at vi har andre, der ikke lader dem gøre deres arbejde."

"Holm har talt med mig ..."

"Det ved jeg."

Borgsjö hævede øjenbrynene.

"Han har en del meninger om dig. Så godt som alle er negative."

"Det er okay. Jeg har også en del meninger om ham."

"Negative? Det er ikke godt, hvis I ikke kan arbejde sammen ..."

"Jeg har ingen problemer med at arbejde sammen med ham. Derimod har han problemer med mig."

Erika sukkede.

"Han driver mig til vanvid. Holm er rutineret og utvivlsomt en af de dygtigste nyhedschefer, jeg har mødt. Samtidig er han en idiot. Han intrigerer og spiller folk ud mod hinanden. Jeg har arbejdet inden for medierne i femogtyve år og er aldrig stødt på et lignende menneske i en chefstilling."

"Han er nødt til at have nosser for at klare jobbet. Han er presset fra alle kanter."

"Nosser – ja. Men det betyder ikke, at han er nødt til at være en idiot. Holm er desværre en katastrofe og en af de vigtigste grunde til, at det er så godt som umuligt at få medarbejderne til at lave teamwork. Han tror åbenbart, at hans arbejdsbeskrivelse består i at herske ved at dele."

"Hårde ord."

"Jeg giver Holm en måned til at komme på bedre tanker. Så fjerner jeg ham fra stillingen som nyhedschef."

"Det kan du ikke. Dit arbejde består ikke i at dele eller nedbryde organisationen."

Erika tav og studerede bestyrelsesformanden.

"Undskyld, at jeg påpeger det, men det var præcis det, du ansatte mig til. Vi har endda formuleret en kontrakt, der giver mig frie hænder til at gennemføre de redaktionelle forandringer, som jeg anser for nødvendige. Min arbejdsbeskrivelse består i at forny avisen, og det kan jeg kun gøre ved at forandre organisationen og arbejdsrutinerne."

"Holm har viet sit liv til SMP."

"Ja, og han er 58 år og skal på pension om seks år, og jeg har ikke råd til at have ham som en belastning i den tid. Misforstå mig ikke, Magnus. Fra og med det øjeblik jeg satte mig i glasburet dernede, har min livsopgave været at højne SMP's kvalitet og hæve oplagstallene. Holm har bare at vælge mellem at gøre tingene på min måde eller foretage sig noget andet. Jeg har tænkt mig at tromle hvem som helst ned, der står i vejen for den målsætning, eller som på anden måde skader SMP."

Fandens ... jeg er nødt til at drøfte det her med Vitavara. Borgsjö bliver fyret.

Borgsjö smilede pludselig.

"Jeg tror minsandten også, at du har nosser."

"Ja, det har jeg, og i det her tilfælde er det beklageligt, da det faktisk ikke burde være nødvendigt. Mit job er at lave en god avis, og det kan jeg kun gøre, hvis jeg har en ledelse der fungerer, og medarbejdere der trives."

Efter mødet med Borgsjö haltede Erika tilbage til glasburet. Hun følte sig ubehageligt til mode. Hun havde talt med Borgsjö i tre kvarter uden med et eneste ord at nævne Vitavara. Med andre ord havde hun ikke været særlig direkte eller ærlig over for ham.

Da Erika Berger tændte for sin computer, havde hun fået en mail fra MikBlom@Millennium.nu. Da hun meget vel vidste, at en sådan e-mailadresse ikke eksisterede på *Millennium*, havde hun ingen problemer med at regne ud, at det var et nyt livstegn fra hendes cyberstalker. Hun åbnede mailen.

[TROR DU VIRKELIG, AT BORGSJÖ KAN REDDE DIG, DIN LILLE LUDER? HVORDAN GÅR DET MED FODEN?]

Hun hævede blikket og så spontant ud over redaktionen. Hendes blik faldt på Holm. Han så på hende. Så nikkede han til hende og smilede.

Det er nogen på SMP, der skriver de mails, tænkte Erika.

MØDET I GRUNDLOVSBESKYTTELSEN sluttede ikke før efter klokken fem. De var blevet enige om at holde et nyt møde ugen efter, og at Mikael Blomkvist skulle henvende sig til Monica Figuerola, hvis han ville i kontakt med Säpo inden da. Mikael tog sin computertaske og rejste sig.

"Hvordan finder jeg ud herfra?" spurgte han.

"Du må nok ikke løbe rundt på egen hånd," sagde Edklinth.

"Jeg går med ham ud," sagde Monica Figuerola. "Vent lige et øjeblik, jeg skal lige hente noget på mit kontor."

De gjorde hinanden selskab gennem Kronobergsparken mod Fridhemsplan.

"Hvad sker der så nu?" spurgte Mikael.

"Vi holder os i kontakt," sagde Monica Figuerola.

"Jeg begynder at synes om at have kontakt med Säpo," sagde Mikael og smilede til hende.

"Har du lyst til at spise middag senere i aften?"

"Den bosniske restaurant igen?"

"Nej, jeg har ikke råd til at spise ude hver aften. Jeg tænkte mig snarere noget enkelt hjemme hos mig."

Hun stoppede op og smilede til ham.

"Ved du, hvad jeg gerne ville lige nu?" spurgte Monica Figuerola.

"Nej."

"Jeg har lyst til at tage dig med hjem og klæde dig af."

"Det kan blive en lille smule besværligt."

"Jeg ved det godt. Jeg har faktisk heller ikke tænkt mig at fortælle det til min chef."

"Vi ved ikke, hvordan den her historie kommer til at udvikle sig. Vi kan havne på hver sin side af barrikaden."

"Jeg løber risikoen. Kommer du med frivilligt, eller skal jeg lægge dig i håndjern?"

Han nikkede. Hun tog ham under armen og styrede mod Pontonjärgatan. De var nøgne, før der var gået et halvt minut, efter at de havde lukket døren til hendes lejlighed.

DAVID ROSIN, SIKKERHEDSKONSULENT i Milton Security, ventede på Erika Berger, da hun kom hjem ved syvtiden om aftenen. Hendes fod gjorde meget ondt, og hun hinkede ud i køkkenet og sank ned på den nærmeste stol. Han havde lavet kaffe og serverede den for hende.

"Tak, indgår kaffebrygning i Miltons serviceaftale?"

Han smilede høfligt. David Rosin var en lille, rund mand i halvtredserne med rødt hageskæg.

"Tak, fordi jeg fik lov at låne køkkenet i løbet af dagen."

"Det var da det mindste, jeg kunne tilbyde. Hvordan går det?"

"I løbet af dagen har vores teknikere været her og installeret en rigtig alarm. Jeg skal vise dig, hvordan den fungerer lige om lidt. Jeg har også gennemgået dit hus fra kælder til kvist og set på omgivelserne. Det, der nu sker, er, at jeg vil diskutere din situation med kolleger på Miltons, og om nogle dage har vi en analyse klar, som vi vil gennemgå med dig. Men imens er der en del ting, vi bør diskutere."

"Okay."

"For det første må vi underskrive lidt formalia. Den endelige kontrakt formulerer vi senere – det kommer an på, hvilke tjenester vi bliver enige om – men her er dokumentationen for, at du giver Milton Security til opgave at installere den alarm, vi har installeret i løbet af dagen. Det er en gensidig standardkontrakt, der betyder, at vi på Milton stiller visse krav til dig, og at vi pålægger os selv visse ting, deriblandt tavshedspligt og lignende."

"Stiller I krav til mig?"

"Ja, en alarm er en alarm og betyder ingenting, hvis der står et vanvittigt menneske med et automatvåben i stuen. Hvis det skal være meningsfuldt med sikkerhed, så betyder det, at vi vil have, at du og din mand skal tænke på visse ting og foretage visse rutinehandlinger. Jeg skal gennemgå punkterne med dig."

"Okay."

"Jeg skal ikke foregribe den endelige analyse, men sådan her opfatter jeg den generelle situation. Du og din mand bor i en villa. I har strand på bagsiden af huset og nogle få store villaer i de nærmeste omgivelser. Så vidt jeg har kunnet se, har dine naboer ikke særlig god udsigt til dit hus, der ligger relativt isoleret."

"Det stemmer."

"Det betyder, at en ubuden gæst har gode muligheder for at nærme sig din bopæl uden at blive observeret."

"Naboerne til højre er bortrejst store dele af året, og til venstre bor et ældre ægtepar, som går meget tidligt i seng."

"Præcis. Desuden vender husene gavlen mod hinanden. Der er kun få vinduer og lignende. Hvis en ubuden gæst går ind på din grund – det tager fem sekunder at dreje af fra vejen og komme hen til bagsiden af huset – så holder udsynet helt op. Bagsiden er omgivet af en stor hæk, garage og en stor fritstående bygning."

"Det er min mands atelier."

"Han er kunstner, har jeg forstået."

"Det stemmer. Andet?"

"Den ubudne gæst, der har knust ruden og sprayet på facaden, kunne gøre det helt uforstyrret. Muligvis løb han den risiko, at lyden af knust glas kunne høres, og at nogen ville reagere, men huset skråner, og lyden opfanges af facaden."

"Aha."

"Det andet er, at du har et stort hus på cirka 250 kvadratmeter og dertil kommer loft og kælder. Der er elleve rum fordelt på to etager."

"Huset er et monstrum. Det er Gregers barndomshjem, som han fik lov at overtage."

"Der er også masser af forskellige måder at komme ind i huset på. Via hoveddøren, via altanen på bagsiden, via verandaen i overetagen og via garagen. Desuden er der vinduer på nederste etage og seks kældervinduer, som var helt uden alarm. Endelig kan jeg bryde ind ved at benytte brandtrappen på bagsiden af huset og gå ind gennem tagvinduet på loftet, som kun er sikret med en haspe."

"Det lyder, som om der er svingdøre ind i huset. Hvad skal vi gøre?"

"Den alarm, vi har installeret i løbet af dagen, er provisorisk. Vi kommer tilbage i næste uge og installerer den rigtigt med alarm på hvert eneste vindue på nederste etage og i kælderen. Det er altså din tyverialarm i tilfælde af, at du og din mand er bortrejst."

"Okay."

"Men den aktuelle situation er opstået, fordi du er blevet udsat for en direkte trussel fra et specifikt individ. Det er betydeligt alvorligere. Vi ved ikke spor om, hvem denne person er, hvilke motiver han har, og hvor langt han er parat til at gå, men vi kan drage visse konklusioner. Hvis det bare drejede sig om anonyme hademails, ville vi foretage en lavere trusselsbedømmelse, men i dette tilfælde drejer det sig om en person, der faktisk har gjort sig den ulejlighed at tage ud til din bopæl – og der er ret langt til Saltsjöbaden – og gennemføre et attentat. Det er meget ildevarslende."

"Det er jeg enig i."

"Jeg har talt med Armanskij i løbet af dagen, og vi er enige om, at der foreligger et klart og tydeligt trusselsbillede."

"Aha."

"Indtil vi ved mere om den, der kommer med truslerne, må vi vælge at gardere os."

"Hvilket betyder ..."

"For det første. Den alarm, vi har installeret i løbet af dagen, indeholder to komponenter. Dels en almindelig tyverialarm, som er på, når du ikke er hjemme, dels en bevægelsesdetektor i underetagen, som du skal slå til, når du befinder dig på overetagen om natten."

"Okay."

"Det er besværligt, da du er nødt til at slukke for alarmen, hver gang du går ned i underetagen."

"Okay."

"For det andet har vi skiftet din soveværelsesdør ud i dag."

"Skiftet soveværelsesdøren?"

"Ja. Vi har installeret en sikkerhedsdør i stål. Du skal ikke være bekymret, den er hvidmalet og ligner en almindelig soveværelsesdør. Forskellen er, at døren automatisk låser, når du lukker den. For at åbne døren fra indersiden behøver du bare at trykke håndtaget ned som på en hvilken som helst dør. Men for at åbne døren udefra skal du taste en trecifret kode på en plade, der sidder direkte på håndtaget."

"Okay."

"Hvis du bliver antastet hjemme, har du altså et sikkert rum, du kan barrikadere dig i. Væggene er solide, og det vil tage et stykke tid at bryde døren ned, også selv om man har værktøj ved hånden. For det tredje vil vi installere kameraovervågning, der betyder, at du kan se, hvad der sker i baghaven og i underetagen, når du befinder dig i soveværelset. Det sker senere på ugen, samtidig med at vi installerer bevægelsesdetektorer uden for huset."

"Suk. Det lyder, som om soveværelset ikke bliver noget romantisk sted for fremtiden."

"Det er en lille monitor. Vi kan indbygge den i et skab, så du ikke behøver at have den stående fremme."

"Okay."

"Senere på ugen vil jeg skifte dørene i arbejdsværelset og også i et rum hernede. Hvis der sker noget, skal du kunne søge beskyttelse hurtigt og låse døren, mens du venter på assistance."

"Ja."

"Hvis du udløser tyverialarmen ved en fejltagelse, skal du straks ringe til Miltons alarmcentral og afmelde udrykningen. For at afmelde udrykningen må du opgive et kodeord, der er registreret hos os. Hvis du glemmer kodeordet, sker udrykningen under alle omstændigheder, og så kommer det til at koste dig et beløb."

"Okay."

"For det fjerde er der nu installeret en overfaldsalarm fire steder her i huset. Hernede i køkkenet, i hallen, i dit arbejdsværelse på overetagen og i jeres soveværelse. Overfaldsalarmen består af to knapper, som du trykker ind samtidig og holder nede i tre sekunder. Du kan gøre det med én hånd, men du kan ikke gøre det ved en fejltagelse."

"Aha."

"Hvis overfaldsalarmen går i gang, betyder det tre ting. For det første rykker Miltons ud med nogle biler, som kører herhen. Den nærmeste bil kommer fra Adam Sikkerhed i Fisksätra. Det er to store fyre, som er her inden for ti til tolv minutter. Det andet er, at en bil fra Miltons kommer kørende fra Nacka. Der er udrykningstiden i bedste fald tyve minutter, men snarere femogtyve minutter. For det tredje alarmeres politiet automatisk. Der kommer med andre ord flere biler til stedet med nogle minutters mellemrum."

"Okay."

"En overfaldsalarm kan ikke afbestilles på samme måde, som du kan afbestille tyverialarmen. Du kan altså ikke ringe og sige, at det var en fejltagelse. Selv om du møder os i indkørslen og siger, at det var en fejltagelse, vil politiet gå ind i huset. Vi vil være sikre på, at ingen holder en pistol mod din mands hoved eller noget i den stil. Overfaldsalarmen skal du kun bruge, når der virkelig er fare på færde."

"Okay."

"Det behøver ikke at være et fysisk overfald. Det kan være, at nogen forsøger at bryde ind eller dukker op i baghaven eller lignende. Hvis du føler dig det mindste truet, skal du benytte alarmen, men du skal bruge din sunde fornuft."

"Det lover jeg."

"Jeg noterer, at du har golfkøller placeret hist og her i huset."

"Ja, jeg sov alene i går nat."

"Selv ville jeg være taget på hotel. Jeg har ingen problemer med, at du selv tager visse sikkerhedsforanstaltninger. Men jeg håber, at det står klart for dig, at du med en golfkølle med lethed kan slå en angriber ihjel."

"Hmm."

"Og hvis du gør det, vil du med stor sandsynlighed blive sigtet for drab. Hvis du fortæller, at du har stillet golfkøllerne der for at bevæbne dig, så kan det endda rubriceres som mord."

"Så jeg skal altså ..."

"Sig ikke noget. Jeg ved, hvad du tænker."

"Hvis nogen overfalder mig, så har jeg altså tænkt mig at slå kraniet ind på det menneske."

"Jeg forstår dig godt. Men hele pointen med at stole på Milton Security er, at du får et alternativ til det. Du skal kunne tilkalde hjælp, og frem for alt skal du ikke havne i en situation, hvor du er nødt til at slå kraniet ind på nogen."

"Okay."

"Og hvad har du for resten tænkt dig at gøre med golfkøllerne, hvis han kommer anstigende med et skydevåben? Sikkerhed drejer sig om at være et skridt foran den, der vil en noget ondt."

"Hvad gør jeg, hvis jeg har en stalker efter mig?"

"Du sørger for, at han aldrig får en chance for at komme ind på livet af dig. På nuværende tidspunkt forholder det sig sådan, at vi ikke vil være færdige med installationerne her før om et par dage, og derefter må vi også have en samtale med din mand. Han må være lige så sikkerhedsbevidst som du."

"Ja."

"Indtil da synes jeg egentlig ikke, at du skal bo her."

"Jeg har ingen mulighed for at flytte nogen steder hen. Min mand er hjemme om et par dage. Men både han og jeg rejser ganske ofte og er indimellem alene."

"Okay. Men det her drejer sig bare om nogle dage, indtil vi har alle installationerne på plads. Er der ingen bekendte, du kan bo hos?"

Erika tænkte et øjeblik på Mikael Blomkvists lejlighed, men kom i tanke om, at det ikke var nogen god idé.

"Tak ... men jeg bliver nok nødt til at blive boende."

"Det var jeg bange for, at du ville sige. I så fald synes jeg, at du skal have selskab her resten af ugen."

"Hmm."

"Har du nogen bekendte, der kan komme og bo hos dig?"

"Sikkert. Men ikke halv otte om aftenen, hvis en gal morder strejfer rundt i baghaven."

David Rosin tænkte sig lidt om.

"Okay. Har du noget imod at have selskab af en af medarbejderne på Miltons? Jeg kan ringe og høre om en pige, der hedder Susanne Linder, har fri i aften. Hun ville sikkert ikke have noget imod at tjene nogle ekstra hundredkronesedler ved siden af."

"Hvad koster det?"

"Det må du aftale med hende. Det er altså uden for alle formelle aftaler. Men jeg synes faktisk ikke, at du skal være alene."

"Jeg er ikke mørkeræd."

"Det tror jeg heller ikke. Så ville du ikke have sovet her i nat. Men Susanne Linder er desuden forhenværende politimand. Og det er bare helt tilfældigt. Hvis vi skal arrangere personbeskyttelse, bliver det en helt anden sag – og det bliver ret dyrt."

David Rosins alvorlige toneleje påvirkede hende. Erika Berger indså pludselig, at han sad helt nøgternt og diskuterede den mulighed, at der forelå en trussel mod hendes liv. Var det overdrevent? Skulle hun affærdige hans professionelle bekymring? Hvorfor havde hun i så fald overhovedet ringet til Milton Security og bedt dem om at installere en alarm?

"Okay. Ring til hende. Jeg reder op i gæsteværelset."

DET VAR FØRST ved titiden om aftenen, at Monica Figuerola og Mikael Blomkvist svøbte lagnerne omkring sig, gik ud i hendes køkken og tilberedte en kold pastasalat med tunfisk og bacon og rester fra hendes køleskab. De drak vand til maden. Monica Figuerola fnisede pludselig.

"Hvad?"

"Jeg har mistanke om, at Edklinth ville blive en anelse tosset, hvis han så os lige nu. Jeg tror ikke, at han mente, at jeg skulle have sex med dig, da han sagde, at jeg skulle holde nær kontakt med dig."

"Det var dig, der startede det her. Jeg kunne vælge mellem at blive lagt i håndjern eller følge med frivilligt."

"Jeg ved det. Men du var ikke særlig svær at overtale."

"Du er måske ikke klar over det, selv om jeg nu tror det, men du skriger langt væk af sex. Hvilken fyr tror du måske kan modstå det?"

"Tak. Men så sexet er jeg altså heller ikke. Og så ofte har jeg altså heller ikke sex."

"Hmm."

"Det er sandt. Jeg plejer ikke at gå i seng med særlig mange fyre. Jeg har kun halvt om halvt været kæreste med en fyr her i foråret. Men det holdt op."

"Hvorfor det?"

"Han var ret sød, men det blev en slags trættende armbrydnings-konkurrence. Jeg var stærkere end ham, og det kunne han ikke tåle."

"Okay."

"Er du sådan en fyr, der vil lægge arm med mig?"

"Du mener, om jeg er en fyr, der har problemer med, at du er mere veltrænet og fysisk stærkere end mig. Nej."

"Ærlig talt. Jeg har bemærket, at ganske mange fyre er interesse-rede, men så begynder de at udfordre mig og vil finde på forskellige måder at dominere mig på. Især når de opdager, at jeg er strisser."

"Jeg har ikke tænkt mig at konkurrere med dig. Jeg er bedre end

418

dig til det, jeg laver. Og du er bedre end mig til det, du laver."

"Godt. Den attitude kan jeg leve med."

"Hvorfor lagde du an på mig?"

"Jeg plejer at give efter for mine indskydelser. Og du var en sådan indskydelse."

"Okay. Men du er politimand og ansat i Säpo af alle steder og midt inde i en efterforskning, hvor jeg er en af aktørerne ..."

"Du mener, at det var uprofessionelt af mig. Du har ret. Jeg burde ikke have gjort det. Og jeg ville få store problemer, hvis det blev kendt. Edklinth ville blive rasende."

"Jeg sladrer ikke."

"Tak."

De sad lidt uden at sige noget.

"Jeg ved ikke, hvad det her vil føre til. Du er en fyr, som plejer at forkludre tingene, har jeg forstået. Er det en rigtig beskrivelse?"

"Ja, desværre. Og jeg er nok ikke på jagt efter en kæreste."

"Okay. Så er jeg advaret. Jeg er nok heller ikke på jagt efter en kæreste. Kan vi holde det her på et venskabeligt plan?"

"Helst. Monica, jeg skal nok lade være med at fortælle nogen, at vi har været sammen. Men hvis vi er uheldige, kan jeg havne i en dum konflikt med dine kolleger."

"Det tror jeg ikke. Edklinth er fair nok. Og vi vil virkelig gerne have fingrene i den her Zalachenkoklub. Det virker fuldkommen vanvittigt, hvis dine teorier stemmer."

"Vi får se."

"Du har også været sammen med Lisbeth Salander."

Mikael hævede blikket og så på Monica Figuerola.

"Du ... jeg er ingen åben dagbog, som alle får lov at læse i. Min relation til Lisbeth angår ikke nogen."

"Hun er Zalachenkos datter."

"Ja, og det må hun leve med. Men hun er ikke Zalachenko. Der er fanden til forskel."

"Jeg mente det ikke sådan. Jeg spekulerede bare over dit engagement i den her historie."

"Lisbeth er min ven. Det rækker som forklaring."

SUSANNE LINDER FRA Milton Security var klædt i cowboybukser, sort skindjakke og gummisko. Hun ankom til Saltsjöbaden ved nitiden om aftenen, fik instrukser af David Rosin og gik en runde i huset sammen med ham. Hun var bevæbnet med laptop, politistav, tåregaspatron, håndjern og tandbørste i en grøn militærtaske, som hun pakkede ud i Erika Bergers gæsteværelse. Derefter bød Erika Berger hende på kaffe.

"Tak for kaffe. Du synes måske, at jeg er en gæst, som du er nødt til at underholde på alle måder. I virkeligheden er jeg slet ikke gæst. Jeg er et nødvendigt onde, som pludselig er dukket op i dit liv, selv om det kun er for et par dage. Jeg har arbejdet som politimand i seks år og har arbejdet for Milton Security i fire. Jeg er uddannet livvagt."

"Aha."

"Du har været udsat for trusler, og jeg er her som vagt, så du kan sove i fred og ro, arbejde, læse en bog eller gøre lige, hvad du har lyst til. Hvis du har behov for at tale, så lytter jeg gerne. Ellers har jeg en bog med mig, som jeg kan læse."

"Okay."

"Det, jeg mener, er, at du skal fortsætte med dit liv, og at du ikke skal føle det som en pligt at underholde mig. Så bliver jeg bare et forstyrrende indslag i din hverdag. Så det bedste ville være, hvis du kunne se mig som en midlertidig arbejdskollega."

"Jeg må sige, at jeg er uvant med den her situation. Jeg er blevet udsat for trusler før, da jeg var chefredaktør for *Millennium*, men da var det på et arbejdsmæssigt plan. Her er der tale om et eller andet skide ubehageligt menneske ..."

"Som har fået en *hang up* på lige netop dig."

"Noget i den stil."

"Hvis vi skal ordne en rigtig personbeskyttelse for dig, kommer det til at koste frygtelig mange penge, og det må du gøre op med Dragan Armanskij. Og hvis det skal være det værd, må der foreligge et meget tydeligt og specifikt trusselsbillede. Det her er kun en ekstratjans for mig. Jeg tager 500 kroner per nat for at sove her ugen ud i stedet for at sove hjemme hos mig selv. Det er billigt og langt under, hvad jeg ville forlange, hvis jeg tog det her job på opgave fra Miltons. Er det okay med dig?"

"Det er helt okay."

"Hvis der sker noget, vil jeg gerne have, at du låser dig inde i sove-værelset og lader mig tage mig af tumulten. Dit job er at trykke på overfaldsalarmen."

"Okay."

"Jeg mener det alvorligt. Jeg vil ikke have dig i nærheden, hvis der bliver noget vrøvl."

ERIKA BERGER GIK op og lagde sig ved ellevetiden om aftenen. Hun hørte klikket fra låsen, da hun lukkede soveværelsesdøren. Hun klædte sig eftertænksomt af og kravlede i seng.

Selv om hun var blevet formanet om ikke at underholde sin gæst, havde hun tilbragt to timer sammen med Susanne Linder ved spisebordet i køkkenet. Hun havde opdaget, at de kom aldeles udmærket ud af det med hinanden, og at selskabet havde været utvunget. De havde diskuteret den psykologi, som foranlediger visse mænd til at forfølge kvinder. Susanne Linder havde forklaret, at hun sked på psykologisk mumbo jumbo. Hun mente, at det var vigtigt at stoppe galningene, og hun trivedes udmærket med sit job på Milton Security, da hendes arbejdsopgaver for det meste drejede sig om at sætte ind over for idioter.

"Hvorfor holdt du op i politiet?" spurgte Erika Berger.

"Spørg hellere, hvorfor jeg blev politimand."

"Okay, hvorfor blev du politimand?"

"Da jeg var sytten år, blev en nær veninde udsat for røveri og voldtægt af tre bøller i en bil. Jeg blev politimand, fordi jeg havde en romantisk forestilling om, at politiet var til for at forhindre den slags forbrydelser."

"Ja ..."

"Jeg kunne ikke forhindre en skid. Som politimand ankom jeg altid til stedet, efter at en forbrydelse havde fundet sted. Jeg kunne ikke tage den dumsmarte jargon i afdelingen. Og jeg lærte hurtigt, at visse forbrydelser ikke bliver opklaret. Det er du et typisk eksempel på. Har du forsøgt at ringe til politiet og fortælle, hvad der er sket?"

"Ja."

"Og rykkede politiet ud?"

"Næ, ikke ligefrem. Jeg blev opfordret til at anmelde det på nærpolitistationen."

"Okay. Så ved du det. Nu arbejder jeg for Armanskij, og der kommer jeg ind i billedet, inden forbrydelsen er blevet begået."

"Truede kvinder?"

"Jeg arbejder med alt muligt. Sikkerhedsanalyser, personbeskyttelse, overvågning og sådan noget. Men det drejer sig ofte om mennesker, der er blevet truet, og jeg trives bedre der end hos politiet."

"Okay."

"Der er selvfølgelig en ulempe."

"Hvad?"

"Vi hjælper kun kunder, der kan betale."

Da hun havde lagt sig, tænkte Erika Berger på, hvad Susanne Linder havde sagt. Ikke alle mennesker har råd til sikkerhed. Selv havde hun uden at blinke accepteret David Rosins forslag til flere dørudskiftninger, håndværkere, dobbelte alarmsystemer og alt det andet. Tilsammen ville alle foranstaltningerne komme til at koste op imod 50.000 kroner. Hun havde råd.

Hun tænkte lidt over sin fornemmelse af, at den, der truede hende, havde noget med SMP at gøre. Den pågældende person havde vidst, at hun var kommet til skade med foden. Hun tænkte på Anders Holm. Hun brød sig ikke om ham, hvilket bidrog til hendes mistænksomhed mod ham, men nyheden om, at hun var kommet til skade med foden, havde bredt sig hurtigt fra det øjeblik, hvor hun var ankommet til redaktionen med krykker.

Og hun måtte klare det problem med Borgsjö.

Hun satte sig pludseligt op i sengen, rynkede øjenbrynene og så sig om i soveværelset. Hun spekulerede på, hvor hun havde lagt Henry Cortez' mappe om Borgsjö og Vitavara AB.

Erika stod op, trak i badekåben og støttede sig til en krykke. Derefter åbnede hun soveværelsesdøren, gik ned til sit arbejdsværelse og tændte loftslampen. Nej, hun havde ikke været inde i arbejdsværelset, siden hun ... hun havde læst mappen i badekarret aftenen før. Hun havde lagt den i vindueskarmen.

Hun gik ud i badeværelset. Mappen lå ikke i vindueskarmen.

Hun stod stille i lang tid og tænkte.

Jeg steg op af badekarret, gik ud for at sætte kaffe over, trådte på glasskåret og fik andet at tænke på.

Hun kunne ikke huske, at hun havde set mappen om morgenen.

Hun havde ikke flyttet mappen andre steder hen.

Pludselig blev hun iskold. Hun brugte de næste fem minutter på systematisk at gennemsøge badeværelset og vende op og ned på papirstakke og avisbunker i køkkenet og soveværelset. Til sidst blev hun nødt til at konstatere, at mappen var væk.

På et eller andet tidspunkt efter at hun havde trådt på glasskåret, og før David Rosin dukkede op om morgenen, var nogen gået ind i badeværelset og havde taget *Milenniums* materiale om Vitavara AB.

Siden slog det hende, at hun havde andre hemmeligheder i huset. Hun haltede hurtigt tilbage til soveværelset og åbnede den nederste kommodeskuffe ved sin seng. Hendes hjerte sank som en sten. Alle mennesker har hemmeligheder. Hun gemte sine i kommoden i soveværelset. Erika Berger skrev ikke regelmæssigt dagbog, men der havde været perioder, hvor hun havde gjort det. Der lå gamle kærestebreve fra teenageårene.

Der lå en kuvert med billeder, som havde været sjove, da de blev taget, men som ikke egnede sig til offentliggørelse. Da Erika var omkring 25 år, havde hun været med i Club Xtreme, der arrangerede private datingfester for folk, der legede med lak og læder. Der var billeder fra fester, hvor hun i ædru tilstand ville påstå, at hun ikke havde set helt normal ud.

Og mest katastrofalt – der lå en video, der var blevet taget under en ferie i begyndelsen af 90'erne, da hun og hendes mand havde været gæster hos glaskunstneren Torkel Bollinger i hans sommerhus på Costa del Sol. I ferien havde Erika opdaget, at hendes mand havde en klar biseksuel tilbøjelighed, og de var begge havnet i seng sammen med Torkel. Det havde været en skøn ferie. Videokameraer havde stadig været et relativt nyt fænomen, og den film, de spøgefuldt havde produceret, var helt klart forbudt for børn.

Kommodeskuffen var tom.

Hvordan fanden kunne jeg være så åndssvag?

På bunden af skuffen havde nogen sprayet de velkendte fem bogstaver.

KAPITEL 19

Fredag den 3. juni – lørdag den 4. juni

LISBETH SALANDER AFSLUTTEDE sin selvbiografi ved firetiden fredag morgen og sendte en kopi til Mikael Blomkvist på yahoogruppen [Det_Vanvittige_Bord]. Derefter lå hun stille i sengen og stirrede op i loftet.

Hun konstaterede, at hun på Valborgs aften var fyldt 27 år, men at hun ikke engang havde reflekteret over, at det var hendes fødselsdag. Hun havde befundet sig i fangenskab. Hun havde oplevet det samme, da hun lå på Skt. Stefans børnepsykiatriske klinik, og hvis det ikke gik, som det skulle for hende, risikerede hun at skulle opleve adskillige fødselsdage fremover på en eller anden psykiatrisk afdeling.

Hvilket hun ikke havde tænkt sig at acceptere.

Forrige gang hun havde siddet indespærret, var hun knap nok kommet i teenagealderen. Nu var hun voksen og havde en anden viden og andre evner. Hun spekulerede på, hvor lang tid det ville tage hende at flygte og komme i sikkerhed et eller andet sted i udlandet, skaffe sig en ny identitet og et nyt liv. Hun rejste sig fra sengen og gik ud på toilettet, hvor hun så sig i spejlet. Hun haltede ikke længere. Hun mærkede med hånden på ydersiden af hoften, hvor skudsåret var helet til et ar. Hun drejede armene og rullede skuldrene frem og tilbage. Det strammede, men hun var praktisk talt rask. Hun bankede sig på hovedet. Hun gik ud fra, at hendes hjerne ikke havde taget nogen større skade af at blive perforeret af en kugle.

Hun havde været ualmindelig heldig.

Indtil hun havde fået adgang til sin computer, havde hun brugt tiden på at tænke over, hvordan hun skulle flygte fra den aflåste stue på Sahlgrenska Sygehus.

Derefter havde dr. Anders Jonasson og Mikael Blomkvist forkludret hendes planer ved at smugle håndcomputeren ind. Hun havde

424

læst Mikael Blomkvists tekster og spekuleret. Hun havde foretaget en konsekvensanalyse, tænkt over hans plan og vejet sine muligheder op mod hinanden. Hun havde besluttet for en gang skyld at gøre, som han foreslog. Hun ville teste systemet. Mikael Blomkvist havde overbevist hende om, at hun faktisk ikke havde noget at miste, og han tilbød hende en mulighed for at flygte på en anden måde. Og hvis planen mislykkedes, ville hun simpelthen blive nødt til at planlægge sin flugt fra Skt. Stefans eller en anden tosseanstalt.

Det, der faktisk havde fået hende til at tage beslutningen om at spille Mikaels spil, var hendes hævntørst.

Hun havde ikke tilgivet noget.

Zalachenko, Björck og Bjurman var døde.

Men Teleborian levede.

Og det gjorde hendes bror Ronald Niedermann også. Selv om han i princippet ikke var hendes problem. Han havde ganske vist hjulpet med at myrde og begrave hende, men han føltes perifer. *Hvis jeg løber ind i ham engang, får vi se, men indtil da er han politiets problem.*

Men Mikael havde ret i, at der bag sammensværgelsen måtte være andre ukendte ansigter, der havde bidraget til at forme hendes liv. Hun måtte have navne og personnumre på disse anonyme ansigter.

Altså havde hun besluttet at følge Mikaels plan. Og altså havde hun skrevet den nøgne og usminkede sandhed om sit liv i form af en knastør selvbiografi på fyrre sider. Hun havde været meget omhyggelig med formuleringerne. Indholdet i hver eneste sætning var sandt. Hun havde accepteret Mikaels ræsonnement om, at hun allerede var hængt ud i de svenske medier med så groteske påstande, at en portion vanvid mere formentlig ikke ville skade hendes omdømme yderligere.

Derimod var biografien en forfalskning i den forstand, at hun ikke fortalte *hele* sandheden om sig selv og sit liv. Det havde hun ingen grund til at gøre.

Hun gik tilbage til sengen og krøb ned under dynen. Hun mærkede en irritation, som hun ikke kunne definere. Hun rakte ud efter den notesblok, som hun havde fået af Annika Giannini, og som hun knap nok havde brugt. Hun slog op på første side, hvor hun havde skrevet en eneste sætning.

$$x^3 + y^3 = z^3$$

Hun havde tilbragt flere uger i Caribien forrige vinter med at gruble som en vanvittig over Fermats teorem. Da hun vendte tilbage til Sverige, og inden hun blev inddraget i jagten på Zalachenko, var hun fortsat med at lege med ligningerne. Problemet var bare, at hun havde en irriterende fornemmelse af, at hun havde set en løsning ... *at hun havde oplevet en løsning.*

Men at hun ikke kunne huske den.

Ikke at kunne huske noget var et ukendt fænomen for Lisbeth Salander. Hun havde testet sig selv ved at gå på nettet og udvælge nogle tilfældige HTML-koder, som hun hurtigt havde gennemlæst og memoreret og derefter gengivet præcist.

Hun havde ikke tabt sin fotografiske hukommelse, som hun oplevede som en forbandelse.

Alt var, som det plejede inde i hovedet.

Bortset fra at hun mente at kunne huske, at hun havde set en løsning på Fermats teorem, men ikke kunne komme i tanke om hvordan, hvornår eller hvor.

Det værste var, at hun ikke følte nogen som helst interesse for gåden. Fermats teorem interesserede hende ikke længere. Det var foruroligende. Det var præcis sådan, hun plejede at fungere. Hun blev fascineret af en gåde, men så snart hun havde løst den, mistede hun interessen.

Og det var præcis sådan, hun følte for Fermat. Han sad ikke længere som en lille djævel på hendes skulder og krævede opmærksomhed og drillede hendes intellekt. Det var en dum formel, nogle krummelurer på et stykke papir, og hun følte slet ingen lyst til at knække gåden.

Det bekymrede hende. Hun lagde notesbogen fra sig.

Hun burde få sig noget søvn.

I stedet fandt hun computeren frem igen og gik på nettet. Hun tænkte sig lidt om og gik derefter ind på Dragan Armanskijs harddisk, som hun ikke havde besøgt, siden hun fik håndcomputeren. Armanskij samarbejdede med Mikael Blomkvist, men hun havde ikke haft noget umiddelbart behov for at læse om, hvad han gik og foretog sig.

Hun læste distræt hans e-mails.

Så fandt hun den sikkerhedsanalyse, som David Rosin havde formuleret om Erika Bergers bopæl. Hun hævede øjenbrynene.

Erika Berger har en stalker efter sig.

Hun fandt et memo fra medarbejderen Susanne Linder, der åbenbart havde boet hos Erika Berger den foregående nat, og som havde mailet en rapport sent om natten. Hun så på tidsangivelsen. Mailen var blevet sendt lidt i tre om morgenen og rapporterede, at Berger havde opdaget, at personlige dagbøger, breve og fotografier samt en video af højst personlig karakter var blevet stjålet fra en kommode i hendes soveværelse.

[Efter at have diskuteret sagen med fru Berger konstaterede vi, at tyveriet må være sket i det tidsrum, hun befandt sig på Nacka Sygehus efter at have trådt på glasskåret. Det gav et hul på cirka 2½ time, hvor huset stod ubevogtet, og den mangelfulde alarm fra NIP ikke var tilsluttet. På alle andre tidspunkter har enten Berger eller David Rosin befundet sig i huset, indtil tyveriet blev opdaget.

Det betyder, at hendes forfølger opholdt sig i fru Bergers nærhed og kunne observere, at hun blev hentet af en taxi og muligvis også, at hun haltede og var kommet til skade med foden. Efterfølgende må han være gået ind i huset.]

Lisbeth gik ud af Armanskijs harddisk og lukkede eftertænksomt sin computer. Hun nærede modstridende følelser.

Hun havde ingen grund til at elske Erika Berger. Hun huskede stadig den fornedrende følelse, hun havde oplevet, da hun havde set hende forsvinde med Mikael Blomkvist i Hornsgatan dagen før nytårsaften halvandet år tidligere.

Hun havde aldrig i sit liv følt sig så dum, og hun ville aldrig mere tillade sig den slags følelser.

Hun huskede det urimelige had, hun havde følt, og lysten til at fare efter dem og gøre Erika Berger fortræd.

Frygteligt.

Hun var kureret.

Men hun havde som sagt ingen grund til at elske Erika Berger.

Efter et stykke tid begyndte hun at spekulere på, hvad Bergers video af *højst personlig karakter* indeholdt. Hun havde selv en video af højst personlig karakter, som viste, hvordan Nils Gammelmandspik Bjurman forgreb sig på hende. Og den var nu i Mikael Blomkvists hænder. Hun spekulerede på, hvordan hun ville have reageret, hvis nogen var brudt ind hos hende og havde stjålet filmen. Hvilket Mikael Blomkvist per definition faktisk havde gjort, selv om hans hensigt ikke havde været at skade hende.

Hmm.

Besværligt.

DET HAVDE VÆRET umuligt for Erika Berger at sove natten til fredag. Hun haltede rastløst frem og tilbage gennem villaen, mens Susanne Linder holdt et vågent øje med hende. Hendes frygt lå som en tung tåge i huset.

Ved halvtretiden om morgenen lykkedes det Susanne Linder at overtale Berger til om ikke at sove så i det mindste at lægge sig i sengen og hvile sig. Hun havde draget et lettelsens suk, da Berger lukkede sin soveværelsesdør. Hun havde åbnet sin laptop og skrevet en sammenfatning af, hvad der var sket, i en mail til Dragan Armanskij. Hun havde knap nok sendt mailen af sted, før hun hørte, at Erika Berger var oppe igen.

Ved syvtiden om morgenen havde hun endelig fået Erika Berger til at ringe til SMP og sygemelde sig. Erika Berger var modvilligt gået med til, at hun ikke ville være til nogen nytte på sin arbejdsplads, hvis hun skulle gå rundt og være helt skeløjet af træthed. Derefter var hun faldet i søvn på sofaen i stuen foran det krydsfinerstildækkede vindue. Susanne Linder havde hentet et tæppe og bredt det ud over hende. Hun havde derefter lavet kaffe til sig selv, havde ringet og talt med Dragan Armanskij og forklaret sin tilstedeværelse på stedet, og hvordan hun var blevet tilkaldt af David Rosin.

"Jeg har heller ikke sovet spor i nat," sagde Susanne Linder.

"Okay. Bliv hos Berger. Gå hen og læg dig og sov et par timer," sagde Armanskij.

"Jeg ved ikke, hvordan vi skal fakturere ..."

"Det løser vi senere."

Erika Berger sov til halv tre om eftermiddagen. Hun vågnede

og fandt Susanne Linder sovende i en lænestol i den anden ende af stuen.

MONICA FIGUEROLA sov over sig fredag morgen og havde ikke tid til at løbe sin morgentur, før hun skulle på arbejde. Hun klandrede Mikael for det, tog et brusebad og sparkede ham ud af sengen.

Mikael Blomkvist tog ned til *Millennium*, hvor alle var overraskede over at se ham så tidligt. Han mumlede et eller andet, hentede kaffe og samlede Malin Eriksson og Henry Cortez på sit kontor. De brugte tre timer på at gennemgå artiklerne til det kommende temanummer og afstemme, hvordan bogproduktionen skred frem.

"Dag Svenssons bog gik i trykken i går," sagde Malin. "Vi trykker den i paperbackformat."

"Okay."

"Tidsskriftet bliver *The Lisbeth Salander Story*," sagde Henry Cortez. "De har det med at ændre datoen, men retssagen er nu fastsat til den 13. juli. Tidsskriftet er færdigtrykt inden da, og det ligger til distribution i midten af ugen. Du bestemmer, hvornår det skal udkomme."

"Godt. Så er der kun bogen om Zalachenko tilbage, hvilket for øjeblikket er et mareridt. Titlen bliver *Sektionen*. Første halvdel af bogen bliver i praksis det, vi trykker i *Millennium*. Mordene på Dag Svensson og Mia Bergman er udgangspunktet og derefter jagten på Lisbeth Salander, Zalachenko og Niedermann. Anden halvdel af bogen bliver det, vi ved om Sektionen."

"Mikael, selv om trykkeriet gør alt, hvad de kan, er vi nødt til at aflevere trykfærdigt materiale senest den sidste dag i juni," sagde Malin. "Christer skal bruge i hvert fald et par dage til layoutet. Vi har omkring to uger for os. Jeg har ingen anelse om, hvordan vi skal nå det."

"Vi når ikke at grave den fuldstændige historie frem," sagde Mikael. "Men det tror jeg ikke, at vi kunne, om vi så havde et helt år. Det, vi skal gøre i den her bog, er at fortælle, hvad der er sket. Hvis vi mangler kilder på noget, så skriver jeg det. Hvis vi spekulerer, skal det fremgå klart og tydeligt. Vi skriver altså, hvad der er sket, og hvad vi kan dokumentere, og så skriver vi, hvad vi tror, der kan være sket."

"Skidesmart," sagde Henry Cortez.

Mikael rystede på hovedet.

"Hvis jeg siger, at en person fra Säpo bryder ind i min lejlighed, og at jeg kan dokumentere det med en video, så er det dokumenteret. Hvis jeg siger, at han gør det på ordre fra Sektionen, så er det spekulation, men i lyset af alle de afsløringer, vi har, så er det en rimelig spekulation. Forstår du?"

"Okay."

"Jeg kan ikke nå at skrive alle afsnittene selv. Henry, jeg har en liste over tekster her, som du har skrevet. Det svarer til omkring halvtreds bogsider. Malin, du er backup for Henry, præcis som da vi redigerede Dag Svenssons bog. Vi står alle tre som forfattere på omslaget. Er det okay med jer?"

"Selvfølgelig," sagde Malin. "Men vi har en hel del andre problemer."

"Hvad?"

"Mens du har puklet med Zalachenkohistorien, har vi haft en fandens masse arbejde, der skulle laves her ..."

"Og du mener ikke, at jeg har været til at få fat i?"

Malin Eriksson nikkede.

"Du har ret. Det er jeg ked af."

"Det skal du ikke være. Vi ved alle sammen godt, at når du bliver besat af en historie, eksisterer der ikke andet i verden for dig. Men det fungerer ikke for os andre. Det fungerer ikke for mig. Erika Berger havde mig at læne sig op ad. Jeg har Henry, og han er genial, men han arbejder lige så meget på din historie, som du gør. Selv om man tæller dig med, er vi ganske enkelt to mand for lidt på redaktionen."

"Okay."

"Og jeg er ikke Erika Berger. Hun havde en rutine, som jeg mangler. Jeg er ved at lære mig arbejdet. Monica slider røven ud af bukserne. Og det gør Lottie også. Men ingen kan nå at standse op og tænke sig om."

"Det her er midlertidigt. Så snart retssagen begynder ..."

"Nej, Mikael. Så er det ikke ovre. Når retssagen begynder, bliver det det rene helvede. Kan du huske, hvordan det var under Wennerströmaffæren. Det betyder, at vi ikke vil se dig i omkring tre måneder, mens du vælter dig rundt i tv-sofaerne."

Mikael sukkede. Han nikkede langsomt.

"Hvad foreslår du?"

"Hvis vi skal klare *Millennium* i efteråret, er vi nødt til at ansætte nogle folk. Mindst to personer, måske flere. Vi har ikke kapacitet til det, vi forsøger at gøre, og ..."

"Og?"

"Og jeg er ikke sikker på, at jeg har lyst til at gøre det."

"Okay."

"Jeg mener det. Jeg er en skidegod redaktionssekretær, og det var *piece of cake* med Erika Berger som chef. Vi sagde, at vi ville prøve sommeren over ... okay, vi har prøvet. Jeg er ikke nogen god chefredaktør."

"Sludder," sagde Henry Cortez.

Malin rystede på hovedet.

"Okay," sagde Mikael. "Jeg hører, hvad du siger. Men du må tænke på, at det har været en ekstrem situation."

Malin smilede til ham.

"Du kan se det som en klage fra personalet," sagde hun.

GRUNDLOVSBESKYTTELSENS OPERATIVE enhed brugte fredagen på at forsøge at få hoved og hale på de informationer, de havde fået af Mikael Blomkvist. To af medarbejderne var flyttet til et midlertidigt kontor ved Fridhemsplan, hvor al dokumentationen blev samlet. Det var besværligt, da det interne computersystem lå på politigården, hvilket betød, at medarbejderne måtte gå frem og tilbage nogle gange hver dag. Selv om der kun var ti minutter derhen, var det alligevel et irritationsmoment. Allerede ved frokosttid havde de samlet en del dokumentation for, at både Fredrik Clinton og Hans von Rottinger havde været tilknyttet Säpo i 60'erne og begyndelsen af 70'erne.

Von Rottinger kom oprindelig fra den militære efterretningstjeneste og arbejdede i flere år på det kontor, der koordinerede Forsvaret og Säpo. Fredrik Clinton havde en baggrund inden for flyvevåbnet og var begyndt at arbejde for Säpos personalekontrol i 1967.

Begge havde dog forladt Säpo i begyndelsen af 70'erne; Clinton i 1971 og von Rottinger i 1973. Clinton var begyndt i det private erhvervsliv som konsulent, og von Rottinger var blevet civilansat til at foretage efterforskninger til det internationale atomenergiagentur. Han blev udstationeret i London.

Først langt ud på eftermiddagen kunne Monica Figuerola banke på hos Edklinth og forklare, at Clintons og von Rottingers karrierer, siden de havde forladt Säpo, med stor sandsynlighed var opdigtede. Clintons karriere var svær at spore. At være konsulent for det private erhvervsliv kan betyde stort set hvad som helst, og en sådan har ingen pligt til at redegøre for sit praktiske arbejde over for staten. Af nogle selvangivelser fremgik det, at han tjente godt; desværre syntes hans kunder hovedsagelig at bestå af anonyme firmaer baseret i Schweiz eller lignende lande. Derfor var det ikke rigtig muligt at bevise, at det var bluff.

Von Rottinger derimod havde aldrig nogensinde sat sin fod på det kontor, hvor han forventedes at arbejde i London. I 1973 var den kontorbygning, hvor han antagelig skulle have arbejdet, nemlig blevet revet ned og erstattet med en udbygning af King's Cross Station. Der var i den grad nogen, der havde dummet sig, da historien blev opdigtet. I løbet af dagen havde Figuerolas team interviewet flere pensionerede medarbejdere ved det internationale atomenergiagentur. Ingen af dem havde nogensinde hørt om Hans von Rottinger.

"Så ved vi det," sagde Edklinth. "Så skal vi bare finde ud af, hvad de i virkeligheden lavede."

Monica Figuerola nikkede.

"Hvad gør vi med Blomkvist?"

"Hvad mener du?"

"Du lovede at give ham feedback om, hvad vi fandt om Clinton og Rottinger."

Edklinth tænkte sig om.

"Okay. Han finder alligevel ud af det selv, hvis han bliver ved længe nok. Bedre at vi holder os på god fod med ham. Du kan give ham det. Men brug din sunde fornuft."

Det lovede Monica Figuerola. De brugte nogle minutter på at diskutere weekenden. Monica havde to medarbejdere, der skulle fortsætte arbejdet. Selv skulle hun holde fri.

Hun stemplede derefter ud, gik hen til motionscentret ved Sankt Eriksplan og tilbragte to timer med som en rasende at indhente den tabte træningstid. Hun var hjemme ved syvtiden om aftenen, tog et brusebad, tilberedte en enkel middag og tændte for tv'et for at se nyheder. Klokken halv otte var hun allerede rastløs og iførte sig joggingtøjet. Hun stoppede op foran hoveddøren og følte efter. *Den skide Blomkvist.* Hun tog mobiltelefonen og ringede til hans T10.

"Vi har fundet frem til nogle oplysninger om Rottinger og Clinton."

"Fortæl," sagde Mikael.

"Hvis du kommer over og siger goddag, kan jeg fortælle dig om det."

"Hmm," sagde Mikael.

"Jeg har netop taget joggingtøjet på for at arbejde lidt overskudsenergi af," sagde Monica Figuerola. "Skal jeg begive mig af sted, eller skal jeg vente på dig?"

"Er det okay, hvis jeg dukker op efter ni?"

"Det er fint."

VED OTTETIDEN FREDAG aften fik Lisbeth Salander besøg af dr. Anders Jonasson. Han slog sig ned i gæstestolen og lænede sig tilbage.

"Skal du undersøge mig?" spurgte Lisbeth Salander.

"Nej, ikke i aften."

"Okay."

"Vi foretog en vurdering af dig i dag og har meddelt anklageren, at vi nu er parate til at slippe dig."

"Okay."

"De vil overføre dig til fængslet i Göteborg allerede i aften."

"Så hurtigt."

Han nikkede.

"Stockholm er åbenbart utålmodige. Jeg sagde, at jeg havde en del afsluttende prøver, jeg skulle have taget på dig i morgen, og at jeg ikke slipper dig før på søndag."

"Hvorfor det?"

"Ved det ikke. Jeg blev ret irriteret over, at de er så genstridige."

Lisbeth Salander smilede faktisk. Hun ville nok kunne få en god anarkist ud af dr. Anders Jonasson, hvis hun fik nogle år til det. Han havde i hvert fald anlæg for civil ulydighed på det private plan.

"FREDRIK CLINTON," sagde Mikael Blomkvist og så op i loftet over Monica Figuerolas seng.

"Hvis du tænder cigaretten, skodder jeg den i din navle," sagde Monica Figuerola.

Mikael så overrasket på den cigaret, han havde taget op af sin jakkelomme.

"Undskyld," sagde han. "Må jeg låne altanen?"

"Hvis du børster tænder bagefter."

Han nikkede og svøbte et lagen om kroppen. Hun fulgte efter ham ud i køkkenet og fyldte et stort glas med vand. Hun lænede sig mod dørkarmen ud til altanen.

"Fredrik Clinton?"

"Han lever stadig. Han er forbindelsen til alt det gamle."

"Han er døende. Han har brug for en ny nyre og tilbringer det meste af sin tid i dialyse eller med anden behandling."

"Men han lever. Vi kunne kontakte ham og stille spørgsmålene direkte til ham. Han ville måske tale."

"Nej," sagde Monica Figuerola. "For det første er dette en forundersøgelse, og den tager politiet sig af. Derfor er der ingen 'vi' i den her forbindelse. For det andet får du oplysningerne på grund af din aftale med Edklinth, men du har lovet ikke at handle på en sådan måde, at du ødelægger efterforskningen."

Mikael så på hende og smilede. Han skoddede cigaretten.

"Uha," sagde han. "Säpo rykker i snoren."

Hun så pludselig betænkelig ud.

"Mikael, det her er ikke for sjov."

ERIKA BERGER TOG ind til *Svenska Morgon-Posten* lørdag morgen med en klump i maven. Hun kunne mærke, at hun begyndte at få styr på selve avisarbejdet og havde egentlig planlagt at tage sig en friweekend – den første siden hun begyndte på SMP – men opdagelsen af, at hendes mest personlige og intime minder var forsvundet sammen med Borgsjörapporten, gjorde det umuligt for hende at slappe af.

I løbet af en søvnløs nat, som for en stor dels vedkommende blev tilbragt i køkkenet sammen med Susanne Linder, forventede Erika, at *Giftpennen* ville slå til, og at alt andet end smigrende billeder af hende hurtigt ville blev spredt. Internettet var et suverænt redskab for idioter. *Du gode gud, en skide video der viser, hvordan jeg boller med*

434

min mand og med en anden mand – jeg kommer i hver eneste formiddags-
avis i hele verden. Det mest private.

Hun havde følt panik og frygt i løbet af natten.

Susanne Linder havde efterhånden fået hende overbevist om, at hun skulle lægge sig.

Klokken otte om morgenen stod hun op og tog ind til SMP. Hun kunne ikke holde sig væk. Hvis der ventede en storm, ville hun møde den først af alle.

Men på den halvbemandede lørdagsredaktion var alt normalt. Personalet hilste almindeligt, da hun gik forbi centraldisken. Anders Holm havde fri. Peter Fredriksson var nyhedschef.

"Morgen, jeg troede, at du holdt fri i dag," sagde han.

"Jeg med. Men jeg havde det jo dårligt i går og har noget at indhente. Er der sket noget?"

"Nej, det er en tynd nyhedsmorgen. Det varmeste, vi har, er, at træindustrien i Dalarna kan fremvise en opgang, og at der har været et røveri i Norrköping, hvor en person er blevet såret."

"Okay. Jeg sidder inde i glasburet og arbejder lidt."

Hun slog sig ned, lænede krykkerne mod reolen og loggede ind på nettet. Hun begyndte med at kontrollere posten. Hun havde fået flere mails, men ingen fra Giftpennen. Hun rynkede øjenbrynene. Det var nu to døgn siden indbruddet, og han havde endnu ikke reageret på, hvad der måtte være en fantastisk skatkiste af muligheder. *Hvorfor ikke? Har han tænkt sig at ændre taktik? Afpresning? Vil han bare grille mig?*

Hun havde ikke noget specifikt at arbejde med og fandt det strategidokument for SMP frem, som hun var ved at formulere. Hun sad og stirrede på skærmen et kvarter uden at se bogstaverne.

Hun havde forsøgt at ringe til Greger, men havde ikke fået fat i ham. Hun vidste ikke engang, om hans mobil fungerede i udlandet. Hun havde naturligvis kunnet spore ham, hvis hun anstrengte sig, men hun følte sig frygtelig sløv. Nej, hun følte sig fortvivlet og paralyseret.

Hun forsøgte at ringe til Mikael Blomkvist for at informere om, at Borgsjömappen var blevet stjålet. Han tog ikke sin mobiltelefon.

Klokken ti havde hun endnu ikke fået lavet noget nyttigt og besluttede sig for at tage hjem. Hun skulle lige til at række hånden frem for at lukke ned for computeren, da hendes Messenger gav lyd fra sig.

Hun så forbavset på menuen. Hun vidste godt, hvad Messenger var, men hun chattede sjældent og havde ikke brugt programmet, siden hun begyndte på SMP.

Hun klikkede tøvende på Svar.

<Hej Erika>

<Hej. Hvem der?>

<Privat. Er du alene?>

Et trick? Giftpennen?

<Ja. Hvem er du?>

<Vi mødtes i Kalle Blomkvists lejlighed, da han kom hjem fra Sandhamn>

Erika Berger stirrede på skærmen. Det varede flere sekunder, før det gik op for hende. *Lisbeth Salander. Umuligt.*

<Er du der stadig?>

<Ja>

<Ingen navne. Ved du, hvem jeg er?>

<Hvordan ved jeg, at det ikke er bluff>

<Jeg ved, hvordan Mikael fik sit ar på halsen>

Erika sank en klump. Fire personer i hele verden vidste, hvordan det var gået til. Lisbeth Salander var en af dem.

<Okay. Men hvordan kan du chatte med mig?>

<Jeg er ret god til computere>

Lisbeth Salander er en djævel til computere. Men hvordan fanden hun bærer sig ad med at kommunikere fra Sahlgrenska Sygehus, hvor hun har ligget isoleret siden april, det begriber jeg ikke.

<Okay>

<Kan jeg stole på dig?>

<Hvad mener du?>

<Denne samtale må ikke komme ud>

Hun vil ikke have, at politiet får at vide, at hun har adgang til nettet. Naturligvis ikke. Derfor chatter hun med chefredaktøren for en af Sveriges største aviser.

<Ikke noget problem. Hvad vil du?>

<Betale>

<Hvad mener du?>

<*Millennium* har bakket mig op>

<Vi har bare gjort vores arbejde>

<Det har andre aviser ikke>

<Du er ikke skyldig i det, du er blevet anklaget for>

<Du har en stalker efter dig>

Erika Berger fik pludselig hjertekvababbelse. Hun tøvede længe.

<Hvad ved du?>

<Stjålen video. Indbrud>

<Ja. Kan du hjælpe?>

Erika Berger troede ikke selv, at det var hende, der skrev det spørgsmål. Det var fuldstændig vanvittigt. Lisbeth Salander lå til genoptræning på Sahlgrenska Sygehus og havde selv problemer til op over begge ører. Hun var den sidste person, som Erika kunne vende sig imod med noget håb om hjælp.

<Ved ikke. Lad mig forsøge>

<Hvordan?>

<Spørgsmål. Tror du, at idioten skal findes på SMP?>

<Jeg kan ikke bevise det>

<Hvorfor tror du det?>

Erika tænkte sig længe om, før hun svarede.

<En fornemmelse. Det startede, da jeg begyndte på SMP. Andre personer på SMP har fået ubehagelige mails fra Giftpennen, der tilsyneladende kommer fra mig>

<Giftpennen?>

<Det kalder jeg idioten>

<Okay. Hvorfor er netop du blevet genstand for Giftpennens opmærksomhed?>

<Ved det ikke>

<Er der noget, der tyder på, at det er personligt?>

<Hvad mener du?>

<Hvor mange ansatte er der på SMP?>

<Omkring 230 inklusive forlaget>

<Hvor mange kender du personligt?>

<Ved ikke rigtig. Har mødt flere journalister og medarbejdere i løbet af årene i forskellige sammenhænge>

<Nogen du har været oppe at skændes med tidligere?>

<Nej. Ikke specifikt>

<Nogen der kan tænkes at ville hævne sig på dig?>

<Hævn? For hvad?>

<Hævn er en stærk drivkraft>

Erika så på skærmen, mens hun forsøgte at forstå, hvad Lisbeth Salander hentydede til.

<Er du der?>

<Ja. Hvorfor spørger du om hævn?>

<Jeg har læst Rosins liste over alle de hændelser, du forbinder med Giftpennen>

Hvorfor er jeg ikke overrasket.

<Okay???>

<Føles ikke som en stalker>

<Hvad mener du?>

<En stalker er en person, der bliver drevet af en seksuel besættelse. Det her virker som en, der imiterer en stalker. Skruetrækker i fissen ... helt ærligt, den rene parodi>

<Aha?>

<Jeg har set eksempler på rigtige stalkere. De er betydelig mere perverterede, vulgære og groteske. De udtrykker kærlighed og had på en og samme tid. Det her føles ikke rigtigt>

<Du synes ikke, at det er vulgært nok?>

<Nej. Mail til Eva Carlsson helt forkert. En som vil være ondskabsfuld>

<Okay. Har ikke tænkt på den måde>

<Ikke stalker. Noget personligt imod dig>

<Okay. Hvad foreslår du?>

<Stoler du på mig?>

<Måske>

<Jeg har brug for adgang til SMP's intranet>

<Klap lige hesten>

<Nu. Jeg bliver snart forflyttet og mister internettet>

Erika tøvede i ti sekunder. Udlevere SMP til ... hvad? En komplet galning? Lisbeth var måske uskyldig i mord, men hun var i hvert fald ikke som andre mennesker.

Men hvad havde hun at miste?

<Hvordan?>

<Jeg skal have et program ind i din computer>

<Vi har firewalls>

<Du er nødt til at hjælpe. Start internettet>

<Kører allerede>

<Explorer?>

<Ja>

<Jeg skriver en adresse. Kopier den ind i Explorer>

<Gjort>

<Nu ser du et antal programmer på en liste. Klik på *Asphyxia Server* og download det>

Erika fulgte instrukserne.

<Færdig>

<Start Asphyxia. Klik på installer og vælg Explorer>

Det tog tre minutter.

<Færdig. Okay. Nu skal du genstarte computeren. Vi mister kontakten lidt>

<Okay>

<Når vi kommer i gang igen, overfører jeg din harddisk til en server på nettet>

<Okay>

<Genstart. Vi tales ved>

Erika Berger stirrede fascineret på skærmen, mens hendes computer langsomt genstartede. Hun spekulerede på, om hun var rigtig klog. Så gav hendes Messenger lyd fra sig.

<Hej igen>

<Hej>

<Det går hurtigere, hvis du gør det. Start internettet og kopier den adresse ind, som jeg mailer>

<Okay>

<Nu spørger den om noget. Klik på Start>

<Okay>

<Nu spørger den, om du vil omdøbe harddisken. Kald den SMP-2>

<Okay>

<Hent dig en kop kaffe. Det kommer til at tage lidt tid>

MONICA FIGUEROLA vågnede ved ottetiden lørdag morgen, omkring to timer senere end hendes normale reveille. Hun satte sig op i sengen og betragtede Mikael Blomkvist. Han snorkede. *Well. Nobody is perfect.*

Hun spekulerede på, hvad affæren med Mikael Blomkvist ville føre til. Han var ikke den trofaste slags, som man kunne planlægge et mere langsigtet forhold med – så meget havde hun forstået af hans biografi. Hun var på den anden side ikke sikker på, at hun virkelig søgte et stabilt forhold med kæreste, hus og barn. Efter en halv snes mislykkede forsøg siden teenagealderen lænede hun sig mere og mere op ad den teori, at stabile forhold var overvurderede. Hendes længste forhold havde været et toårigt bofællesskab med en kollega i Uppsala.

Hun var på den anden side ikke sådan en pige, der brød sig om *one night stands*, selv om hun mente, at sex var undervurderet som terapeutisk middel mod stort set alle lidelser. Og sex med Mikael Blomkvist var helt okay. Faktisk mere end okay. Han var et godt menneske. Han gav appetit på mere.

Sommerromance? Forelskelse? Var hun forelsket?

Hun gik ud på badeværelset, plaskede vand i ansigtet, børstede tænder, trak derefter i løbeshorts og en tynd jakke og listede ud af lejligheden. Hun strakte ud og løb en runde på omkring tre kvarter forbi Rålambshovs Sygehus omkring Fredhäll og tilbage via Smedsudden. Hun var tilbage klokken ni og konstaterede, at Blomkvist stadig sov. Hun bøjede sig ned og bed ham i øret, indtil han forvirret slog øjnene op.

"Godmorgen, skat. Jeg har brug for nogen til at skrubbe mig på ryggen."

Han så på hende og mumlede noget.

"Hvad siger du?"

"Du behøver ikke at bade. Du er allerede gennemblødt."

"Jeg har løbet mig en tur. Du burde være taget med."

"Jeg har en mistanke om, at hvis jeg forsøgte at holde dit tempo, ville du blive nødt til at ringe efter en ambulance. Hjertetilfælde på Norr Mälarstrand."

"Sludder. Kom nu. På tide at vågne."

Han skrubbede hende på ryggen og sæbede skuldrene ind. Og hofterne. Og maven. Og brysterne. Og efter et stykke tid havde Monica Figuerola helt tabt interessen for at bade og trak ham med ind i seng igen. De drak først kaffe på caféen ved Norr Mälarstrand ved ellevetiden.

440

"Du kunne godt blive en dårlig vane," sagde Monica Figuerola.

"Vi har kun kendt hinanden i nogle dage."

"Jeg er meget tiltrukket af dig. Men det ved du vist allerede."

Hun nikkede.

"Hvorfor er du det?"

"Sorry. Det spørgsmål kan jeg ikke svare på. Jeg har aldrig forstået, hvorfor jeg pludselig er tiltrukket af en bestemt kvinde og helt uinteresseret i en anden."

Hun smilede eftertænksomt.

"Jeg har fri i dag," sagde hun.

"Ikke mig. Jeg har et bjerg af arbejde, indtil retssagen begynder, og jeg har tilbragt de seneste to nætter hos dig i stedet for at arbejde."

"Synd."

Han nikkede, rejste sig og gav hende et kys på kinden. Hun greb fat i hans skjorteærme.

"Blomkvist, jeg vil gerne fortsætte med at se dig."

"Samme her," sagde han. "Men det kommer til at gå lidt op og ned, indtil vi er i havn med den her historie."

Han forsvandt op mod Hantverkargatan.

ERIKA BERGER HAVDE hentet kaffe og sad og betragtede skærmen. Der var absolut intet sket i treogtredive minutter, bortset fra at hendes screensaver med jævne mellemrum gik i gang. Så gav hendes Messenger lyd fra sig.

<Færdig. Du har temmelig meget bras liggende på din harddisk, deriblandt to virus>

<Sorry. Hvad er næste skridt>

<Hvem er administrator for SMP's computernetværk?>

<Ved ikke. Formentlig Peter Fleming, der er teknikchef>

<Okay>

<Hvad skal jeg gøre?>

<Ingenting. Gå hjem>

<Bare sådan uden videre?>

<Jeg lader høre fra mig>

<Skal jeg lade min computer stå tændt?>

Men Lisbeth Salander var allerede borte fra hendes Messenger. Erika Berger stirrede frustreret på skærmen. Til sidst slukkede hun

441

for computeren og gik ud for at lede efter en café, hvor hun kunne sidde og tænke sig om i ro og mag.

KAPITEL 20

Lørdag den 4. juni

MIKAEL BLOMKVIST STEG af bussen ved Slussen, tog Katarinahissen op til Mosebacke og gik hen til Fiskargatan 9. Han havde købt brød, mælk og ost i butikken foran Landstingshuset og begyndte med at sætte varerne ind i køleskabet. Derefter tændte han for Lisbeth Salanders computer.

Efter et øjebliks eftertanke tændte han også for sin blå Ericsson T10. Han ignorerede sin normale mobil, da han under alle omstændigheder ikke ville tale med nogen, der ikke havde noget med Zalachenkohistorien at gøre. Han konstaterede, at han havde fået seks beskeder det forløbne døgn, hvoraf tre var fra Henry Cortez, to fra Malin Eriksson og en fra Erika Berger.

Han begyndte med at ringe til Henry Cortez, der befandt sig på en café i Vasastan og havde en del småting at diskutere, men ikke noget akut.

Malin Eriksson havde kun ladet høre fra sig for at lade høre fra sig.

Derefter ringede han til Erika Berger, men der var optaget.

Han åbnede yahoogruppen [Det_Vanvittige_Bord] og fandt den endelige version af Lisbeth Salanders biografi. Han nikkede smilende, printede dokumentet ud og begyndte straks at læse.

LISBETH SALANDER PRIKKEDE løs på sin Palm Tungsten T3. Hun havde brugt en time på at infiltrere og kortlægge computernettet på SMP ved hjælp af Erika Bergers konto. Hun havde ikke givet sig i kast med Peter Flemings konto, da det ikke var nødvendigt at anskaffe sig fuldstændige administratorrettigheder. Det, hun var interesseret i, var adgang til SMP's administration med personalefiler. Og der havde Erika Berger allerede fri adgang.

Hun ville i den grad have ønsket, at Mikael Blomkvist havde været så sød at smugle hendes PowerBook med rigtigt tastatur og 17-tommer skærm ind i stedet for håndcomputeren. Hun downloadede en fortegnelse over alle, der arbejdede på SMP, og begyndte at tjekke listen. Der var 223 personer, hvoraf 82 var kvinder.

Hun begyndte med at strege alle kvinderne. Hun fritog ikke kvinder fra at være tåbelige, men statistikken hævdede, at det absolutte flertal af personer, der generede kvinder, var mænd. Det betød, at der var 141 personer tilbage.

Statistikken talte også for, at flertallet af giftpennene var enten teenagere eller midaldrende. Da SMP ikke havde nogen teenagere blandt sine ansatte, tegnede hun en alderskurve og strøg alle personer over 55 og under 25 år. Så var der 103 personer tilbage.

Hun tænkte sig lidt om. Hun havde ikke så meget tid. Måske mindre end fireogtyve timer. Hun tog en hurtig beslutning. Med et sværdslag strøg hun samtlige ansatte inden for distribution, annonce, billeder, vagttjeneste og teknik. Hun fokuserede på gruppen af journalister og redaktionspersonale og stod tilbage med en liste bestående af 48 personer, der var mænd i alderen fra 26 til 54 år.

Derefter hørte hun raslen fra nøgleknippet. Hun slukkede straks for computeren og lagde den under dynen mellem sine lår. Hendes sidste lørdagsfrokost på Sahlgrenska Sygehus var ankommet. Hun så opgivende på kålstuvningen. Efter frokost vidste hun, at hun ikke kunne arbejde uforstyrret et stykke tid. Hun lagde computeren i hulrummet bag sengebordet og ventede, mens to kvinder fra Eritrea støvsugede og ryddede op omkring hende.

En af pigerne hed Sara og havde regelmæssigt smuglet nogle enkelte Marlboro Light ind til Lisbeth den sidste måned. Hun havde også fået en lighter, som hun gemte bag sengebordet. Lisbeth tog taknemmeligt imod to cigaretter, som hun havde til hensigt at ryge i vinduet ved nattetid.

Først ved totiden var alt roligt igen. Hun fandt computeren frem og gik på nettet. Hun havde tænkt sig at gå direkte tilbage til SMP's administration, men indså, at hun også havde sine egne problemer at klare. Hun foretog den daglige rundtur og begyndte med at gå ind på yahoogruppen [Det_Vanvittige_Bord]. Hun konstaterede, at Mikael Blomkvist ikke havde lagt noget nyt ud i tre døgn og spekulerede på, hvad han gik og lavede. *Idioten er sikkert ude og more sig med en eller anden bimbo med store bryster.*

Hun gik videre til yahoogruppen [Ridderne] og undersøgte, om Plague havde bidraget med noget. Det havde han ikke.

Derefter kontrollerede hun politiadvokat Richard Ekströms harddisk (mindre interessant korrespondance om den kommende retssag) samt dr. Peter Teleborians.

Hver gang hun gik ind på Teleborians harddisk, følte hun det, som om hendes kropstemperatur sank nogle grader.

Hun fandt den retspsykiatriske rapport om hende, som han allerede havde formuleret, men som officielt ikke skulle skrives, før han havde haft mulighed for at undersøge hende. Han havde lavet flere forbedringer i teksten. Men i det store hele var der intet nyt. Hun downloadede rapporten og sendte den til [Det_Vanvittige_Bord]. Hun kontrollerede Teleborians e-mails fra de seneste fireogtyve timer ved at klikke fra mail til mail. Hun var lige ved at gå glip af betydningen af den kortfattede mail.

[Lørdag, 15.00 under uret på hovedbanegården. /Jonas]

Fuck. Jonas. Han har figureret i en masse mails til Teleborian. Har brugt en hotmailkonto. Uidentificeret.

Lisbeth Salander vendte blikket mod digitaluret på sengebordet. 14.28. Hun forsøgte straks at kontakte Mikael Blomkvist på Messenger. Hun fik ingen respons.

MIKAEL BLOMKVIST HAVDE printet de 220 sider af manuskriptet ud, der var færdige. Derefter havde han slukket for computeren og sat sig ved Lisbeth Salanders spisebord ude i køkkenet for at læse korrektur.

Han var tilfreds med historien. Men det største hul var ikke lappet. Hvordan skulle han kunne finde de resterende medlemmer af Sektionen? Malin Eriksson havde ret. Det var umuligt. Han var i tidsnød.

LISBETH SALANDER BANDEDE frustreret og forsøgte at kontakte Plague på Messenger. Han svarede ikke. Hun skævede til uret. 14.30.

Hun satte sig på sengekanten og genkaldte sig Messenger-kontoen for sit indre billede. Hun forsøgte først med Henry Cortez og derefter Malin Eriksson. Ingen svarede. *Lørdag. Alle har fri.* Hun skævede til uret. 14.32.

Hun kunne også sende en sms til Mikael Blomkvists mobil ... men den blev aflyttet. Hun bed sig i underlæben.

Til sidst vendte hun sig desperat om mod sengebordet og ringede på sygeplejersken. Klokken var 14.35, da hun hørte nøglen blive sat i døren, og en sygeplejerske ved navn Agneta, der var i halvtredserne, kiggede ind til hende.

"Hej. Er der noget galt?"

"Er Anders Jonasson på afdelingen?"

"Har du det ikke godt?"

"Jeg har det fint, men jeg vil gerne veksle et par ord med ham. Hvis det er muligt."

"Jeg så ham for et øjeblik siden. Hvad drejer det sig om?"

"Jeg er nødt til at tale med ham."

Agneta rynkede øjenbrynene. Patienten Lisbeth Salander havde sjældent ringet på sygeplejerskerne, medmindre hun havde haft stærk hovedpine eller et andet akut problem. Hun havde aldrig lavet vrøvl eller bedt om at tale med en bestemt læge. Agneta havde dog noteret sig, at Anders Jonasson havde taget sig tid til den fængslede patient, der ellers var fuldstændig lukket ude fra omverdenen. Det var muligt, at han havde etableret en eller anden slags kontakt.

"Okay. Jeg skal høre, om han har tid," sagde Agneta venligt og lukkede døren. Og låste. Klokken var 14.36 og slog netop over på 14.37.

Lisbeth rejste sig fra sengekanten og gik hen til vinduet. Med jævne mellemrum skævede hun til uret. 14.39. 14.40.

Klokken 14.44 hørte hun skridt ude på gangen og raslen fra sikkerhedsvagtens nøgleknippe. Anders Jonasson så spørgende på hende og stoppede op, da han så Lisbeth Salanders desperate blik.

"Er der sket noget?"

"Der er ved at ske noget netop nu. Har du en mobiltelefon på dig?"

"Hvad?"

"En mobil. Jeg er nødt til at ringe."

Anders Jonasson skævede tøvende til døren.

"Anders ... Jeg har brug for en mobil. Nu!"

Han hørte desperationen i hendes stemme, stak hånden ned i inderlommen og rakte hende sin Motorola. Lisbeth nærmest flåede den ud af hænderne på ham. Hun kunne ikke ringe til Mikael Blomkvist, da han formentlig var aflyttet af fjenden. Problemet var, at han aldrig havde givet hende nummeret til sin anonyme blå Ericsson T10. Det havde aldrig været aktuelt, da han ikke havde forventet, at hun ville kunne ringe til ham fra sin isolation. Hun tøvede en brøkdel af et sekund og tastede Erika Bergers mobilnummer. Der lød tre signaler, før hun svarede.

ERIKA BERGER BEFANDT sig i sin BMW en kilometer fra hjemmet i Saltsjöbaden, da hun blev ringet op af en, hun ikke havde forventet ville ringe til hende. Men Lisbeth Salander havde på den anden side allerede overrasket hende om morgenen.

"*Berger.*"

"Salander. Kan ikke nå at forklare. Har du nummeret til Mikaels anonyme telefon. Den, der ikke bliver aflyttet."

"Ja."

"Ring til ham. *Nu!* Teleborian møder Jonas under uret på hovedbanegården klokken 15.00."

"Hvad ...?"

"Skynd dig. Teleborian. Jonas. Under uret på hovedbanegården. 15.00. Han har et kvarter."

Lisbeth slukkede for mobilen, inden Erika skulle blive fristet til at spilde sekunder på unødige spørgsmål. Hun skævede til uret, der netop slog over på 14.46.

Erika Berger bremsede og parkerede ved vejkanten. Hun rakte ud efter adressebogen i tasken og bladrede frem til det nummer, han havde givet hende den aften, de havde mødtes på Samirs Gryta.

MIKAEL BLOMKVIST HØRTE mobiltelefonen ringe. Han rejste sig fra spisebordet, gik tilbage til Lisbeth Salanders arbejdsværelset og tog mobilen på skrivebordet.

"Ja?"

"Erika."

"Hej."

"Teleborian møder Jonas under uret på hovedbanegården klokken 15.00. Du har nogle minutter til at komme derhen."

"Hvad? Hva'?"

"Teleborian ..."

"Jeg hørte det godt. Hvordan ved du det?"

"Hold op med at diskutere og løb."

Mikael skævede til uret. 14.47.

"Tak. Hej."

Han greb sin computertaske og tog trapperne i stedet for at vente på elevatoren. Mens han løb, tastede han nummeret til Henry Cortez' blå T10.

"Cortez."

"Hvor befinder du dig?"

"I Akademiboghandlen."

"Teleborian møder Jonas under uret på hovedbanegården klokken 15.00. Jeg er på vej, men du er nærmere."

"Åh, for fanden. Jeg løber."

Mikael løb ned til Götgatan og begyndte at spurte mod Slussen. Han skævede til sit armbåndsur, da han forpustet nåede Slussplan. Figuerola havde måske en pointe med sine drillerier om ham og hans manglende løbetræning. 14.56. Han ville ikke nå det. Han spejdede efter en taxi.

LISBETH SALANDER RAKTE mobilen tilbage til Anders Jonasson.

"Tak," sagde hun.

"Teleborian?" spurgte Anders Jonasson. Han havde ikke kunnet undgå at høre navnet.

Hun nikkede og mødte hans blik.

"Teleborian er en rigtig, rigtig grim en. Du aner ikke hvor grim."

"Nej, men jeg aner, at noget, der sker lige nu, har gjort dig mere ophidset, end jeg har set dig være i løbet af den tid, du har været i min pleje. Jeg håber, at du ved, hvad du gør."

Lisbeth sendte Anders Jonasson et skævt smil.

"Du får nok svaret på det spørgsmål inden for nær fremtid," sagde hun.

HENRY CORTEZ LØB som en vanvittig ud af Akademiboghand-len. Han krydsede Sveavägen ad viadukten ved Mäster Samuels-gatan og fortsatte lige ned til Klara Norra, hvor han drejede op på Klarabergsviadukten og over Vasagatan. Han gik over Klarabergs-gatan imellem en bus og to biler, der frenetisk dyttede ad ham, og smuttede ind gennem dørene til hovedbanegården, da klokken var præcis 15.00.

Han tog rulletrappen ned til underetagen tre trappetrin ad gangen og løb forbi boghandlen, inden han sagtnede farten for ikke at vække opmærksomhed. Han stirrede intenst på menneskene i nærheden af uret.

Han kunne ikke se Teleborian eller den mand, som Christer Malm havde fotograferet uden for Copacabana, og som de troede var Jonas. Han så på uret. 15.01. Han trak vejret, som om han havde løbet Stockholm Maraton.

Han tog en chance, skyndte sig gennem hallen og ud gennem dørene mod Vasagatan. Han stoppede op, så sig omkring og så fra det ene menneske til det andet, så langt øjnene rakte. Ingen Peter Teleborian. Ingen Jonas.

Han vendte om og ilede ind på hovedbanegården igen. 15.03. Der var tomt under uret.

Så løftede han blikket og fik et kort glimt af Peter Teleborians profil og pjuskede hageskæg, da han kom ud af indgangen til kiosken på den anden side af hallen. I næste sekund materialiserede manden fra Christer Malms billeder sig ved hans side. *Jonas*. De krydsede gulvet og forsvandt ud i Vasagatan ved den nordlige udgang.

Henry Cortez åndede lettet op. Han tørrede sveden af panden med håndfladen og begyndte at følge efter begge mænd.

MIKAEL BLOMKVIST ANKOM til Stockholms hovedbanegård i taxi klokken 15.07. Han skyndte sig ind i banegårdshallen, men kunne hverken se Teleborian eller Jonas. Eller Henry Cortez for den sags skyld.

Han fandt sin T10 frem for at ringe til Henry Cortez i samme øje-blik, som mobilen ringede i hans hånd.

"Jeg har dem. De sidder på baren Tre Remmare i Vasagatan ved nedgangen til Akallalinjen."

"Tak, Henry. Hvor er du?"

"Jeg står i baren. Drikker øl. Har fortjent den."

"Okay. De kan genkende mig, så jeg holder mig væk. Du har vel ingen mulighed for at høre, hvad der bliver sagt?"

"Ikke en chance. Jeg kan se ryggen af Jonas, og ham den skide Teleborian mumler bare, når han taler, så jeg kan ikke engang se mundbevægelserne."

"Okay."

"Men vi har et problem."

"Hvad?"

"Ham Jonas har lagt sin tegnebog og sin mobil på bordet. Og han lagde et par bilnøgler på tegnebogen."

"Okay. Det løser jeg."

MONICA FIGUEROLAS MOBIL begyndte at ringe med et polyfonisk signal, der udgjorde temaet fra *Once Upon a Time in the West*. Hun lagde bogen om den antikke gudsopfattelse, som hun aldrig syntes at blive færdig med, ned på bordet.

"Hej. Det er Mikael. Hvad laver du?"

"Jeg sidder herhjemme og sorterer billeder af gamle elskere. Jeg føler mig frygtelig forladt i dag."

"Undskyld. Er din bil i nærheden?"

"Sidst jeg tjekkede, stod den på parkeringspladsen udenfor."

"Godt. Har du lyst til at køre en tur til byen?"

"Ikke særligt. Hvad sker der?"

"Peter Teleborian sidder netop nu og drikker øl med Jonas nede i Vasagatan. Og da jeg samarbejder med Stasibureaukratiet i Säpo, tænkte jeg, at du måske var interesseret i at hænge på."

Monica Figuerola var allerede oppe af sofaen og rakte ud efter sine bilnøgler.

"Du laver vel ikke sjov?"

"Nej. Og Jonas har lagt et par bilnøgler på bordet foran sig."

"Jeg er på vej."

MALIN ERIKSSON TOG ikke telefonen, men Mikael Blomkvist var heldig at få fat i Lottie Karim, der netop befandt sig i Åhléns for at købe en fødselsdagsgave til sin mand. Mikael beordrede overarbejde og bad hende om hurtigt at begive sig hen til baren som forstærkning til Henry Cortez. Derefter ringede han tilbage til Cortez.

"Det her er planen. Jeg har en bil på plads om fem minutter. Vi parkerer i Järnvägsgatan neden for baren."

"Okay."

"Lottie Karim dukker op hos dig om nogle minutter som forstærkning."

"Godt."

"Når de forlader baren, hægter du dig på Jonas. Du følger ham til fods og meddeler mig på mobilen, hvor I befinder jer. Så snart du ser ham nærme sig en bil, skal vi have det at vide. Lottie hægter sig på Teleborian. Hvis vi ikke når frem, tager du hans registreringsnummer."

"Okay."

MONICA FIGUEROLA PARKEREDE ved Nordic Light Hotel uden for Arlanda Express. Mikael Blomkvist åbnede døren i førersiden et minut efter, at hun havde parkeret.

"Hvilken bar sidder de på?"

Mikael forklarede.

"Jeg må bestille forstærkning."

"Det skal du ikke bekymre dig om. Vi har dem under opsyn. Flere kokke risikerer at fordærve det hele."

Monica Figuerola så mistroisk på ham.

"Og hvordan fik du at vide, at dette møde skulle finde sted?"

"Sorry. Kildebeskyttelse."

"Har I jeres egen skide efterretningstjeneste på *Millennium?*" udbrød hun.

Mikael så fornøjet ud. Det var altid sjovt at slå Säpo på deres eget område.

I virkeligheden havde han ikke den fjerneste anelse om, hvordan det kunne være, at Erika Berger havde ringet til ham som lyn fra en klar himmel og meddelt, at Teleborian og Jonas skulle mødes. Hun havde ikke haft indblik i det redaktionelle arbejde på *Millennium* siden den 10. april. Hun kendte selvfølgelig Teleborian, men Jonas var først dukket op i historien i maj, og så vidt Mikael vidste, anede Erika ikke noget som helst om hans eksistens, endnu mindre vidste hun noget om, at han var genstand for spekulationer hos både *Millennium* og Säpo.

Han måtte have en ordentlig snak med Erika Berger inden for en meget nær fremtid.

LISBETH SALANDER SPIDSEDE læberne og betragtede skærmen på sin håndcomputer. Efter samtalen i Anders Jonassons mobil havde hun skudt alle tanker om Sektionen til side og fokuseret på Erika Bergers problem. Efter moden overvejelse havde hun strøget samtlige mænd i aldersgruppen 26-54 år, som var gift. Hun vidste, at det var at arbejde med en meget bred pensel, og at det næppe var noget rationelt statistisk videnskabeligt ræsonnement, der lå til grund for beslutningen. Giftpennen kunne sagtens være en gift mand med fem børn og en hund. Det kunne være en person, der arbejdede i vagttjenesten. Det kunne endda være en kvinde, selv om hun ikke troede det.

Hun ville ganske enkelt have antallet af navne på listen ned, og hendes gruppe var med den seneste beslutning blevet skåret ned fra 48 til 18 individer. Hun konstaterede, at udvalget mest bestod af mere betydningsfulde journalister, chefer eller mellemledere i alderen 35 plus. Hvis hun ikke fandt noget interessant blandt dem, kunne hun udvide nettet igen.

Klokken fire om eftermiddagen gik hun ind på Hacker Republics hjemmeside og sendte listen til Plague. Han kontaktede hende nogle minutter senere.

<18 navne. Hvad?>

<Lille sideprojekt. Se det som en øvelsesopgave>

<Okay>

<Et af navnene er en idiot. Find ham>

<Hvad er kriterierne?>

<Må arbejde hurtigt. I morgen trækker de stikket ud for mig. Inden da må vi have fundet ham>

Hun forklarede situationen med Erika Bergers giftpen.

<Okay. Er der nogen profit i det her?>

Lisbeth Salander tænkte sig om et kort øjeblik.

<Ja. Jeg kommer ikke ud til slummen og anstifter mordbrand hos dig>

<Havde du da tænkt dig det?>

<Jeg betaler dig hver gang, jeg beder dig om at gøre noget for mig. Det her er ikke for mig. Se det som skatteinddrivning>

<Du begynder at udvise tegn på social kompetence>

<Nå?>

<Okay>

Hun sendte ham adgangskoderne til SMP's redaktion og lukkede ned for sin Messenger.

KLOKKEN VAR BLEVET 16.20, før Henry Cortez ringede.

"De begynder at røre på sig."

"Okay. Vi er parate."

Tavshed.

"De skilles uden for baren. Jonas går nordpå. Lottie hægter sig på Teleborian sydpå."

Mikael løftede hånden og pegede, da han fik et glimt af Jonas i Vasagatan. Monica Figuerola nikkede. Nogle sekunder efter kunne Mikael også se Henry Cortez. Monica Figuerola startede motoren.

"Han krydser Vasagatan og fortsætter mod Kungsgatan," sagde Henry Cortez i mobilen.

"Hold afstand, så han ikke opdager dig."

"Ret mange folk på gaden."

Tavshed.

"Han går nordpå ad Kungsgatan."

"Nordpå ad Kungsgatan," sagde Mikael.

Monica Figuerola skiftede gear og drejede ud i Vasagatan. De holdt stille et øjeblik for rødt lys.

"Hvor er I?" spurgte Mikael, da de drejede ind i Kungsgatan.

"På højde med PUB. Han går raskt til. Hov, han går ind i Drottninggatan nordpå."

"Drottninggatan nordpå," sagde Mikael.

"Okay," sagde Monica Figuerola og foretog et ulovligt sving over på Klara Norra og kørte hen til Olof Palmes Gata. Hun drejede opad og sagtnede farten foran SIF-huset. Jonas krydsede Olof Palmes Gata og gik op mod Sveavägen. Henry Cortez fulgte efter på den anden side af gaden.

"Han drejede østpå ..."

"Det er okay. Vi kan se jer begge to."

"Han drejer ind i Holländergatan ... *Hov* ... Bil. Rød Audi."

"Bil," sagde Mikael og noterede det registreringsnummer, som Cortez hastigt plaprede af sig.

"I hvilken retning holder han parkeret?" spurgte Monica Figuerola.

"Forenden mod syd," rapporterede Cortez. "Han kommer ud foran jer i Olof Palmes Gata ... nu."

Monica Figuerola var allerede i bevægelse og passerede Drottninggatan. Hun signalerede og viftede et par fodgængere væk, der forsøgte at smutte over, selv om der var rødt.

"Tak, Henry. Vi tager ham herfra."

Den røde Audi kørte sydpå ad Sveavägen. Monica Figuerola fulgte efter, samtidig med at hun åbnede sin mobil med den venstre hånd og tastede et nummer.

"Kan jeg få oplysninger om et registreringsnummer, rød Audi," sagde hun og gentog det nummer, som Henry Cortez havde givet dem.

"Jonas Sandberg, født '71. Hvad sagde du ... Helsingörsgatan, Kista. Tak."

Mikael noterede de oplysninger, som Monica Figuerola fik.

De fulgte efter den røde Audi via Hamngatan til Strandvägen og derefter straks op ad Artillerigatan. Jonas Sandberg parkerede en karré fra Armémuseet. Han krydsede gaden og forsvandt ind gennem døren i et hus fra forrige århundredskifte.

"Hmm," sagde Monica Figuerola og skævede til Mikael.

Han nikkede. Jonas Sandberg var kørt hen til et hus, der lå en karré fra den ejendom, hvor statsministeren havde lånt en lejlighed til et privat møde.

"Flot arbejde," sagde Monica Figuerola.

I samme øjeblik ringede Lottie Karim og fortalte, at dr. Peter Teleborian var gået op til Klarabergsgatan via rulletrapperne på hovedbanegården og derefter var fortsat hen til politigården på Kungsholmen.

"Politigården. Klokken 17.00 en lørdag eftermiddag?" sagde Mikael.

Monica Figuerola og Mikael Blomkvist så tvivlende på hinanden.

Monica tænkte sig om et kort øjeblik. Så tog hun sin mobil og ringede til kriminalkommissær Jan Bublanski.

"Hej. Monica, Säpo. Det var os, der mødtes på Norr Mälarstrand for et stykke tid siden."

"Hvad vil du?" spurgte Bublanski.

"Er der nogen på weekendvagt hos jer?"

"Sonja Modig," sagde Bublanski.

"Jeg har brug for en tjeneste. Ved du, om hun befinder sig på politigården?"

"Det tvivler jeg på. Det er jo strålende vejr og lørdag eftermiddag."

"Okay. Kunne du forsøge at få fat på hende eller en anden i efterforskningen, som kunne have et ærinde på politiadvokat Richard Ekströms gang. Jeg spekulerer på, om der er et møde i gang hos ham nu."

"Møde?"

"Jeg kan ikke nå at forklare. Jeg har brug for at vide, om han sidder i møde med nogen lige nu. Og i så fald hvem."

"Du vil altså have, at jeg skal spionere på en anklager, som er min overordnede?"

Monica Figuerola hævede øjenbrynene. Derefter trak hun på skuldrene.

"Ja," sagde hun.

"Okay," sagde han og lagde på.

Sonja Modig befandt sig faktisk nærmere politigården, end Bublanski havde troet. Hun sad sammen med sin mand og drak kaffe på altanen hjemme hos en veninde, der boede i Vasastan. De havde børnefri, da Sonjas forældre havde taget ungerne med på weekend, og planlagde at lave noget så gammeldags som at spise en bid brød og gå i biografen.

Bublanski forklarede sit ærinde.

"Og hvilken undskyldning har jeg så for at komme trampende ind til Ekström?"

"Jeg havde lovet at sende ham en opdatering om Niedermann i går, men jeg glemte faktisk at lægge den ind til ham, før jeg gik. Den ligger på mit skrivebord."

"Okay," sagde Sonja Modig.

Hun så på sin mand og på sin veninde.

"Jeg må ind på gården. Jeg låner bilen. Med lidt held er jeg tilbage om en time."

Hendes mand sukkede. Veninden sukkede.

"Jeg har faktisk vagt her i weekenden," sagde Sonja Modig undskyldende.

Hun parkerede i Bergsgatan, gik op på Bublanskis kontor og hentede de tre A4-ark, der udgjorde det magre resultat af efterforskningen af den efterlyste politimorder Ronald Niedermann. *Ikke meget at komme efter,* tænkte hun.

Derefter gik hun ud på trappen og en etage op. Hun stoppede op ved døren ind til gangen. Der var næsten fuldkommen øde på politigården denne sommeraften. Hun listede ikke. Hun gik bare meget stille. Hun stoppede op uden for Ekströms dør. Hun hørte stemmer og bed sig i underlæben.

Lige pludselig aftog modet, og hun følte sig dum. I alle normale situationer ville hun have banket på døren, åbnet den og udbrudt *Nå, så du er her stadig* og have marcheret indenfor. Nu føltes det forkert.

Hun så sig omkring.

Hvorfor havde Bublanski ringet til hende? Hvad drejede mødet sig om?

Hun så over på den anden side af gangen. Over for Ekströms kontor lå der et lille mødelokale med plads til ti mennesker. Der havde hun selv siddet til mange møder.

Hun gik ind i mødelokalet og lukkede stille døren. Persiennerne var lukkede, og glasdøren ud mod gangen var dækket af gardiner. Der var dunkelt i rummet. Hun trak en stol frem, slog sig ned og trak gardinet en smule tilbage, så der var en lille åbning ud mod gangen.

Hun følte sig ubehageligt til mode. Hvis nogen åbnede døren, ville hun få meget svært ved at forklare, hvad hun lavede der. Hun tog mobilen og så på uret i displayet. Lidt i seks. Hun slukkede for lyden, lænede sig tilbage mod ryglænet og betragtede den lukkede dør ind til Ekströms kontor.

KLOKKEN SYV OM AFTENEN sendte Plague Lisbeth Salander en chatbesked.

<Okay. Jeg er administrator for SMP>

<Hvor?>

Han sendte hende en http-adresse.

<Vi når det ikke på 24 timer. Selv om vi har e-mails fra alle 18, vil det tage dagevis at hacke deres hjemmecomputere. De fleste er formentlig ikke engang på nettet en lørdag aften>

<Plague, koncentrer dig om deres hjemmecomputere, så tager jeg deres SMP-computere>

<Jeg tænkte det samme. Din computer er lidt begrænset. Nogen du vil have, at jeg skal fokusere på?>

<Nej. Hvem som helst af dem>

<Okay>

<Plague>

<Ja>

<Hvis vi ikke når det til i morgen, vil jeg gerne have, at du fortsætter>

<Okay>

<I så fald betaler jeg dig>

<Ahr. Det er jo faktisk helt sjovt>

Hun lukkede sin Messenger og gik til den http-adresse, hvor Plague havde downloadet alle administratorrettighederne for SMP. Hun begyndte med at se efter, om Peter Fleming var logget på og befandt sig på SMP. Det gjorde han ikke. Derefter lånte hun hans adgangsrettigheder og gik ind i SMP's mailserver. Hun kunne dermed læse alle de aktiviteter, der nogensinde var forekommet på mailen, altså også mails som for lang tid siden var blevet slettet fra de enkelte konti.

Hun begyndte med Ernst Teodor Billing, 43 år, en af natcheferne på SMP. Hun åbnede hans mailboks og begyndte at klikke sig tilbage i tiden. Hun brugte omtrent to sekunder på hver mail, tilstrækkeligt til, at hun kunne få et begreb om, hvem der havde sendt den, og hvad den indeholdt. Efter nogle minutter havde hun lært, hvad der var rutinepost i form af dag-memoer, tidsplaner og andet uinteressant. Hun begyndte at scrolle forbi disse mails.

Hun gennemgik mail for mail tre måneder tilbage i tiden. Derefter hoppede hun fra måned til måned og læste kun overskrifterne og åbnede kun mailen, hvis der var noget, hun reagerede på. Hun erfarede, at Ernst Billing så en kvinde, der hed Sofia, og som han havde en usympatisk omgangstone overfor. Hun konstaterede, at dette ikke var bemærkelsesværdigt, da Billing havde en usympatisk omgangstone over for de fleste af dem, han skrev noget personligt til – reportere, layoutere og andre. Hun mente, at det alligevel var bemærkelsesværdigt, at en mand som noget naturligt adresserede sin kæreste med ordene *skide fedtbjerg, dumme idiot* eller *skide fisse*.

Da hun havde været et år tilbage i tiden, holdt hun inde. Hun gik i stedet ind på hans Explorer og begyndte at kortlægge, hvordan han surfede på nettet. Hun noterede sig, at i lighed med flertallet af mænd i hans aldersgruppe, gik han jævnligt ind på pornosider, men at størstedelen af hans surfen så ud til at være arbejdsrelateret. Hun konstaterede også, at han havde en interesse for biler og ofte besøgte hjemmesider, hvor nye bilmodeller blev vist frem.

Efter omkring en times efterforskning lukkede hun ned for Billing og strøg ham fra listen. Hun gik videre til Lars Örjan Wollberg, 51 år, journalistveteran på retsredaktionen.

Torsten Edklinth trådte ind på politigården på Kungsholmen omkring klokken halv otte lørdag aften. Monica Figuerola og Mikael Blomkvist ventede på ham. De sad ved det samme mødebord, som Blomkvist havde siddet ved dagen før.

Edklinth konstaterede, at han var ude på meget tynd is, og at en del interne regler var blevet brudt, da han havde givet Blomkvist adgang til afdelingen. Monica Figuerola havde i hvert fald ikke selv ret til at invitere ham. Sædvanligvis måtte ikke engang koner og ægtemænd komme ind i de hemmelige korridorer i Säpo – de måtte pænt vente ude på trappeopgangen, hvis de skulle møde deres partner. Og Blomkvist var oven i købet journalist. I fremtiden kunne Blomkvist kun få lov at møde op i det midlertidige lokale ved Fridhemsplan.

Men på den anden side plejede der af og til at løbe udenforstående rundt i gangene efter særlig invitation. Udenlandske gæster, forskere, akademikere, midlertidige konsulenter ... han rubricerede Blomkvist i kategorien midlertidige konsulenter. Alt det pjat med sikkerhedsklassificering var trods alt bare ord. Nogle mennesker besluttede, at en vis person kunne opnå visse rettigheder. Og Edklinth havde besluttet, at hvis der opstod kritik, ville han hævde, at han personlig, havde givet Blomkvist disse beføjelser.

Altså hvis der opstod problemer. Edklinth slog sig ned og så på Figuerola.

"Hvordan fik du besked om mødet?"

"Blomkvist ringede til mig ved firetiden," svarede hun med et smil.

"Og hvordan fik du besked om mødet?"

"Jeg fik et tip af en kilde," sagde Mikael Blomkvist.

"Skal jeg drage den konklusion, at du holder Teleborian under en eller anden form for overvågning?"

Monica Figuerola rystede på hovedet.

"Det var også min første tanke," sagde hun med munter stemme, som om Mikael Blomkvist slet ikke befandt sig i rummet. "Men det holder ikke. Selv om nogen har skygget Teleborian på ordre fra Blomkvist, ville den person ikke i forvejen kunne have regnet ud, at han skulle møde netop Jonas Sandberg."

Edklinth nikkede langsomt.

"Men ... hvad er der så tilbage? Ulovlig aflytning eller ...?"

"Jeg kan forsikre dig om, at jeg ikke begiver mig af med ulovlig aflytning af nogen og ikke engang har hørt tale om, at noget sådan skulle finde sted," sagde Mikael Blomkvist for at minde om, at han faktisk befandt sig i rummet. "Vær dog lidt realistiske. Ulovlig aflytning er sådan noget, som statslige myndigheder benytter sig af."

Edklinth spidsede læberne.

"Du vil altså ikke fortælle, hvordan du fik oplysning om mødet."

"Jo, det har jeg jo allerede fortalt. Jeg fik et tip af en kilde. Kilden er kildebeskyttet. Skulle vi ikke hellere koncentrere os om frugterne af den oplysning?"

"Jeg bryder mig ikke om løse ender," sagde Edklinth. "Men okay. Hvad ved vi?"

"Han hedder Jonas Sandberg," sagde Monica Figuerola. "Uddannet erhvervsdykker med speciale i sprængningsarbejde og gik på politiskolen i begyndelsen af 90'erne. Arbejdede først i Uppsala og derefter i Södertälje."

"Du kommer fra Uppsala."

"Ja, men der er nogle års forskel på os. Jeg begyndte, da han tog til Södertälje."

"Okay."

"Han blev rekrutteret til kontraspionagen i Säpo i 1998. Blev udstationeret til en hemmelig opgave udenlands i 2000. Han befinder sig ifølge vores egne papirer officielt på ambassaden i Madrid. Jeg har tjekket med ambassaden. De har ingen anelse om, hvem Jonas Sandberg er."

"Præcis ligesom Mårtensson. Officielt overflyttet til et sted, hvor han ikke befinder sig."

"Det er kun vicesekretariatschefen, der har mulighed for at gøre sådan noget systematisk."

"Og sædvanligvis ville det hele blive affærdiget som rod i papirerne. Vi bemærker det, fordi vi kigger specifikt på det. Og hvis nogen begynder at brokke sig, siger man bare *Hemmeligt*, eller at det har med terrorisme at gøre."

"Der er stadig en hel del budgetarbejde at tjekke."

"Budgetchefen?"

"Måske."

"Okay. Mere?"

"Jonas Sandberg bor i Sollentuna. Han er ugift, men har barn med en lærerinde i Södertälje. Ingen bemærkninger i papirerne. Licens til to håndvåben. Samvittighedsfuld og afholdsmand. Det eneste lidt usædvanlige ved ham er, at han vist er troende og var med i frikirken Livets Ord i 90'erne."

"Hvor ved du det fra?"

"Jeg talte med min gamle chef i Uppsala. Han kan udmærket huske Sandberg."

"Okay. En kristen dykker med speciale i sprængningsarbejde med to våben og en unge i Södertälje. Andet?"

"Vi indhentede oplysninger på ham for tre timer siden. Vi har faktisk været ret hurtige."

"Undskyld. Hvad ved vi om huset i Artillerigatan?"

"Ikke så meget. Stefan satte nogen i sving på teknisk forvaltning. Vi har tegninger af ejendommen. Lejligheder fra forrige århundredeskifte. Seks etager med sammenlagt toogtyve lejligheder plus otte lejligheder i et lille gårdhus. Jeg har tjekket lejerne, men kan ikke finde noget specielt opsigtsvækkende. To af dem, der bor i ejendommen, er dømt for kriminalitet."

"Hvilke?"

"En Lindström på første sal. 63 år. Dømt for forsikringssvindel i 70'erne. En Wittfelt på tredje etage. 47 år. Dømt to gange for vold mod sin forhenværende kone."

"Hmm."

"Dem, der bor der, er velhavende middelklasse. Der er kun én lejlighed, der vækker opsigt."

"Hvilken?"

"Lejligheden allerøverst. Elleve værelser og lidt af en pragtlejlighed. Den tilhører et firma, der hedder Bellona AB."

"Og hvad laver de?"

"Det må guderne vide. De udfører markedsanalyser og har en omsætning på omkring 30 millioner kroner årligt. Samtlige Bellonas ejere er bosat i udlandet."

"Aha."

"Hvad mener du med aha?"

"Bare aha. Gå videre med Bellona."

I samme øjeblik kom den ansatte, som Mikael kun kendte under navnet Stefan, ind ad døren.

"Hej, chef," sagde han til Torsten Edklinth. "Nu skal du bare høre. Jeg har tjekket op på historien om Bellonas lejlighed."

"Og?" sagde Monica Figuerola.

"Firmaet Bellona blev grundlagt i 70'erne og købte lejligheden af dødsboet fra den tidligere ejer, en kvinde ved navn Kristina Cederholm, født i 1917."

"Nå."

"Hun var gift med Hans Wilhelm Francke, ham cowboyen der skændtes med P.G. Vinge, da Säpo blev grundlagt."

"Godt," sagde Edklinth. "Meget godt. Monica, jeg vil gerne have ejendommen overvåget døgnet rundt. Find ud af, hvilke telefoner der er. Jeg vil vide, hvem der går ind og ud ad døren, hvilke biler der besøger adressen. Det sædvanlige."

Edklinth skævede til Mikael Blomkvist. Han så ud, som om han havde tænkt sig at sige noget, men tav. Mikael hævede øjenbrynene.

"Er du tilfreds med informationsflowet?" spurgte Edklinth til sidst.

"Fuldt ud. Er du tilfreds med *Millenniums* bidrag?"

Edklinth nikkede langsomt.

"Du er godt klar over, at jeg kan få et helvedes hyr på grund af det her, ikke?" spurgte han.

"Ikke fra min side. Jeg betragter de oplysninger, jeg får her, som kildebeskyttede. Jeg har tænkt mig at videregive oplysningerne, men ikke fortælle, hvordan jeg har fået fat i dem. Inden det går i trykken, vil jeg interviewe dig formelt. Hvis du ikke vil svare, siger du bare *Ingen kommentarer*. Eller også kan du fortælle, hvad du mener om Sektionen for Specialanalyse. Det afgør du selv."

Edklinth nikkede.

Mikael var tilfreds. I løbet af de sidste par timer havde Sektionen pludselig fået fysisk form. Det var et rigtigt gennembrud.

SONJA MODIG HAVDE frustreret konstateret, at mødet i politiadvokat Ekströms kontor trak ud. Hun havde fundet en efterladt flaske mineralvand på mødebordet. Hun havde ringet til sin mand to gange og meddelt, at hun var forsinket og lovede at kompensere med en hyggelig aften, så snart hun kom hjem. Hun begyndte at blive rastløs og følte sig som en indbrudstyv.

Først omkring klokken halv otte var mødet forbi. Hun var helt uforberedt, da døren blev åbnet, og Hans Faste trådte ud på gangen. Umiddelbart efter ham kom Peter Teleborian. Derefter kom en ældre gråhåret mand, som Sonja Modig aldrig havde set før. Endelig kom politiadvokat Ekström, der trak i en jakke, samtidig med at han slukkede loftsbelysningen og låste døren.

Sonja Modig løftede sin mobiltelefon op til sprækken i gardinet og tog to lavopløste billeder af forsamlingen uden for Ekströms dør. Det varede et øjeblik, inden de satte sig i bevægelse hen ad gangen.

Hun holdt vejret, da de passerede mødelokalet, hvor hun lå på lur. Det gik op for hende, at hun var helt våd af sved, da hun endelig hørte døren ud til trappen gå i bag dem. Hun rejste sig med dirrende knæ.

Bublanski ringede til Monica Figuerola lidt over otte om aftenen.

"Du ville vide, om Ekström havde et møde."

"Ja," sagde Monica Figuerola.

"Det blev afsluttet for lidt siden. Ekström mødte dr. Peter Teleborian og min forhenværende medarbejder kriminalassistent Hans Faste samt en ældre person, som vi ikke kender."

"Et øjeblik," sagde Monica Figuerola, lagde hånden over røret og vendte sig om mod de øvrige. "Vores idé bar frugt. Teleborian tog direkte hen til politiadvokat Ekström."

"Er du der?"

"Undskyld. Har vi noget signalement af den ukendte tredjemand?"

"Bedre endnu. Jeg sender et billede af ham."

"Billede. Smukt, jeg skylder dig en tjeneste."

"Det ville gøre det lettere, hvis jeg fik at vide, hvad der sker."

"Jeg vender tilbage."

De sad tavse rundt om mødebordet i nogle minutter.

"Okay," sagde Edklinth endelig. "Teleborian møder Sektionen og tager direkte hen til politiadvokat Ekström. Jeg ville give meget for at få at vide, hvad de diskuterede."

"Du kan jo spørge mig," foreslog Mikael Blomkvist.

Edklinth og Figuerola så på ham.

"De mødtes for at finpudse detaljerne i strategien for, hvordan de skal få skovlen under Lisbeth Salander i retssagen mod hende om en måned."

Monica Figuerola betragtede ham. Så nikkede hun langsomt.

"Det er en antagelse," sagde Edklinth. "Medmindre du har overnaturlige evner."

"Det er ikke en antagelse," sagde Mikael. "De mødes for at diskutere detaljerne i den retspsykiatriske rapport om Salander. Teleborian har lige afsluttet den."

"Sludder. Salander er ikke engang blevet undersøgt."

Mikael Blomkvist trak på skuldrene og åbnede sin computertaske.

"Den slags har ikke forhindret Teleborian tidligere. Her er den seneste version af den retspsykiatriske rapport. Som I kan se, er den dateret samme uge, som retssagen skal begynde."

Edklinth og Figuerola betragtede papirerne foran dem. Til sidst så de langsomt på hinanden og derefter på Mikael Blomkvist.

"Og hvor har du så fået fat i den henne?" spurgte Edklinth.

"Sorry. Kildebeskyttelse," sagde Mikael Blomkvist.

"Blomkvist ... vi er nødt til at kunne stole på hinanden. Du holder på oplysningerne. Har du flere oplysninger af den her slags?"

"Ja, naturligvis har jeg hemmeligheder. Ligesom jeg er overbevist om, at du ikke har givet mig carte blanche til at se på alt, hvad I har herinde i Säpo. Eller hvad?"

"Det er ikke det samme."

"Jo, det er præcis det samme. Dette arrangement indebærer et samarbejde. Præcis som du siger, må vi stole på hinanden. Jeg fortier ikke noget, der kan bidrage til kortlæggelsen af Sektionen eller til at identificere diverse lovovertrædelser, der er blevet begået. Jeg har allerede videregivet materiale, der viser, at Teleborian begik en lovovertrædelse sammen med Björck i 1991, og jeg har fortalt, at han har tænkt sig at gøre det samme nu. Og her er dokumentet, der viser, at det er sådan, det forholder sig."

"Men du har hemmeligheder."

"Selvfølgelig. Enten kan du afbryde samarbejdet eller leve med det."

Monica Figuerola holdt diplomatisk hånden op.

"Undskyld, men betyder det her, at politiadvokat Ekström arbejder for Sektionen?"

Mikael rynkede øjenbrynene.

"Det ved jeg ikke. Jeg har mere en fornemmelse af, at han er en nyttig idiot, som Sektionen udnytter. Han er en stræber, men jeg opfatter ham som hæderlig og lidt dum. Derimod fortalte en kilde, at han slugte det meste af det, som Teleborian fortalte om Lisbeth Salander ved et møde på det tidspunkt, hvor eftersøgningen af hende stadig var i gang."

"Der skal ikke meget til at manipulere ham, mener du?"

"Præcis. Og Hans Faste er en idiot, der tror, at Lisbeth Salander er en lesbisk satanist."

ERIKA BERGER VAR alene hjemme i villaen i Saltsjöbaden. Hun følte sig paralyseret og ude af stand til at koncentrere sig om arbejdet. Hun ventede hele tiden på, at nogen skulle ringe og fortælle, at der lå billeder af hende ude på en eller anden internetside.

Hun tog sig selv i gang på gang at tænke på Lisbeth Salander og indså, at hun havde for store forhåbninger til hende. Salander var spærret inde på Sahlgrenska Sygehus. Hun havde besøgsforbud og måtte ikke engang læse aviser. Men hun var en mærkelig ressourcestærk pige. Trods isolationen havde hun kunnet kontakte Erika på Messenger og derefter per telefon. Og hun havde på egen hånd ødelagt Wennerströms imperium og reddet *Millennium* to år tidligere.

Klokken otte om aftenen bankede Susanne Linder på døren. Erika fór op, som om nogen havde affyret et pistolskud inde i rummet.

"Hej, Berger. Sidder du her i mørket og ser dyster ud?"

Erika nikkede og tændte lyset.

"Hej. Jeg sætter kaffe over ..."

"Nej, lad mig gøre det. Er der sket noget nyt?"

Jovist. Lisbeth Salander har ladet høre fra sig og overtaget kontrollen over min computer. Og ringet om, at Teleborian og en, der hedder Jonas, mødtes på hovedbanegården i eftermiddags.

"Nej, ikke noget nyt," sagde hun. "Men der er noget, jeg gerne ville spørge dig om."

"Okay."

"Hvad mener du om den mulighed, at det her ikke er en stalker, men en, som findes i min bekendtskabskreds, der vil skade mig?"

"Hvad er forskellen?"

"En stalker er en mig ubekendt person, der er blevet fascineret af mig. Den anden variant er en person, der vil hævne sig på mig eller sabotere mit liv af personlige grunde."

"Interessant tanke. Hvordan er den opstået?"

"Jeg ... diskuterede situationen med en person i dag. Jeg kan ikke navngive hende, men hun mente, at truslerne fra en rigtig stalker ville se anderledes ud. Frem for alt at en stalker aldrig ville have skrevet mailen til Eva Carlsson i kulturafdelingen. Det er en helt uvedkommende handling."

Susanne Linder nikkede langsomt.

"Der er noget om det. Ved du hvad, jeg har faktisk aldrig læst de mails, det drejer sig om. Må jeg se dem?"

Erika fandt dem frem på sin laptop og stillede den på køkkenbordet.

MONICA FIGUEROLA ESKORTEREDE Mikael Blomkvist ud af politigården ved titiden om aftenen. De stoppede op på det samme sted i Kronobergsparken som den foregående dag.

"Så er vi her igen. Har du tænkt dig at forsvinde hjem for at arbejde, eller vil du med mig hjem og have sex?"

"Tja ..."

"Mikael, du behøver ikke at føle dig presset af mig. Hvis du har brug for at arbejde, så gør det."

"Hør her, Figuerola, du er skide vanedannende."

"Og du vil ikke være afhængig af noget. Er det dét, du mener?"

"Nej, ikke på den måde. Men jeg har en, jeg er nødt til at tale med i nat, og det kommer til at tage et stykke tid. Så inden jeg er færdig, er du faldet i søvn."

Hun nikkede.

"Vi ses."

Han kyssede hende på kinden og gik hen til busstoppestedet ved Fridhemsplan.

"Blomkvist," råbte hun.

"Hvad?"

"Jeg har også fri i morgen tidlig. Kom over og spis morgenmad, hvis du kan nå det."

KAPITEL 21

Lørdag den 4. juni – mandag den 6. juni

EN RÆKKE ILDEVARSLENDE fornemmelser løb igennem Lisbeth Salander, da hun gennemgik nyhedschef Anders Holm. Han var 58 år og faldt derfor egentlig uden for gruppen, men Lisbeth havde alligevel taget ham med, da han og Erika Berger havde været i totterne på hinanden. Han var en intrigemager, der skrev mails til forskellige personer og fortalte om, hvordan nogen havde gjort et dårligt stykke arbejde.

Lisbeth konstaterede, at Holm ikke brød sig om Erika Berger, og at han brugte meget tid på at komme med bemærkninger om, at nu har *fruentimmeret* sagt dit eller gjort dat. Hvis han havde andre interesser, så brugte han sin fritid til det på en anden computer.

Hun beholdt ham som kandidat til rollen som Giftpennen, men han var en med høje odds. Lisbeth tænkte lidt på, hvorfor hun ikke rigtig troede på ham og nåede frem til, at Holm var så skide selvglad, at han ikke ville gå omvejen forbi anonyme mails. Hvis han ville kalde Erika Berger for en luder, ville han gøre det åbenlyst. Og han føltes ikke som typen, der ville gøre sig det besvær at liste ind i Erika Bergers hus midt om natten.

Ved titiden holdt hun en pause og gik ind på [Det_Vanvittige_Bord] og konstaterede, at Mikael Blomkvist endnu ikke var vendt tilbage. Hun følte en svag irritation og spekulerede på, hvad han gik og lavede, og om han var nået frem til Teleborians møde.

Derefter vendte hun tilbage til SMP's server.

Hun gik til næste navn på listen, hvilket var redaktionssekretær på sporten, Claes Lundin, 29 år. Hun havde lige åbnet hans mail, da hun stoppede op og bed sig i underlæben. Hun lukkede Lundin ned og gik i stedet til Erika Bergers e-mails.

Hun scrollede tilbage i tiden. I sammenligning var det et kort filin-

467

deks, da hendes mailboks var blevet åbnet den 2. maj. Den allerførste mail var et morgenmemo, der var blevet sendt af redaktionssekretær Peter Fredriksson. Den første dag havde flere personer mailet og ønsket hende velkommen til SMP.

Lisbeth læste omhyggeligt hver eneste mail, der var kommet til Erika Berger. Hun kunne se, hvordan der allerede fra dag et havde været en fjendtlig undertone i korrespondancen med nyhedschef Anders Holm. De syntes ikke at kunne blive enige om nogen spørgsmål, og Lisbeth konstaterede, at Holm gjorde det sværere for hende ved at sende hende to-tre mails bare om bagateller.

Hun sprang over reklamer, spam og rene nyhedsmemoer. Hun fokuserede på al form for personlig korrespondance. Hun læste interne budgetkalkuler, resultatet fra annonceafdelingen og markedsføringsafdelingen, en mailveksling med økonomidirektør Christer Sellberg, der strakte sig over en uge, og som nærmest kunne beskrives som et skænderi om personalenedskæringer. Hun fik irriterede mails fra chefen for retsredaktionen om en eller anden vikar ved navn Johannes Frisk, som Erika Berger åbenbart havde sat til at arbejde på en historie, man ikke brød sig om. Bortset fra de første velkomstmails virkede det ikke, som om en eneste medarbejder på chefniveau så noget positivt i nogen af Erikas argumenter eller forslag.

Efter et stykke tid scrollede hun tilbage til begyndelsen og foretog en statistisk beregning i hovedet. Hun konstaterede, at af alle højere chefer på SMP, som Erika havde omkring sig, var der kun fire personer, der ikke brugte tid på at underminere hendes position. Det var bestyrelsesformand Borgsjö, redaktionssekretær Peter Fredriksson, chefen for ledersiden Gunnar Magnusson og chefen for kultursiderne Sebastian Strandlund.

Havde de aldrig hørt om kvinder på SMP? Alle chefer var jo mænd.

Den person, som Erika Berger havde mindst at gøre med, var chefen for kultursiderne. I løbet af al den tid, Erika havde arbejdet der, havde hun kun udvekslet to mails med Sebastian Strandlund. De venligste og åbenlyst mest sympatiske mails kom fra lederredaktør Magnusson. Borgsjö var kortfattet og ligefrem. Samtlige andre chefer opførte sig som åbenlyse krybskytter.

Hvorfor fanden havde denne samling mænd overhovedet ansat Erika Berger, hvis det eneste, de syntes at beskæftige sig med, var at flå hende.

Den person, hun syntes at have mest at gøre med, var redaktionssekretær Peter Fredriksson. Han sad som en skygge med ved alle møderne. Han forberedte memoerne, briefede Erika om forskellige artikler og problemer, satte arbejdet i gang.

Han udvekslede mails med Erika en halv snes gange hver dag.

Lisbeth samlede alle Peter Fredrikssons mails til Erika og læste dem en efter en. Ved flere lejligheder havde han indvendinger mod en eller anden beslutning, som Erika havde taget. Han redegjorde for de saglige grunde. Erika Berger syntes at have tiltro til ham, da hun ofte ændrede beslutning eller accepterede hans ræsonnement. Han var aldrig fjendtlig, men der var heller ikke den mindste antydning af nogen personlig relation til Erika.

Lisbeth lukkede Erika Bergers mail og tænkte sig lidt om.

Hun åbnede Peter Fredrikssons konto.

PLAGUE HAVDE UDEN større succes pillet ved hjemmecomputerne hos diverse medarbejdere på SMP hele aftenen. Det var lykkedes ham at bryde ind hos nyhedschef Anders Holm, da denne havde en åben linje til sit skrivebord på arbejdet for når som helst på døgnet at kunne gå ind og arbejde. Holms private computer var en af de mest uinteressante, som Plague nogensinde havde hacket. Derimod var det ikke lykkedes ham med resten af de atten navne på den liste, som Lisbeth Salander havde forsynet ham med. En medvirkende årsag var, at ingen af de personer, han bankede på hos, var online en lørdag aften. Han var efterhånden blevet en smule træt af den umulige opgave, da Lisbeth Salander kontaktede ham klokken halv elleve om aftenen.

<Hvad?>

<Peter Fredriksson>

<Okay>

<Skid på de andre. Fokuser på ham>

<Hvorfor?>

<En fornemmelse>

<Det her kommer til at tage tid>

<Der er en genvej. Fredriksson er redaktionssekretær og arbejder med et program, der hedder Integrator for at kunne holde styr på, hvad der sker på hans computer hjemmefra>

<Jeg ved ikke noget om Integrator>

<Lille program der kom for et par år siden. Nu helt ude. Integrator har en bug. Står i arkivet på Hacker Rep. Du kan i teorien hente programmet og gå ind i hans hjemmecomputer fra arbejdet>

Plague sukkede. Hun, der engang havde været hans elev, havde bedre styr på det end ham.

<Okay>

<Hvis du finder noget, så giv det til Kalle Blomkvist, hvis jeg ikke er online længere>

Mikael Blomkvist var tilbage i Lisbeth Salanders lejlighed ved Mosebacke lidt i tolv. Han var træt og begyndte med at tage et brusebad og tænde for kaffemaskinen. Så tændte han Lisbeth Salanders computer og kontaktede hende på Messenger.

<Det var på tide>

<Sorry>

<Hvor har du været de seneste døgn>

<Haft sex med en hemmelig agent. Og jagtet Jonas>

<Nåede du frem til mødet?>

<Ja. Var det dig, der gav Erika det tip???>

<Eneste måde at få fat i dig på>

<Smart>

<Jeg bliver overflyttet til fængslet i morgen>

<Jeg ved det>

<Plague vil hjælpe med nettet>

<Udmærket>

<Så er der kun finalen tilbage>

Mikael nikkede for sig selv.

<Sally ... vi skal nok klare det>

<Jeg ved det godt. Du er forudsigelig>

<Du er som altid en charmetrold>

<Er der andet, jeg bør vide?>

<Nej>

<I så fald har jeg en del natarbejde, jeg skal have klaret>

<Okay. Ha' det godt>

SUSANNE LINDER VÅGNEDE med et sæt, da det peb i hendes øre. Nogen havde udløst bevægelsesalarmen, som hun havde placeret i hallen i stueetagen i Erika Bergers villa. Hun rejste sig op på albuerne og så, at klokken var 05.23 søndag morgen. Hun smuttede stille ud af sengen og trak i cowboybukser, T-shirt og gummisko. Hun stoppede tåregassen i baglommen og tog politistaven med sig.

Hun passerede lydløst døren til Erika Bergers soveværelse og konstaterede, at den var lukket og dermed låst.

Derefter stoppede hun op ved trappen og lyttede. Hun hørte pludselig et svagt klik og bevægelse fra stueetagen. Hun gik langsomt ned ad trappen og blev igen stående i stueetagen og lyttede.

En stol skramlede ude i køkkenet. Hun holdt politistaven i et fast greb, gik lydløst hen til køkkendøren og så en skaldet og ubarberet mand, der sad ved spisebordet ude i køkkenet med et glas appelsinjuice og læste SMP. Han fornemmede hendes nærvær og hævede blikket.

"Og hvem fanden er du så?" spurgte han.

Susanne Linder slappede af og lænede sig imod dørkarmen.

"Greger Backman, formoder jeg. Hej, jeg hedder Susanne Linder."

"Aha. Har du tænkt dig at slå mig i hovedet med den der stav, eller vil du have et glas juice?"

"Gerne," sagde Susanne og lagde staven fra sig. "Juice altså."

Greger Backman rakte ud efter et glas fra opvaskestativet og hældte op til hende fra en karton.

"Jeg arbejder for Milton Security," sagde Susanne Linder. "Jeg tror, at det er bedst, at din kone forklarer min tilstedeværelse."

Greger Backman rejste sig.

"Er der sket Erika noget?"

"Din kone er okay. Men det har været lidt ubehageligt. Vi har ledt efter dig i Paris."

"Paris. Jeg har jo for fanden været i Helsinki."

"Aha. Undskyld, men din kone troede, det var Paris."

"Det er næste måned."

Greger gik hen mod døren.

"Soveværelsesdøren er låst. Du har brug for en kode, hvis du skal åbne den," sagde Susanne Linder.

"Kode?"

Hun gav ham de tre cifre, han skulle taste for at åbne soveværelsesdøren. Han løb op ad trappen til overetagen. Susanne rakte hen over bordet og tog hans efterladte SMP.

KLOKKEN TI SØNDAG morgen kom dr. Anders Jonasson ind til Lisbeth Salander.

"Hej, Lisbeth."

"Hej."

"Ville bare advare dig om, at politiet kommer ved frokosttid."

"Okay."

"Du virker ikke særlig bekymret."

"Nej."

"Jeg har en gave til dig."

"Gave? Hvorfor?"

"Du har været en af mine mest underholdende patienter længe."

"Nå," sagde Lisbeth Salander mistænksomt.

"Jeg har forstået, at du er fascineret af dna og genetik."

"Hvem har sladret ... hende der psykologdamen, går jeg ud fra."

Anders Jonasson nikkede.

"Hvis du kommer til at kede dig i fængslet ... her er det seneste nye inden for dna-forskning."

Han rakte hende en mursten, der hed *Spirals – Mysteries of DNA*, forfattet af en professor Yoshito Jakamura ved Tokyo Universitet. Lisbeth Salander åbnede bogen og studerede indholdsfortegnelsen.

"Smukt," sagde hun.

"Det ville være interessant engang at høre, hvordan det kan være, at du læser artikler af forskere, som ikke engang jeg forstår."

Så snart Anders Jonasson havde forladt rummet, fandt Lisbeth computeren frem. Sidste ryk. I SMP's personaleafdeling havde Lisbeth fundet ud af, at Peter Fredriksson havde arbejdet på SMP i fem år. I den tid havde han været sygemeldt i to lange perioder. To måneder i 2003 og tre måneder i 2004. Fra personalefilerne kunne Lisbeth drage den konklusion, at grunden i begge tilfælde havde været udbrændthed. Erika Bergers forgænger, Håkan Morander, havde på et tidspunkt betvivlet, at Fredriksson kunne blive som redaktionssekretær.

Snak. Snak. Snak. Ikke noget konkret at gå efter.

Kvart i tolv kontaktede Plague hende på Messenger.

<Hvad?>

<Er du stadig på Sahlgrenska Sygehus?>

<Gæt engang>

<Det er ham>

<Er du sikker>

<Han gik ind i sin computer på arbejdet hjemmefra for en halv time siden. Jeg sørgede for at gå ind i hans hjemmecomputer. Han har scannede billeder af Erika Berger liggende på harddisken>

<Tak>

<Hun ser ret lækker ud>

<Plague>

<Jeg ved det godt. Hvad skal jeg gøre?>

<Har han lagt billeder ud på nettet?>

<Ikke så vidt jeg kan se>

<Kan du minere hans computer>

<Er allerede gjort. Hvis han forsøger at maile billeder eller lægge noget ud på nettet, der er større end tyve kilobyte, crasher hans harddisk>

<Alle tiders>

<Jeg har tænkt mig at få lidt søvn. Passer du på dig selv?>

<Som altid>

Lisbeth lukkede ned for sin Messenger. Hun kastede et blik på uret og konstaterede, at det snart var frokosttid. Hun skyndte sig at skrive en besked, som hun adresserede til [Det_Vanvittige_Bord].

[Mikael. Vigtigt. Ring straks til Erika Berger og giv hende besked om, at Peter Fredriksson er Giftpennen.]

I samme øjeblik, som hun sendte beskeden, hørte hun bevægelse ude på gangen. Hun løftede sin Palm Tungsten T3 og kyssede skærmen. Så lukkede hun computeren og lagde den i hulrummet bag sengen.

"Hej, Lisbeth," sagde hendes advokat Annika Giannini henne fra døren.

"Hej."

"Politiet henter dig om lidt. Jeg har tøj med til dig. Jeg håber, at størrelsen passer."

Lisbeth så mistænksomt på et udvalg af nydelige mørke bukser og lyse bluser.

DET VAR TO KVINDELIGE betjente fra politiet i Göteborg, der hentede Lisbeth Salander. Hendes advokat fulgte med til fængslet.

Da de gik fra hendes stue gennem gangen, noterede Lisbeth sig, at meget af personalet nysgerrigt betragtede hende. Hun nikkede venligt til personalet, og nogle vinkede tilbage. Som ved et tilfælde stod Anders Jonasson ved receptionen. De så på hinanden og nikkede. Allerede inden de havde nået at dreje om hjørnet, noterede Lisbeth sig, at Anders Jonasson havde sat sig i bevægelse hen mod hendes stue.

Under hele afhentningen og transporten til fængslet sagde Lisbeth Salander ikke et ord til politiet.

MIKAEL BLOMKVIST HAVDE lukket sin iBook og var holdt op med at arbejde klokken syv søndag morgen. Han sad lidt ved Lisbeth Salanders skrivebord og stirrede tomt frem for sig.

Så gik han ind i hendes soveværelse og så på hendes gigantiske dobbeltseng. Et øjeblik efter gik han tilbage til arbejdsværelset, åbnede mobilen og ringede til Monica Figuerola.

"Hej, det er Mikael."

"Hej, er du allerede oppe?"

"Jeg er lige blevet færdig med at arbejde og skal til at gå i seng. Ville bare ringe og sige hej."

"Mænd, der bare ringer og siger hej, har bagtanker."

Han grinede.

"Blomkvist, du kan komme herhen og sove, hvis du vil."

"Jeg bliver nok lidt kedeligt selskab."

"Det vænner jeg mig nok til."

Han tog en taxi til Pontonjärgatan.

ERIKA BERGER TILBRAGTE søndagen i sengen sammen med Greger Backman. De lå og talte og halvsov. Om eftermiddagen klædte de sig på og gik en lang tur ned til bådebroen og rundt i omegnen.

"SMP var en fejltagelse," sagde Erika Berger, da de kom hjem. "Sig ikke det. Det er hårdt nu, men det vidste du. Det bliver nemmere, når du får rutine."

"Det er ikke jobbet. Det kan jeg godt klare. Det er attituden."

"Hmm."

"Jeg trives ikke. Men jeg kan ikke give op efter nogle uger."

Hun satte sig dystert ved spisebordet i køkkenet og stirrede tomt ud i luften. Greger Backman havde aldrig før set sin kone så opgivende.

Kriminalassistent Hans Faste mødte Lisbeth Salander for første gang klokken halv et om søndagen, da en kvindelig betjent fra Göteborg førte hende ind på Marcus Erlanders kontor.

"Du har fandeme været svær at få fat på," sagde Hans Faste.

Lisbeth Salander sendte ham et langt blik og besluttede, at han var en idiot, og at hun ikke gad bruge mange sekunder på at bekymre sig om hans eksistens.

"Politiassistent Gunilla Wäring følger med under transporten til Stockholm," sagde Erlander.

"Javel," sagde Faste. "Vi kører nu. Der er en del folk, der gerne vil tale et alvorsord med dig, Salander."

Erlander sagde farvel til Lisbeth Salander. Hun ignorerede ham.

De havde besluttet for nemheds skyld at sende fangen med politibil til Stockholm. Gunilla Wäring kørte. I begyndelsen af turen sad Hans Faste på passagersædet med hovedet vendt mod bagsædet, mens han forsøgte at tale med Lisbeth Salander. På højde med Alingsås var han begyndt at få nakkespændinger og gav op.

Lisbeth Salander betragtede landskabet uden for sideruden. Det virkede, som om Faste slet ikke eksisterede i hendes verden.

Teleborian har ret. Hun er jo for fanden retarderet, tænkte Faste. *Det skal vi nok få ændret på i Stockholm.*

Han skævede med jævne mellemrum til Lisbeth Salander og forsøgte at danne sig en mening om den kvinde, han havde været på jagt efter i så lang tid. Selv Hans Faste følte tvivl, da han så den lille, spæde pige. Han spekulerede på, hvor meget hun egentlig vejede. Han mindede sig selv om, at hun var lesbisk og derfor ikke en rigtig kvinde.

Derimod var det måske muligt, at det der med satanismen var en overdrivelse. Hun så ikke særlig satanisk ud.

Ironisk nok indså han, at han meget hellere ville have pågrebet hende for de tre mord, hun oprindelig var mistænkt for, men at virkeligheden nu havde indhentet hans efterforskning. En pistol kan selv en lille pige håndtere. Nu var hun anholdt for udøvelse af grov vold mod den øverste ledelse af Svavelsjö MC, som hun uden tvivl var skyldig i, og som der desuden forelå tekniske beviser for, i tilfælde af at hun skulle nægte.

MONICA FIGUEROLA vækkede Mikael Blomkvist ved ettiden om eftermiddagen. Hun havde siddet ude på altanen og læst bogen om antikkens gudsopfattelse færdig, mens hun lyttede til Mikaels snorken fra soveværelset. Det havde været fredeligt. Da hun gik ind og så på ham, blev hun klar over, at hun var mere tiltrukket af Mikael, end hun havde været af nogen anden mand i flere år.

Det var en behagelig, men skræmmende følelse. Mikael Blomkvist føltes ikke som et stabilt indslag i hendes tilværelse.

Da han vågnede, gik de ned til Norr Mälarstrand og drak kaffe. Derefter tog hun ham med hjem og havde sex med ham resten af eftermiddagen. Han forlod hende ved syvtiden om aftenen. Hun mærkede savnet i samme øjeblik, han kyssede hende på kinden og lukkede hoveddøren bag sig.

VED OTTETIDEN SØNDAG aften bankede Susanne Linder på hos Erika Berger. Hun skulle ikke sove hos Berger, da Greger Backman var kommet hjem, så besøget lå helt uden for jobbet. De få dage, hun havde boet som nattegæst hos Erika, var de kommet tæt på hinanden i løbet af de lange samtaler i køkkenet. Hun havde opdaget, at hun syntes godt om Erika Berger, og hun så en fortvivlet kvinde, der maskerede sig og tilsyneladende uberørt tog på arbejde, men som i virkeligheden var en omvandrende dampkedel under alt for højt tryk.

Susanne Linder havde mistanke om, at frygten ikke kun havde noget med Giftpennen at gøre. Men hun var ikke barnepige, og Erika Bergers liv og problemer var ikke hendes sag. I stedet kørte hun bare ud til Berger for at sige hej og spørge om, hvordan det stod til. Hun fandt Erika og hendes mand ude i køkkenet, hvor de sad og talte dæmpet sammen. Det virkede, som om de havde tilbragt søndagen med at diskutere alvorlige ting.

Greger Backman satte vand over til kaffe. Susanne Linder havde været hjemme hos hende i nogle minutter, da Erikas mobil ringede.

ERIKA BERGER HAVDE besvaret alle samtaler i løbet af dagen med en følelse af forestående undergang.

"Berger."

"Hej, Ricky."

Mikael Blomkvist. For helvede. Jeg har ikke fortalt, at Borgsjömappen er forsvundet.

"Hej, Micke."

"Salander er blevet overført til fængslet i Göteborg i aften og venter på transport til Stockholm i morgen."

"Okay."

"Hun har sendt en ... besked til dig."

"Aha?"

"Det er meget kryptisk."

"Hvad?"

"Hun siger, at Giftpennen er Peter Fredriksson."

Erika Berger var tavs i ti sekunder, mens tankerne fór rundt i hendes hoved. *Umuligt. Sådan er Peter ikke. Salander må tage fejl.*

"Andet?"

"Nej. Det var hele beskeden. Forstår du, hvad det drejer sig om?"

"Ja."

"Ricky, hvad har du og Lisbeth egentlig gang i? Hun ringede til dig for at give mig besked om Teleborian og ..."

"Tak, Micke. Vi tales ved senere."

Hun havde afbrudt forbindelsen og set på Susanne Linder med øjne, der var helt vilde.

"Fortæl," sagde Susanne Linder.

SUSANNE LINDER NÆREDE modstridende følelser. Erika Berger havde pludselig fået besked om, at hendes redaktionssekretær Peter Fredriksson var Giftpennen. Ordene var strømmet ud af hende, da

477

hun fortalte det. Bagefter havde Susanne Linder spurgt, *hvordan* hun vidste, at Fredriksson var hendes stalker.

Erika Berger var pludselig blevet helt tavs. Susanne havde iagttaget hendes øjne og set, hvordan noget skiftede i chefredaktørens attitude. Erika Berger havde pludselig set helt forvirret ud.

"Det kan jeg ikke fortælle ..."

"Hvad mener du?"

"Susanne, jeg ved, at Fredriksson er Giftpennen. Men jeg kan ikke fortælle, hvordan jeg har fået den oplysning. Hvad skal jeg gøre?"

"Du er nødt til at fortælle mig det, hvis jeg skal kunne hjælpe dig."

"Jeg ... det kan jeg ikke. Du forstår det ikke."

Erika Berger rejste sig op og stillede sig hen ved køkkenvinduet med ryggen til Susanne Linder. Endelig vendte hun sig om.

"Jeg tager hjem til idioten."

"Vel gør du ej. Du tager ikke nogen steder hen, allermindst hjem til en person, som hader dig så voldsomt."

Erika Berger så ud, som om hun ikke vidste, hvad hun skulle gøre.

"Sæt dig ned. Fortæl, hvad der er sket. Det var Mikael Blomkvist, der ringede."

Erika nikkede.

"Jeg ... har i løbet af dagen bedt en hacker gennemgå personalets hjemmecomputere."

"Aha. Du har dermed formentlig gjort dig skyldig i grov computerkriminalitet. Og du vil ikke fortælle, hvem hackeren er?"

"Det har jeg lovet aldrig at fortælle ... Det gælder andre mennesker. Noget som Mikael arbejder på."

"Kender Blomkvist til Giftpennen?"

"Nej, han viderebragte bare beskeden."

Susanne Linder lagde hovedet på skrå og så undersøgende på Erika Berger. Pludselig dannedes der en associationskæde i hovedet på hende.

Erika Berger. Mikael Blomkvist. Millennium. Skumle politimænd der brød ind og aflyttede Blomkvists lejlighed. Susanne Linder overvågede overvågerne. Blomkvist arbejdede som besat på en historie om Lisbeth Salander.

At Lisbeth Salander var en ørn til computere var offentligt kendt i Milton Security. Ingen forstod, hvordan hun havde fået sin viden, og Susanne havde aldrig hørt nogen rygter om, at Salander skulle være hacker. Men Dragan Armanskij havde engang sagt noget om, at Salander leverede nogle helt forbløffende rapporter, når hun foretog personundersøgelser. En hacker ...

Men Salander sidder jo for fanden i isolation i Göteborg.

Det var absurd.

"Er det Salander, vi taler om?" spurgte Susanne Linder.

Erika Berger så ud, som om hun var blevet ramt af et lyn.

"Jeg kan ikke diskutere, hvorfra jeg har oplysningen. Ikke med et eneste ord."

Susanne Linder fnisede pludselig.

Det var Salander. Bergers bekræftelse kunne ikke have været tydeligere. Hun er helt ude af balance.

Men det er jo umuligt.

Hvad fanden sker der egentlig?

Under fangenskabet skulle Lisbeth Salander altså have påtaget sig den opgave at finde ud af, hvem Giftpennen var. Den rene galskab.

Susanne Linder spekulerede som en gal.

Hun havde ingen anelse om, hvad der var hvad i historien om Lisbeth Salander. Hun havde mødt hende måske fem gange i løbet af de år, hvor hun havde arbejdet på Milton Security, og havde aldrig vekslet så meget som et personligt ord med hende. Hun opfattede Salander som et tvært og socialt afvisende menneske med så hård en skal, at ikke engang et slagbor kunne trænge ind i den. Hun havde også konstateret, at Dragan Armanskij havde lagt sine beskyttende vinger over Lisbeth Salander. Da Susanne Linder respekterede Armanskij, gik hun ud fra, at han havde sine grunde til sin indstilling over for den vrantne pige.

Giftpennen er Peter Fredriksson.

Kunne hun have ret? Var der nogen beviser?

Susanne Linder brugte derefter to timer på at afhøre Erika Berger om alt, hvad hun vidste om Peter Fredriksson, hvad hans rolle var på SMP, og hvordan deres forhold under hendes lederskab havde været. Hun blev ikke klogere af svarene.

Erika Berger havde været frustrerende tøvende. Hun havde pendlet mellem en lyst til at tage hjem til Fredriksson og konfrontere ham og en tvivl om, hvorvidt det var rigtigt. Til sidst havde Susanne Linder overbevist hende om, at hun ikke kunne komme styrtende ind hos Peter Fredriksson og fremføre sine anklager – hvis han var uskyldig, ville Berger fremstå som en komplet idiot.

Derfor havde Susanne Linder lovet at se på sagen. Det var et løfte, hun fortrød i samme øjeblik, hun havde sagt det, da hun ikke havde nogen anelse om, hvordan hun skulle bære sig ad.

Men nu parkerede hun sin godt brugte Fiat Strada så tæt på Peter Fredrikssons lejlighed, som hun kunne. Hun låste bildørene og så sig omkring. Hun var ikke helt sikker på, hvad hun lavede, men hun gik ud fra, at hun var nødt til at banke på hos ham og på en eller anden måde få ham til at besvare nogle spørgsmål. Hun var udmærket klar over, at dette var noget, der lå helt uden for hendes arbejde på Milton Security, og at Dragan Armanskij ville blive rasende på hende, hvis han vidste, hvad hun gjorde.

Det var ikke nogen god plan. Og under alle omstændigheder faldt den til jorden, inden hun overhovedet nåede at sætte den i værk.

I samme øjeblik hun nærmede sig Peter Fredrikssons dør, blev den åbnet. Susanne Linder genkendte ham straks fra det billede, der var i hans personalefil, som hun havde studeret på Erika Bergers computer. Hun fortsatte fremad, og de passerede hinanden. Han forsvandt hen mod parkeringspladsen. Susanne Linder stoppede tøvende op og så efter ham. Så så hun på uret og konstaterede, at den var lidt i elleve om aftenen, og at Peter Fredriksson var på vej et sted hen. Hun spekulerede på, hvor han skulle hen, og løb tilbage til sin bil.

MIKAEL BLOMKVIST sad længe og stirrede på sin mobil, efter at Erika Berger havde afbrudt forbindelsen. Han spekulerede på, hvad der foregik. Han betragtede frustreret Lisbeth Salanders computer, men nu var hun blevet flyttet til fængslet i Göteborg, og han havde ingen mulighed for at spørge hende.

Han åbnede sin blå T10 og ringede til Idris Ghidi i Angered.

"Hej. Mikael Blomkvist."

"Hej," sagde Idris Ghidi.

"Jeg ville bare ringe og meddele, at du kan afbryde det arbejde, du har gjort for mig."

Idris Ghidi nikkede tavst. Han havde allerede regnet ud, at Mikael Blomkvist ville ringe, da Lisbeth Salander var blevet overført til fængslet.

"Jeg forstår," sagde han.

"Du kan beholde mobilen, som vi blev enige om. Jeg sender dig den sidste betaling i løbet af ugen."

"Tak."

"Det er mig, der takker."

Han åbnede sin iBook og begyndte at arbejde. De seneste døgns udvikling betød, at en væsentlig del af manuskriptet måtte revideres, og at en helt ny historie med stor sandsynlighed måtte indføjes.

Han sukkede.

KVART OVER ELLEVE parkerede Peter Fredriksson tre huse fra Erika Bergers hjem. Susanne Linder vidste allerede, hvor han var på vej hen, og havde ladet ham køre i forvejen for ikke at vække hans opmærksomhed. Hun passerede hans bil mere end to minutter efter, at han havde parkeret. Hun konstaterede, at bilen var tom. Hun passerede Erika Bergers hus, fortsatte lidt og parkerede uden for synsvidde. Hun svedte i hænderne.

Hun åbnede en dåse Catch Dry og tog en snus.

Derefter åbnede hun bildøren og så sig omkring. Så snart hun havde forstået, at Fredriksson var på vej mod Saltsjöbaden, havde hun vidst, at Salanders oplysning var korrekt. Hvordan Salander havde båret sig ad, vidste hun ikke, men hun tvivlede ikke længere på, at Fredriksson var Giftpennen. Hun gik ud fra, at han ikke var taget ud til Saltsjöbaden for sjov skyld, men at der var noget i gære.

Hvilket var aldeles udmærket, hvis hun kunne tage ham på fersk gerning.

Hun fandt sin politistav frem fra sidelommen i bildøren og vejede den i hånden et kort øjeblik. Hun tog fat i håndtaget og skubbede den tunge dør op. Hun bed tænderne sammen.

Det var derfor, hun var holdt op hos politiet på Södermalm.

Hun havde en eneste gang fået et raseriudbrud, da de for tredje gang på tre dage var kørt hen til en adresse i Hägersten, hvor den samme kvinde havde ringet til politiet og skreget på hjælp, fordi hendes mand havde tæsket hende. Og præcis som de to første gange havde gemytterne dæmpet sig, før politiet nåede frem.

De havde rutinemæssigt taget hendes fyr med ud i trappeopgangen, mens kvinden var blevet afhørt. *Nej, hun ville ikke politianmelde det. Nej, det havde været en fejltagelse. Nej, han var sød ... det var i virkeligheden hendes skyld. Hun havde provokeret ham ...*

Og hele tiden havde idioten stået og grinet og set Susanne Linder lige ind i øjnene.

Hun kunne ikke forklare, hvorfor hun havde gjort det. Men lige pludselig var noget bristet, og hun havde taget staven frem og havde slået ham over munden. Det første slag havde hun ikke lagt kræfter i. Hun havde flækket hans læbe, og han havde krummet sig sammen. De næste ti minutter – indtil kollegerne havde taget fat i hende og med vold båret hende ned ad trappeopgangen – havde hun ladet slagene regne ned over hans ryg, nyrer, hofter og skuldre.

Der var aldrig blevet rejst tiltale imod hende. Hun havde sagt op samme aften, var taget hjem og havde grædt i en uge. Senere havde hun taget sig sammen og var gået hen og havde banket på hos Dragan Armanskij. Hun havde fortalt, hvad hun havde gjort, og hvorfor hun var holdt op hos politiet. Hun søgte arbejde. Armanskij havde været tøvende og bedt om at få lov at tænke over det. Hun havde opgivet håbet, da han ringede til hende seks uger senere og sagde, at han var parat til at ansætte hende på prøve.

Susanne Linder skar en bister grimasse og stak staven i bæltet omme på ryggen. Hun kontrollerede, at hun havde dåsen med tåregas i højre jakkelomme, og at snørebåndene i gummiskoene var ordentlig bundet. Hun gik tilbage til Erika Bergers hus og sneg sig ind på grunden.

Hun vidste, at bevægelsesalarmen i baghaven endnu ikke var installeret og bevægede sig lydløst på græsplænen langs hækken ind til grunden ved siden af. Hun kunne ikke se ham. Hun gik rundt om huset og stod stille. Hun så ham pludselig som en skygge i mørket ved Greger Backmans atelier.

Han forstår ikke, hvor dumt det er af ham at vende tilbage hertil. Han kan ikke holde sig væk.

Han sad på hug og forsøgte at se ind ad en sprække i et gardin i et rum i forlængelse af stuen. Derefter gik han op på verandaen og så ind gennem en sprække i persiennerne ved siden af det store panoramavindue, der stadig var dækket af krydsfiner.

Susanne Linder smilede pludselig.

Hun listede over gården hen til hushjørnet, mens han havde ryggen til hende. Hun gemte sig bag et par ribsbuske ved gavlen og ventede. Hun kunne se et glimt af ham gennem grenene. Fra sin plads burde Fredriksson kunne se gennem hallen og ind i et stykke af køkkenet. Han havde fundet noget interessant at se på, og det varede ti minutter, før han bevægede sig. Han nærmede sig Susanne Linder.

Da han drejede rundt om hjørnet og passerede hende, rejste Susanne Linder sig og sagde med lav stemme.

"Hej, Fredriksson."

Han stivnede og vendte om imod hende.

Hun så øjnene skinne i mørket. Hun kunne ikke se hans ansigt, men kunne høre, at han chokeret var holdt op med at trække vejret.

"Vi kan gøre det her på den nemme måde eller på den svære," sagde hun. "Nu går vi hen til din bil og ..."

Han vendte sig om og begyndte at løbe.

Susanne Linder hævede staven og slog et frygteligt smertefuldt slag mod ydersiden af hans venstre knæskal.

Han faldt om med en halvkvalt lyd.

Hun hævede staven for at slå endnu en gang, men tog sig i det. Hun mærkede Dragan Armanskijs øjne i nakken.

Hun bøjede sig ned, væltede ham om på maven og satte et knæ i ryggen på ham. Hun tog fat i hans højre hånd, tvang den om på ryggen og gav ham håndjern på. Han var svag og gjorde ikke modstand.

ERIKA BERGER SLUKKEDE lampen i stuen og haltede op til overetagen. Hun behøvede ikke længere krykkerne, men fodsålen gjorde stadig ondt, når hun lagde vægten på den. Greger Backman slukkede lyset i køkkenet og fulgte efter sin kone. Han havde aldrig før set Erika Berger så ulykkelig. Intet, han sagde, syntes at kunne berolige hende eller mildne den frygt, hun oplevede.

Hun klædte sig af og kravlede ned i sengen med ryggen til ham.

"Det er ikke din skyld, Greger," sagde hun, da hun hørte ham krybe ned under dynen.

483

"Du har det ikke godt," sagde han. "Jeg synes, at du skal blive hjemme nogle dage."

Han lagde en arm om hendes skulder. Hun forsøgte ikke at skubbe ham væk, men hun var helt passiv. Han bøjede sig frem, kyssede hende forsigtigt på halsen og holdt om hende.

"Der er intet, du kan sige eller gøre, der kan formilde situationen. Jeg ved godt, at jeg har brug for en pause. Jeg har det, som om jeg er trådt ind i et eksprestog og har opdaget, at jeg kører i den gale retning."

"Vi kan tage ud og sejle nogle dage. Komme væk fra det hele."

"Nej, jeg kan ikke komme væk fra det hele."

Hun vendte sig om imod ham.

"Det værste, jeg kan gøre nu, er at flygte. Jeg er nødt til at løse problemerne. Så kan vi tage af sted senere."

"Okay," sagde Greger. "Jeg er vist ikke til megen hjælp."

Hun smilede svagt.

"Nej, det er du ikke. Men tak, fordi du er her. Jeg elsker dig meget højt, det ved du."

Han nikkede.

"Jeg kan ikke tro, at det er Peter Fredriksson," sagde Erika Berger. "Jeg har aldrig opfattet den mindste fjendtlighed fra ham."

SUSANNE LINDER SPEKULEREDE på, om hun skulle ringe på hos Erika Berger, da hun så lyset i stueetagen blive slukket. Hun så ned på Peter Fredriksson. Han havde ikke sagt et ord. Han var helt passiv. Hun tænkte sig længe om, inden hun besluttede sig.

Hun bøjede sig ned, tog fat i håndjernene, trak ham på benene og lænede ham op ad gavlen.

"Kan du stå?" spurgte hun.

Han svarede ikke.

"Okay, så gør vi det let for os. Hvis du gør den mindste modstand, får du præcis samme behandling på højre ben. Og gør du mere modstand, så knækker jeg dine arme. Forstår du, hvad jeg siger?"

Hun kunne høre, at han trak vejret hurtigt. Frygt?

Hun skubbede ham foran sig og førte ham ud på gaden og hen til hans bil tre huse længere væk. Han haltede. Hun støttede ham. Da de nåede frem til bilen, mødte de en nattevandrer med hund, der stoppede op og betragtede Peter Fredrikssons håndjern.

"Det her er en politisag," sagde Susanne Linder med bestemt stemme. "Gå hjem."

Hun satte ham ind på bagsædet og kørte ham hjem til Fisksätra. Klokken var halv et om natten, og de mødte ingen mennesker, da de gik hen til hans dør. Susanne Linder fiskede hans nøgler op og førte ham op ad trappeopgangen op til hans lejlighed på tredje sal.

"Du kan ikke gå ind i min lejlighed," sagde Peter Fredriksson.

Det var det første, han havde sagt, siden hun havde lagt ham i håndjern.

"Det har du ikke ret til. Du skal have tilladelse til en husundersøgelse ..."

"Jeg er ikke fra politiet," sagde hun dæmpet.

Han stirrede vantro på hende.

Hun tog fat i hans skjorte, puffede ham foran sig ind i stuen og ned på en sofa. Han havde en ryddelig treværelses lejlighed. Soveværelse til venstre for stuen, køkken på den anden side af entreen, et lille arbejdsværelse i forbindelse med stuen.

Hun så ind i arbejdsværelset og drog et lettelsens suk. *The smoking gun.* Hun så straks billederne fra Erika Bergers fotoalbum, der lå bredt ud på et skrivebord ved siden af en computer. Han havde sat omkring tredive billeder op på væggen rundt om computeren. Hun betragtede udstillingen med hævede øjenbryn. Erika Berger var en forbandet smuk kvinde. Og hun havde et sjovere sexliv end Susanne Linder.

Hun hørte Peter Fredriksson røre på sig, gik tilbage til stuen og fik fat i ham. Hun gav ham et rap, trak ham ind i arbejdsværelset og satte ham på gulvet.

"Sid stille," sagde hun.

Hun gik ud i køkkenet og fandt en papkasse fra et supermarked. Hun tog alle billederne ned fra væggen. Hun fandt det slagtede fotoalbum og Erika Bergers dagbøger.

"Hvor er videoen?" spurgte hun.

Peter Fredriksson svarede ikke. Susanne Linder gik ind i stuen og tændte for tv'et. Der sad en film i videoen, men det tog lidt tid, inden hun fandt videokanalen på fjernbetjeningen.

Hun tog videoen ud og brugte lang tid på at kontrollere, at han ikke havde lavet kopier.

Hun fandt Bergers kærlighedsbreve fra teenagealderen og rapporten om Borgsjö. Derefter rettede hun interessen mod Peter Fredrikssons computer. Hun konstaterede, at han havde en microtek-scanner tilsluttet en IBM PC. Hun løftede scannerens låg og fandt et glemt billede forestillende Erika Berger til en fest på Club Xtreme, nytåret 1986 ifølge et banner på væggen.

Hun tændte for computeren og opdagede, at den var beskyttet af et kodeord.

"Hvad er kodeordet?" spurgte hun.

Peter Fredriksson sad og surmulede på gulvet og nægtede at tale med hende.

Susanne Linder følte sig pludselig helt rolig. Hun vidste, at hun teknisk set havde begået den ene lovovertrædelse efter den anden i løbet af aftenen, inklusive noget som ville kunne rubriceres som ulovlig indtrængen og endda frihedsberøvelse af særlig grov karakter. Hun var ligeglad. Hun følte sig tværtimod nærmest opstemt.

Efter et stykke tid trak hun på skuldrene, stak hånden i lommen og fandt sin schweiziske lommekniv. Hun løsnede alle ledningerne fra computeren, vendte bagstykket mod sig selv og brugte stjerneskruetrækkeren til at åbne den. Det tog et kvarter at skille computeren ad og tage harddisken ud.

Hun så sig omkring. Hun havde fået det hele med sig, men foretog for en sikkerheds skyld en grundig gennemgang af skrivebordsskuffer, papirbunker og reoler. Pludselig faldt hendes blik på en gammel skoleårbog, der lå i vindueskarmen. Hun konstaterede, at den var fra Djursholms Gymnasium 1978. *Kom Erika Berger ikke fra Djursholms overklasse ...* Hun åbnede skoleårbogen og begyndte at gennemgå klasse efter klasse.

Hun fandt Erika Berger, 18 år, iført studenterhue og et glad smil med smilehuller. Hun var klædt i en tynd hvid bomuldskjole og havde en blomstergren i hånden. Hun lignede et sindbillede på en uskyldig teenager med topkarakterer.

Susanne Linder var lige ved at gå glip af forbindelsen, men den var på næste side. Hun ville aldrig have genkendt ham på billedet, men teksten levnede ingen plads til tvivl. Peter Fredriksson. Han havde gået i parallelklasse med Erika Berger. Hun så en tynd dreng med et alvorligt ansigtsudtryk, der så ind i kameraet under huen.

Hun løftede blikket og mødte Peter Fredrikssons øjne.

"Hun var en luder allerede dengang."

"Fascinerende," sagde Susanne Linder.

"Hun bollede med hver eneste dreng på skolen."

"Det tvivler jeg på."

"Hun var en skide ..."

"Sig ikke mere. Hvad skete der? Kunne du ikke komme i bukserne på hende?"

"Hun behandlede mig som luft. Hun grinede ad mig. Og da hun begyndte på SMP, kunne hun ikke engang genkende mig."

"Ja ja," sagde Susanne Linder træt. "Du havde sikkert en svær opvækst. Skal vi tale alvorligt nu?"

"Hvad vil du?"

"Jeg er ikke politimand," sagde Susanne Linder. "Jeg er sådan en, der tager sig af sådan nogle som dig."

Hun ventede og lod hans fantasi gøre arbejdet.

"Jeg vil vide, om du har lagt billeder ud på nettet af hende."

Han rystede på hovedet.

"Er du sikker?"

Han nikkede.

"Erika Berger må selv afgøre, om hun vil indgive politianmeldelse mod dig for chikane, ulovlige trusler og krænkelse af den private ejendomsret, eller om hun vil finde en fredelig løsning."

Han sagde ingenting.

"Hvis hun beslutter sig for at ignorere dig – og større anstrengelse synes jeg faktisk ikke, at du er værd – så vil jeg blive ved med at holde et vågent øje med dig."

Hun hævede staven.

"Hvis du nogensinde kommer i nærheden af Erika Bergers hjem eller sender hende en mail, der på en eller anden måde generer hende, så vender jeg tilbage til dig. Og jeg banker dig sønder og sammen, så ikke engang din mor kan genkende dig. Er det forstået?"

Han sagde ingenting.

"Du har altså mulighed for at påvirke, hvordan den her historie ender. Er du interesseret?"

Han nikkede langsomt.

"I så fald vil jeg anbefale Erika Berger, at hun lader dig løbe. Du skal ikke bryde dig om at vise dig på arbejde mere. Du er sagt op med øjeblikkelig virkning."

Han nikkede.

"Du forsvinder ud af hendes liv og væk fra Stockholm. Jeg vil skide på, hvad du vil lave, og hvor du tager hen. Søg arbejde i Göteborg eller Malmö. Sygemeld dig igen. Gør hvad du vil. Men lad Erika Berger være i fred."

Han nikkede.

"Er vi enige?"

Peter Fredriksson begyndte pludselig at græde.

"Jeg mente ikke noget med det," sagde han. "Jeg ville bare ..."

"Du ville bare forvandle hendes liv til et helvede, og det lykkedes for dig. Har jeg dit ord?"

Han nikkede.

Hun bøjede sig frem, vendte ham om på maven og låste håndjernene op. Hun tog papkassen med Erika Bergers liv og lod ham ligge på gulvet.

KLOKKEN VAR HALV TRE mandag morgen, da Susanne Linder trådte ud gennem Fredrikssons dør. Hun overvejede at lade sagen hvile til dagen efter, men indså, at hvis det havde drejet sig om hende selv, ville hun gerne have haft besked allerede om natten. Desuden stod hendes bil stadig parkeret ude i Saltsjöbaden. Hun ringede efter en taxi.

Greger Backman åbnede, allerede inden hun havde nået at ringe på. Han havde cowboybukser på og så ikke særlig forsovet ud.

"Er Erika vågen?" spurgte Susanne Linder.

Han nikkede.

"Er der sket noget nyt?" spurgte han.

Hun nikkede og smilede til ham.

"Kom ind. Vi sidder ude i køkkenet og snakker."

De gik ind.

"Hej, Berger," sagde Susanne Linder. "Du må lære at sove en gang imellem."

"Hvad er der sket?"

Hun rakte hende papkassen.

"Peter Fredriksson lover at lade dig være i fred for fremtiden. Det er ikke til at vide, om man kan stole på det, men hvis han holder sit ord, er det meget mere smertefrit end alt det bøvl med politianmeldelse og retssag. Du bestemmer selv."

"Det *er* altså ham?"

Susanne Linder nikkede. Greger Backman serverede kaffe, men Susanne ville ikke have noget. Hun havde allerede drukket alt for meget kaffe de seneste døgn. Hun slog sig ned og fortalte, hvad der var sket uden for deres hus i løbet af natten.

Erika Berger sad længe uden at sige noget. Så rejste hun sig, gik op på første sal og kom tilbage med sin skoleårbog. Hun betragtede længe Peter Fredrikssons ansigt.

"Jeg kan godt huske ham," sagde hun til sidst. "Men jeg havde ingen anelse om, at han var den Peter Fredriksson, der arbejdede på SMP. Jeg kunne ikke engang huske hans navn, før jeg så i den her skoleårbog."

"Hvad skete der?" spurgte Susanne Linder.

"Ingenting. Absolut ingenting. Han var en stille og ganske uinteressant dreng i en parallelklasse. Jeg tror, at vi havde nogle timer sammen. Fransk, hvis jeg husker rigtigt."

"Han sagde, at du behandlede ham som luft."

Erika nikkede.

"Det gjorde jeg formentlig også. Jeg kendte ham jo ikke, og han var ikke med i vores gruppe."

"Mobbede I ham?"

"Nej, for guds skyld. Jeg har aldrig brudt mig om mobning. Vi havde kampagner mod mobning på gymnasiet, og jeg var elevrådsformand. Jeg kan bare ikke huske, at han nogensinde har talt til mig, eller at jeg har vekslet et eneste ord med ham."

"Okay," sagde Susanne Linder. "Han havde åbenbart alligevel et horn i siden på dig. Han har været sygemeldt i to lange perioder for stress, og fordi han gik helt ned. Der er måske andre grunde til sygemeldingerne, som vi ikke kender til."

Hun rejste sig og tog skindjakken på.

"Jeg beholder hans harddisk. Den er teknisk set tyvegods og bør ikke befinde sig hos dig. Du skal ikke være bekymret, jeg skal nok destruere den, når jeg kommer hjem."

"Vent, Susanne ... Hvordan skal jeg nogensinde kunne takke dig?"

"Tja, du kan støtte mig, når Armanskijs vrede rammer mig som et tordenskrald fra himlen."

Erika betragtede hende alvorligt.

"Får du problemer for det her?"

"Jeg ved det ikke ... jeg ved det faktisk ikke."

"Kan vi betale dig for ..."

"Nej, men Armanskij fakturerer måske for denne nat. Det håber jeg, at han gør, for det betyder, at han har godkendt, hvad jeg har gjort, og at han dermed ikke så godt kan fyre mig."

"Jeg skal sørge for, at han fakturerer."

Erika Berger rejste sig og gav Susanne Linder en lang omfavnelse.

"Tak, Susanne. Hvis du nogensinde har brug for hjælp, så har du en ven i mig. Hvad det end gælder."

"Tak. Lad ikke de der billeder ligge og flyde. Apropos det kan Milton Security tilbyde at installere nogle meget sikre sikkerhedsskabe."

Erika Berger smilede.

KAPITEL 22

Mandag den 6. juni

ERIKA BERGER VÅGNEDE klokken seks mandag morgen. Selv om hun ikke havde sovet mere end nogle timer, følte hun sig mærkeligt udhvilet. Hun gik ud fra, at det var en fysisk reaktion af en eller anden slags. For første gang i flere måneder tog hun træningstøj på og spurtede ned til bådebroen. Hun spurtede dog kun omkring hundrede meter, før hendes sårede hæl gjorde så ondt, at hun satte farten ned og løb videre i et mere mageligt tempo. Hun nød smerten i foden, hver gang hun satte den ned.

Hun følte sig født på ny. Det var, som om manden med leen var gået hen til hendes dør og i sidste øjeblik havde skiftet mening og var gået videre til nabohuset. Hun kunne slet ikke begribe, at hun havde været så heldig, at Peter Fredriksson havde haft hendes billeder i fire døgn uden at gøre noget. Scanningen tydede på, at han havde planlagt noget, men endnu ikke var nået dertil.

Hvad der end skete, ville hun give Susanne Linder en dyr og overraskende julegave i år. Hun ville finde på noget særligt.

Klokken halv otte lod hun Greger sove videre, satte sig i sin BMW og kørte ind til SMP's redaktion ved Norrtull. Hun parkerede i parkeringskælderen, tog elevatoren op til redaktionen og satte sig i glasburet. Hendes første skridt var at ringe til en vagtmester.

"Peter Fredriksson har sagt op på SMP med umiddelbar virkning," sagde hun. "Find en flyttekasse og tøm hans skrivebord for personlige genstande og sørg for, at den bliver sendt hjem til ham med bud allerede her til formiddag."

Hun betragtede nyhedsdisken. Anders Holm var lige trådt ind ad døren. Han mødte hendes blik og nikkede til hende.

Hun nikkede tilbage.

Holm var en idiot, men efter deres sammenstød nogle uger tidli-

491

gere var han holdt op med at gøre vrøvl. Hvis han fortsatte med at udvise den samme positive indstilling, ville han måske overleve som nyhedschef. Måske.

Hun følte, at hun godt kunne vende skuden.

Klokken 08.45 fik hun et glimt af Borgsjö, da han trådte ud af elevatoren og forsvandt op ad den interne trappe til sit kontor en etage oppe. *Jeg må have en snak med ham allerede i dag.*

Hun hentede kaffe og brugte lidt tid på morgenmemoet. Det var en begivenhedsfattig nyhedsmorgen. Den eneste artikel af interesse var en notits, der sagligt meddelte, at Lisbeth Salander om søndagen var blevet forflyttet til fængslet i Göteborg. Hun godkendte historien og mailede den til Anders Holm.

Klokken 08.59 ringede Borgsjö.

"Berger. Kom op på mit kontor med det samme."

Derefter lagde han røret på.

Magnus Borgsjö var hvid i ansigtet, da Erika Berger åbnede hans dør. Han stod op, vendte sig om imod hende og kylede et bundt papirer ned i skrivebordet.

"Hvad fanden er det her for noget?" skreg han til hende.

Erika Bergers hjerte sank som en sten. Hun behøvede kun at kaste et blik på omslaget for at vide, hvad Borgsjö havde fundet i morgenposten.

Fredriksson havde ikke nået at gøre noget ved billederne. Men han havde nået at sende Henry Cortez' historie til Borgsjö.

Hun satte sig roligt foran ham.

"Det der er en historie, som Henry Cortez har skrevet, og som tidsskriftet *Millennium* havde planlagt at køre i det nummer, der udkom for en uge siden."

Borgsjö så desperat ud.

"Hvad fanden bilder du dig ind? Jeg headhunter dig til SMP, og det første, du gør, er at lave intriger. Hvad er du for en medieluder?"

Erika Bergers øjne blev smalle, og hun blev iskold. Hun havde fået nok af ordet luder.

"Tror du virkelig, at nogen gider beskæftige sig med det her? Tror du, at du kan fælde mig med det ævl? Og hvorfor fanden sende den anonymt til mig?"

"Det er ikke sådan, det forholder sig, Borgsjö."

"Så fortæl mig, hvordan det forholder sig."

"Den, der sendte artiklen anonymt til dig, er Peter Fredriksson. Han blev fyret fra SMP i går."

"Hvad fanden taler du om?"

"Lang historie. Men jeg har haft artiklen i min besiddelse i mere end to uger og forsøgt at finde ud af, hvordan jeg skulle tage den op med dig."

"Du står bag den artikel."

"Nej, det gør jeg ikke. Henry Cortez researchede og skrev artiklen. Jeg havde ingen anelse om det."

"Og det vil du have, at jeg skal tro på?"

"Så snart det gik op for mine kolleger på *Millennium*, at du figurerede i artiklen, stoppede Mikael Blomkvist udgivelsen. Han ringede til mig og gav mig en kopi. Det var af hensyn til mig. Den blev stjålet fra mig og er nu havnet hos dig. *Millennium* ville give mig en chance for at tale med dig, inden den gik i trykken. Hvilket den gør i august-nummeret."

"Jeg har aldrig før mødt en mere samvittighedsløs journalist. Du tager prisen."

"Okay. Nu da du har læst reportagen, så har du måske også skimmet researchdelen. Cortez har en historie, der holder hele vejen igennem. Det ved du godt."

"Hvad fanden skal det betyde?"

"Hvis du stadig sidder som bestyrelsesformand, når *Millennium* går i trykken, kommer det til at skade SMP. Jeg har spekuleret som en vanvittig og forsøgt at finde en udvej, men jeg kan ikke se nogen."

"Hvad mener du?"

"Du er nødt til at gå."

"Laver du sjov? Jeg har ikke gjort noget som helst ulovligt."

"Magnus, kan du virkelig ikke indse omfanget af den her afsløring? Lad mig slippe for at indkalde bestyrelsen. Det bliver bare pinligt."

"Du skal ikke indkalde nogen som helst. Du er færdig her på SMP."

"Sorry. Det er kun bestyrelsen, der kan fyre mig. Du må nok hellere indkalde dem til et ekstraordinært bestyrelsesmøde. Jeg vil foreslå allerede i eftermiddag."

Borgsjö gik rundt om skrivebordet og stillede sig så tæt på Erika

Berger, at hun mærkede hans ånde.

"Berger ... du har én chance for at overleve det her. Du skal gå til dine skide venner på *Millennium* og sørge for, at den her artikel aldrig nogensinde går i trykken. Hvis du klarer den opgave, kan jeg måske glemme, hvad du har gjort."

Erika Berger sukkede.

"Magnus, du forstår ganske enkelt ikke alvoren. Jeg har ikke nogen som helst indflydelse på, hvad *Millennium* offentliggør. Den her artikel bliver trykt, lige meget hvad jeg siger. Det eneste, jeg er interesseret i, er, hvordan den påvirker SMP. Derfor er du nødt til at gå af."

Borgsjö satte hænderne på stoleryggen og bøjede sig ned mod hende.

"Dine kammerater på *Millennium* tænker sig måske om en ekstra gang, hvis de ved, at du bliver fyret her i samme øjeblik, de lækker det der vrøvl."

Han rejste sig igen.

"Jeg skal til et møde i Norrköping i dag." Han så på hende og tilføjede derefter et ord med eftertryk. "SveaBygg."

"Aha."

"Når jeg kommer tilbage i morgen, skal du komme og fortælle mig, at den her sag er afklaret. Har du forstået?"

Han tog jakken på. Erika Berger betragtede ham med halvlukkede øjne.

"Hvis du klarer det her ordentligt, er der måske en chance for, at du overlever på SMP. Forsvind så ud af mit kontor nu."

Hun rejste sig, gik tilbage til glasburet og sad helt stille på sin stol i tyve minutter. Så løftede hun røret og bad Anders Holm om at komme op på sit kontor. Han havde lært af sin fejltagelse og dukkede op, inden der var gået et minut.

"Sæt dig."

Anders Holm hævede et øjenbryn og satte sig.

"Aha, hvad har jeg nu gjort forkert?" spurgte han ironisk.

"Anders, det her er min sidste arbejdsdag på SMP. Jeg siger op med øjeblikkelig varsel. Jeg har tænkt mig at indkalde næstformanden og resten af bestyrelsen til et frokostmøde."

Han stirrede på hende med uforstilt forbavselse.

"Jeg vil anbefale, at du bliver midlertidig chefredaktør."

"Hvad?"

"Er det okay med dig?"

Anders Holm lænede sig tilbage i stolen og betragtede Erika Berger.

"Jeg har sgu da aldrig villet være chefredaktør," sagde han.

"Det ved jeg godt. Men du har tilstrækkeligt med nosser. Og du går over lig for at trykke en god historie. Jeg ville bare ønske, at du havde mere forstand i hovedet, end du har."

"Hvad er der egentlig sket?"

"Jeg har en anden stil end dig. Du og jeg har hele tiden skændtes om, hvordan tingene skal vinkles, og vi bliver aldrig enige."

"Nej," sagde han. "Det bliver vi aldrig. Men det er muligt, at min stil er gammeldags."

"Jeg ved ikke, om gammeldags er det rigtige ord. Du er et skidedygtigt nyhedsmenneske, men du opfører dig som en idiot. Det er helt unødvendigt. Men det, vi har været uenige om, er, at du hele tiden har hævdet, at du som nyhedschef ikke kan lade personlige hensyn påvirke nyhedsbedømmelsen."

Erika Berger smilede pludselig ondskabsfuldt til Anders Holm. Hun åbnede sin taske og fandt originalen frem af Borgsjöhistorien.

"Lad os så teste din fornemmelse for nyheder. Jeg har en historie her, som vi har fået af Henry Cortez, medarbejder på tidsskriftet *Millennium*. Min beslutning her til morgen er, at vi kører denne artikel som dagens tophistorie."

Hun kastede mappen hen i skødet på Holm.

"Du er nyhedschef. Det skal blive interessant at høre, om du deler min nyhedsvurdering."

Anders Holm åbnede mappen og begyndte at læse. Allerede i indledningen blev hans øjne store. Han satte sig ret op og ned i stolen og stirrede på Erika Berger. Så sænkede han blikket og læste hele artiklen igennem fra begyndelse til ende. Han slog op i dokumentationen og læste den omhyggeligt. Det tog ti minutter. Derefter lagde han langsomt mappen fra sig.

"Der bliver et helvedes hus."

"Jeg ved det. Det er derfor, at det her er min sidste arbejdsdag. *Millennium* havde tænkt sig at køre historien i juninummeret, men

Mikael Blomkvist satte en stopper for det. Han gav mig artiklen, for at jeg kunne tale med Borgsjö, inden de trykker historien."

"Og?"

"Borgsjö har beordret mig til at fortie historien."

"Okay. Og så har du i trods tænkt dig at køre den i SMP?"

"Nej. Ikke i trods. Der er ingen anden udvej. Hvis SMP kører historien, har vi en chance for at komme ud af det her med æren i behold. Borgsjö må gå af. Men det betyder også, at jeg ikke kan blive siddende efter det her."

Holm sagde ikke noget i to minutter.

"For fanden, Berger ... Jeg troede ikke, at du var så sej. Jeg troede aldrig, at jeg skulle sige det, men hvis du har så meget ben i næsen, så beklager jeg faktisk, at du holder op."

"Du vil kunne stoppe offentliggørelsen, men hvis både du og jeg godkender det ... Har du tænkt dig at køre historien?"

"Selvfølgelig kører vi den historie. Den vil lække under alle omstændigheder."

"Netop."

Anders Holm rejste sig og stod usikkert ved hendes skrivebord.

"Tilbage til arbejdet," sagde Erika Berger.

HUN VENTEDE FEM minutter mere, efter at Holm havde forladt rummet, før hun løftede røret og ringede til Malin Eriksson på *Millennium*.

"Hej, Malin. Har du Henry Cortez i nærheden?"

"Ja, ved sit skrivebord."

"Kan du ikke kalde ham ind på dit kontor og slå medhøret til. Vi er nødt til at konferere."

Henry Cortez var på plads, inden der var gået femten sekunder.

"Hvad sker der?"

"Henry, jeg har gjort noget umoralsk i dag."

"Aha?"

"Jeg har givet din historie om Vitavara til Anders Holm, nyhedschef her på SMP."

"Nå ..."

"Jeg har beordret ham til at køre historien i SMP i morgen. Din byline. Og du får selvfølgelig et honorar. Du kan sætte din egen pris."

"Erika ... hvad fanden har du gang i?"

Hun opsummerede, hvad der var sket de forløbne uger og fortalte, hvordan Peter Fredriksson havde været ved at ødelægge hende.

"Fy for fanden," sagde Henry Cortez.

"Jeg ved, at det her er din historie, Henry. Jeg har bare ikke noget valg. Kan du gå med til det?"

Henry Cortez sagde ikke noget i nogle sekunder.

"Tak, fordi du ringede, Erika. Det er okay at køre historien med min byline. Altså hvis det er okay med Malin."

"Det er okay med mig," sagde Malin.

"Godt," sagde Erika. "Kan I meddele Mikael det? Jeg går ud fra, at han ikke er der endnu."

"Jeg skal nok tale med Mikael," sagde Malin Eriksson. "Men Erika, betyder det her, at du er arbejdsløs fra og med i dag?"

Erika grinede.

"Jeg har besluttet, at jeg skal have ferie resten af året. Tro mig, nogle uger på SMP var tilstrækkeligt."

"Jeg synes ikke, at du skal begynde at planlægge ferie," sagde Malin.

"Hvorfor ikke?"

"Kan du komme ned til *Millennium* i eftermiddag?"

"Hvorfor?"

"Jeg har brug for hjælp. Hvis du vil tilbage som chefredaktør, kan du begynde i morgen tidlig."

"Malin, du er *Millenniums* chefredaktør. Andet kan ikke komme på tale."

"Okay. Så kan du begynde som redaktionssekretær," sagde Malin og grinede.

"Mener du det alvorligt?"

"For fanden, Erika, jeg savner dig så meget, at jeg er ved at dø. Jeg tog blandt andet jobbet på *Millennium* for at få en chance for at arbejde sammen med dig. Og nu er du pludselig på den forkerte avis."

Erika Berger sagde ikke noget et øjeblik. Hun havde slet ikke nået at reflektere over muligheden for at gøre comeback på *Millennium*.

"Ville jeg være velkommen tilbage?" spurgte hun langsomt.

"Hvad tror du? Vi vil fejre dig med en kæmpefest, og jeg står som hovedarrangør. Og du kommer tilbage netop i tide til, at vi skal udgive, du ved nok hvad."

Erika så på uret på sit skrivebord. Fem i ti. Inden for en time var der blevet vendt op og ned på hele hendes verden. Hun mærkede pludselig, hvor meget hun længtes efter at gå op ad trapperne til *Millennium* igen.

"Jeg har noget, jeg skal ordne her på SMP de næste timer. Er det okay, hvis jeg kigger forbi ved firetiden?"

SUSANNE LINDER så Dragan Armanskij lige i øjnene, mens hun fortalte præcis, hvad der var sket i løbet af natten. Det eneste, hun udelod, var hendes pludselige overbevisning om, at hackingen af Fredrikssons computer havde noget med Lisbeth Salander at gøre. Det lod hun være med af to grunde. Dels syntes hun, at det lød urealistisk. Dels vidste hun, at Dragan Armanskij var dybt involveret i Salandersagen sammen med Mikael Blomkvist.

Armanskij lyttede opmærksomt. Da Susanne Linder havde afsluttet fortællingen, tav hun og ventede på hans reaktion.

"Greger Backman ringede for nogle timer siden," sagde han.

"Aha."

"Han og Erika Berger kommer forbi senere på ugen for at underskrive kontrakt. De vil takke for Miltons indsats og frem for alt for din indsats."

"Okay. Skønt med glade kunder."

"Han vil også bestille et sikkerhedsskab til hjemmet. Vi skal installere og gøre alarmpakken færdig senere på ugen."

"Godt."

"Han vil have, at vi skal fakturere for din indsats i weekenden."

"Hmm."

"Det bliver med andre ord en ordentlig regning, vi sender til dem."

"Jah."

Armanskij sukkede.

"Susanne, du er vel godt klar over, at Fredriksson kan gå til politiet og anmelde dig for en hel masse ting."

Hun nikkede.

"Han ryger ganske vist selv ind og ruske tremmer, men måske

synes han, at det er det værd."

"Jeg tror ikke, at han har nosser nok til at gå til politiet."

"Så må det være sådan, men du har handlet helt uden for alle instrukser, jeg har givet dig."

"Jeg ved det godt," sagde Susanne Linder.

"Hvordan synes du så, at jeg skal reagere på det?"

"Det kan kun du afgøre."

"Men hvordan synes du, at jeg burde reagere?"

"Hvad jeg synes kan vel være lige meget. Du kan jo altid fyre mig."

"Næppe. Jeg har ikke råd til at miste en medarbejder af din kaliber."

"Tak."

"Men hvis du gør noget i den her dur i fremtiden, så bliver jeg meget vred."

Susanne Linder nikkede.

"Hvor har du gjort af harddisken?"

"Den er ødelagt. Jeg satte den i en skruestik i morges og knuste den i småstykker."

"Okay. Så sætter vi en streg over det her."

ERIKA BERGER TILBRAGTE formiddagen med at ringe rundt til bestyrelsesmedlemmerne på SMP. Hun fandt næstformanden i hans sommerhus ved Vaxholm og fik ham til at sætte sig i bilen og køre af sted til avisen så hurtigt, han kunne. Efter frokost mødtes en stærkt reduceret bestyrelse. Erika Berger brugte en time på at gøre rede for, hvordan Cortezmappen var blevet til, og hvilke konsekvenser det havde fået.

Da hun havde talt færdigt, kom de forventede forslag til, hvordan man måske kunne finde en alternativ løsning. Erika forklarede, at SMP havde tænkt sig at køre historien i morgendagens avis. Hun forklarede også, at det var hendes sidste arbejdsdag, og at hendes beslutning var uigenkaldelig.

Erika fik bestyrelsen til at godkende og journalføre to beslutninger. At Magnus Borgsjö blev bedt om med øjeblikkelig virkning at stille sin plads til disposition, og at Anders Holm skulle udpeges til midlertidig chefredaktør. Derefter undskyldte hun sig og forlod bestyrelsen, så den selv kunne diskutere situationen.

Klokken 14.00 gik hun ned til personaleafdelingen og oprettede en kontrakt. Derefter gik hun op til kulturredaktionen og bad om at få lov at tale med kulturchef Sebastian Strandlund og journalisten Eva Carlsson.

"Som jeg har forstået det, mener I, at Eva Carlsson er en dygtig og begavet journalist."

"Det stemmer," sagde Strandlund.

"Og I har i budgetansøgningen de seneste to år ønsket, at redaktionen skulle forstærkes med mindst to personer."

"Ja."

"Eva. Med tanke på den korrespondance, du blev udsat for, opstår der måske ubehagelige rygter, hvis jeg giver dig en fastansættelse. Er du stadig interesseret?"

"Selvfølgelig."

"I så fald bliver det min sidste beslutning på SMP at underskrive denne ansættelsesaftale."

"Sidste?"

"Lang historie. Jeg holder op i dag. Kan I to være søde ikke at sige noget om det i nogle timer."

"Hvad ...?"

"Der kommer et memo om ikke så længe."

Erika Berger underskrev kontrakten og skød den over bordet til Eva Carlsson.

"Held og lykke," sagde hun og smilede.

"DEN UKENDTE ÆLDRE mand, der deltog i mødet hos Ekström i lørdags, hedder Georg Nyström og er politikommissær," sagde Monica Figuerola og lagde overvågningsbillederne på skrivebordet foran Torsten Edklinth.

"Politikommissær," mumlede Edklinth.

"Stefan identificerede ham i går aftes. Han besøgte lejligheden i Artillerigatan og kørte bil."

"Hvad ved vi om ham?"

"Han kommer fra det åbne politi og har arbejdet for Säpo siden 1983. Siden 1996 har han haft en stilling som efterforsker med eget ansvarsområde. Han laver intern kontrol og undersøgelser af sager, som Säpo har afsluttet."

"Okay."

"Siden i lørdags har sammenlagt seks personer af interesse gået ind ad døren. Foruden Jonas Sandberg og Georg Nyström befinder Fredrik Clinton sig i lejligheden. Han kørte med sygetransport til dialyse i morges."

"Hvem er de tre andre?"

"En herre der hedder Otto Hallberg. Han har arbejdet for Säpo i 80'erne, men er egentlig tilknyttet forsvarsstaben. Han hører til i marinen og den militære efterretningstjeneste."

"Aha. Hvorfor er jeg ikke overrasket."

Monica Figuerola lagde et nyt billede på bordet.

"Den her fyr har vi ikke identificeret. Han gik til frokost sammen med Hallberg. Vi må se, om vi kan identificere ham, når han går hjem i aften."

"Okay."

"Mest interessant var dog denne person."

Hun lagde endnu et billede på skrivebordet.

"Ham kan jeg godt kende," sagde Edklinth.

"Han hedder Wadensjöö."

"Netop. Han arbejdede i terrorafdelingen for omkring femten år siden. Skrivebordsgeneral. Han var en af kandidaterne til stillingen som højeste chef her i Firmaet. Jeg ved ikke, hvad der skete med ham."

"Han sagde op i 1991. Gæt, hvem han spiste frokost med for nogle timer siden."

Hun lagde det sidste billede på skrivebordet.

"Vicesekretariatschef Albert Shenke og budgetchef Gustav Atterbom. Jeg vil have de der fyre overvåget døgnet rundt. Jeg vil vide præcis, hvem de møder."

"Det er ikke rimeligt. Jeg har kun fire mand til rådighed. Og nogle af dem er nødt til at arbejde med dokumentationen."

Edklinth nikkede og kneb sig eftertænksomt i underlæben. Efter et stykke tid så han op på Monica Figuerola.

"Vi har brug for flere folk," sagde han. "Tror du, at du kan kontakte kriminalkommissær Jan Bublanski lidt diskret og spørge, om han kunne tænke sig at spise middag med mig efter arbejde i dag. Sig ved syvtiden."

Edklinth rakte ud efter telefonrøret og tastede et nummer, som han kunne i hovedet.

"Hej, Armanskij. Det er Edklinth. Kan jeg få lov at gengælde den hyggelige middag, du inviterede på for nylig ... nej, jeg insisterer. Skal vi sige ved syvtiden?"

LISBETH SALANDER HAVDE tilbragt natten i Kronobergsfængslet i en celle, der var omkring to gange fire meter. Møblementet var ikke noget at skrive hjem om. Hun var faldet i søvn fem minutter efter, at hun var blevet låst inde, og var vågnet tidligt mandag morgen og havde lydigt gjort de bøj- og strækøvelser, som terapeuten på Sahlgrenska Sygehus havde ordineret. Derefter havde hun fået morgenmad og siddet tavst på sin briks og stirret frem for sig.

Klokken halv ti blev hun ført til et forhørslokale i den anden ende af gangen. Vagten var en ældre, lavstammet og skaldet mand med et rundt ansigt og hornbriller. Han behandlede hende korrekt og godmodigt.

Annika Giannini havde hilst venligt på hende. Lisbeth havde ignoreret Hans Faste. Derefter havde hun for første gang mødt politiadvokat Richard Ekström og tilbragt den kommende halve time med at sidde på en stol og stirre stift ind i væggen på et punkt et stykke over Ekströms hoved. Hun sagde ikke et ord og rørte ikke en muskel.

Klokken ti afbrød Ekström den mislykkede afhøring. Han var irriteret over, at det ikke var lykkedes ham at lokke den mindste respons ud af hende. For første gang blev han usikker, da han betragtede den tynde, dukkelignende pige. Hvordan var det muligt, at hun havde kunnet udøve vold mod Magge Lundin og Sonny Nieminen på Stallarholmen? Ville retten overhovedet tro på den historie, selv om han havde overbevisende beviser?

Klokken 12.00 fik Lisbeth en enkel frokost og tilbragte den kommende time med at løse ligninger i hovedet. Hun koncentrerede sig om et afsnit om sfærisk astronomi i en bog, som hun havde læst to år tidligere.

Klokken 14.30 blev hun igen ført tilbage til forhørslokalet. Vagten, der ledsagede hende, var denne gang en yngre kvinde. Forhørslokalet var tomt. Hun satte sig på en stol og fortsatte med at meditere over en særdeles kompliceret ligning.

Efter ti minutter blev døren åbnet.

"Hej, Lisbeth," sagde Peter Teleborian venligt.

Han smilede. Lisbeth Salander frøs til is. Bestanddelene i den ligning, hun havde konstrueret i luften foran sig, faldt til jorden. Hun hørte, hvordan tallene og tegnene raslede ned, som om de havde fysisk form.

Peter Teleborian stod stille i nogle minutter og betragtede hende, før han satte sig over for hende. Hun fortsatte med at stirre ind i væggen.

Efter et stykke tid flyttede hun blikket og mødte hans øjne.

"Jeg er ked af, at du er havnet i den her situation," sagde Peter Teleborian. "Jeg skal forsøge at hjælpe dig på alle måder. Jeg håber, at vi kan skabe fortrolighed imellem os."

Lisbeth granskede hver en centimeter af ham. Det pjuskede hår. Skægget. Den lille sprække mellem hans fortænder. De tynde læber. Den brune jakke. Skjorten, som var åben i halsen. Hun hørte hans milde og forræderisk venlige stemme.

"Jeg håber også, at jeg kan hjælpe dig bedre, end sidste gang vi mødtes."

Han lagde en lille notesblok og en kuglepen på bordet foran sig. Lisbeth sænkede blikket og betragtede kuglepennen. Det var et spidst, sølvfarvet rør.

Konsekvensanalyse.

Hun undertrykte en indskydelse til at række hånden frem og rive kuglepennen til sig.

Hendes øjne søgte hans venstre lillefinger. Hun så en svag hvid rand på det sted, hvor hun femten år før havde bidt sig fast og låst kæberne så hårdt, at hun næsten havde bidt fingeren af. Tre plejere havde måttet hjælpe med at holde hende og tvinge hendes kæber op.

Dengang var jeg en lille, bange pige, der knap nok var blevet teenager. Nu er jeg voksen. Jeg kan dræbe dig, når jeg vil.

Hun rettede stadig blikket mod et punkt på væggen bag Teleborian, samlede de tal og matematiske tegn op, som var faldet til jorden, og begyndte at stille ligningen op igen.

Dr. Peter Teleborian betragtede Lisbeth Salander med et neutralt ansigtsudtryk. Han var ikke blevet en internationalt respekteret

503

psykiater, fordi han manglede indsigt i mennesker. Han havde en evne til at læse følelser og sindsstemninger. Han mærkede en kølig skygge drage gennem lokalet, men han tolkede det som et tegn på, at patienten følte frygt og skam under det urokkelige ydre. Han tog det som et positivt tegn, at hun trods alt reagerede på hans nærvær. Han var også tilfreds med, at hun ikke havde ændret sin opførsel. *Hun kommer til at underskrive sin egen dødsdom i retten.*

ERIKA BERGERS SIDSTE handling på SMP var at sætte sig i glasburet og skrive et memo til medarbejderne. Hun var temmelig irriteret, da hun begyndte at skrive, og før hun var klar over det, havde hun skrevet to hele A4-sider, hvor hun forklarede, hvorfor hun holdt op på SMP og tilkendegav, hvad hun mente om visse personer. Hun slettede hele teksten og begyndte forfra i en mere saglig tone.

Hun nævnte ikke Peter Fredriksson. Hvis hun havde gjort det, ville al interessen koncentrere sig om ham, og de virkelige grunde drukne i overskrifter om sexchikane.

Hun angav to grunde. Den vigtigste var, at hun havde mødt massiv modstand fra ledelsen til sit forslag om, at chefer og ejere skulle skære ned på lønninger og bonusordninger. I stedet ville hun være tvunget til at indlede sin tid på SMP med kraftige nedskæringer af personalet, hvilket hun ikke bare mente var en krænkelse af de løfter, der var blevet givet hende, da hun accepterede jobbet, men også ville umuliggøre alle forsøg på langsigtede forandringer og en styrkelse af avisen.

Den anden grund var afsløringerne af Borgsjö. Hun forklarede, at hun var blevet beordret til at fortie historien, og at dette ikke indgik i hendes arbejdsbeskrivelse. Det betød dog, at hun ikke havde noget valg, men mente, at hun var nødt til at forlade redaktionen. Hun afsluttede med at konstatere, at SMP's problem ikke var et personaleproblem, men et ledelsesproblem.

Hun læste memoet igennem en gang, rettede en stavefejl og mailede det ud til samtlige medarbejdere inden for koncernen. Hun sendte en kopi til *Pressens Tidning* og fagbladet *Journalisten.* Så pakkede hun sin laptop sammen og gik ud til Anders Holm.

"Hej, hej," sagde hun.

"Hej, hej, Berger. Det var frygteligt at arbejde sammen med dig."

De smilede til hinanden.

"Jeg har en sidste ting," sagde hun.

"Hvad?"

"Johannes Frisk har arbejdet på en historie for min regning."

"Og ingen aner, hvad han går og laver."

"Bak ham op. Han er kommet ret langt allerede, og jeg holder kontakten med ham. Lad ham afslutte arbejdet. Jeg lover, at du vinder på det."

Han så betænkelig ud. Derefter nikkede han.

De gav ikke hinanden hånd. Hun efterlod adgangskortet til redaktionen på Holms skrivebord og kørte ned til parkeringskælderen og hentede sin BMW. Lidt over fire parkerede hun i nærheden af *Millenniums* redaktion.

Del 4

REBOOTING SYSTEM

1. juli til 7. oktober

Trods den righoldige flora af amazonlegender fra antikkens Grækenland, Sydamerika, Afrika og andre steder, er der kun et eneste historisk dokumenteret eksempel på kvindekrigere. Det er den kvindehær, der eksisterede blandt folkegruppen Fon i det vestafrikanske Dahomey, det nuværende Benin.

Disse kvindelige krigere nævnes aldrig i den offentlige militærhistorie, ingen romantiserende film er blevet lavet om dem, og i dag figurerer de allerhøjst som udviskede historiske fodnoter. Et eneste videnskabeligt arbejde er blevet skrevet om disse kvinder, *Amazons of Black Sparta* af historikeren Stanley B. Alpern (Hurst & Co Ltd, London 1998). Alligevel var det en hær, der kunne måle sig med en hvilken som helst af datidens hære med mandlige elitesoldater fra okkupationsmagterne.

Det er uklart, præcis hvornår Fons kvindehær blev dannet, men visse kilder daterer hæren til 1600-tallet. Den var oprindelig en kongelig livgarde, men udviklede sig til et militært kollektiv bestående af 6.000 soldater med halvguddommelig status. Deres formål var ikke at være til pynt. I omkring 200 år udgjorde den Fons spydspids mod invaderende europæiske kolonisatorer. Den var frygtet af det franske militær, der blev besejret i flere feltslag. Først i 1892 blev kvindehæren slået ned, efter at Frankrig havde indskibet moderne tropper med artilleri, fremmedlegionærer, et marint infanteriregiment samt kavaleri.

Det er ukendt, hvor mange af de kvindelige krigere der faldt. Overlevende fortsatte i flere år med at føre guerillakrig, og veteraner fra hæren levede, blev interviewet og fotograferet så sent som i 40'erne.

KAPITEL 23

Fredag den 1. juli – søndag den 10. juli

To UGER FØR RETSSAGEN mod Lisbeth Salander blev Christer Malm færdig med at layoute den 364 sider store bog med den korte titel *Sektionen*. Omslaget var blåt. Teksten var gul. Christer Malm havde placeret syv frimærkestore, sorthvide portrætter af svenske statsministre længst nede på forsiden. Over dem svævede et billede af Zalachenko. Han havde brugt Zalachenkos pasfoto som illustration og gjort kontrasten større, så kun de mørkeste partier trådte frem som et skyggebillede over hele omslaget. Det var ikke noget sofistikeret design, men det var effektivt. Som forfattere stod Mikael Blomkvist, Henry Cortez og Malin Eriksson.

Klokken var seks om morgenen, og Christer Malm havde arbejdet hele natten. Han havde det lidt skidt og følte et desperat behov for at komme hjem og sove. Malin Eriksson havde siddet sammen med ham hele natten og læst den sidste korrektur side for side, som Christer havde godkendt og printet ud. Hun var allerede faldet i søvn på sofaen inde på redaktionen.

Christer Malm samlede dokumentet med billeder og skrifttyper i en mappe. Han startede programmet Toast og brændte to cd'er. Den ene lagde han i redaktionens sikkerhedsskab. Den anden kom en søvndrukken Mikael Blomkvist ind og hentede lidt i syv.

"Gå hjem og sov," sagde han.

"Jeg er på vej," svarede Christer.

De lod Malin Eriksson sove videre og satte døralarmen til. Henry Cortez ville komme ind klokken otte for at tage næste skridt. De lavede en *high five* og skiltes uden for gadedøren.

MIKAEL BLOMKVIST GIK hen til Lundagatan, hvor han igen uden at spørge om lov lånte Lisbeth Salanders efterladte Honda. Han

509

kørte personligt op med cd'en til Jan Köbin, chef for Hallvigs Rekla-
metrykkeri, der lå i en uanseelig murstensbygning ved siden af jern-
banen i Morgongåva uden for Sala. Leverancen var en opgave, han
ikke ville betro postvæsnet.

Han kørte langsomt og uden at stresse og blev hængende lidt,
mens trykkeriet kontrollerede, at cd'en virkede. Han forsikrede
sig om, at bogen virkelig ville ligge færdig den dag, hvor retssagen
begyndte. Problemet var ikke trykningen, men indbindingen, der
kunne trække ud. Men Jan Köbin lovede, at mindst 500 eksemplarer
af førsteoplaget på 10.000 eksemplarer blev leveret den pågældende
dato. Bogen ville blive trykt i stort paperbackformat.

Mikael forsikrede sig også om, at alle var indforståede med, at
det skulle foregå med størst mulig diskretion. Det var formentlig
helt unødvendigt at sige. Hallvigs havde to år før under lignende
omstændigheder trykt Mikaels bog om finansmanden Hans-Erik
Wennerström. De vidste, at bøger, der kom fra det lille forlag *Mil-
lennium*, lovede noget ekstra.

Derefter vendte Mikael i mageligt tempo tilbage til Stockholm.
Han parkerede uden for sin bopæl i Bellmansgatan og besøgte kort
sin lejlighed og hentede en taske, som han pakkede med skiftetøj, bar-
bergrej og tandbørste. Han fortsatte ud til Stavsnäs Brygga i Värmdö,
hvor han parkerede og tog færgen ud til Sandhamn.

Det var første gang siden juleferien, at han havde været ude i som-
merhuset. Han åbnede vinduesskodderne, slap frisk luft ind og drak
en Ramlösa. Som altid når han havde afsluttet et stykke arbejde, tek-
sten var gået til trykkeriet, og intet kunne ændres, følte han sig helt
tom indvendig.

Derefter tilbragte han en time med at feje, tørre støv af, skure på
badeværelset, sætte køleskabet i gang, kontrollere, at vandet funge-
rede, og skifte sengetøj oppe på hemsen. Han gik hen til købman-
den og købte alt det ind, han skulle bruge til et weekendophold. Så
tændte han for kaffemaskinen og satte sig ude på verandaen, røg en
cigaret og tænkte ikke på noget særligt.

Lidt i fem gik han ned til færgelejet og mødte Monica Figue-
rola.

"Jeg troede ikke, at du kunne tage fri," sagde han og kyssede hende
på kinden.

"Det troede jeg heller ikke. Men jeg sagde det til Edklinth, som det var. Jeg har arbejdet hvert eneste vågne minut de seneste uger og begynder at blive ineffektiv. Jeg har brug for to dage til at lade batterierne op."

"I Sandhamn?"

"Jeg sagde ikke, hvor jeg havde tænkt mig at tage hen," sagde hun og smilede.

Monica Figuerola gik lidt rundt og snusede i Mikaels femogtyve kvadratmeter store sommerhus. Hun udsatte køkkenkrogen, badeværelset og hemsen for en kritisk granskning, inden hun nikkede godkendende. Hun vaskede sig og skiftede til en tynd sommerkjole, mens Mikael stegte lammekoteletter i rødvinssauce og dækkede bord ude på terrassen. De spiste i tavshed, mens de betragtede strømmen af sejlbåde, der var på vej til eller fra lystbådehavnen i Sandhamn. De delte en flaske vin.

"Det er et dejligt sommerhus. Er det her, du tager alle dine pigebekendtskaber med hen?" spurgte Monica Figuerola pludselig.

"Ikke alle. Kun de vigtigste."

"Har Erika Berger været her?"

"Flere gange."

"Og Lisbeth Salander?"

"Hun boede herude i nogle uger, da jeg skrev bogen om Wennerström. Og vi tilbragte juleferien sammen her for to år siden."

"Så både Berger og Salander er vigtige i dit liv?"

"Erika er min bedste ven. Vi har været venner i omkring femogtyve år. Lisbeth er en helt anden historie. Hun er meget speciel og det mest asociale menneske, jeg nogensinde har mødt. Man kan sige, at hun gjorde et stort indtryk på mig, da vi mødtes. Jeg kan godt lide hende. Hun er en ven."

"Synes du, at det er synd for hende?"

"Nej. Hun har selv valgt meget af det skidt, som hun har været ude for. Men jeg føler stor sympati og samhørighed med hende."

"Men du er ikke forelsket i hverken hende eller Berger?"

Han trak på skuldrene. Monica Figuerola betragtede en forsinket Amigo 23 med tændte lanterner, der tøffede forbi på vej mod gæstehavnen.

"Hvis kærlighed er at synes vældig godt om nogen, så går jeg ud

511

fra, at jeg er forelsket i flere mennesker," sagde han.

"Og nu i mig?"

Mikael nikkede. Monica Figuerola rynkede øjenbrynene og betragtede ham.

"Generer det dig?" spurgte han.

"At du har haft kvinder før? Nej. Men det generer mig, at jeg ikke rigtig ved, hvad der sker mellem os. Og jeg tror ikke, at jeg kan have et forhold til en fyr, der boller rundt, som det passer ham ..."

"Jeg har ikke tænkt mig at bede om forladelse for mit liv."

"Og jeg går ud fra, at jeg på en eller anden måde falder for dig, fordi du er den, du er. Det er let at have sex med dig, fordi der ikke er noget pjat, og jeg føler mig tryg med dig. Men det her begyndte, fordi jeg gav efter for en vanvittig indskydelse. Det sker ikke særlig tit, og jeg havde ikke planlagt noget. Og nu er vi kommet til det stadium, hvor jeg er blevet en af de kvinder, der bliver inviteret hertil."

Mikael tav lidt.

"Du behøvede ikke at komme."

"Jo, det behøvede jeg. For fanden, Mikael ..."

"Jeg ved det."

"Jeg er ulykkelig. Jeg vil ikke være forelsket i dig. Det kommer til at gøre alt for ondt, når det er forbi."

"Jeg fik det her sommerhus, da min far og mor flyttede hjem til Norrland. Vi delte, så min søster fik vores lejlighed, og jeg fik sommerhuset. Jeg har haft det i snart femogtyve år."

"Aha."

"Bortset fra nogle tilfældige bekendte i begyndelsen af 80'erne er der præcis fem piger, der har været her før dig. Erika, Lisbeth og min forhenværende kone, som jeg var sammen med i 80'erne. En pige, som jeg så seriøst i slutningen af 90'erne, og en kvinde, som er lidt ældre end mig, som jeg lærte at kende for to år siden, og som jeg ser lidt nu og da. Der er tale om lidt særlige omstændigheder ..."

"Aha."

"Jeg har det her sommerhus for at komme væk fra byen og være i fred. Jeg er her næsten altid alene. Jeg læser bøger, jeg skriver, slapper af, sidder på bådebroen og ser på både. Det er ikke en ungkarls hemmelige elskovsrede."

Han rejste sig og hentede vinflasken, som han havde stillet i skyggen på terrassen uden for døren.

"Jeg har ikke tænkt mig at love noget," sagde han. "Mit ægteskab gik i stykker, fordi jeg og Erika ikke kunne holde os fra hinanden. *Been there, done that, got the T-shirt.*"

Han fyldte vin i glassene.

"Men du er det mest interessante menneske, jeg har mødt meget længe. Det er, som om vores forhold har kørt i højeste omdrejninger fra dag et. Jeg tror, at jeg faldt for dig allerede dengang, du hentede mig i min trappeopgang. De få nætter, jeg har sovet hjemme hos mig selv siden dengang, vågner jeg midt om natten og vil have dig. Jeg ved ikke, om jeg vil have fast forhold, men jeg er bange for at miste dig."

Han så på hende.

"Så hvad synes du, at vi skal gøre?"

"Lad os tænke over det," sagde Monica Figuerola. "Jeg er også forbandet tiltrukket af dig."

"Det her begynder at blive alvorligt," sagde Mikael.

Hun nikkede og følte pludselig et stort vemod. Så sagde de ikke så meget i lang tid. Da det blev mørkt, ryddede de af bordet og gik ind og lukkede døren.

OM FREDAGEN UGEN før retssagen stoppede Mikael op uden for kiosken ved Slussen og så på avisernes spisesedler. *Svenska Morgon-Postens* administrerende direktør og bestyrelsesformand Magnus Borgsjö havde kapituleret og annonceret sin afgang. Han købte avisen, gik hen til Java i Hornsgatan og spiste en sen morgenmad. Borgsjö angav familiemæssige grunde som årsag til sin pludselige tilbagetrækning. Han ville ikke kommentere påstanden om, at afgangen havde noget at gøre med det faktum, at Erika Berger havde set sig nødsaget til at gå af, efter at han havde beordret hende til at fortie historien om hans eget engagement i grossistfirmaet Vitavara AB. I en notits stod der dog, at bestyrelsesformanden for Svensk Erhvervsliv havde besluttet at få lavet en etisk rapport, der undersøgte, hvordan svenske firmaer opførte sig over for firmaer i Sydøstasien, der benyttede sig af børnearbejdskraft.

Mikael Blomkvist slog pludselig en høj latter op.

Derefter foldede han aviserne sammen, åbnede sin Ericsson T10, ringede til Hende på TV4 og afbrød hende midt i en frokostsandwich.

"Hej, skat," sagde Mikael Blomkvist. "Jeg går ud fra, at du stadig ikke vil gå ud med mig."

"Hej, Mikael," sagde Hende på TV4 og grinede. "Sorry, men du er omtrent så langt fra min type, som man kan komme. Men du er nu ret okay alligevel."

"Kunne du i det mindste ikke tænke dig at spise middag med mig for at diskutere arbejde i aften?"

"Hvad har du gang i?"

"Erika Berger lavede en deal med dig for to år siden om Wennerströmaffæren. Det fungerede godt. Jeg vil gerne lave en lignende deal med dig."

"Fortæl."

"Ikke før vi er blevet enige om vilkårene. Præcis som i forbindelse med Wennerström udgiver vi en bog sammen med et temanummer af tidsskriftet. Og den her historie bliver stor. Jeg tilbyder dig eksklusive forhåndsrettigheder til alt materiale, mod at du ikke lader noget lække, før vi er udkommet. Udgivelsen er i det her tilfælde ekstra kompliceret, da den skal ske på en bestemt dag."

"Hvor stor er historien?"

"Større end Wennerström," sagde Mikael Blomkvist. "Er du interesseret?"

"Gør du grin med mig? Hvor skal vi mødes?"

"Hvad siger du til Samirs Gryta? Erika Berger sidder også med til mødet."

"Hvad er der med Berger? Er hun tilbage på *Millennium*, efter at hun blev fyret fra SMP?"

"Hun blev ikke fyret. Hun sagde op med øjeblikkelig virkning efter uoverensstemmelser med Borgsjö."

"Han lyder som en rigtig idiot."

"Ja," sagde Mikael Blomkvist.

FREDRIK CLINTON LYTTEDE til Verdi i sine høretelefoner. Musik var stort set det eneste tilbageværende indslag i hans tilværelse, som førte ham væk fra dialyseapparater og en tiltagende smerte i lænden. Han nynnede ikke. Han lukkede øjnene og fulgte tonerne med højre hånd, der svævede og syntes at leve sit eget liv ved siden af hans hensygnende krop.

Det er sådan, det er. Vi fødes. Vi lever. Vi bliver gamle. Vi dør. Han havde gjort sit. Det eneste, der var tilbage, var forfaldet.

Han spillede for sin ven Evert Gullberg.

Det var lørdag den 9. juli. Der var mindre end en uge, til retssagen skulle begynde, og Sektionen snart kunne lægge den ulykkelige historie bag sig. Han havde fået beskeden om morgenen. Gullberg havde klaret sig meget længe. Når man affyrer en ni millimeters kugle mod sin egen tinding, forventer man at dø. Alligevel havde det taget tre måneder, før Gullbergs krop havde givet op, hvilket måske mere skyldtes et tilfælde end den stædighed, med hvilken dr. Anders Jonasson havde nægtet at indrømme, at slaget var tabt. Det var kræften, ikke kuglen, som til sidst havde afgjort udfaldet.

Døden havde dog været forlenet med smerte, hvilket gjorde Clinton ked af det. Gullberg havde været ude af stand til at kommunikere med omverdenen, men til tider været ved en eller anden slags bevidsthed. Han kunne fornemme omverdenen. Plejepersonalet noterede sig, at han smilede, når nogen strøg ham over kinden, og gryntede, når han syntes at opleve ubehag. Nogle gange kommunikerede han med plejepersonalet ved at forsøge at formulere ord, som ingen rigtig forstod.

Han havde ingen familie, og ingen af hans nære venner besøgte ham ved sygelejet. Det sidste, han opfattede af livet, var en eritreisk natsygeplejerske ved navn Sara Kitama, der vågede ved hans leje og holdt hans hånd, mens han sov ind.

Fredrik Clinton indså, at han snart ville følge efter sin forhenværende våbenbroder. Derom herskede der ingen tvivl. Sandsynligheden for, at han kunne gennemgå en transplantation af den nyre, han så desperat havde brug for, blev mindre for hver dag, og forfaldet af hans krop skred frem. Hans lever- og tarmfunktioner blev værre for hver undersøgelse.

Han håbede at overleve julen.

Men han var tilfreds. Han oplevede en næsten overjordisk kildrende tilfredsstillelse ved, at hans sidste tid så overraskende og pludseligt havde betydet en tilbagevenden til tjenesten.

Det var en gave, han aldrig havde forventet sig.

De sidste toner af Verdi klingede ud, da Birger Wadensjöö åbnede døren til Clintons lille hvilekammer i Sektionens højborg i Artillerigatan.

Clinton åbnede øjnene.

Han var nået frem til den indsigt, at Wadensjöö var en belastning. Han var direkte uegnet som chef for det svenske totalforsvars vigtigste spydspids. Han kunne ikke forstå, at han selv og Hans von Rottinger engang havde foretaget en så fundamental fejlvurdering, at de betragtede Wadensjöö som den selvfølgelige arvtager.

Wadensjöö var en kriger, der havde brug for medvind. I krisens øjeblik var han svag og ude af stand til at træffe en beslutning. En letvindssejler. En frygtsom klods om benet, der manglede rygrad, og som, hvis han havde fået lov at bestemme, ville have siddet handlingslammet og ladet Sektionen gå under.

Så enkelt var det.

Nogle havde det i sig. Andre ville altid svigte i sandhedens time.

"Du ville tale med mig?" sagde Wadensjöö.

"Sæt dig," sagde Clinton.

Wadensjöö satte sig.

"Jeg er kommet i den alder, hvor jeg ikke længere har tid til at trække tingene i langdrag. Jeg går lige til sagen. Når det her er ovre, vil jeg gerne have, at du forlader Sektionens ledelse."

"Nå?"

Clintons stemme blev mildere.

"Du er et godt menneske, Wadensjöö. Men du er desværre helt uegnet til at bære ansvaret efter Gullberg på dine skuldre. Du burde aldrig have fået det ansvar. Det var min og Rottingers fejl, at vi ikke tydeligere tog os af tronfølgen, da jeg blev syg."

"Du har aldrig brudt dig om mig."

"Der tager du fejl. Du var en udmærket administrator, da jeg og Rottinger ledede Sektionen. Vi ville have været hjælpeløse uden dig, og jeg har stor tiltro til din patriotisme. Det er dine evner til at tage beslutninger, som jeg ikke har tiltro til."

Wadensjöö smilede pludselig bittert.

"Efter det her ved jeg ikke, om jeg vil blive i Sektionen."

"Nu hvor Gullberg og Rottinger er borte, må jeg alene træffe de afgørende beslutninger. Du har konsekvent obstrueret enhver beslutning, som jeg har taget i de forløbne måneder."

"Og jeg gentager, at de beslutninger, du tager, er urimelige. Det ender med en katastrofe."

"Det er muligt. Men din manglende beslutningsevne havde garanteret undergangen. Nu har vi i hvert fald en chance, og det ser ud til at lykkes. *Millennium* er handlingslammet. De har måske mistanke om, at vi findes et eller andet sted derude, men de mangler dokumentation, og de har ingen mulighed for at finde hverken den eller os. Vi har fuldstændig kontrol med alt, hvad de foretager sig."

Wadensjöö kiggede ud gennem vinduet. Han så tagryggene på nogle bygninger i nabolaget.

"Det eneste, der er tilbage, er Zalachenkos datter. Hvis nogen begynder at rode i hendes historie og lytter til, hvad hun har at sige, kan der ske hvad som helst. Men retssagen begynder om nogle dage, og så er det ovre. Denne gang må vi begrave hende så dybt, at hun aldrig nogensinde vender tilbage og giver sig til at spøge."

Wadensjöö rystede på hovedet.

"Jeg forstår ikke din attitude," sagde Clinton.

"Nej, jeg ved godt, at du ikke forstår det. Du er lige fyldt 68 år. Du er døende. Dine beslutninger er ikke rationelle, men alligevel ser det ud til at være lykkedes dig at forhekse Georg Nyström og Jonas Sandberg. De adlyder dig, som om du var Gud."

"Jeg *er* Gud i alt, hvad der har med Sektionen at gøre. Vi arbejdede efter en plan. Vores beslutningskraft har givet Sektionen en chance. Og det er med stor beslutsomhed, at jeg siger, at Sektionen aldrig nogensinde skal havne i så udsat en situation igen. Når det her er ovre, skal vi gennemføre en totalgennemgang af virksomheden."

"Okay."

"Ny chef bliver Georg Nyström. Han er egentlig for gammel, men han er den eneste, der kan komme på tale, og han har lovet at blive i mindst seks år til. Sandberg er for ung og, på grund af din ledelse, for uerfaren. Han burde have været fuldt udlært på det her tidspunkt."

"Clinton, forstår du ikke, hvad du har gjort. Du har myrdet et menneske. Björck arbejdede for Sektionen i femogtredive år, og du beordrede hans død. Forstår du ikke ..."

"Du ved meget vel, at det var nødvendigt. Han forrådte os, og han ville aldrig have klaret presset, når politiet begyndte at lægge snarer ud for ham."

Wadensjöö rejste sig.

"Jeg er ikke færdig endnu."

"Så må vi tage det senere. Jeg har et arbejde at passe, mens du ligger her og fantaserer om, at du er den Almægtige."

Wadensjöö gik hen mod døren.

"Hvis du er så moralsk oprørt, hvorfor går du så ikke til Bublanski og erkender dine lovovertrædelser?"

Wadensjöö vendte sig om mod den syge.

"Tanken har strejfet mig. Men hvad du end tror, så værner jeg faktisk om Sektionen, alt hvad jeg kan."

Netop som han åbnede døren, mødte han Georg Nyström og Jonas Sandberg.

"Hej, Clinton," sagde Nyström. "Der er noget, vi må tale om."

"Kom ind. Wadensjöö skulle lige til at gå."

Nyström ventede, til døren var lukket.

"Fredrik, jeg er meget bekymret," sagde Nyström.

"Hvorfor det?"

"Sandberg og jeg har tænkt. Der sker ting, som vi ikke forstår. Her til morgen har Salanders advokat videregivet hendes selvbiografi til anklageren."

"*Hvad?*"

KRIMINALASSISTENT HANS FASTE betragtede Annika Giannini, mens politiadvokat Richard Ekström hældte kaffe op fra en termokande. Ekström var forbløffet over det dokument, han havde fået serveret, da han ankom til arbejdet om morgenen. Sammen med Faste havde han læst de fyrre sider, der udgjorde Lisbeth Salanders redegørelse. De havde diskuteret det mærkelige dokument i lang tid. Til sidst havde han følt sig nødsaget til at bede Annika Giannini dukke op til en formel samtale.

De slog sig ned ved et lille mødebord på Ekströms kontor.

"Tak, fordi du ville kigge forbi," begyndte Ekström. "Jeg har læst denne ... redegørelse, som du gav mig i morges, og jeg har brug for at stille nogle spørgsmål ..."

"Ja?" sagde Annika Giannini hjælpsomt.

"Jeg ved faktisk ikke, hvor jeg skal ende og begynde. Jeg burde måske begynde med at forklare, at både jeg og kriminalassistent Faste er dybt forbløffede."

"Aha?"

"Jeg forsøger at forstå dine intentioner."

"Hvad mener du?"

"Denne selvbiografi, eller hvad man nu skal kalde den. Hvad er formålet med den?"

"Det burde da være indlysende. Min klient vil redegøre for sin version af hændelsesforløbet."

Ekström grinede godmodigt. Han strøg sig over hageskæget med en velkendt bevægelse, som Annika af en eller anden grund var begyndt at blive irriteret over.

"Jo, men din klient har haft flere måneder til at forklare sig. Hun har ikke sagt et ord under alle de afhøringer, som Faste har forsøgt at gennemføre."

"Så vidt jeg ved, er der ingen lov, der kan tvinge hende til at tale, når det passer kriminalassistent Faste."

"Nej, men jeg mener ... om to dage begynder retssagen mod Salander, og i elvte time kommer hun med det her. Jeg føler på en eller anden måde et ansvar her, som er lidt hinsides min pligt som anklager."

"Aha?"

"Jeg vil under ingen omstændigheder udtrykke mig på en måde, som du kan fortolke som forulempende. Det er ikke min hensigt. Men fru Giannini, du er kvinderetsadvokat og har aldrig repræsenteret en klient i en straffesag før. Jeg har ikke rejst tiltale mod Lisbeth Salander, fordi hun er kvinde, men fordi hun har gjort sig skyldig i vold af særlig grov karakter. Jeg tror, at selv du må have forstået, at hun er alvorligt psykisk syg og har brug for behandling og hjælp fra samfundet."

"Lad mig hjælpe dig," sagde Annika Giannini venligt. "Du er bange for, at jeg ikke kan forsvare Lisbeth Salander ordentligt."

"Der ligger ikke noget nedsættende i det," sagde Ekström. "Jeg sætter ikke spørgsmålstegn ved dine evner. Jeg påpeger bare, at du er uerfaren."

"Det forstår jeg. Lad mig så sige, at jeg er helt enig med dig. Jeg er vældig uerfaren, når det drejer sig om strafferet."

"Og alligevel har du konsekvent takket nej til den hjælp, som betydeligt mere erfarne advokater har tilbudt ..."

"Efter ønske fra min klient. Lisbeth Salander vil have mig som sin advokat, og jeg skal repræsentere hende i retten om to dage."

Hun smilede høfligt.

"Okay. Men jeg undrer mig over, at du i fuldt alvor har tænkt dig at præsentere indholdet i disse papirer for retten?"

"Hvorfor det? Det er Lisbeth Salanders historie."

Ekström og Faste skævede til hinanden. Faste hævede øjenbrynene. Han forstod ikke, hvorfor Ekström lavede så meget postyr. Hvis Giannini ikke forstod, at hun var ved fuldstændig at underminere grunden under sin klient, var det vel for fanden ikke anklagerens sag. Det var bare at takke og tage imod og lade det passere.

At Salander var splitterravende gal, tvivlede han ikke på. Han havde gjort alt for at få hende til i hvert fald at fortælle, hvor hun boede. Men under den ene afhøring efter den anden havde den forbandede pige siddet tavst og betragtet væggen bag Hans Faste. Hun havde ikke rørt sig en millimeter. Hun havde nægtet at tage imod de cigaretter, som han tilbød hende, eller kaffe og kolde drikkevarer. Hun havde ikke reageret, da han havde appelleret til hende eller i stunder af stor irritation havde hævet stemmen.

Det var formentlig de mest frustrerende afhøringer, som kriminalassistent Hans Faste nogensinde havde gennemført.

Han sukkede.

"Fru Giannini," sagde Ekström til sidst. "Jeg mener, at din klient burde slippe for denne retssag. Hun er syg. Jeg har en meget omhyggelig retspsykiatrisk rapport at falde tilbage på. Hun burde have den psykiatriske behandling, som hun længe har haft brug for."

"I så fald formoder jeg, at du vil fremføre dette i retten."

"Det vil jeg. Det er ikke min opgave at fortælle dig, hvordan du skal forsvare hende. Men hvis dette er den linje, du helt alvorligt vil føre, så er situationen helt absurd. Denne selvbiografi indeholder jo fuldstændig vanvittige og ubestyrkede anklager mod en række personer ... ikke mindst mod hendes forhenværende formynder, advokat Bjurman, og dr. Peter Teleborian. Jeg håber, at du ikke for alvor tror, at retten vil godtage nogle ræsonnementer, der uden skyggen af bevis mistænkeliggør Teleborian. Dette dokument kommer jo til at udgøre det sidste søm til din klients ligkiste, hvis du undskylder metaforen."

"Det forstår jeg."

"Du kan under retssagen nægte, at hun er syg, og kræve en kompletterende retspsykiatrisk undersøgelse, og sagen kan så blive vurderet af retsmedicinsk afdeling. Men ærlig talt, med denne her redegørelse fra Salander hersker der ingen tvivl om, at alle andre retspsykiatere vil nå frem til samme konklusion som Peter Teleborian. Hendes egen historie styrker jo alle dokumenterede påstande om, at hun er skizofren og paranoid."

Annika smilede høfligt.

"Der er jo også en alternativ mulighed," sagde hun.

"Hvad?" spurgte Ekström.

"Tja, at hendes redegørelse er helt sand, og at retten vil vælge at tro på den."

Politiadvokat Ekström så overrasket ud. Så smilede han høfligt og strøg sig over hageskægget.

FREDRIK CLINTON HAVDE sat sig ved det lille bord ved vinduet på sit kontor. Han lyttede opmærksomt til Georg Nyström og Jonas Sandberg. Hans ansigt var furet, men hans øjne var koncentrerede og vagtsomme peberkorn.

"Vi har kontrolleret de vigtigste medarbejdere på *Millennium*s telefontrafik og e-mails siden april," sagde Clinton. "Vi har konstateret, at Blomkvist og Malin Eriksson og ham der Cortez nærmest har givet op. Vi har læst layoutversionen af det næste nummer af *Millennium*. Det virker, som om Blomkvist selv er endt i en position, hvor han mener, at Salander trods alt er skør. Der står en forsvarstale for Lisbeth Salander – han argumenterer for, at hun ikke har fået den samfundsmæssige støtte, som hun egentlig burde have haft, og at det derfor på en eller anden måde ikke er hendes skyld, at hun har forsøgt at myrde sin far ... men det er jo en udtalelse, der ikke betyder noget som helst. Der står ikke et ord om indbrud i hans lejlighed eller om overfaldet på hans søster i Göteborg og de forsvundne rapporter. Han ved, at han ikke kan bevise noget."

"Det er det, der er problemet," sagde Jonas Sandberg. "Blomkvist må rimeligvis vide, at der er noget galt. Men han ignorerer helt og holdent alle den slags spørgsmål. Undskyld mig, men det virker slet ikke som *Millenniums* stil. Desuden er Erika Berger tilbage på redaktionen. Hele det her nummer af *Millennium* er så tomt og indholdsløst, at det virker som en joke."

"Hvad er det så, du mener ... at det er en forfalskning?"

Jonas Sandberg nikkede.

"*Millenniums* sommernummer skulle egentlig være udkommet den sidste uge i juni. Efter hvad vi kan læse af Malin Erikssons e-mails til Mikael Blomkvist, bliver dette nummer trykt af et firma i Södertälje. Men da jeg tjekkede med firmaet tidligere i dag, havde de ikke fået noget trykmateriale. Det eneste, de havde fået, var en forespørgsel om et tryktilbud for en måned siden."

"Hmm," sagde Fredrik Clinton.

"Hvor har de trykt før?"

"På noget der hedder Hallvigs Reklametrykkeri i Morgongåva. Jeg ringede og spurgte, hvor langt de var kommet med trykningen – jeg lod, som om jeg arbejdede på *Millennium*. Chefen på Hallvigs ville ikke sige et ord. Jeg har tænkt mig at tage derhen i aften og se mig lidt omkring."

"Okay. Georg?"

"Jeg har gennemgået al tilgængelig telefontrafik fra den seneste uge," sagde Georg Nyström. "Det er mærkeligt, men ingen af de ansatte på *Millennium* diskuterer noget, som har med retssagen eller Zalachenkosagen at gøre."

"Ingenting?"

"Nej. Det nævnes, når nogle af de ansatte diskuterer med folk uden for *Millennium*. Lyt for eksempel til det her. Mikael Blomkvist bliver ringet op af en journalist på *Aftonbladet*, der spørger, om han har nogen kommentarer til den forestående retssag."

Han satte en båndoptager frem på bordet.

"Sorry, men jeg har ingen kommentarer."

"Du har jo været med i den her historie siden begyndelsen. Det var jo dig, der fandt Salander nede i Gosseberga. Og du har ikke offentliggjort et eneste ord endnu. Hvornår har du tænkt dig at udgive?"

"Når det er passende. Forudsat at jeg har noget at udgive."

"Har du det?"

"Tja, du bliver vel nødt til at købe Millennium og finde ud af det."

Han slukkede for båndoptageren.

"Vi har egentlig ikke tænkt på det her før, men jeg gik tilbage og lyttede lidt tilfældigt hist og her. Det har været sådan der hele tiden. Han diskuterer næsten aldrig Zalachenkosagen andet end i højst generelle vendinger. Han diskuterer det ikke engang med sin søster, der er Salanders advokat."

"Måske har han ikke noget at sige."

"Han nægter konsekvent at diskutere noget. Han ser ud til at bo døgnet rundt på redaktionen og er næsten aldrig hjemme i lejligheden i Bellmansgatan. Hvis han arbejder døgnet rundt, så burde han have skrevet noget, der er bedre end det, der står i næste nummer af *Millennium*."

"Og vi har stadig ikke mulighed for at aflytte redaktionen?"

"Nej," brød Jonas Sandberg ind. "Der er nogen inde på redaktionen døgnet rundt. Også det er bemærkelsesværdigt."

"Hmm."

"Siden vi brød ind i Blomkvists lejlighed, har der været nogen inde på redaktionen. Blomkvist forsvinder op på redaktionen, og lyset i hans kontor er altid tændt. Hvis det ikke er ham, så er det Cortez eller Malin Eriksson eller ham bøssen ... øh, Christer Malm."

Clinton strøg sig over hagen. Han tænkte sig lidt om.

"Okay. Konklusion?"

Georg Nyström tøvede lidt.

"Nja ... hvis jeg ikke vidste bedre, ville jeg tro, at de spiller teater for os."

Det løb Clinton koldt ned ad ryggen.

"Hvorfor har vi ikke bemærket dette tidligere?"

"Vi har lyttet til det, der bliver sagt, ikke til det, der ikke bliver sagt. Vi har været tilfredse, når vi har hørt deres forvirring eller set den i deres e-mails. Blomkvist er godt klar over, at nogen stjal Salanderrapporten fra 1991 både fra ham og fra hans søster. Men hvad fanden skal han gøre ved det?"

"De har ikke politianmeldt overfaldet?"

Nyström rystede på hovedet.

"Giannini har været med til afhøringerne af Salander. Hun er høflig, men siger ikke noget af betydning. Og Salander siger slet ikke noget."

"Men det er jo kun til vores fordel. Jo mere kæft hun holder, desto bedre. Hvad siger Ekström?"

"Jeg mødte ham for to timer siden. Det var, da han havde fået det her udsagn fra Salander."

Han pegede på kopien, der lå i Clintons skød.

"Ekström er forvirret. Det er heldigt, at Salander ikke har evner til at udtrykke sig skriftligt. For den uindviede fremstår denne redegørelse som en fuldstændig sindsforstyrret konspirationsteori med pornografiske indslag. Men hun skyder meget tæt på målet. Hun fortæller, præcis hvordan det gik til, da hun blev spærret inde på Skt. Stefans. Hun hævder, at Zalachenko arbejdede for Säpo og lignende. Hun nævner, at hun mener, at det drejer sig om en lille sekt inden for Säpo, hvilket tyder på, at hun har mistanke om, at der er noget, der svarer til Sektionen. I det hele taget er det en vældig præcis beskrivelse af os. Men den er som sagt ikke troværdig. Ekström er forvirret, da det her også ser ud til at være Gianninis forsvar i retssagen."

"Fandens," udbrød Clinton.

Han lænede hovedet frem og tænkte intenst i flere minutter. Til sidst så han op.

"Jonas, kør op til Morgongåva i aften og undersøg, om der er gang i noget der. Hvis de trykker *Millennium*, vil jeg have en kopi."

"Jeg tager Falun med mig."

"Godt. Georg, jeg vil gerne have, at du går til Ekström og føler ham på tænderne i eftermiddag. Alting er gået efter planen indtil videre, men jeg kan ikke affærdige det, I siger."

"Okay."

Clinton tav lidt.

"Det bedste ville være, hvis der ikke blev en retssag ...," sagde han til sidst.

Han hævede blikket og så Nyström i øjnene. Nyström nikkede. Sandberg nikkede. Der herskede en tavs forståelse mellem dem.

"Nyström, kan du undersøge, hvilke muligheder der er?"

JONAS SANDBERG OG låsesmeden Lars Faulsson, bedre kendt som Falun, parkerede et stykke fra jernbanen og gik gennem Morgongåva.

524

Klokken var halv ni om aftenen. Det var for lyst og for tidligt til at foretage sig noget, men de ville rekognoscere og skaffe sig et overblik.

"Hvis stedet er tyverisikret, vil jeg ikke indlade mig på det," sagde Falun.

Sandberg nikkede.

"Så er det bedre at tjekke gennem vinduerne. Hvis der ligger noget fremme, så kaster du en sten gennem ruden, tager det du vil have og løber som bare satan."

"Udmærket," sagde Sandberg.

"Hvis der kun er et eksemplar af det tidsskrift, du har brug for, kan vi tjekke, om der står nogle affaldscontainere på bagsiden. Der må være spildmateriale og prøvetryk og den slags."

Hallvigs Reklametrykkeri lå i en lav murstensbygning. De nærmede sig fra syd på den anden side af gaden. Sandberg skulle lige til at krydse gaden, da Falun greb ham om albuen.

"Fortsæt fremad," sagde han.

"Hvad?"

"Fortsæt fremad, som om vi er ude på en aftentur."

De passerede Hallvigs og tog en runde i kvarteret.

"Hvad handler det her om?" spurgte Sandberg.

"Du må have øjnene med dig. Stedet er ikke bare tyverisikret. Der stod en bil parkeret ved siden af bygningen."

"Tror du, at der er nogen?"

"Det var en bil fra Milton Security. Trykkeriet er sgu topbevogtet."

"MILTON SECURITY," udbrød Fredrik Clinton. Han mærkede chokket forplante sig i mellemgulvet.

"Hvis det ikke havde været for Falun, var jeg gået lige i favnen på dem," sagde Jonas Sandberg.

"Der er noget muggent ved det hele," sagde Georg Nyström. "Der er ingen som helst rimelig grund til, at et lille trykkeri i provinsen skulle hyre Milton Security til fast overvågning."

Clinton nikkede. Hans mund var en tynd streg. Klokken var elleve om aftenen, og han havde brug for hvile.

"Og det betyder, at *Millennium* har gang i noget," sagde Sandberg.

"Jeg har forstået det," sagde Clinton. "Okay. Lad os analysere situationen. Hvad er det værst tænkelige scenarie? Hvad kan de vide?"

Han så opfordrende på Nyström.

"Det må være Salanderrapporten fra 1991," sagde han. "De øgede sikkerheden, efter at vi havde stjålet kopierne. De må have gættet, at de bliver overvåget. I værste fald har de endnu en kopi af rapporten."

"Men Blomkvist har jo været fortvivlet over, at de mistede rapporten."

"Jeg ved det. Men de kan have snydt os. Vi kan ikke lukke øjnene for den mulighed."

Clinton nikkede.

"Så går vi ud fra det. Sandberg?"

"Vi kender faktisk Salanders forsvar. Hun fortæller sandheden, som hun oplever den. Jeg har læst den såkaldte selvbiografi en gang til. Den falder faktisk ud til vores fordel. Den indeholder jo så grove anklager om voldtægt og retsovergreb, at det ganske enkelt kommer til at fremstå som nonsens fra en mytoman."

Nyström nikkede.

"Hun kan desuden ikke bevise nogen af sine påstande. Ekström kommer til at bruge redegørelsen imod hende. Han vil ødelægge hendes troværdighed."

"Okay. Teleborians nye rapport er udmærket. Men så er der jo selvfølgelig muligheden for, at Giannini finder sin egen ekspert, der vil påstå, at Salander ikke er gal, og at det hele havner i retsmedicinsk afdeling. Men igen – hvis Salander ikke ændrer taktik, vil hun også nægte at tale med dem, og så vil de nå frem til den konklusion, at Teleborian har ret, og at hun er gal. Hun er sin egen værste fjende."

"Det ville stadig være rarest, hvis der aldrig blev nogen retssag," sagde Clinton.

Nyström rystede på hovedet.

"Det er næsten umuligt. Hun sidder i Kronobergsfængslet og har ingen kontakt med andre fanger. Hun får en times motion hver dag i aflukket oppe på taget, men der kan vi ikke komme til hende. Og vi har ingen kontakter blandt fængselspersonalet."

"Okay."

"Hvis vi ville have foretaget os noget, skulle vi have gjort det, da hun lå på Sahlgrenska Sygehus. Nu må det ske helt åbent. Sandsynligheden for, at morderen bliver fanget, er næsten hundrede procent. Og hvor finder vi en *shooter*, der går med til det? Med så kort varsel kan det ikke lade sig gøre at arrangere et selvmord eller en ulykke."

"Nej, det tænkte jeg nok. Og uventede dødsfald har en tendens til at fremkalde spørgsmål. Okay, vi må se, hvordan det går i retssagen. Faktisk er intet jo forandret. Vi har hele tiden forventet, at de ville foretage et modtræk, og det er åbenbart den såkaldte selvbiografi."

"Problemet er *Millennium*," sagde Jonas Sandberg.

Alle nikkede.

"*Millennium* og Milton Security," sagde Clinton eftertænksomt. "Salander har arbejdet for Armanskij, og Blomkvist har været sammen med hende. Skal vi drage den konklusion, at de har slået pjalterne sammen?"

"Tanken forekommer jo ikke urimelig, hvis Milton Security overvåger det trykkeri, hvor *Millennium* bliver trykt. Det kan ikke være en tilfældighed."

"Okay. Hvornår har de tænkt sig at udgive? Sandberg, du sagde, at de snart er to uger bagud. Hvis vi går ud fra, at Milton Security overvåger trykkeriet for at sørge for, at ingen kommer i besiddelse af *Millennium* før tid, så betyder det dels, at de har tænkt sig at udgive noget, de ikke vil have afsløret på forhånd, dels at tidsskriftet formentlig allerede er trykt."

"I forbindelse med retssagen," sagde Jonas Sandberg. "Det ville være det eneste rimelige."

Clinton nikkede.

"Hvad kommer der til at stå i tidsskriftet? Hvad er det værste scenarie?"

Alle tre tænkte sig om i lang tid. Det var Nyström, der brød tavsheden.

"I værste fald har de som sagt en kopi af rapporten fra 1991."

Clinton og Sandberg nikkede. De var nået frem til samme konklusion.

"Spørgsmålet er, hvor meget de kan gøre med den," sagde Sandberg. "Rapporten implicerer Björck og Teleborian. Björck er død. De vil fare hårdt frem mod Teleborian, men han kan hævde, at han bare foretog en helt almindelig retspsykiatrisk undersøgelse. Det vil

527

være påstand mod påstand, og han vil naturligvis være helt uforstående over for alle anklager."

"Hvad skal vi gøre, hvis de offentliggør rapporten?" spurgte Nyström.

"Jeg tror, at vi har en trumf på hånden," sagde Clinton. "Hvis der bliver vrøvl med rapporten, kommer fokus til at være på Säpo, ikke på Sektionen. Og når journalisterne begynder at stille spørgsmål, finder Säpo den frem fra arkivet ..."

"Og det er selvfølgelig ikke den samme rapport," sagde Sandberg.

"Shenke har lagt den modificerede version i arkivet, altså den version som politiadvokat Ekström har læst. Den har fået et journalnummer. Her kan vi ganske hurtigt lække en del misinformationer til medierne ... Vi har jo den original, som Bjurman fik fat på, og *Millennium* har kun en kopi. Vi kan endda sprede oplysninger, som antyder, at Blomkvist selv har forfalsket originalrapporten."

"Godt. Hvad kan *Millennium* mere kende til?"

"De kan ikke vide noget om Sektionen. Det er umuligt. De vil altså koncentrere sig om Säpo, hvilket betyder, at Blomkvist kommer til at fremstå som en konspirationsteoretiker, og at Säpo kommer til at hævde, at han er skør."

"Han er ret kendt," sagde Clinton langsomt. "Efter Wennerström-affæren har han stor troværdighed."

Nyström nikkede.

"Kan man udhule den troværdighed på en eller anden måde?" spurgte Jonas Sandberg.

Nyström og Clinton udvekslede blikke. Så nikkede de begge. Clinton så på Nyström.

"Tror du, at du kunne få fat på ... lad os sige halvtreds gram kokain?"

"Måske fra jugoslaverne."

"Okay. Gør et forsøg. Men det haster. Retssagen begynder om to dage."

"Jeg forstår ikke ...," sagde Jonas Sandberg.

"Det er et trick, der er lige så gammelt som erhvervet. Men stadig vældig effektivt."

"MORGONGÅVA?" SPURGTE TORSTEN Edklinth og rynkede brynene. Han sad i sin slåbrok hjemme i sofaen og var ved at læse Salanders selvbiografi for tredje gang, da Monica Figuerola ringede. Da klokken var et godt stykke over midnat, gik han ud fra, at der var noget galt.

"Morgongåva," gentog Monica Figuerola. "Sandberg og Lars Faulsson kørte derop ved syvtiden i aftes. Curt Svensson fra Bublanskis hold holdt øje med dem hele vejen, hvilket blev lettere, fordi vi har en sporsender i Sandbergs bil. De parkerede i nærheden af den gamle jernbanestation, gik derefter op og ned ad nogle gader, så tilbage til bilen og kørte til sidst tilbage til Stockholm."

"Okay. Mødte de nogen eller ...?"

"Nej. Det var det, der var så besynderligt. De steg ud af bilen, gik en runde og så tilbage til bilen og hjem til Stockholm."

"Aha. Og hvorfor ringer du til mig klokken halv et om natten og fortæller dette?"

"Det tog lidt tid, inden vi regnede det ud. De gik forbi en bygning, der huser Hallvigs Reklametrykkeri. Jeg talte med Mikael Blomkvist om sagen. Det er der, *Millennium* bliver trykt."

"Åh, for fanden," sagde Edklinth.

Han så straks implikationerne.

"Da Falun var med, går jeg ud fra, at de havde tænkt sig at aflægge et sent besøg på trykkeriet, men afbrød ekspeditionen," sagde Monica Figuerola.

"Hvorfor det?"

"Fordi Blomkvist har bedt Dragan Armanskij om at overvåge trykkeriet, indtil tidsskriftet skal distribueres. De så formentlig Milton Securitys bil. Jeg gik ud fra, at du ville have den oplysning med det samme."

"Du har ret. Det betyder, at de begynder at ane ugler i mosen ..."

"Om ikke andet så må alarmklokkerne være begyndt at ringe, da de så bilen. Sandberg satte Faulsson af inde midt i byen og vendte derefter tilbage til adressen i Artillerigatan. Vi ved, at Fredrik Clinton befinder sig der. Georg Nyström kom omtrent samtidig. Spørgsmålet er, hvad de nu vil foretage sig."

"Retssagen begynder på tirsdag ... Kan du ringe til Blomkvist og bede ham skærpe sikkerheden på *Millennium*. For alle eventualiteters skyld."

"De har allerede en ret høj sikkerhedsstandard. Og måden de blæste røgringe på omkring deres aflyttede telefoner hører til i den professionelle ende. Faktum er, at Blomkvist er så tilpas paranoid, at han har udviklet metoder til afledningsmanøvrer, som vi ville kunne have nytte af."

"Okay, men ring til ham under alle omstændigheder."

MONICA FIGUEROLA KLAPPEDE sin mobiltelefon sammen og lagde den på natbordet. Hun hævede blikket og betragtede Mikael Blomkvist, der lå nøgen og lænede sig mod fodendens sengegavl.

"Jeg skal ringe til dig og foreslå, at du skærper sikkerheden på *Millennium,*" sagde hun.

"Tak for tippet," sagde han tørt.

"Jeg mener det alvorligt. Hvis de begynder at ane ugler i mosen, er der risiko for, at de handler overilet. Og så kan et indbrud være under forberedelse."

"Henry Cortez sover der i nat. Og vi har overfaldsalarm direkte til Milton Security, der ligger tre minutter væk."

Han tav et øjeblik.

"Paranoid," mumlede han.

KAPITEL 24

Mandag den 11. juli

KLOKKEN VAR SEKS mandag morgen, da Susanne Linder fra Milton Security ringede til Mikael Blomkvists blå T10.

"Sover du aldrig?" spurgte Mikael søvndrukken.

Han skævede til Monica Figuerola, der allerede var oppe og havde skiftet til træningsshorts, men endnu ikke havde fået T-shirten på.

"Jo, men jeg blev vækket af nattevagten. Den lydløse alarm, vi installerede i din lejlighed, gik i gang klokken tre i nat."

"Aha?"

"Så jeg var nødt til at tage derned og se, hvad der var sket. Det her er udspekuleret. Kan du komme forbi på Milton Security her til morgen? Temmelig omgående."

"DET HER ER ALVORLIGT," sagde Dragan Armanskij.

Klokken var lidt over otte, da de mødtes foran en tv-monitor i et mødelokale på Milton Security. Mødedeltagerne bestod af Armanskij, Mikael Blomkvist og Susanne Linder. Armanskij havde også indkaldt Johan Fräklund, 62 år, en forhenværende kriminalkommissær ved politiet i Solna, der var chef for Miltons operative enhed, og den forhenværende kriminalkommissær Sonny Bohman, 48 år, der havde fulgt Salandersagen fra begyndelsen. Samtlige sad og tænkte over den overvågningsfilm, som Susanne Linder netop havde vist dem.

"Det, vi ser, er, at Jonas Sandberg åbner døren til Mikael Blomkvists lejlighed klokken 03.17 her i nat. Han har sine egne nøgler ... I kan måske huske, at ham låsesmeden Faulsson lavede et aftryk af Blomkvists reservenøgler for flere uger siden, da han og Göran Mårtensson brød ind i lejligheden."

Armanskij nikkede bistert.

"Sandberg opholder sig i lejligheden i omkring otte minutter. I den tid træffer han følgende foranstaltninger: Dels henter han en lille plasticpose fra køkkenet, som han fylder. Så skruer han bagstykket af en højttaler løs, som du har i stuen, Mikael. Det er der, han placerer posen."

"Hmm," sagde Mikael Blomkvist.

"Det at han henter en pose fra dit køkken er vigtigt."

"Det er en pose fra supermarkedet, som jeg har haft små flutes i," sagde Mikael. "Jeg plejer at gemme dem til at putte ost i og den slags."

"Jeg gør det samme hjemme hos mig selv. Og det vigtige er selvfølgelig, at dine fingeraftryk sidder på posen. Derefter henter han en gammel SMP fra din skraldepose i entreen. Han bruger en side fra avisen til at pakke en genstand ind i, som han lægger øverst i dit klædeskab."

"Hmm," sagde Mikael Blomkvist igen.

"Det er det samme der. Dine fingeraftryk er på avisen."

"Jeg er med," sagde Mikael Blomkvist.

"Jeg tog over til din lejlighed ved femtiden. Jeg fandt følgende. I din højttaler lå omkring 180 gram kokain. Jeg tog en prøve på et gram, der ligger her."

Hun lagde en lille bevispose på mødebordet.

"Hvad er der i klædeskabet?" spurgte Mikael.

"Omkring 120.000 kroner i kontanter."

Armanskij gestikulerede til Susanne Linder om at slukke for tv'et. Han så på Fräklund.

"Mikael Blomkvist er altså indblandet i kokainhandel," sagde Fräklund godmodigt. "De er åbenbart begyndt at blive bekymrede over, hvad Blomkvist går og laver."

"Det her er et modtræk," sagde Mikael Blomkvist.

"Modtræk?"

"De opdagede Miltons sikkerhedsvagter i Morgongåva i går aftes."

Han fortalte, hvad han havde fået at vide af Monica Figuerola om Sandbergs udflugt til Morgongåva.

"En flittig lille slyngel," sagde Sonny Bohman.

"Men hvorfor netop nu?"

"De er åbenbart bekymrede for, hvad *Millennium* kan diske op med, når retssagen begynder," sagde Fräklund. "Hvis Blomkvist bliver pågrebet for kokainhandel, vil hans troværdighed dale drastisk."

Susanne Linder nikkede. Mikael Blomkvist så tvivlende ud.

"Hvordan skal vi håndtere det her?" spurgte Armanskij.

"Vi gør ikke noget i den her situation," foreslog Fräklund. "Vi sidder med en trumf på hånden. Vi har udmærket dokumentation for, hvordan Sandberg planter bevismateriale i din lejlighed, Mikael. Lad fælden klappe. Vi vil straks kunne bevise din uskyld, og desuden bliver det endnu et bevis for Sektionens kriminelle adfærd. Jeg kunne godt tænkte mig at være anklager, når de fyre bliver stillet for retten."

"Jeg ved ikke rigtig," sagde Mikael Blomkvist tøvende. "Retssagen begynder i overmorgen. *Millennium* udkommer på fredag, retssagens tredje dag. Hvis de har tænkt sig at spærre mig inde for kokainhandel, bør det ske inden da ... og jeg vil ikke kunne forklare, hvordan det er gået til, før tidsskriftet udkommer. Det betyder, at jeg risikerer at sidde varetægtsfængslet og gå glip af optakten til retssagen."

"Der er med andre ord grund til, at du gør dig usynlig i denne uge," foreslog Armanskij.

"Nja ... jeg skal arbejde sammen med TV4 og lave en hel del andre forberedelser. Det ville være ubelejligt ..."

"Hvorfor lige nu?" spurgte Susanne Linder pludselig.

"Hvad mener du?" spurgte Armanskij.

"De har haft tre måneder til at sværte Blomkvist til. Hvorfor gør de først noget nu? Hvad de end foretager sig, vil det ikke hindre udgivelsen."

De sagde ikke noget lidt.

"Det kan skyldes, at de ikke har forstået, hvad du har tænkt dig at offentliggøre, Mikael," sagde Armanskij tøvende. "De ved, at du har gang i noget ... men de tror måske, at du bare har Björcks rapport fra 1991."

Mikael nikkede.

"De har ikke forstået, at du har tænkt dig at afsløre hele Sektionen. Hvis det bare drejer sig om Björcks rapport, er det nok at skabe mistro til dig. Dine eventuelle afsløringer vil drukne i, at du bliver anholdt og varetægtsfængslet. Stor skandale. Den kendte journalist Mikael Blomkvist pågrebet for narkotikakriminalitet af særlig grov karakter. Seks til otte års fængsel."

"Kan jeg få to kopier af overvågningsfilmen?" spurgte Mikael.

"Hvad har du tænkt dig at gøre?"

"En kopi til Edklinth, og så skal jeg møde TV4 om tre timer. Jeg tror, at det er godt, hvis vi har forberedt os på at køre det her på tv, når det hele går løs."

MONICA FIGUEROLA SLUKKEDE dvd-afspilleren og lagde fjernbetjeningen på bordet. De mødtes i det midlertidige kontor ved Fridhemsplan.

"Kokain," sagde Edklinth. "De bruger grove metoder."

Monica Figuerola så betænkelig ud. Hun skævede til Mikael.

"Jeg synes, at det var bedst, at I var informerede," sagde han med en skuldertrækning.

"Jeg bryder mig ikke om det her," sagde hun. "Det tyder på en desperation, som ikke er rigtig gennemtænkt. De må vel kunne indse, at du ikke bare uden videre lader dig bure inde i Kumlabunkeren, hvis du bliver arresteret for narkotikakriminalitet."

"Jo," sagde Mikael.

"Selv om du skulle blive dømt, er der en overhængende risiko for, at folk faktisk tror på, hvad du siger. Og dine kolleger på *Millennium* har ikke tænkt sig at tie stille."

"Desuden koster det her en hel del," sagde Edklinth. "De har altså et budget, der gør, at de uden at blinke kan lægge 120.000 kroner ud, plus hvad kokainen er værd."

"Jeg ved det," sagde Mikael. "Men planen er faktisk rigtig god. De regner med, at Lisbeth Salander havner på psykiatrisk afdeling, og at jeg forsvinder i en sky af mistænkeliggørelse. Desuden tror de, at al eventuel opmærksomhed kommer til at rette sig imod Säpo – ikke Sektionen. De har et ret godt udgangspunkt."

"Men hvordan har de tænkt sig at overtale narkotikaafdelingen til at foretage en husundersøgelse hjemme hos dig? Jeg mener, det er vel ikke nok med et anonymt tip for at kunne sparke døren ind hos en berømt journalist. Og hvis det skal fungere, må du mistænkeliggøres inden for de nærmeste dage."

"Tja, vi ved jo ikke noget om deres tidsplaner," sagde Mikael.

Han var træt og ønskede bare, at det hele var ovre. Han rejste sig.

534

"Hvor skal du hen nu?" spurgte Monica Figuerola. "Jeg vil gerne vide, hvor du befinder dig den nærmeste tid."

"Jeg skal møde TV4 omkring frokosttid. Og derefter Erika Berger over en lammegryde på Samirs klokken seks. Vi skal finpudse den pressemeddelelse, som vi sender ud. Resten af aftenen sidder jeg på redaktionen, går jeg ud fra."

Monica Figuerolas øjne blev en anelse smallere, da han nævnte Erika Berger.

"Jeg vil gerne have, at du holder kontakten i løbet af dagen. Allerhelst så jeg, at du holder tæt kontakt, indtil retssagen er gået i gang."

"Okay, jeg kan måske flytte hjem til dig et par dage," sagde Mikael og smilede, som om han lavede sjov.

Monica Figuerolas øjne blev mørke. Hun skævede hastigt til Edklinth.

"Monica har ret," sagde Edklinth. "Jeg tror, at det ville være bedst, hvis du gør dig relativt usynlig, indtil det her er forbi. Hvis du bliver arresteret af narkotikapolitiet, er du nødt til at forholde dig tavs, indtil retssagen er gået i gang."

"Rolig," sagde Mikael. "Jeg har ikke tænkt mig at blive grebet af panik og røbe noget i den her situation. Pas nu jeres, så skal jeg nok passe mit."

HENDE PÅ TV4 kunne knap skjule sin ophidselse over det nye billedmateriale, som Mikael Blomkvist leverede. Mikael smilede ad hendes sult. I en uge havde de slidt i det som dyr for at sammensætte et forståeligt materiale om Sektionen til tv-brug. Både hendes producer og nyhedschefen på TV4 havde forstået, hvilket scoop historien ville blive. Historien skulle produceres i største hemmelighed med bare nogle få involverede. De havde accepteret Mikaels krav om, at historien først skulle sendes om aftenen på retssagens tredjedag. De havde besluttet at lave en timelang ekstra nyhedsudsendelse.

Mikael havde givet hende en stor bunke stillbilleder at lege med, men intet kan måle sig med levende billeder i tv. En knivskarp video, der viser, hvordan en navngiven politimand planter kokain i Mikael Blomkvists lejlighed fik hende næsten til at gå i bro.

"Det her er fremragende tv," sagde hun. "Stillbillede – her planter

Säpo kokain i journalistens lejlighed."

"Ikke Säpo ... Sektionen," rettede Mikael hende. "Gør endelig ikke den fejl at blande de to ting sammen."

"Men Sandberg arbejder jo for fanden for Säpo," protesterede hun.

"Jo, men han er i praksis at betragte som infiltrator. Træk grænsen knivskarpt."

"Okay. Det er Sektionen, som er historien her. Ikke Säpo. Mikael, kan du forklare mig, hvordan det kan være, at du altid bliver indblandet i den slags mediebaskere? Du har ret. Det her bliver endnu større end Wennerström."

"Rent talent, går jeg ud fra. Ironisk nok begynder den her historie også med en Wennerströmaffære. Altså spionaffæren i 60'erne."

Klokken fire om eftermiddagen ringede Erika Berger. Hun befandt sig til et møde med arbejdsgiverorganisationen Tidningsutgivarne for at redegøre for sit syn på de planlagte nedskæringer på SMP, noget der havde ført til en skarp faglig konflikt, siden hun havde sagt op. Hun forklarede, at hun var forsinket til deres middagsaftale på Samirs Gryta klokken seks og ikke kunne være der før halv syv.

JONAS SANDBERG ASSISTEREDE Fredrik Clinton, da han flyttede sig fra kørestolen til briksen i det hvilerum, som udgjorde Clintons kommandocentral i Sektionens højborg i Artillerigatan. Clinton var netop vendt tilbage efter at have befundet sig i dialyse hele formiddagen. Han følte sig ekstremt gammel og ekstremt træt. Han havde knap nok lukket et øje de seneste døgn og ønskede, at det hele snart var overstået. Han havde kun lige nået at sætte sig til rette i sengen, da Georg Nyström sluttede sig til dem.

Clinton koncentrerede sine kræfter.

"Er det ordnet?" spurgte han.

Georg Nyström nikkede.

"Jeg har lige mødt brødrene Nikolić," sagde han. "Det kommer til at koste halvtreds tusind."

"Vi har råd," sagde Clinton.

For fanden, hvis man bare var ung igen.

Han drejede hovedet og studerede først Georg Nyström og derefter Jonas Sandberg.

536

"Ingen samvittighedskvaler?" spurgte han.

Begge rystede på hovedet.

"Hvornår?" spurgte Clinton.

"Inden for fireogtyve timer," sagde Nyström. "Det er skidesvært at finde ud af, hvor Blomkvist befinder sig, men i værste fald gør de det uden for redaktionen."

Clinton nikkede.

"Vi har en mulig åbning allerede i aften, om to timer," sagde Jonas Sandberg.

"Aha?"

"Erika Berger ringede til ham for et stykke tid siden. De skal spise middag på Samirs Gryta i aften. Det er en restaurant i nærheden af Bellmansgatan."

"Berger ..." sagde Clinton tøvende.

"Jeg håber for guds skyld ikke, at hun ...," sagde Georg Nyström.

"Det ville ikke være så skidt endda," afbrød Jonas Sandberg.

Både Clinton og Nyström så på ham.

"Vi er enige om, at Blomkvist er den person, der udgør den største trussel mod os, og at det er sandsynligt, at han offentliggør noget i næste nummer af *Millennium*. Vi kan ikke forhindre udgivelsen. Altså må vi ødelægge hans troværdighed. Hvis han myrdes i, hvad der ser ud til at være et opgør i underverdenen, og politiet derefter finder narkotika og penge i hans lejlighed, vil efterforskningen drage visse konklusioner. I hvert fald vil de ikke i første omgang lede efter sammensværgelser med tilknytning til Säpo."

Clinton nikkede.

"Erika Berger er faktisk Blomkvists elskerinde," sagde Sandberg med eftertryk. "Hun er gift og utro. Hvis hun også pludselig afgår ved døden, kommer det til at føre til en masse andre spekulationer."

Clinton og Nyström udvekslede blikke. Sandberg var et naturtalent, når det gjaldt om at skabe røgslør. Han lærte hurtigt. Men både Clinton og Nyström følte et øjebliks tvivl. Sandberg var alt for ubekymret, når han tog beslutninger om liv eller død. Det var ikke godt. Den ekstreme handling, som et mord udgjorde, var ikke noget, man skulle benytte sig af, bare fordi muligheden bød sig. Det var ingen patentløsning, men en handling som man kun måtte gribe til, når der ikke var andre muligheder.

Clinton rystede på hovedet.

Collateral damage, tænkte han. Han følte pludselig afsmag for hele håndteringen.

Efter et liv i rigets tjeneste sidder vi her som simple lejemordere. Zalachenko var nødvendig. Björck var ... beklagelig, men Gullberg havde ret. Björck ville have afsløret sig selv. Blomkvist er ... formentlig nødvendig. Men Erika Berger var bare en uskyldig tilskuer.

Han skævede til Jonas Sandberg. Han håbede ikke, at den unge mand udviklede sig til en psykopat.

"Hvor meget ved brødrene Nikolić?"

"Ingenting. Altså om os. Jeg er den eneste, de har mødt, jeg har brugt en anden identitet, og de kan ikke spore mig. De tror, at mordet har noget med trafficking at gøre."

"Hvad sker der med brødrene Nikolić efter mordet?"

"De forlader Sverige umiddelbart efter," sagde Nyström. "Præcis som efter Björck. Hvis politiefterforskningen ikke giver resultater, kan de forsigtigt vende tilbage om nogle uger."

"Og planen?"

"Siciliansk model. De går bare hen til Blomkvist, tømmer et magasin og går derfra igen."

"Våben?"

"De har et automatvåben. Jeg ved ikke hvilken type."

"Jeg håber ikke, at de har tænkt sig at sprede kuglerne ud over hele restauranten ..."

"Det er der ingen fare for. De er cool og ved, hvad de skal gøre. Men hvis Berger sidder ved det samme bord som Blomkvist ..."

Collateral damage.

"Hør her," sagde Clinton. "Det er vigtigt, at Wadensjöö ikke finder ud af, at vi er indblandet i det her. Især ikke, hvis Erika Berger bliver et af ofrene. Han er allerede nu ved at nå grænsen. Jeg er bange for, at vi må pensionere ham, når det er overstået."

Nyström nikkede.

"Det betyder, at når vi får beskeden om, at Blomkvist er blevet myrdet, skal vi spille teater. Vi skal indkalde til krisemøde og virke fuldstændig overraskede over begivenhedernes gang. Vi skal spekulere i, hvem der kan stå bag mordet, men ikke sige noget om narkotika og den slags, før politiet har fundet bevismateriale."

MIKAEL BLOMKVIST SKILTES fra Hende på TV4 lidt i fem. De havde brugt hele eftermiddagen på at gennemgå uklare punkter i materialet, og derefter var Mikael blevet sminket og udsat for et langt, båndet interview.

Han havde fået et spørgsmål, som han havde haft svært ved at besvare på en begribelig måde, og de havde taget svaret om flere gange.

Hvordan kan det være, at tjenestemænd i den svenske statsforvaltning går så langt som til at begå mord?

Mikael havde grublet meget over svaret, længe inden Hende på TV4 stillede det. Sektionen måtte have opfattet Zalachenko som en enestående trussel, men det var alligevel ikke et tilfredsstillende svar. Det svar, han endelig gav, var heller ikke tilfredsstillende.

"Den eneste rimelige forklaring, jeg kan give, er, at Sektionen i årenes løb har udviklet sig til en sekt i ordets gængse betydning. De er blevet som Knutby eller pastor Jim Jones eller noget i den stil. De skriver deres egne love, hvor begreber som rigtigt og forkert ophører med at være relevante, og hvor de arbejder helt isolerede fra det normale samfund."

"Det lyder som en slags sindssygdom?"

"Det er ikke en helt forkert beskrivelse."

Han tog tunnelbanen til Slussen og konstaterede, at det var for tidlig at gå hen til Samirs Gryta. Han stod lidt på Södermalmstorg. Han var bekymret, men samtidig føltes livet pludselig helt rigtigt igen. Det var først efter, at Erika Berger var vendt tilbage til *Millennium*, at det var gået op for ham, hvor katastrofalt meget han havde savnet hende. Desuden havde hendes overtagelse af roret ikke ført til nogen intern konflikt, da Malin Eriksson vendte tilbage til stillingen som redaktionssekretær. Tværtimod var Malin nærmest overlykkelig for, at livet (som hun udtrykte det) kunne vende tilbage til sin gamle orden.

Erikas tilbagevenden havde også betydet, at alle opdagede, hvor frygteligt underbemandede de havde været i de forløbne tre måneder. Erikas genindtræden i tjenesten på *Millennium* fik en flyvende start, og sammen var det lykkedes hende og Malin Eriksson at bemestre en del af den organisatoriske arbejdspukkel, der var opstået. De havde også haft et redaktionsmøde, hvor de havde besluttet, at *Mil-*

lennium skulle ekspandere og ansætte mindst en og formentlig to nye medarbejdere. Hvordan de skulle finde penge til det, havde de dog ingen anelse om.

Til sidst gik Mikael ned og købte aviser og drak kaffe på Java i Hornsgatan for at slå tiden ihjel, indtil han skulle møde Erika.

ANKLAGER RAGNHILD GUSTAVSSON fra statsadvokatens kontor lagde sine briller på mødebordet og betragtede forsamlingen. Hun var 58 år og havde et furet, men æblekindet ansigt og grånende, kortklippet hår. Hun havde været advokat i femogtyve år og arbejdet på statsadvokatens kontor siden begyndelsen af 90'erne.

Der var kun gået tre uger, siden hun pludselig blev kaldt ind på statsadvokatens kontor for at møde Torsten Edklinth. Den dag havde hun været i færd med at afslutte nogle rutinesager for at tage på en seks uger lang ferie i sommerhuset ude på Husarö. I stedet havde hun fået til opgave at lede efterforskningen mod en gruppe myndighedspersoner, der gik under navnet Sektionen. Alle ferieplaner var hurtigt blevet skrinlagt. Hun havde fået at vide, at dette ville blive hendes primære arbejdsopgave i den nærmeste fremtid, og hun havde fået næsten frie hænder til selv at udforme sin arbejdsorganisation og tage de nødvendige beslutninger.

"Dette bliver en af de mest opsigtsvækkende kriminalsager i svensk historie," havde statsadvokaten sagt.

Hun var tilbøjelig til at være enig.

Hun havde med stigende forbavselse lyttet til Torsten Edklinths sammenfatning af sagen og den efterforskning, som han havde gennemført på statsministerens ordre. Efterforskningen var ikke færdig, men han mente, at han var kommet så langt, at han måtte præsentere sagen for en advokat.

Først havde hun skaffet sig et overblik over det materiale, som Torsten Edklinth havde leveret. Da omfanget af lovovertrædelserne begyndte at gå op for hende, forstod hun, at alle de beslutninger, hun tog, ville blive gået efter i sømmene i fremtidige historiebøger. Siden da havde hun brugt hvert et vågent minut på at forsøge at få overblik over den nærmest ufatteligt lange liste over forbrydelser, hun skulle håndtere. Sagen var unik i svensk retshistorie, og da det drejede sig om at kortlægge lovovertrædelser, der havde stået

540

på i mindst tredive år, indså hun behovet for en særlig arbejdsorganisation. Hendes tanker gik til de statslige mafiaefterforskere i Italien, der var blevet tvunget til næsten at arbejde under jorden for at overleve i 70'erne og 80'erne. Hun forstod, hvorfor Edklinth havde været nødt til at arbejde i hemmelighed. Han vidste ikke, hvem han kunne stole på.

Hendes første skridt var at indkalde tre medarbejdere fra statsadvokatens kontor. Hun valgte nogle personer, som hun havde kendt i mange år. Derefter ansatte hun en kendt historiker, som arbejdede i Det Kriminalpræventive Råd, til at bistå med viden om de sikkerhedspolitiske magters fremvækst gennem årtierne. Endelig valgte hun formelt Monica Figuerola som efterforskningsleder.

Dermed havde efterforskningen af Sektionen fået en forfatningsmæssig gyldig form. Den var nu at betragte som en hvilken som helst anden politiefterforskning, selv om der var totalt ytringsforbud.

I de forløbne to uger havde anklager Gustavsson indkaldt en mængde personer til formelle, men meget diskrete afhøringer. Afhøringerne omfattede foruden Edklinth og Figuerola også kriminalkommissær Bublanski, Sonja Modig, Curt Svensson og Jerker Holmberg. Derefter havde hun indkaldt Mikael Blomkvist, Malin Eriksson, Henry Cortez, Christer Malm, Annika Giannini, Dragan Armanskij, Susanne Linder og Holger Palmgren. Bortset fra repræsentanterne for *Millennium*, som af princip ikke svarede på spørgsmål, der kunne føre til afsløring af kilder, havde samtlige beredvilligt givet udførlige redegørelser og afleveret dokumentation.

Ragnhild Gustavsson havde ikke fundet det spor morsomt, at hun var blevet præsenteret for et tidsskema, der var besluttet af *Millennium*, og som betød, at hun ville være nødt til at varetægtsfængsle et antal personer på en given dato. Hun mente, at hun burde have haft flere måneders forberedelse, før efterforskningen kom til det punkt, men i dette tilfælde havde hun ikke haft noget valg. Mikael Blomkvist fra tidsskriftet *Millennium* havde været umedgørlig. Han adlød ingen statslige forordninger eller reglementer, og han havde tænkt sig at offentliggøre historien på tredjedagen for retssagen mod Lisbeth Salander. Dermed var Ragnhild Gustavsson nødt til at tilpasse sig og slå til samtidig, for at mistænkte personer og eventuelt bevismateriale ikke skulle nå at forsvinde. Blomkvist blev dog besynderligt nok støttet af Edklinth og Figuerola, og efterhånden var advokaten begyndt at indse, at hun ville få præcis den velorganiserede mediemæssige opbakning, som hun behøvede for at rejse tiltale. Desuden ville processen komme til at gå så hurtigt, at den vanskelige efterforskning ikke ville kunne nå at lække ud i bureaukratiets korridorer og dermed risikere at havne hos Sektionen.

"For Blomkvist drejer det sig først og fremmest om at give Lisbeth Salander oprejsning. At pågribe Sektionen er bare en konsekvens af det," konstaterede Monica Figuerola.

Retssagen mod Lisbeth Salander skulle begynde om onsdagen, to dage senere, og mødet denne mandag havde drejet sig om at gennemgå det tilgængelige materiale og fordele arbejdsopgaverne.

Tretten personer havde deltaget i mødet. Fra statsadvokatens kontor havde Ragnhild Gustavsson taget sine to nærmeste medarbejdere med sig. Fra grundlovsbeskyttelsen havde efterforskningsleder Monica Figuerola deltaget sammen med medarbejderne Stefan Bladh og Anders Berglund. Grundlovsbeskyttelsens chef, Torsten Edklinth, havde siddet med som observatør.

Ragnhild Gustavsson havde dog besluttet, at en sag af denne kaliber ikke med troværdighed kunne begrænses til Säpo. Hun havde derfor indkaldt kriminalkommissær Jan Bublanski og hans gruppe bestående af Sonja Modig, Jerker Holmberg og Curt Svensson fra det åbne politi. Disse havde jo arbejdet med Salandersagen siden påskeferien og var velinformerede. Desuden havde hun indkaldt politianklager Agneta Jervas og kriminalkommissær Marcus Erlander fra Göteborg. Efterforskningen af Sektionen havde en direkte tilknytning til efterforskningen af mordet på Alexander Zalachenko.

Da Monica Figuerola nævnte, at forhenværende statsminister Thorbjörn Fälldin eventuelt måtte afhøres som vidne, rørte politiassistenterne Jerker Holmberg og Sonja Modig uroligt på sig.

I fem timer var det ene navn efter det andet på personer, der var blevet identificeret som aktive i Sektionen, blevet undersøgt nøje, hvorefter lovovertrædelserne blev konstateret og beslutning om arrestation taget. Sammenlagt var syv personer blevet identificeret og forbundet med lejligheden i Artillerigatan. Derudover var hele ni personer blevet identificeret, der mentes at have tilknytning til Sektionen, men som aldrig besøgte Artillerigatan. De arbejdede hoved-

542

sagelig i Säpo på Kungsholmen, men havde mødt nogle af folkene fra Sektionen.

"Det er stadig umuligt at sige, hvor omfattende sammensværgelsen er. Vi ved ikke, under hvilke omstændigheder disse personer møder Wadensjöö eller andre. De kan være informanter eller have fået det indtryk, at de arbejder for interne efterforskninger eller lignende. Der er altså en usikkerhed om deres indblanding, der kun kan løses, når vi får mulighed for at afhøre de pågældende personer. Dette er desuden kun de personer, vi har noteret ned i løbet af de uger, som overvågningerne har stået på; der kan altså være flere personer, som vi ikke kender til endnu."

"Men vicesekretariatschefen og budgetchefen ..."

"Vi kan med sikkerhed fastslå, at de arbejder for Sektionen."

Klokken var seks mandag aften, da Ragnhild Gustavsson besluttede at holde en middagspause på en time, hvorefter mødet skulle genoptages.

Det var i det øjeblik, da alle rejste sig og begyndte at røre på sig, at Monica Figuerolas medarbejder Jesper Thoms fra grundlovsbeskyttelsens operative enhed søgte hendes opmærksomhed for at rapportere, hvad der var sket i løbet af de sidste timers overvågning.

"Clinton har været i dialyse en stor del af dagen og vendte tilbage til Artillerigatan ved femtiden. Den eneste, der har foretaget sig noget af interesse, er Georg Nyström, selv om vi ikke rigtig er sikre på, hvad han lavede."

"Aha," sagde Monica Figuerola.

"Klokken 13.30 i dag kørte Nyström ned til hovedbanegården og mødte to personer. De gik hen til hotel Sheraton og drak kaffe i baren. Mødet varede omkring tyve minutter, hvorefter Nyström vendte tilbage til Artilligatan."

"Aha. Hvem mødte han?"

"Det ved vi ikke. Det er nye ansigter. To mænd omkring 35 år, der udseendemæssigt så ud til at være af østeuropæisk oprindelse. Men vores spejdere tabte dem desværre, da de gik ned til tunnelbanen."

"Aha," sagde Monica Figuerola træt.

"Her er portrætterne," sagde Jesper Thoms og gav hende en serie overvågningsbilleder.

Hun så på nogle forstørrelser af ansigter, hun aldrig før havde set.

"Okay, tak," sagde hun, lagde billederne på mødebordet og rejste sig for at gå ud og få noget at spise.

Curt Svensson stod lige ved siden af og betragtede billederne.

"For fanden," sagde han. "Har brødrene Nikolić noget med det her at gøre?"

Monica Figuerola stoppede op.

"Hvem?"

"Det der er to rigtig grimme fisk," sagde Curt Svensson. "Tomi og Miro Nikolić."

"Ved du, hvem de er?"

"Ja. To brødre fra Huddinge. Serbere. Vi har holdt øje med dem ved adskillige lejligheder, da de var i tyverne, og jeg var i bandekriminalitetsafdelingen. Miro Nikolić er den farligste af brødrene. Han har for resten været efterlyst i nogle år for grov vold. Men jeg troede, at de begge var forsvundet til Serbien og var blevet politikere eller noget i den stil."

"Politikere?"

"Ja, de tog til Jugoslavien i første halvdel af 90'erne og hjalp med at lave etnisk udrensning. De arbejdede for mafialederen Arkan, der drev en eller anden slags privat fascistmilits. De havde ry for at være *shooters.*"

"*Shooters?*"

"Ja, altså lejemordere. De har fartet lidt rundt mellem Beograd og Stockholm. Deres farbror har en restaurant på Norrmalm, som de officielt arbejder i nu og da. Vi har fået flere oplysninger om, at de har været med til i hvert fald to mord i forbindelse med interne opgør i den såkaldte cigaretkrig blandt jugoslaverne, men vi har aldrig kunnet sætte dem fast for noget."

Monica Figuerola betragtede stumt billederne. Så blev hun pludselig ligbleg. Hun stirrede på Torsten Edklinth.

"Blomkvist," skreg hun med panik i stemmen. "De har ikke tænkt sig at nøjes med at skandalisere ham. De har tænkt sig at dræbe ham og lade politiet finde kokainen under efterforskningen og drage deres egne konklusioner."

Edklinth stirrede tilbage på hende.

"Han skulle møde Erika Berger på Samirs Gryta," sagde Monica Figuerola. Hun greb Curt Svensson i skulderen.

"Er du bevæbnet?"

"Ja ..."

"Følg mig."

Monica Figuerola fór ud af mødelokalet. Hendes kontor lå tre døre længere nede ad gangen. Hun låste op og hentede sit tjenestevåben fra skrivebordsskuffen. Trods alle regler lod hun døren til sit kontor stå ulåst og på vid gab, da hun satte i løb mod elevatorerne. Curt Svensson stod ubeslutsom nogle sekunder.

"Gå," sagde Bublanski. "Sonja ... følg med dem."

MIKAEL BLOMKVIST ANKOM til Samirs Gryta tyve minutter over seks. Erika Berger var lige kommet og havde fundet et ledigt bord ved siden af bardisken i nærheden af indgangen. Han kyssede hende på kinden. De bestilte hver en stor fadøl og en lammegryde og fik øllerne serveret.

"Hvordan var Hende på TV4?" spurgte Erika Berger.

"Lige så kølig som altid."

Erika Berger grinede.

"Hvis du ikke passer på, bliver du besat af hende. Tænk, der findes en pige, der ikke falder for Blomkvists charme."

"Der er faktisk flere piger, der ikke er faldet for mig gennem årene," sagde Mikael Blomkvist. "Hvordan har din dag været?"

"Spild af tid. Men jeg har sagt ja til at sidde med i en debat om SMP i Publicistklubben. Det skal være mit sidste indlæg i debatten."

"Herligt."

"Det er bare så skideskønt at være tilbage på *Millennium*," sagde hun.

"Du aner ikke, hvor skønt jeg synes, det er, at du er tilbage. Følelsen har endnu ikke lagt sig."

"Det er morsomt at gå på arbejde igen."

"Mmm."

"Jeg er lykkelig."

"Og jeg skal på potten," sagde Mikael og rejste sig.

Han tog nogle skridt og kolliderede næsten med en mand omkring 35 år, som netop kom ind ad døren. Mikael lagde mærke til, at han havde et østeuropæisk udseende, og at han stirrede på ham. Så fik han øje på maskinpistolen.

545

DA DE PASSEREDE Riddarholmen, ringede Torsten Edklinth og forklarede, at hverken Mikael Blomkvist eller Erika Berger svarede på deres mobiltelefoner. De havde muligvis slukket for dem i forbindelse med middagen.

Monica Figuerola bandede og passerede Södermalmstorg med en fart af nærmest firs kilometer i timen. Hun trykkede hornet i bund og foretog et skarpt sving op ad Hornsgatan. Curt Svensson var nødt til at støtte med hånden mod bildøren. Han havde fundet sit tjenestevåben frem og kontrollerede, at det var ladt. Sonja Modig gjorde det samme på bagsædet.

"Vi må bede om forstærkning," sagde Curt Svensson. "Brødrene Nikolić er ikke til at spøge med."

Monica Figuerola nikkede.

"Vi gør sådan her," sagde hun. "Sonja og jeg går direkte ind på Samirs Gryta og håber, at de sidder der. Du, Curt, kan genkende brødrene Nikolić og bliver stående udenfor og holder udkig."

"Okay."

"Hvis alt er roligt, tager vi Blomkvist og Berger med ud i bilen med det samme og kører dem ned til Kungsholmen. Hvis vi aner det mindste uråd, bliver vi inde på restauranten og beder om forstærkning."

"Okay," sagde Sonja Modig.

Monica Figuerola befandt sig stadig i Hornsgatan, da det knasede i politiradioen under instrumentbrættet.

Alle enheder. Skyderi i Tavastgatan på Södermalm i restaurant Samirs Gryta.

Monica Figuerola mærkede en pludselig krampe i mellemgulvet.

ERIKA BERGER SÅ Mikael Blomkvist støde sammen med en mand omkring 35 år, da han gik hen mod toilettet ved indgangen. Hun rynkede øjenbrynene uden rigtig at vide hvorfor. Hun syntes, at den ukendte mand stirrede på Mikael med et forbavset ansigtsudtryk. Hun spekulerede på, om det var en, Mikael kendte.

Så så hun manden tage et skridt tilbage og lade en taske falde ned på gulvet. Hun forstod først ikke, hvad hun var vidne til. Hun sad helt paralyseret, da han hævede et automatvåben mod Mikael Blomkvist.

MIKAEL BLOMKVIST REAGEREDE uden at tænke. Han rakte venstre hånd ud, greb fat i løbet og drejede det op mod loftet. I et splitsekund passerede mundingen ud for hans ansigt.

Smældene fra maskinpistolen var øredøvende i det lille lokale. Murbrokker og glas fra loftsbelysningen regnede ned over Mikael, da Miro Nikolić affyrede elleve skud. I et kort øjeblik stirrede Mikael Blomkvist attentatmanden lige i øjnene.

Så gik Miro Nikolić et skridt tilbage og flåede våbnet til sig. Mikael var helt uforberedt og mistede grebet i løbet. Det gik pludselig op for ham, at han befandt sig i livsfare. Uden at tænke sig om kastede han sig frem mod attentatmanden i stedet for at søge dækning. Det gik senere op for ham, at hvis han havde reageret anderledes, hvis han havde bukket sig eller var bakket, var han blevet skudt på stedet. Han fik igen fat i maskinpistolens løb. Han brugte sin kropsvægt til at presse attentatmanden op mod væggen. Han hørte yderligere seks eller syv skud blive affyret og flåede desperat i maskinpistolen for at rette mundingen mod gulvet.

ERIKA BERGER BUKKEDE sig instinktivt, da den anden serie skud blev affyret. Hun faldt og slog hovedet ned i en stol. Så krøb hun sammen på gulvet, hævede blikket og så tre kuglehuller, der havde åbenbaret sig i væggen præcis på det sted, hun lige havde siddet.

Chokeret drejede hun hovedet og så Mikael Blomkvist kæmpe med manden ved indgangen. Han var gledet ned på knæ og havde fået fat i maskinpistolen med begge hænder og forsøgte at vriste den løs. Hun så, at attentatmanden kæmpede for at gøre sig fri. Igen og igen slog han knytnæven mod Mikaels ansigt og tinding.

MONICA FIGUEROLA BREMSEDE hårdt op uden for Samirs Gryta, flåede bildøren op og satte i løb mod restauranten. Hun havde sin Sig Sauer i hånden og afsikrede den, da hun blev bevidst om den bil, der stod parkeret lige uden for restauranten.

Hun så Tomi Nikolić bag rattet og rettede sit våben mod hans ansigt på den anden side af bilruden.

"Politi. Op med hænderne," skreg hun.

Tomi Nikolić rakte hænderne i vejret.

"Stig ud af bilen, og læg dig ned på gaden," råbte hun vredt. Hun drejede hovedet og kastede et hurtigt blik på Curt Svensson. "Restauranten," sagde hun.

Curt Svensson og Sonja Modig satte i løb over gaden.

Sonja Modig tænkte på sine børn. Det var mod alle politiregler at fare ind i en bygning med trukket våben uden først at have ordentlig forstærkning på plads, uden skudsikre veste og uden at have et ordentligt overblik over situationen ...

Så hørte hun knaldet, da et skud blev affyret inde i restauranten.

MIKAEL BLOMKVIST HAVDE fået sin langfinger ind mellem aftrækkeren og bøjlen, da Miro Nikoliç begyndte at skyde igen. Han hørte glas blive knust bag sig. Han mærkede en fortvivlende smerte i fingeren, da attentatmanden igen og igen trykkede på aftrækkeren og klemte fingeren, men så længe fingeren sad der, kunne våbnet ikke affyres. Knytnæveslagene haglede ned over den ene side af hans hoved, og han mærkede pludselig, at han var 45 år og ikke særlig veltrænet.

Klarer ikke det her. Må snart få en ende, tænkte han.

Det var hans første rationelle tanke, efter at han havde opdaget manden med maskinpistolen.

Han bed tænderne sammen og kørte fingeren endnu længere ind bag aftrækkeren.

Så stemte han imod med fødderne, pressede skulderen mod attentatmandens krop og tvang sig op på benene igen. Han slap taget om maskinpistolen med højre hånd og tog albuen op som beskyttelse mod knytnæveslagene. Miro Nikoliç slog ham i stedet i armhulen og mod ribbenene. I et kort øjeblik stod de igen ansigt til ansigt.

I næste øjeblik mærkede Mikael, hvordan attentatmanden blev trukket væk fra ham. Han følte en sidste voldsom smerte i fingeren og så Curt Svenssons vældige skikkelse. Svensson bogstavelig talt løftede Miro Nikoliç op med et fast greb om nakken og dunkede hans hoved ind i væggen ved siden af dørkarmen. Miro Nikoliç faldt sammen som et korthus.

"Læg dig ned," hørte han Sonja Modig skrige. "Det er politiet. Lig stille."

Han drejede hovedet og så hende stå med skrævende ben med begge hænder om våbnet, mens hun forsøgte at få overblik over den

548

kaotiske situation. Til sidst hævede hun våbnet mod loftet og rettede blikket mod Mikael Blomkvist.

"Er du såret?" spurgte hun.

Mikael så fortumlet på hende. Han blødte fra øjenbryn og næse.

"Jeg tror, at jeg har brækket fingeren," sagde han og satte sig ned på gulvet.

MONICA FIGUEROLA FIK assistance af Södermalmsafdelingen mindre end et minut efter, at hun havde tvunget Tomi Nikolič ned på fortovet. Hun identificerede sig, lod betjentene tage sig af fangen og løb derefter ind i restauranten. Hun standsede op i døråbningen og forsøgte at skabe sig et overblik over situationen.

Mikael Blomkvist og Erika Berger sad på gulvet. Han var blodig i ansigtet og så ud til at befinde sig i en choktilstand. Monica åndede lettet op. Han levede i hvert fald. Derefter rynkede hun brynene, da Erika Berger lagde sin arm omkring Mikaels skuldre.

Sonja Modig sad på hug og undersøgte Blomkvists hånd. Curt Svensson var ved at lægge håndjern på Miro Nikolič, der så ud, som om han var blevet ramt af et eksprestog. Hun så en maskinpistol af svensk militærmodel på gulvet.

Hun løftede blikket og så chokeret restaurantpersonale og skrækslagne gæster og konstaterede knust porcelæn, væltede stole og borde og ødelæggelse fra en del skud. Hun kunne lugte krudtrøg. Men hun kunne ikke se hverken døde eller sårede i restauranten. Betjente begyndte at trænge ind i lokalet med trukne våben. Hun rakte hånden ud og rørte ved Curt Svenssons skulder. Han rejste sig.

"Du sagde, at Miro Nikolič var efterlyst?"

"Stemmer. Grov vold for omkring et år siden. Et indbrud nede i Hallunda."

"Okay. Vi gør sådan her. Jeg forsvinder så hurtigt som bare pokker med Blomkvist og Berger. Du bliver. Historien er altså, at du og Sonja Modig gik herhen for at spise middag sammen, og at du genkendte Nikolič fra din tid i bandekriminalitetsafdelingen. Da du forsøgte at pågribe ham, trak han våbnet og plaffede løs. Du fik ham pacificeret."

Curt Svensson så forbavset ud.

"Det vil ikke holde ... der er vidner."

"Vidnerne vil fortælle, at nogen sloges og skød. Det behøver ikke at holde længere end til morgenaviserne. Historien er altså, at brødrene Nikoliç blev pågrebet ved et rent sammentræf, fordi du genkendte dem."

Curt Svensson så sig omkring i kaosset. Så nikkede han kort.

MONICA FIGUEROLA BANEDE sig vej gennem politiopbuddet på gaden og satte Mikael Blomkvist og Erika Berger ind på bagsædet af sin bil. Hun vendte sig om mod den øverstbefalende for Södermalmsafdelingen og talte lavmælt med ham i et halvt minut. Hun nikkede mod bilen, hvor Mikael og Erika sad. Den øverstbefalende så forvirret ud, men nikkede til sidst. Hun kørte hen til Zinkensdamm, parkerede og vendte sig om.

"Hvor meget er I kommet til skade?"

"Jeg fik nogle på tuden. Tænderne er der stadig. Jeg er kommet til skade med langfingeren."

"Vi tager til Sankt Görans skadestue."

"Hvad skete der?" spurgte Erika Berger. "Og hvem er du?"

"Undskyld," sagde Mikael. "Erika, det er Monica Figuerola. Hun arbejder for Säpo. Monica, det er Erika Berger."

"Det har jeg regnet ud," sagde Monica Figuerola med neutral stemme. Hun så ikke på Erika Berger.

"Monica og jeg har mødtes i forbindelse med efterforskningen. Hun er min kontakt i Säpo."

"Jeg forstår," sagde Erika Berger og begyndte pludselig at ryste, da chokket satte ind.

Monica Figuerola stirrede ondt på Erika Berger.

"Hvad skete der?" spurgte Mikael.

"Vi misfortolkede hensigten med kokainen," sagde Monica Figuerola. "Vi troede, at de havde sat en fælde for at skandalisere dig. I virkeligheden havde de tænkt sig at myrde dig og lade politiet finde kokainen, når de gennemgik din lejlighed."

"Hvilken kokain?" spurgte Erika Berger.

Mikael lukkede øjnene lidt.

"Kør mig til Sankt Göran," sagde han.

"ARRESTERET?" UDBRØD Fredrik Clinton. Han mærkede et fjerlet tryk i hjerteregionen.

"Vi tror, at det er okay," sagde Georg Nyström. "Det ser ud til at have været et rent sammentræf."

"Sammentræf?"

"Miro Nikoliç var efterlyst for en gammel voldshistorie. En gadebetjent genkendte ham tilfældigvis og pågreb ham, da han trådte ind på Samirs Gryta. Nikoliç blev grebet af panik og forsøgte at skyde sig fri."

"Blomkvist?"

"Han blev aldrig indblandet. Vi ved ikke engang, om han befandt sig på Samirs Gryta, da arrestationen fandt sted."

"Det kan for helvede ikke være rigtigt," sagde Fredrik Clinton. "Hvad ved brødrene Nikoliç?"

"Om os? Ingenting. De tror, at både Björck og Blomkvist var et job, der havde med trafficking at gøre."

"Men de ved, at Blomkvist var målet?"

"Selvfølgelig, men de begynder næppe at plapre op om, at de havde påtaget sig et bestillingsmord. De skal nok holde kæft hele vejen op til retten. De ryger ind for ulovlig våbenbesiddelse og, vil jeg gætte på, vold mod tjenestemand."

"Skide fjolser."

"Ja, de kludrede virkelig i det. Vi er nødt til at lade Blomkvist løbe indtil videre, men der er egentlig ingen skade sket."

KLOKKEN VAR ELLEVE om aftenen, da Susanne Linder og to ordentlige bøffer fra Milton Securitys personbeskyttelse hentede Mikael Blomkvist og Erika Berger på Kungsholmen.

"Der sker virkelig noget omkring dig," sagde Susanne Linder til Erika Berger.

"Sorry," svarede Erika dystert.

Erika var blevet ramt af et ordentligt chok i bilen på vej til Sankt Göran. Lige pludselig gik det op for hende, at både hun og Mikael Blomkvist nær var blevet dræbt.

Mikael tilbragte en time på skadestuen med at få ansigtet forbundet, blive røntgenfotograferet og få venstre langfinger bundet ind. Han havde en stor læsion over det yderste fingerled og ville sandsynligvis tabe neglen. Den alvorligste skade var ironisk nok sket, da Curt Svensson var kommet til undsætning og havde hevet Miro Nikoliç væk fra ham. Mikaels langfinger havde siddet fast i bøjlen i maskinpistolen, og fingeren var simpelthen brækket. Det gjorde helvedes ondt, men var næppe livstruende.

For Mikael kom chokket ikke før næsten to timer senere, da han var ankommet til grundlovsbeskyttelsen i Säpo for at give en redegørelse til kriminalkommissær Bublanski og anklager Ragnhild Gustavsson. Han begyndte pludselig at ryste og følte sig så træt, at han nær faldt i søvn mellem spørgsmålene. Derefter var der opstået en vis palaver.

"Vi ved ikke, hvad de planlægger," sagde Monica Figuerola. "Vi ved ikke, om kun Blomkvist var det tiltænkte offer, eller om også Berger skulle dø. Vi ved ikke, om de har tænkt sig at forsøge igen, eller om andre på *Millennium* også er truet ... Og hvorfor ikke dræbe Salander, som er den alvorligste trussel mod Sektionen?"

"Jeg har allerede ringet rundt og informeret medarbejderne på *Millennium*, mens Mikael blev forbundet," sagde Erika Berger. "Alle holder lav profil, indtil tidsskriftet udkommer. Redaktionen vil være ubemandet."

Torsten Edklinths første reaktion havde været straks at give Mikael Blomkvist og Erika Berger en livvagt. Derefter kom både han og Monica Figuerola i tanke om, at det måske ikke var det allersmarteste træk at vække opmærksomhed ved at kontakte Säpos personbeskyttelse.

Erika Berger løste problemet ved at frabede sig politibeskyttelse. Hun løftede røret og ringede til Dragan Armanskij og forklarede situationen. Hvilket afstedkom, at Susanne Linder sent på aftenen pludselig blev bedt om at møde på arbejde.

MIKAEL BLOMKVIST OG Erika Berger blev indkvarteret på første sal i et *safe house* beliggende lige uden for Drottningholm på vejen til Ekerö centrum. Det var en stor villa fra 30'erne med udsigt til vandet, imponerende have og tilhørende udhus og jord. Ejendommen tilhørte Milton Security, men var beboet af Martina Sjögren, 68 år, enke efter den mangeårige medarbejder Hans Sjögren, som forulykkede, da han femten år tidligere i forbindelse med et tjenesteærinde faldt igennem et råddent gulv i en ødegård uden for Sala. Efter begravelsen havde Dragan Armanskij talt med Martina Sjögren og ansat hende som husholderske og vicevært i ejendommen. Hun boede gratis i en tilbygning til stueetagen og holdt førstesalen parat til, når Milton Security nogle gange hvert år med kort varsel havde brug for at huse nogle personer, der af virkelige eller indbildte grunde frygtede for deres sikkerhed.

Monica Figuerola fulgte med. Hun sank ned på en stol i køkkenet og lod Martina Sjögren servere kaffe, mens Erika Berger og Mikael Blomkvist installerede sig på førstesalen, og Susanne Linder kontrollerede alarm og elektronisk overvågning omkring ejendommen.

"Der er tandbørster og toiletartikler i kommoden uden for badeværelset," råbte Martina Sjögren op ad trappen.

Susanne Linder og de to livvagter fra Milton Security installerede sig i værelser i stueetagen.

"Jeg har været i gang, siden jeg blev vækket klokken fire i morges," sagde Susanne Linder. "I må gerne lave vagtskemaet, men lad mig sove til i hvert fald klokken fem i morgen tidlig."

"Du kan sove hele natten, så tager vi os af det her," sagde en af livvagterne.

"Tak," sagde Susanne Linder og gik ind og lagde sig.

Monica Figuerola lyttede distræt, mens de to livvagter satte bevægelsesalarmen op i haven og trak lod om, hvem der skulle tage den første vagt. Ham, der tabte, smurte sig nogle madder og satte sig i et tv-rum ved siden af køkkenet. Monica Figuerola studerede de blomstrede kaffekopper. Hun havde også været i gang siden tidlig morgen og følte sig efterhånden mør. Hun overvejede at tage hjem, da Erika Berger kom ned og hældte en kop kaffe op. Hun slog sig ned på den anden side af bordet.

"Mikael gik ud som et lys, så snart han kom i seng."

"Reaktion på adrenalinet," sagde Monica Figuerola.

"Hvad sker der nu?"

"I er nødt til at holde jer væk nogle dage. Inden en uge er det her forbi, hvordan det så end ender. Hvordan har du det?"

"Jo tak. Stadig lidt rystet. Det er ikke hver dag, den slags sker. Jeg har netop ringet og forklaret min mand, hvorfor jeg ikke kommer hjem i aften."

"Hmm."

"Jeg er gift med ..."

"Jeg ved godt, hvem du er gift med."

Tavshed. Monica Figuerola gned sig i øjnene og gabte.

"Jeg er nødt til at tage hjem og sove," sagde hun.

"For guds skyld. Hold op med det pjat og gå ind og læg dig hos Mikael," sagde Erika.

Monica Figuerola betragtede hende.

"Er det så tydeligt?" spurgte hun.

Erika nikkede.

"Har Mikael sagt noget ..."

"Ikke et ord. Han plejer at være ret diskret, når det gælder hans damebekendtskaber. Men nogle gange er han som en åben bog. Og du er åbenlyst fjendtlig, når du ser på mig. I forsøger at skjule noget."

"Det er min chef," sagde Monica Figuerola.

"Din chef?"

"Ja. Edklinth ville blive rasende, hvis han vidste, at jeg og Mikael har ..."

"Okay."

Tavshed.

"Jeg ved ikke, hvad der foregår mellem dig og Mikael, men jeg er ikke din rival," sagde Erika.

"Ikke?"

"Mikael er min elsker en gang imellem. Men jeg er ikke gift med ham."

"Jeg har forstået, at I har et specielt forhold. Han fortalte om jer, da vi var ude i Sandhamn."

"Har du været i Sandhamn med ham. Så er det alvorligt."

"Du skal ikke lave sjov med mig."

"Monica ... jeg håber, at du og Mikael ... Jeg skal forsøge at holde mig væk."

"Og hvis du ikke kan det?"

Erika Berger trak på skuldrene.

"Hans forhenværende kone flippede ud, da Mikael var utro med mig. Hun smed ham ud. Det var min skyld. Så længe Mikael er single og ledig, har jeg ingen samvittighedskvaler. Men jeg har lovet mig selv, at hvis han er sammen med nogen for alvor, så holder jeg mig på afstand."

"Jeg ved ikke, om jeg tør satse på ham."

"Mikael er speciel. Er du forelsket i ham?"

"Det tror jeg."

"Jamen, så glem fortiden. Gå nu op og læg dig."

Monica tænkte lidt over det. Så gik hun op til førstesalen, klædte sig af og krøb ned i sengen til Mikael. Han mumlede noget og lagde en arm rundt om hendes talje.

Erika Berger sad i lang tid i køkkenet og tænkte. Hun følte sig pludselig dybt ulykkelig.

KAPITEL 25

Onsdag den 13. juli – torsdag den 14. juli

MIKAEL BLOMKVIST HAVDE altid spekuleret på, hvordan det kunne være, at højttalerne i byretten var så svage og diskrete. Han havde svært ved at høre ordene, da det blev meddelt, at retssagen mod Lisbeth Salander skulle begynde i sal 5 klokken 10.00. Han havde dog været ude i god tid og havde sat sig ved indgangen til retsalen. Han var en af de første, der blev lukket ind. Han bænkede sig på tilskuerpladserne i salens venstre side, hvor han ville have bedst udsigt til den tiltaltes bord. Tilskuerpladserne blev hurtigt fyldt. Mediernes interesse var steget gradvis i tiden op til retssagen, og den seneste uge var politiadvokat Richard Ekström blevet interviewet dagligt.

Ekström havde været flittig.

Lisbeth Salander var sigtet for vold og grov vold mod Carl-Magnus Lundin; for ulovlige trusler, drabsforsøg og grov vold mod den afdøde Karl Axel Bodin alias Alexander Zalachenko; for to tilfælde af indbrud – dels i afdøde advokat Nils Bjurmans sommerhus på Stallarholmen, dels i hans lejlighed ved Odenplan; for tyveri af et køretøj – en Harley-Davidson ejet af en vis Sonny Nieminen, medlem af Svavelsjö MC; for tre tilfælde af ulovlig våbenbesiddelse – en tåregaspatron, en elpistol og en polsk P-83 Wanad, der blev fundet i Gosseberga; for tyveri eller tilbageholdelse af bevismateriale – formuleringen var uklar, men hentydede til den dokumentation, hun havde fundet i Bjurmans sommerhus, samt for et antal mindre forseelser. Sammenlagt havde Lisbeth Salander seksten anklagepunkter imod sig.

Ekström havde også lækket oplysninger, der tydede på, at Lisbeth Salanders mentale tilstand lod en del tilbage at ønske. Han refererede dels til den retspsykiatriske rapport af dr. Jesper H. Löderman, der blev skrevet i forbindelse med hendes 18-års fødselsdag, dels en rap-

556

port, der efter retsbeslutning ved et indledende retsmøde var blevet skrevet af dr. Peter Teleborian. Eftersom den sindssyge pige vanen tro kategorisk nægtede at tale med psykiatere, var analysen blevet lavet med udgangspunkt i "observationer", som var blevet udført, efter hun var blevet indkvarteret i Kronobergsfængslet i Stockholm måneden før retssagen. Teleborian, der havde mangeårig erfaring med patienten, fastslog, at Lisbeth Salander led af en alvorlig psykisk forstyrrelse og brugte ord som psykopati, patologisk narcissisme, paranoia og skizofreni.

Medierne havde også rapporteret, at hun var blevet afhørt af politiet syv gange. I samtlige tilfælde havde den sigtede nægtet at sige godmorgen til forhørslederne. De første afhøringer var blevet foretaget af politiet i Göteborg, mens resten havde fundet sted på politigården i Stockholm. Båndoptagelserne fra forhørsprotokollen afslørede både venlige forsøg på overtalelse og gentagne hårdnakkede spørgsmål, men ikke et eneste svar.

Ikke så meget som et host.

Et par gange lød Annika Gianninis stemme på båndene, når hun konstaterede, at hendes klient åbenbart ikke havde tænkt sig at svare på spørgsmål. Anklagerne mod Lisbeth Salander hvilede derfor udelukkende på tekniske beviser og de kendsgerninger, som politiefterforskningen kunne fastslå.

Lisbeths tavshed havde sat hendes forsvarsadvokat i en til tider akavet situation, da hun var tvunget til at forholde sig næsten lige så tavs som sin klient. Hvad Annika Giannini og Lisbeth Salander diskuterede i enrum var fortroligt.

Ekström gjorde heller ingen hemmelighed ud af, at han først og fremmest havde tænkt sig at kræve Lisbeth Salander tvangsindlagt på en lukket psykiatrisk afdeling og subsidiært kræve en hård fængselsstraf. Den normale procedure var den omvendte, men han mente, at i hendes tilfælde forelå der så tydelige psykiske forstyrrelser og en så tydelig retspsykiatrisk udtalelse, at han ikke havde noget alternativ. Det var yderst ualmindeligt, at en domstol gik imod en retspsykiatrisk udtalelse.

Han mente heller ikke, at Salanders umyndighedserklæring skulle ophæves. I et interview havde han med bekymret mine forklaret, at der i Sverige fandtes en del sociopatiske personer med så alvorlige

557

psykiske forstyrrelser, at de udgjorde en fare for sig selv og andre, og at videnskaben ikke havde andre muligheder end at holde disse personer bag lås og slå. Han nævnte sagen med den voldsomme pige Anette, der i 70'erne havde optrådt som føljeton i medierne, og som endnu tredive år senere befandt sig på den lukkede afdeling. Hvert eneste forsøg på at lempe restriktionerne resulterede i, at hun gik sanseløst og voldsomt til angreb på familie og plejepersonale eller forsøgte at skade sig selv. Ekström mente, at Lisbeth Salander led af en lignende form for psykopatisk forstyrrelse.

Mediernes interesse var også tiltaget af den enkle grund, at Lisbeth Salanders forsvarsadvokat Annika Giannini ikke havde udtalt sig i medierne. Hun havde konsekvent nægtet at lade sig interviewe for at få mulighed for at fremlægge den anden parts synspunkter. Medierne befandt sig derfor i en svær situation, hvor anklagersiden fodrede dem med oplysninger, mens forsvarssiden helt usædvanligt ikke kom med den mindste antydning om, hvordan Salander stillede sig til anklagerne, og hvilken strategi forsvaret ville anvende.

Dette forhold blev kommenteret af den juridiske ekspert, der var hyret til at dække sagen for en avis. Eksperten havde i en kronik konstateret, at Annika Giannini var en respekteret kvindesagsadvokat, men at hun helt manglede erfaring i strafferetssager uden for dette område, og havde draget den konklusion, at hun var uegnet til at forsvare Lisbeth Salander. Fra sin søster havde Mikael Blomkvist også fået at vide, at flere kendte advokater havde kontaktet hende og tilbudt deres tjeneste. Annika Giannini havde på ordre fra sin klient venligt takket nej til alle sådanne forslag.

IMENS MIKAEL VENTEDE på, at retssagen skulle begynde, skævede han til de andre tilhørere. Han opdagede pludselig Dragan Armanskij på pladsen nærmest udgangen.

Deres blikke mødtes et kort øjeblik.

Ekström havde en ordentlig stak papirer liggende foran sig på sit bord. Han nikkede genkendende til nogle journalister.

Annika Giannini sad ved sit bord over for Ekström. Hun sorterede papirer og så ikke nogen steder hen. Mikael syntes, at hans søster virkede en anelse nervøs. En smule lampefeber, tænkte han.

Derefter kom retsformanden, bisidderen og domsmanden ind i

salen. Retsformanden var dommer Jörgen Iversen, en 57-årig hvidhåret mand med et magert ansigt og energiske skridt. Mikael havde tjekket Iversens baggrund og konstateret, at han var kendt som en meget erfaren og korrekt dommer, der tidligere havde dømt ved flere opsigtsvækkende retssager.

Endelig blev Lisbeth Salander ført ind i retssalen.

Selv om Mikael var vant til Lisbeth Salanders evne til at vække forargelse med sin tøjstil, var han forbløffet over, at Annika Giannini havde tilladt hende at dukke op i retssalen iført kort sort lædernederdel, som var flosset i kanten, og en sort top med teksten *I am irritated*, der ikke skjulte særlig meget af hendes tatoveringer. Hun havde støvler på, nittebælte og stribede knæstrømper i sort og lilla. Hun havde en halv snes piercinger i ørerne og ringe gennem læber og øjenbryn. Hendes kranie var dækket af tre måneder lange ujævnt fordelte hårstubbe efter operationen i hovedet. Desuden havde hun ualmindelig meget sminke på. Hun havde grå læbestift på, malede øjenbryn og mere kulsort mascara, end Mikael nogensinde havde set hende med før. På det tidspunkt, hvor han havde været sammen med hende, havde hun snarere været uinteresseret i makeup.

Hun så en anelse vulgær ud for at udtrykke det diplomatisk. Nærmest gotisk. Hun mindede om en vampyr fra en eller anden kunstnerisk pop art-film fra 60'erne. Mikael bemærkede, at nogle journalister blandt publikum gispede forbavset og smilede skævt, da hun viste sig. Da de endelig fik den skandaleombruste pige at se, som de havde skrevet så meget om, levede hun op til alles forventninger.

Senere gik det op for ham, at Lisbeth Salander var klædt ud. Normalt plejede hun at klæde sig skødesløst og tilsyneladende uden smag. Mikael var altid gået ud fra, at hun ikke klædte sig på af moderigtige grunde, men for at markere en ejendommelig identitet. Lisbeth Salander markerede sit private revir som fjendtligt territorium. Han havde altid opfattet nitterne i hendes læderjakke som samme forsvarsmekanisme som et pindsvins pigge. Det var et signal til omgivelserne. *Lad være med at klappe mig. Det gør ondt.*

Da hun trådte ind i retten, havde hun dog accentueret sin tøjstil, så den var nærmest parodisk overdrevet.

Han forstod pludselig, at det ikke var nogen tilfældighed, men en del af Annikas strategi.

Hvis Lisbeth Salander var kommet vandkæmmet med bindebluse og nydelige små sko, ville hun have lignet en bedrager, der forsøgte at sælge en historie til retten. Det var et spørgsmål om troværdighed. Nu kom hun som sig selv og ingen anden. I noget overdreven form for tydelighedens skyld. Hun lod ikke, som om hun var nogen, hun ikke var. Hendes budskab til retten var, at hun ikke havde nogen grund til at skamme sig eller gøre sig til for dem. Hvis retten havde problemer med hendes udseende, var det ikke hendes problem. Samfundet havde anklaget hende for ting og sager, og anklageren havde slæbt hende for en domstol. Ved sin blotte tilstedeværelse havde hun allerede markeret, at hun havde tænkt sig at affærdige anklagerens ræsonnement som noget sludder.

Hun bevægede sig selvsikkert og satte sig på den anviste plads ved siden af sin forsvarsadvokat. Hun lod blikket løbe over tilhørerne. Der var ingen nysgerrighed i blikket. Det så snarere ud, som om hun trodsigt noterede sig og bogførte de personer, der allerede havde dømt hende i medierne.

Det var første gang, Mikael så hende, siden hun lå som en blodig kludedukke ved slagbænken i køkkenet i Gosseberga, og mere end halvandet år siden han sidst havde mødt hende under normale omstændigheder. Hvis nu udtrykket "normale omstændigheder" overhovedet kunne bruges i forbindelse med Lisbeth Salander. I nogle sekunder mødtes deres blikke. Hun dvælede ved ham et kort øjeblik, men viste ingen tegn på genkendelse. Derimod studerede hun omhyggeligt de blå mærker, der dækkede Mikaels kind og tinding og den kirurgtape, som sad over hans højre øjenbryn. Et kort øjeblik syntes Mikael at kunne ane antydningen af et smil i hendes øjne. Han var ikke sikker på, om det var noget, han bildte sig ind eller ej. Så bankede dommer Iversen i bordet og påbegyndte retsmødet.

TILHØRERNE VAR TIL STEDE i retssalen i sammenlagt tredive minutter. De fik lov til at høre anklager Ekströms indledende sagsfremstilling, hvor han fremlagde de anklagepunkter, som retssagen drejede sig om.

Alle journalister, bortset fra Mikael Blomkvist, noterede flittigt, selv om de allerede vidste, hvad Ekström havde tænkt sig at anklage hende for. Mikael havde allerede skrevet sin historie og var kun til stede ved retssagen for at markere sin tilstedeværelse og møde Lisbeth Salanders blik.

Ekströms indledende fremstilling tog omkring toogtyve minutter. Derefter var det Annika Gianninis tur. Hendes replik tog tredive sekunder. Hendes stemme var rolig.

"Fra forsvarets side afviser vi samtlige anklagepunkter bortset fra et. Min klient erkender ansvar for ulovlig våbenbesiddelse med hensyn til en tåregasspray. I alle øvrige anklagepunkter bestrider min klient ansvar eller kriminelle hensigter. Vi vil vise, at anklagerens påstande er fejlagtige, og at min klient er blevet udsat for et groft retsovergreb. Jeg vil kræve, at min klient bliver erklæret uskyldig, at hendes umyndighedserklæring bliver ophævet, og at hun sættes på fri fod."

Der lød en raslen og kratten fra journalistblokkene. Advokat Gianninis strategi var endelig kommet for en dag. Det var ikke, hvad journalisterne havde ventet. Det mest almindelige gæt havde været, at Annika Giannini ville referere til sin klients psykiske sygdom og udnytte den til sin fordel. Mikael smilede pludselig.

"Aha," sagde dommer Iversen og noterede noget ned. Han så på Annika Giannini. "Er du færdig?"

"Det er min fremstilling."

"Har anklageren noget at tilføje?" spurgte Iversen.

Det var på det tidspunkt, at anklager Ekström begærede, at retsmødet skulle ske bag lukkede døre. Han henviste til, at det drejede sig om et udsat menneskets psykiske tilstand og velbefindende samt om detaljer, der kunne være til skade for rigets sikkerhed.

"Jeg går ud fra, at du hentyder til den såkaldte Zalachenkohistorie," sagde Iversen.

"Det er rigtigt. Alexander Zalachenko kom til Sverige som politisk flygtning og søgte beskyttelse fra et frygteligt diktatur. Der er ting i sagen, personforbindelser og lignende, der endnu er hemmeligstemplede, selv om hr. Zalachenko i dag er død. Jeg begærer derfor, at retssagen skal holdes bag lukkede døre, og at der skal være tavshedspligt i de dele af retssagen, som er særligt følsomme."

"Jeg forstår," sagde Iversen og lagde panden i dybe folder.

"Desuden kommer en stor del af retssagen til at dreje sig om den tiltaltes formynderskab. Det berører spørgsmål, som i alle normale tilfælde næsten per automatik er hemmeligstemplede, og det er af medfølelse for den tiltalte, at jeg vil have lukkede døre."

"Hvordan stiller advokat Giannini sig til anklagerens begæring?"

"For vores vedkommende spiller det ingen rolle."

Dommer Iversen tænkte sig lidt om. Han konsulterede sin bisidder og meddelte derefter til de tilstedeværende journalisters irritation, at han accepterede anklagerens begæring. Derfor forlod Mikael Blomkvist salen.

DRAGAN ARMANSKIJ INDHENTEDE Mikael Blomkvist neden for trappen til retsbygningen. Det var en stegende varm julidag, og der havde dannet sig to svedpletter i Mikaels armhuler. Hans to livvagter sluttede sig til ham, da han kom ud fra retsbygningen. De nikkede til Dragan Armanskij og begyndte så at studere omgivelserne.

"Det føles mærkeligt at gå omkring med livvagter," sagde Mikael. "Hvad kommer det til at koste?"

"Det er på firmaets regning," sagde Armanskij. "Jeg har en personlig interesse i at holde dig i live. Men vi har lagt ud for omkring 250.000 kroner *pro bono* de seneste måneder."

Mikael nikkede.

"Kaffe?" spurgte Mikael og pegede hen mod den italienske café i Bergsgatan.

Armanskij nikkede. Mikael bestilte en caffè latte, mens Armanskij valgte en dobbelt espresso med en teskefuld mælk i. De slog sig ned i skyggen på fortovet uden for caféen. Livvagterne satte sig ved et bord ved siden af. De drak cola.

"Lukkede døre," konstaterede Armanskij.

"Det var ventet. Og det er kun godt, for så kan vi styre nyhedsstrømmen bedre."

"Ja, det spiller ingen rolle, men jeg begynder at synes dårligere og dårligere om politiadvokat Richard Ekström."

Mikael erklærede sig enig. De drak deres kaffe og så hen mod retsbygningen, hvor Lisbeth Salanders fremtid skulle afgøres.

"*Custer's last stand*," sagde Mikael.

"Hun er velforberedt," sagde Armanskij trøstende. "Og jeg må sige, at jeg er imponeret af din søster. Da hun begyndte at fremlægge strategien, troede jeg, at hun lavede sjov, men jo mere jeg tænker over det, desto mere fornuftigt virker det."

"Den retssag vil ikke blive afgjort derinde," sagde Mikael. Han kom til at gentage de ord som et mantra i flere måneder. "Du vil blive indkaldt som vidne," sagde Armanskij. "Jeg ved det. Jeg er forberedt. Men det kommer ikke til at ske før i overmorgen. Det satser vi i hvert fald på."

ANKLAGER RICHARD EKSTRÖM havde glemt sine bifokale briller derhjemme og var nødt til at skyde sine briller op i panden og knibe øjnene sammen for at læse noget, der stod skrevet med småt i hans noter. Han strøg sig hastigt over det blonde hageskæg, før han igen tog brillerne på og så sig omkring i rummet.

Lisbeth Salander sad med rank ryg og betragtede anklageren med et uudgrundeligt blik. Hendes ansigt og øjne var ubevægelige. Hun så ikke ud til at være rigtig nærværende. Det var nu blevet anklagerens tur til at indlede afhøringen af hende.

"Jeg vil minde frøken Salander om, at De taler under ed," sagde Ekström endelig.

Lisbeth Salander fortrak ikke en mine. Anklager Ekström så ud til at forvente sig en eller anden form for respons og ventede nogle sekunder. Han hævede øjenbrynene.

"Du taler altså under ed," gentog han.

Lisbeth Salander lagde hovedet lidt på skrå. Annika Giannini var beskæftiget med at læse noget i forundersøgelsesprotokollen og virkede uinteresseret i anklager Ekströms forehavende. Ekström samlede sine papirer sammen. Efter et øjebliks pinlig tavshed rømmede han sig.

"Ja ja," sagde Ekström medgørligt. "Skal vi gå direkte til begivenhederne i afdøde advokat Bjurmans sommerhus uden for Stallarholmen den 6. april i år, der er udgangspunktet for min sagsfremstilling her til morgen. Vi skal forsøge at bringe klarhed over, hvordan det kan være, at du tog ned til Stallarholmen og skød Carl-Magnus Lundin."

Ekström så opfordrende på Lisbeth Salander. Hun fortrak stadig ikke en mine. Anklageren så pludselig opgivende ud. Han slog ud med hænderne og vendte blikket mod retsformanden. Dommer Jörgen Iversen så betænkelig ud. Han skævede til Annika Giannini, der stadig sad fordybet i nogle papirer, helt uden at lægge mærke til omgivelserne.

Dommer Iversen rømmede sig. Han flyttede blikket til Lisbeth Salander.

"Skal vi opfatte din tavshed, som at du ikke vil svare på spørgsmål?" spurgte han.

Lisbeth Salander drejede hovedet og mødte dommer Iversens blik.

"Jeg svarer gerne på spørgsmål," svarede hun.

Dommer Iversen nikkede.

"Så kan du måske svare på spørgsmålet?" indskød anklager Ekström.

Lisbeth Salander vendte blikket mod Ekström igen. Hun forblev tavs.

"Kan du være venlig at svare på spørgsmålet?" sagde dommer Iversen.

Lisbeth drejede hovedet mod retsformanden igen og hævede øjenbrynene. Hendes stemme var klar og tydelig.

"Hvilket spørgsmål? Hidtil er ham der" – hun nikkede mod Ekström – "kommet med nogle ubekræftede påstande. Jeg har ikke opfattet noget spørgsmål."

Annika Giannini hævede blikket. Hun satte albuen i bordet og støttede ansigtet mod håndfladen med pludselig interesse i blikket.

Anklager Ekström tabte tråden et øjeblik

"Kan du være venlig at gentage spørgsmålet?" foreslog dommer Iversen.

"Jeg spurgte, om ... du tog ned til advokat Bjurmans sommerhus på Stallarholmen med den intention at skyde Carl-Magnus Lundin?"

"Nej, du sagde, at du ville forsøge at bringe klarhed over, hvordan det kunne være, at jeg tog ned til Stallarholmen og skød Carl-Magnus Lundin. Det er ikke noget spørgsmål. Det var en påstand, hvor du foregreb mit svar. Jeg kan ikke stilles til ansvar for, hvilke påstande du kommer med."

"Hold op med de urimelige indvendinger. Svar på spørgsmålet."

"Nej."

Tavshed.

"Nej, hvad?"

"Er svaret på spørgsmålet."

Anklager Richard Ekström sukkede. Det ville blive en lang dag.

Lisbeth Salander betragtede ham forventningsfuldt.

"Det er måske bedre, hvis vi tager det her fra begyndelsen," sagde han. "Befandt du dig i afdøde advokat Bjurmans sommerhus på Stallarholmen om eftermiddagen den 6. april i år?"

"Ja."

"Hvordan kom du derned?"

"Jeg tog toget til Södertälje og bussen mod Strängnäs."

"Af hvilken grund tog du til Stallarholmen? Havde du aftalt at mødes med Carl-Magnus Lundin og hans ven Sonny Nieminen der?"

"Nej."

"Hvordan kan det så være, at de dukkede op der?"

"Det må du spørge dem om."

"Nu spørger jeg dig."

Lisbeth Salander svarede ikke.

Dommer Iversen rømmede sig.

"Jeg formoder, at frøken Salander ikke svarer, fordi du rent semantisk igen er kommet med en påstand," sagde Iversen hjælpsomt.

Annika Giannini fnisede pludselig præcis så højt, at det kunne høres. Hun tav straks og så ned i sine papirer igen. Ekström så irriteret på hende.

"Hvorfor tror du, at Lundin og Nieminen dukkede op ved Bjurmans sommerhus?"

"Det ved jeg ikke. Jeg gætter på, at de tog derned for at anstifte en mordbrand. Lundin havde en liter benzin i en flaske i sadeltasken på sin Harley-Davidson."

Ekström spidsede læberne.

"Hvorfor tog du ned til advokat Bjurmans sommerhus?"

"Jeg søgte oplysninger."

"Hvilke slags oplysninger?"

"De oplysninger, som jeg har mistanke om, at Lundin og Nieminen var der for at tilintetgøre, og som altså kunne bidrage til at bringe klarhed over, hvem der myrdede idioten."

"Du mener, at advokat Bjurman var en idiot? Er det korrekt opfattet?"

"Ja."

"Og hvorfor mener du det?"

"Han var et sadistisk svin, en pervers stodder og en voldtægtsforbryder, altså en idiot."

Hun citerede de ord, der stod tatoveret på afdøde advokat Bjurmans mave og erkendte dermed indirekte, at hun var ansvarlig for ordene. Dette indgik dog ikke i anklagerne mod Lisbeth Salander. Bjurman havde aldrig anmeldt nogen vold, og det var ikke muligt at bevise, om han frivilligt havde ladet sig tatovere, eller om det var sket under tvang.

"Du hævder med andre ord, at din formynder skulle have forgrebet sig på dig. Kan du fortælle, hvornår disse overgreb fandt sted?"

"Det skete tirsdag den 18. februar 2003 og igen fredag den 7. marts samme år."

"Du har nægtet at svare på alle spørgsmål fra de forhørsledere, der har forsøgt at tale med dig. Hvorfor?"

"Jeg havde ikke noget at sige til dem."

"Jeg har læst den såkaldte selvbiografi, som din advokat pludselig afleverede for nogle dage siden. Jeg må sige, at det er et mærkeligt dokument, det vender vi tilbage til. Men i det hævder du, at advokat Bjurman ved det første tilfælde skal have tiltvunget sig oralsex og ved det andet tilfælde i en hel nat have udsat dig for gentagne fuldbyrdede voldtægter og grov tortur."

Lisbeth svarede ikke.

"Er det korrekt?"

"Ja."

"Politianmeldte du voldtægterne?"

"Nej."

"Hvorfor ikke?"

"Politiet har aldrig før lyttet, når jeg har forsøgt at fortælle dem noget. Altså var det ikke meningsfuldt at anmelde noget til dem."

"Diskuterede du overgrebene med nogen af dine bekendte. En veninde?"

"Nej."

"Hvorfor ikke?"

"Fordi det ikke angik nogen."

"Okay, søgte du kontakt med en advokat?"

"Nej."

"Henvendte du dig til en læge for at blive behandlet for de skader, som du påstår, at du havde pådraget dig?"

"Nej."

"Og du henvendte dig ikke til noget krisecenter."

"Nu kommer du igen med en påstand."

"Undskyld. Henvendte du dig til noget krisecenter?"

"Nej."

Ekström vendte sig mod retsformanden.

"Jeg vil gøre retten opmærksom på, at den tiltalte har påstået, at hun blev udsat for to seksuelle overgreb, hvoraf det andet er at betragte som værende af ekstremt grov karakter. Hun hævder, at den, der gjorde sig skyldig i disse voldtægter, var hendes formynder, afdøde advokat Nils Bjurman. Samtidig bør følgende kendsgerninger høre med til billedet ..."

Ekström fingererede med sine papirer.

"I den rapport, som kriminalpolitiet har skrevet, er der ikke noget i advokat Bjurmans fortid, der bestyrker troværdigheden i Lisbeth Salanders historie. Bjurman er aldrig blevet dømt for noget kriminelt. Han har aldrig været anmeldt til politiet eller været genstand for nogen undersøgelse. Han har tidligere været formynder for flere unge mennesker, og ingen af disse vil gøre gældende, at de har været udsat for nogen form for overgreb. Tværtimod, de hævder bestemt, at Bjurman altid har optrådt korrekt og venligt imod dem."

Ekström vendte et blad.

"Det er også min opgave at minde om, at Lisbeth Salander er blevet diagnosticeret som paranoid og skizofren. Det er en ung kvinde med dokumenteret voldelige tilbøjeligheder, som allerede i de tidligste teenageår har haft alvorlige problemer med sine kontakter til samfundet. Hun har tilbragt flere år på børnepsykiatrisk afdeling og stået under formynderskab, siden hun var 18 år. Hvor beklageligt det end er, så er der grunde til dette. Lisbeth Salander er farlig for sig selv og sine omgivelser. Det er min overbevisning, at hun ikke har brug for fængselsstraf. Hun har brug for behandling."

Han holdt en kunstpause.

"At diskutere et ungt menneskes mentale tilstand er en modbydelig opgave. Meget bliver integritetskrænkende, og hendes sindstilstand bliver genstand for fortolkninger. I dette tilfælde har vi dog Lisbeth Salanders eget forvirrede verdensbillede at tage stilling til.

Det fremgår med al tydelighed i denne såkaldte selvbiografi. Ingen steder fremstår hendes mangel på virkelighedsfornemmelse så tydeligt som her. I dette tilfælde behøver vi ingen vidner eller tolkninger, hvor ord står mod ord. Vi har hendes egne ord. Vi kan selv bedømme troværdigheden i hendes påstande."

Hans blik faldt på Lisbeth Salander. Deres øjne mødtes. Hun smilede pludselig. Hun så ondskabsfuld ud. Ekström rynkede panden.

"Har fru Giannini noget at sige?" spurgte dommer Iversen.

"Nej," svarede Annika Giannini. "Ikke andet end at anklager Ekströms konklusioner er noget vrøvl."

EFTERMIDDAGEN BLEV INDLEDT med vidneforklaring af Ulrika von Liebenstaahl fra Overformynderiet. Hende havde Ekström indkaldt for at forsøge at finde ud af, om der var blevet klaget over advokat Bjurman. Dette nægtedes på det kraftigste af von Liebenstaahl. Hun mente, at den slags påstande var krænkende.

"Der finder en rigid kontrol af formynderbestallingen sted. Advokat Bjurman har udført opgaver for Overformynderiet i næsten tyve år, før han blev så skammeligt myrdet."

Hun betragtede Lisbeth Salander med et tilintetgørende blik, selv om Lisbeth ikke var anklaget for mord, og selv om det allerede var blevet klarlagt, at Bjurman var blevet myrdet af Ronald Niedermann.

"I alle disse år er der aldrig forekommet klager over advokat Bjurman. Han var et samvittighedsfuldt menneske, der ofte udviste et dybt engagement i sine klienter."

"Så du tror ikke, at det er sandsynligt, at han skulle have udsat Lisbeth Salander for grov seksuel vold?"

"Jeg opfatter påstanden som absurd. Vi har de månedlige rapporter fra advokat Bjurman med, og jeg mødte ham personligt ved flere lejligheder for at gennemgå sagen."

"Advokat Giannini har fremført krav om, at Lisbeth Salanders formynderskab skal ophæves med umiddelbar virkning."

"Ingen bliver gladere end os i Overformynderiet, hvis et formynderskab kan ophæves. Desværre har vi et ansvar, der betyder, at vi må følge de gældende regler. Fra vores side har vi stillet krav om, at Lisbeth Salander, som det er almindelig praksis, skal erklæres rask af psykiatrisk ekspertise, før der kan blive tale om forandringer i formynderskabet."

"Okay."

"Det betyder, at hun må underkaste sig psykiatriske undersøgelser. Hvilket hun som bekendt nægter."

Afhøringen af Ulrika von Liebenstaahl varede omkring fyrre minutter, mens Bjurmans månedsrapporter blev undersøgt.

Annika Giannini stillede et eneste spørgsmål, lige inden afhøringen skulle afsluttes.

"Befandt du dig i advokat Bjurmans soveværelse natten mellem den 7. og den 8. marts 2003?"

"Naturligvis ikke."

"Så har du med andre ord ikke den fjerneste anelse om, hvorvidt min klients oplysninger er sande eller falske?"

"Anklagerne mod advokat Bjurman er absurde."

"Det er din mening. Kan du give ham alibi eller på anden måde dokumentere, at han ikke har forgrebet sig på min klient?"

"Det er naturligvis umuligt. Men sandsynligheden ..."

"Tak. Det var alt," sagde Annika Giannini.

MIKAEL BLOMKVIST MØDTE sin søster på Milton Securitys kontor ved Slussen ved syvtiden om aftenen for at opsummere dagen.

"Det var omtrent som forventet," sagde Annika. "Ekström har købt Salanders selvbiografi."

"Godt. Hvordan klarer hun sig?"

Annika grinede pludselig.

"Hun klarer sig udmærket og fremstår som en komplet psykopat. Hun optræder bare naturligt."

"Hmm."

"I dag har det hovedsagelig drejet sig om Stallarholmen. I morgen bliver det Gosseberga, afhøringer af folk fra teknisk afdeling og lignende. Ekström vil forsøge at bevise, at Salander tog dertil for at myrde sin far."

"Okay."

"Men vi kan få et teknisk problem. Om eftermiddagen havde Ekström indkaldt en Ulrika von Liebenstaahl fra Overformynderiet. Hun begyndte at plapre op om, at jeg ikke havde ret til at repræsentere Lisbeth."

"Hvorfor ikke?"

"Hun mener, at Lisbeth står under en formynder, og at hun ikke har ret til selv at vælge en advokat."

"Aha."

"Altså kan jeg teknisk set ikke være hendes advokat, hvis ikke Overformynderiet har godkendt det."

"Og?"

"Dommer Iversen skal tage stilling til det i morgen tidlig. Jeg talte kort med ham efter domsforhandlingernes afslutning i dag. Men jeg tror, at han beslutter, at jeg skal fortsætte med at repræsentere hende. Mit argument var, at Overformynderiet har haft tre måneder til at protestere, og at det er lidt vel formynderisk at komme med et sådant krav, når retssagen allerede er begyndt."

"Teleborian skal vidne på fredag. Det skal være dig, der afhører ham."

EFTER I LØBET AF TORSDAGEN at have studeret kort og fotografier og lyttet til ordrige tekniske konklusioner om, hvad der havde udspillet sig i Gosseberga, havde anklager Ekström fastslået, at alle beviser tydede på, at Lisbeth Salander havde opsøgt sin far i den hensigt at dræbe ham. Det stærkeste led i beviskæden var, at hun havde medbragt et skydevåben, en polsk P-83 Wanad, til Gosseberga.

Det faktum, at Alexander Zalachenko (ifølge Lisbeth Salanders beretning) eller muligvis politimorderen Ronald Niedermann (ifølge den vidneforklaring Zalachenko havde givet, inden han blev myrdet på Sahlgrenska Sygehus) selv havde forsøgt at myrde Lisbeth Salander, og at hun blev begravet i en grav i skoven, mildnede på ingen måde det faktum, at hun havde opsporet sin far i Gosseberga i den hensigt at dræbe ham. Hendes plan var desuden næsten lykkedes, da hun havde hugget en økse i hovedet på ham. Ekström krævede, at Lisbeth Salander skulle dømmes for drabsforsøg alternativt mordplaner samt under alle omstændigheder for grov vold.

Lisbeth Salanders egen version var, at hun var taget til Gosseberga for at konfrontere sin far og få ham til at erkende mordene på Dag Svensson og Mia Bergman. Denne oplysning var af dramatisk betydning for spørgsmålet om hensigten.

Da Ekström havde afsluttet afhøringen af vidnet Melker Hansson fra politiet i Göteborgs tekniske afdeling, havde Annika Giannini stillet nogle korte spørgsmål.

"Hr. Hansson, er der noget som helst i hele din efterforskning og i al den tekniske dokumentation, som du har sammenfattet, der på nogen måde kan fastslå, at Lisbeth Salander lyver om sin hensigt med besøget i Gosseberga? Kan du bevise, at hun tog dertil med det formål at myrde sin far?"

Melker Hansson tænkte sig lidt om.

"Nej," svarede han endelig.

"Du kan altså ikke sige noget om hendes intentioner?"

"Nej."

"Anklager Ekströms konklusion er, om end veltalende og ordrig, altså spekulation?"

"Det går jeg ud fra."

"Er der noget i de tekniske beviser, der modsiger Lisbeth Salanders oplysning om, at hun tog det polske våben, en P-83 Wanad, med sig ved et rent tilfælde, fordi den lå i hendes taske, og at hun ikke havde vidst, hvad hun skulle stille op med våbnet, siden den dag hun havde taget det fra Sonny Nieminen på Stallarholmen?"

"Nej."

"Tak," sagde Annika Giannini og satte sig. Det var hendes eneste ytring i den time, hvor Hansson havde vidnet.

BIRGER WADENSJÖÖ FORLOD Sektionens lejlighed i Artilerigatan ved sekstiden torsdag aften med en fornemmelse af at være omgivet af truende uvejrsskyer og en nært forestående undergang. Han havde i flere uger indset, at hans titel som direktør, altså chef for Sektionen for Specialanalyse, var meningsløs. Hans meninger, protester og appeller havde ikke noget at sige. Fredrik Clinton havde overtaget alle beslutningsprocesser. Hvis Sektionen havde været en åben og offentlig institution, ville det ikke have spillet nogen rolle – han ville bare have henvendt sig til den nærmeste overordnede og fremført sine protester.

Som situationen var nu, var der ingen at klage til. Han var alene og udleveret på lykke og fromme til et menneske, som han opfattede som sindssygt. Og det værste var, at Clintons autoritet var absolut. Snothvalpe som Jonas Sandberg og tro tjenere som Georg Nyström

571

– alle syntes at stille sig op på rad og række og adlyde den dødssyge galnings mindste vink.

Han medgav, at Clinton var en beskeden autoritet, der ikke arbejdede for egen vindings skyld. Han erkendte endda, at Clinton arbejdede med Sektionens bedste for øje, i hvert fald det han opfattede som Sektionens bedste. Det var, som om hele organisationen befandt sig i frit fald i en tilstand af kollektiv suggestion, hvor garvede medarbejdere nægtede at indse, at hver en bevægelse de gjorde, hver en beslutning der blev taget og gennemført, kun førte til den nærmeste afgrund.

Wadensjöö mærkede et tryk lige over brystet, da han gik ned ad Linnégatan, hvor han havde fundet en parkeringsplads den dag. Han deaktiverede bilalarmen, fiskede nøglerne op og var lige ved at åbne bildøren, da han hørte en bevægelse bag sig og vendte sig om. Han missede med øjnene i modlyset. Det varede et øjeblik, før han genkendte den høje mand på fortovet.

"Godaften, hr. Wadensjöö," sagde Torsten Edklinth, chefen for grundlovsbeskyttelsen. "Jeg har ikke været i felten i ti år, men i dag følte jeg, at det ville passe sig med min tilstedeværelse."

Wadensjöö så forvirret på de to civilklædte politimænd, der flankerede Edklinth. Det var Jan Bublanski og Marcus Erlander.

Pludselig gik det op for ham, hvad der skulle ske.

"Jeg har den triste pligt at meddele, at statsadvokaten har besluttet, at du skal varetægtsfængsles for så lang en række lovovertrædelser, at det sikkert kommer til at tage flere uger at sammensætte en korrekt oversigt over dem."

"Hvad er det her?" spurgte Wadensjöö oprørt.

"Det her er det øjeblik, hvor du bliver arresteret på indicier mistænkt for meddelagtighed i mord. Du er også mistænkt for afpresning, bestikkelse, ulovlig aflytning, flere tilfælde af grov forfalskning af dokumenter og groft bedrageri, meddelagtighed i indbrud, myndighedsmisbrug, spionage og en hel masse andre småting. Nu kører vi ind til Kungsholmen og får os en snak i ro og mag her til aften."

"Jeg har ikke myrdet nogen," sagde Wadensjöö og holdt vejret.

"Det må efterforskningen afgøre."

"Det var Clinton. Det var hele tiden Clinton," sagde Wadensjöö.

Torsten Edklinth nikkede tilfreds.

ALLE POLITIFOLK ER VEL fortrolige med det faktum, at der er to klassiske måder at afhøre en mistænkt på. Den onde politimand og den gode politimand. Den onde politimand truer, bander, slår næven i bordet og optræder bryskt med det formål at skræmme en arrestant til underkastelse og bekendelse. Den gode politimand, gerne en lille gråhåret, ældre mand, byder på cigaretter og kaffe, nikker sympatiserende og benytter sig af en fornuftig tone.

De fleste politimænd – men ikke alle – ved også, at den gode politimands forhørsteknik er den klart bedste rent resultatmæssigt. Den hårdføre, garvede tyv bliver ikke det mindste imponeret af den onde politimand. Og den usikre amatør, som eventuelt trues til at tilstå af den onde politimand, ville med største sandsynlighed under alle omstændigheder have tilstået uanset forhørsteknik.

Mikael Blomkvist lyttede til afhøringen af Birger Wadensjöö i et tilstødende lokale. Hans tilstedeværelse havde været genstand for en del interne meningsudvekslinger, før Edklinth besluttede, at han formentlig kunne drage nytte af Mikaels iagttagelser.

Mikael konstaterede, at Torsten Edklinth brugte en tredje variant af politiforhøret, den uinteresserede politimand, som i netop dette tilfælde så ud til at fungere endnu bedre. Edklinth kom ind i forhørslokalet, serverede kaffe i porcelænskopper, tændte for båndoptageren og lænede sig tilbage i stolen.

"Det forholder sig sådan, at vi allerede har alle tænkelige tekniske beviser mod dig. Vi har overhovedet ingen interesse i at få din historie, andet end som en ren bekræftelse af det vi allerede ved. Og det spørgsmål, vi muligvis gerne vil have svar på, er: Hvorfor? Hvordan kunne I være så tåbelige, at I besluttede at likvidere mennesker i Sverige, som om vi havde befundet os i Chile under Pinochetdiktaturet? Båndoptageren kører. Hvis du vil sige noget, er lejligheden der nu. Hvis du ikke vil sige noget, slukker jeg for båndoptageren, og så tager vi slips og snørebånd fra dig og indkvarterer dig i arresten, mens du venter på advokat, retssag og dom."

Edklinth tog derefter en mundfuld kaffe og tav helt stille. Da ingen havde sagt noget i to minutter, rakte han hånden frem og slukkede for båndoptageren. Han rejste sig.

"Jeg skal sørge for, at du bliver hentet om et par minutter. Godaften."

"Jeg har ikke myrdet nogen," sagde Wadensjöo, da Edklinth åbnede døren. Edklinth stoppede op på dørtærsklen.

"Jeg er ikke interesseret i at indlede en diskussion med dig. Hvis du vil forklare dig, sætter jeg mig og tænder for båndoptageren. Hele myndighedssverige – ikke mindst statsministeren – venter ivrigt på at høre, hvad du har at sige. Hvis du fortæller det, kan jeg allerede tage over til statsministeren i aften og give din version af hændelsesforløbet. Hvis du ikke fortæller noget, bliver du alligevel anklaget og dømt."

"Sæt dig," sagde Wadensjöö.

Ingen kunne undgå at se, at han allerede havde resigneret. Mikael åndede lettet op. Han havde selskab af Monica Figuerola, anklager Ragnhild Gustavsson, den anonyme Säpomedarbejder Stefan samt yderligere to helt anonyme personer. Mikael havde mistanke om, at i hvert fald en af disse anonyme personer repræsenterede justitsministeren.

"Jeg havde ikke noget med mordene at gøre," sagde Wadensjöö, da Edklinth startede båndoptageren igen.

"Mordene," sagde Mikael Blomkvist til Monica Figuerola.

"Ssssch," sagde hun.

"Det var Clinton og Gullberg. Jeg havde ingen anelse om, hvad de havde tænkt sig at gøre. Jeg sværger. Jeg var fuldstændig chokeret, da jeg hørte, at Gullberg havde skudt Zalachenko. Jeg kunne ikke tro, at det var sandt ... jeg kunne ikke tro det. Og da jeg hørte om Björck, var det, som om jeg var ved at få et hjerteanfald."

"Fortæl om mordet på Björck," sagde Edklinth uden at ændre toneleje. "Hvordan foregik det?"

"Clinton hyrede nogen. Jeg ved ikke engang, hvordan det gik til, men det var to jugoslaver. Serbere, hvis jeg ikke tager fejl. Det var Georg Nyström, der bestilte opgaven og betalte dem. Da jeg fik det at vide, forstod jeg, at det ville ende med en katastrofe."

"Skal vi tage det her fra begyndelsen?" sagde Edklinth. "Hvornår begyndte du at arbejde for Sektionen?"

Da Wadensjöö først begyndte at fortælle, var han ikke til at stoppe igen. Afhøringen varede i næsten fem timer.

KAPITEL 26

Fredag den 15. juli

DR. PETER TELEBORIAN optrådte tillidsvækkende i vidneskranken i retten fredag eftermiddag. Han blev afhørt af anklager Ekström i omkring halvfems minutter og svarede med rolig autoritet på alle spørgsmål. Han havde et til tider bekymret og til tider muntert ansigtsudtryk.

"For at opsummere ..." sagde Ekström og bladrede i sit manuskript. "Det er din vurdering som mangeårig psykiater, at Lisbeth Salander lider af paranoia og skizofreni?"

"Jeg har hele tiden sagt, at det er yderst vanskeligt at foretage en eksakt bedømmelse af hendes tilstand. Patienten er som bekendt nærmest autistisk i sin relation til læger og autoriteter. Min vurdering er, at hun lider af en svær psykisk sygdom, men på nuværende tidspunkt kan jeg ikke stille en præcis diagnose. Jeg kan heller ikke afgøre, i hvilket stadium af psykosen hun befinder sig, uden betydelig mere omfattende studier."

"Du mener under alle omstændigheder ikke, at hun er psykisk rask."

"Hele hendes historie er jo et meget sigende eksempel på, at det ikke er tilfældet."

"Du figurerer i den såkaldte *selvbiografi*, som Lisbeth Salander har skrevet, og som hun har afleveret til retten som forklaring. Hvordan vil du kommentere den?"

Peter Teleborian slog ud med hænderne og trak på skuldrene.

"Men hvad mener du om troværdigheden i beretningen?"

"Der er ingen troværdighed. Det er en række påstande om forskellige personer, den ene historie mere fantastisk end den anden. I det hele taget styrker hendes skriftlige forklaring mistanken om, at hun lider af paranoia og skizofreni."

575

"Kan du nævne nogen eksempler?"

"Det mest åbenlyse er jo skildringen af den såkaldte voldtægt, som hun hævder, at hendes formynder Bjurman har gjort sig skyldig i."

"Kan du uddybe dette?"

"Hele skildringen er overordentlig detaljeret. Den er et klassisk eksempel på den slags groteske fantasier, som børn kan fremvise. Der er masser af lignende tilfælde fra kendte incestsager, hvor børn har afgivet forklaringer, der står og falder på deres urimelighed, og hvor der ganske enkelt mangler tekniske beviser. Det er altså erotiske fantasier, som selv meget små børn kan hengive sig til ... Omtrent som om de så en skrækfilm på tv."

"Nu er Lisbeth Salander jo ikke noget barn, men en voksen kvinde," sagde Ekström.

"Ja, og det står jo tilbage at afgøre, på præcis hvilket mentalt niveau hun befinder sig. Men i princippet har du ret. Hun er voksen, og formentlig tror hun på den skildring, hun har skrevet."

"Du mener altså, at det er løgn."

"Nej, hvis hun tror på det, hun siger, er det ikke løgn. Det er en historie, som viser, at hun ikke kan skelne fantasi fra virkelighed."

"Hun er altså ikke blevet voldtaget af advokat Bjurman?"

"Nej. Den sandsynlighed må betragtes som ikke-eksisterende. Hun har brug for kvalificeret behandling."

"Du forekommer selv i Lisbeth Salander beretning ..."

"Ja, det er jo lidt pikant. Men det er igen den fantasi, som hun giver udtryk for. Hvis vi skal tro den arme pige, er jeg nærmest pædofil ..."

Han smilede og fortsatte:

"Men det her er udtryk for præcis det, jeg har talt om hele tiden. I Salanders biografi får vi at vide, at hun blev mishandlet ved at blive bæltefikseret en stor del af tiden på Skt. Stefans, og at jeg kom ind på hendes værelse om natten. Det her er næsten et klassisk eksempel på hendes manglende evne til at tolke virkeligheden eller rettere sagt, det er sådan, hun *tolker* virkeligheden."

"Tak. Så er det forsvarets tur, hvis altså frøken Giannini har nogen spørgsmål."

Da Annika Giannini næsten ingen spørgsmål eller indvendinger havde haft under de første to retssagsdage, forventede alle, at hun igen ville stille nogle pligtskyldige spørgsmål og derefter afbryde afhøringen. *Det er jo en pinligt dårlig indsats af forsvaret,* tænkte Ekström. "Ja, det har jeg," sagde Annika Giannini. "Jeg har faktisk en del spørgsmål, og det vil muligvis trække lidt ud. Klokken er halv tolv. Jeg foreslår, at vi holder frokost nu, og at jeg får lov at gennemføre min afhøring af vidnet uden afbrydelse efter frokost."

Dommer Iversen besluttede, at retten skulle spise frokost.

CURT SVENSSON HAVDE selskab af to betjente, da han præcis klokken 12.00 lagde sin vældige næve på politikommissær Georg Nyströms skulder uden for restaurant Mäster Anders i Hantverkargatan. Nyström så overrasket op på Curt Svensson, der stak sin politilegitimation op under Nyströms næse.

"Goddag. Du er arresteret og mistænkt for meddelagtighed i mord og drabsforsøg. Anklagepunkterne vil blive meddelt dig af statsadvokaten ved et grundlovsforhør her i eftermiddag. Jeg foreslår, at du følger frivilligt med," sagde Curt Svensson.

Georg Nyström så ud, som om han ikke forstod det sprog, som Curt Svensson talte. Men han konstaterede, at Curt Svensson var en person, som man var nødt til at følge med uden at protestere.

KRIMINALKOMMISSÆR JAN BUBLANSKI havde selskab af Sonja Modig og syv uniformerede politibetjente, da medarbejder ved grundlovsbeskyttelsen Stefan Bladh præcis klokken 12.00 slap dem ind på den lukkede afdeling, der udgjorde Säpos domæner på Kungsholmen. De skred gennem gangene, indtil Stefan stoppede op og pegede på et rum. Vicesekretariatschefens sekretær så fuldstændig perpleks ud, da Bublanski holdt sin politilegitimation frem.

"Vær venlig at blive siddende helt stille. Det her er en politiaktion."

Han marcherede hen til en dør bag i lokalet og afbrød vicesekretariatschef Albert Shenke midt i en telefonsamtale.

"Hvad er det her?" spurgte Shenke.

"Jeg er kriminalkommissær Jan Bublanski. Du er arresteret for at bryde den svenske grundlov. Du vil blive informeret om en lang række anklagepunkter i løbet af eftermiddagen."

"Det her er jo uhørt," sagde Shenke.

"Ja, det er det virkelig," sagde Bublanski.

Han lod Shenkes kontor forsegle og satte to betjente som vagter uden for døren med en formaning om ikke at slippe nogen over dørtærsklen. De havde tilladelse til at bruge knebler og endda trække deres tjenestevåben, hvis nogen med vold forsøgte at trænge ind.

De fortsatte processionen hen ad gangen, indtil Stefan pegede på endnu en dør og gentog proceduren med budgetchef Gustav Atterbom.

JERKER HOLMBERG HAVDE politiet på Södermalm som opbakning, da han præcis klokken 12.00 bankede på døren til nogle lejede kontorlokaler på tredje etage på den anden side af gaden fra tidsskriftet *Milenniums* redaktionslokale i Götgatan.

Da ingen åbnede døren, beordrede Jerker Holmberg Södermalmspolitiet til at bryde den op, men inden kobenet var nået at komme i anvendelse, blev døren åbnet på klem.

"Politi," sagde Jerker Holmberg. "Stik hænderne ud, så vi kan se dem."

"Jeg er fra politiet," sagde politiassistent Göran Mårtensson.

"Det ved jeg godt. Og du har licens til en fandens masse skydevåben."

"Jamen, jeg er politimand i tjeneste."

"For helvede," sagde Jerker Holmberg.

Han fik hjælp til at stille Mårtensson op ad væggen og tage tjenestevåbnet fra ham.

"Du er arresteret for ulovlig aflytning, groft embedsmisbrug, gentagne krænkelser af den private ejendomsret hos Mikael Blomkvist i Bellmansgatan og formentlig yderligere anklagepunkter. Giv ham håndjern på."

Jerker Holmberg gik en hurtig inspektionsrunde i kontorlokalerne og konstaterede, at der var elektronik nok til at starte et pladestudie. Han beordrede en betjent til at holde vagt i lokalerne og gav ham instruks om at sidde stille på en stol og ikke efterlade fingeraftryk.

Da Mårtensson blev ført ud ad døren til ejendommen, hævede Henry Cortez sit digitale Nikon og tog toogtyve billeder. Han var ganske vist ikke professionel fotograf, og billederne lod en del tilbage at ønske i kvalitet. Men rullen blev solgt næste dag til en avis for et rent ud sagt svimlende beløb.

Monica Figuerola var den eneste af de politifolk, der deltog i dagens razziaer, der kom ud for en hændelse, der ikke indgik i planerne. Hun havde opbakning af Norrmalmspolitiet og tre kolleger fra Säpo, da hun præcis klokken 12.00 gik ind ad døren til ejendommen i Artillerigatan og tog trapperne op til den lejlighed på øverste etage, som tilhørte firmaet Bellona.

Operationen var blevet planlagt med kort varsel. Så snart styrken havde samlet sig uden for døren til lejligheden, gav hun klartegn. To kraftige betjente fra Norrmalmsafdelingen løftede en fyrre kilo tung murbrækker i stål og åbnede døren med to velrettede stød. Indsatsstyrken okkuperede, udrustet med skudsikre veste og tunge våben, lejligheden i løbet af cirka ti sekunder, efter at døren var blevet forceret.

Ifølge det opsyn, der havde været uden for bygningen siden daggry, var fem personer, der blev identificeret som medarbejdere i Sektionen, passeret ind gennem døren om morgenen. Samtlige fem blev fanget i løbet af nogle sekunder og lagt i håndjern.

Monica Figuerola var iført skudsikker vest. Hun gennemgik den lejlighed, der havde været Sektionens højborg siden 60'erne, og slog den ene dør efter den anden op. Hun konstaterede, at hun ville få brug for en arkæolog som hjælper til at sortere den mængde papir, der fyldte rummene.

Blot nogle sekunder efter, at hun var gået igennem hoveddøren, åbnede hun døren til et mindre værelse langt inde i lejligheden og opdagede, at det var et overnatningsværelse. Hun befandt sig pludselig ansigt til ansigt med Jonas Sandberg. Han havde udgjort et spørgsmålstegn ved morgenens fordeling af arbejdsopgaver. Den foregående aften havde den spejder, der var sat til at overvåge Sandberg, tabt ham af syne. Hans bil havde været parkeret på Kungsholmen, og han havde ikke været i sin lejlighed om natten. Om morgenen havde man ikke vidst, hvordan man skulle lokalisere og arrestere ham.

De har natbemanding af sikkerhedsgrunde. Naturligvis. Og Sandberg sover efter nattevagten.

Jonas Sandberg havde kun underbukser på og så ud til at være lysvågen. Han rakte ud efter tjenestevåbnet på natbordet. Monica Figuerola bøjede sig frem og fejede våbnet ned på gulvet, væk fra Sandberg.

"Jonas Sandberg, du er anholdt som mistænkt for meddelagtighed i mordene på Gunnar Björck og Alexander Zalachenko samt meddelagtighed i drabsforsøg på Mikael Blomkvist og Erika Berger. Tag bukserne på."

Jonas Sandberg rettede et knytnæveslag mod Monica Figuerola. Hun parerede nærmest som en eftertænksom refleks.

"Laver du grin med mig?" spurgte hun. Hun greb fat i hans arm og vred håndleddet så hårdt rundt, at Sandberg blev tvunget baglæns ned på gulvet. Hun væltede ham om på maven og satte sit knæ lige over hans bagdel. Hun lagde ham selv i håndjern. Det var første gang, siden hun begyndte i Säpo, at hun havde benyttet sig af håndjern i tjenesten.

Hun overlod Sandberg til en betjent og gik videre. Endelig åbnede hun den sidste dør længst inde i lejligheden. Ifølge de tegninger, som var blevet rekvireret fra teknisk forvaltning, var der et lille aflukke ind mod gården. Hun stoppede op på dørtærsklen og stirrede på det mest udmagrede fugleskræmsel, hun nogensinde havde set. At hun stod foran et dødssygt menneske, var hun ikke et øjeblik i tvivl om.

"Fredrik Clinton, du er arresteret for meddelagtighed i mord, drabsforsøg og en lang række andre lovovertrædelser," sagde hun. "Bliv liggende i sengen. Vi har tilkaldt en sygetransport for at køre dig til Kungsholmen."

CHRISTER MALM HAVDE placeret sig lige uden for indgangen i Artillerigatan. Til forskel fra Henry Cortez kunne han håndtere sit digitale Nikon. Han brugte et kort teleobjektiv, og billederne var i den professionelle klasse.

De viste, hvordan medlemmerne af Sektionen en efter en blev ført ud gennem døren og gennet ind i politibilerne, og hvordan endelig en ambulance hentede Fredrik Clinton. Hans øjne mødte kameraobjektivet i netop det øjeblik, Christer knipsede. Han så bekymret og forvirret ud.

Billedet vandt senere prisen som Årets Pressefoto.

KAPITEL 27
Fredag den 15. juli

DOMMER IVERSEN SLOG hammeren i bordet præcis klokken 12.30 og bekendtgjorde, at domsforhandlingerne nu ville blive genoptaget. Han kunne ikke undgå at bemærke, at en tredje person pludselig var dukket op ved Annika Gianninis bord. Holger Palmgren sad i kørestol.

"Hej, Holger," sagde dommer Iversen. "Det var ikke ligefrem i går, jeg sidst så dig i en retssal."

"Goddag, dommer Iversen. En del søgsmål er jo så komplicerede, at de unge mennesker har brug for lidt assistance."

"Jeg troede, at du var holdt op med at virke som advokat?"

"Jeg har været syg. Men advokat Giannini har ansat mig som sin bisidder i denne sag."

"Okay."

Annika Giannini rømmede sig.

"Med til sagen hører også, at Holger Palmgren i mange år har repræsenteret Lisbeth Salander."

"Den sag har jeg ikke tænkt mig at diskutere," sagde dommer Iversen.

Han nikkede til Annika Giannini og bad hende om at begynde. Hun rejste sig. Hun havde aldrig brudt sig om den svenske uvane med at afholde retssager i en uformel tone siddende omkring et intimt bord, næsten som om det drejede sig om en middagsinvitation. Hun følte sig meget bedre tilpas, når hun fik lov at tale stående.

"Jeg tror måske, at vi skal begynde med de afsluttende kommentarer fra i formiddags. Hr. Teleborian, hvorfor underkender De så konsekvent alle de udsagn, der kommer fra Lisbeth Salander?"

"Fordi de er så åbenlyst usande," svarede Peter Teleborian.

Han var rolig og afslappet. Annika Giannini nikkede og vendte

581

sig om mod dommer Iversen.

"Hr. dommer, Peter Teleborian påstår, at Lisbeth Salander lyver og fantaserer. Nu vil forsvaret bevise, at hvert et ord, der står i Lisbeth Salanders selvbiografi, er sandt. Vi vil dokumentere dette. Grafisk, skriftligt og gennem vidneudsagn. Vi er nu kommet til det punkt i retssagen, hvor anklageren har fremlagt hovedtrækkene i sine påstande. Vi har lyttet og ved nu, hvordan de præcise anklager mod Lisbeth Salander ser ud."

Annika Giannini var pludselig tør i munden og mærkede, at hun rystede på hænderne. Hun trak vejret dybt ind og drak en slurk Ramlösa. Derefter placerede hun hænderne med et fast greb på stoleryggen, så de ikke skulle afsløre hendes nervøsitet.

"Af anklagerens fremstilling kan vi drage den konklusion, at han har draget masser af slutninger, men har forfærdelig svært ved at bevise dem. Han tror, at Lisbeth Salander skød Carl-Magnus Lundin på Stallarholmen. Han påstår, at hun tog til Gosseberga for at dræbe sin far. Han formoder, at min klient er paranoid og skizofren og på alle måder sindssyg. Og han bygger disse formodninger på oplysninger fra én eneste kilde, nemlig dr. Peter Teleborian."

Hun holdt en pause for at få vejret. Hun tvang sig selv til at tale langsomt.

"Bevissituationen er nu sådan, at anklagerens søgsmål udelukkende hviler på Peter Teleborian. Hvis han har ret, er alt godt; så har min klient formentlig bedst af den psykiatriske behandling, som både han og anklageren efterlyser."

Pause.

"Men hvis dr. Teleborian tager fejl, er det en helt anden sag. Hvis han desuden bevidst lyver, så drejer det sig om, at min klient i dette nu er udsat for et retsovergreb, et overgreb som har stået på i mange år."

Hun vendte sig om mod Ekström.

"Vi vil i løbet af eftermiddagen bevise, at dit vidne tager fejl, og at du som anklager er blevet narret til at købe disse falske konklusioner."

Peter Teleborian smilede muntert. Han slog ud med hænderne og nikkede indbydende mod Annika Giannini. Hun vendte sig igen mod Iversen.

"Hr. dommer. Jeg vil bevise, at Peter Teleborians såkaldte rets-psykiatriske rapport er bluff fra ende til anden. Jeg vil bevise, at han bevidst lyver om Lisbeth Salander. Jeg vil bevise, at min klient er blevet udsat for et groft retsovergreb. Og jeg vil bevise, at hun er lige så klog og forstandig som enhver anden her i salen."

"Undskyld, men ..." begyndte Ekström.

"Et øjeblik." Hun løftede en finger. "Jeg har ladet dig tale uforstyr-ret i to dage. Nu er det min tur."

Hun vendte sig om mod dommer Iversen igen.

"Jeg ville ikke fremlægge en så alvorlig anklage over for en dom-stol, hvis jeg ikke havde stærke belæg for det."

"Værsgo, fortsæt," sagde Iversen. "Men jeg vil ikke vide af nogen vidtløftige konspirationsteorier. Husk på, at du også kan tiltales for ærekrænkelse for påstande, du kommer med her i retten."

"Tak. Det skal jeg huske."

Hun vendte sig om mod Teleborian. Han syntes stadig at more sig over situationen.

"Forsvaret har ved gentagne lejligheder bedt om lov til at se Lis-beth Salanders journal fra dengang, hvor hun i sine unge teenageår var indespærret hos dig på Skt. Stefans. Hvorfor har vi ikke fået den journal?"

"Fordi retten har besluttet, at den er hemmeligstemplet. Den beslutning er taget af hensyn til Lisbeth Salander, men hvis en højere ret ophæver beslutningen, vil jeg naturligvis udlevere journalen."

"Tak. Hvor mange nætter i løbet af de to år, Lisbeth Salander til-bragte på Skt. Stefans, var hun bæltefikseret?"

"Det kan jeg ikke huske på stående fod."

"Hun hævder selv, at det drejer sig om 380 af de sammenlagt 786 døgn, hun tilbragte på Skt. Stefans."

"Jeg kan ikke svare på det præcise antal dage, men det er en van-vittig overdrivelse. Hvor kommer de tal fra?"

"Fra hendes selvbiografi."

"Og du mener, at hun i dag kan huske præcis, hvor mange nætter hun var bæltefikseret. Det er jo urimeligt."

"Er det? Hvor mange nætter kan du huske?"

"Lisbeth Salander var en meget aggressiv og voldelig patient, og hun måtte unægtelig anbringes i et stimulifrit rum et antal gange. Jeg skal måske forklare, hvad hensigten med et stimulifrit rum er ..."

"Tak, men det behøves ikke. Det er ifølge teorien et rum, hvor en patient ikke får for mange sindsindtryk, der kan skabe uro. Hvor mange døgn lå 13-årige Lisbeth Salander bæltefikseret i et sådant rum?"

"Det drejer sig om ... groft regnet måske tredive gange i den tid, hvor hun var indlagt på sygehuset."

"Tredive. Det er jo en brøkdel af de 380 gange, hun selv hævder."

"Unægtelig."

"Mindre end ti procent af det tal, hun har opgivet."

"Ja."

"Ville hendes journal kunne give mere præcis besked?"

"Det er muligt."

"Udmærket," sagde Annika Giannini og tog en stor stak papirer op af sin taske. "Så skal jeg bede om lov til at overrække retten en kopi af Lisbeth Salanders journal fra Skt. Stefans. Jeg har regnet antallet af notater om bæltefiksering sammen og finder, at tallet er 381, altså mere end min klient hævder."

Peter Teleborians øjne blev store.

"Stop ... Det er hemmeligstemplede oplysninger. Hvor har du fået den fra?"

"Jeg har fået den fra en journalist på tidsskriftet *Millennium*. Den er altså ikke mere hemmelig, end at den ligger og flyder rundt omkring på redaktionerne. Jeg skulle måske sige, at uddrag af journalen også vil blive offentliggjort af *Millennium* i dag. Jeg mener altså, at også denne ret bør få mulighed for at se på den."

"Det er ulovligt ..."

"Nej. Lisbeth Salander har givet lov til at offentliggøre uddragene. Min klient har nemlig ikke noget at skjule."

"Din klient er umyndiggjort og har ikke ret til at tage en sådan beslutning på egen hånd."

"Vi vender tilbage til hendes umyndiggørelse. Men først skal vi studere, hvad der skete med hende på Skt. Stefans."

Dommer Iversen rynkede øjenbrynene og tog imod journalen, som Annika Giannini rakte ham.

"Jeg har ikke taget nogen kopi til anklageren. Han fik nemlig disse integritetskrænkende papirer allerede for en måned siden."

"Hvordan det?" spurgte Iversen.

"Anklager Ekström fik en kopi af denne hemmeligstemplede journal af Teleborian ved et møde på hans kontor klokken 17.00 lørdag den 4. juni i år."

"Er det rigtigt?" spurgte Iversen.

Anklager Richard Ekströms første indskydelse var at nægte. Så gik det op for ham, at Annika Giannini måske kunne dokumentere det.

"Jeg begærede under tavshedspligt at få lov at læse dele af journalen," erkendte Ekström. "Jeg var nødt til at forsikre mig om, at Salander havde den historie, som hun opgives at have."

"Tak," sagde Annika Giannini. "Det betyder, at vi har fået en bekræftelse på, at dr. Teleborian ikke bare farer med usandheder, men også har begået en lovovertrædelse ved at videregive en journal, som han selv hævder er hemmeligstemplet."

"Det er noteret," sagde Iversen.

DOMMER IVERSEN VAR pludselig lysvågen. Annika Giannini havde netop på en meget ualmindelig måde gennemført et hårdt angreb mod et vidne og allerede knust en vigtig del af hans vidneforklaring. *Og hun påstår, at hun kan dokumentere alt, hvad hun siger.* Iversen rettede på sine briller.

"Dr. Teleborian, ud fra denne journal, som du selv har skrevet, kan du så fortælle mig, hvor mange døgn Lisbeth Salander var bæltefikseret?"

"Jeg kan ikke huske, at det skulle have været så omfattende, men hvis det er, hvad journalen siger, så må jeg jo tro på det."

"381 døgn. Er det ikke ekstremt meget?"

"Det er usædvanlig meget, jo."

"Hvordan ville du opfatte det, hvis du var 13 år, og nogen spændte dig fast med en læderrem i en seng med stålrammer i mere end et år? Som tortur?"

"Du må forstå, at patienten var farlig for sig selv og andre ..."

"Okay. Farlig for sig selv – har Lisbeth Salander nogensinde skadet sig selv?"

"Der var sådanne faresignaler ..."

"Jeg gentager spørgsmålet: Har Lisbeth Salander nogensinde skadet sig selv? Ja eller nej?"

"Som psykiater må vi lære at fortolke helhedsbilledet. Med hensyn til Lisbeth Salander kan du for eksempel se en del tatoveringer og piercinger på hendes krop, hvilket også er en selvdestruktiv adfærd og en måde at skade sin krop på. Det kan vi tolke som et udslag af selvhad."

Annika Giannini vendte sig om mod Lisbeth Salander.

"Er dine tatoveringer et udslag af selvhad?" spurgte hun.

"Nej," sagde Lisbeth Salander.

Annika Giannini vendte sig igen om mod Teleborian.

"Så du mener altså, at jeg, der har øreringe og faktisk også har en tatovering på et meget privat sted, er farlig for mig selv?"

Holger Palmgren fnisede, men kamuflerede fniset med et host.

"Nej, ikke på den måde ... tatoveringer kan også være en del af et socialt ritual."

"Du mener altså ikke, at Lisbeth Salander omfattes af dette sociale ritual?"

"Du kan selv se, at hendes tatoveringer er groteske og dækker væsentlige dele af hendes krop. Det er ikke nogen normal skønheds-fetich eller kropsdekoration."

"Hvor mange procent?"

"Undskyld?"

"Ved hvor mange procent tatoveret kropsoverflade ophører det med at være en skønhedsfetich og overgår til at være en sindssyg-dom?"

"Du fordrejer mine ord."

"Gør jeg? Hvordan kan det være, at det ifølge dig er en del af et helt acceptabelt socialt ritual, når det drejer sig om mig eller andre unge mennesker, men at det lægges din klient til last, når det drejer sig om at bedømme hendes psykiske tilstand?"

"Som psykiater må jeg som sagt se på helhedsbilledet. Tatove-ringerne er bare en markør, en af mange markører som jeg må tage hensyn til, når jeg vurderer hendes tilstand."

Annika Giannini tav et øjeblik og holdt Peter Teleborian fast med blikket. Hun talte langsomt.

"Men dr. Teleborian, du begyndte at fiksere min klient, da hun var 12 år og stod for at fylde 13 år. På det tidspunkt havde hun ikke en eneste tatovering, eller hvad?"

Peter Teleborian tøvede et øjeblik. Annika tog ordet igen.

"Jeg går ud fra, at du ikke bæltefikserede hende, fordi du forudså, at hun ville tatovere sig engang i fremtiden."

"Nej, naturligvis ikke. Hendes tatoveringer havde ikke noget at gøre med hendes tilstand i 1991."

"Dermed er vi tilbage ved mit oprindelige spørgsmål. Har Lisbeth Salander nogensinde skadet sig selv på en måde, der kan motivere, at du holdt hende bundet til en seng i et år? Har hun for eksempel skåret sig selv med en kniv eller et barberblad eller noget lignende?"

Peter Teleborian så et øjeblik usikker ud.

"Nej, men vi havde grund til at tro, at hun var farlig for sig selv."

"Grund til at tro. Så du mener, at du bandt hende, fordi du gættede noget ..."

"Vi foretager vurderinger."

"Jeg har nu stillet det samme spørgsmål i omkring fem minutter. Du hævder, at min klients selvdestruktive adfærd var grund til, at hun blev bæltefikseret af dig i sammenlagt mere end et år af de to år, hun befandt sig i din behandling. Kan du være så venlig nu at give mig nogle eksempler på den selvdestruktive adfærd, hun havde i 12-årsalderen."

"Pigen var for eksempel ekstremt underernæret. Dette skyldtes blandt andet, at hun nægtede at spise. Vi havde mistanke om anoreksi. Vi var nødt til at tvangsfodre hende flere gange."

"Hvorfor?"

"Fordi hun nægtede at spise naturligvis."

Annika Giannini så på sin klient.

"Lisbeth, er det rigtigt, at du nægtede at spise på Skt. Stefans?"

"Ja."

"Hvorfor?"

"Fordi ham idioten der blandede psykofarmaka i min mad."

"Aha. Dr. Teleborian ville altså give dig medicin. Hvorfor ville du ikke tage den?"

"Jeg brød mig ikke om den medicin, jeg fik. Den gjorde mig sløv. Jeg kunne ikke tænke, og jeg var lammet store dele af den tid, hvor jeg var vågen. Det var ubehageligt. Og idioten nægtede at fortælle mig, hvad medicinen indeholdt."

"Du nægtede altså at tage medicinen?"

"Ja, men så begyndte han i stedet at putte skidtet i maden. Altså holdt jeg op med at spise. Hver gang der var puttet noget i min mad, nægtede jeg at spise i fem dage."

"Så du gik altså rundt og var sulten?"

"Ikke altid. Flere af plejerne smuglede madder ind til mig ved forskellige lejligheder. Især en af plejerne gav mig mad sent om aftenen. Det skete ved flere lejligheder."

"Du mener altså, at plejepersonalet på Skt. Stefans oplevede, at du var sulten og gav dig mad, for at du ikke skulle sulte?"

"Det var i den periode, hvor jeg lå i krig med idioten om medicinen."

"Så der var altså en helt rationel grund til, at du nægtede at spise?"

"Ja."

"Det skyldtes altså ikke, at du ikke ville have mad?"

"Nej. Jeg var tit sulten."

"Er det rigtigt at påstå, at der opstod en konflikt mellem dig og dr. Teleborian?"

"Det kan man godt sige."

"Du havnede på Skt. Stefans, fordi du havde smidt benzin på din far og tændt ild."

"Ja."

"Hvorfor gjorde du det?"

"Fordi han mishandlede min mor."

"Forklarede du nogensinde dette til nogen?"

"Ja."

"Hvem?"

"Jeg fortalte det til de betjente, der afhørte mig, de sociale myndigheder, børneværnet, lægerne, en præst og idioten."

"Med idioten mener du ...?"

"Ham der."

Hun pegede på dr. Peter Teleborian.

"Hvorfor kalder du ham for en idiot?"

"Da jeg først kom til Skt. Stefans, forsøgte jeg at forklare ham, hvad der var sket."

"Og hvad sagde dr. Teleborian?"

"Han ville ikke lytte til mig. Han påstod, at jeg fantaserede. Og som straf skulle jeg bæltefikseres, indtil jeg holdt op med at fantasere. Og senere forsøgte han at give mig medicin."

"Sikke noget sludder," sagde Peter Teleborian.

"Er det derfor, du ikke taler med ham?"

"Jeg har ikke sagt et ord til ham siden den nat, hvor jeg fyldte 13 år. Da var jeg bæltefikseret. Det var min fødselsdagsgave til mig selv."

Annika Giannini vendte sig om mod Teleborian igen.

"Dr. Teleborian, det lyder, som om grunden til, at min klient nægtede at spise, var, at hun ikke ville acceptere, at du gav hende medicin."

"Det er muligt, at det er sådan, hun opfatter det."

"Og hvordan opfatter du det?"

"Jeg havde en patient, som var ekstremt besværlig. Jeg hævder, at hendes adfærd viste, at hun var farlig for sig selv, men det er muligvis et fortolkningsspørgsmål. Derimod var hun voldelig og havde en psykotisk adfærd. Der hersker ingen tvivl om, at hun var farlig for andre. Hun kom faktisk til Skt. Stefans, fordi hun forsøgte at myrde sin far."

"Det kommer vi til. Du var ansvarlig for hendes behandling i to år. I 381 af disse døgn holdt du hende bæltefikseret. Kan det måske forholde sig sådan, at du brugte bæltefikseringen som straffemetode, når din klient ikke gjorde, som du sagde?"

"Det er det rene nonsens."

"Er det virkelig? Jeg noterer, at ifølge din patientjournal skete absolut størstedelen af bæltefikseringerne i løbet af det første år ... 320 ud af 381 gange. Hvorfor ophørte bæltefikseringerne?"

"Patienten udviklede sig og blev mere harmonisk."

"Forholder det sig ikke sådan, at dine metoder blev opfattet som unødig brutale af plejepersonalet?"

"Hvad mener du?"

"Forholder det sig ikke sådan, at personalet indgav klager om blandt andet tvangsfodringen af Lisbeth Salander?"

"Der er naturligvis flere forskellige måder at anskue det på. Det er ikke usædvanligt. Men det blev en belastning at tvangsfodre hende, fordi hun gjorde så voldsomt modstand ..."

"Fordi hun nægtede at indtage medicin, der gjorde hendes sløv og passiv. Hun havde ingen problemer med at spise, når hun ikke blev

589

fyldt med stoffer. Ville det ikke have været en mere rimelig behandlingsmetode at vente med tvangsfodringerne?"

"Med forlov, fru Giannini. Jeg er faktisk læge. Jeg tror faktisk, at min medicinske kunnen er en anelse større end din. Det er min opgave at bedømme, hvilken medicinsk behandling der skal sættes ind med."

"Det er rigtigt, at jeg ikke er læge, dr. Teleborian. Men jeg er faktisk ikke helt uden evner. Ved siden af min titel som advokat er jeg nemlig uddannet psykolog ved Stockholms Universitet. Det er en nødvendig fagkundskab at have i mit fag."

Der blev helt stille i salen. Både Ekström og Teleborian stirrede overrasket på Annika Giannini. Hun fortsatte ubønhørligt.

"Er det ikke korrekt, at de metoder, du brugte til at behandle min klient, efterhånden førte til stærke modsætninger mellem dig og din chef, daværende overlæge Johannes Caldin?"

"Nej ... det er ikke korrekt."

"Johannes Caldin har været død i flere år og kan ikke vidne her i dag. Men vi har i retten i dag en person, der ved flere lejligheder mødte overlæge Caldin. Nemlig min bisidder Holger Palmgren."

Hun vendte sig om mod ham.

"Kan du fortælle, hvordan det kan være?"

Holger Palmgren rømmede sig. Han led stadig af eftervirkningerne fra sin hjerneblødning og var nødt til at koncentrere sig for at formulere ordene uden at sige noget sludder.

"Jeg blev valgt som formynder for Lisbeth, da hendes mor blev udsat for så grov vold af hendes far, at hun blev handikappet og ikke længere kunne tage sig af datteren. Hun fik varige hjerneskader og gentagne hjerneblødninger."

"Du taler altså om Alexander Zalachenko?"

Anklager Ekström lænede sig opmærksomt frem.

"Det er rigtigt," sagde Palmgren.

Ekström rømmede sig.

"Jeg beder jer notere, at vi nu er inde på et emne, som er klassificeret som tophemmeligt."

"Det kan vel næppe være nogen hemmelighed, at Alexander Zalachenko i en lang årrække udsatte Lisbeth Salanders mor for grov vold," sagde Annika Giannini.

Peter Teleborian løftede hånden.

"Sagen er nok ikke så indlysende, som fru Giannini fremstiller det."

"Hvad mener du?"

"Det forholder sig uden tvivl sådan, at Lisbeth Salander bevidnede en familietragedie, at der var noget, der udløste den grove vold i 1991. Men der er faktisk ingen dokumentation, der bestyrker, at dette skulle have været noget, der havde gået for sig i mange år, som fru Giannini hævder. Det kan have været et enkeltstående tilfælde eller et skænderi, der gik helt over gevind. Hvis sandheden skal frem, er der ikke engang dokumentation for, at det faktisk var hr. Zalachenko, der udsatte moderen for vold. Vi har oplysninger om, at hun var prostitueret, og der kan findes andre mulige gerningsmænd."

ANNIKA GIANNINI så overrasket på Peter Teleborian. Hun virkede et kort øjeblik målløs. Så blev hendes blik koncentreret.

"Kan du uddybe det?" spurgte hun.

"Hvad, jeg mener, er, at vi i praksis kun har Lisbeth Salanders påstande at gå efter."

"Og?"

"For det første var der to søskende. Lisbeths søster, Camilla Salander, er aldrig kommet med den slags påstande. Hun benægtede, at den slags foregik. Desuden forholder det sig jo sådan, at hvis der virkelig har forekommet vold i det omfang, som din klient påstår, ville det naturligvis have stået i rapporter og lignende fra de sociale myndigheder."

"Findes der nogen afhøring af Camilla Salander, som vi kan få lov at se?"

"Afhøring?"

"Har du nogen dokumentation liggende, der beviser, at Camilla Salander overhovedet blev spurgt om, hvad der skete i hjemmet?"

Lisbeth Salander rørte pludselig på sig, da hendes søster kom på tale. Hun skævede til Annika Giannini.

"Jeg forudsætter, at de sociale myndigheder skrev en rapport ..."

"Lige før hævdede du, at Camilla Salander aldrig var kommet med nogen påstande om, at Alexander Zalachenko havde udsat deres mor for vold, at hun tværtimod benægtede det. Det var en kategorisk udtalelse. Hvor har du fået den oplysning fra?"

591

Peter Teleborian tav pludselig i et kort øjeblik. Annika Giannini så, at hans øjne forandrede sig, da det gik op for ham, at han havde begået en fejl. Han forstod, hvad hun var ved at skyde sig ind på, men der var ingen måde at undgå spørgsmålet.

"Jeg mener at huske, at det stod i politirapporten," sagde han til sidst.

"Du mener at huske ... Selv har jeg med lys og lygte ledt efter en politirapport om episoden i Lundagatan, hvor Alexander Zalachenko blev svært forbrændt. Det eneste, som er tilgængeligt, er de nødtørftige rapporter, der blev skrevet af betjentene på stedet."

"Det er muligt ..."

"Så jeg ville gerne vide, hvordan det kan være, at du har læst en politirapport, som ikke er tilgængelig for forsvaret?"

"Det kan jeg ikke svare på," sagde Teleborian. "Jeg tog del i efterforskningen i forbindelse med, at jeg i 1991 skrev en retspsykiatrisk rapport om hende efter drabsforsøget på hendes far."

"Har anklager Ekström set denne rapport?"

Ekström flyttede uroligt på sig og trak sig i hageskæget. Han havde allerede indset, at han havde undervurderet Annika Giannini. Derimod havde han ingen grund til at lyve.

"Ja, jeg har set den."

"Hvorfor har forsvaret ikke haft adgang til det materiale?"

"Jeg bedømte den som værende uinteressant for retssagen."

"Kan du være venlig og fortælle mig, hvordan du kunne få lov at se denne rapport. Da jeg henvendte mig til politiet, fik jeg den besked, at en sådan rapport ikke eksisterer."

"Rapporten blev skrevet af Säpo. Den er hemmeligstemplet."

"Säpo har altså efterforsket en grov kvindevoldssag og besluttet at hemmeligstemple rapporten?"

"Det skyldes udøveren ... Alexander Zalachenko. Han var politisk flygtning."

"Hvem skrev rapporten?"

Tavshed.

"Jeg kan ikke høre noget. Hvilket navn stod der på titelbladet?"

"Den blev skrevet af Gunnar Björck fra udlændingeafdelingen i Säpo."

"Tak. Er det den samme Gunnar Björck, som min klient påstår

har samarbejdet med Peter Teleborian om at forfalske den retspsykatriske rapport om hende i 1991?"

"Det går jeg ud fra."

Annika Giannini vendte opmærksomheden mod Peter Teleborian igen.

"I 1991 besluttede byretten at spærre Lisbeth Salander inde på børnepsykiatrisk afdeling. Hvorfor traf retten den beslutning?"

"Retten foretog en omhyggelig vurdering af din klients handlinger og psykiske tilstand – hun havde trods alt forsøgt at myrde sin far med en brandbombe. Det er ikke en beskæftigelse, som normale teenagere begiver sig af med, uanset om de er tatoverede eller ej."

Peter Teleborian smilede høfligt.

"Og hvad baserede retten sin vurdering på? Hvis jeg har forstået sagen ret, så havde de en eneste retsmedicinsk udtalelse at beslutte sig på baggrund af. Den var blevet skrevet af dig og en politimand ved navn Gunnar Björck."

"Det her drejer sig om frøken Salanders konspirationsteorier, fru Giannini. Her må jeg ..."

"Undskyld mig, men jeg har ikke stillet noget spørgsmål endnu," sagde Annika Giannini og vendte sig på ny om mod Holger Palmgren. "Holger, vi talte om, at du havde mødt dr. Teleborians chef, overlæge Caldin."

"Ja. Jeg var jo blevet udset til at være formynder for Lisbeth Salander. Jeg havde på det tidspunkt kun mødt hende kort. Jeg havde som alle andre fået det indtryk, at hun var svært psykisk syg. Men eftersom det var min opgave, så forhørte jeg mig om hendes almene tilstand."

"Og hvad sagde overlæge Caldin?"

"Hun var jo dr. Teleborians patient, og dr. Caldin havde ikke viet hende nogen speciel opmærksomhed, andet end hvad der er normalt ved evalueringer og lignende. Det var først efter mere end et år, at jeg begyndte at diskutere, hvordan hun skulle udsluses til samfundet igen. Jeg foreslog en plejefamilie. Jeg ved ikke præcis, hvad der skete internt på Skt. Stefans, men på et tidspunkt, da Lisbeth havde været indlagt på Skt. Stefans i omkring et år, begyndte dr. Caldin at interessere sig for hende."

"Hvordan ytrede det sig?"

"Jeg oplevede, at han vurderede sagen anderledes end dr. Teleborian. Han fortalte mig på et tidspunkt, at han havde besluttet at ændre rutinerne i hendes behandling. Jeg forstod ikke før senere, at det drejede sig om den såkaldte bæltefiksering. Han mente ikke, at der var nogen grund til det."

"Han gik altså imod dr. Teleborian?"

"Undskyld, men dette er rygter," indvendte Ekström.

"Nej," sagde Holger Palmgren. "Ikke kun. Jeg bad om at få en udtalelse om, hvordan Lisbeth Salander ville kunne sluses tilbage i samfundet. Den udtalelse skrev dr. Caldin. Jeg har den her."

Han gav Annika Giannini et stykke papir.

"Kan du fortælle, hvad der står her?"

"Det er et brev fra dr. Caldin til mig. Det er dateret i oktober 1992, altså da Lisbeth havde befundet sig på Skt. Stefans i tyve måneder. Her skriver dr. Caldin udtrykkeligt, at citat 'Min beslutning om, at patienten ikke må bæltefikseres eller tvangsfodres, har også givet den synlige effekt, at hun er blevet rolig. Der er ikke grund til at give hende medicin. Patienten er dog ekstremt indelukket og reserveret og har stadig brug for støtte,' citat slut."

"Han skriver altså udtrykkeligt, at det var hans beslutning."

"Det er rigtigt. Det var også dr. Caldin personligt, der tog beslutningen om, at Lisbeth skulle sluses ud i samfundet via en plejefamilie."

Lisbeth nikkede. Hun huskede dr. Caldin, ligesom hun huskede alle detaljer fra opholdet på Skt. Stefans. Hun havde nægtet at tale med dr. Caldin, han var en hjernevrider, endnu en i rækken af hvide frakker der ville rode i hendes følelser. Men han havde været venlig og godmodig. Hun havde siddet på hans kontor og lyttet til ham, da han havde forklaret om sit syn på hende.

Han havde virket såret over, at hun ikke ville tale med ham. Til sidst havde hun set ham ind i øjnene og fortalt om sin beslutning. "Jeg vil aldrig nogensinde tale med dig eller nogen anden hjernevrider. I lytter ikke til, hvad jeg siger. I kan holde mig indespærret her, indtil jeg dør. Det forandrer ikke sagen. Jeg vil ikke tale med jer." Han havde set på hende med forbavselse i blikket. Så havde han nikket, som om han forstod noget.

"Dr. Teleborian ... Jeg konstaterer, at du spærrede Lisbeth Salander inde på børnepsykiatrisk afdeling. Det var dig, der forsynede retten med den rapport, som udgjorde dens eneste grundlag. Er dette korrekt?"

"Det er sådan set korrekt. Men jeg mener ..."

"Du vil få god tid til at forklare, hvad du mener. Da Lisbeth Salander fyldte 18 år, greb du igen ind i hendes liv og forsøgte på ny at få hende spærret inde på en klinik."

"Dengang var det ikke mig, der skrev den retspsykiatriske rapport ..."

"Nej, den blev skrevet af en dr. Jesper H. Löderman. Som tilfældigvis var ved at skrive ph.d.-afhandling hos dig på det tidspunkt. Du var hans vejleder. Det var altså din vurdering, der betød, om rapporten blev godkendt."

"Der er ikke noget uetisk eller ukorrekt i disse rapporter. De er udført efter alle kunstens regler."

"Nu er Lisbeth Salander 27 år, og for tredje gang befinder vi os i en situation, hvor du forsøger at overbevise retten om, at hun er sindssyg og må tvangsindlægges til psykiatrisk behandling."

DR. PETER TELEBORIAN trak vejret dybt ind. Annika Giannini var velforberedt. Hun havde overrasket ham med en del lumske spørgsmål, hvor det var lykkedes hende at forvrænge hans svar. Hun faldt ikke for hans charme, og hun ignorerede fuldstændig hans autoritet. Han var vant til mennesker, der nikkede samtykkende, når han talte.

Hvor meget ved hun?

Han skævede til anklager Ekström, men indså, at han ikke kunne forvente sig megen hjælp fra den kant. Han måtte selv ride stormen af.

Han mindede sig selv om, at han trods alt var en autoritet.

Det spiller ingen rolle, hvad hun siger. Det er min vurdering, der gælder.

Annika Giannini samlede hans retspsykiatriske rapport op fra bordet.

"Lad os se nærmere på din seneste rapport. Du bruger en hel del energi på at analysere Lisbeth Salanders sjæleliv. Meget af rapporten drejer sig om dine tolkninger af hendes person, hendes optræden og hendes seksualvaner."

"Jeg har i denne rapport forsøgt at give et helhedsbillede."

"Godt, og ud fra dette helhedsbillede når du frem til, at Lisbeth Salander lider af paranoia og skizofreni."

"Jeg vil ikke binde mig til en præcis diagnose."

"Men denne konklusion er du altså ikke nået frem til ved hjælp af en samtale med Lisbeth Salander, eller hvad?"

"Du ved meget vel, at din klient konsekvent nægter at svare på spørgsmål, når jeg eller nogen anden myndighedsperson forsøger at tale med hende. Allerede denne adfærd er jo temmelig sigende. Det kan tolkes, som at patientens paranoide træk er så fremtrædende, at hun bogstavelig talt ikke formår at føre en enkel samtale med en myndighedsperson. Hun tror, at alle er ude efter at skade hende, og føler sig så truet, at hun lukker sig inde i en uigennemtrængelig skal og bogstavelig talt bliver stum."

"Jeg noterer, at du udtrykker dig meget forsigtigt. Du siger, at dette kan tolkes som ..."

"Ja, det er rigtigt. Jeg udtrykker mig forsigtigt. Psykiatri er ingen eksakt videnskab, og jeg må være forsigtig med mine konklusioner. Samtidig forholder det sig dog ikke sådan, at vi psykiatere bare kommer med løse antagelser."

"Du er meget omhyggelig med at gardere dig. I virkeligheden forholder det sig jo sådan, at du ikke har vekslet et ord med min klient siden den nat, hun fyldte 13 år, da hun konsekvent har nægtet at tale med dig."

"Ikke bare mig. Hun er ikke i stand til at føre en samtale med nogen psykiatere."

"Det betyder, at, som du skriver her, dine konklusioner bygger på erfaring og på observationer af min klient."

"Det er rigtigt."

"Hvad kan man lære af at studere en pige, som sidder med korslagte arme på en stol og nægter at tale?"

Peter Teleborian sukkede og så ud, som om han syntes, at det var trættende at være nødt til at forklare selvfølgeligheder. Han smilede.

"Af en patient, der sidder helt stille, kan man kun lære, at det er en patient, som er god til at sidde helt stille. Allerede det er en forstyrret adfærd, men jeg baserer altså ikke mine konklusioner på det."

"Jeg vil her til eftermiddag indkalde en anden psykiater. Han hedder Svante Brandén og er overlæge på retsmedicinsk afdeling og specialist i retsmedicin. Kender du ham?"

Peter Teleborian følte sig sikker igen. Han smilede. Han havde forudset, at Giannini ville hente en eller anden psykiater ind for at forsøge at sætte spørgsmålstegn ved hans egne konklusioner. Det var en situation, han var forberedt på, og der ville han uden problemer kunne møde hver eneste indvending ord for ord. Det ville formentlig blive lettere at håndtere en akademisk kollega i venskabeligt mund-huggeri end sådan en som advokat Giannini, der ikke havde nogen hæmninger, og som var parat til at lege med hans ord.

"Ja. Han er en anerkendt retspsykiater. Men du må forstå, fru Giannini, at skrive en rapport af denne art er en akademisk og viden-skabelig proces. Du kan være uenig med mig i mine konklusioner, og en anden psykiater kan tolke en adfærd eller en hændelse på en anden måde, end jeg gør. Da drejer det sig om forskellige måder at se tingene på eller måske simpelthen om, hvor godt en læge kender sin patient. Han kommer måske frem til en helt anden konklusion om Lisbeth Salander. Det er slet ikke usædvanligt inden for psykia-trien."

"Det er ikke derfor, jeg har indkaldt ham. Han har ikke mødt eller undersøgt Lisbeth Salander og vil ikke drage nogen som helt kon-klusioner om hendes psykiske tilstand."

"Aha ..."

"Jeg har bedt ham læse din rapport og al den dokumentation, du har formuleret om Lisbeth Salander, og se på hendes journal fra de år, hvor hun lå på Skt. Stefans. Jeg har bedt ham foretage en vurde-ring – ikke om min klients helbredstilstand, men om hvorvidt der ud fra en rent videnskabelig synsvinkel er dækning for dine konklu-sioner i det materiale, du har skrevet."

Peter Teleborian trak på skuldrene.

"Med al respekt ... jeg tror, at jeg har større viden om Lisbeth Salander end nogen anden psykiater her til lands. Jeg har fulgt hendes udvikling, siden hun var 12 år gammel, og desværre er det jo sådan, at mine konklusioner hele tiden bliver bekræftet af hendes adfærd."

"Godt," sagde Annika Giannini. "Så lad os se på dine konklusioner. I din udtalelse skriver du, at behandlingen blev afbrudt, da hun var 15 år og blev sat i pleje hos en familie."

"Det er rigtigt. Det var en alvorlig fejltagelse. Hvis vi havde fået lov at færdiggøre behandlingen, havde vi måske ikke siddet her i dag."

"Du mener, at hvis du havde fået mulighed for at bæltefiksere hende i yderligere et år, ville hun måske være blevet mere føjelig?"

"Det der var en temmelig billig kommentar."

"Jeg beder om forladelse. Du citerer udførligt den rapport, som din ph.d.-studerende Jesper H. Löderman skrev, da Lisbeth Salander fyldte 18 år. Du skriver, at 'hendes selvdestruktive og asociale adfærd bekræftes gennem misbrug og den promiskuitet, som hun har udvist, siden hun kom ud fra Skt. Stefans.' Hvad mener du med det?"

Peter Teleborian sagde ikke noget et kort øjeblik.

"Ja ... nu må jeg lige tænke lidt tilbage. Siden Lisbeth Salander kom ud fra Skt. Stefans, fik hun – som jeg forudså – misbrugsproblemer med alkohol og stoffer. Hun blev arresteret af politiet gentagne gange. En social rapport fastslog, at hun havde ukontrolleret seksuel omgang med ældre mænd, og at hun sandsynligvis prostituerede sig."

"Lad os analysere det der. Du siger, at hun blev alkoholmisbruger. Hvor ofte var hun beruset?"

"Undskyld?"

"Var hun fuld hver dag, fra hun blev sluppet ud, til hun fyldte 18 år? Var hun fuld en gang om ugen?"

"Det kan jeg selvfølgelig ikke svare på."

"Men du har jo fastslået, at hun havde et alkoholmisbrug?"

"Hun var mindreårig og blev gentagne gange arresteret af politiet for fuldskab."

"Det er anden gang, at du bruger udtrykket, at hun blev arresteret gentagne gange. Hvor ofte skete det? Var det en gang om ugen eller en gang hver anden uge ...?"

"Nej, så mange gange drejer det sig ikke om ..."

"Lisbeth Salander blev arresteret to gange for fuldskab, da hun var 16 respektive 17 år. En af disse gange var hun så fuld, at hun blev sendt på hospitalet. Dette er altså de gentagne gange, du hentyder til. Var hun beruset flere gange end disse?"

"Det ved jeg ikke, men man kan frygte, at hendes adfærd var ..."

598

"Undskyld, hørte jeg rigtigt? Du ved altså ikke, om hun var beruset flere gange end to i sin teenageperiode, men du frygter, at det var tilfældet. Alligevel fastslår du, at Lisbeth Salander befinder sig i en ond cirkel af alkohol og stoffer?"

"Det er jo de sociale myndigheders oplysninger. Ikke mine. Det drejer sig om hele den samlede livssituation, som Lisbeth Salander befandt sig i. Hun havde ikke uventet dystre fremtidsudsigter, efter at behandlingen var blevet afbrudt, og hendes liv blev en ond cirkel af alkohol, arrestationer og ukontrolleret promiskuitet."

"Du bruger udtrykket ukontrolleret promiskuitet."

"Ja ... det er en term, der hentyder til, at hun ikke havde kontrol over sit eget liv. Hun havde seksuel omgang med ældre mænd."

"Det er ikke ulovligt."

"Nej, men det er en abnorm adfærd hos en 16-årig pige. Der kan altså sættes spørgsmålstegn ved, om hun deltog i det af egen fri vilje eller befandt sig i en tvangssituation."

"Men du hævder, at hun var prostitueret."

"Det var måske en naturlig konsekvens af, at hun manglede uddannelse, var ude af stand til at klare undervisningen og læse videre, og derfor ikke kunne få arbejde. Det er muligt, at hun så ældre mænd som faderfigurer, og at betaling for seksuelle ydelser bare var en bonus. I hvert fald oplever jeg det som en neurotisk adfærd."

"Du mener, at en 16-årig pige, der har sex, er neurotisk?"

"Du forvrænger mine ord."

"Men du ved ikke, om hun nogensinde har fået betaling for sine seksuelle ydelser?"

"Hun er aldrig blevet arresteret for prostitution."

"Hvilket hun næppe kan arresteres for, da det ikke er en lovovertrædelse."

"Øh, er det rigtigt. Hvad det drejer sig om i hendes tilfælde er en tvangsmæssig neurotisk adfærd."

"Og du har ikke tøvet med at drage den konklusion, at Lisbeth Salander er sindssyg ud fra dette sparsomme materiale. Da jeg var 16 år, drak jeg mig sanseløst beruset i en halv flaske vodka, som jeg stjal fra min far. Mener du dermed, at jeg er sindssyg?"

"Nej, selvfølgelig ikke."

"Stemmer det ikke, at da du selv var 17 år, var du til en fest, hvor du blev så frygtelig beruset, at I gik i byen og baldrede vinduer nede på torvet i Uppsala. Du blev arresteret af politiet, måtte sove den ud og fik senere en lille betinget dom."

Peter Teleborian så forbavset ud.

"Eller hvad?"

"Jo ... man foretager sig så mange dumme ting, når man er 17 år. Men ..."

"Men det foranlediger dig ikke til at tro, at du selv har en alvorlig psykisk sygdom?"

PETER TELEBORIAN VAR irriteret. Den forbandede ... advokat fordrejede hele tiden hans ord og koncentrerede sig om små detaljer. Hun nægtede at se helhedsbilledet. Hun kom med uvedkommende oplysninger om, at han selv havde været beruset ... *hvordan fanden havde hun fået fat i den oplysning?*

Han rømmede sig og hævede stemmen.

"De sociale myndigheders rapporter var entydige og bekræftede i hovedsagen, at Lisbeth Salander havde en livsførelse, der kredsede omkring alkohol, stoffer og promiskuitet. De sociale myndigheder fastslog også, at Lisbeth Salander var prostitueret."

"Nej. De sociale myndigheder har aldrig påstået, at hun var prostitueret."

"Hun blev arresteret ved ..."

"Nej, hun blev ikke arresteret. Hun blev kropsvisiteret i Tantolunden, da hun var 17 år og befandt sig i selskab med en væsentlig ældre mand. Samme år blev hun taget med på stationen på grund af fuldskab. Også da i selskab med en væsentlig ældre mand. De sociale myndigheder frygtede, at hun måske var prostitueret. Men noget belæg for den mistanke har der aldrig været."

"Hun havde en meget udsvævende seksuel omgang med en masse personer, både drenge og piger."

"I din egen rapport, jeg citerer fra side fire, opholder du dig ved Lisbeth Salanders seksualvaner. Du hævder, at hendes forhold til veninden Miriam Wu bekræfter mistanken om seksuel psykopati. Hvorfor?"

Peter Teleborian blev pludselig tavs.

"Jeg håber søreme ikke, at du har tænkt dig at hævde, at homoseksualitet er en sindssygdom. Det kan nemlig være strafbart at påstå den slags."

"Nej, naturligvis ikke. Jeg hentyder til den seksuelle sadisme i forholdet."

"Du mener, at hun er sadist?"

"Jeg ..."

"Vi har Miriam Wus vidneforklaring fra politiet. Der forekom ingen vold i deres forhold."

"De dyrkede BDSM-sex og ..."

"Nu tror jeg minsandten, at du har forlæst dig på formiddagsaviserne. Lisbeth Salander og hendes veninde Miriam Wu legede af og til nogle seksuelle lege, der indebar, at Miriam Wu bandt min klient og gav hende seksuel tilfredsstillelse. Det er hverken særlig ualmindeligt eller forbudt. Er det derfor, du vil spærre min klient inde?"

Peter Teleborian viftede afværgende med hånden.

"Hvis jeg må være lidt personlig. Da jeg var 16 år, drak jeg mig sanseløst beruset. Jeg var beruset ved adskillige lejligheder i den tid, hvor jeg gik i gymnasiet. Jeg har prøvet stoffer. Jeg har røget marihuana, og jeg har endda prøvet kokain engang for omkring tyve år siden. Jeg havde min seksuelle debut med en klassekammerat, da jeg var 15 år, og jeg havde et forhold til en dreng, der bandt mine hænder til sengegavlen, da jeg var i tyverne. Da jeg var 22 år, havde jeg et flere måneder langt forhold til en mand, der var 47 år. Er jeg med andre ord sindssyg?"

"Fru Giannini ... du driller mig, men dine seksuelle erfaringer er uvedkommende i den her sag."

"Hvorfor det? Når jeg læser din såkaldte psykiatriske rapport om Lisbeth Salander, finder jeg det ene punkt efter det andet, som løsrevet fra sin sammenhæng passer på mig selv. Hvorfor er jeg sund og rask og Lisbeth Salander en sadist, der er farlig for offentligheden?"

"Det er ikke disse detaljer, der afgør det. Du har ikke forsøgt at myrde din far to gange ..."

"Dr. Teleborian, virkeligheden er den, at det ikke angår dig, hvem Lisbeth Salander vil have sex med. Det angår ikke dig, hvilket køn hendes partner har, eller under hvilke former de har sex. Men alligevel tager du detaljer ud af hendes liv og bruger dem som belæg for, at hun er syg."

"Hele Lisbeth Salanders liv, fra hun gik i de små klasser, er en lang række journalanmærkninger om umotiveret voldsomme vredesudbrud mod lærere og klassekammerater."

"Et øjeblik ..."

Annika Gianninis stemme lød pludselig som en isskraber på en bilrude.

"Se på min klient."

Alle så på Lisbeth Salander.

"Min klient er vokset op under horrible familieforhold, med en far der konsekvent i løbet af en årrække udsatte hendes mor for grov vold."

"Det er ..."

"Lad mig tale færdig. Lisbeth Salanders mor var hunderæd for Alexander Zalachenko. Hun turde ikke protestere. Hun turde ikke gå til læge. Hun turde ikke henvende sig til et krisecenter. Hun blev til sidst mishandlet og lemlæstet så groft, at hun fik varige hjerneskader. Den person, der måtte tage ansvaret, den eneste person, der forsøgte at tage ansvaret for familien, lang tid inden hun overhovedet var blevet teenager, var Lisbeth Salander. Det ansvar måtte hun tage på egen hånd, da spionen Zalachenko var vigtigere end Lisbeths mor."

"Jeg kan ikke ..."

"Vi fik en situation, hvor samfundet opgav Lisbeths mor og børnene. Er du overrasket over, at Lisbeth havde problemer i skolen? Se på hende. Hun er lille og spinkel. Hun har altid været den mindste pige i klassen. Hun var indelukket og mærkelig og havde ingen venner. Ved du, hvordan børn plejer at behandle klassekammerater, der er afvigende?"

Peter Teleborian sukkede.

"Jeg kan gå tilbage til hendes skolejournal og krydse den ene situation af efter den anden, hvor Lisbeth blev voldsom," sagde Annika Giannini. "Men der fandt provokationer sted forud for dem. Jeg genkender så udmærket tegnene på mobning. Ved du hvad?"

"Hvad?"

"Jeg beundrer Lisbeth Salander. Hun er sejere end mig. Hvis jeg var blevet bæltefikseret i omkring et år, da jeg var 13 år, ville jeg nok være brudt fuldstændig sammen. Hun kæmpede sig tilbage med det eneste våben, hun havde til sin rådighed. Nemlig sin foragt for dig. Hun nægtede at tale med dig."

ANNIKA GIANNINI HÆVEDE pludselig stemmen. Al nervøsitet var forduftet for længst. Hun kunne mærke, at hun havde overtaget.

"I din vidneforklaring tidligere i dag talte du en hel del om fantasier, for eksempel fastslog du, at hendes beskrivelse af advokat Bjurmans voldtægt er en fantasi."

"Det stemmer."

"Hvad baserer du den konklusion på?"

"Min erfaring med, hvordan hun plejer at fantasere."

"Din erfaring med, hvordan hun plejer at fantasere ... Hvordan afgør du så, hvornår hun fantaserer? Når hun siger, at hun har været bæltefikseret i 380 døgn, er det ifølge dig en fantasi, selv om din egen journal viser, at det var tilfældet."

"Det er noget helt andet. Der er ingen antydning af tekniske beviser for, at Bjurman begik voldtægt mod Lisbeth Salander. Helt ærligt, nåle gennem brystvorterne og så grov vold, at hun uden tvivl burde være blevet kørt til hospitalet i ambulance ... Det siger sig selv, at det ikke kan have fundet sted."

Annika Giannini vendte sig om mod dommer Iversen.

"Jeg har bedt om lov til at låne en projektor til en computerpræsentation af en cd i dag ..."

"Den er på plads," sagde Iversen.

"Kan vi trække gardinerne for?"

Annika Giannini åbnede sin PowerBook og satte ledningerne til billedkanonen.

"Lisbeth. Vi skal se en film i dag. Er du klar til det?"

"Jeg har allerede oplevet det," svarede Lisbeth Salander tørt.

"Og jeg har din godkendelse til at vise den her?"

Lisbeth Salander nikkede. Hun holdt hele tiden Peter Teleborian fast med blikket.

"Kan du fortælle, hvornår filmen blev taget?"

"Den 7. marts 2003."

"Hvem optog filmen?"

"Det gjorde jeg. Jeg brugte skjult kamera, der er standardudstyr hos Milton Security."

"Et øjeblik," råbte advokat Ekström. "Det her begynder at ligne cirkuskunster."

"Hvad er det, vi skal se?" spurgte dommer Iversen skarpt.

"Peter Teleborian hævder, at Lisbeth Salanders beretning er en fantasi. Jeg vil her dokumentere, at den tværtimod er sand ord for ord. Filmen er halvfems minutter lang. Jeg viser nogle afsnit. Jeg advarer om, at den indeholder en del ubehagelige scener."

"Er det her en eller anden form for trick?" spurgte Ekström.

"Der er kun én god måde at finde ud af det på," sagde Annika Giannini og satte cd'en i computeren.

"Har du ikke engang lært klokken?" spurgte advokat Bjurman bryskt. Kameraet gik ind i hans lejlighed.

Efter ni minutter knaldede dommer Iversen hammeren i bordet i et øjeblik, hvor advokat Nils Bjurman blev foreviget, mens han med vold pressede en dildo op i Lisbeth Salanders analåbning. Annika Giannini havde skruet højt op for lyden. Lisbeths halvkvalte skrig gennem den tape, der dækkede hendes mund, lød ud over hele retssalen.

"Sluk for filmen," sagde Iversen med meget høj og bestemt røst.

Annika Giannini trykkede på stop. Loftsbelysningen blev tændt. Dommer Iversen var rød i ansigtet. Advokat Ekström sad som forstenet. Peter Teleborian var ligbleg.

"Advokat Giannini, hvor lang sagde du, at den film var?" spurgte dommer Iversen.

"Halvfems minutter. Selve voldtægten foregik ad flere omgange i omkring fem-seks timer, men min klient har kun en vag tidsopfattelse om de sidste timers vold." Annika Giannini vendte sig om mod Teleborian. "Og så er der den scene, hvor Bjurman stikker en knappenål gennem min klients brystvorter, og som dr. Teleborian hævder er et udtryk for Lisbeth Salanders vidtløftige fantasi. Det sker i det tooghalvfjerdsindstyvende minut, og jeg vil gerne tilbyde at vise episoden her og nu."

"Tak, men det behøves ikke," sagde Iversen. "Frøken Salander ..."

Han tabte tråden et øjeblik og vidste ikke, hvordan han skulle fortsætte.

"Frøken Salander, hvorfor optog du den film?"

"Bjurman havde allerede udsat mig for én voldtægt og krævede mere. Ved den første voldtægt blev jeg tvunget til at sutte hans gammelmandspik af. Jeg troede, at det ville blive en gentagelse af det, og at jeg dermed kunne få dokumenteret, hvad han gjorde, så jeg kunne afpresse ham til at holde sig væk fra mig. Jeg havde fejlbedømt ham."

"Men hvorfor har du ikke indgivet en politianmeldelse om grov voldtægt, når du har en så ... overbevisende dokumentation?"

"Jeg taler ikke med betjente," sagde Lisbeth Salander monotont.

PLUDSELIG REJSTE HOLGER Palmgren sig op fra kørestolen. Han støttede sig til bordkanten. Hans stemme var meget klar og tydelig.

"Vores klient taler af princip ikke med betjente eller andre myndighedspersoner og allermindst med psykiatere. Årsagen er enkel. Lige fra hun var barn, forsøgte hun gang på gang at tale med betjente og socialforvaltere og myndigheder for at forklare, at hendes mor blev udsat for vold af Alexander Zalachenko. Resultatet blev hver gang, at hun blev straffet, fordi statslige tjenestemænd havde besluttet, at Zalachenko var vigtigere end Salander."

Han rømmede sig og fortsatte.

"Og da hun endelig indså, at ingen lyttede til hende, var hendes eneste udvej at forsøge at redde sin mor ved at gribe til vold mod Zalachenko. Og så skrev ham idioten, der kalder sig læge" – han pegede på Teleborian – "en usand retspsykiatrisk diagnose, der forklarede hendes sindssyge og gav ham mulighed for at holde hende bæltefikseret på Skt. Stefans i 380 døgn. Fy for helvede."

Palmgren satte sig ned. Iversen så overrasket ud over Palmgrens udbrud. Han vendte sig om mod Lisbeth Salander.

"Du vil måske gerne have en pause ..."

"Hvorfor det?" spurgte Lisbeth.

"Jamen, så fortsætter vi. Advokat Giannini, videoen skal undersøges, og jeg vil have en teknisk udtalelse om, hvorvidt den er autentisk. Men nu går vi videre med retsmødet."

"Gerne. Jeg synes også, at dette er ubehageligt. Men sandheden er, at min klient er blevet udsat for fysiske, psykiske og retslige overgreb. Og den person, der mest af alt kan klandres for det, er Peter Teleborian. Han svigtede sit lægeløfte, og han svigtede sin patient.

Sammen med Gunnar Björck, en medarbejder i en illegal gruppe inden for Säpo, fabrikerede han en retspsykiatrisk udtalelse i den hensigt at spærre et besværligt vidne inde. Jeg tror, at denne sag må være enestående i svensk retshistorie."

"Det her er fuldstændig uhørte anklager," sagde Peter Teleborian. "Jeg har på bedste vis forsøgt at hjælpe Lisbeth Salander. Hun forsøgte at myrde sin far. Det er jo åbenlyst, at der var noget galt med hende ..."

Annika Giannini afbrød ham.

"Jeg vil nu rette rettens opmærksomhed mod dr. Teleborians anden retspsykiatriske udtalelse om min klient. Den udtalelse, der blev præsenteret for retten i dag. Jeg hævder, at den er en løgn præcis som falsummet fra 1991."

"Ja, men det her er jo ..."

"Dommer Iversen, kan du opfordre vidnet til at holde op med at afbryde mig."

"Hr. Teleborian ..."

"Jeg skal nok være stille. Men det her er uhørte anklager. Det er ikke så underligt, at jeg bliver oprørt ..."

"Hr. Teleborian, vær venlig at tie stille, indtil du får stillet et spørgsmål. Fortsæt, advokat Giannini."

"Dette er den retspsykiatriske udtalelse, som dr. Teleborian præsenterede for retten. Den bygger på såkaldte observationer af min klient, der skal have fundet sted, efter hun blev flyttet til Kronobergsfængslet den 6. juni, og undersøgelsen skulle være afsluttet den 5. juli."

"Ja, sådan har jeg forstået det," sagde dommer Iversen.

"Dr. Teleborian, er det korrekt, at du ikke har haft mulighed for at udføre nogen tests eller observationer af min klient før den 6. juni? Inden da lå hun som bekendt isoleret på Sahlgrenska Sygehus."

"Ja," sagde Teleborian.

"Du forsøgte to gange at få adgang til min klient på Sahlgrenska Sygehus. Begge gange blev du nægtet adgang. Er det rigtigt?"

"Ja."

Annika Giannini åbnede igen sin taske og tog et dokument frem. Hun gik rundt om bordet og gav det til dommer Iversen.

"Nå," sagde Iversen. "Det her er en kopi af dr. Teleborians rapport. Hvad skal det bevise?"

"Jeg vil indkalde to vidner, der venter uden for retssalen."

"Hvem er disse vidner?"

"Det er Mikael Blomkvist fra tidsskriftet *Millennium* og politikommissær Torsten Edklinth, chef for grundlovsbeskyttelsen i Säpo."

"Og de venter udenfor?"

"Ja."

"Vis dem ind," sagde dommer Iversen.

"Det her er ureglementeret," sagde advokat Ekström, der havde været vældig tavs i lang tid.

EKSTRÖM HAVDE CHOKERET indset, at Annika Giannini var ved at ødelægge hans hovedvidne fuldstændigt. Filmen var tilintetgørende. Iversen ignorerede Ekström og vinkede til vagten om at åbne døren. Mikael Blomkvist og Torsten Edklinth trådte ind.

"Jeg vil først indkalde Mikael Blomkvist."

"Så må jeg bede Peter Teleborian om at træde til side lidt."

"Er I færdige med mig?" spurgte Teleborian.

"Nej, det varer længe," sagde Annika Giannini.

Mikael Blomkvist erstattede Teleborian i vidnestolen. Dommer Iversen skyndte sig igennem formalia, og Mikael svor, at han kun ville sige sandheden.

Annika Giannini gik hen til Iversen og bad om lov til at låne den retspsykiatriske rapport, som hun lige havde givet ham. Hun rakte kopien til Mikael.

"Har du set dette dokument før?"

"Ja, det har jeg. Jeg har tre versioner i min varetægt. Den første fik jeg omkring den 12. maj, den anden den 19. maj og den tredje – som er denne – den 3. juni."

"Kan du fortælle mig, hvordan du fik fat i den her kopi?"

"Jeg fik den i min egenskab af journalist fra en kilde, som jeg ikke har tænkt mig at navngive."

Lisbeth Salander holdt Peter Teleborian fast med blikket. Han var pludselig ligbleg.

"Hvad gjorde du med rapporten?"

"Jeg gav den til Torsten Edklinth i grundlovsbeskyttelsen."

"Tak, Mikael. Jeg vil dermed indkalde Torsten Edklinth," sagde Annika Giannini og tog rapporten tilbage. Hun gav den til Iversen, der tankefuld holdt den op.

Proceduren med edsaflæggelsen blev gentaget.

"Politikommissær Edklinth, er det korrekt, at du modtog en retspsykiatrisk rapport om Lisbeth Salander af Mikael Blomkvist?"

"Ja."

"Hvornår modtog du den?"

"Den blev journalført hos Säpo den 4. juni."

"Og det er den samme rapport, som jeg lige har afleveret til dommer Iversen?"

"Hvis min underskrift står på bagsiden af rapporten, er det den samme rapport."

Iversen vendte dokumentet om og konstaterede, at Torsten Edklinths navn stod der.

"Politikommissær Edklinth, kan du forklare mig, hvordan det kan være, at du får en retspsykiatrisk rapport i hånden, der handler om en person, der stadig ligger isoleret på Sahlgrenska Sygehus."

"Ja, det kan jeg."

"Fortæl."

"Peter Teleborians retspsykiatriske rapport er et falsum, som han har fabrikeret sammen med en person ved navn Jonas Sandberg, præcis som han i 1991 fabrikerede en lignende forfalskning sammen med Gunnar Björck."

"Det er løgn," sagde Teleborian spagt.

"Er det løgn?" spurgte Annika Giannini.

"Nej, overhovedet ikke. Jeg skal måske nævne, at Jonas Sandberg er en af de omkring ti personer, som statsadvokaten har besluttet at anholde i dag. Han er anholdt for meddelagtighed i mordet på Gunnar Björck. Han er en del af en ulovlig gruppe, der har opereret inden for Säpo, og som har beskyttet Alexander Zalachenko siden 70'erne. Det var den samme gruppe, der stod bag beslutningen om at spærre Lisbeth Salander inde i 1991. Vi har masser af beviser samt en tilståelse fra chefen for denne gruppe."

Det blev dødsstille i salen.

"Vil Peter Teleborian kommentere det, der er blevet sagt?" spurgte dommer Iversen.

Teleborian rystede på hovedet.

"I så fald kan jeg meddele, at du risikerer at blive sigtet for mened og eventuelt andre anklagepunkter," sagde dommer Iversen.

"Hvis I vil undskylde ..." sagde Mikael Blomkvist.

"Ja?" spurgte Iversen.

"Peter Teleborian har større problemer end som så. Der står to betjente uden for døren, der vil tage ham med til afhøring."

"Skal jeg bede dem komme ind, mener du?" spurgte Iversen.

"Det ville nok være en god idé."

Iversen vinkede til vagten, der slap kriminalassistent Sonja Modig og en kvinde ind, som advokat Ekström straks genkendte. Hendes navn var Lisa Collsjö, kriminalkommissær i afdelingen for særlige opgaver, den enhed inden for rigspolitiet der blandt andet havde til opgave at håndtere seksuelle overgreb mod børn og børnepornografi.

"Og hvad laver I så her?" spurgte Iversen.

"Vi er her for at arrestere Peter Teleborian, så snart vi får mulighed for det, uden at det forstyrrer rettens gang."

Iversen skævede til Annika Giannini.

"Jeg er ikke helt færdig med ham, men lad gå."

"Værsgo," sagde Iversen.

Lisa Collsjö marcherede op til Peter Teleborian.

"Du er anholdt for grov overtrædelse af loven om børnepornografi."

Peter Teleborian var lamslået. Annika Giannini konstaterede, at alt lys syntes at slukkes i hans øjne.

"Nærmere bestemt for besiddelse af omkring 8.000 børnepornografiske billeder, der ligger på din computer."

Hun bøjede sig ned og tog hans computertaske, som han havde med sig.

"Den her er beslaglagt," sagde hun.

Hele tiden, mens han blev ført ud gennem døren til retten, brændte Lisbeth Salanders blik som ild i ryggen på Peter Teleborian.

KAPITEL 28

Fredag den 15. juli – lørdag den 16. juli

DOMMER JØRGEN IVERSEN bankede med kuglepennen i bordkanten for at få den mumlen til at forstumme, der var opstået i kølvandet på, at Peter Teleborian var blevet ført bort. Derefter sad han længe uden at sige noget, synligt usikker på, hvordan processen skulle fortsætte. Han vendte sig om mod advokat Ekström.

"Har du noget at tilføje til det, der er sket i den forløbne time?"

Richard Ekström havde ingen anelse om, hvad han skulle sige. Han rejste sig og så på Iversen og derefter på Torsten Edklinth, inden han drejede hovedet og mødte Lisbeth Salanders skånselsløse blik. Han forstod, at slaget allerede var tabt. Han flyttede blikket til Mikael Blomkvist og indså med pludselig forfærdelse, at han selv risikerede at havne i tidsskriftet *Millennium* ... Hvilket ville være en frygtelig katastrofe.

Derimod forstod han ikke, hvad der var sket. Han havde indledt retssagen i forvisning om, at han vidste, hvad der var hvad i historien.

Han havde forstået den delikate balance, som rigets sikkerhed fordrede efter de mange åbenhjertelige samtaler med politikommissær Nyström. Han havde jo fået forsikringer om, at Salanderrapporten fra 1991 var forfalsket. Han havde fået den insiderinformation, han behøvede. Han havde stillet spørgsmål – hundredvis af spørgsmål – og fået svar på alt. Et bedrag. Og nu var Nyström arresteret ifølge advokat Giannini. Han havde stolet på Peter Teleborian, der havde virket så ... så dygtig og vidende. Så overbevisende.

Herregud. Hvordan er jeg havnet i den her suppedas?

Han strøg sig over hageskægget. Han rømmede sig. Han tog langsomt brillerne af.

"Jeg beklager, men det virker, som om jeg er blevet fejlinformeret på en række væsentlige punkter i den her efterforskning."

Han spekulerede på, om han kunne skyde skylden på politiefterforskerne og så pludselig kriminalkommissær Bublanski for sig. Bublanski ville aldrig bakke ham op. Hvis Ekström trådte forkert, ville Bublanski kalde sammen til en pressekonference. Han ville vælte ham.

Ekström mødte Lisbeth Salanders blik. Hun sad tålmodigt afventende med et blik, der afslørede både nysgerrighed og hævntørst.

Ingen kompromiser.

Han kunne stadig få hende straffet for grov vold på Stallarholmen. Han kunne formentlig få hende straffet for drabsforsøg på sin far i Gosseberga. Det betød, at han måtte ændre hele sin strategi på stående fod og slippe alt, hvad der havde med Peter Teleborian at gøre. Det betød, at alle forklaringer, der hævdede, at hun var en gal psykopat, ikke kunne bruges længere, men det betød også, at hendes historie ville strække sig helt tilbage til 1991. Hele umyndighedserklæringen ville falde til jorden og dermed ...

Og hun havde den der forbandede film, der ...

Pludselig gik det op for ham.

Herregud. Hun er jo uskyldig.

"Hr. dommer ... jeg ved ikke, hvad der er sket, men det er gået op for mig, at jeg ikke længere kan stole på de papirer, jeg har her i hånden."

"Næh," sagde Iversen tørt.

"Jeg tror, at jeg må bede om en pause, eller at retssagen afbrydes, indtil jeg har fundet ud af præcis, hvad der er sket."

"Fru Giannini?" spurgte Iversen.

"Jeg forlanger, at min klient frikendes for samtlige anklagepunkter og sættes på fri fod med umiddelbar virkning. Jeg forlanger også, at retten tager stilling til spørgsmålet om frøken Salanders umyndighedserklæring. Jeg mener, at hun bør have oprejsning for de krænkelser, hun er blevet udsat for."

Lisbeth Salander vendte blikket mod dommer Iversen.

Ingen kompromiser.

Dommer Iversen så på Lisbeth Salanders selvbiografi. Han flyttede blikket til advokat Ekström.

"Jeg tror også, at det er en god idé at finde ud af præcis, hvad der er sket. Men jeg er bange for, at du nok ikke er den rette person til at foretage denne efterforskning."

Han tænkte sig om.

"I alle mine år som jurist og dommer har jeg aldrig været med til noget, som overhovedet minder om denne sag. Jeg må erkende, at jeg er desorienteret. Jeg har aldrig nogensinde hørt om, at en anklagers hovedvidne er blevet arresteret i vidnestolen, og at noget, der fremstod som et ganske overbevisende bevis, viser sig at være et falsum. Jeg ved ærlig talt ikke, hvad der er tilbage af anklagerens anklagepunkter på nuværende tidspunkt."

Holger Palmgren rømmede sig.

"Ja?" spurgte Iversen.

"Som repræsentant for forsvaret kan jeg ikke andet end dele dine følelser. Nogle gange må man tage et skridt tilbage og lade klogskaben råde over det formelle. Jeg vil mene, at du som dommer kun har set begyndelsen af en sag, der kommer til at ryste hele myndighedssverige. I løbet af dagen er omkring ti politifolk inden for Säpo blevet arresteret. De vil blive sigtet for mord og så lang en række lovovertrædelser, at det kommer til at tage en anseelig tid at færdiggøre efterforskningen."

"Jeg går ud fra, at jeg må beslutte mig for en pause i den her retssag."

"Hvis du undskylder, så tror jeg, at det ville være en ulykkelig beslutning."

"Jeg lytter."

Palmgren havde åbenbart svært ved at formulere ordene. Men han talte langsomt og uden at kludre i det.

"Lisbeth Salander er uskyldig. Hendes fantasifulde selvbiografi, som hr. Ekström så foragteligt affærdigede hendes beretning, er faktisk sand. Og den kan dokumenteres. Hun er blevet udsat for et skandaløst retsovergreb. Som domstol kan vi holde på det formelle og køre retssagen videre i en tid, inden frikendelsen kommer. Alternativet er åbenlyst. At lade en helt ny efterforskning overtage alt, hvad der drejer sig om Lisbeth Salander. Den efterforskning er allerede i fuld gang som en del af den suppedas, statsadvokaten skal efterforske."

"Jeg forstår, hvad du mener."

"Som dommer kan du kun træffe ét valg. Det klogeste i dette tilfælde er at underkende hele anklagerens forundersøgelse og opfordre ham til at starte helt forfra."

Dommer Iversen betragtede tankefuldt Ekström.

"Det rigtige ville være at sætte vores klient på fri fod med umiddelbar virkning. Hun fortjener desuden en undskyldning, men oprejsningen kommer til at tage tid og vil være afhængig af den øvrige efterforskning."

"Jeg forstår dine synspunkter, advokat Palmgren. Men inden jeg kan erklære din klient uskyldig, må hele historien stå klart for mig. Det kommer nok til at tage lidt tid ..."

Han tøvede og betragtede Annika Giannini.

"Hvis jeg beslutter mig for, at vi holder en pause med domsforhandlingerne til på mandag og imødekommer jer så langt, at jeg beslutter, at der ikke findes grund til at holde din klient varetægtsfængslet længere, hvilket betyder, at I kan forvente, at hun i hvert fald ikke får en fængselsdom, kan du så garantere, at hun indfinder sig til de fortsatte domsforhandlinger, når hun bliver indkaldt?"

"Selvfølgelig," skyndte Holger Palmgren sig at svare.

"Nej," sagde Lisbeth Salander skarpt.

Alles blikke vendte sig mod den person, som dramaet drejede sig om.

"Hvad mener du?" spurgte dommer Iversen.

"I det øjeblik, du slipper mig fri, rejser jeg væk. Jeg har ikke tænkt mig at bruge et minut mere af min tid i den her retssal."

Dommer Iversen så forbavset på Lisbeth Salander.

"Du nægter altså at indfinde dig?"

"Det er rigtigt. Hvis du vil have, at jeg skal svare på flere spørgsmål, så må du fortsat holde mig varetægtsfængslet. I det øjeblik, du slipper mig fri, er den her historie ude af verden for mit vedkommende. Og det inkluderer ikke, at jeg i en uspecificeret tid står til rådighed for hverken dig, Ekström eller nogen anden fra politiet."

Dommer Iversen sukkede. Holger Palmgren så forvirret ud.

"Jeg er enig med min klient," sagde Annika Giannini. "Det er stat og myndigheder, der har forbrudt sig mod Lisbeth Salander, ikke det modsatte. Hun fortjener at gå ud ad døren der med en frifindelse i bagagen og kunne lægge denne historie bag sig."

Ingen kompromiser.

Dommer Iversen skævede til sit armbåndsur.

"Klokken er lidt over tre. Det betyder, at du tvinger mig til at holde din klient varetægtsfængslet."

"Hvis det er din beslutning, så accepterer vi det. Som Lisbeth Salanders advokat forlanger jeg, at hun bliver frikendt for de lovovertrædelser, som advokat Ekström anklager hende for. Jeg forlanger, at du sætter min klient på fri fod uden restriktioner og med umiddelbar virkning. Og jeg kræver, at den tidligere umyndighedserklæring af hende ophæves, og at hun umiddelbart får sine borgerrettigheder tilbage."

"Spørgsmålet om umyndighedserklæringen er en betydelig længere proces. Jeg må have nogle udtalelser fra den psykiatriske fagkundskab, der skal undersøge hende. Det kan jeg ikke beslutte i en håndevending."

"Nej," sagde Annika Giannini. "Det godtager vi ikke."

"Hvad så?"

"Lisbeth Salander skal have de samme borgerrettigheder som alle andre svenskere. Hun er blevet udsat for en forbrydelse. Hun er på falsk grundlag blevet erklæret umyndig. Falskneriet kan bevises. Beslutningen om at sætte hende under formynderskab mangler dermed et juridisk grundlag og skal straks ophæves. Der er ingen som helst grund til, at min klient skal underkaste sig en retspsykiatrisk undersøgelse. Ingen behøver at bevise, at de ikke er gale, når de er blevet udsat for en forbrydelse."

Iversen overvejede sagen et kort øjeblik.

"Fru Giannini," sagde Iversen. "Jeg kan godt se, at det er en helt exceptionel situation. Jeg har nu tænkt mig at annoncere en pause på et kvarter, så vi kan strække benene og samle os en smule. Jeg har ingen ønsker om at holde din klient varetægtsfængslet i nat, hvis hun er uskyldig, men det betyder, at denne retssag kommer til at fortsætte, indtil vi er færdige."

"Det lyder fint," sagde Annika Giannini.

MIKAEL BLOMKVIST KYSSEDE sin søster på kinden i pausen.

"Hvordan gik det?"

"Mikael, jeg var blændende mod Teleborian. Jeg tilintetgjorde ham fuldstændig."

"Jeg sagde jo, at du ville være uovervindelig i den her retssag. Når alt kommer til alt, drejer det sig jo ikke først og fremmest om spioner og statslige sekter, men om almindelig vold mod kvinder og de mænd, der gør det muligt. Af den smule, jeg så, var du fantastisk. Hun vil altså blive frifundet?"

"Ja, det er der vist ingen tvivl om længere."

EFTER PAUSEN BANKEDE Iversen i bordet.

"Vil du være sød at tage den her historie fra begyndelsen til enden, så jeg kan få styr på, hvad der egentlig er sket?"

"Så gerne," sagde Annika Giannini. "Skal vi begynde med den forbløffende historie om en gruppe mænd fra Säpo, der kalder sig Sektionen, og som skulle tage sig af den sovjetiske afhopper i midten af 70'erne? Hele historien er offentliggjort i tidsskriftet *Millennium*, der udkommer i dag. Formentlig bliver det hovednyheden i alle nyhedsudsendelser i aften."

VED SEKSTIDEN OM AFTENEN besluttede dommer Iversen at sætte Lisbeth Salander på fri fod og ophæve hendes umyndighedserklæring.

Beslutningen blev dog taget på én betingelse. Dommer Jörgen Iversen krævede, at Lisbeth skulle underkaste sig en afhøring, hvor hun formelt videregav sin viden om Zalachenkosagen. Lisbeth nægtede først lodret. Hendes totale afvisning foranledigede et øjebliks mundhuggeri, indtil dommer Iversen hævede stemmen. Han lænede sig frem og kiggede hende ind i øjnene.

"Frøken Salander, hvis jeg ophæver din umyndighedserklæring, betyder det, at du har præcis de samme rettigheder som alle andre borgere. Men det betyder også, at du har de samme forpligtelser. Dermed er det din forbandede pligt selv at tage dig af din økonomi, betale skat, være lovlydig og bistå politiet ved efterforskninger af grov kriminalitet. Du bliver altså indkaldt til afhøring som en hvilken som helst anden borger, der har oplysninger at videregive i en efterforskning."

Logikken i argumentet så ud til at bide på Lisbeth Salander. Hun skød underlæben frem og så misfornøjet ud, men hun holdt op med at argumentere.

"Når politiet har fået sin vidneforklaring, vurderer forundersøgelseslederen – i det her tilfælde statsadvokaten – hvorvidt du skal indkaldes som vidne i en eventuel fremtidig retssag. Som alle andre svenske borgere kan du nægte at møde op til en sådan retssag. Hvad du har tænkt dig at gøre angår ikke mig, men du har ikke noget frikort. Hvis du nægter at indfinde dig, kan du i lighed med alle andre myndige personer blive dømt for at trodse loven eller begå mened. Der gøres ingen undtagelse."

Lisbeth Salander surmulede videre.

"Hvad vil du så?" spurgte Iversen.

Efter et minuts betænkningstid nikkede hun ganske kort.

Okay. Et lille kompromis.

I løbet af eftermiddagens gennemgang af Zalachenkosagen gik Annika Giannini hårdt til advokat Ekström. Efterhånden medgav Ekström, at det var gået til på omtrent den måde, som Annika Giannini beskrev. Han havde fået bistand til forundersøgelsen af politikommissær Georg Nyström og taget imod oplysninger fra Peter Teleborian. I Ekströms tilfælde var der ikke tale om sammensværgelse. Han var gået Sektionens ærinde i god tro i sin egenskab af forundersøgelsesleder. Da omfanget af, hvad der var sket, for alvor gik op for ham, besluttede han at frafalde alle anklager mod Lisbeth Salander. Beslutningen betød, at en hel del bureaukratiske formalia kunne lægges til side. Iversen så lettet ud.

Holger Palmgren var udmattet efter sin første dag i retten i flere år. Han var nødt til at vende tilbage til sengen på Ersta Rehabiliteringshjem. Han blev kørt af en uniformeret vagt fra Milton Security. Før han skulle gå, lagde han en hånd på Lisbeth Salanders skulder. De så på hinanden. Efter et stykke tid nikkede hun og smilede lidt.

KLOKKEN SYV OM AFTENEN ringede Annika Giannini til Mikael Blomkvist og meddelte kort, at Lisbeth Salander var blevet frifundet på alle anklagepunkter, men at hun skulle blive på politigården i endnu nogle timer for at blive afhørt.

Beskeden kom, da samtlige medarbejdere befandt sig på *Millenniums* redaktion. Telefonerne havde ringet uafbrudt siden de første eksemplarer ved frokosttid var blevet distribueret med bud til andre avisredaktioner i Stockholm. I løbet af eftermiddagen havde TV4 sendt sin første ekstraudsendelse om Zalachenko og Sektionen. Det var den rene juleaften for medierne.

Mikael stillede sig midt på gulvet, stak fingrene i munden og piftede kort.

"Jeg har netop fået besked om, at Lisbeth er blevet frikendt på alle anklagepunkter."

Der lød spontan applaus. Så fortsatte de alle med at tale i deres respektive telefoner, som om intet var hændt.

Mikael hævede blikket og studerede det tændte tv midt i redaktionslokalet. Nyhederne på TV4 var netop begyndt. De blev indledt med en kort bid af den film, hvor Jonas Sandberg plantede kokain i lejligheden i Bellmansgatan.

"Her planter en Säpoansat kokain hos journalisten Mikael Blomkvist fra tidsskriftet *Millennium*."

Så dukkede studieværten op i billedet.

"Omkring ti ansatte fra Säpo er i løbet af dagen blevet arresteret for grov kriminalitet, der blandt andet omfatter mord. Velkommen til denne forlængede nyhedsudsendelse."

Mikael skruede helt ned for lyden, da Hende på TV4 viste sig, og han så sig selv i en tv-sofa. Han vidste allerede, hvad han havde sagt. Han flyttede blikket til det skrivebord, som Dag Svensson havde lånt og arbejdet ved. Sporene efter hans reportage om trafficking var forsvundet, og skrivebordet var igen begyndt at blive aflægningsplads for aviser og usorterede papirbunker, som ingen rigtig ville kendes ved.

Det var ved det skrivebord, at Zalachenkosagen var begyndt for Mikaels vedkommende. Han ville pludselig ønske, at Dag Svensson havde fået lov at opleve slutningen. Der stod nogle eksemplarer af hans nytrykte bog om trafficking sammen med bogen om Sektionen.

Du ville have elsket det her.

Han hørte, at telefonen på hans kontor ringede, men orkede ikke at tage den. Han lukkede døren, gik ind til Erika Berger og sank ned i en af de magelige lænestole ved det lille vinduesbord. Erika talte i telefon. Han så sig omkring. Hun havde været tilbage i en måned, men havde endnu ikke nået at sætte præg på rummet med alle de personlige genstande, som hun havde ryddet væk, da hun sluttede i april. Reolen var stadig synlig, og hun havde ikke nået at hænge billeder op.

"Hvordan føles det?" spurgte hun, da hun havde lagt røret.

"Jeg tror nok, at jeg er lykkelig," sagde han.

Hun lo.

"*Sektionen* bliver en bestseller. De er fuldstændig vanvittige på alle redaktionerne. Har du lyst til at blive interviewet til *Aktuelt* klokken ni?"

"Næ."

"Det tænkte jeg nok."

"Vi kommer til at tale om det her i flere måneder. Det haster ikke."

Hun nikkede.

"Hvad skal du lave senere i aften?"

"Det ved jeg ikke."

Han bed sig i underlæben.

"Erika ... jeg ..."

"Figuerola," sagde Erika Berger og smilede.

Han nikkede.

"Og det er alvor?"

"Det ved jeg ikke."

"Hun er frygtelig forelsket i dig."

"Jeg er vist også forelsket i hende," sagde han.

"Jeg holder mig på afstand, indtil du ved det."

Han nikkede.

"Måske," sagde hun.

KLOKKEN OTTE BANKEDE Dragan Armanskij og Susanne Linder på døren til redaktionen. De mente, at lejligheden fordrede champagne, og havde en kasse flasker med fra Systembolaget. Erika Berger omfavnede Susanne Linder og viste hende rundt på redaktionen, mens Armanskij slog sig ned på Mikaels kontor.

De drak. Ingen sagde noget et godt stykke tid. Det var Armanskij, der brød tavsheden.

"Ved du hvad, Blomkvist? Da vi mødtes første gang i forbindelse med den der historie i Hedestad, syntes jeg frygtelig dårligt om dig."

618

"Nå."

"I kom op for at skrive kontrakt, da du ansatte Lisbeth som researcher."

"Det kan jeg godt huske."

"Jeg tror, at jeg blev jaloux på dig. Du havde kendt hende et par timer. Hun grinede sammen med dig. Jeg har i flere år forsøgt at være Lisbeths ven, men jeg har aldrig kunnet få hende til at trække på smilebåndet."

"Tja ... jeg har heller ikke haft så stor succes."

De tav et stykke tid.

"Skønt, at det er forbi," sagde Armanskij.

"Amen," sagde Mikael.

DET VAR KRIMINALKOMMISSÆR Jan Bublanski og Sonja Modig, der gennemførte den formelle vidneforklaring med Lisbeth Salander. De var begge lige kommet hjem til deres respektive familier efter en temmelig lang arbejdsdag, men blev næsten omgående tvunget til at vende tilbage til politigården.

Salander blev assisteret af Annika Giannini, der dog ikke havde orket at komme med særlig mange bemærkninger. Lisbeth Salander svarede med præcise formuleringer på alle de spørgsmål, Bublanski og Modig stillede.

Hun løj konsekvent om to centrale punkter. I beskrivelsen af hvad der var sket i forbindelse med skænderiet på Stallarholmen, hævdede hun hårdnakket, at det var Sonny Nieminen, der ved en fejltagelse havde skudt Carl-Magnus "Magge" i foden, i samme øjeblik som hun havde rørt ham med en elpistol. Hvor hun havde fået den elpistol fra? Hun havde konfiskeret den fra Magge Lundin, forklarede hun.

Både Bublanski og Modig så tvivlende ud. Men der var ingen beviser og ingen vidner, der kunne modsige hendes forklaring. Sonny Nieminen kunne muligvis protestere, men han nægtede at sige noget om hændelsen. Faktum var, at han ikke havde nogen anelse om, hvad der var sket i sekunderne efter, at han var blevet ramt af chokket fra elpistolen.

Med hensyn til Lisbeths tur til Gosseberga forklarede hun, at hendes hensigt havde været at konfrontere sin far og overtale ham til at overgive sig til politiet.

Lisbeth Salander så troskyldig ud.

Ingen kunne afgøre, om hun talte sandt eller ej. Annika Giannini havde ingen anelse.

Den eneste, der med sikkerhed vidste, at Lisbeth Salander var taget til Gosseberga med den hensigt en gang for alle at afslutte sine mellemværender med sin far, var Mikael Blomkvist. Men han var blevet udvist fra retten, kort efter at domsforhandlingerne var genoptaget. Ingen vidste, at han og Lisbeth Salander havde ført lange natlige samtaler via nettet i den tid, hun lå isoleret på Sahlgrenska Sygehus.

MEDIERNE GIK HELT GLIP af frigivelsen. Havde tidspunktet været kendt, ville et større medieopbud have okkuperet politigården. Men journalisterne var udmattede efter det kaos, der var brudt ud i løbet af dagen, hvor *Millennium* var udkommet, og visse folk fra Säpo var blevet arresteret af andre folk fra Säpo.

Hende på TV4 var den eneste journalist, der på normal vis vidste, hvad historien drejede sig om. Hendes timelange indslag blev en klassiker, der nogle måneder senere resulterede i prisen for årets bedste nyhedsindslag i tv.

Sonja Modig slusede Lisbeth Salander ud fra politigården ved simpelthen at tage hende og Annika Giannini med ned i parkeringskælderen og køre dem hen til advokatens kontor ved Kungsholms Kyrkoplan. Der skiftede de til Annika Gianninis bil. Annika ventede, til Sonja Modig var forsvundet, inden hun startede motoren. Hun kørte mod Södermalm. Da de passerede Riksdagshuset, brød hun tavsheden.

"Hvorhen?" spurgte hun.

Lisbeth tænkte sig om et øjeblik.

"Du kan sætte mig af et eller andet sted i Lundagatan."

"Miriam Wu er der ikke."

Lisbeth skævede til Annika Giannini.

"Hun tog til Frankrig, kort efter at hun blev udskrevet fra hospitalet. Hun bor hos sine forældre, hvis du vil kontakte hende."

"Hvorfor har du ikke fortalt mig det?"

"Du spurgte aldrig."

"Hmm."

"Hun havde brug for at komme lidt på afstand. Mikael gav mig dem her i morges og sagde, at du formentlig ville have dem tilbage."

Hun gav hende et sæt nøgler. Lisbeth tog stumt imod dem.

"Tak. Kan du sætte mig af et eller andet sted i Folkungagatan i stedet."

"Vil du ikke engang fortælle mig, hvor du bor?"

"Senere. Jeg vil gerne være i fred."

"Okay."

Annika havde tændt for sin mobil, da de forlod politigården efter afhøringen. Den begyndte at ringe, da hun passerede Slussen. Hun så på displayet.

"Det er Mikael. Han har ringet cirka hvert tiende minut de seneste timer."

"Jeg vil ikke tale med ham."

"Okay. Men må jeg stille dig et personligt spørgsmål?"

"Ja."

"Hvad har Mikael egentlig gjort dig, siden du hader ham så meget. Hvis det ikke var for ham, ville du formentlig være blevet spærret inde på den lukkede afdeling i aften."

"Jeg hader ikke Mikael. Han har ikke gjort mig noget. Jeg vil bare ikke møde ham lige nu."

Annika Giannini skævede til sin klient.

"Jeg skal nok lade være med at blande mig i dine forhold, men faldt du for ham?"

Lisbeth så ud gennem sideruden uden at svare.

"Min bror er totalt uansvarlig med hensyn til relationer. Han boller sig igennem livet og forstår ikke, hvor ondt det kan gøre på de kvinder, der ser ham som andet og mere end et midlertidigt bekendtskab."

Lisbeth mødte hendes blik.

"Jeg vil ikke diskutere Mikael med dig."

"Okay," sagde Annika. Hun kørte ind til kantstenen lige før Erstagatan. "Er det i orden her?"

"Ja."

De sagde ikke noget et stykke tid. Lisbeth gjorde ingen ansats til at åbne bildøren. Efter et stykke tid slukkede Annika bilmotoren.

"Hvad skal der nu ske?" spurgte Lisbeth til sidst.

"Det, der sker nu, er, at fra og med i dag står du ikke længere under nogen formynder. Du kan gøre, hvad du vil. Som vi også understregede i retten i dag, er der faktisk en hel del bureaukrati tilbage. Der vil blive foretaget forskellige ansvarsundersøgelser inden for Overformynderiet, og der vil blive rejst spørgsmål om kompensation og den slags. Og kriminalefterforskningen vil fortsætte."

"Jeg vil ikke have nogen kompensation. Jeg vil bare være i fred."

"Okay. Men det spiller ikke så stor en rolle, hvad du mener. Denne proces er hinsides dig. Jeg foreslår, at du finder dig en advokat, der kan tale din sag."

"Vil du ikke fortsætte som min advokat?"

Annika gned sig i øjnene. Efter dagens kraftanstrengelse følte hun sig helt tom. Hun ville hjem og have et bad og lade sin mand massere sin ryg.

"Jeg ved ikke rigtig. Du stoler ikke på mig. Og jeg stoler ikke på dig. Jeg har ikke lyst til at blive inddraget i en lang proces, hvor jeg bare bliver mødt af frustrerende tavshed, når jeg kommer med forslag eller vil diskutere noget."

Lisbeth sagde ikke noget i lang tid.

"Jeg ... jeg er ikke så god til relationer. Men jeg stoler faktisk på dig."

Det lød næsten som en undskyldning.

"Det er muligt. Men det er ikke mit problem, at du er dårlig til relationer. Men det bliver mit problem, hvis jeg skal repræsentere dig."

Tavshed.

"Vil du have, at jeg skal fortsætte som din advokat?"

Lisbeth nikkede. Annika sukkede.

"Jeg bor i Fiskargatan 9. Oven for Mosebacke Torg. Kan du køre mig derhen?"

Annika skævede til sin klient. Til sidst startede hun motoren. Hun lod Lisbeth dirigere hende hen til den rigtige adresse. De stoppede op et stykke fra huset.

"Okay," sagde Annika. "Vi gør et forsøg. Her er mine vilkår. Jeg siger ja til at repræsentere dig. Men når jeg vil have fat i dig, så vil jeg have, at du svarer. Når jeg har brug for at vide, hvordan du vil have, at jeg skal agere, vil jeg have klare svar. Hvis jeg ringer til dig og siger, at du skal møde en politimand eller en anklager eller noget andet, der drejer sig om kriminalefterforskningen, så har jeg vurderet, at det er nødvendigt. Og så kræver jeg, at du indfinder dig på aftalte sted og på aftalte tidspunkt og ikke gør vrøvl. Kan du leve med det?"

"Okay."

"Og hvis du begynder at lave vrøvl, så holder jeg op med at være din advokat. Har du forstået?"

Lisbeth nikkede.

"En ting til. Jeg vil ikke havne i et eller andet drama mellem dig og min bror. Hvis du har problemer med ham, så må du ordne dem. Men han er faktisk ikke din fjende."

"Jeg ved det godt. Jeg skal nok ordne det. Men jeg har brug for tid."

"Hvad har du tænkt dig at gøre?"

"Jeg ved det ikke. Du kan nå mig via mailen. Jeg lover at svare, så hurtigt jeg kan, men jeg tjekker den måske ikke hver dag ..."

"Du bliver ikke livegen, bare fordi du har fået dig en advokat. Vi nøjes med det her indtil videre. Ud af min bil. Jeg er dødtræt og vil hjem og sove."

Lisbeth åbnede døren og steg ud på fortovet. Hun stoppede op, da hun skulle til at lukke bildøren. Hun så ud, som om hun forsøgte at formulere noget, men ikke kunne finde ordene. Et øjeblik syntes Annika, at hun så næsten sårbar ud.

"Det er okay," sagde Annika. "Gå nu bare hjem og sov. Og lad være med at kludre i det den nærmeste tid."

Lisbeth Salander blev stående på kantstenen og så efter Annika Giannini, indtil baglygterne forsvandt omkring hjørnet.

"Tak," sagde hun endelig.

KAPITEL 29

HUN FANDT SIN PALM Tungsten T3 på kommoden i entreen. Der lå hendes bilnøgler også og den skuldertaske, som hun havde tabt, da Magge Lundin gik løs på hende uden for porten i Lundagatan. Der lå åbnet og uåbnet post, som var blevet hentet fra boksen i Hornsgatan. *Mikael Blomkvist.*

Hun gik en langsom runde gennem den møblerede del af sin lejlighed. Hun fandt spor efter ham overalt. Han havde sovet i hendes seng og arbejdet ved hendes skrivebord. Han havde brugt hendes kuglepenne, og i papirkurven fandt hun udkast til bogen om Sektionen og kasserede noter og skriblerier.

Han har købt en liter mælk, brød, ost, kaviar og ti Billys Pan Pizza, som han har lagt i køleskabet.

På køkkenbordet fandt hun en lille, hvid kuvert med hendes navn. Det var en seddel fra ham. Budskabet var kort. Hans mobilnummer. Ikke andet.

Lisbeth Salander vidste pludselig, at bolden lå hos hende. Han havde ikke tænkt sig at kontakte hende. Han havde afsluttet historien, leveret hendes lejlighedsnøgler tilbage og havde ikke tænkt sig at lade høre fra sig. Hvis hun ville ham noget, kunne hun ringe. *Skide stivnakke.*

Hun tændte for kaffemaskinen, smurte fire madder, satte sig i vindueskarmen og så ud mod Djurgården. Hun tændte en cigaret og sad og grublede.

Det hele var ovre, og alligevel føltes hendes liv pludselig mere indelukket og begrænset end nogensinde.

Miriam Wu var taget til Frankrig. *Det var min skyld, at du næsten døde.* Hun havde bævet for det øjeblik, hvor hun ville blive nødt til at møde Miriam Wu, og hun havde besluttet, at det skulle være hendes

allerførste stop, når hun blev fri. *Og så var hun taget til Frankrig.*
Hun stod pludselig i gæld til folk.

Holger Palmgren. Dragan Armanskij. Hun burde kontakte dem og takke. Paolo Roberto. Og Plague og Trinity. Endda de skide politibetjente Bublanski og Modig havde rent objektivt taget hendes parti. Hun brød sig ikke om at stå i gæld til nogen. Hun følte sig som en brik i et spil, som hun ikke kunne kontrollere.

Den skide Kalle Blomkvist. Og måske endda skide Erika Berger med smilehullerne, det smukke tøj og den selvsikre væremåde.

Det er ovre, havde Annika Giannini sagt, da de forlod politigården. Jo, retssagen var ovre. Det var ovre for Annika Giannini. Og det var ovre for Blomkvist, der havde offentliggjort sine artikler og sin bog, og som ville komme i tv og sikkert inkassere en eller anden skide pris også.

Men det var ikke ovre for Lisbeth Salander. Det var kun den første dag i resten af hendes liv.

KLOKKEN FIRE OM morgenen holdt hun op med at tænke. Hun smed sit punkudstyr på gulvet i soveværelset og gik ud på badeværelset og tog et brusebad. Hun vaskede al den makeup af, som hun havde haft på i retten, og klædte sig i et par mørke, komfortable lærredsbukser, en hvid top og en tynd jakke. Hun pakkede en weekendtaske med skiftetøj, undertøj og et par bluser og stak i et par snøresko.

Hun tog sin Palm med og bestilte en taxi til Mosebacke Torg. Hun kørte til Arlanda og var fremme lidt før klokken seks. Hun studerede tavlen med afgange og købte en billet til det første sted, der faldt hende ind. Hun brugte passet i sit eget navn. Hun blev overrasket, da ingen på billetkontoret eller ved indtjekningskranken så ud til at genkende hende eller reagere på navnet.

Hun fik plads på morgenflyet til Malaga og landede midt på dagen i stegende hede. Hun stod et stykke tid ved terminalen, usikker på hvad hun nu skulle. Til sidst gik hun hen og så på et kort og spekulerede over, hvad hun skulle lave i Spanien. Efter nogle minutter bestemte hun sig. Hun orkede ikke at bruge tid på at spekulere over buslinjer eller alternative transportmidler. Hun købte et par solbriller i en butik i lufthavnen, gik ud til taxiterminalen og satte sig ind på bagsædet af den første ledige bil.

"Gibraltar. Jeg betaler med kreditkort."

Turen tog tre timer langs den nye motorvej på sydkysten. Taxien satte hende af ved paskontrollen på grænsen til britisk territorium, og så gik hun op til The Rock Hotel på Europa Road et stykke oppe ad skråningen på den 425 meter høje klippe, hvor hun spurgte, om der var et ledigt værelse. Der var et dobbeltværelse. Hun bookede det for to uger og gav dem sit kreditkort.

Hun tog et brusebad og satte sig indhyllet i et badehåndklæde på terrassen og så ud over Gibraltarstrædet. Hun kunne se nogle last-fartøjer og sejlbåde. Hun kunne svagt ane Marokko i disen på den anden side af strædet. Der var roligt.

Efter et stykke tid gik hun ind og lagde sig og faldt i søvn.

NÆSTE MORGEN VÅGNEDE Lisbeth Salander halv seks. Hun stod op, tog et brusebad og drak kaffe i hotelbaren i stueetagen. Klokken syv forlod hun hotellet, gik ud og købte en pose med mango og æbler, tog en taxi op til The Peak og gik hen til aberne. Hun var så tidligt ude, at der kun var dukket nogle få turister op, og hun var næsten alene med dyrene.

Hun kunne godt lide Gibraltar. Det var hendes tredje besøg på den besynderlige klippe med en absurd tætbefolket engelsk by ved Middelhavet. Gibraltar var et sted, der ikke rigtig lignede noget andet sted. Byen havde været isoleret i årtier, en koloni der standhaftigt nægtede at blive indlemmet i Spanien. Spanierne protesterede natur-ligvis mod okkupationen. (Lisbeth Salander mente dog, at de burde holde deres mund, så længe de besatte enklaven Ceuta på marok-kansk territorium på den anden side af Gibraltarstrædet.) Det var et sted, der var mærkelig afskærmet fra den øvrige verden, en by, der bestod af en bizar klippe og omkring to kvadratkilometer byareal, og en lufthavn der begyndte og endte i havet. Kolonien var så lille, at hver eneste kvadratcentimeter blev udnyttet, og ekspansionen måtte ske ud i havet. For overhovedet at komme ind i byen var gæsterne nødt til at gå over landingsbanen i lufthavnen.

Gibraltar gav begrebet *compact living* en ny betydning.

Lisbeth så en stor hanabe hæve sig op på en mur ved siden af vejen. Han stirrede på hende. Han var en *Barbary Ape*. Hun vidste bedre end at forsøge at klappe nogen af dyrene.

"Hej, min ven," sagde hun. "Jeg er tilbage igen."

Første gang, hun besøgte Gibraltar, havde hun aldrig hørt om disse aber. Hun var bare taget op til toppen for at se udsigten og blev meget overrasket, da hun fulgte en gruppe turister og pludselig befandt sig midt i en abeflok, der klatrede på begge sider af vejen.

Det var en særlig fornemmelse at vandre langs en sti og pludselig have en snes aber omkring sig. Hun betragtede dem med største mistænksomhed. De var ikke farlige og aggressive. Derimod havde de tilstrækkelig mange kræfter til at bide voldsomt fra sig, hvis de blev irriterede eller følte sig truede.

Hun fandt en af dyrepasserne, viste ham sin pose og spurgte, om hun måtte give frugten til aberne. Han sagde, at det var okay.

Hun tog en mango op og lagde den på muren lidt væk fra hannen.

"Morgenmad," sagde hun, lænede sig op ad muren og tog en bid af et æble.

Hanaben stirrede på hende, viste tænder og samlede tilfreds mangoen op.

VED FIRETIDEN OM eftermiddagen, fem dage senere, faldt Lisbeth Salander ned af stolen på Harry's Bar i en sidegade til Main Street, to gader fra sit hotel. Hun havde været konstant beruset, siden hun forlod abebjerget, og størstedelen af drikkeriet var foregået hos Harry O'Connell, der ejede baren og talte med en tilkæmpet irsk accent, selv om han aldrig i hele sit liv havde sat sin fod i Irland. Han havde iagttaget hende med bekymret mine.

Da hun bestilte den første drink om eftermiddagen fire dage før, havde han krævet legitimation, da hun så ud til at være betydelig yngre, end passet angav. Han vidste, at hun hed Lisbeth, og kaldte hende Liz. Hun plejede at komme ind efter frokosttid, sætte sig på en høj stol længst inde i baren og læne sig op ad væggen. Derefter gav hun sig til at skylle en masse øl eller whisky ned.

Når hun drak øl, var hun ligeglad med mærker; hun tog imod det, han tappede fra hanerne. Når hun bestilte whisky, valgte hun altid Tullamore Dew, bortset fra en gang hvor hun havde studeret flaskerne bag disken og havde bedt om Lagavulin. Da hun fik glasset, lugtede hun til det. Hun hævede øjenbrynene og tog derefter en

Meget Lille Slurk. Hun stillede glasset fra sig og stirrede på det i et minut med et ansigtsudtryk, der tydede på, at hun betragtede indholdet som en farlig fjende.

Endelig skød hun glasset fra sig og bad Harry om at give hende noget, som hun ikke kunne bruge til at tjære sin båd med. Han hældte Tullamore Dew op igen, og hun vendte tilbage til sit drikkeri. I løbet af de sidste fire døgn havde hun alene konsumeret omkring en flaske. Han havde ikke holdt tal på øllene. Harry var mildest talt overrasket over, at en pige med hendes beskedne kropsfylde kunne holde så meget i sig, men han gik ud fra, at hvis hun havde lyst til at drikke sprut, så gjorde hun det, enten i hans bar eller et andet sted.

Hun drak langsomt, talte ikke med nogen og lavede ikke ballade. Hendes eneste beskæftigelse, bortset fra konsumeringen af alkohol, så ud til at være at sidde og lege med en håndcomputer, som hun nu og da forbandt til en mobiltelefon. Han havde et par gange forsøgt at indlede en samtale med hende, men blev mødt af en mut tavshed. Hun virkede, som om hun gerne ville undgå selskab. Et par gange, hvor der havde været mange folk i baren, var hun rykket ud til et af bordene på gaden, og et par andre gange var hun gået ned på en italiensk restaurant to døre væk og havde spist middag, hvorefter hun vendte tilbage til Harry og bestilte mere Tullamore Dew. Hun plejede at forlade baren ved titiden om aftenen og vakle nordpå.

Denne dag havde hun drukket mere og hurtigere end de andre dage, og Harry var begyndt at holde et vågent øje med hende. Da hun havde bællet syv glas Tullamore Dew i sig på omkring to timer, havde han besluttet at nægte hende mere sprut. Før han nåede at føre beslutningen ud i livet, hørte han dog braget, da hun faldt ned af stolen. Han stillede et glas ned, som han var ved at tørre af, gik rundt om bardisken og løftede hende op. Hun så fornærmet ud.

"Du har vist fået nok," sagde han.

Hun så på ham uden at kunne fokusere.

"Du har vist ret," svarede hun med forbavsende tydelig stemme.

Hun holdt fast i bardisken med den ene hånd, gravede nogle sedler frem af brystlommen og vaklede mod udgangen. Han greb hende forsigtigt i skulderen.

"Vent lidt. Hvad siger du til at gå ud på toilettet, kaste den der sidste sprut op og blive siddende lidt i baren. Jeg bryder mig ikke om at lade dig gå i den tilstand."

Hun protesterede ikke, da han førte hende ud på toilettet. Hun stak fingrene i halsen og gjorde, som han foreslog. Da hun kom ud til baren igen, hældte han et stort glas sodavand op til hende. Hun drak hele glasset og bøvsede.

"Du får det forfærdeligt i morgen," sagde Harry.

Hun nikkede.

"Det er ikke min sag, men hvis jeg var dig, ville jeg holde mig ædru et par dage."

Hun nikkede igen. Så gik hun ud på toilettet igen og brækkede sig.

Hun blev siddende på Harry's Bar i yderligere nogle timer, før hendes blik var klaret så meget op, at Harry turde sende hende af sted. Hun forlod ham på usikre ben, gik ned til lufthavnen og fulgte stranden langs marinaen. Hun gik, indtil klokken var halv ni, og jorden var holdt op med at gynge. Først da vendte hun tilbage til hotellet. Hun gik op på sit værelse, børstede tænder og plaskede vand i ansigtet, skiftede tøj og gik ned i hotelbaren i foyeren og bestilte en kop sort kaffe og en flaske mineralvand.

Hun sad ubemærket i tavshed ved en søjle og studerede folk i baren. Hun så et par i trediverne optaget af en lavmælt samtale. Kvinden var klædt i en lys sommerkjole. Manden holdt hendes hånd under bordet. To borde længere væk sad en sort familie, han med begyndende grå tindinger, hun med en smuk, farvestrålende kjole i gul, sort og rød. De havde to børn, der ikke helt var blevet teenagere. Hun studerede en gruppe forretningsmænd i hvide skjorter og slips med jakken hængende over stoleryggene. De drak øl. Hun så et selskab af pensionister, der uden tvivl var amerikanske turister. Mændene var klædt i baseballkasketter, tennistrøjer og komfortable bukser. Kvinderne var i designerjeans, røde toppe og solbriller i snore. Hun så en mand i en lys lærredsjakke, grå skjorte og et mørkt slips, der gik over til baren og bestilte en øl. Hun sad tre meter fra ham og så på ham, da han fandt en mobiltelefon frem og begyndte at tale tysk.

"Hej, det er mig ... hvordan går det? ... det går godt, det næste møde er i morgen eftermiddag ... nej, jeg tror, det løser sig ... jeg bliver her i mindst

fem eller seks dage og tager derefter til Madrid ... nej, jeg er ikke hjemme før i slutningen af næste uge ... jeg med ... jeg elsker dig ... selvfølgelig ... jeg ringer senere på ugen ... kys."

Han var 185 centimeter høj, omkring de 50, måske 55 år, lyshåret med gråsprængt hår, der var lidt længere end kortklippet, en veg hage og for meget fedt omkring maven. Alligevel temmelig velholdt. Han læste *Financial Times*. Da han havde drukket sin øl og gik hen mod elevatoren, rejste Lisbeth Salander sig og fulgte efter.

Han trykkede på knappen til sjette etage. Lisbeth stillede sig ved siden af ham og lænede baghovedet mod elevatorvæggen.

"Jeg er beruset," sagde hun.

Han så på hende.

"Nå?"

"Ja. Det har været sådan en uge. Lad mig gætte. Du er forretningsmand af en eller anden slags, kommer fra Hannover eller et andet sted i det nordlige Tyskland. Du er gift. Du elsker din kone. Og du er nødt til at blive her i Gibraltar et par dage mere. Så meget forstod jeg af din telefonsamtale i baren."

Han så forbløffet på hende.

"Selv er jeg fra Sverige. Jeg har et uimodståeligt behov for at have sex med nogen. Jeg skider på, at du er gift, og jeg vil ikke have dit telefonnummer."

Han hævede øjenbrynene.

"Jeg bor på værelse 711, etagen over dig. Jeg har tænkt mig at gå op på mit værelse, klæde mig af, bade og lægge mig i sengen. Hvis du vil gøre mig selskab, skal du banke på, inden der er gået en halv time. Ellers er jeg faldet i søvn."

"Laver du sjov med mig?" spurgte han, da elevatoren stoppede.

"Nej. Jeg gider ikke gå ind på en eller anden bar og fiske en op. Enten banker du på hos mig, eller også er det lige meget."

Femogtyve minutter senere bankede det på døren til Lisbeths hotelværelse. Hun havde et badehåndklæde om sig, da hun åbnede.

"Kom ind," sagde hun.

Han trådte indenfor og så sig mistænksomt omkring i værelset.

"Her er kun mig," sagde hun.

"Hvor gammel er du egentlig?"

Hun rakte hånden ud, tog sit pas, der lå på en kommode, og gav ham det.

"Du ser yngre ud."

"Jeg ved det," sagde hun, åbnede badehåndklædet og smed det på en stol. Hun gik hen til sengen og trak sengetæppet væk.

Han stirrede på hendes tatoveringer. Hun kastede et blik over skulderen.

"Det her er ingen fælde. Jeg er pige, single og har nogle dage. Jeg har ikke haft sex i flere måneder."

"Hvorfor valgte du lige mig?"

"Fordi du var den eneste i baren, der så ud til ikke at være sammen med nogen."

"Jeg er gift ..."

"Og jeg vil ikke vide, hvem hun er, eller overhovedet hvem du er. Og jeg vil ikke diskutere sociologi. Jeg vil bolle. Klæd dig af, eller gå ned på dit eget værelse igen."

"Bare sådan uden videre?"

"Hvorfor ikke. Du er en voksen mand og ved, hvad du forventes at gøre."

Han tænkte sig om et halvt minut. Han så ud, som om han var lige ved at gå. Hun satte sig på sengekanten og ventede. Han bed sig i underlæben. Så tog han bukserne og skjorten af og stod tøvende tilbage i underbukser.

"Alt," sagde Lisbeth Salander. "Jeg har ikke tænkt mig at bolle med nogen, der har underbukser på. Og du skal bruge kondom. Jeg ved, hvor jeg har været, men jeg ved ikke, hvor du har været."

Han trak underbukserne af, gik hen til hende og lagde hånden på hendes skulder. Lisbeth lukkede øjnene, da han bøjede sig ned og kyssede hende. Han smagte godt. Hun lod ham lægge sig ned på sengen. Han var tung.

JEREMY STUART MACMILLAN, advokat, mærkede nakkehårene rejse sig, i samme øjeblik han åbnede døren til sit kontor i Buchanan House på Queensway Quay oven for marinaen. Han kunne lugte tobaksrøg og høre en knirkende stol. Klokken var lidt i syv om morgenen, og hans første tanke var, at han havde overrasket en indbrudstyv.

Så slog duften af kaffe fra kaffemaskinen i tekøkkenet ham i møde. Efter nogle sekunder trådte han tøvende over tærsklen, gik hen ad gangen og kiggede ind i samtlige rummelige og elegant møblerede kontorer. Lisbeth Salander sad i hans kontorstol med ryggen mod ham og fødderne i vindueskarmen. Hans pc var tændt, og hun havde åbenbart ikke haft problemer med at komme forbi kodeordet. Hun havde heller ikke haft problemer med at åbne hans sikkerhedsskab. Hun havde en mappe med hans mest private korrespondance og bogføring i skødet.

"Godmorgen, frøken Salander," sagde han til sidst.

"Mmm," svarede hun. "Der er frisk kaffe og croissanter i tekøkkenet."

"Tak," sagde han og sukkede opgivende.

Han havde jo købt kontoret for hendes penge og på hendes opfordring, men han havde ikke forventet, at hun ville materialisere sig uden varsel. Desuden havde hun fundet og åbenbart læst et bøssepornoblad, han havde haft gemt i en skrivebordsskuffe.

Hvor pinligt.

Eller måske alligevel ikke.

Når det drejede sig om Lisbeth Salander, oplevede han, at hun var det mest fordømmende menneske, han nogensinde havde mødt, når det drejede sig om personer, der irriterede hende, men at hun aldrig nogensinde så meget som hævede øjenbrynene over for menneskers svagheder. Hun vidste, at han officielt var heteroseksuel, men at hans mørke hemmelighed var, at han var tiltrukket af mænd, og at han siden skilsmissen femten år tidligere havde virkeliggjort sine mest private fantasier.

Hvor mærkeligt. Jeg føler mig tryg ved hende.

EFTERSOM HUN ALLIGEVEL befandt sig i Gibraltar, havde Lisbeth besluttet at besøge advokat Jeremy MacMillan, der tog sig af hendes økonomi. Hun havde ikke været i kontakt med ham siden lige efter årsskiftet og ville vide, om han havde ruineret hende under hendes fravær.

Men det havde ikke hastet og var heller ikke grunden til, at hun var taget direkte til Gibraltar, da hun blev løsladt. Det gjorde hun, fordi hun følte et instinktivt behov for at komme væk fra alt, og i den henseende var Gibraltar udmærket. Hun havde tilbragt næsten en uge med at være beruset og derefter endnu nogle dage med at have sex med den tyske forretningsmand, der omsider havde præsenteret sig som Dieter. Hun tvivlede på, at det var hans rigtige navn, men undersøgte det ikke. Han tilbragte dagene med at sidde i møde og aftenerne med at spise middag med hende, inden de trak sig tilbage til hans eller hendes værelse.

Han var slet ikke dårlig i sengen, konstaterede Lisbeth. Muligvis var han lidt uerfaren og af og til unødig hårdhændet.

Dieter havde virket ægte overrasket over, at hun helt impulsivt havde samlet en overvægtig tysk forretningsmand op, der ikke engang havde været på pigejagt. Han var ganske rigtig gift og plejede ikke at være utro eller søge kvindeligt selskab på sine forretningsrejser. Men da muligheden blev serveret på et fad i form af en spæd, tatoveret pige, havde han ikke kunnet modstå fristelsen, sagde han.

Lisbeth Salander var ret ligeglad med, hvad han sagde. Hun havde ikke forventet andet end rekreationssex, men var blevet overrasket over, at han faktisk anstrengte sig for at tilfredsstille hende. Det var først den fjerde nat, deres sidste sammen, at han fik et anfald af panikangst og begyndte at spekulere over, hvad hans kone ville sige. Lisbeth Salander mente, at han burde holde mund og ikke fortælle sin kone noget.

Men hun sagde ikke, hvad hun tænkte.

Han var voksen og kunne have sagt nej til hendes invitation. Det var ikke hendes problem, hvis han blev ramt af skyldfølelse eller indrømmede det over for sin kone. Hun havde ligget med ryggen til ham og lyttet i et kvarter, indtil hun irriteret havde himlet med øjnene, havde vendt sig om og sat sig overskrævs på ham.

"Tror du ikke, at du kunne holde en pause med den angst lidt og tilfredsstille mig igen?" spurgte hun.

Jeremy MacMillan var en helt anden historie. Hans erotiske tiltrækning på Lisbeth Salander var lig nul. Han var en slyngel. Han lignede sjovt nok Dieter på en prik. Han var 48 år, charmerende, lidt overvægtig med grånende, mørkblondt, krøllet hår, der blev kæmmet tilbage over en høj isse. Han havde tynde, guldindfattede briller.

Engang havde han været erhvervsjurist med topuddannelse og bosat i London. Han havde haft en lovende fremtid og havde været medejer af et advokatkontor, der blev hyret af storforetagender og velbeslåede, nyrige yuppier, der gjorde i ejendomskøb og skattely. Han havde tilbragt de glade firsere med at omgås de nyrige berømtheder. Han havde drukket tæt og sniffet kokain sammen med folk, han egentlig ikke havde lyst til at vågne op sammen med morgenen derpå. Der var aldrig blevet rejst tiltale mod ham, men han havde mistet sin kone og to børn og var blevet fyret efter at have forsømt sine forretninger og være mødt beruset op til en forligsproces.

Uden større overvejelse var han begyndt at holde sig fra sprutten og stofferne og var skamfuld flyttet fra London. Hvorfor han lige havde valgt Gibraltar, vidste han ikke, men i 1991 havde han slået sig sammen med en lokal jurist og åbnet et beskedent kontor i en lille gyde, der officielt gav sig af med betydeligt mindre glamourøse opgørelser af dødsboer og testamenter. Lidt mindre officielt gav MacMillan & Marks sig af med at etablere skuffeselskaber og fungere som stråmænd for diverse obskure personer i Europa. Virksomheden havde klaret sig med røven i vandskorpen, indtil den dag Lisbeth Salander valgte Jeremy MacMillan til at forvalte de 2,4 milliarder dollar, hun havde stjålet fra finansmanden Hans-Erik Wennerströms smuldrende imperium.

MacMillan var uden tvivl en slyngel. Men hun betragtede ham som *sin* slyngel, og han havde overrasket sig selv ved at forblive upåklageligt hæderlig imod hende. Hun havde først ansat ham til en enkelt opgave. Mod en beskeden sum havde han etableret en række skuffeselskaber, hvori hun placerede en million dollar, som hun kunne bruge af. Hun havde kontaktet ham per telefon og bare været en stemme langt væk. Han spurgte aldrig, hvorfra pengene kom. Han havde gjort, hvad hun havde bedt om, og debiteret hende fem procent af beløbet. Kort efter havde hun sluset en større sum penge ind, som han skulle bruge til at etablere et firma, Wasp Enterprises, der købte en lejlighed i Stockholm. Kontrakten med Lisbeth Salander var dermed blevet lukrativ, selv om det for hans vedkommende drejede sig om småpenge.

To måneder senere var hun pludselig kommet på besøg i Gibraltar. Hun havde ringet og foreslået en privat middag på sit værelse på The Rock, som var om ikke det største, så i hvert fald det mest traditionsbundne hotel på Klippen. Han var ikke sikker på, hvad han havde ventet sig, men havde ikke troet, at hans klient ville være en dukkelignende pige, der så ud til at være teenager. Han troede, at han var offer for en eller anden bizar joke.

Han havde snart ændret opfattelse. Den underlige pige talte ubekymret med ham uden på noget tidspunkt at smile eller vise nogen personlig varme. Eller for den sags skyld kulde. Han havde været lamslået, da hun i løbet af nogle minutter helt havde raseret den forretningsmæssige facade af verdensvant respektabilitet, som han var så vant til at opretholde.

"Hvad vil du?" spurgte han.

"Jeg har stjålet nogle penge," svarede hun med stor alvor. "Jeg har brug for en slyngel til at forvalte dem."

Han havde overvejet, om hun var rigtig klog, men han spillede høfligt med. Hun var et potentielt offer for en hurtig dribling, der kunne give ham et lille afkast. Derefter havde han siddet som ramt af lynet, da hun forklarede, hvem hun havde stjålet pengene fra, hvordan det var gået til, og hvor stort beløbet var. Wennerströmaffæren var det varmeste samtaleemne i den internationale finansverden.

"Okay."

Mulighederne fór gennem hans hjerne.

"Du er en dygtig erhvervsjurist og investeringsmand. Hvis du var en idiot, ville du aldrig have fået de opgaver, du fik i 80'erne. Men du opførte dig som en idiot og havde held til at blive fyret."

Han hævede øjenbrynene.

"Jeg vil i fremtiden være din eneste kunde."

Hun havde set på ham med de mest troskyldige øjne, han nogensinde havde set.

"Jeg har to krav. Det ene er, at du aldrig nogensinde begår noget kriminelt eller bliver indblandet i noget, der kan skabe problemer for os og tiltrække myndighedernes interesse for mine firmaer og konti. Det andet er, at du aldrig lyver for mig. Aldrig nogensinde. Ikke en eneste gang. Lige meget hvilken grund. Hvis du lyver, så hører vores forretningsrelation op med det samme, og hvis du irriterer mig tilstrækkelig meget, vil jeg sørge for at ruinere dig."

Hun hældte et glas vin op til ham.

"Der er ingen grund til at lyve for mig. Jeg kender allerede til alt, hvad der er værd at vide om dit liv. Jeg ved, hvor meget du tjener

635

en god måned og en dårlig måned. Jeg ved, hvor meget du bruger. Jeg ved, at du aldrig rigtig kan få pengene til at slå til. Jeg ved, at du skylder 120.000 pund i både langfristede og kortfristede lån, og at du hele tiden må tage risici og fifle dig til penge for at klare tilbagebetalingen. Du klæder dig elegant og forsøger at holde facaden, men du er ved at gå nedenom og hjem og har ikke købt en ny jakke i flere måneder. Derimod afleverede du en gammel jakke for at få lappet foret for to uger siden. Du samlede engang på sjældne bøger, men har solgt dem lidt efter lidt. Sidste måned solgte du en tidlig udgave af *Oliver Twist* for 760 pund."

Hun tav og holdt hans blik fast. Han sank en klump.

"Sidste uge lavede du en fantastisk handel. Et ganske sindrigt bedrageri mod hende enken, som du repræsenterer. Du ragede 6.000 pund til dig, som hun næppe kommer til at mangle."

"Hvordan fanden ved du det?"

"Jeg ved, at du har været gift, at du har to børn i England, der ikke vil se dig, og at du har taget skridtet fuldt ud efter skilsmissen og i dag hovedsagelig har homoseksuelle forhold. Du er formentlig flov over det, da du undgår bøsseklubberne og at blive set ude i byen med nogen af dine mandlige venner, og eftersom du ofte tager over grænsen til Spanien for at møde mænd."

Jeremy MacMillan var blevet helt mundlam af chok. Han var pludselig skrækslagen. Han havde ingen anelse om, hvordan hun havde fået fat i alle de oplysninger, men hun havde tilstrækkeligt til at tilintetgøre ham.

"Og det her siger jeg kun én gang. Jeg skider på, hvem du har sex med. Det angår ikke mig. Jeg vil vide, hvem du er, men jeg vil aldrig udnytte min viden. Jeg vil ikke true eller afpresse dig."

MacMillan var ikke nogen idiot. Han indså naturligvis, at den viden, hun havde om ham, var en trussel. Hun havde kontrol. Et kort øjeblik havde han overvejet at løfte hende op og smide hende ud over kanten af terrassen, men han beherskede sig. Han havde aldrig før været så bange.

"Hvad vil du?" fik han frem.

"Jeg vil indgå et kompagniskab med dig. Du skal ophøre med alle andre forretninger, du går og laver, og kun arbejde for mig. Du kommer til at tjene mere, end du nogensinde har drømt om."

636

Hun forklarede, hvad hun ville have, at han skulle gøre, og hvordan hun ville have, at oplægget skulle se ud.

"Jeg vil være usynlig," forklarede hun. "Du tager dig af mine forretninger. Alt skal være legitimt. Det rod, jeg selv går og laver, vil aldrig komme til at berøre dig eller kunne forbindes med vores forretninger."

"Okay."

"Jeg vil altså være din eneste kunde. Du har en uge til at afvikle alle dine kunder og ophøre med alt småsnyderi."

Det gik op for ham, at han havde fået et tilbud, han aldrig ville få igen. Han havde tænkt sig om i et minut og derefter accepteret. Han havde kun et spørgsmål.

"Hvordan ved du, at jeg ikke snyder dig?"

"Lad hellere være med det. Du vil fortryde det resten af dit miserable liv."

Der var ingen grund til at snyde. Lisbeth Salander havde tilbudt ham en opgave, der potentielt var så guldrandet, at det havde været absurd at risikere noget for småpenge. Så længe han ikke blev alt for ubeskeden og ikke lavede rod i det, gik han en tryg fremtid i møde.

Han havde ikke tænkt sig at snyde Lisbeth Salander.

Altså blev han hæderlig, eller i hvert fald så hæderlig en udbrændt advokat kunne være, når han forvaltede tyvegods af astronomiske proportioner.

Lisbeth var ganske uinteresseret i selv at tage sig af sin økonomi. MacMillans opgave var at placere hendes penge og sørge for, at der var dækning på de kreditkort, som hun brugte. De havde diskuteret i flere timer. Hun havde forklaret, hvordan hun ville have, at hendes økonomi skulle fungere. Hans job var at sørge for, at det fungerede.

En stor del af tyvegodset var blevet placeret i sikre fonde, der gjorde hende økonomisk uafhængig resten af livet, også hvis hun skulle finde på at leve et ekstremt udsvævende og ekstravagant liv. Det var fra disse fonde, at der gik penge ind på hendes kreditkort.

Resten af pengene kunne han lege med og investere efter sit eget hoved, forudsat at han ikke investerede i noget, der kunne give problemer med politiet under nogen som helst form. Hun forbød ham at give sig af med åndssvag småkriminalitet og småbedragerier, der

– hvis uheldet var ude – ville resultere i undersøgelser, der kunne sætte hende under lup.

Det, der var tilbage at fastsætte, var, hvad han skulle tjene på forretningen.

"Jeg betaler 500.000 pund i startsalær. Dermed kan du betale al din gæld og også få en god sjat i overskud. Derefter tjener du penge til dig selv. Du starter et firma med os to som medejere. Du får tyve procent af al profit, som firmaet genererer. Jeg vil gerne have, at du er tilstrækkelig rig til ikke at blive fristet til at prøve på nogen fiduser, men ikke så rig, at du ikke anstrenger dig."

Han begyndte på sit nye arbejde den 1. februar. I slutningen af marts havde han betalt al sin personlige gæld og stabiliseret sin privatøkonomi. Lisbeth havde insisteret på, at han skulle prioritere at sanere sin egen økonomi, så han var solvent. I maj afbrød han partnerskabet med sin alkoholiserede kollega Georg Marks, den anden halvdel af MacMillan & Marks. Han følte en snert af dårlig samvittighed mod sin forhenværende partner, men at blande Marks ind i Lisbeth Salanders affærer var udelukket.

Han drøftede sagen med Lisbeth Salander, da hun vendte tilbage til Gibraltar på et spontant besøg i begyndelsen af juli og opdagede, at MacMillan arbejdede hjemme fra sin lejlighed i stedet for fra det lille kontor i smøgen, hvor han tidligere havde huseret.

"Min partner er alkoholiker og vil ikke kunne håndtere det her. Tværtimod ville han være en risikofaktor. Men for femten år siden reddede han mit liv, da jeg kom til Gibraltar, og han tog mig ind i sin virksomhed."

Hun tænkte sig om i to minutter, mens hun studerede MacMillans ansigt.

"Okay. Du er en loyal slyngel. Det er formentlig en prisværdig egenskab. Jeg foreslår, at du laver en lille konto, som han får lov at lege med. Sørg for, at han tjener nogle tusindkronesedler om måneden, så han klarer sig."

"Er det okay med dig?"

Hun havde nikket og set sig omkring i hans ungkarlehybel. Han boede i en etværelses lejlighed med tekøkken i en af smøgerne i nærheden af hospitalet. Det eneste hyggelige var udsigten. Det var på den anden side en udsigt, der var svær at slippe for i Gibraltar.

"Du har brug for et kontor og en bedre lejlighed," sagde hun.

"Jeg har ikke haft tid," svarede han.

"Okay," sagde hun.

Derefter gik hun ud og shoppede et kontor til ham og valgte 130 kvadratmeter med en lille terrasse mod havet i Buchanan House på Queensway Quay, hvilket definitivt var *upmarket* i Gibraltar. Hun ansatte en indretningsarkitekt, der renoverede og møblerede den.

MacMillan kom i tanke om, at mens han havde været optaget af papireksercits, havde Lisbeth personligt overvåget installationen af alarmsystem, computerudstyr og det sikkerhedsskab, som hun overraskende sad og rodede i, da han kom ind på kontoret om morgenen.

"Er jeg faldet i unåde?" spurgte han.

Hun lagde den mappe med korrespondance fra sig, som hun havde fordybet sig i.

"Nej, Jeremy. Du er ikke faldet i unåde."

"Godt," sagde han og gik ud og hentede kaffe. "Du har en evne til at dukke op, når man mindst venter det."

"Jeg har haft ret travlt på det sidste. Jeg ville bare gerne finde ud af, hvad der er sket siden sidst."

"Hvis jeg har forstået det ret, så har du været eftersøgt for tredobbelt mord, er blevet skudt i hovedet og blevet sigtet for en lang række lovovertrædelser. Jeg var på et tidspunkt rigtig bekymret. Jeg troede stadig, at du var spærret inde. Er du stukket af?"

"Nej, jeg blev frikendt på alle punkter og sluppet fri. Hvor meget har du hørt?"

Han tøvede et øjeblik.

"Okay. Ingen hvide løgne. Da jeg forstod, at du var kommet i fedtefadet, hyrede jeg et oversættelsesbureau, der finkæmmede de svenske aviser og holdt mig løbende underrettet. Jeg er ret godt inde i tingene."

"Hvis du baserer din viden på, hvad der har stået i aviserne, er du ikke det mindste inde i tingene. Men jeg går ud fra, at du har opdaget en del hemmeligheder om mig."

Han nikkede.

"Hvad sker der nu?"

Hun så forbavset på ham.

"Ingenting. Vi fortsætter som før. Vores forhold har intet at gøre med mine problemer i Sverige. Fortæl, hvad der er sket, mens jeg har været væk. Har du opført dig ordentligt?"

"Jeg drikker ikke," sagde han. "Hvis det er det, du mener."

"Nej, dit privatliv angår ikke mig, så længe det ikke går ud over forretningerne. Jeg mener, om jeg er rigere eller fattigere end for et år siden?"

Han trak gæstestolen ud og slog sig ned. På en eller anden måde spillede det ingen rolle, at hun optog *hans* plads. Der var ingen grund til at lege hanekamp med hende.

"Du afleverede 2,4 milliarder dollar til mig. Vi satte 200 millioner i fonde til dig. Du gav mig resten at lege med."

"Ja."

"Dine personlige fonde har ikke forandret sig med meget mere end renten. Jeg kan øge profitten, hvis ..."

"Jeg er ikke interesseret i at øge profitten."

"Okay. Du har kun brugt en ubetydelig sum. De største enkelt-udgifter har været den lejlighed, jeg købte til dig, og den velgøren-hedsfond, du oprettede for ham der advokat Palmgren. I øvrigt har du kun haft et normalforbrug og ikke noget særlig udsvævende af slagsen. Renterne har været favorable. Du ligger på omkring plus minus nul."

"Godt."

"Resten har jeg investeret. I fjor tjente vi ikke nogen store summer. Jeg var rusten og skulle bruge tid på at lære markedet at kende igen. Vi har haft udgifter. Det er først i år, at vi er begyndt at generere ind-komster. Mens du har været buret inde, har vi fået omkring syv mil-lioner ind. Dollar altså."

"Hvoraf tyve procent tilfalder dig."

"Hvoraf tyve procent tilfalder mig."

"Er du tilfreds med det?"

"Jeg har tjent over en million dollar på et halvt år. Jo, jeg er til-freds."

"Du ved ... stræb nu ikke efter for meget. Du kan trække dig til-bage, når du er tilfreds. Men fortsæt med at tage dig af mine forret-ninger nogle timer nu og da."

"Ti millioner dollar," sagde han.

"Hvad?"

"Når jeg har tjent ti millioner dollar, holder jeg. Det var godt, at du dukkede op. Vi har en del at diskutere."

"Fortæl."

Han slog ud med hånden.

"Det er så mange penge, at det gør mig skidebange. Jeg ved ikke, hvordan jeg skal håndtere dem. Jeg ved ikke, hvad målsætningen med virksomheden er andet end at tjene flere penge. Hvad skal pengene bruges til?"

"Det ved jeg ikke."

"Heller ikke jeg. Men pengene kan blive et formål i sig selv. Det er vanvittigt. Det er derfor, at jeg har besluttet mig for at holde op, når jeg har tjent ti millioner. Jeg vil ikke have ansvaret længere."

"Okay."

"Inden jeg holder op, vil jeg gerne have, at du har bestemt, hvordan denne formue skal forvaltes i fremtiden. Der må findes et formål, nogle retningslinjer og en organisation, der kan tage over."

"Mmm."

"Det er umuligt for en person at tage sig af forretninger på den her måde. Jeg har delt beløbet op i langsigtede, faste investeringer – ejendomme, værdipapirer og den slags. Du har en komplet oversigt i computeren."

"Jeg har læst den."

"Den anden halvdel bruger jeg til at spekulere med, men der er så mange penge at holde styr på, at jeg ikke kan nå det. Jeg har derfor startet et investeringsfirma i Jersey. Du har for øjeblikket seks ansatte i London. To dygtige unge investeringsfolk og noget kontorpersonale."

"Yellow Ballroom Ltd? Jeg sad lige og spekulerede på, hvad det var for noget."

"Vores firma. Her i Gibraltar har jeg ansat en sekretær og en ung lovende jurist ... de dukker for resten op om en halv times tid."

"Aha. Molly Flint, 41 år, og Brian Delaney, 26."

"Vil du møde dem?"

"Nej. Er Brian din elsker?"

"Hvad? Nej."

Han så chokeret ud.

"Jeg blander ikke ..."

"Godt."

"For resten ... jeg er ikke interesseret i unge fyre ... uerfarne, mener jeg."

"Nej, du er mere tiltrukket af fyre med en lidt mere rå attitude, end en snothvalp kan tilbyde. Det er stadig ikke noget, der kommer mig ved, men Jeremy ..."

"Ja?"

"Vær forsigtig."

HUN HAVDE EGENTLIG ikke planlagt at blive i Gibraltar mere end et par uger for at finde en kompasretning igen. Hun opdagede pludselig, at hun ikke havde den fjerneste anelse om, hvad hun skulle tage sig til, eller hvor hun burde tage hen. Hun blev i tolv uger. Hun kontrollerede sin mailboks en gang om dagen og svarede lydigt på mails fra Annika Giannini, de få gange hun lod høre fra sig. Hun fortalte ikke, hvor hun befandt sig. Hun svarede ikke på andre e-mails.

Hun fortsatte med at besøge Harry's Bar, men nu kom hun kun for at drikke nogle enkelte øl om aftenen. Hun tilbragte det meste af dagen på The Rock, enten på terrassen eller i sengen. Hun havde endnu en tilfældig affære med en 30-årig officer i den britiske marine, men det blev et *one night stand* og var i det hele taget en uinteressant oplevelse.

Det gik op for hende, at hun kedede sig.

I begyndelsen af oktober spiste hun middag med Jeremy MacMillan. De havde kun mødt hinanden nogle enkelte gange i løbet af hendes ophold. Det var begyndt at blive mørkt, og de havde drukket en frugtagtig hvidvin og havde diskuteret, hvad de skulle bruge Lisbeths milliarder til. Pludselig overraskede han hende med et spørgsmål om, hvad der trykkede hende.

Hun havde betragtet ham og spekuleret over sagen. Derefter havde hun lige så overraskende fortalt om sit forhold til Miriam Wu, hvordan hun var blevet tævet og næsten myrdet af Ronald Niedermann. Det havde været hendes skyld. Bortset fra en hilsen via Annika Giannini havde Lisbeth ikke hørt et ord fra Miriam Wu. Og nu var hun flyttet til Frankrig.

Jeremy MacMillan havde været tavs i lang tid.

"Er du forelsket i hende?" spurgte han pludselig.

Lisbeth Salander tænkte over svaret. Til sidst rystede hun på hovedet.

"Nej, jeg tror ikke, at jeg er typen, der forelsker mig. Hun var en ven. Og hun var god sex."

"Ingen mennesker kan undgå at blive forelskede," sagde han. "Man vil måske nægte det, men venskab er nok den vanskeligste form for kærlighed."

Hun så forbløffet på ham.

"Bliver du sur, hvis jeg bliver personlig?"

"Nej."

"For guds skyld, tag til Paris," sagde han.

HUN LANDEDE I DE GAULLE-lufthavnen halv tre om eftermiddagen, tog lufthavnsbussen til Triumfbuen og brugte to timer på at vandre omkring i de nærmeste kvarterer på jagt efter et ledigt hotelværelse. Hun gik sydpå, mod Seinen, og fik endelig et værelse på det lille Hotel Victor Hugo på rue Copernic.

Hun tog et brusebad og ringede til Miriam Wu. De mødtes ved nitiden om aftenen på en bar i nærheden af Notre-Dame. Miriam Wu var klædt i hvid skjorte og jakke. Hun så strålende ud. Lisbeth blev straks forlegen. De kyssede hinanden på kinden.

"Jeg er ked af, at jeg ikke har ladet høre fra mig, og at jeg ikke kom til retssagen," sagde Miriam Wu.

"Det er okay. Retssagen foregik under alle omstændigheder bag lukkede døre."

"Jeg lå på hospitalet i tre uger og bagefter var alt kaos, da jeg kom hjem til Lundagatan. Jeg kunne ikke sove. Jeg havde mareridt om ham den skide Niedermann. Jeg ringede til min mor og sagde, at jeg ville komme."

Lisbeth nikkede.

"Undskyld."

"Lad være med at være åndssvag. Det er mig, der er kommet her for at give dig en undskyldning."

"Hvorfor det?"

"Jeg tænkte mig ikke om. Det faldt mig aldrig ind, at jeg udsatte dig for livsfare ved at overlade dig lejligheden, mens jeg fortsatte med at være registreret der. Det er min skyld, at du næsten blev myrdet. Jeg forstår godt, hvis du hader mig."

Miriam Wu så overrasket ud.

"Jeg har ikke engang tænkt den tanke. Det var Ronald Niedermann, der forsøgte at myrde mig. Ikke dig."

De var tavse lidt.

"Ja ja," sagde Lisbeth til sidst.

"Tja," sagde Miriam Wu.

"Jeg er ikke fulgt efter dig, fordi jeg er forelsket i dig," sagde Lisbeth.

Miriam nikkede.

"Du var skide god sex, men jeg er ikke forelsket i dig," understregede hun.

"Lisbeth ... jeg tror ..."

"Det, jeg ville sige, var, at jeg håber, at ... fandens."

"Hvad?"

"Jeg har ikke så mange venner ..."

Miriam Wu nikkede.

"Jeg bliver lidt i Paris. Mine studier derhjemme gik ad helvede til, og jeg indskrev mig på universitetet her i stedet. Jeg bliver nok mindst et år."

Lisbeth nikkede.

"Bagefter ved jeg ikke. Men jeg kommer tilbage til Stockholm. Jeg betaler leje for Lundagatan, og jeg har tænkt mig at beholde lejligheden. Hvis det er okay med dig."

"Det er din lejlighed. Gør hvad fanden du vil med den."

"Lisbeth, du er ret speciel," sagde hun. "Jeg vil gerne fortsætte med at være din ven."

De talte sammen i to timer. Lisbeth havde ingen grund til at skjule sin fortid for Miriam Wu. Zalachenkosagen var kendt af alle, der havde adgang til en svensk avis, og Miriam Wu havde fulgt sagen med stor interesse. Hun fortalte detaljeret, hvad der var sket i Nykvarn den nat, hvor Paolo Roberto havde reddet hendes liv.

Bagefter tog de hjem til Miriams studenterhybel i nærheden af universitetet.

644

EPILOG
BOOPGØRELSE
Fredag den 2. december – søndag den 18. december

Annika Giannini mødte Lisbeth Salander i baren på Södra Teatern ved nitiden om aftenen. Lisbeth drak en stærk fadøl og var ved at være færdig med sit andet glas.

"Ked af, at jeg er sent på den," sagde Annika og skævede til sit armbåndsur. "Jeg fik problemer med en anden klient."

"Aha," sagde Lisbeth.

"Hvad fejrer du?"

"Ikke noget. Jeg har bare lyst til at blive fuld."

Annika betragtede hende med skepsis, mens hun slog sig ned.

"Har du ofte den lyst?"

"Jeg drak mig sanseløs, da jeg blev sluppet ud, men jeg har ikke anlæg for alkoholisme, hvis det er det, du tror. Det slog mig bare, at jeg for første gang i mit liv er myndig og har ret til at blive lovligt beruset herhjemme i Sverige."

Annika bestilte en campari.

"Okay," sagde hun. "Vil du drikke alene, eller vil du have selskab?"

"Helst alene. Men hvis du ikke snakker så meget, kan du godt sidde med. Jeg går ud fra, at du ikke har lyst til at gå med mig hjem og have sex."

"Undskyld?" sagde Annika Giannini.

"Nej, det tænkte jeg nok. Du er en af den slags vanvittig heteroseksuelle mennesker."

Annika Giannini så pludselig ud til at more sig.

"Det er første gang, at en af mine klienter har foreslået sex."

"Er du interesseret?"

"Sorry. Ikke det mindste. Men tak for tilbuddet."

"Hvad var det, du ville, advokat?"

"To ting. Enten frasiger jeg mig jobbet som din advokat her og nu, eller også begynder du at tage telefonen, når jeg ringer. Vi havde også den her diskussion, da du blev løsladt."

Lisbeth Salander så på Annika Giannini.

"Jeg har forsøgt at få fat i dig i en uge. Jeg har ringet, skrevet og mailet."

"Jeg har været bortrejst."

"Du har været umulig at få fat på det meste af efteråret. Det her fungerer ikke. Jeg har accepteret at være din advokat i alt, hvad der har med dine mellemværender med staten at gøre. Det betyder formalia og dokumentation, der skal ordnes. Papirer der skal underskrives. Spørgsmål der skal besvares. Jeg må kunne få fat i dig, og jeg har ikke lyst til at sidde som en idiot og ikke vide, hvor du er henne i verden."

"Okay. Jeg har været i udlandet i to uger. Jeg kom hjem i går og ringede til dig, så snart jeg hørte, du ville have fat i mig."

"Det duer ikke. Du må holde mig underrettet om, hvor du befinder dig, og lade høre fra dig mindst en gang om ugen, indtil alle spørgsmål om skadeserstatning og den slags er færdigbehandlet."

"Jeg skider på skadeserstatning. Jeg vil bare have, at staten lader mig være i fred."

"Men staten vil ikke lade dig være i fred, hvor meget du end ønsker det. Din frikendelse i retten får en lang række konsekvenser. Det drejer sig ikke bare om dig. Der vil blive rejst tiltale mod Peter Teleborian for, hvad han gjorde mod dig. Det betyder, at du skal vidne. Politiadvokat Ekström er genstand for en efterforskning om embedsmisbrug og kan desuden risikere at blive tiltalt, hvis det viser sig, at han bevidst tilsidesatte sin officielle pligt på Sektionens foranledning."

Lisbeth hævede øjenbrynene. Et øjeblik så hun næsten interesseret ud.

"Jeg tror ikke, at det vil føre til en sigtelse. De bluffede ham, og egentlig har han ikke noget med Sektionen at gøre. Men så sent som forrige uge indledte en anklager en forundersøgelse mod Overformynderiet. Der forligger flere anmeldelser til ombudsmanden."

"Jeg har ikke anmeldt nogen."

"Nej, men det er tydeligt, at der er blevet begået grove tjenestefejl, og at det må efterforskes. Du er ikke den eneste person, som Overformynderiet har ansvar for."

Lisbeth trak på skuldrene.

"Det angår ikke mig. Men jeg lover at holde bedre kontakt med dig end før. De seneste to uger har været en undtagelse. Jeg har arbejdet."

Annika Giannini så mistænksomt på sin klient.

"Hvad arbejder du med?"

"Konsulentvirksomhed."

"Okay," sagde hun til sidst. "Det andet er, at boopgørelsen er færdig."

"Hvilken boopgørelse?"

"Efter din far. Skifteretten kontaktede mig, da ingen lod til at vide, hvordan de skulle få kontakt med dig. Du og din søster er eneste arvinger."

Lisbeth Salander betragtede Annika uden at fortrække en mine. Så fangede hun servitricens blik og pegede på sit glas.

"Jeg vil ikke have nogen arv efter min far. Gør hvad fanden du vil med den."

"Nej, *du* kan gøre, hvad du vil med arven. Mit job er at sørge for, at du har mulighed for at gøre det."

"Jeg vil ikke have en øre fra det svin."

"Okay. Skænk pengene til Greenpeace eller noget andet."

"Jeg er skide ligeglad med hvalerne."

Annikas stemme blev pludselig fornuftig.

"Lisbeth, hvis du skal være myndig, er du altså nødt til at opføre dig sådan. Jeg skider på, hvad du gør med dine penge. Skriv her, at du har taget imod dem, så kan du få lov at drikke i fred."

Lisbeth skævede ud under pandehåret til Annika og så derefter ned i bordet. Annika antog, at det var en gestus, der eventuelt modsvarede en undskyldning i Lisbeth Salanders begrænsede mimikregister.

"Okay. Hvad er der?"

"En pæn sjat. Din far har omkring 300.000 i værdipapirer. Ejendommen i Gosseberga vil give omkring 1,5 millioner ved salg – der hører lidt skov til. Desuden ejede han yderligere tre ejendomme."

"Ejendomme?"

"Ja, det ser ud, som om han havde investeret en del penge. Det er ikke vanvittig værdifulde ejendomme. Han ejede et mindre udlejningshus i Uddevalla med sammenlagt seks lejligheder, der giver en del lejeindtægter. Men ejendommen er i dårlig stand, og han var ligeglad med renoveringen. Huset har endda været oppe i huslejenævnet. Du bliver ikke rig, men det vil indbringe en sjat ved salg. Han ejer et sommerhus i Småland, der er vurderet til omkring 250.000 kroner."

"Aha."

"Og så ejer han et faldefærdigt industrilokale uden for Norrtälje."

"Hvorfor i alverden har han købt det skidt?"

"Det har jeg ingen anelse om. Rundt regnet kan arven indbringe omkring fire millioner og lidt til ved salg efter skat og den slags, men ..."

"Ja?"

"Så skal arven deles ligeligt mellem dig og din søster. Problemet er, at ingen ser ud til at vide, hvor din søster befinder sig."

Lisbeth betragtede Annika Giannini i udtryksløs tavshed.

"Nå?"

"Nå, hvad?"

"Hvor befinder din søster sig?"

"Jeg har ingen anelse. Jeg har ikke set hende i ti år."

"Hendes oplysninger er hemmelige, men jeg har fundet ud af, at hun nok ikke befinder sig i landet."

"Aha," sagde Lisbeth med behersket interesse.

Annika sukkede opgivende.

"Okay. Så vil jeg foreslå, at vi realiserer alle midlerne og sætter det halve beløb i banken, indtil din søster kan lokaliseres. Jeg kan indlede forhandlingerne, hvis du giver mig klartegn."

Lisbeth trak på skuldrene.

"Jeg vil ikke have noget med hans penge at gøre."

"Det forstår jeg godt. Men regnskabet skal i hvert fald gøres op. Det er en del af dit ansvar som myndig."

"Så sælg skidtet. Sæt halvdelen i banken og skænk resten til, hvad du har lyst til."

Annika Giannini hævede et øjenbryn. Hun havde forstået, at Lisbeth Salander rent faktisk havde lagt penge til side, men vidste ikke, at hendes klient var så velstillet, at hun kunne ignorere en arv, der løb op i en million og måske mere. Hun havde heller ingen anelse om, hvorfra Lisbeth havde fået sine penge, eller hvor mange det drejede sig om. Derimod var hun interesseret i at få den bureaukratiske procedure afklaret.

"Søde Lisbeth ... Vil du være så venlig at læse boopgørelsen igennem og give mig klartegn, så vi kan få sagen ud af verden."

Lisbeth knurrede lidt, men gav sig til sidst og lagde mappen i sin taske. Hun lovede at læse den igennem og give Annika besked om, hvordan hun skulle forholde sig. Derefter rettede hun opmærksomheden mod sin øl igen. Annika Giannini holdt hende med selskab i en time, men drak hovedsagelig mineralvand.

DET VAR FØRST FLERE dage senere, da Annika Giannini ringede og mindede Lisbeth Salander om boopgørelsen, at hun tog den op og bredte de krøllede papirer ud. Hun satte sig ved køkkenbordet hjemme i lejligheden ved Mosebacke og læste dokumenterne igennem.

Boopgørelsen omfattede adskillige sider og indeholdt oplysninger om alt muligt skrammel – hvilket porcelæn der var blevet fundet i køkkenskabene i Gosseberga, efterladt tøj, værdi af kameraer og andre personlige effekter. Alexander Zalachenko havde ikke efterladt meget af værdi, og ingen af genstandene havde den mindste affektionsværdi for Lisbeth Salander. Hun tænkte sig lidt om og besluttede derefter, at hun ikke havde ændret mening, siden hun mødte Annika i baren. Sælg skidtet, og brænd pengene. Eller noget i den stil. Hun var fuldstændig overbevist om, at hun ikke ville have en øre efter sin far, men havde også en velbegrundet mistanke om, at Zalachenkos virkelige midler lå begravet et eller andet sted, hvor taksatoren ikke havde søgt.

Så åbnede hun skødet på industriejendommen i Norrtälje.

Ejendommen bestod af nogle industrilokaler i tre bygninger på sammenlagt 20.000 kvadratmeter i nærheden af Skederid mellem Norrtälje og Rimbo.

Taksatoren havde besøgt stedet ganske kort og konstateret, at det var et nedlagt teglværk, der havde stået mere eller mindre tomt, siden det blev nedlagt i 60'erne, og som var blevet brugt til trævarelager i

70'erne. Han havde konstateret, at lokalerne var i *yderst dårlig stand* og ikke egnede sig til renovering for en anden virksomhed. Den dårlige stand betød blandt andet, at det, der blev beskrevet som "den nordlige bygning", havde været hærget af brand og var faldet sammen. Visse reparationer var dog blevet udført i "hovedbygningen".

Det, der fik Lisbeth Salander til at studse, var historien. Alexander Zalachenko havde anskaffet sig ejendommen for en spotpris den 12. marts 1984, men den, der stod på skødet, var Agneta Sofia Salander.

Lisbeth Salanders mor havde altså ejet ejendommen. Allerede i 1987 var ejerskabet ophørt. Zalachenko havde købt hende ud for en sum på 2.000 kroner. Derefter så ejendommen ud til at have stået ubenyttet hen i omkring femten år. Boopgørelsen viste, at den 17. september 2003 havde firmaet KAB ansat byggefirmaet NorrBygg AB til at udføre renoveringsarbejde, der blandt andet omfattede reparationer af gulv og tag samt forbedringer af vand og el. Reparationerne havde stået på i omkring to måneder indtil sidst i november 2004 og var derefter blevet afbrudt. NorrBygg havde sendt en regning, der var blevet betalt.

Af alle midler i hendes fars efterladte ejendele var dette det eneste mystiske indslag. Lisbeth Salander rynkede øjenbrynene. Ejerskabet over industrilokalerne var forståeligt nok, hvis hendes far havde villet lade, som om hans lovlige firma KAB bedrev en eller anden form for virksomhed eller havde visse midler. Det var også forståeligt, at han havde udnyttet Lisbeths mor som stråmand eller frontfigur i købet og derefter havde lagt beslag på skødet.

Men hvorfor i himlens navn havde han i 2003 betalt næsten 440.000 kroner for at renovere et faldefærdigt skur, der ifølge taksatoren stadig ikke blev brugt til noget som helst i 2004?

Lisbeth Salander var forvirret, men ikke overdrevent interesseret. Hun klappede mappen sammen og ringede til Annika Giannini.

"Jeg har læst boopgørelsen. Min besked er stadig den samme. Sælg lortet, og gør hvad du vil med pengene. Jeg vil ikke have noget efter ham."

"Okay, så sørger jeg for at sætte halvdelen af beløbet i banken til din søster. Derefter vil jeg komme med nogle forslag til forskellige formål, du kan donere pengene til."

650

"Ja ja," sagde Lisbeth og lagde røret på uden at sige farvel. Hun satte sig i vindueskarmen, tændte en cigaret og så ud over Saltsjön.

LISBETH SALANDER TILBRAGTE den følgende uge med at hjælpe Dragan Armanskij med en hastesag. Det drejede sig om at spore og identificere en person, der var mistænkt for at være blevet betalt for at stjæle et barn i en forældremyndighedssag, hvor en svensk kvinde var blevet skilt fra en mand med libanesisk statsborgerskab. Lisbeth Salanders indsats begrænsede sig til at kontrollere e-mails fra den person, der mentes at være gerningsmanden. Opgaven blev afbrudt i forbindelse med, at parterne traf en juridisk aftale og blev forsonet.

Den 18. december var søndagen før jul. Lisbeth vågnede klokken halv syv om morgenen og konstaterede, at hun skulle have købt en julegave til Holger Palmgren. Hun spekulerede lidt over, om der var andre, hun skulle købe julegaver til. Hun havde intet hastværk, da hun stod op, tog et brusebad og spiste morgenmad bestående af kaffe, ristet brød med ost og appelsinmarmelade.

Hun havde ingen særlige planer for dagen og brugte lidt tid på at fjerne papirer og aviser fra skrivebordet. Så faldt hendes blik på mappen med boopgørelsen. Hun åbnede den og læste siden med skødet til industriejendommen i Norrtälje. Til sidst sukkede hun. *Okay, jeg er nødt til at vide, hvad fanden han havde gang i.*

Hun tog noget varmt tøj og et par støvler på. Klokken var halv ni om formiddagen, da hun kørte den vinrøde Honda ud af garagen under Fiskargatan 9. Det var iskoldt, men smukt vejr med sol og pastelblå himmel. Hun tog vejen over Slussen og Klarabergsleden og snirklede sig op på E18 i retning mod Norrtälje. Hun havde intet hastværk. Klokken var hen ved ni om formiddagen, da hun kørte ind på en OK-tank nogle kilometer uden for Skederid for at spørge om vej til det gamle teglværk. I samme øjeblik hun parkerede, gik det op for hende, at hun ikke behøvede at spørge.

Hun befandt sig på en lille bakke med god udsigt over en dal på den anden side af vejen. Til venstre på vejen mod Norrtälje lagde hun mærke til et farvelager og et sted, der havde med byggematerialer at gøre, samt en udstillingsplads for gravemaskiner. Til højre i udkanten af industriområdet, omkring 400 meter fra hovedvejen, lå der en dyster murstensbygning med en forvitret skorsten. Teglværket lå som en sidste udpost i industriområdet, lidt isoleret på den anden side af en vej og en lille å. Hun betragtede eftertænksomt bygningen og spekulerede på, hvad der havde fået hende til at sætte dagen af til at køre til Norrtälje kommune.

Hun drejede hovedet og skævede hen mod OK-tanken, hvor en lastbil med TIR-skilte netop standsede op. Det gik pludselig op for hende, at hun befandt sig på hovedvejen til færgehavnen i Kappelskär, hvor en stor del af godstrafikken mellem Sverige og de baltiske lande passerede.

Hun startede bilen, kørte ud på vejen igen og drejede op til det forladte teglværk. Hun parkerede midt på grunden og steg ud af bilen. Der var minusgrader i luften, og hun iførte sig en sort hue og tog et par sorte skindhandsker på.

Hovedbygningen havde to etager. I nederste etage var alle vinduer blevet forseglet med krydsfiner. På øverste etage lagde hun mærke til en del knuste ruder. Teglværket var en betydelig større bygning, end hun havde forestillet sig. Den virkede frygtelig forfalden. Nogen spor af reparationer kunne hun ikke se. Hun så ikke en levende sjæl, men lagde mærke til, at nogen havde smidt et brugt kondom midt på parkeringspladsen, og at en del af facaden havde været genstand for angreb af graffitikunstnere.

Hvorfor helvede havde Zalachenko haft denne bygning?

Hun gik rundt om værket og fandt den ødelagte fløj på bagsiden. Hun konstaterede, at alle døre til hovedbygningen var låst med kæder og hængelåse. Til sidst studerede hun frustreret en dør i gavlen. I samtlige døre var hængelåsen sat fast med kraftige jernbolte og låsesnepper. Låsen på gavlen så ud til at være svagere og var faktisk kun sat fast med grove søm. *Årh, hvad fanden, jeg ejer jo bygningen.* Hun så sig omkring og fandt et lille jernrør i en bunke affald og brugte det til at knække beslaget til hængelåsen.

Hun kom ind i en trappeopgang med en åbning til rummet på den underste etage. De afspærrede vinduer gjorde, at der næsten var kulsort med undtagelse af nogle enkelte striber lys, der trængte ind ved kanterne af krydsfineren. Hun stod stille i flere minutter, mens øjnene vænnede sig til mørket, og lidt efter lidt kunne hun ane en masse affald, efterladte træpaller, gamle maskindele og træ i en hal, der var femogfyrre meter lang og måske tyve meter bred og blev holdt oppe af massive piller. De gamle ovne fra teglværket så ud til at være taget ned og fjernet. Fundamentet var blevet til vandfyldte bassiner, og der var store pytter af vand og mudder på gulvet. Der lugtede muggent og råddent fra affaldsdyngerne. Hun rynkede på næsen.

Lisbeth vendte om og gik op ad trappen. Overetagen var tør og bestod af to haller en suite, omkring tyve gange tyve meter og mindst otte meter til loftet. Oppe ved loftet uden for rækkevidde sad der nogle høje vinduer. Ligesom i underetagen var den fyldt med affald. Hun passerede snesevis af meterhøje pakkasser stablet oven på hinanden. Hun mærkede på en af dem. Den var ikke til at rokke ud af stedet. Hun læste teksten *Machine parts* O-A77. Nedenunder stod den tilsvarende tekst på russisk. Hun lagde mærke til en åben vareelevator midt på langsiden i den første hal.

Et maskinlager af en eller anden slags, der næppe kunne omsættes til nogen større formue, så længe det stod og rustede i det gamle teglværk.

Hun gik igennem indgangen til hallen længst inde og så, at hun befandt sig det sted, hvor reparationsarbejdet havde været udført. Hallen var fyldt med affald, træ og gamle kontormøbler stillet i en eller anden slags labyrintisk orden. En sektion af gulvet var fritlagt, og der var blevet lagt nye gulvplanker på. Lisbeth lagde mærke til, at renoveringsarbejdet så ud til at være blevet pludseligt afbrudt. Værktøj, en kap- og en bænksav, sømpistol, koben, jernstænger og værktøjskasser stod der stadig. Hun rynkede øjenbrynene. *Selv om arbejdet var blevet afbrudt, burde byggefirmaet vel have taget deres værktøj med.* Men også dette spørgsmål fik hun svar på, da hun tog en skruetrækker op og konstaterede, at ordene på skaftet var russiske. Zalachenko havde importeret værktøjet og muligvis også arbejdskraften.

Hun gik hen til kapsaven og drejede strømafbryderen en omgang. En grøn lampe blev tændt. Der var elektricitet. Hun drejede strømafbryderen den anden vej igen.

Længst inde i hallen var der tre døre ind til mindre rum, måske de gamle kontorer. Hun tog i håndtaget på den nordligste dør. Låst. Hun så sig omkring, gik tilbage til værktøjet og hentede et koben. Det tog hende et stykke tid at bryde døren op.

Der var kulsort i rummet og lugtede muggent. Hun famlede sig frem og fandt en kontakt, der tændte en nøgen pære i loftet. Lisbeth så sig forbavset om.

Møblementet i rummet bestod af tre senge med jordslåede madrasser og yderligere tre madrasser placeret direkte på gulvet. Snavset sengetøj lå spredt ud over det hele. Til højre var der en kogeplade og nogle gryder ved siden af en rusten vandhane. I et hjørne stod der en zinkspand og en rulle toiletpapir.

Der havde boet nogen.

Flere personer.

Hun lagde pludselig mærke til, at der manglede et håndtag på indersiden af døren. Det rislede hende koldt ned ad ryggen.

Der stod et stort skab længst inde i rummet. Hun gik tilbage, åbnede skabsdøren og fandt to rejsetasker. Hun trak den øverste ud. Den indeholdt tøj. Hun rodede rundt i tasken og holdt en kjole med et mærke på russisk op. Hun fandt en håndtaske og hældte indholdet ud på gulvet. Blandt sminke og andet ragelse fandt hun et pas tilhørende en mørkhåret kvinde i tyverne. Ordene var på russisk. Det så ud, som om navnet var Valentina.

Lisbeth Salander gik langsomt ud af rummet. Hun havde en fornemmelse af dejavu. Hun havde foretaget en lignende gerningsstedsundersøgelse i en kælder i Hedeby to et halvt år tidligere. Kvindetøj. Et fængsel. Hun stod stille og tænkte sig lidt om. Det bekymrede hende, at pas og tøj var blevet efterladt. Det føltes ikke rigtigt.

Så gik hun tilbage til samlingen med værktøj og rodede rundt, indtil hun fandt en kraftig lommelygte. Hun kontrollerede, at der var batterier i, gik ned til underetagen og ind i den store hal. Vandet fra pytterne på gulvet trængte ind gennem støvlerne.

Der lugtede frygtelig råddent, jo længere ind i hallen hun kom. Stanken syntes at være værst midt i hallen. Hun stoppede op ved et af fundamenterne til de gamle teglovne. Fundamentet var fyldt med vand næsten op til kanten. Hun lyste med stavlygten mod det kulsorte vand, men kunne ikke se noget. Overfladen var delvist dækket af alger, der dannede en grøn slim. Hun så sig omkring og fandt et tre meter langt armeringsjern. Hun stak det ned i bassinet og rodede rundt. Vandet var kun en meter dybt. Hun stødte næsten med det samme på modstand. Hun rodede rundt i yderligere nogle sekunder, før kroppen kom op til overfladen, ansigtet først, en grinende maske

654

af død og forrådnelse. Hun trak vejret gennem munden og betragtede ansigtet i lyset fra lommelygten og konstaterede, at det tilhørte en kvinde, måske kvinden i passet på overetagen. Hun vidste ikke noget om hastigheden på forrådnelse i koldt, stillestående vand, men kroppen så ud til at have befundet sig i bassinet i længere tid.

Hun så pludselig, at noget bevægede sig på vandoverfladen. Orme af en eller anden slags.

Hun lod kroppen synke ned under vandoverfladen igen og rodede videre med armeringsjernet. I kanten af bassinet stødte hun på noget, der lod til at være endnu en krop. Hun lod den ligge, trak armeringsjernet op, smed det fra sig på gulvet og stod tankefuld stille ved bassinet.

LISBETH SALANDER GIK op på overetagen igen. Hun brugte kobenet til at bryde den mellemste dør op. Rummet var tomt og så ikke ud til at have været anvendt.

Hun gik hen til den sidste dør og satte kobenet på plads, men før hun nåede at bryde døren op, åbnede den sig på klem. Den var ikke låst. Hun skubbede døren op med kobenet og så sig omkring.

Rummet var omkring tredive kvadratmeter stort. Det havde vinduer i normal højde med udsigt mod pladsen foran teglværket. Hun kunne skimte OK-tanken på bakken over vejen. Der var en seng, et bord og et køkkenbord med service. Så fik hun øje på en åben taske på gulvet. Hun så sedler. Hun gik forbavset to skridt frem, før det gik op for hende, at der var varmt i rummet. Hendes blik faldt på en elektrisk varmeovn midt på gulvet. Hun så en kaffemaskine. Den røde lampe lyste.

Det var beboet. Hun var ikke alene i teglværket.

Hun stivnede og fór gennem den første hal, ud gennem dørene imellem hallerne og mod udgangen af den anden hal. Hun bremsede op fem skridt fra trappeopgangen, da hun opdagede, at døren til udgangen var blevet lukket og forseglet med en hængelås. Hun var låst inde. Hun vendte sig langsomt om og så sig omkring. Hun kunne ikke se noget.

"Hej, søster," hørte hun en lys stemme sige ude fra den ene side.

Hun drejede hovedet og så Ronald Niedermanns vældige skikkelse materialisere sig i udkanten af nogle pakkasser med maskindele.

Han havde en bajonet i hånden.

"Jeg håbede, at jeg skulle få lov at møde dig igen," sagde Niedermann. "Det gik jo så stærkt sidst."

Lisbeth så sig omkring.

"Du kan lige så godt lade være," sagde Niedermann. "Her er kun dig og mig og ingen vej ud, bortset fra den låste dør bag dig."

Lisbeth vendte blikket mod sin halvbror.

"Hvordan går det med hånden?" spurgte hun.

Niedermann smilede stadig til hende. Han hævede den højre hånd og viste hende den. Lillefingeren var væk.

"Der gik infektion i. Jeg var nødt til at skære den af."

Ronald Niedermann led af congenital analgesia og kunne ikke føle smerte. Lisbeth havde kløvet hans hånd med en spade uden for Gosseberga, øjeblikket før Zalachenko havde skudt hende i hovedet.

"Jeg skulle have sigtet efter hovedet," sagde Lisbeth Salander med neutral stemme. "Hvad fanden laver du her? Jeg troede, at du var forsvundet til udlandet for flere måneder siden."

Han smilede til hende.

HVIS RONALD NIEDERMANN skulle have forsøgt at besvare Lisbeth Salanders spørgsmål om, hvad han lavede i det forfaldne teglværk, ville han formentlig være blevet hende svar skyldig. Han kunne ikke engang forklare det for sig selv.

Han havde ladt Gosseberga bag sig med en følelse af befrielse. Han regnede med, at Zalachenko var død, og at han skulle overtage firmaet. Han vidste, at han var en udmærket organisator.

Han havde skiftet bil i Alingsås og proppet den skrækslagne klinikassistent Anita Kaspersson om i bagagerummet og kørt mod Borås. Han havde ingen plan. Han improviserede hen ad vejen. Han havde ikke reflekteret over Anita Kasperssons skæbne. Det angik ikke ham, om hun overlevede eller døde, og han gik ud fra, at han ville være nødt til at skaffe sig af med et besværligt vidne. Et sted i udkanten af Borås havde han pludselig indset, at han kunne bruge hende på en anden måde. Han kørte sydpå og fandt et øde skovparti uden for Seglora. Han havde bundet hende i en lade og efterladt hende der. Han regnede med, at hun ville slippe fri inden for nogle timer og dermed føre politiet sydpå. Og hvis hun ikke kom fri, men sultede eller frøs ihjel i laden, så var det ikke hans problem.

I virkeligheden var han taget tilbage til Borås og var kørt østpå mod Stockholm. Han havde taget vejen til Svavelsjö MC, men omhyggeligt undgået selve klubhuset. Det var irriterende, at Magge Lundin var blevet buret inde. I stedet havde han opsøgt klubbens Sergeant at Arms, Hans-Åke Waltari, i hans hjem. Han bad om hjælp og et gemmested, hvilket Waltari havde ordnet ved at sende ham videre til Viktor Göransson, klubbens kasserer og finansielle ekspert. Der var han dog kun blevet nogle timer.

Ronald Niedermann havde i teorien ingen større økonomiske bekymringer. Han havde ganske vist efterladt næsten 200.000 kroner i Gosseberga, men han havde adgang til betydeligt større summer placeret i fonde i udlandet. Problemet var bare, at han stod og manglede kontanter. Göransson tog sig af Svavelsjö MC's penge, og Niedermann havde indset, at en fantastisk chance havde materialiseret sig for ham. Det havde været en smal sag at overtale Göransson til at vise vej til pengeskabet i laden og forsyne sig med omkring 800.000 kroner i kontanter.

Niedermann mente også at kunne huske, at der havde befundet sig en kvinde i huset, men han var ikke sikker på, hvad han havde gjort med hende.

Göransson var også behjælpelig med et køretøj, der endnu ikke var efterlyst af politiet. Han kørte nordpå. Han havde en vag idé om at køre til Tallinn-færgen, der sejlede fra Kappelskär.

Han kørte til Kappelskär og slukkede motoren på parkeringspladsen. Han sad i en halv time og studerede omgivelserne. Det vrimlede med politi.

Han startede bilen igen og kørte planløst videre. Han havde brug for et gemmested, hvor han kunne holde lav profil et stykke tid. Lige uden for Norrtälje kom han i tanke om det gamle teglværk. Han havde ikke skænket bygningen en tanke i over et år, siden det var aktuelt med reparationerne. Det var brødrene Harry og Atho Ranta, der brugte teglværket som mellemlager for varer til og fra Baltikum, men brødrene Ranta havde befundet sig i udlandet i flere uger, siden journalisten Dag Svensson på *Millennium* var begyndt at snuse rundt i luderhandlen. Teglværket var tomt.

Han havde gemt Göranssons Saab i et skjul bag teglværket og var gået ind. Han havde været nødt til at bryde en dør op i underetagen, men et af hans første skridt havde været at sørge for en nødudgang ved at løsne en krydsfinerplade i gavlen i underetagen. Han havde senere erstattet den ødelagte hængelås. Derefter havde han indrettet sig i det hyggelige rum på overetagen.

Det havde varet en hel eftermiddag, før han havde hørt lyden inde bag væggene. Først havde han troet, at det var de sædvanlige spøgelser. Han havde siddet på vagt og lyttet i nogle timer, før han pludselig havde rejst sig, var gået ud i den store hal og havde lyttet. Han kunne ingenting høre, men blev tålmodigt stående, indtil han hørte en skrabende lyd.

Han havde fundet nøglen på køkkenbordet.

Ronald Niedermann var sjældent blevet så overrasket, som da han fandt de to russiske ludere. De var udmarvede og havde været uden mad, forstod han, i flere uger, efter at en pose ris var sluppet op. De havde levet af te og vand.

En af luderne var så udsultet, at hun ikke orkede at rejse sig fra sengen. Den anden havde været i bedre form. Hun talte kun russisk, men han havde tilstrækkelig gode sprogkundskaber til at forstå, at hun takkede Gud og ham for, at de var blevet reddet. Hun var faldet på knæ og havde slået armene omkring hans ben. Han havde forbavset skubbet hende fra sig, havde trukket sig tilbage og låst døren.

Han havde ikke vidst, hvad han skulle stille op med luderne. Han havde kogt noget dåsesuppe, som han fandt i køkkenet og havde serveret den for dem, mens han tænkte. Den mest udmattede kvinde på sengen så ud til at genvinde en del kræfter. Han havde tilbragt aftenen med at udspørge dem. Det havde taget ham en stund at indse, at de to kvinder ikke var ludere, men studerende, der havde betalt brødrene Ranta for at komme til Sverige. De havde lovet dem arbejds- og opholdstilladelse. De var kommet fra Kappelskär i februar og var blevet ført direkte til lageret, hvor de var blevet låst inde.

Niedermann var blevet mørk i blikket. De forbandede brødre Ranta havde haft en biindtægt, som de ikke havde gjort regnskab for over for Zalachenko. Siden havde de ganske enkelt glemt kvinderne eller måske bevidst overladt dem til deres egen skæbne, da de i al hast forlod Sverige.

Spørgsmålet var bare, hvad han skulle stille op med kvinderne.

Han havde ingen grund til at gøre dem noget ondt. Han ville helst ikke slippe dem fri, da de med stor sandsynlighed ville føre politiet til teglværket. Så enkelt var det. Han kunne ikke sende dem tilbage til Rusland, da det betød, at han måtte tage ned til Kappelskär sammen med dem. Det var for besværligt. Den mørkhårede pige, hvis navn var Valentina, havde tilbudt ham sex mod, at han hjalp dem. Han var ikke det mindste interesseret i at have sex med piger, men tilbuddet havde forvandlet hende til en luder. Alle kvinder var ludere. Så enkelt var det.

Efter tre dage var han blevet træt af deres evindelige bønner, brok og banken i væggen. Han så ingen anden udvej. Han ville bare være i fred. Han havde derfor låst døren op en sidste gang og hurtigt gjort en ende på problemet. Han havde sagt undskyld til Valentina, inden han rakte hænderne frem og med et eneste greb havde vredet hendes hals rundt mellem anden og tredje halshvirvel. Derefter var han gået hen til den lyshårede pige på sengen, hvis navn han ikke kendte. Hun havde ligget helt passiv og ikke gjort modstand. Han havde båret kroppene ned til underetagen og gemt dem i et bassin fyldt med vand. Endelig kunne han føle en slags fred.

HENSIGTEN HAVDE IKKE været at blive i teglværket. Han havde bare tænkt sig at blive, indtil det værste politiopbud havde lagt sig. Han havde barberet håret af og ladet skægget vokse en centimeter. Hans udseende havde forandret sig. Han fandt en overall, der havde tilhørt nogle af arbejderne fra NorrBygg, og som næsten var hans størrelse. Han tog overallen på og en efterladt kasket fra Beckers Färg, proppede en tommestok i en bukselomme og kørte op til OK-tanken på bakken oven for vejen og købte ind. Han havde masser af kontanter fra det bytte, han havde stjålet fra Svavelsjö MC. Han købte ind om aftenen. Han lignede en almindelig arbejdsmand, der gjorde holdt på vej hjem. Ingen syntes at lægge mærke til ham. Han fik for vane at tage hen og købe ind to gange om ugen. De hilste altid venligt på OK-tanken og begyndte snart at kunne genkende ham.

Lige fra begyndelsen havde han brugt en anseelig mængde tid på at forsvare sig imod de skikkelser, der befolkede bygningen. De befandt sig i væggene og kom ud ved nattetid. Han hørte dem vandre rundt ude i hallen.

Han barrikaderede sig i sit rum. Efter flere dage fik han nok. Han bevæbnede sig med en bajonet, som han fandt i et køkkenskab, og gik ud for endelig at konfrontere uhyrerne. Det måtte få en ende. Pludselig opdagede han, at de veg væk fra ham. For første gang i sit liv kunne han bestemme over deres tilstedeværelse. De flygtede, når han nærmede sig. Han kunne se deres haler og deformerede kroppe smutte ind bag pakkasser og skabe. Han skreg ad dem. De flygtede.

Han gik forbavset tilbage til sit hyggelige rum og sad og vågede hele natten, mens han ventede på, at de skulle vende tilbage. De gik til fornyet angreb tidligt på morgenen, men han konfronterede dem endnu en gang. De flygtede.

Han balancerede mellem panik og eufori.

Han var hele sit liv blevet jaget af disse skabninger i mørket, og for første gang følte han, at han beherskede situationen. Han gjorde ingenting. Han spiste. Han sov. Han tænkte. Der var fredeligt.

DAGENE BLEV TIL UGER, og det blev sommer. I transistorradioen og formiddagsaviserne kunne han følge med i, hvordan eftersøgningen af Ronald Niedermann klingede af. Han noterede sig med interesse efterretningerne om mordet på Alexander Zalachenko. *Hvor drabeligt. Et psykiatrisk tilfælde satte punktum for Zalachenkos liv.* I juli blev interessen vakt på ny på grund af retssagen mod Lisbeth Salander. Han måbede, da hun pludselig blev frikendt. Det virkede forkert. Hun var fri, mens han var nødt til at gemme sig.

Han købte *Millennium* på OK-tanken og læste temanummeret om Lisbeth Salander, Alexander Zalachenko og Ronald Niedermann. En journalist ved navn Mikael Blomkvist havde tegnet et portræt af Ronald Niedermann som en syg morder og psykopat. Niedermann rynkede brynene.

Det var pludselig efterår, og han var endnu ikke kommet videre. Da det blev koldere, købte han en elektrisk varmeovn på OK-tanken. Han kunne ikke forklare, hvorfor han ikke forlod fabrikken.

Et par gange havde nogle unge mennesker kørt op på pladsen foran teglværket og havde parkeret, men ingen havde forstyrret hans tilværelse eller var brudt ind i bygningen. I september havde en bil parkeret på pladsen foran teglværket, og en mand i blå vindjakke havde taget i dørene og vandret rundt på grunden og snuset. Niedermann havde betragtet ham fra vinduet i overetagen. Med jævne mellemrum havde manden gjort nogle notater på en blok. Han var blevet i tyve minutter, før han havde set sig om en sidste gang, havde sat sig ind i sin bil igen og havde forladt området. Niedermann åndede lettet op. Han havde ingen anelse om, hvem manden var, og hvad hans ærinde havde været, men det virkede, som om han havde synet ejendommen. Han tænkte ikke på, at Zalachenkos død måtte afstedkomme en boopgørelse.

Han tænkte meget på Lisbeth Salander. Han havde ikke forventet at høre fra hende nogensinde igen, men hun fascinerede og skræmte ham. Ronald Niedermann var ikke bange for levende mennesker. Men hans søster – hans halvsøster – havde gjort et forunderligt indtryk på ham. Hun var vendt tilbage og havde forfulgt ham. Han drømte om hende hver nat. Han vågnede med koldsved og indså, at hun havde erstattet hans sædvanlige spøgelser.

I oktober bestemte han sig. Han ville ikke forlade Sverige, før han havde opsøgt sin søster og udslettet hende. Han manglede en plan, men hans liv fik atter et mål. Han vidste ikke, hvor hun befandt sig, eller hvordan han skulle spore hende. Han blev siddende i rummet på overetagen i teglfabrikken, hvor han stirrede ud gennem vinduet, dag efter dag, uge efter uge

Indtil den vinrøde Honda pludselig parkerede uden for bygningen, og han til sin umådelige forbavselse så Lisbeth Salander stige ud af bilen. *Gud er nådig*, tænkte han. Lisbeth Salander skulle gøre de to kvinder, hvis navn han ikke længere kunne huske, selskab i bassinet i underetagen. Hans venten var ovre, og han ville endelig kunne komme videre med sit liv.

Lisbeth Salander tog bestik af situationen og fandt, at den var alt andet end under kontrol. Hendes hjerne arbejdede på højtryk. *Klik, klik, klik.* Hun holdt stadig kobenet i hånden, men indså, at det var et latterligt våben mod en mand, der ikke kunne føle smerte. Hun var låst inde på omkring tusinde kvadratmeter sammen med en dræberrobot fra helvede.

Da Niedermann pludselig bevægede sig hen mod hende, kastede hun kobenet imod ham. Han undgik det roligt. Lisbeth Salander fôr af sted. Hun satte foden på en palle, svingede sig op på en pakkasse og klatrede som en edderkop endnu to pakkasser op. Hun stoppede op og så ned på Niedermann omkring fire meter under hende. Han var også stoppet afventende op.

"Kom ned," sagde han roligt. "Du kan ikke flygte. Enden er uundgåelig."

Hun spekulerede på, om han havde et skydevåben. *Det* ville have været et problem.

Han bøjede sig ned og tog en stol, som han kastede. Hun dukkede sig.

Niedermann så pludselig irriteret ud. Han satte foden på pallen og begyndte at klatre efter hende. Hun ventede, indtil han var næsten oppe, før hun tog afsæt med to korte skridt, hoppede over midtergangen og landede på en pakkasse nogle meter væk. Hun svingede sig ned på gulvet og hentede kobenet.

Niedermann var egentlig ikke klodset. Men han vidste, at han ikke kunne risikere at hoppe fra pakkasserne og måske brække en fod. Han var simpelthen nødt til at bevæge sig langsomt og metodisk, og han havde brugt et helt liv på at bemestre sin krop. Han var næsten nået ned på gulvet, da han hørte skridt bag sig og nåede præcis at dreje kroppen, så han kunne parere slaget fra kobenet med skulderen. Han tabte bajonetten.

Lisbeth slap kobenet i samme øjeblik, som hun uddelte slaget. Hun havde ikke tid til at samle bajonetten op, men sparkede den væk fra ham langs pallerne, undgik en baghånd fra hans vældige næve og retirerede tilbage op på pakkasserne på den anden side af midtergangen. Ud ad øjenkrogen så hun Niedermann række ud efter hende. Hun trak lynhurtigt fødderne til sig. Pakkasserne stod i to rækker, stablet i tre etager nærmest midtergangen og to etager på ydersiden. Hun svingede sig ned på toetagersrækken, stemte imod med ryggen og brugte al sin benkraft. Pakkassen må have vejet mindst 200 kilo. Hun kunne mærke den bevæge sig og væltede ned over midtergangen.

Niedermann så kassen komme og nåede akkurat at kaste sig til siden. Et hjørne af kassen slog mod hans bryst, men han klarede sig uden at komme til skade. Han stoppede op. *Hun gjorde virkelig modstand.* Han klatrede op efter hende. Han havde lige fået hovedet op på tredje etage, da hun sparkede ham. Støvlen ramte i panden. Han gryntede og hævede sig op på toppen af pakkasserne. Lisbeth Salander flygtede ved at springe tilbage til kasserne på den anden side af midtergangen. Hun kastede sig straks ud over kanten og forsvandt ud af hans synsfelt. Han hørte hendes fodtrin og så et glimt af hende, da hun passerede døren til den indre hal.

LISBETH SALANDER så sig undersøgende omkring. *Klik.* Hun vidste, at hun ikke havde en chance. Så længe hun kunne undgå Niedermanns vældige næver og holde sig på afstand, kunne hun overleve, men så snart hun begik en fejl – hvilket ville ske før eller siden – var hun død. Hun måtte undgå ham. Han behøvede bare at få fat i hende en eneste gang, så ville kampen være forbi.

Hun havde brug for et våben.

En pistol. En maskinpistol. En pansergranat. En landmine.

Skide lige meget hvad.

Men det var ikke inden for rækkevidde.

Hun så sig omkring.

Der var ingen våben.

Kun værktøj. *Klik.* Hendes blik faldt på kapsaven, men der skulle meget til, før hun kunne få ham til at lægge sig på savbænken. *Klik.* Hun så en jernstang, der kunne fungere som spyd, men den var for tung for hende til at håndtere på en effektiv måde. *Klik.* Hun kastede et blik ud gennem døren og så, at Niedermann var kommet ned fra pakkasserne femten meter væk. Han var på vej hen imod hende igen. Hun begyndte at bevæge sig væk fra døren. Hun havde måske fem sekunder for sig, før Niedermann ville være fremme. Hun kastede et sidste blik på værktøjet.

Et våben ... eller et gemmested. Hun stoppede pludselig op.

NIEDERMANN HAVDE INTET hastværk. Han vidste, at der ikke var nogen udvej, og at han før eller siden ville nå sin søster. Men hun var uden tvivl farlig. Hun var trods alt Zalachenkos datter. Og han havde ikke lyst til at komme til skade. Det var bedre at lade hende løbe tør for kræfter.

Han stoppede op på dørtærsklen til den anden hal og så sig omkring i bunken med værktøj, halvlagte gulvplanker og møbler. Hun var usynlig.

"Jeg ved, at du er herinde. Jeg skal nok finde dig."

Ronald Niedermann stod stille og lyttede. Det eneste, han kunne høre, var sit eget åndedræt. Hun gemte sig. Han smilede. Hun udfordrede ham. Hendes besøg havde pludselig udviklet sig til en leg mellem bror og søster.

Så hørte han en uforsigtigt puslende lyd fra et ubestemmeligt sted midt inde i den gamle hal. Han drejede hovedet, men kunne først ikke afgøre, hvor lyden kom fra. Så smilede han igen. Midt på gulvet lidt væk fra det øvrige skrammel stod et fem meter langt arbejdsbord i træ med en række skuffer foroven og skydedøre til skabene nederst.

Han gik hen til bordet fra siden og kastede et blik bag skabene for at forsikre sig om, at hun ikke forsøgte at narre ham. Tomt.

Hun havde gemt sig inde i skabet. Hvor dumt.

Han flåede den første skabslåge i sektionen længst til venstre op.

Han hørte straks bevægelse, da nogen flyttede sig inde i skabet. Lyden kom fra midtersektionen. Han tog to hurtige skridt og rev døren op med et triumferende ansigtsudtryk.

Tomt.

Så hørte han en række skarpe smæld, der lød som pistolskud. Lyden var så umiddelbar, at han først havde svært ved at opfatte, hvor den kom fra. Han drejede hovedet. Så mærkede han et besynderligt tryk mod den venstre fod. Han følte ingen smerte. Han så ned på gulvet lige tidsnok til at se Lisbeth Salanders hånd flytte sømpistolen til den højre fod.

Hun lå under skabet.

Han stod som forstenet de sekunder, det tog hende at sætte mundingen mod hans støvler og affyre yderligere fem syvtommersøm lige igennem hans fod.

Han forsøgte at bevæge sig.

Det tog ham dyrebare sekunder at indse, at hans fødder var fastnaglet til det nylagte plankegulv. Lisbeth Salanders hånd flyttede sømpistolen tilbage til den venstre fod. Det lød som et automatvåben, der afløste enkeltskud hurtigt efter hinanden. Hun nåede at affyre yderligere fire syvtommersøm som forstærkning, før det faldt ham ind at reagere.

Han rakte ned for at gribe fat i Lisbeth Salanders hånd, tabte straks balancen, men havde held med at genvinde den ved at støtte sig til bordet, mens han gang på gang hørte sømpistolen blive affyret, *ka-blam, ka-blam, ka-blam.* Hun var tilbage ved hans højre fod. Han så, at hun affyrede sømmene skråt igennem hælen og ned i gulvet. Ronald Niedermann skreg i pludseligt raseri. Han rakte igen ud efter Lisbeth Salanders hånd.

Fra sin plads under skabet så Lisbeth Salander hans bukseben glide op som tegn på, at han var ved at bøje sig ned. Hun slap sømpistolen. Ronald Niedermann så hendes hånd forsvinde reptilhurtigt under skabet, lige inden han fik fat i den.

Han rakte ud efter sømpistolen, men i samme øjeblik som han rørte den med fingerspidserne, halede Lisbeth Salander i ledningen under skabet.

Mellemrummet mellem gulvet og bordet var omkring tyve centimeter. Med al den kraft han kunne mobilisere, væltede han bordet omkuld. Lisbeth Salander så op på ham med store øjne og et forurettet ansigtsudtryk. Hun drejede sømpistolen og affyrede den fra en halv meters afstand. Sømmet ramte ham midt på skinnebenet.

I næste øjeblik slap hun sømpistolen, rullede lynhurtigt fra ham og kom på fødderne uden for hans rækkevidde. Hun bakkede to meter og stoppede op.

Ronald Niedermann forsøgte at flytte sig, mistede igen balancen og svajede frem og tilbage med armene fægtende i luften. Han genvandt balancen og bøjede sig rasende ned.

Denne gang nåede han sømpistolen. Han hævede den og rettede mundingen mod Lisbeth Salander. Han trykkede på aftrækkeren.

Der skete ingenting. Han så forbløffet på sømpistolen. Så hævede han igen blikket til Lisbeth Salander. Hun holdt udtryksløst stikket op. I raseri kastede han sømpistolen lige imod hende. Hun trådte lynhurtigt til side.

Så satte hun kontakten i stikdåsen igen og halede sømpistolen ind.

Han mødte Lisbeth Salanders udtryksløse øjne og følte pludselig forundring. Han vidste allerede, at hun havde besejret ham. *Hun er overnaturlig.* Instinktivt forsøgte han at trække foden væk fra gulvet. *Hun er et monster.* Han orkede kun at løfte foden nogle millimeter, før sømhovederne sad fast. Sømmene havde boret sig ind i hans fødder fra forskellige vinkler, og for at kunne frigøre sig måtte han bogstavelig talt flå sine fødder i stykker. Ikke engang med sin nærmest overmenneskelige styrke kunne han trække sig løs fra gulvet. Nogle sekunder stod han og svajede frem og tilbage, som om han var ved at besvime. Han kom ikke løs. Han så, at en blodpøl langsomt var ved at danne sig mellem hans sko.

Lisbeth Salander satte sig lige foran ham på en stol, der manglede ryglænet, mens hun forsøgte at se, om der var tegn på, at han kunne rive sine fødder løs fra gulvet. Da han ikke kunne føle smerte, var det bare et spørgsmål om styrke, om han kunne trække sømhovederne gennem foden. Hun sad helt stille og betragtede hans kamp i ti minutter. Hendes øjne var hele tiden fuldstændig udtryksløse.

Efter et stykke tid rejste hun sig, gik rundt om ham og satte sømpistolen mod hans rygrad lige neden for nakken.

Lisbeth Salander spekulerede som en vanvittig. Manden foran hende havde importeret, dopet, mishandlet og solgt kvinder en gros og en detail. Han havde myrdet mindst otte mennesker, inklusive en politimand i Gosseberga og et medlem af Svavelsjö MC. Hun havde ingen anelse om, hvor mange andre liv hendes halvbror havde på sin samvittighed, men takket være ham var hun blevet eftersøgt og jagtet gennem Sverige som en gal hund anklaget for tre af hans mord.

Hendes finger hvilede tungt på knappen.

Han havde myrdet Dag Svensson og Mia Bergman.

Sammen med Zalachenko havde han også myrdet *hende* og begravet *hende* i Gosseberga. Og nu var han vendt tilbage for at myrde hende igen.

Man kunne godt blive irriteret over mindre.

Hun så ingen grund til at lade ham leve videre. Han hadede hende med en lidenskab, som hun ikke forstod. Hvad ville der ske, hvis hun overlod ham til politiet? Retssag? En livstidsdom? Hvornår ville han blive benådet? Hvor hurtigt ville han flygte? Og nu da hendes far endelig var borte – i hvor mange år ville hun behøve at se sig over skulderen og vente på den dag, da hendes bror pludselig ville dukke op igen? Hun mærkede vægten fra sømpistolen. Hun kunne afslutte sagen en gang for alle.

Konsekvensanalyse.

Hun bed sig i underlæben.

Lisbeth Salander var ikke bange for hverken mennesker eller ting.

Hun indså, at hun manglede den fantasi, der krævedes – det var et af de bedste beviser på, at der var noget galt med hendes hjerne.

Ronald Niedermann hadede hende, og hun tog til genmæle med et lige så uforsonligt had mod ham. Han blev en i rækken af mænd, som Magge Lundin, Martin Vanger, Alexander Zalachenko og snesevis af andre idioter, der efter hendes mening ikke havde nogen undskyldning for overhovedet at befinde sig blandt de levende. Hvis hun kunne samle dem alle på en ubeboet ø og affyre en atombombe, ville hun være tilfreds.

Men mord? Var det dét værd? Hvad ville der ske med hende, hvis hun dræbte ham? Hvilke odds havde hun for at undgå at blive opdaget? Hvad var hun rede til at ofre for den tilfredsstillelse at affyre sømpistolen en sidste gang?

Hun kunne hævde selvforsvar og retten til nødværge ... nej, næppe med hans fødder fastnaglede til plankegulvet.

Hun tænkte pludselig på Harriet Vanger, der også var blevet plaget af sin far og sin bror. Hun mindedes den ordveksling, hun havde haft med Mikael Blomkvist, hvor hun havde fordømt Harriet Vanger i de skarpeste vendinger. Det var Harriet Vangers skyld, at hendes bror Martin Vanger kunne fortsætte med at myrde år efter år.

"*Hvad ville du da gøre?*" havde Mikael spurgt.

"*Slå idioten ihjel,*" havde hun svaret med en overbevisning, der kom fra dybet af hendes kolde sjæl.

Og nu stod hun i præcis samme situation, som Harriet Vanger havde befundet sig i. Hvor mange flere kvinder ville Ronald Niedermann dræbe, hvis hun lod ham løbe? Hun var myndig og socialt ansvarlig for sine handlinger. Hvor mange år af sit liv ville hun ofre? Hvor mange år havde Harriet Vanger villet ofre?

SÅ BLEV SØMPISTOLEN for tung til, at hun orkede at holde den mod hans rygrad selv med begge hænder.

Hun sænkede våbnet og havde det, som om hun vendte tilbage til virkeligheden. Hun opdagede, at Ronald Niedermann mumlede usammenhængende. Han talte tysk. Han snakkede om en djævel, der var kommet for at hente ham.

Hun blev pludselig klar over, at han ikke talte til hende. Han syntes at se nogen i den anden ende af rummet. Hun drejede hove-

667

det og fulgte hans blik. Der var ingenting. Hun mærkede nakkehårene rejse sig.

Hun vendte om på hælen, hentede jernstangen, gik ind i den anden hal og fandt sin skuldertaske. Da hun bøjede sig ned for at samle tasken op, fik hun øje på bajonetten på gulvet. Hun havde stadig handskerne på og samlede våbnet op.

Hun tøvede et øjeblik og placerede det synligt i midtergangen mellem pakkasserne. Hun brugte jernstangen og arbejdede i tre minutter med at hakke den hængelås løs, der spærrede udgangen.

HUN BLEV SIDDENDE i sin bil og tænkte sig om i lang tid. Til sidst tog hun sin mobiltelefon. Det tog hende to minutter at lokalisere telefonnummeret til Svavelsjö MC's klubhus.

"Ja," hørte hun en stemme sige i den anden ende.

"Nieminen," sagde hun.

"Et øjeblik."

Hun ventede i tre minutter, før Sonny Nieminen, *acting president* for Svavelsjö MC, svarede.

"Hvem er det?"

"Skide være med det," sagde Lisbeth så lavt, at han knap nok kunne høre det. Han kunne ikke afgøre, om det var en mand eller en kvinde, der ringede.

"Ja ja. Hvad vil du?"

"Du ville gerne have et tip om Ronald Niedermann."

"Ville jeg?"

"Hold op med det sludder. Vil du vide, hvor han er eller ej?"

"Jeg lytter."

Lisbeth beskrev vejen til den nedlagte teglfabrik uden for Norrtälje for ham. Hun sagde, at han ville være der længe nok til, at Nieminen ville nå frem, hvis han skyndte sig.

Hun afbrød forbindelsen, startede bilen og kørte op til OK-tanken på den anden side af vejen. Hun parkerede, så hun havde teglværket lige foran sig.

Hun måtte vente i mere end to timer. Klokken var lidt i halv to om eftermiddagen, da hun lagde mærke til en varevogn, der kørte langsomt forbi på vejen neden for hende. Den standsede på en rasteplads, ventede i fem minutter, vendte om og drejede op ad indkørslen til teglværket. Det var begyndt at blive mørkt.

Hun åbnede handskerummet og fandt en Minolta 2x8 kikkert frem og så varevognen parkere. Hun identificerede Sonny Nieminen og Hans-Åke Waltari og så tre personer, som hun ikke genkendte. *Prospects. De er nødt til at bygge virksomheden op igen.*

Da Sonny Nieminen og hans kompagnoner fandt den åbne port i gavlen, fandt hun igen mobilen frem. Hun skrev en besked og sms'ede den til politiets kommandocentral i Norrtälje.

[POLITIMORDER R. NIEDERMANN ER I GL. TEGLVÆRK VED OK-TANKEN UDEN FOR SKEDERID. HAN ER VED AT BLIVE MYRDET AF S. NIEMINEN & MEDL. I SVAVELSJÖ MC. DØD KVINDE I BASSIN I UNDERETG.]

Hun kunne ikke se nogen bevægelse fra fabrikken.

Hun tog tid.

Mens hun ventede, tog hun SIM-kortet ud af telefonen og makulerede det ved at klippe kortet i stykker med en neglesaks. Hun rullede sideruden ned og kastede stykkerne ud. Så tog hun et nyt SIM-kort op af sin pung og satte det i mobilen.

Hun brugte et Comviq-taletidskort, der var nærmest umuligt at spore. Hun ringede til Comviq og tankede op for 500 kroner på det nye kort.

Det tog elleve minutter, inden en politibil uden sirener, men med blå blink på kørte mod fabrikken fra Norrtäljeretningen. Vognen parkerede ved indkørslen. Den blev nogle minutter senere efterfulgt af to politibiler. De konfererede, rykkede frem mod teglværket i samlet trop og parkerede ved siden af Nieminens varevogn. Hun hævede kikkerten. Hun så en af betjentene hæve en politiradio og rapportere registreringsnummeret på varevognen. Betjentene så sig omkring, men forholdt sig afventende. To minutter senere så hun yderligere en vogn nærme sig i høj fart.

Det gik pludselig op for hende, at alting endelig var forbi.

Den historie, der var begyndt den dag, hun blev født, sluttede på teglværket.

Hun var fri.

Da betjentene fandt de tunge våben frem fra vognen, iførte sig skudsikre veste og begyndte at sprede sig ud over fabriksområdet, gik Lisbeth Salander ind på benzintanken og købte en *coffee to go* og en sandwich i plasticindpakning. Hun spiste stående ved et cafébord i restauranten.

Det var mørkt, da hun gik tilbage til bilen. Netop som hun åbnede, hørte hun to fjerne skud fra, hvad hun gik ud fra var håndvåben, på den anden side af vejen. Hun så flere sorte skikkelser, der var betjente, stå og trykke sig mod facaden i nærheden af indgangen i gavlen. Hun hørte sirener, da endnu en politibil nærmede sig fra Uppsalaretningen. Nogle personbiler var stoppet op ved vejkanten neden for hende og betragtede skuespillet.

Hun startede den vinrøde Honda, drejede ned på E18 og kørte hjemad mod Stockholm.

KLOKKEN VAR SYV om aftenen, da Lisbeth Salander til sin grænseløse irritation hørte dørklokken ringe. Hun lå i badekarret i vand, der stadig dampede. Der var stort set kun en person, som kunne have grund til at ringe på hendes dør.

Hun havde først tænkt sig at ignorere ringeklokken, men ved tredje ringesignal sukkede hun og svøbte et håndklæde omkring kroppen. Hun skød underlæben frem og dryppede vand på entrégulvet.

"Hej," sagde Mikael Blomkvist, da hun åbnede.

Hun svarede ikke.

"Har du hørt nyhederne?"

Hun rystede på hovedet.

"Jeg tænkte, at du måske ville vide, at Ronald Niedermann er død. Han blev myrdet af en flok fra Svavelsjö MC oppe i Norrtälje i dag."

"Virkelig," sagde Lisbeth Salander med behersket stemme.

"Jeg talte med vagthavende i Norrtälje. Det ser ud til at have været et internt opgør. Niedermann var åbenbart blevet tortureret og sprættet op med en bajonet. Der blev fundet en taske med flere hundrede tusinde kroner på stedet."

"Aha."

"Banden fra Svavelsjö blev arresteret på stedet. De gjorde desuden modstand. Det førte til ildkamp, og politiet måtte tilkalde den nationale indsatsstyrke fra Stockholm. Svavelsjö kapitulerede ved sekstiden her til aften."

"Aha."

"Din gamle ven Sonny Nieminen fra Stallarholmen måtte bide i græsset. Han flippede helt ud og forsøgte at skyde sig fri."

"Godt."

Mikael Blomkvist tav et øjeblik. De skævede til hinanden gennem dørsprækken.

"Forstyrrer jeg?" spurgte han.

Hun trak på skuldrene.

"Jeg lå i badekarret."

"Det ser jeg. Vil du have selskab?"

Hun sendte ham et skarpt blik.

"Jeg mener ikke i badekarret. Jeg har bagels med," sagde han og holdt en pose frem. "Jeg har desuden købt espressokaffe. Når du nu har en Jura Impressa X7 ude i køkkenet, bør du i det mindste lære at bruge den."

Hun hævede øjenbrynene. Hun vidste ikke, om hun skulle være skuffet eller lettet.

"Bare selskab?" spurgte hun.

"Bare selskab," bekræftede han. "Jeg er en god ven, der besøger en anden god ven. Hvis jeg er velkommen vel at mærke."

Hun tøvede et øjeblik. I to år havde hun holdt sig på så lang afstand som muligt af Mikael Blomkvist. Alligevel klæbede han ligesom hele tiden til hendes liv som et tyggegummi under skosålen, enten på nettet eller i det virkelige liv. På nettet var det okay. Der var han bare elektroner og bogstaver. I det virkelig liv uden for hendes dør var han stadig den der skide tiltrækkende mand. Og han kendte til hendes hemmeligheder, ligesom hun kendte til hans hemmeligheder.

Hun betragtede ham og konstaterede, at hun ikke længere havde nogen følelser for ham. I hvert fald ikke den slags følelser.

Han havde faktisk været hendes ven i det forløbne år.

Hun stolede på ham. Måske. Det irriterede hende, at et af de få mennesker, som hun stolede på, var en mand, hun hele tiden forsøgte at undgå.

Hun besluttede sig pludselig. Det var dumt at lade, som om han ikke eksisterede. Det gjorde ikke længere ondt at se ham.

Hun åbnede døren og slap ham ind i sit liv igen.